KB172764

중국 당대문학 편년사

제1권

(1949.7～1953.12)

일러두기

1 ㅡ이 책은 장젠張健 등의 『中國當代文學編年史』(濟南 : 山東文藝出版社, 2012)를 완역한 것이다.

2 ㅡ인명은 모두 국립국어원의 외래어 표기법에 따라 중국어 발음대로 표기하였다.

3 ㅡ작품명은 국립국어원의 외래어 표기법에 따라 중국어 발음대로 표기하였으나, 이미 국내에서 통용되는 표기가 존재하는 경우 그에 따라 표기하였다.(예 : 『태양은 쌍간강에서 빛난다太陽照在桑幹河上』 등)

4 ㅡ강이나 산의 지명의 경우, 중국어 발음대로 '~장', '~허' 등으로 표기하였다.(예 : 창장長江, 화이허淮河 등)

5 ㅡ'중화인민공화국 성립 후', '건국 후', '해방 후' 등의 표현은 일괄적으로 '공화국 성립 후'로 표기하였다.

6 ㅡ'중일전쟁 승리 후'는 일괄 '종전 후'로 표기하였다.

7 ㅡ역자 주는 모두 본문에 괄호를 추가해 표기하였다.

중국 당대문학 편년사

제1권

(1949.7～1953.12)

장젠張健 주편

리이李怡 편

박희선 옮김

국학자료원

장젠

1990년대 이후로, 한편으로 '당대문학은 역사를 기록하기에 적합하지 않다'는 탕타오唐弢 선생과 스저춘施蟄存 선생 등의 훈계가 귓가에 쟁쟁한 가운데 당대문학 학과의 의미와 속성에 관한 토론이 분분했다. 다른 한편에서는 중국 당대문학사 연구는 실질적인 진전을 거두어 왔다. 불완전한 통계에 의하면, 1990년부터 1999년까지 학계에 '중국당대문학사'와 관련된 저서가 총 44부 출판되었으며, 2000년부터 2006년까지는 15부가 출판되었다.[1] 이러한 류의 저작은 그 출판 수량이 점점 더 늘어나고 있으며 그 가운데에는 주목할 만한 훌륭한 역작도 포함되어 있다.

훙즈청洪子誠의 『중국당대문학사中國當代文學史』(1999)는 '당대문학사'와 관련된 저서 가운데 최초로 출판된 개인 저서이다. 이 책은 20세기 중국문학의 '일체화'의 형성과 해체를 내재적인 논리로 삼아 중국 당대문학사의 총체적인 서술에 기본적인 근거를 제공하였으며, 그 엄정한 학문적 풍모와 간결하고 정확한 역사학자의 언어로 인해 다른 저서에 큰 영향을 끼쳤다. 천쓰허陳思和가 편찬한 『중국당대문학사교정中國當代文學史教程』(1999)은 십 년간의 '문학사 다시 쓰기重寫文學史'의 사상적 결산이자 실제적인 훈련으로써, '잠재적 창작潛在寫作' 등 체계화된 새로운 담론을 통해 당대문학의 연구와 학습에 새로운 길을 열었다. 왕칭성王慶生이 편찬한 『중국당대문학사中國當代文學史』(2003)는 이전 세대 학자들의 성과를 집대성해 모든 내용을 총망라하고 안정 속에서 진보를 추구한 저작으로, 현재까지 출판된 저서 가운데 대학 학부 교육에 가장 적합한 교재 중 하나라 할 수 있다. 둥젠董健, 딩판丁帆, 왕빈빈王彬彬의 『중국당대문학사신고中國當代文學史新稿』(2005)는 5·4 계몽주의의 파수把守 정신 및 이러한 파수 과정에서 드러난 사상의 예봉과 도덕적 역량 및 비판적인 용기에 대해 다룸으로써 소비주의가 성행하는 이 시대에 읽는 이를 감탄하게 하고 각성 또한 하게 하였다. 천샤오밍陳曉明이 최근에 출간한 개인 저서 『중국당대문학 주류中國當代文學主潮』(2009)와 멍판화孟繁華, 청광웨이程光煒의 『중국당대문학발전사中國當代文學發展史』(2005)는 저자가 유리한 고지를 차지하고 능력을 발휘한다는 공통적인 특징을 가지고 있다. 이처럼 이론을 정합하고 관통하며 평가하는 귀중한 능력이 이 두 저작이 당대문학사 연구계에서 독창적이면서도 뛰어난 위치를 차지하게 해 주었다. 상기한 작품들을 위시한 수많은 당대문학사 저작들은 당대문학의 연구와

1) 왕춘룽(王春榮), 우위제(吳玉傑) 엮음, 『문학사 담론 권위의 확립과 발전(文學史話語權威的確立與發展)』, 제 160-164쪽 참고. 랴오닝인민출판사(遼寧人民出版社) 2007년.

교육에 현재까지도 중요하고도 실제적인 영향을 미치고 있다. 이 저서들의 출판은 중국당대문학사의 집필이 이미 사람들이 오랫동안 기대해 온 '백가쟁명, 백화제방'의 시대에 진입했음을 의미한다.

중국문학사 연구의 체계화는 서학동점이 진행되던 20세기 초부터 시작되었다. 당시에 '문학사'라는 개념에는 아직 수입품이라는 새로운 도장이 찍혀 있었으며, 중국 학계에서는 문학사 서술에 대한 문학사관의 은밀한 지배적 역할을 불명확하게 인식하기 시작했다. 약 1세기 가량의 탐색을 거친 후, 중국 당대문학사 연구자는 '문학사관'에 대한 의식을 점차 뚜렷하게 드러냈으며, 나날이 성숙해졌다. 문학 역사의 최초 상태는 종종 '혼돈'스럽다. 모든 문학사관은 연구자와 학습자에게 '혼돈'스러운 역사를 정리하는 방법 혹은 도구를 제공한다. 사람들은 문학사관에 의지해 어떠한 기준을 형성하고 명확한 논리를 가진 문학사 서사를 구축해, '혼돈'을 '명료'로 바꾸고 '난잡'을 '질서'로 변화시킨다. 문학 역사 서사에 있어 문학사관의 능동적인 지위가 확립됨으로써 '역사 진실'의 유일성 신화가 종결되어 역사 저술가들의 '문학사 다시 쓰기' 열정을 대대적으로 불러일으켰다. 1990년대 이후로 중국 당대문학사 집필 영역의 새로운 기상은 대체로 '문학사관' 문제에 대한 중국 당대 학계의 지식의 신장 및 전환과 함께 진행되어 왔다. 이러한 '지식의 신장 및 전환'은 한편으로는 당대문학사 연구의 발전을 강력히 촉진했으며, 다른 한편으로는 이러한 다원적이고 상호보완적인 국면을 어떻게 더욱 심화할 것인가 하는 문제를 제기하였다.

마치 '객관'적인 듯 보이는 역사 서사의 배후에 특정한 지식의 계보와 정치권력 및 현실 이데올로기의 공리성이 내포되어 있다는 사실을 점점 더 많은 연구자들이 인식하고 있다. 따라서 우리가 이전에 설명할 필요 없이 명확하다고 생각했던 문학사 서술은 사실상 연구자가 현대의 어떠한 관념들에서 출발해 현재의 시각에서 문학 역사를 이해하고 구축한 결과물이다. 이러한 발견은 당대문학사 연구 영역에서 '독단론'이 천하를 통일한 국면을 종결시킨다. 또한 문학사관과 문학사 집필의 다양하고 상호보완적인 국면에 포용적인 학술 환경은 물론 어느 정도의 합법성을 제공하였다. 이를 통해 당대문학 연구의 역사적인 진보를 불러왔다. 그러나 이것이 역사 진실의 객관성과 확정성에 대해 판단을 중지해도 된다는 뜻은 아니다. 사실상 효과적인 문학사 서술은 전부 주체와 객체, 주관과 객관 사이에서 서로 의존하고 또한 서로 제약하면서 서로에게 스며들어 움직이는 지극히 복잡한 인식 과정일 수밖에 없다. 새로운 문학사관은 새로운 역사적 사실을 부단히 밝게 비출 수 있으며, 역으로 부단히 풍부해진 역사적 사실은 이미 존재하는 문학사관을 다시 부단히 바로잡고 풍부하게 한다. 그리하여 점차 더욱 새로운 문학사관을 탄생시키고 배양해 이로써 문학사의 효과적인 집필을 위해 참고해야 할 '장력장張力場'을 구성한다. 이는 하나의 '문학사관'이 이미 활성화되고 문학사의 '다시 쓰기'가 이미 큰 영향을 미친 시대에, 당대문학의 '역사적 사실'을 더욱 체계적으로 발굴하고, 정리하며, 고증하고, 해석하는 것이 대단히 중요하고 긴박한 일임을 의미한다.

한 가지 문학사관으로 당대문학사를 통제한다면 '혼돈'스러운 최초 상태의 역사를 명료한 모습으로 바꿀 수 있다. 그러나 그 자체에 객관적으로 존재하고 있는 복잡성과 풍부성을 부분적으로 희생하는 대가를 치르게 될 가능성이 크다. 일찍이 천인커陳寅恪 선생은 「펑유란 중국철학사 상권 심사 보고馮友蘭中國哲學史上冊審查報告」에서 "그 언어가 조리 있고 체계적이 될수록 옛사람의 학설의 진상과는 더욱 멀어진다"[2]고 말해, 하나의 확정된 관념과 규칙에 따라 역사를 구성하는 방식에 대한 우려를 표하였다. 타이완 학자 궁펑청龔鵬程은 대륙의 몇몇 문학사 저작에 대해 "비뚤게 그린 검보臉譜"라고 표현한 바 있다. 이를 통해 대륙의 일부 문학사가들이 방법론에 대한 인식이 부족하고, 각각의 이론과 방법이 모두 나름대로 적용되는 경계가 있음을 모른 채 주체가 '심오'한 역사가의 식견에 열중해 문학 현상의 상식을 무시하고 역사 문헌의 고증에 소홀해 문학사에 자기가 상상하는 검보를 억지로 그려 넣고 있는 현상을 지적하였다. 이 의견은 물론 신랄하지만, 우리 문학사의 편찬 상황을 돌아보면 완전히 틀린 말도 아니다.

당대문학사 집필에서 주의할 만한 다른 한 가지는 바로 서사 체제와 방식의 다양화이다. 표면적으로 보면 이는 기술적인 형식 문제에 불과하지만, 실제로는 문학사에서 서술하고자 하는 사상 내용 및 기재하고자 하는 사료의 상황과 밀접한 관계가 있다. 서사 체제와 방식에 대해 서로 다른 문학사관이 요구하는 바는 각기 다르거나 혹은 완전히 같지 않을 가능성이 크다. 집필 체계와 서사 방식의 다양화 역시 당대문학사 집필의 '다양하고 상호보완적'인 국면의 관건으로 보아야 한다.

바로 이러한 상황에서 편년체編年體는 장절체章節體 문학사의 유익한 보충 수단으로서 일부 당대 학자들로부터 주목받게 되었다.

국내외를 막론하고 편년사는 전통적인 역사 저술 체계의 일종이다. 서양의 『로마 건국 이래의 역사羅馬自建城以來的曆史』(리비우스), 『편년사編年史』(타키투스), 중국의 『좌전左傳』, 『한기漢紀』(도열荀悅), 『후한기後漢紀』(원굉袁宏), 『자치통감資治通鑒』(사마광司馬光) 등은 모두 인류 고대의 중요한 편년사 저작이다. 옛사람들이 편년체를 선택한 이유를 '역사'의 본래의 의미에서 따져 보면 다음과 같을 것이다. 첫째로 역사는 일종의 시간이라는 개념이므로 이러한 의미에서 보면 편년체가 역사 저작에 가장 적합한 풍격을 갖추고 있었기 때문인지도 모른다. 둘째로 편년체는 역사 사료의 수집과 정리 및 기록을 추구하고 집필자의 주체적인 판단이 과도하게 침입하는 것을 허용하지 않아 역사의 복잡하고 다원적인 본모습을 최대한 드러낸다. 따라서 역사 저작의 '정확한 역사[信史]'에 대한 추구에 더욱 부합했기 때문일 수도 있다.

---

2) 천인커: 『금명관 총고 2편(金明館叢稿二編)』, 제247쪽, 상하이고적출판사(上海古籍出版社) 1980년.

중국의 경우, 근현대에 와서 사학史學의 새로운 사조가 일어남에 따라 편년체는 점차 냉대를 받게 되었다. 19세기 말에서 20세기 초 사이에 중국의 사학 사상에는 점점 더 뚜렷한 변화가 발생하기 시작하였다. 량치차오梁啟超의 '신사학新史學'과 미국의 로빈슨 등의 '신사학'이 이 과정에서 중국의 사학 사상에 차례로 중요한 영향을 끼쳤다. 이 두 개념은 그 현실적인 목적성과 구체적인 내용, 그리고 중국 사학이 현대에 형성되는 과정에 이들이 끼친 실제적 영향과 직접성 및 중요성의 정도가 각자 확연히 다르기는 하나, 역사 집필의 총체적 원칙에 있어서는 몇 가지 공통점을 가지고 있다. 이 공통점은 바로 두 관점 모두 '현재'를 위해 '과거'를 연구한다는 점, 역사 집필에 있어 관념과 입장이 중요한 역할을 한다는 점을 강조한다는 것이다. 이처럼 사전에 설정된 목적론은 물론 과학적이고 합리적인 면을 가지고 있으나, 동시에 현대 사학이 필연적으로 집필자의 식견의 논리와 이성에 더욱 편중하게 만든다. 이러한 큰 배경하에서 역사적 사실의 수집과 기록을 중시하는 편년체는 자연히 일종의 기초적인 '초등' 체제로 간주되어 한쪽으로 물러날 수밖에 없다.

중국에서 문학사의 편년체 저술은 현대 시기에 제창되기 시작되었다. 천인커 선생이 당시에 이를 적극적으로 제창한 인물 중 하나이다. 루칸루陸侃如 선생이 1937년부터 1947년까지 10년의 시간을 들여 편찬한 현대 편년체 문학사의 선구작 『중고문학계년中古文學系年』은 이후에 다년간의 수정을 거쳐 1985년에 출판되었다. 같은 해에 류즈젠劉知漸이 『건안문학편년사建安文學編年史』를 출간하였다. 이 두 권의 역사 저작은 그 체제가 완전히 같지는 않으나 두 책 모두 사료의 고증과 교정에 큰 힘을 쏟아 이후의 연구에 참고가 될 만한 큰 가치가 있다. 1990년대 중반 이후로 고대문학 학계의 학자들이 계속해서 이들의 뒤를 이어 더욱 발전시켰다. 푸쉬안충傅璇琮이 편찬한 『당오대문학편년사唐五代文學編年史』(1998), 차오다오헝曹道衡, 류웨진劉躍進의 『남북조문학편년사南北朝文學編年史』(2000), 류웨진의 『진한문학편년사秦漢文學編年史』(2006) 등이 대표작이다.

당대문학 편년사는 근래에 와서야 출현했다. 2006년에 천원신陳文新이 편찬한 『중국문학편년사中國文學編年史』(총18권)는 고대와 현대의 내용을 총망라한 최초의 편년체 문학통사이다. 이 책의 잠재적인 목적은 근대 이래로 서방의 식민 이론 담론이 중국의 문학 이론과 문학연구에 가한 압박을 반박하고 하나의 문학사관이 문학사 집필을 통제함으로써 발생한 문학 등급화 현상을 타파하여 문헌의 고증과 체제의 안배를 중시해 중국의 전통적 '문학' 서사와 '문학'의 본모습을 회복하려는 것이다.

천원신이 편찬한 중국문학편년사는 우커쉰於可訓이 편찬한 '현대권現代卷'과 '당대권當代卷'으로 구성되어 있다. 우커쉰은 『중국문학편년사』의 전체적인 편찬 방침을 따르는 동시에 현·당대문학 자체의 특징에 근거해 본 학과의 실제에 부합하도록 개선하고자 하였다. 즉, 사료의 발굴에 집중하고 '논점은 역사에서 나온다論從史出'는 점에 주의하여 현재까지 출판된 문학사 가운데 가장 완성도 있는 현·당대문학 편년체 역사서를 편찬하였다. 우커쉰의 『중국문학편년사·당대권』은 우리에게 이러한 중국 당대문학의 대형 편년사를 편찬한다는 창의적인 의미와 더불어 이후에도 이러한 작업이 실행 가능하다는 중요한 교훈을 주었다.

지금까지 당대문학사를 집필할 때는 기본적으로 어떠한 문학사의 관념에 근거해 문학사의 골격을 미리 설정한 후 '결론으로써 역사를 이끄는以論帶史', 혹은 심지어 '결론으로써 역사를 대신하는以論代史' 방법을 취하였다. 그래서 '경전'이라는 이름으로 '자치自治'의 자료를 취사선택하여 시간순으로 이어지는 선을 채워 넣었다. 집필자가 신민주주의적 문학사관을 견지한다면 당대문학사는 무산계급 문학이 나날이 발전해 온 역사가 되며, 집필자가 계몽주의적 문학사관을 고수한다면 당대문학사는 지식분자의 계몽 서사가 억압받다가 점차 회생하는 역사가 된다. 논리와 이성을 중시하는 이러한 방식은 역사를 밝게 비추고자 하는 웅장한 뜻을 만족시킬 수는 있으나, 역사를 취사선택하고 재단하는 부수적 효과가 발생할 가능성이 있다. 상대적으로 완전하게 문학 발전의 과정을 드러내는 일은 이러한 종류의 문학사 속에서는 진실한 희망에 불과한 듯 보인다.

이 책은 중국 당대문학의 대형 편년사로서, 뚜렷하고 온전한 모습의 당대문학의 '청명상하도淸明上河圖'를 그려내기 위해 노력한 결과물이다. 전체적인 그림을 모두 나타내기 위해 때로는 짙은 필치를, 때로는 엷은 필치를 사용했다. 그러나 어떤 필치를 사용하였든, 결코 그 사이의 등급 차이를 강조하려는 의도는 아니다. 짙은 필치는 짙은 대로, 옅은 필치는 옅은 대로 의미가 있다. 본래의 모습이 여전하므로 필치와는 상관이 없다. 세부적인 것에서 출발했지만 추구하는 것은 전경全景과 전체이다. 작은 다리 아래 냇물이 흐르는 그윽한 풍경에 심취하든, 시끌벅적한 공연장의 떠들썩함을 좋아하든, 그것은 독자의 취향일 뿐 우리가 제공할 것은 아니다. 이 책은 공용의 문학 지리 지도를 구축하고자 하였으며, 이를 연구자들에게 제공하여 그들이 자신만의 구역에서 혼잣말을 하는 것이 아니라 서로 대화하기를 희망한다. 공통의 온전한 당대문학 서술 대상(혹은 당대문학의 '지리지도')의 성공적인 확립은 분명히 사람들의 당대문학에 대한 전체적인 인상을 강화해, 당대문학의 심도 있는 연구에 도움이 될 뿐만 아니라 당대문학 학과의 지위를 공고히 하는 데도 유리할 것이다.

문학 편년사 역시 문학 역사 서사 방식의 일종이지만, 유행하는 장절체 문학사 서사에 비하면 아무래도 다소 별종이라 할 수 있다. 편년사는 문학의 역사적 사실이 발생한 년, 월, 일을 서술 순서로 하여 문학 운동, 문학사조, 문예 논쟁, 문학단체와 유파, 문학 교류, 문학회의, 작가의 생애, 작품 발표, 이론 비평, 문학 간행물의 연혁, 문화 및 문학 정책의 제정과 연혁 및 문학 발전과 관련된 사회, 정치, 경제, 군사, 문화사건 등의 배경 자료를 동시에 수록하여 주체적인 의지를 효과적으로 억제할 수 있다.

이러한 사료는 전통적인 문학사의 언어 논리와 관련되지 않고 그저 하루, 한 달, 1년 단위로 통제되어 함께 배열된다. 언뜻 보기에는 사소하고 난잡해 보일 수 있으나 이러한 특정한 시간의 안배 속에 특유의 서사 방식이 숨어 있다. 표면적으로 보면 문학 편년사는 비록 전통의 문학사와 마찬가지로 시간순이라는 원칙에 따라 자료를 배치하고 있다.

그러나 편년사의 시간의 힘은 역사가 통시적으로 나아가는 과정을 보여주는 데에도 드러나지만 공시적인 서술에 더욱 잘 드러난다. '모년', '모년 모월', '모년 모월 모일' 등은 동일하고 균질한 시간의 기호일 뿐만 아니라 사소하고 난잡한 역사적 사실이 이 시간대 속에 공시적으로 배치되어 어느 한 문학 시대에 다원적 공간을 형성한다. 이는 역사 환경을 '되살리는' 일을 가능하게 하며, 연구자가 반드시 갖춰야 하는 전체적인 의미에서의 역사감을 형성하도록 도와줄 수도 있다.

이처럼 공시성과 통시성이 서로 교차하는 사소하고 난잡한 '퇴적'이야말로 편년사의 특수한 역사 서사 방식으로, 일종의 '고요한 표현'이다. 전통적인 문학사는 종종 수용자에게 역사란 '무엇이어야 하는가'를 알려준다. 이러한 문학사의 서사 방식은 교육이고 계몽이며, 아래에 위치한 수용자에게 위에서 '주입'하는 것이다. 반면에 '고요한 표현'은 겸손이고, 대화이다. 이 방식은 역사의 '사실은 무엇인가'를 암시하며, 그 '지리 현상'들 사이의 관계를 해석할 권력을 수용자에게 부여한다. 수용자는 더 이상 피동적인 태도로 문학사를 전도자가 전달하는 복음으로 여길 필요가 없다. 자료가 구성한 풍경 속에 스스로 들어간 것처럼 사방을 둘러보면, 언뜻 '사소하고 난잡'해 보이는 자료들 사이에 본래부터 존재하는 '서로 의지하고 생사를 같이하는' 다중적인 관련성을 발견할 수 있다.

이 책에서 완성하려 노력한 것은 바로 이처럼 하나하나 '되살려'진 역사의 장면이 연결되어 이루어진 당대문학사이다. 우리는 이 『중국당대문학편년사』가 천인커 선생이 일찍이 제기했던 "현재의 문학사 편찬가가 당시의 여러 문인들의 작품을 전부 취하여 시간적 순서와 공간적 거리를 조사해 결정하여 이를 한 권의 책으로 묶어서, 역사학자들의 초고본처럼 그 가운데 반드시 깨달음이 있게 하며, 당시 여러 문인들이 각자의 재능을 다해 앞다퉈 이룩한 경지를 볼 수 있게"[3] 해야 한다는 요구에 다가갈 수 있기를 바란다.

이러한 대형의 당대문학 편년사를 잘 집필하기 위해서는 우선 빈틈없는 사료의 구성이 필요하다. 푸쓰녠傅斯年은 일찍이 "사학은 곧 사료학이다", "사학의 대상은 문장도, 논리도, 신학도, 사회학도 아니며, 바로 사료일 따름이다"라고 강조하였다.[4] 근래 현·당대문학 학계의 적지 않은 학자

3) 천인커: 『원백시전증고(元白詩箋證稿)』, 제9쪽, 상하이고적출판사, 1978년.

들이 기본적인 사료를 근거로 하여 사례 분석의 방법을 채택해 역사적 대상에 대해 '지식 고고학' 방식의 동태적 고찰을 통해 많은 깨달음을 주었다. 그러나 이러한 연구는 대부분 권위 있는 텍스트를 대상으로 하여 점상적인 형태로 출현하였을 뿐, 아직 면의 형태로 확장되지는 못하였다. 류쩡제劉增傑 선생이 일찍이 현대문학 사료학의 확립을 호소했던 것은, 사료학의 건설이 작은 부분에서만 진행되는 것에 불만을 가지고 사료학이 더욱 규모를 갖추고 규범화되어야 한다고 보았기 때문이다.[5] 당대문학은 이미 60년간의 풍파를 거치면서 중국의 사회 개방 정도에 따라 부단히 발전해 왔으며, 당대문학의 사료학 건설 역시 확연히 발전을 시작하였다. 어떤 의미에서 보면 총10권의 『중국당대문학편년사』는 바로 이 분야의 자각적인 실험인 셈이다.

당대문학 편년사 편찬의 기초적인 임무는 바로 대규모의 자료 수집, 고증, 발굴, 정리 및 배열 작업을 진행하는 것으로 이 자체에 사료학의 작업이 포함되어 있다. 당대문학 사료학의 건설은 당대문학 편년사를 위해 견고한 기초를 다져 주어 수천만 개의 점을 모아 면으로 만들어, 이를 통해 모습이 비교적 온전하고 내용이 상대적으로 풍성한 문학 지리 지도를 형성할 수 있다. 이 문학 지리 지도 위에서 우리는 연구 대상으로서의 구체적인 점의 좌표를 비교적 정확하게 찾아낼 수 있을 뿐만 아니라, 그 주변의 환경과 이들 사이의 상호 관련성 또한 살펴볼 수 있다. 물론 문학 편년사는 결국 주제 연구와는 다르므로, 편년사는 이들 '지리 현상' 사이의 관계에 대해 직접적인 해석을 진행할 필요가 없고 그저 '고요한 표현'만을 할 수 있다. 편년사가 연구자에게 제공하는 도움은 기초적이며 또한 유한한 것이다. 그러니 이 책이 승리를 얻을 때야말로 진정한 문제가 시작되는 때라고 해야 할 것이다.

다른 유형의 문학사와 마찬가지로 문학 편년사도 자체적인 한계를 가지고 있다. 이 점 역시 우리가 당대문학사의 집필이 반드시 다원적이며 상호보완적으로 이루어져야 한다고 주장하는 이유이다. 일반적인 의미에서의 문헌 색인, 자료 총집 및 대사건 기록과 확실히 구분하기 위해 우리는 전체 편찬 과정에서 '편년사도 역사이다'라는 집필 이념을 거듭 설명하였다. 역사를 집필하는 이상 학술적인 요구가 없을 수는 없다. 집필자들에게는 역사가로서의 용기와 식견과 기록하는 능력이 필요하다. 따라서 우리는 자료의 선별과 배치, 구조의 설계, 문자적 서술 등 모든 부분에 집필자의 '역사적 안목'과 '고심한 흔적'이 드러날 것을 요구해 이를 통해 자료가 어지럽고 분산된 상황을 어느 정도 억제하기를 기대했다. 물론 이 역시 일종의 '주체성'이기는 하지만 이것은 자기 억제가 가

4) 푸쓰녠: 「사학방법개론(史學方法導論)」, 『푸쓰녠 전집(傅斯年全集)』 제2권, 제6쪽, 타이완롄징출판공사(台灣聯經出版公司) 1980년.

5) 류쩡제: 「현대문학의 사료학 확립(建立現代文學的史料學)」, 『중국현대문학연구총간(中國現代文學研究叢刊)』 2004년 제3호.

능한 주체성으로, 그 목적은 문학의 '역사적 사실'이 최대한 '객관적인 표현'을 얻는 데 있다.

이 책은 전부 여섯 부분으로 나뉘어 총 10권으로 구성되어 있다. 제1부분은 '17년 문학'(1949.07~1965.12)으로 세 권을 차지하고, 제2부분은 '문혁 문학'(1966.01~1976.09)으로 한 권 분량이다. 제3부분은 '80년대 문학'(1976.10~1989.12)으로 총 2권이며, 제4부분은 '90년대 문학'(1990.01~2000.12)으로 총 2권이다. 제5부분은 '신세기 문학'(2001.01~2009.06)으로 한 권이며, 제6부분은 '타이완·홍콩·마카오 문학'(1949.07~2007.12)으로 역시 한 권 분량이다. 각 부분의 첫 권마다 해당 시기의 문학 발전 노선과 그 특징을 서술한 서론을 수록하였다. 이 여섯 편의 서론을 통해 중국 당대문학의 흐름에 대한 우리의 전체적인 인식을 표현하였다. 각 권의 말미에는 주요 작가의 인명 색인을 수록하였다.

또 한 가지 설명해 두어야 할 점이 있다. 이 책에서 작가의 생애에 관련된 자료는 일반적으로 그 작가가 공화국 성립 후에 처음으로 작품을 발표하거나 혹은 중요한 행사에 참여한 시점에 제시된다. 해당 서술은 사실적인 필체를 사용하였으며 문장은 유려하게 쓰려고 하지 않았다.

공화국 성립 이후에 서거한 중요 작가들의 경우 서거 시점 이후에 집중적인 평가를 덧붙였으나, 이는 사료(관점 발췌)의 형식으로 서술하였다. 중요한 문학작품과 문학 현상 및 중대한 문학 사건에 대해서는 모두 전문적이고 집중적인 평론을 덧붙였으며, 이 평론 역시 사료 발췌의 형식을 취했다.

이처럼 유형별로 정리해 기술적으로 배치한 목적은 독자들이 '난잡'한 가운데서 '질서'를 수립하고 '잡다'함 속에서 '실마리'를 찾을 수 있도록 도와 편년체의 장점을 드러내고 단점을 피하기 위해서이다. 이를 통해 각기 다른 독자들의 독해, 학습 및 연구에 대한 요구를 더욱 잘 만족시킬 수 있을 것이다.

이 책의 편찬이라는 임무를 맡은 후로 지금까지 이미 2년여의 시간이 지났다. 동인 제위가 이 책을 위해 쏟은 막대한 노력과 그 과정에서 겪은 고생을 나의 '감사하다'는 짧은 말 한 마디로 표현하기는 턱없이 부족할 듯하다. 그럼에도 나는 각 부분의 편집주간과 편찬조의 모든 구성원들께 진심으로 감사드리고 싶다. 베이징사범대학 문학원의 당대문학 학과에 대한 관심과 학술 사업에 대한 책임감, 그리고 단체 의식과 협동 정신에 감사드린다!

우리는 지극히 진지한 태도로 이 편찬 작업에 임했다. 그러나 경험과 능력의 한계와 객관적인 조건의 제약으로 인하여 100명에 가까운 인원이 편찬에 참여한 이 『당대문학편년사』에는 분명히 부족한 부분이 존재할 것이다. 이로 인해 여러 독자들이 겪을 불편에 대해 이 자리에서 진심으로 사과드리며, 여러 연구자 동료들이 비평, 보충 및 정정 의견을 주시기를 바란다.

마지막으로 산둥문예출판사에 감사드린다. 경박하고 시끄러우며 눈앞의 성공과 이익에만 급급한 이 시대에 이 출판사는 이익이 거의 되지 않는 학술 저작의 출판을 지지하는 귀중한 전통을 계속해서 충실히 지켜 왔다. 이번에 이 출판사에서는 총 10권의 『중국당대문학편년사』를 중점 출판 항목에 포함하여 많은 인력과 예산을 투여하였다. 산둥문예출판사의 대대적인 지지가 있었기에 이 책이 마침내 세상에 나올 수 있었다.

17년 문학

장닝張檸

1949년부터 1965년까지의 17년간은 중국 당대문학 가운데 특수한 역사적 시기이다. 이 시기와 20세기 중국문학의 초반 50년 및 '문혁' 종결 후의 20여 년 사이의 관계는 "'단절'은 뚜렷하고 '연속'은 모호하다"라고 표현할 수 있다. 이 시기의 문학과 '문혁' 10년간의 중국문학은 '전체적인 논리'상에서는 일치하지만, '표현 형태' 면에서는 차이가 있다. 따라서 중국 당대문학의 '초반 17년'은 자체적인 발전 논리와 진화의 리듬을 가지고 있다. 소위 '논리'란, 사물이 발생하는 원인과 결과 및 이 인과관계를 제약하는 규율을 말한다. 소위 '리듬'이란, 사물 발전의 논리가 드러내는 단절과 연속, 기복, 파란의 상태, 즉 사물이 발전하는 논리의 복잡한 변화의 표현으로, 이는 규율 내부의 모순성과 복잡성을 구체적으로 드러낸다. 이러한 모순은 최고의 권위를 가진 대상을 유일한 기준으로 삼는 '일체화'된 문학 형태와 이에 의문을 표하는 여타 문학 형태 사이의 모순이다. 이 모순 속에는 문학에 대한 사회 역사 혹은 정치의 압박뿐만 아니라 사회 역사 혹은 정치에 대한 문학의 질 역시 존재한다. 사회 정치의 논리와 문학 논리 사이의 갈등이 바로 '리듬'의 발전을 좌우하는 중요한 요소이다. 이러한 논리와 발전의 리듬은 중국이 신민주주의 혁명에서 사회주의 혁명으로 전환되는 논리의 흐름을 드러내었으며, 이러한 흐름 속에서 맞닥뜨린 국내적, 국제적 요소의 제약 또한 드러내었다. 우리는 중국 당대문학의 이 '초반 17년'을 세 단계로 나누었다. 1단계는 '전시 사유戰時思維' 단계, 2단계는 '냉전 사유冷戰思維' 단계, 3단계는 '급진 실험 激進實驗' 단계이다.

1. 전시 사유와 문학 투쟁

신중국 성립 이전의 '전시 사유'는 문학 영역을 포함해 여러 영역에 침투하였다. '전시 사유'의 주된 특징은 바로 적을 찾아내 섬멸하는 것이다. 마오쩌둥은 일찍이 1938년부터 신중국 문화의 기본 양식을 구상하기 시작하였는데, 이는 바로 "민족적이고 과학적이며 대중적인 문화"이다. 그는 이러한 새로운 문화를 수립하기 위해서는 반드시 제국주의를 맹주로 하는 반동 문화를 타도해야 한다고 보았으며, "깨뜨리지 않으면 일어설 수 없다……이들 사이의 투쟁은 사활을 건 투쟁이다"라고 말했다.[1] 1949년 초에 그는 당 공작의 중점이 "농촌이 도시를 둘러싸는" 것에서 "도시가 농

1) 마오쩌둥:「신민주주의론(新民主主義論)」,『마오쩌둥 선집(毛澤東選集)』 제2권, 제695쪽, 인민출판사(人民出版社) 1991년.

촌을 이끄는" 것으로 전환되기 시작했다고 지적하며, 도시에 수많은 "총을 들지 않은 적"이 존재하게 될 것이라고 예언하였다. 때문에 도시에서 제국주의와 자산계급을 상대로 정치적, 경제적, 문화적 투쟁을 배우라고 요구하였다.[2)]

해방구의 작가들은 '베이핑에서의 집결' 이후에도 머릿속에 군사적 투쟁 사유(전투, 포위, 토벌, 소멸)가 짙게 남아 있었다. 궈모뤄郭沫若는 "빛나는 군사적 승리가 소멸시킨 것은 주로 유형의 적들이다. 그러나 2천여 년 동안 이어져 온 봉건사상, 백여 년간 계속된 매국노 사상, 그리고 20~30년간 지속된 파시스트 사상과 같은 무형의 적들은 문화 전선을 통해 철저히 소멸시켜야 한다……펜을 든 군대는 반드시 총을 든 군대를 향해 정렬해야 한다"[3)]고 말했다. 이는 "중국 인민 해방을 위한 우리의 투쟁 속에는……문과 무 두 가지 전선이 존재한다……적에게 이기기 위해 우리는 우선 손에 총을 든 군대에게 의지해야 하지만, 이러한 군대만 있어서는 부족하다. 우리에게는 문화의 군대도 필요하다……즉, 문예가 혁명 기계의 유기적인 구성 부분으로 훌륭히 기능하도록 하여 인민을 단결하고 교육하며, 적을 공격해 소멸시키는 강력한 무기가 되도록 하는 것이다."[4)] 이는 문학예술이 문화 전선의 유기적인 구성 부분이자 '인민 전쟁'의 도구로서, 반드시 '조직'하여 집단적인 전투능력을 형성해야 한다는 마오쩌둥의 관점과 흡사하다.

신중국 문학 논리의 전제는 1949년의 중화인민공화국 성립과 인민 민주 독재 정치 국가의 건립이다. 이러한 역사적 과정 속에서 문화(문예)는 항상 '민족 독립과 해방'의 중요한 무기였다. 신중국 문학의 발생은 당이 인도하는 문학 단체의 탄생과 발맞춰 왔으며, 당의 인도를 받는 기관 간행물과 출판사가 이에 함께했다. 이처럼 고도로 조직화된 단체에서 직무를 맡은 전문 작가들은 주로 옌안을 위시한 해방구 출신의 옛 혁명 작가가 대부분이었으며, 일부는 젊은 공농병 작가와 국통구의 좌익 작가들이었다. 반면에 5·4의 전통 아래 배양되어 '자산계급' 혹은 '소자산계급'적 사상 경향을 가진 작가들은 기본적으로 주변화되었다. 이처럼 한 무리로 편성되었으며 같은 사상을 가진 작가의 대오가 당시의 투쟁 형식에 호응하였다.

전시의 투쟁 사유가 문예 투쟁에 적용된 주된 표현 형태가 바로 '문예 비평'이다. 비평의 기준은 옌안 시기에 확립된 '정치적 기준이 첫째, 예술적 기준이 그 다음'이다. 정치적 기준이란 작가와 작품의 정치적 경향성, 즉 당과 사회주의에 대한 태도를 말한다. 이러한 기준은 '개혁개방' 초기까지

2) 마오쩌둥: 「중국공산당 제7기 중앙위원회 제2차 전체회의에서의 보고(在中國共產黨七屆二中全會上的報告)」, 『마오쩌둥 선집』 제4권, 제1427쪽, 인민출판사 1991년.

3) 궈모뤄: 「군사 전선을 향해 정렬하자(向軍事戰線看齊)」, 『중화전국문학예술공작자대표대회 기념문집(中華全國文學藝術工作者代表大會紀念文集)』, 제379쪽, 신화서점新華書店 발행, 1950년.

4) 마오쩌둥: 「옌안문예좌담회에서의 강화(在延安文藝座談會上的講話)」, 『마오쩌둥 선집』 제3권, 제847-848쪽, 인민출판사 1991년.

지속되었다. '일체화'라는 문학 규범이 문학의 발전을 제약하였다.

여러 가지 방식을 통해 '규범'에 의문을 제기하고 도전하려 시도했던 이들도 존재했는데, 소위 '후펑胡風 집단'이 바로 그 예이다. 비록 이러한 몇몇 '집단'들은 숙청을 맞았지만, 그 후로도 질의와 도전은 멈추지 않았다. 이 가운데 두 차례의 도전을 언급할 만한데, 첫 번째는 1956년 전후의 '쌍백雙百'(백화제방, 백가쟁명 방침을 뜻함-역자 주) 시기이며 두 번째는 60년대 초기의 '조정' 시기로, 이 두 시기는 상술한 투쟁 철학과 정치 사유와는 다른 완화기 혹은 휴식기로 볼 수 있다.

첫 번째 시기는 1956년 초에서 1957년 상반기 사이로, '쌍백' 방침의 실시로 인해 전국적으로 사상 관념과 문예 관념 및 창작 방법의 해방이 일어난 시기이다. 친자오양秦兆陽은 「현실주의 – 넓은 길現實主義——廣闊的道路」에서 창작에 존재하는 공식화, 개념화 등의 병폐에 대해 의문을 제기하였다. 중뎬페이鍾惦棐는 「영화의 징소리電影的鑼鼓」에서 영화계의 침체된 국면과 영화 창작에 존재하는 교조주의의 폐단을 비판하였다. 동시에 국가에서는 중국의 고전소설과 창작소설을 대량으로 출판하였으며, 우수한 전통 희곡 5만여 편을 정리해 그 가운데 1만여 편을 공연하였다. 이 외에도 사회의 각 영역에서 광범위한 '대명대방大鳴大放', 즉 자유로운 의견 개진을 시작하였다.

그러나 마오쩌둥은 '쌍백' 방침은 문예와 학술 영역에 초점을 둔 것으로, 정치 영역에까지 미쳐서는 안 된다고 보았다. 따라서 그는 몇 차례의 중요한 회의에서 문예계와 학술계의 사고방식과 이에 대한 언론의 경계를 분명히 했다. 그는 '백화제방'에 관해 '향기로운 꽃'과 '독초'를 잘 분별해야 한다고 지적하면서 "독초가 존재한다면 투쟁을 진행"할 것을 주장하였으며, 이에 관해 여섯 가지 식별 기준을 제시하였다.[5] '백가쟁명'에 관해서는 그 내부에 여러 유파와 학파가 존재할 수 있으나, 세계관에 대해서는 무산계급과 자산계급의 두 가지 세계관만이 존재한다고 지적하였다.[6] 정풍운동의 대상은 두 가지로, 하나는 교조주의이며 다른 하나는 수정주의修正主義이다. 마오쩌둥은 교조주의의 주된 내용은 공작 방법상의 단편성('좌익'적 색채를 가진)이지만, 교조주의자들이 당에 충성해 개선된다면 문제가 없다고 보았다.

그러나 사회 및 당 내부의 우파 분자(수정주의자 혹은 자산계급)는 매우 위험해 반드시 단호히 투쟁해야 한다고 보았다. 그들은 당의 인도와 사회주의 노선에 반대하고 자산계급식의 자유주의를 선호하기 때문이다.[7] 1957년 하반기의 반우파 투쟁의 확대(딩링丁玲, 천치샤陳企霞 등 수많은 작

5) 마오쩌둥: 「인민 내부 모순의 정확한 처리에 관한 문제(關於正確處理人民內部矛盾的問題)」, 『마오쩌둥 문집(毛澤東文集)』 제7권, 제234쪽, 인민출판사 1999년.

6) 마오쩌둥: 「전국선전공작회의에서의 연설(在全國宣傳工作會議上的講話)」, 『마오쩌둥 문집』 제7권, 제273쪽, 인민출판사 1999년.

7) 마오쩌둥: 「일에 변화가 일어나고 있다(事情正在起變化)」, 『건국 이후 마오쩌둥 문고(建國以來毛澤東文稿)』 제6권, 제469-475쪽, 중앙문헌출판사(中央文獻出版社) 1992년.

가가 '우파'로 오인되었다)에 따라 '백가쟁명'의 국면은 빠르게 종식되었고, 뒤이어 '좌경'으로 무모하게 돌진하는 대약진 운동이 시작되었다.

두 번째 시기는 60년대 초, '세 차례의 회의'로 대표되는 '조정' 시기이다. 1961년 6월 1일부터 28일까지 중공중앙 선전부는 베이징에서 문예공작 좌담회를 개최해 선전부에서 제기한 「현재 문예공작에 관한 의견關於當前文藝工作的意見」(초안)('문예십조文藝十條')을 심의하였다. 같은 시기에 문화부에서도 극영화 창작회의를 개최해 문화부에서 제기한 「현재 영화공작에 관한 의견關於當前電影工作的意見」(초안)을 심의하였다. 두 회의 모두 베이징 신차오 호텔新僑飯店에서 진행되었기 때문에 '신차오 회의新僑會議'라고 통칭되는데, 이들 회의에서는 민주주의를 떨쳐 일으키고 문예의 규율을 존중하라고 주장하였다.

1962년 3월, 문화부와 중국희극가협회가 광저우에서 전국 화극(話劇, 연극을 말함-역자 주), 가극, 아동극 창작 좌담회를 개최하였는데 이 회의는 통칭 '광저우 회의廣州會議'라고 불린다. 저우언라이周恩來는 베이징에서 열린 두 차례의 회의에서 「문예공작 좌담회 및 극영화 창작회의에서의 연설在文藝工作座談會和故事片創作會議上的講話」을 발표하였으며, 베이징에서 열린 광저우 회의의 준비회의에서는 「베이징의 화극, 가극, 아동극 작가에게 보내는 연설對在京的話劇。歌劇。兒童劇作家的講話」을, 광저우에서 열린 본회의에서는 「지식분자 문제에 관한 보고關於知識分子問題的報告」를 발표하였다. 천이는 '광저우 회의'에서 「전국 화극, 가극, 아동극 창작 좌담회에서의 연설在全國話劇。歌劇。兒童劇創作座談會上的講話」을 발표하였다. 그는 연설에서 작가들에게 소재 선택의 자유, 예술 풍격 창작의 자유, 예술 문제 탐구의 자유를 보장해야 한다고 목소리를 높였다. 또한 대약진 시기에 유행했던 '단체 창작'과 '삼결합三結合'(지도자가 사상을 제공하고, 군중이 생활을 제공하며, 작가가 기교를 제공한다) 방법에 대해서는 날카롭게 비평하였다.[8]

1962년 8월 2일부터 16일까지 중국작가협회가 다롄에서 농촌 소재 단편소설 창작 좌담회를 개최하였는데, 이 회의는 통칭 '다롄 회의大連會議'로 불린다. 사오취안린邵荃麟의 「다롄 '농촌 소재 단편소설 좌담회'에서의 연설在大連"農村題材短篇小說座談會"上的講話」은 본 회의의 중요 문건으로, 그는 연설에서 '농촌 소재는 인민의 내부적 모순을 어떻게 반영하는가', '인물 창작의 개념화', '소재의 광범위성과 전투성의 관계' 등 중요한 창작 이론 문제를 제기하였다. 또한 "양쪽 끝머리는 작고, 가운데는 크다. 좋은 사람과 나쁜 사람은 모두 비교적 수가 적고, 방대한 각 계층이 중간을 차지한다. 그들을 묘사하는 일은 매우 중요하다"[9]고 지적하였다. 이러한 관점들은 이후에 정치적인 관점에

---

8) 『당과 국가 지도자가 문예를 논하다(黨和國家領導人論文藝)』 제 141쪽을 볼 것. 문화예술출판사(文化藝術出版社), 1982년.

9) 『사오취안린 평론선집(邵荃麟評論選集)』(상권), 제389-394쪽을 볼 것. 인민문학출판사(人民文學出版社), 1981년.

서 '현실주의 심화론' 및 '중간인물론'으로 비판받았으며, '중간 인물 창작'은 '삼돌출三突出'이라는 창작 방침에 위배되는 자산계급적 문학 주장으로 평가되었다. 상기한 세 차례의 중요한 문예 회의는 일정 부분 사상을 해방하고, 문예창작의 번영을 추진하였다.

1962년 9월의 중국공산당 제8기 중앙위원회 제10차 전체회의 이후로 정치와 문화의 지도 사상이 급격히 좌경화하고 계급투쟁이 확대되며 절대화하는 국면이 발생하였다. 마오쩌둥은 회의에서 "전복된 반동통치계급은 멸망을 원치 않고, 항상 부활을 꾀하고 있다. 또한 사회에는 여전히 자산계급의 영향과 구사회의 수구 세력이 존재하며, 일부 소규모 생산자의 자발적인 자본주의 경향 역시 존재한다. 따라서 인민들 가운데 사회주의의 개조를 받지 못하고……사회주의 노선을 떠나 자본주의의 길을 걸으려 하는 이들이 여전히 남아 있는 것이다. 이러한 상황에서 계급투쟁은 피할 수 없다……우리는 결코 잊어서는 안 된다."라고 하였다. 이를 약칭 "결코 계급투쟁을 잊어서는 안 된다"[10]라고 한다.

중국공산당은 이후의 '역사 결의'에서 마오쩌둥은 "1957년의 반우파 투쟁 이후에 그가 제기한 '무산계급과 자산계급의 모순이 여전히 중국 사회의 주된 모순'이라는 관점을 발전시켜, 사회주의 역사 단계의 전체 과정에서 자산계급이 늘 존재하면서 부활을 꾀할 것이다. 또한 수정주의를 발생시키는 근원이 될 것임을 더욱 강하게 단언하였다……이데올로기의 영역에서는 일부 문예작품, 학술 관점 및 문예계와 학술계의 일부 대표 인물들에 대해 착오적이고 과도한 정치적 비판을 진행하였으며, 지식분자 문제, 교육, 과학, 문화 문제에 대한 심각한 좌편향이 점점 더 심해져 이후에 '문화대혁명'의 도화선으로 발전하였다"[11]라고 지적하였다. 문예 영역이 이러한 계급투쟁 관점에 의해 최초로 공격받은 희생양이 되었다. 캉성康生, 장춘차오張春橋, 야오원위안姚文元 등이 문화계와 문학계를 통제하기 시작하였다. 리젠퉁李建彤의 소설 「류즈단劉志丹」의 창작 및 발표는 '소설을 이용해 당에 반대'하는 사건으로 변질되어 작가와 편집자가 검열과 박해를 받아 결국 억울한 누명을 쓰는 것으로 확대되었다. 1963년과 1964년에 마오쩌둥은 문예에 관한 '두 가지 비판'을 제기해 국가의 문예지도 부문이 '자산계급'에 의해 장악되어 이미 "수정주의의 경계선 위에 넘어졌다"[12]

10) 『건국 이후 중요 문헌 선집(建國以來重要文獻選編)』, 제15권, 제653-656쪽, 중앙문헌출판사 1997년.

11) 『건국 이후 당의 일부 역사 문제에 관한 결의(關於建國以來黨的若幹曆史問題的決議)(주석본)』, 제25쪽, 인민출판사 1983년.

12) 1963년 12월 12일, 마오쩌둥은 문예공작을 엄격히 비평하는 내부 문서에서 "각종 예술 형식에……문제가 적지 않다. 사람은 많고, 수많은 부문에서 사회주의 개조가 진행 중이지만 현재까지 그 효과는 아주 미미하다. 여러 부문이 아직까지도 '죽은 사람'에 의해 통치되고 있다." "수많은 공산당원들이 봉건주의와 자본주의 예술을 제창하는 데 열심인 반면, 사회주의 예술을 제창하지는 않고 있으니 이 어찌 괴이한 일이 아니겠는가"라고 밝혔다. 1964년 6월 27일, 마오쩌둥은 문예공작에 관한 두 번째 내부 문서에서 "이 협회들과 그들이 장악하고 있는 간행물의 대다수가……15년 동안, 기본적으로……당의 정책을 집행하지 않고, 높은 벼슬자리만 차지한 채 공농병에

고 지적하여 문예지도 사상이 더욱 극'좌'화되는 현상을 지지하였다.

2. 냉전 사유 속의 문학 선택

'냉전'이란 1945년 제2차 세계대전 종식 이후 1991년에 소련이 해체되기 전까지의 시기에 국제적으로 이데올로기의 대치 상태가 지속되던 상황, 즉 미국을 위시한 서방 집단(북대서양조약기구 회원국)과 소련을 위시한 동유럽 집단(바르샤바 조약기구 회원국) 사이의 대립 상황을 말한다. '열전熱戰'을 피하기 위해 양측은 사실상 경제, 문화, 사회 정치적 입장 등의 부분에서만 대립하고 공격하였다. 서양은 동양이 민주적이지 못하고 공산주의 전제 정치와 독재를 시행한다고 질책하였으며, 동양은 서양이 자본주의와 제국주의의 전제 정치 아래 빈부격차가 극심하고 노동자를 착취한다고 비난하였다. 소위 '냉전 사유'란 냉전 중에 있는 양측 모두가 자신의 국가 의지와 가치관 및 국부적인 이익을 절대화함으로써 발생한 대립적이며 투쟁적인 사유를 말한다. 이러한 전통 정치의 사고방식이 전지구의 정치적 향방을 좌우하였다. 미국과 소련이라는 양대 집단이 이러하였고, 그 사이에 낀 중국 역시 이러하였다.

중국은 '바르샤바조약기구'의 회원국은 아니었으나 사회주의 국가이자 소련의 동맹국으로서 냉전의 소용돌이에 휘말리는 것을 피할 수 없었기 때문에 미국을 위시한 서방 진영에 포위당한 중요 국가 중 하나가 되었다. 냉전 구도는 새로운 중국의 지극히 가혹한 생존 배경이 되었다. 마오쩌둥은 자본주의 국가에 대해 환상을 가져서는 안 되고 다만 투쟁해야 한다고 보았다. 또한 제국주의의 '소란-실패-멸망' 논리와 혁명 인민의 '투쟁-실패-승리' 논리가 역사의 필연적인 규율이라고 지적하며, "환상을 버리고 투쟁을 준비"해야 한다고 주장하였다.[13)]

따라서 신중국 성립 이후의 이데올로기 및 문학예술 영역에서의 투쟁 사유는 당시의 국제 정세 및 중국이 처해 있던 위치와 밀접한 관련이 있다. 냉전 시기 중국의 외교정책은 '일변도一邊倒'에서 '일조선一條線'으로, 다시 '제3세계'에 관한 구상으로 전환되었다. 냉전 구도하의 이러한 국제적 정치 투쟁 정책과 책략은 문예 영역을 포함해 중국의 사회 실천의 여러 영역을 크게 제약하였다.

마오쩌둥은 「인민 민주주의 독재를 논하다」에서 '일변도'(소련 쪽으로 기울다) 정책을 제시하

게 다가가지 않고 있으며, 사회주의의 혁명과 건설을 반영하지 않고 있다. 최근 몇 년 사이에는 심지어 수정주의의 경계선 위에 넘어졌다. 이를 성실히 개조하지 않으면 언젠가는 분명히 헝가리의 페퇴피 클럽과 같은 단체로 변할 것이다"라고 지적하였다.(셰멘謝冕, 훙즈청洪子誠 엮음, 『중국 당대문학 사료선中國當代文學史料選』, 제599, 600쪽, 베이징대학출판사北京大學出版社 1995년.)

13) 미국의 '미중관계 백서美中關系白皮書'에 관한 마오쩌둥의 평론 「환상을 버리고 투쟁을 준비하라 丟掉幻想,准備鬥爭」, 『마오쩌둥 선집』 제4권, 제1486-1487쪽, 인민출판사 1991년.

며, "제국주의의 침략이 서방으로부터 배우려는 중국인의 망상을 깨부쉈다", "러시아인의 길을 간다 – 바로 이것이 결론이다", "40년과 28년의 경험을 축적해 보면 중국인은 제국주의 쪽으로 기울거나 혹은 사회주의 쪽으로 기울었다. 예외는 전혀 없다", "국제적으로 보면 우리는 소련을 위시한 반제국주의 전선 쪽에 서 있다. 진정한 우호적 원조는 이쪽 편에서 찾을 수밖에 없다", "소련 공산당이 바로 우리의 가장 좋은 스승이다. 우리는 반드시 그들에게서 배워야 한다"고 밝혔다.[14] 저우양周揚은 "'러시아인의 길을 간다', 정치뿐만 아니라 문학예술에서도 이러해야 한다"고 말했다.[15] 이는 사실상 선택의 여지가 없음을 보여준다.

문학의 이러한 '일변도'적인 소련 양식은 문예 정책, 문학 이론, 문예관리 체제, 문학 운동, 문학 자원에 대한 통제 등 여러 방면에 반영되었다. 문학 정책은 냉전 시기의 국제적 및 국내적 정치 사유(제국주의와 자본주의를 반대하고, 문학의 계급성 원칙을 강조하는 것)가 문예 영역에 표현된 것이다.

문학 이론면에서는 소련의 '사회주의 현실주의'를 중국 당대문학 창작의 최고 규범이자 '유일하게 정확한 노선'으로 삼았다. 문학 기구의 설치와 조직 형태, 내부의 활동 규칙(당조黨組가 책임을 가지는 권력 형식)에서부터 1950년에 설립된 중앙문학연구소까지, 기본 임무, 관리 유형, 교육 내용 및 교육 방식 등을 모두 기본적으로 소련의 '고리키 문학원'의 방식을 모방하였다.

문학비판운동의 기본 방식은 우선 당에서 발행하는 신문이나 간행물에 전문적인 '평론'과 '독자 서신'을 발표한 후, 결의(지도자의 비평 문서, 당 신문의 사설, 전문 단체의 선언 등)를 조직하고, 마지막으로 군중의 대대적인 비판을 일으켜 비평 대상과의 관계를 '적대적 모순'으로 바꾸어 버리는 것이다. 가령, 1954년 12월 8일의 『문예보』 정돈 및 개선에 관한 결의, 1955년 5월 25일의 '후펑 반당 집단'에 관한 결의 등은 소련 즈다노프 시기의 상황과 매우 유사하다.

문학 자원의 참고에 있어서는 소련 문학과 약소민족의 반항문학 및 현실주의를 비판한 고전문학만을 수용하였으며, 자본주의 국가의 문학, 특히 '모더니즘' 문학은 거부하였다. 심지어 1956년에 '쌍백' 방침이 정식으로 공포된 것 역시 소련과 밀접한 관련이 있다. 저우양은 "최근에 중앙에서 '백화제방, 백가쟁명' 방침을 제시하였다……자연히 이는 소련 공산당 제20차 대표대회에서 제기된 스탈린에 대한 비평과 관련이 있다. 이 비평 자체가 어떠하든 간에 이는 사상을 해방하고 미신을 타파한다는 매우 큰 장점을 가지고 있다"고 밝혔다.[16]

14) 마오쩌둥: 「인민 민주주의 독재를 논하다(論人民民主專政)」, 『마오쩌둥 선집』 제4권, 제1473, 1475, 1481쪽, 인민출판사 1991년.

15) 저우양: 「사회주의 현실주의 – 중국문학이 나아갈 길(社會主義現實主義——中國文學前進的道路)」, 『저우양 문집(周揚文集)』 제2권, 제183쪽, 인민문학출판사(人民文學出版社) 1985년.

일련의 문학 활동 과정에서 우리는 냉전이라는 국제적인 배경하의 투쟁 전략뿐만 아니라 또 다른 중요한 차원, 즉 개발도상국의 '불안전감' 및 이로 인해 야기된 민족국가 독립과 발전에 대한 더욱 강렬한 요구를 발견하였다. 50년대 초에 '소련 양식'은 이를 위해 이데올로기적 지지를 제공했으며 그에 상응하는 경제 및 기술적 원조 또한 제공하였다. 냉전이라는 국제 투쟁 배경(민족국가 독립과 발전에의 요구)과 문학 자주성에 대한 요구는 서로 연결되고 대응하는 논리 등급을 형성해 지배와 피지배 관계에 속하게 되었다. 따라서 문학은 단순한 미학 문제가 아니라 냉전 시기의 정치 투쟁 문제가 되었다(문학은 전쟁, 정치, 건설, 이데올로기 비판 등 각종 집단적인 의지를 위해 복무할 수 있다). 냉전 사유 속에서 '민족국가'는 하나의 인격화된 '문학 주체'가 되어, 50년대 초부터 60년대 초까지의 문학 실천을 지배하였다.

1960년대에 중소 관계가 결렬되면서 '일변도' 정책도 중단되었다. 이 사건은 당대 중국의 정치와 문화에 중대한 영향을 끼쳤다. 소련 공산당 제20차 대표대회가 1956년 2월에 개최되었는데, 흐루쇼프는 24일에 「개인숭배와 그 위해에 관하여關於個人崇拜及其危害」라는 제목의 '비밀 보고'를 진행해 스탈린을 공개적으로 거론하며 비평하였다. 그는 동시에 '삼화 정책三和政策'을 제시하였는데, 이 정책의 내용은 다음과 같다. 1. 평화 공존 – 서로 다른 사회 제도를 가진 국가는 평화롭게 공존할 수 있다. 2. 평화 경쟁 – 자본주의와 사회주의 사이의 경쟁에서 최종적으로 승리하는 것은 사회주의이다. 3. 평화 과도 – 사회 혁명의 형식은 여러 가지로, 폭력과 내전만이 사회를 개조하는 유일한 수단은 아니다. 이로써 소련 문예계는 소위 '해동 시기'로 들어섰다.

같은 해 4월에 중국공산당은 「무산계급 독재정치의 역사적 경험을 논하다論無產階級專政的曆史經驗」 및 그 속편을 발표해 스탈린의 공적을 긍정하는 동시에 '교조주의'와 '현대 수정주의'를 모두 반대하였으며, 무산계급 독재정치를 계속해서 지지하면서 국내에서 '쌍백' 방침을 명확히 제시하였다. 1957년에 '폴란드·헝가리 사건波匈事件'이 발생한 후 같은 해 하반기부터 국내에 반우파 투쟁이 시작되었다. 1958년에 이르자 중소 갈등은 더욱 격화되었다. 1960년 7월에 중소 관계가 결렬되어, 소련에서 일방적으로 양국의 협의를 파기하고 전문가들을 철수시켰다. 소련은 1961년에 채무 독촉을 시작하였고, 10월에 열린 소련 공산당 제22차 대표대회에서 중국과 소련 사이에 격렬한 논쟁이 발생해 수년간의 '중소 논쟁'으로 이어졌다. 1963년, 중국은 소련 공산당 제23차 대표대회에 대표를 파견할 것을 거절하면서 양국 공산당의 관계는 완전히 중단되었다.

1962년, 저우양은 마오쩌둥의 「강화」 발표 20주년을 기념하는 글에서 '현대 수정주의'가 제국

---

16) 저우양: 「현재 문예창작에 존재하는 몇 가지 문제(當前文藝創作上的幾個問題)」, 『저우양 문집』 제2권, 제405쪽, 인민문학출판사 1985년.

주의의 노예라고 비판하면서 "우리의 문예는 반드시 제국주의 문예 및 수정주의 문예와……타협하지 않는 투쟁을 진행해야 한다"고 밝히면서, "세계 각국의 문예가 가운데 단결이 가능한 이들 모두와 단결하여 가장 광범위한 통일전선을 구축해야 한다"고 주장하였다.[17] 이와 동시에 소련의 문예작품은 냉대받기 시작하였다. 1966년 2월에 발표된 「부대문예공작 좌담회 요록部隊文藝工作座談會紀要」에 의해 '벨린스키, 체르니셰프스키, 도브롤류보프'는 제정 러시아 시대의 자산계급 사상으로 간주되었으며, "10월 혁명 이후에 출현한 비교적 우수한 소련 혁명 문예작품에 대해 맹목적으로 숭배해서도 안 되고, 맹목적으로 모방해서는 더더욱 안 된다", "문예 방면에서의 외국 수정주의 반대 투쟁에서……큰 인물을 비판해야 한다. 감히 숄로호프를 비판할 수 있어야 한다. 그는 수정주의 문예의 시조이다"[18]라고 지적하였다. 이것이 바로 무조건적인 '일변도'가 초래한 무조건적인 비판이다. 일찍이 전력으로 소련 문예를 추앙했던 저우양 역시 이로 인해 격렬한 비판을 받아 중국에서의 수정주의 문예 반동 노선의 대변자로 간주되었다.[19]

중국은 소련 공산당과의 결렬('일변도'의 종결) 이후에 미국 등의 서방 국가와 친선을 도모('일조선' 외교 전략의 확정)하였다. 1971년에 중미관계가 해동을 맞았으며, 1972년에는 닉슨 대통령이 중국을 방문하였다. 중국은 서방과의 관계를 회복하기 시작해 점차 '미국과 연합하고 소련에 반대'하는 전략을 형성하고, 소련에 맞서는 하나의 선을 형성해 이를 '일조선' 전략이라고 지칭하였다. 마오쩌둥은 키신저와의 회담에서 "위도를 따라 미국, 일본, 중국, 파키스탄, 이란, 터키, 유럽을 잇는 하나의 가로선을 형성"한다고 밝혔는데, 사실상 이는 외교 전략상의 임시방편에 지나지 않았다.

이러한 '일조선' 정책은 중국 국제관계 정책상의 조정일 뿐, 이데올로기(특히 문예와 문화) 문제를 해결하지는 못했다. 중국이 세계의 조류에 융화되었음을 상징하는 5·4 신문학은 봉건주의 문학을 전면적으로 비판하고, 서방의 계몽주의(자산계급) 문예를 배울 것을 주장하였다. 반면에 신중국의 '무산계급 문학'(1949년부터 60년대 초까지)은 소련 문학으로부터 배울 것을 주장하였다. 그러나 소련에서 도입된 소위 '사회주의 현실주의'는 수정주의와 '자산계급 반동문학'으로 '심화'될 위험이 있었다. 다시 말해, 이러한 문학의 노선들이 전부 막혀 버리게 된 것이다.

1974년, 마오쩌둥은 잠비아의 카운다 대통령과 접견한 자리에서 '세 개의 세계', 즉 미국과 소련이 포함된 제1세계, 그 외의 유럽 국가와 일본이 속한 제2세계, 중국과 기타 개도국이 포함된 제3

17) 저우양: 「가장 방대한 인민군중을 위해 복무하다(爲最廣大的人民群眾服務)」, 『저우양 문집』 제4권, 제157쪽, 인민문학출판사 1991년.

18) 「린뱌오 동지가 장칭 동지에게 소집을 부탁한 부대문예공작 좌담회 요록(林彪同志委托江青同志召開的部隊文藝工作座談會紀要)」, 셰멘, 훙즈청 엮음, 『중국 당대문학 사료선』, 제636-639쪽을 볼 것. 베이징대학출판사 1995년.

19) 야오원위안: 「반혁명 기회주의자 저우양을 평하다(評反革命兩面派周揚)」, 셰멘, 훙즈청 엮음, 『중국 당대문학 사료선』, 제667-702쪽을 볼 것. 베이징대학출판사 1995년.

세계라는 구상을 명확히 제시하였다. 덩샤오핑은 1982년 12월, 1984년 5월, 1985년 3월에 '제3세계' 개념을 수차례 언급하며 중국은 영원히 제3세계에 속할 것이라고 밝혔다.[20] 마오쩌둥의 '제3세계' 이론은 전통적인 냉전 구도에서 따로 떨어져 나온 것이나 마찬가지였다.

이는 문예계에도 반영되어 미국이 대표하는 자산계급 문예와 소련이 대표하는 수정주의 문예를 거절하고, 중국만의 '무산계급 문예'라는 노선의 탐색을 시도하는 형태로 나타났다. 이러한 시도는 최종적으로 1958년 대약진 시기에 시작(1960년대 초에 잠시 중단)된, '경극 혁명'을 본보기로 삼은 급진적인 문예 탐색 '실험'을 불러왔다. 실험의 목적은 '소련 양식'의 속박을 벗어나 발전 과정에서의 '불안 장애'를 완화하고, 이데올로기적으로 그럴듯하게 끼워 맞출 수 있는 완전히 새로운 형태의 '무산계급 문예' 형식을 창조하는 데 있었다.

1970년대 말의 국가 대개방 시기에 와서야 중국의 사상계와 문예계는 20세기 전체의 중국문학을 다시 세계문학과 연결하게 되었다. 1991년에 '냉전'이 종식된 후 국제관계는 본래의 '동서 대항' 구도에서 점차 '남북 대화(남쪽의 개도국이 북쪽의 선진국과 대화하고 교류하며 협력하는 것)' 구도로 전환되었다. 덩샤오핑은 국가를 개방해 서방의 선진 과학기술을 흡수할 것을 부단히 주장하였을 뿐만 아니라 '남북 대화'와 '남남 합작南南合作' 주장하였다. 또한 "평화 문제는 동서의 문제이고, 발전 문제는 남북의 문제이다. 남북의 문제가 핵심 문제이다"라고 보았다.[21]

3. 급진적인 문학 실험

급진적인 문학 실험은 '냉전' 사유 속의 급진적 정치 경향이 문예에 반영된 것으로, 이 가운데에는 국제적인 압력하에 발생한 급진적 민족주의 정서와 '현대화'에 관한 불안감이 포함되어 있다. '초반 17년'의 급진적 문학 실험은 위로는 1940년대의 '앙가 운동'을 계승하였으며, 아래로는 '문혁' 시기의 '문예 혁명'을 인도하였다. 즉, 이는 옌안 시기의 '앙가 운동秧歌運動' – 대약진 시기의 '신민가 운동新民歌運動' – '문혁' 시기의 '문예 혁명文藝革命' 운동이라는 일련의 운동의 일환인 것이다. 중국 당대문학에서의 급진적 문학 창작(실험) 운동은 각기 다른 정도로 신중국 성립 전의 해방구의 '전시 동원戰時動員' 색채를 띠고 있는데, 이는 문예창작을 인민 군중을 동원해 어떠한 시기의 정치적 임무를 실현하는 선전 도구로 보았다는 의미이다.

그러나 신중국 성립 전과 다른 것은 '신민가 운동'과 '문혁' 직전의 '문예 혁명'은 정치 선전의 '수

---

20) 『마오쩌둥 문집』 제8권, 제441쪽(인민출판사 1999년), 『덩샤오핑 문선(鄧小平文選)』 제3권 관련 부분(인민출판사 1993년)을 볼 것. -> 표시 방법 확인 필요.

21) 『덩샤오핑 문선(鄧小平文選)』 제3권, 제56쪽, 제105쪽을 볼 것. 인민출판사 1993년.

단'일 뿐만 아니라 이들 자체가 '목적', 즉 '사회주의 혁명'의 유기적인 구성 부분이기도 했다는 것이다. 가령 대약진 시기의 '문학 대약진文學大躍進' 혹은 '민가 대약진民歌大躍進' 및 '문혁' 직전에 시작된 '혁명 모범 문예革命樣板文藝'의 탄생은 그 창작 수량과 질 모두가 1958년의 '대련강철大煉鋼鐵' 및 농촌의 '실험전實驗田' 운동과 유사하다. '혁명 양판희革命樣板戲' 자체가 '반제국주의, 수정주의 방지' 투쟁 실천의 일부분이었다. 완전히 새로운 '공산주의 문예'의 생산에 급급한 이러한 급진적인 문예 실험은 '대약진' 시기부터 '문혁' 시기까지의 '빠르게 달려 공산주의에 진입하다', '영국을 따라잡고 미국을 초월하다', '제국주의와 수정주의의 반동분자를 타파하다' 등의 급진적인 정치 사유와 맥락을 같이한다.

1958년 3월, 마오쩌둥은 대약진 운동과 관련해 중공중앙에서 개최한 청두 회의에서의 연설에서 여러 가지 이데올로기 문제와 문학예술 문제에 관해 언급하였다. 그는 소련의 경험을 참고하는 문제에 관해 "억지로 적용해서는 안 되고 분석해야 한다. 억지로 적용한다는 것은 독립적으로 사고하지 않고 역사상의 교조주의의 교훈을 잊어버린다는 뜻이다", "소련을 비롯한 기타 국가들의 장점을 학습하는 것이 하나의 원칙이다. 그러나 학습에는 두 가지 방법이 있다. 하나는 오로지 모방하는 것이고, 다른 하나는 창조 정신이다. 학습은 반드시 독창적인 정신과 결합되어야 한다"고 말했다.[22] 그는 독창성과 창의성을 갖출 것을 거듭 강조하였다.

2개월 후에 개최된 중국공산당 제8기 전국대표대회 제2차 회의에서 그는 또다시 미신을 타파할 것과 레닌이 제2 국제 시기에 보여준 '남다른 혁신과 창조' 정신을 배울 것을 강조하였다. 이러한 사고는 스탈린과 흐루쇼프 이후의 '소련 양식'의 속박에서 벗어나고자 하는 것이었다.

그는 시가 문제에 관해 "내가 보기에 중국 시의 활로는 민가와 고전 두 가지가 있다. 이 두 방면을 모두 학습하여 결과적으로 신시新詩의 형식을 탄생시켜야 한다. 지금의 신시는 형태가 갖춰지지 않았고, 사람들의 주목을 끌지도 못한다. 누가 그런 신시를 읽으려 하겠는가. 내가 보기에 장차 고전과 민가라는 두 가지가 결혼하여 제3의 무언가를 낳을 것이다. 형식은 민족적이고, 내용은 분명히 현실주의와 낭만주의의 대립통일을 담을 것이다"라고 말했다.[23]

바로 이 회의에서 마오쩌둥이 신민가新民歌를 수집하고 창작할 것을 정식으로 호소하여 민가의 수집과 창작이 급박한 정치적 임무가 되었다. 1958년 4월 14일, 『인민일보』에 「전국의 민가를 대규모로 수집하자大規模地收集全國民歌」라는 사설이 발표되어 전국 인민에게 민가를 수집할 것을 호소하였는데, 이것이 바로 유명한 '신민가 운동'이다. 사설은 허난 민가의 "913개의 산봉우리 하나

22) 『건국 이후 마오쩌둥 문고』 제7권, 제120-122쪽, 중앙문헌출판사 1992년.
23) 『건국 이후 마오쩌둥 문고』 제7권, 제124쪽, 중앙문헌출판사 1992년.

하나가 인민에게 고개를 숙이게 해야 한다", 쓰촨 민가의 "추위와 배고픔을 두려워 않고, 뤄궈산이 내게 잘못을 인정해야 한다" 등의 가사가 모두 "현실주의와 낭만주의가 결합한 좋은 시"라고 평하였다.24)

1958년 6월, 저우양은 『홍기紅旗』 창간호에 「신민가가 시가의 새로운 길을 개척했다新民歌開拓了詩歌的新道路」라는 글을 발표하여 '대약진 민가'에 대한 전반적인 평가를 진행하였다. 그는 신민가가 "정치 선동시"이자 "생산 투쟁의 무기"인 동시에 "노동 군중이 스스로 창작하고 감상하는 예술품"이기도 하다며, "민간 가수와 지식분자 시인 사이의 경계선은 점차 사라질 것이다. 그때가 되면 모두가 시인이 되고, 모두 함께 시를 감상하게 될 것이다"라고 말했다.25) 문학 창작의 주체를 새롭게 확립하려는 이러한 시도는 경제와 문화면에서 민족국가의 주체를 새롭게 확립하고자 하는 실천과 동일한 논리를 가지고 있다.

급진적 사유와 주관적 판단상의 실수 탓에 '신민가 운동'은 공농업 생산에 나타난 성과를 과장하는 풍조와 같은 모습을 보였다. 당시에는 거의 모든 성, 시, 자치구, 현, 향, 공장, 학교 등에서 신민가를 창작하고 선별해 편집하는 '대생산' 운동을 전개했다. 그래서 식량의 생산량을 과장해서 보고하는 것처럼 창작된 신민가의 양을 과장해서 상부에 보고하였다. 통계에 의하면 이 당시에 8만여 종의 민가 선집이 출간되어 수천만 권이 발행되었다.26)

이 과정에서 마오쩌둥이 제시한 '양결합兩結合'은 이후에 궈모뤄, 저우양 등에 의해 '혁명적 낭만주의와 혁명적 현실주의의 결합'으로 해석되어 '완전히 새로운 창작방법', '가장 훌륭한 창작방법'으로 지칭되었다. 사오취안린, 허징즈賀敬之 등이 『문예보』에 분분히 글을 발표하여 '양결합'을 학습한 경험을 서술하였는데, 대약진 민가와 마오쩌둥의 시사詩詞가 모두 '양결합'의 본보기라고 여겼다. 저우양은 「신민가가 시가의 새로운 길을 개척했다」에서 이 방식에 대해 상세히 해석하였다. 그는 혁명적 낭만주의가 없는 '현실주의'는 저속한 자연주의 쪽으로 치우치게 되고, 혁명적 현실주의가 결핍된 '낭만주의'는 "허장성세 식의 공허한 말 혹은 지식분자의 터무니없는 생각"으로 변하므로, 오직 '양결합'만이 인민 군중의 혁명과 건설에의 열정 및 공산주의의 풍격을 충분히 반영할 수 있다고 주장하였다.27) 그러나 저우양 등은 문학 개념의 연속성을 옹호하고자 하는 마음에 소련

24) 『문예 정책 학습 자료(文藝政策學習資料)』(내부 발행), 제543-544쪽을 볼 것. 지린인민출판사(吉林人民出版社) 1961년.

25) 『시간詩刊』 편집부 엮음, 『신시가의 발전 문제(新詩歌的發展問題)』 제1집, 제1-13쪽을 볼 것. 작가출판사(作家出版社) 1959년.

26) 판쉬란(潘旭瀾): 『신중국 문학사전(新中國文學詞典)』, 제1183쪽을 볼 것. 장쑤문예출판사(江蘇文藝出版社) 1993년.

27) 사오취안린(邵荃麟): 「문외한이 시를 말하다(門外談詩)」, 허징즈(賀敬之): 「시의 혁명적 낭만주의에 관하여(漫談詩的革命浪漫主義)」, 저우양: 「신민가가 시가의 새로운 길을 개척했다」 등을 참고. 『시간』 편집부 엮음, 『신시가

문학과 고리키를 통해 '양결합'과 소련의 '사회주의 현실주의' 방법을 결합하려는 시도를 하였다. 그 과정에서 이 창작 방식이 가진 '소련 양식'을 탈피하고자 하는 동기를 등한시하였다('문혁' 시기에 이러한 관점들은 모두 '반혁명 수정주의'의 죄상으로 간주되었다).

옌안 시기에 그 싹을 틔워 1950~1960년대에 더욱 강화되고 완전해진 문예 생산 양식, 즉 중심 임무에 호응하는 방식이 문예창작의 기본 원칙이 되었다. '양결합'은 이 원칙을 실현하는 전문적인 표현 방식이며, '삼결합' 생산방식은 이 원칙의 구성과 실천이었다. 이 방식들은 신중국의 급진적 문예 생산 및 실험의 기본 계율이라고 볼 수 있다. 60년대 초의 짧은 '조정' 시기 이후, 이 계율은 '문혁' 초기에 전면적으로 수용되었다.

1964년 7월, 장칭은 「경극 혁명에 관하여談京劇革命」라는 제목의 연설에서 공농병 형상과 혁명 영웅 형상을 묘사하는 것이 사회주의 문예에 가장 필요한 일이라고 지적하면서, '삼결합'을 "지도자, 전문 인원, 군중" 삼자의 결합이라고 해석하였다.[28] 「부대문예공작 좌담회 요록」에서는 문예 창작이 "혁명적 현실주의와 혁명적 낭만주의를 결합하는 방법을 취해야 한다"고 주장하였다.[29]

이러한 급진적인 문예 실험을 실시하는 과정에서 장칭 등은 창작 기교에 관한 일련의 계율을 정리하였다. 이 가운데 가장 중요한 계율은 바로 '삼돌출三突出'이라는 총원칙으로, 그 내용은 모든 인물 가운데 긍정적 인물을 돌출하고, 긍정적 인물들 가운데 영웅 인물을 돌출하고, 영웅 인물 가운데 주요 영웅 인물을 돌출하는 것이다. 이것은 어느 특수한 시기의 급진주의 문예의 미학 원칙이다.

이 외에도 기타 부차적인 인물과 예술적 요소를 처리하는 방법과 원칙도 존재했는데, 이는 '삼돌출' 원칙을 준수한다는 전제하에 생겨난 부차적 원칙이었다. 그 내용은 첫째로 배친 원칙陪襯原則, 즉 부정적 인물을 이용해 긍정적 인물을 돋보이게 하는 원칙('어느 계급이 무대를 주재하는가'를 생각하는 중대한 문제), 둘째로 홍탁 원칙烘托原則, 즉 여타 긍정적 인물을 통해 영웅 인물을 부각하는 원칙("군중은 영웅이 존재하는 기초이며, 영웅은 군중의 본보기이다"), 셋째로 선염 원칙渲染原則, 즉 환경의 선염을 통해 일반적인 영웅 인물 가운데에서 주요 영웅 인물을 돌출하는 원칙(무대의 미학적 설계, 조명, 음향 등은 반드시 인물, 특히 영웅 인물을 위해 복무해야 하며, 이 점에서 벗어난다면 곧 자산계급적 유미주의이다)이다.[30]

의 발전 문제』 제1집을 볼 것. 작가출판사 1959년.

28) 장칭江青: 「경극 혁명에 관하여(談京劇革命)」, 셰몐, 훙즈청 엮음, 『중국 당대문학 사료선』, 제601-605쪽을 볼 것. 베이징대학출판사 1995년.

29) 「린뱌오 동지가 장칭 동지에게 소집을 부탁한 부대문예공작 좌담회 요록」, 셰몐, 훙즈청 엮음, 『중국 당대문학 사료선』, 제636-639쪽을 볼 것. 베이징대학출판사 1995년.

30) 위후이융於會泳: 「문예 무대가 영원히 마오쩌둥 사상을 선전하는 진지가 되게 하자(讓文藝舞台永遠成爲宣傳毛澤東思想的庫地)」, 상하이경극단(上海京劇團): 「무산계급 영웅인물의 빛나는 형상 창조를 위해 노력하자(努力塑

정치를 직접적으로 미학화美學化하는 '삼돌출' 원칙 및 이에 수반하는 부차적 미학 원칙은 '문혁' 직전의 '문예혁명' 실천에 대한 정련이자 총결산이며, 동시에 급진적인 문예 실험 과정에서 출현한 완전히 새로운 기형적인 '미학' 범주이다. 이러한 원칙들은 작품의 구성 방식, 인물 형상화의 규칙에서부터 무대의 미술, 조명, 음향 등 기술 자원의 배치 규칙 등의 문제에까지 관련되었다. "무산계급 영웅의 전형을 훌륭히 창조해야만 문예 영역에서의 무산계급의 자산계급에 대한 독재 정치를 실현할 수 있다……경극의 노래, 동작, 대사, 격투 등 각종 예술적 수단 모두가 무산계급 영웅 형상의 창조를 위해 복무하도록 해야 한다."[31] 그러므로 문예가 방대한 군중을 위해 복무한 이면에는 대단히 엄격한 등급 관념이 존재했던 것이다.

역사의 실마리에 대한 간략한 정리를 통해, 우리는 중국 당대문학 '초반 17년'의 비교적 명확한 논리 관계와 발전 노선을 살펴볼 수 있었다. 이러한 논리 관계와 발전 노선은 한편으로는 국내적으로 '신흥 민족국가의 합법성'의 총체적인 서사의 제약을 받아, 문학은 이 총체적 서사 속의 유기적인 구성 부분이 되었다. 다른 한편으로는 '냉전' 시기 국제관계의 제약을 받아, 문학 서사는 국제정치 대립 속의 무기가 되었으며, 그 목적은 마찬가지로 국내의 이데올로기적 합법성을 지지하는 데 있었다. 때문에 중국 당대문학의 '초반 17년'이 강렬한 정치적 색채를 띠고 있다는 점은 말할 필요도 없다.

『중국당대문학편년사』의 초반 세 권(1949~1965)의 자료 수집 및 편찬 과정에서, 특히 『인민일보人民日報』, 『광명일보光明日報』, 『문회보文滙報』, 『문예보文藝報』, 『인민문학人民文學』, 『문예학습文藝學習』 등 대량의 1차 자료를 독해하면서 우리는 모든 문학 운동 혹은 문학 현상의 발생 원인과 그 발전 추세가 당시의 국제 및 국내 정치 환경과 사회 사조와 밀접한 관련이 있음을 발견하였다. 이러한 자료들의 관련성을 드러내 보일 수 있다면 당대문학사 내지는 문화사 연구에 큰 도움이 될 것이다. 우리는 자료의 다양성을 가능한 한 드러내려 했지만, 본 편년사의 '문학'적 성질과 지면의 한계 때문에 대량의 기타 자료를 포기할 수밖에 없었다. 이는 매우 유감스러운 일이다.

造無產階級英雄人物的光輝形象)」. 세멘, 훙즈칭 엮음, 『중국 당대문학 사료선』, 제731-734쪽을 볼 것. 베이징대학출판사 1995년.

31) 추란(初瀾): 「경극 혁명 10년(京劇革命十年)」, 세멘, 훙즈칭 엮음, 『중국 당대문학 사료선』 제756쪽을 볼 것. 베이징대학출판사 1995년.

| 목차 |

1949. 7 ~ 1953. 12

1949 年

7월

1일, 중화전국문학예술공작자대표대회(中華全國文學藝術工作者代表大會, 약칭 '문대회文代會')의 전체 대표가 베이핑北平시 '7·1' 기념대회에 참가하였다.

『화베이문예華北文藝』 제6호에 아이칭艾青의 글 「창작의 몇 가지 문제創作的幾個問題」가 발표되었으며, 같은 호에 친자오양의 단편소설 「행복幸福」과 왕웨이王煒의 글 「혁명의 문예비평을 수립하고 전개하자建立與展開革命的文藝批評」가 수록되었다.

아이칭(1910~1996), 시인. 본명은 장하이청蔣海澄으로 저장성 진화金華 출신이며 1928년에 항저우국립시후예술학원杭州國立西湖藝術學院 회화과에 입학하였다. 다음해 프랑스로 유학하여 고학한 후 1932년 초에 귀국하여 상하이에서 중국좌익미술가연맹中國左翼美術家聯盟에 가입해 혁명문예활동에 종사하다가 곧 체포되었다. 옥중에서 여러 편의 시를 창작하였는데, 그 가운데 「다옌허, 나의 유모大堰河 - 我的保姆」가 발표된 후 큰 반향을 불러일으켜 단번에 명성을 얻었다. 중일전쟁 발발 후에는 한커우漢口, 충칭 등지에서 항일구국운동에 참가하였고, 1941년에 옌안延安으로 가서 『시간詩刊』의 책임 편집자를 맡았다. 중화인민공화국 성립 후에는 『인민문학』 부편집장, 중화전국문학예술계연합회(中華全國文學藝術界聯合會, 약칭 '전국문련全國文聯'. 이하 '문련'은 모두 '문학예술계 연합회'를 뜻함-역자 주) 위원 등을 맡았다. 아이칭은 1936년 이후로 20종이 넘는 시집을 출간하였는데, 대표 시집으로는 『북방北方』, 『다옌허大堰河』, 『횃불火把』, 『태양을 향해向太陽』, 『여명의 통지黎明的通知』, 『환호집歡呼集』, 『보석의 붉은 별寶石的紅星』, 『봄春天』 등이 있다. 그 외에도 논문집『시론詩論』, 『신문예논집新文藝論集』, 『아이칭이 시를 말하다艾青談詩』를 비롯해 산문집과 번역 시집을 출간하였다. 아이칭의 작품은 10개 이상의 언어로 번역 출판되어 세계적으로도 명성을 떨쳤다. 1985년에 프랑스에서 그에게 문학예술 최고 훈장을 수여하였다.

친자오양(1916~1994), 작가. 후베이성 황강黃岡 출신으로 1938년에 옌안으로 가 1941년에 중국공산당에 가입하였다. 이후에 화베이연합대학華北聯合大學 문예학원 교사, 지중구 제10분구冀中區第十分區 여명신문사黎明報社 사장, 지중군구 전선신문사冀中軍區前線報社 부사장, 『화베이문예』 편집자 등을 맡았다. 공화국 성립 후에는 『문예보』 편집위원, 『인민문학』 부편집장, 인민문학출판사人民文學出版社 부편집장, 『당대當代』 편집장 등을 역임하였다. 저서로 유명한 단편소설집 『농촌잡기農村散記』를 비롯해 장편소설 『전원에서 전진하자在田野上,前進!』, 『대지大地』, 그리고 논문집 『문학탐로집文學探路集』 등이 있다.

『생활문예生活文藝』 제3호에 쑤진싼蘇金傘의 시 「우씨 노인吳老」이 발표되었다. 쑤진싼(1906~1997), 시인. 본명은 쑤허톈蘇鶴田으로 허난성 쑤이현睢縣 출신이다. 허난성 문련 제1기 주석을 역임하였으며 1932년부터 작품을 발표하였다. 1949년에 중국작가협회에 가입하였다. 저서로 시집 『지층 공장地層廠』, 『창밖窗外』, 『산비둘기鵓鴣鳥』, 『쑤진싼 시선蘇金傘詩選』, 『쑤진싼 시문집蘇金傘詩文集』 등이 있다.

『문예노동文藝勞動』 제1권 제2호에 허징즈의 「웃음笑」, 뤼젠呂劍의 「오자도五子圖」 등의 시와 팡지方紀의 시론 「공인시 약론略論工人的詩」이 발표되었다.

허징즈(1924~), 시인. 산둥성 이현嶧縣 출신으로 1942년에 옌안루쉰예술학원(延安魯迅藝術學院, 약칭 '옌안루예延安魯藝') 문학과를 졸업하였다. 1945년에 딩이丁毅와 함께 중국 최초의 신가극新歌劇 「백모녀白毛女」를 공동 창작하여 1951년에 스탈린문학상을 수상하였다. 중앙희극학원 창작실 주임, 『인민일보』 문예부 부주임, 문화부 부부장 겸 문학예술연구원 원장, 중공중앙 선전부 부부장, 문화부대 부장 등을 역임하였다. 저서로는 시집 『방가집放歌集』, 『허징즈 시선賀敬之詩選』과 평론집 『허징즈 문예논집賀敬之文藝論集』, 장시 『옌안으로 돌아가다回延安』, 『소리 높여 노래하다放聲歌唱』, 『레이펑의 노래雷鋒之歌』, 『중국의 10월中國的十月』 등이 있다.

뤼젠(1919~), 시인, 산문가. 본명은 왕핀즈王聘之이며 이젠一劍, 위안바이原白 등의 필명을 사용하였다. 산둥성 라이우萊蕪 출신으로 1938년부터 작품을 발표하였으며, 공화국 성립 후에 중국작가협회에 가입하였다. 쿤밍 『소탕보掃蕩報』 특별란 책임 편집자, 홍콩 『화상보華商報』 특별란 책임 편집자, 『중국시단中國詩壇』 편집위원, 북방대학예술학원北方大學藝術學院 교사, 『인민문학』 편집부 주임 겸 시가조장詩歌組長, 『시간』 및 『중국문학中國文學』 편집위원 등을 역임하였다. 주요 저서로는 시집 『진지에 진입하다進入陣地』(3인 합동시집), 『새싹草芽』, 『영웅비英雄碑』, 『시가초집詩歌初集』, 『계류집溪流集』 등과 보고문학 작품집 『10월의 베이징성十月北京城』, 시론집 『시와 투쟁詩與鬥爭』 및 산문·잡문집 『일검집一劍集』 등이 있다.

팡지(1919~1998), 작가. 본명은 펑지馮驥로 허베이성 수루束鹿 출신이다. 1939년에 충칭에서 옌안으로 이동해 『해방일보』 신문사 등의 기관에서 편집 및 집필에 종사하였다. 종전 후에 러허성(熱河省: 과거에 중국 남동부에 있던 성. 1955년에 허베이성, 랴오닝성, 네이멍구 자치구에 분할 편입되었음- 역자 주) 문련 주석을 역임하였다. 공화국 성립 후에는 『톈진일보』 문예부 주임, 톈진시 문화국장, 톈진시 문련 당조서기, 톈진시 당위원회 선전부 부부장, 중국작가협회 톈진분회 주석 등을 역임하였다. 주요 작품으로는 장편소설 『늙은 뽕나무 아래의 이야기老桑樹底下的故事』, 중편소설 『계속되지 않는 이야기不連續的故事』, 단편소설 『방문자來訪者』, 특필산문집 『창장행長江行』, 『손을 흔드는 사이揮手之間』, 장시집 『창장은 끊임없이 굽이쳐 흐르네不盡長江滾滾來』, 『창장은 동쪽으로 흘러가네大江東去』 및 문학평론집 『학검집學劍集』 등이 있다.

2일, 제1차 전국문예공작자대표대회가 베이핑에서 정식으로 개회하였다. 궈모뤄가 개회사를 한 후 마오둔茅盾이 대회의 준비 과정을 보고하였다. 펑나이차오馮乃超가 대표 자격 심사 상황을 보고하고, 주더朱德가 당 중앙위원회를 대표해 축사를 하였다. 둥비우董必武, 루딩이陸定一, 리지선李濟深 등의 내빈이 연설하였다. 대회 대표 전체 824명 가운데 실제 참석 인원은 650명이었으며 주석단主席團은 99명으로 구성되었다. 상무주석단은 딩링, 톈한田漢, 리보자오李伯釗, 아잉阿英, 사커푸沙可夫, 저우양, 마오둔, 홍선洪深, 커중핑柯仲平, 궈모뤄, 차오징화曹靖華, 양한성陽翰笙, 장즈샹張致祥, 펑쉐펑馮雪峰, 정전둬鄭振鐸, 류즈밍劉芝明, 어우양위첸歐陽予倩 등으로 구성되었다. 궈모뤄가 총주석을 맡았으며 마오둔, 저우양이 부총주석을 맡았다.

궈모뤄(1892~1978), 문학가이자 고고학자, 사상가, 고문자학자 및 혁명활동가. 본명은 궈카이전郭開貞으로 쓰촨성 러산樂山 출신이다. 1914년에 일본으로 유학하여 처음에는 의학을 공부했으나 나중에는 문학을 공부하였다. 1919년 9월부터 신시 작품을 발표하였다. 1921년에 위다푸鬱達夫, 청팡우成仿吾 등과 함께 '창조사創造社'를 조직하였다. 같은 해 8월에 첫 시집 『여신女神』을 출간하였는데, 참신한 내용과 형식으로 새로운 시풍을 개척해 중국 현대 신시의 기초를 다진 작품이라 칭해진다. 1923년 이후로 『별하늘星空』, 『병瓶』, 『전모前茅』, 『회복恢復』 등의 시집을 연이어 출간하였는데, 시풍이 변화해 프롤레타리아 문학을 제창하였다. 1926년에 북벌에 참여해 국민혁명군 정치부 부주임을 맡았다. 다음해에 중국공산당이 이끈 난창 봉기南昌起義에 참가하였다. 국민당 정부의 지명수배를 당해 1928년 2월에 일본으로 망명하였다. 1930년에 중국좌익작가연맹(中國左翼作家聯盟, 약칭 '좌련左聯')에 가입하였다. 중일전쟁 발발 후 귀국해 군사위원회 정치부 제3청 청장을 맡았다가 이후에 문화공작위원회 주임을 맡아 진보파의 문화 인사들과 연대해 항일구국운동에 종사하였다. 1938년에 중화전국문예계항적협회(中華全國文藝界抗敵協會, 약칭 '문협文協') 이사를 맡았다. 이 시기에 「굴원屈原」으로 대표되는 6편의 역사극을 창작하였으며 『십비판서十批判書』, 『청동시대靑銅時代』 등의 역사 평론집 및 대량의 잡문, 수필, 시 등을 발표하였다. 1946년 이후로 민주운동의 선두에 서서 국민당 통치 지구 문화계의 혁명적 기치와 같은 존재가 되었다. 공화국 성립 후에는 중앙인민정부 위원, 국무원 부총리 겸 문화교육위원회 주임, 중국과학원 원장, 전국문련 제1, 2, 3기 주석, 중국공산당 제9, 10, 11기 중앙위원, 제1기~제5기 전국인민대표대회 상무위원회 부위원장 및 중국인민정치협상회의 전국위원회(中國人民政治協商會議全國委員會, 약칭 '전국정협全國政協') 위원, 상무위원, 부주석 등을 역임하였다. 이후에 『궈모뤄 전집郭沫若全集』(38권)이 출간되었다.

마오둔(1896~1981), 소설가, 문학평론가. 본명은 선더훙沈德鴻이며 자는 옌빙雁冰으로 저장성 퉁샹桐鄕 출신이다. '마오둔'은 그가 1927년에 첫 소설 「환멸幻滅」을 발표했을 때부터 사용한 필명으로, 그 이후로 그의 가장 주된 필명이 되었다. 1913년에 고등학교를 졸업한 후 베이징대학 예과반 제1종에 입학하였고, 예과반 졸업 후에는 상하이의 상무인서관商務印書館 편역소에서 근무하였다. 1921년에 발기인으로서 '문학연구회文學硏究會'를 조직하고 참여했으며 『소설월보小說月報』의 편집을 맡아 개혁을 진행하였다. 같은 해 7월에 중국공산당에 가입해 중국공산당 최초의 당원 가운데 한 명이 되었다. 국공합작의 대혁명 시기에 마오둔은 개인 명의로 국민당에 가입해 여러 민주 계급의 통일전선 수립을 추진하였다. 대혁명이 실패하고 고뇌에 빠진 시기에 그는 1927년 9월부터 『소설월보』에 첫 소설인 「환멸」을 연재하기 시작하였다. 1930년에 좌련에 가입하였으며, 다음해에 장편소설 『자야子夜』를 창작해 '사회분석소설'이라는 분야를 개척하여 큰 영향을 끼쳤다. 그 이후로 「린씨네 가게林家鋪子」, '농촌 3부작'(「춘잠春蠶」, 「추수秋收」, 「잔동殘冬」), 「부식腐蝕」, 「서리 내린 붉은 잎은 이월달의 꽃과 같구나霜葉紅似二月花」 등의 소설을 발표하였다. 공화국 성립 후에는 문련 부주석, 문화부장, 중국작가협회 주석 및 전국정협 부주석 등을 역임하였다. 이후에 『마오둔 전집茅盾全集』(40권)이 출간되었다.

저우양(1908~1989), 문예이론가, 번역가. 본명은 저우윈이周運宜이며 자는 치잉起應으로 허난성 이양益陽 출신이다. 창사長沙에서 고등학교에 다니던 시기에 문학 창작을 시작하였다. 1927년에 중국공산당에 가입하였고, 다음해에 일본으로 유학하였다. 유학 기간에 중국 유학생들이 조직한 '중국청년예술연맹中國靑年藝術聯盟'에 참가하였으며 일본의 좌익 문화인사들과도 교류하였는데, 좌익

운동에 참여한 일로 인해 이후에 일본 경찰에 의해 체포되었다. 1930년에 귀국해 중국좌익희극가연맹中國左翼戲劇家聯盟 및 좌련에 가입하였다. 1935년 봄에 중공 상하이 중앙국 문화위원회 서기에 임명되었으며 문화총동맹 서기를 겸임하였다. 중일전쟁 발발 후에 옌안으로 가서 옌안의 문화 및 교육 업무를 담당하였으며 '루쉰예술학원' 부원장을 맡았다. 궈모뤄, 마오둔 등과 함께 전국 제1차 문대회를 준비해 개최하였다. 공화국 성립 후에는 중공중앙선전부 부부장, 문화부 부부장, 당조서기 등을 역임하였다. '문화대혁명' 당시 박해를 받았다가 신시기에 복권되어 중국사회과학원 부원장, 중국문련 부주석·주석·당조서기, 중국작가협회 부주석, 중공중앙 선전부 부부장 등을 역임하였다.

같은 날, 『인민일보』 특집호에 궈모뤄의 「군사 전선을 향해 정렬하자向軍事戰線看齊」, 정전둬의 「문대회의 전망文代大會的前瞻」, 펑즈馮至의 「문대회 개회 전에 쓰다寫於文代會開會前」, 차오위의 「대회에 대한 나의 의견我對於大會的一點意見」 등의 글이 게재되었다.

정전둬(1898~1958), 학자이자 작가로 푸젠성 창러長樂 출신이다. 신문학운동 시기에 마오둔 등과 함께 문학연구회를 발기 및 조직하였다. 1949년 이후에 전국문예가협회 연구부장, 중앙문화부 문물국장, 민간문학연구실 부주임, 중국과학원 고고학연구소 소장, 문화부 부부장 등을 역임하였다. 저서로는 단편소설집 『가정 이야기家庭的故事』, 『불 절취자의 체포取火者的逮捕』, 『계공당桂公塘』 및 산문집 『구루집佝僂集』, 『유럽 여행 일기歐行日記』, 『산중잡기山中雜記』, 『칩거산기蟄居散記』를 비롯해 『문학대강文學大綱』, 『러시아문학사략俄國文學史略』, 『중국문학논집中國文學論集』, 『중국속문학사中國俗文學史』 등이 있다.

펑즈(1905~1993), 시인, 번역가. 본명은 펑청즈馮承植로 허베이성 줘현涿縣 출신이다. 1921년에 베이징대학에 입학하였다. 1920년대에 천초사淺草社에 가입하였으며 친구와 함께 침종사沉鍾社를 창립하였다. 1930년 말부터 1935년 6월까지 독일에서 유학하며 문학, 철학, 예술사를 전공하였다. 귀국 후에는 상하이 퉁지대학同濟大學, 쿤밍의 서남연합대학西南聯合大學, 베이징대학 교수 및 중국사회과학원 외국문학연구소 소장, 중국작가협회 부주석 등을 역임하였다. 1987년에 독일연방공화국 대십자공로훈장을 수훈하였으며 국제문화예술교류중심 예술상을 수상하였다. 저서로 시집 『어제의 노래昨日之歌』, 『14행시집十四行集』, 『십년시초十年詩抄』, 『펑즈 시선馮至詩選』, 『입사양집立斜陽集』과 산문집 『산수山水』, 『동유럽 잡기東歐雜記』 등을 비롯해 역사소설 『오자서伍子胥』, 전기 『두보전杜甫傳』이 있다. 번역서로는 『하이네 시선海涅詩選』, 『독일, 어느 겨울의 동화德國, 一個冬天的童話』 등이 있다.

차오위(1910~1996), 극작가. 본명은 완자바오萬家寶로 톈진에서 출생했으며 본적은 후베이성 첸장潛江이다. 1923년에 난카이중학南開中學에 입학하였다. 1930년에 칭화대학에 입학하였으며,

극본 「뇌우雷雨」가 『문학계간文學季刊』에 발표되어 공연된 후 당시의 문단 및 극단에서 큰 반응을 얻었다. 국립난징희극학원 교수를 역임하였으며 공화국 성립 후에는 중앙희극학원 부원장, 베이징인민예술극원 원장, 베이징시 문련 주석, 중국문련 주석, 중국희극가협회(中國戲劇家協會, 약칭 극협劇協) 주석, 중국작가협회 서기처 서기 등을 역임하였다. 대표작으로는 「뇌우」 외에도 「일출日出」, 「원야原野」, 「베이징인北京人」 등이 있다.

궈모뤄는 「군사 전선을 향해 정렬하자」에서 "빛나는 군사적 승리가 소멸시킨 것은 주로 유형의 적들이다. 그러나 2천여 년 동안 이어져 온 봉건사상, 백여 년간 계속된 매국노 사상, 그리고 20~30년간 지속된 파시스트 사상과 같은 무형의 적들은 문화 전선을 통해 철저히 소멸시켜야 한다. 이러한 무형의 적을 철저히 소멸시키지 않는다면 신민주주의의 신중국 건설은 방해를 받을 것이며, 심지어 눈부신 혁명적 군사 승리마저도 확보하기 어려워질 것이다"라고 밝혔다. 궈모뤄는 문화전선에서 "위대한 승리"를 얻기 위해 "펜을 든 부대"가 반드시 "총을 든 부대를 향해 정렬"해야 한다고 호소했다.

펑즈는 「문대회 개회 전에 쓰다」에서 문예공작자가 반드시 사회 전체에 대해 책임지고 지식분자의 편협한 습관을 씻어내 인민의 요구를 만족시켜야 한다고 주장하였다. 펑즈는 "이 대회의 일개 참가자인 나는 지금 통렬한 책임감을 느낀다. 모든 벽돌과 기와 하나하나가 건물 전체를 책임지는 것과 같이, 앞으로는 내가 쓰는 한 글자 한 글자가 모두 새로운 사회 전체를 책임지도록 할 것이다. 나는 지금 수많은 인민의 앞에서 지식분자의 모든 편협한 습관을 씻어내야 한다는 엄숙한 사명을 인지한다. 이때 나는 우렁찬 외침을 듣는다. '인민의 요구!' 만약 요구가 물이라면 우리는 우리 자신을 아주 작은 물방울로 여겨 물속으로 뛰어들어야 하며, 요구가 불이라면 우리는 자신을 작은 나뭇조각 삼아 불 속으로 뛰어들어야 한다"라고 밝혔다.

같은 날 출간된 『문예보文藝報』 제9호에는 후펑胡風의 「단결하여 더욱 전진하라! - 대리 축사團結起來, 更前進! — 代祝詞」, 커중핑의 「문대회에서의 '수래보'(중국 전통 만담의 일종-역자 주)文代會上"數來寶"」, 류칭柳青의 「모퉁이에서轉彎路上」 등의 글이 발표되었다.

후펑(1902~1985), 문예이론가, 시인. 본명은 장광런張光人이며, 후펑 외에도 구페이穀非, 가오황高荒, 장궈張果 등의 필명이 있다. 후베이성 치춘蘄春 출신이다. 일본 유학 시절에 일본 프롤레타리아 문학 운동 및 소련 문학의 영향을 받아 현지의 마르크스주의 독서회에 참가하였으며, 좌련 동경분맹分盟 책임자를 맡았다. 귀국 후에는 좌련 선전부장 및 행정서기를 역임하였다. 중일전쟁 발발 후에 『칠월七月』, 『희망希望』 등의 잡지 편집장을 맡아 신진 문인을 발굴 및 육성해 후에 '칠월파七月派'로 불린 청년 작가 및 시인들의 성장에 적극적인 역할을 하였다. 1938년에 문협 상무위원에 당선되어 협회의 연구 업무를 주관하였다. 공화국 성립 후에는 중국문련 위원, 중국작가협회 이사, 제1기 전국인민대표대회 대표 등을 역임하였다. 『몇 년간의 문예 실천 상황에 관한 보고關於幾年來文藝實踐情況的報告』(즉 '30만 자의 의견서')로 인해 1954년에 체포되었다가 1979년에 석방되었다. 저서로는 시집 『들꽃과 화살野花與箭』, 『조국을 위해 노래하다爲祖國而歌』, 『시간이 시작되었다時間開始了』와 문예평론집 『문예필담文藝筆談』, 『밀운기 풍습 소기密雲期風習小記』, 『검·문예·인민劍·文藝·人民』, 『민족형식문제를 논하다論民族形式問題』, 『혼란 속에서在混亂裏面』, 『역류하는 나날逆流的日子』, 『내일을 위하여爲了明天』 등이 있다.

커중핑(1902~1964), 시인, 작가. 본명은 커웨이한柯維翰으로 윈난성 바오닝寶寧 출신이다. 공화국 성립 후에 중국작가협회 부주석을 역임하였다. 저서로는 시집 『옌안에서 베이징까지從延安到北京』와 시극 극본 「풍화산風火山」, 가극 극본 「무적 민병無敵民兵」, 장시 『밤바다의 노랫소리海夜歌聲』, 「변경의 자위군邊區自衛軍」, 「마오 주석의 작은 영웅毛主席的小英雄」, 「핑한루의 공인이 대부대를 무찌르다平漢路工人破壞大隊」, 「낭중인浪中人」 등이 있다.

류칭(1916~1978), 작가. 본명은 류윈화劉蘊華로 산시陝西성 우바오吳堡 출신이다. 산간닝 변구陝甘寧邊區 문협의 '해연海燕' 시사 비서 및 민중오락개진회民眾娛樂改進會 비서를 역임하였다. 공화국 성립 후에는 전국문련 위원, 중국작가협회 이사, 작가협회 시안분회 부주석 등을 역임하였다. 1952년 8월부터 1953년 3월까지 산시성 창안현 현위원회 부서기를 맡아 농업 상호협력 합작 사업을 주관하였는데, 이 경험은 그에게 중요한 창작 자원이 되었다. 주요 작품으로 단편소설집 『지뢰地雷』, 중편소설 「가래를 단단히 맞물다咬透鐵鍬」, 장편소설 『종곡기種穀記』, 『철옹성銅牆鐵壁』, 『창업사創業史』 등이 있다.

그 외에 『광명일보光明日報』 특집호에 예성타오葉聖陶의 「문대회를 축하하며祝文代大會」가 발표되었다.

예성타오(1894~1988), 작가, 어문교육가, 편집가, 출판가. 본명은 예사오쥔葉紹鈞이다. 마오둔 등과 함께 '문학연구회'를 조직해 『문학주보文學周報』, 『소설월보小說月報』, 『중학생中學生』, 『국문월간國文月刊』, 『필진筆陣』 등의 편집자를 맡았다. 공화국 성립 후에는 중앙인민정부 출판총서中央人民政府出版總署 부서장 겸 편집심사국 국장, 교육부 부부장, 인민교육출판사 사장 및 편집장, 중앙문사연구관中央文史研究館 관장, 전국정협 부주석 등을 역임하였다. 저서로는 소설 『간격隔膜』, 『선하線下』, 『예환지倪煥之』와 산문집 『소기 십편小記十篇』, 『발자국腳步集』, 『서천집西川集』, 동화집 『허수아비稻草人』, 『고대 영웅의 석상古代英雄的石像』 등이 있다.

『신민보新民報』 특집호에 어우양위첸의 글 「신민주주의의 기치 아래 단결하자在新民主主義的旗幟下團結起來」가 발표되었다.

어우양위첸(1889~1962), 극작가, 영화예술가. 본명은 리위안立袁으로 후난성 류양瀏陽 출신이다. 공화국 성립 후 중앙희극학원 원장, 중국문련 부주석, 중국극협 부주석 및 중국무도가협회 주석 등을 역임하였다. 대표작으로는 극본 「말괄량이潑婦」, 「집에 돌아온 후回家以後」, 「병풍 뒤屛風後」, 「인력거꾼의 집車夫之家」, 「충왕 이수성忠王李秀成」 및 영화 극본 「신 도화선新桃花扇」, 자술 『내가 연기를 시작한 이후로自我演戲以來』 등이 있으며 이후에 『어우양위첸 문집歐陽予倩文集』(8권)이 출간되었다.

3일, 문대회가 계속 진행되었다. 이 날의 대회는 딩링이 주관하였다.

딩링(1904~1986), 작가. 본명은 장웨이蔣偉이며 이 밖에도 장웨이蔣煒, 장웨이蔣瑋, 딩빙즈丁冰之 등의 필명을 사용하였다. 후난성 린리臨澧 출신이다. 1930년에 좌련에 가입한 후 좌련의 기관 간행물인 『북두北鬥』의 편집장 및 좌련 당단서기黨團書記를 맡았다. 공화국 성립 후에는 문예계의 여러 중요 단체의 대표를 역임하였으며 대량의 소설, 산문 및 평론을 발표하였다. 1951년에 스탈린문학상을 수상하였다. 1955년 이후 부당한 비판을 여러 차례 받았다가 1979년에 복권된 후 다시 문단으로 돌아와 중국작가협회 부주석 등을 역임하였다. 대표작으로 「소피 여사의 일기莎菲女士的日記」, 「밤夜」, 「내가 샤춘에 있었을 때我在霞村的時候」, 「병원에 있었을 때在醫院中時」, 『태양은 쌍간강에서 빛난다太陽照在桑幹河上』 등이 있으며, 이후에 『딩링 전집丁玲全集』(12권)이 출간되었다.

궈모뤄가 「신중국의 인민문예 건설을 위해 분투하자爲建設新中國的人民文藝而奮鬥」라는 제목으로 총괄 보고를 하였다. 그는 보고에서 5·4 이후의 신문화 및 신문예의 성격을 명확히 밝혔다. 궈모뤄는 마오쩌둥 주석이 「신민주주의론新民主主義論」에서 "신민주주의 혁명의 특징을 가장 간단한 말로 정리하면 바로 '무산계급이 이끄는 인민 대중의 반제국주의·반봉건주의 혁명'이다. 중국 혁명의 성격이 중국의 신문화 및 신문예의 성격을 결정한다." 라고 말한 것을 언급하였다. 이것은 바로 " 5·4운동 이후의 신문화는 이미 시대에 뒤떨어진 구민주주의 문화가 아니라 무산계급이 이끄는 인민 대중의 반제국주의·반봉건주의의 신민주주의 문화이며, 5·4운동 이후의 신문예는 이미 시대에 뒤떨어진 구민주주의 문예가 아니라 무산계급이 이끄는 인민 대중의 반제국주의·반봉건주의의 신민주주의 문예"임을 의미한다. 궈모뤄는 문화혁명과 문예혁명도 정치혁명과 마찬가지로 통일 전선을 결성하지 못하면 성공할 수 없다고 여겼다. 그는 과거 30년간의 문예계 통일 전선의 성과와 실책을 회고한 후에 "30년 이래, 지주 계급을 대표하는 봉건 문예가 이미 이론적으로 무장 해제되었고, 대자본가 계급을 대표하는 국민당의 파시즘 문예가 지속적으로 전국 문예계 및 전국 인민들의 타기의 대상이 된 것을 제외하면, 중국 문예계의 주요 논쟁은 두 가지 노선 사이에 존재해 왔다.

하나는 나약한 자유자산계급을 대표하는 소위 '예술을 위한 예술' 노선이며, 다른 하나는 무산계급 및 여타 혁명 인민을 대표하는 '인민을 위한 예술' 노선이다. 30년간의 투쟁의 결과는 바로, 구미의 몰락한 자산계급 문예의 영향 아래 있던 '예술을 위한 예술'의 문예이론이 이미 완전히 파괴되었으며 '예술을 위한 예술'의 문예작품 역시 이미 그 무리를 잃었다는 것이다. 일찍이 이러한 '예술을 위한 예술'의 자산계급 문예사상의 영향 아래 있던 수많은 문학가와 예술가들도 점차 인생관과 예술관이 변화해 무산계급 사상의 인도를 받아들였다. 반면에 무산계급 문예사상이 이끄는 인민을 위해 복무하는 문학예술은 그 대오가 나날이 강대해졌으며 그 방향은 날로 명확해졌으므로 나날이 인민 군중의 환영과 옹호를 받게 되었다. 이러한 역사적 사실은, 중국 자산계급이 문예 분야에서 지도력을 가지고자 할지라도 그들은 인민과 결합할 수 없기 때문에 지도력을 쟁취할 수 없음을 설명한다. 이러한 역사적 사실은 그 어느 문예 공작자도 만약 무산계급의 지도를 받아들이지 않는다면 그의 노력은 아무런 결과가 없을 것임을 증명한다. 이것이야말로 30년 이래 중국 문예운동의 신민주주의적 성격을 본질적으로 설명하는 것이다"라고 밝혔다.(『중화전국문학예술공작자대표대회기념문집中華全國文學藝術工作者代表大會紀念文集』 35쪽, 36쪽, 39쪽, 신화서점新華書店 1950년 -> 각주로 처리해야 할 듯합니다.)

같은 날, 『인민일보』에 바이성柏生의 기사 「전국문예공작자의 성공적 대집결全國文藝工作者勝利大會師」과 마판퉈馬凡陀의 시 「철제 지붕 수레 안의 트렁크鐵篷車裏的箱籠」가 발표되었다. 바이성은 「전국문예공작자의 성공적 대집결」에서 흥분된 어조로 "1949년 7월 2일에 베이핑, '5·4' 운동이 시작된 성지에서, 전국의 진보적인 문예공작자들이 사상 초유의 성공적인 대집결을 가졌다. 이러한 대집결은 대회의 모든 발언자가 한입으로 말한 바와 같이, '만약 인민 혁명의 위대한 승리가 없었다면 오늘과 같은 날이 없었을 것이다'." "이번 대회에는 화베이, 시베이, 화둥, 화중, 둥베이를 비롯해 남방 등 광대한 지역 및 부대에서 온 문예공작자 대표들이 참석하였다. 그들 중에는 인민의 시인, 소설가, 민간 예인, 극작가와 영화 극본가, 화가, 음악가, 무용가 등이 포함되어 있었다. 그들 중 일부는 불꽃처럼 뜨거운 전투 속에서 생장한 공인, 농민, 사병의 대오에서 모여든 이들이며, 일부는 혁명에 참가했거나 혹은 혁명에 동조하는 지식분자와 옛 예인들이다. 이처럼 위대한 격류가 사방에서 모여들어 강력한 문화 대군을 형성하였다"라고 문예공작자들의 대집결을 보도하였다.

마판퉈(1919~1982), 시인. 본명은 위안수이파이袁水拍로 장쑤성 우현吳縣 출신이다. 중일전쟁 발발 후부터 작품을 발표하기 시작하였다. 1952년에 중국작가협회에 가입하였다. 주요 작품으로 시집 『인민人民』, 『겨울, 겨울冬天, 冬天』, 『해바라기向日葵』, 『마판퉈의 산가馬凡陀的山歌』와 시문집 『화베이·베이징·빈華沙·北京·維也納』, 논문집 『문예찰기文藝劄記』, 『시론집詩論集』이 있으며 번역

시집 『새로운 노래新的歌』, 『내 마음은 고원에 있네我的心呀在高原』 『네루다 시문집聶魯達詩文集』, 번역소설 『기수旗手』, 『파리의 함락巴黎的陷落』 등이 있다.

4일, 문대회는 톈한田漢이 주관하였다. 톈한(1898~1968), 극작가, 시인, 문예비평가, 사회 활동가. 본명은 서우창壽昌으로 후난성 창사 출신이다. 1916년에 일본으로 유학해 도쿄에서 리다자오李大釗 등이 조직한 소년중국학회少年中國學會에 가입해 시와 평론을 발표하기 시작하였다. 1921년에 궈모뤄, 청팡우 등과 함께 창조사를 조직해 신문학을 제창하였다. 귀국 후 『남국 반월간南國半月刊』을 창간하고 남국전영극사南國電影劇社, 남국예술학원南國藝術學院 등을 설립하였으며 남국사南國社를 조직하였다. 발기인의 일원으로서 중국좌익작가연맹 성립대회에 참가해 좌익희극가연맹을 조직하였으며 1932년에 중국공산당에 가입하였다. 중일전쟁 중에는 일련의 중요한 희극 활동을 조직하였다. 공화국 성립 후에 문화부 희곡개진국戲曲改進局 국장, 예술사업관리국 국장을 역임하였다. 주요 작품으로 「범사냥의 밤獲虎之夜」, 「명배우의 죽음名優之死」, 「회춘의 노래回春之曲」, 「여인행麗人行」, 「관한경關漢卿」, 「문성공주文成公主」 등이 있으며, 이후에 『톈한 전집田漢全集』(20권)이 출간되었다.

마오둔이 「반동파의 압박 아래 투쟁하고 발전해 온 혁명문예 – 10년간의 국통구 혁명문예운동 보고 제요(한자는 '강'이고, '제강'이라는 단어도 있습니다. 제요나 제강이나 낯선 단어인 것은 다름이 없어 보입니다. 좀 더 익숙한 어휘로 교체해야 하지 않을까 싶습니다.)在反動派壓迫下鬥爭和發展的革命文藝——十年來國統區革命文藝運動報告提綱」라는 제목으로 보고를 진행하였다. 보고는 "1, 서론: '여러 불리한 조건 아래서도 우리는 승리하였다!'", "2, 창작 방면의 각종 경향", "3, 문예사상이론의 발전", "4, 결론"의 네 부분으로 이루어졌다.

마오둔은 10년간의 국통구 내부의 문예운동을 네 시기로 세분하여 "문예운동이 어떻게 정치 형세의 발전과 호응해 투쟁을 진행했는가를 설명"하였다. 마오둔은 "정리하면, 10년간 국통구의 진보적, 혁명적 문예운동은 전체적으로 보면 각 시기의 혁명 형세와 호응해 사상 투쟁에 적극적인 역할을 할 수 있었다. 반동파의 압박이 아무리 잔혹하고 사상 통제가 아무리 엄격하다 할지라도 진보적, 혁명적 문예공작자들은 시종일관 유연성 있게 싸워 우여곡절 끝에 승리를 거두었다. 승리할 수 있었던 기본적인 원인은 진보적 문예운동이 인민 대중의 입장에 서 있었으며 인민혁명운동의 방향과 완전히 일치했기 때문이다. 바로 이러한 이유로 진보적, 혁명적 문예운동은 반동파가 아무리 해도 말살할 수 없는 역량을 가지게 되었다. 이 문예운동이 군중 내부에 미친 적극적인 영향은 반동파가 어떤 방법으로도 제지할 수 없는 것이었다"라고 결론지었다.

보고의 제2부분에서 마오둔은 국통구 문예창작이 가진 '결점'을 지적하였다. "우리는 이와 같은 상황을 종종 목도하게 된다. 몇몇 작품들은 비록 수많은 독자들이 아주 흥미진진하게 읽었으나 책을 덮고 다시 생각해 보면 아무것도 기억나지 않고 얻은 것이 전혀 없었다. 혹은 적지 않은 몇몇 작품들이 독자들로 하여금 진보를 추구하게 이끄는 역할을 했으나 동시에 어느새 독자들에게 우유부단하고 감상적인 정서를 느끼게 하는 상황 말이다." 마오둔은 이러한 결점을 만들어낸 원인이 "작품이 당시 사회의 주된 모순과 투쟁을 반영할 수 없기 때문"이라고 보았다.

제3부분에서 마오둔은 상술한 결점에 대해 자신이 생각하는 해결책을 제시하였는데, "문예대중화에 관한 문제", "문예의 정치성과 문예성에 관한 문제", "문예의 '주관'에 관한 문제" 등 세 가지 문제를 잘 처리해야만 국통구 문예작품이 가진 결점을 개선할 수 있을 것이라고 보았다.(「반동파의 압박 아래 투쟁하고 발전해 온 혁명문예 - 10년간의 국통구 혁명문예운동 보고 제요」, 『중화전국문학예술공작자대표대회 기념문집』 45-46쪽, 49-50쪽, 52쪽, 58-63 쪽. 신화서점 1950년) -> 각주로 처리해야 할 듯합니다.

같은 날, 저우쭤런周作人은 상하이에서 저우언라이에게 보낸 친필 서신에서 "우리는 공산주의 이론이 옳다는 것을 알고 있지만, 더욱더 알아야 할 것은 사실이 어떠한가 하는 것입니다. 인민들이 보고 들은 해방군의 규율은 모두 좋은 것들입니다. 솔직히 말해 이 규율들은 물론 좋지만 좋은 것이 당연합니다. 더욱 중요한 것은 정치의 작풍이 어떠한가이며, 이것이 일반인들이 더욱 관심을 가지는 일입니다."라고 하였다. 뒤이어 그는 자신이 괴뢰 정부의 교육총서僞教育總署 직책을 "재삼 숙고하여 결국 받아들"였던 일에 관해 "당시 화베이 지역 고등교육의 관리권은 전부 총서의 손안에 있었기 때문에, 왕지탕王揖唐의 무리가 학교를 보호한다는 명목으로 취하는 행동을 저지하기 위해 다들 총서를 점령할 필요를 느꼈기 때문"이라고 상세히 서술하였다. 또한 "나는 절개를 지켰느니 잃었느니 하는 말을 믿지 않습니다. 그저 사람들에게 유익한 일을 하는 것이 좋다고 생각할 뿐, 명분의 시비는 반드시 옳다 할 수는 없습니다"라고 말했다.(저우쭤런이 저우언라이에게 보낸 서신. 양서우썬楊守森의 『20세기 중국 작가 심리사二十世紀中國作家心態史』에서 간접 인용. 중앙편역출판사中央編譯出版社, 333쪽) -> 각주로 처리해야 할 듯합니다.

저우쭤런(1885~1967), 산문가, 문학번역가. 본명은 쿠이서우櫆壽이며 자호는 치멍啟孟, 치밍啟明(豈明이라고도 씀), 즈탕知堂 등이 있다. 저장성 사오싱紹興 출신으로 루쉰의 친동생이다. 1906년 일본에 유학하였으며, '5·4' 시기에 신조사新潮社의 주임 편집을 맡아 『신청년』의 편집 업무에 참여하였고, 문학연구회를 발기 및 조직하였다. 중일전쟁 발발 후 점령된 베이핑에 남아 괴뢰 남경국민정부 위원, 괴뢰 화베이정부 위원회 상무위원 겸 교육총서 감독 등의 직책을 맡았다. 공화국 성립 후에는 인민문학출판사에서 일본과 그리스 문학작품의 번역 및 루쉰을 회고하는 저술의 집필 등에 종사하였다. 주요 저서로는 산문집『자기의 원지自己的園地』,『비 오는 날의 책雨天的書』,『택사집澤瀉集』,『담룡집談龍集』과 시집『과거의 생명過去的生命』, 소설집『고아 이야기孤兒記』, 논문집『예술과 생활藝術與生活』,『중국 신문학의 원류中國新文學的源流』, 논저『유럽문학사歐洲文學史』, 문학사료집『루쉰의 고향魯迅的故鄕』,『루쉰 소설 속의 인물魯迅小說裏的人物』,『루쉰의 청년 시절魯迅的青年時代』및 회고록『즈탕 회상록知堂回想錄』이 있으며 역서로『일본광언손日本狂言遜』,『이솝 우화伊索寓言』,『에우리피데스 비극집歐裏庇得斯悲劇集』등이 있다.

5일, 대회는 리다자오가 주관하였다.

리다자오(1911~1985), 극작가. 거리戈麗 등의 필명을 사용하였으며 충칭 출신이다. 1925년에 중국 공산주의 청년단에 가입하였다. 1926년 겨울에 소련으로 유학해 모스크바중산대학莫斯科中山大學에서 수학하였다. 1930년에 귀국해 홍군학교紅軍學校 정치 교원,『홍색중화紅色中華』편집자, 고리키 희극학교高爾基戲劇學校 교장, 중화소비에트공화국 임시 중앙정부 교육부 예술국 국장 등을 역임하였다. 1934년에 대장정에 참가해 종군극단 설립에 참여하였다. 중일전쟁 시기에는 옌안루예 편집심사위원회 주임, 진둥난 루쉰예술학교晉東南魯迅藝術學校 교장을 역임했으며 화극「어머니母親」,「셋째老三」,「진화金花」등을 창작하였다. 공화국 성립 후에는 베이징시 문화위원회 서기, 베이징시 문련 부주석, 베이징인민예술극원 원장, 중앙희극학원 부원장 및 고문, 중국극협 부주석 등을 역임하였다. 저서로 가극「장정长征」, 화극「북상北上」등이 있다.

저우양이「새로운 인민의 문예新的人民的文藝」라는 제목으로 해방구 문예운동에 관한 보고를 진행하였다. 저우양은 우선 문예대중화 운동이 해방구에서 성공을 거둘 수 있었던 원인을 밝혔다. "해방구에서는 마오쩌둥 동지의 정확하고 직접적인 지도를 받아 인민군대와 인민정권이 이를 육성하였고, 또한 신민주주의 정치, 경제, 문화 각 방면의 개혁이 조화를 이루어 혁명문예가 이미 방대한 공농병 군중과 진정으로 결합하였다. 선구자들의 이상이 실현되기 시작하였다. 물론 지금은 막 시작된 단계일 뿐이지만, 그럼에도 이것은 위대한 시작이다." 이어 그는 신중국의 문예가 나아갈 방향을 규정하였는데, "마오쩌둥 주석의「옌안문예좌담회에서의 강화」가 신중국 문예가 나아갈 방향을 규정하였으며, 해방구 문예공작자들은 자각을 가지고 이러한 방향을 단호하게 실천하였다. 그들은 자신들의 모든 경험으로써 이 방향이 완전히 정확하다는 것을 증명하였고, 이 방향 외에 다른 방향은 더 이상 없으며, 만약 있다면 그것은 틀린 방향임을 깊이 믿고 있다"라고 단호하게 주장하였다. 뒤이어 그는 "새로운 주제, 새로운 인물, 새로운 언어와 형식" 등의 측면에서 해방구의 새로운 인민의 문예가 거둔 성취에 대해 상세히 소개하고 또한 해방구의 몇몇 문예작품들을 열거하였다. 그는 이 작품들이 모두 "중국 인민이 민족의 압박과 봉건제도의 압박에 반대하는 각양각색의 투쟁 속에서 어떻게 어려움을 극복하고 자신을 개조하여 여러 영웅적이고 모범적인 인물들을 탄생시켰는가를 반영하고 있다"고 보았다. 동시에 그는 "영웅은 결코 천성적인 것이 아니라 투쟁 속에서 단련되어 탄생하는 것이다. 인민은 역사를 개조하는 과정에서 자기 자신 역시 개조하였다. 공농병 군중들에게도 결점이 없는 것은 아니다. 그들은 종종 피치 못하게 구사회가 남긴 나쁜 사상과 나쁜 습관이 있기도 하다. 그러나 공산당의 지도와 교육 및 군중 비평의 도움 아래 결점을 가지고 있던 수많은 이들은 그 결점을 극복하였으며, 본래 낙후분자였던 이들도 마침내 자신의 낙후된 의식을 극복해 새로운 영웅이 되었다. 우리의 많은 작품들은 군중이 어떻게 투쟁 속에서 개조를 이루었는가 하는 힘든 과정을 묘사하고 있다. 투쟁 속에서, 오로지 투쟁 속에서만이, 인간의 정신적 품성, 우리 민족의 근면하고 용감한 우수한 품격이 충분히 발전할 수 있다"고 강조하였다. 저우양은 루쉰 등의 연장자들이 지적한 중국 국민의 약점 및 '국민성' 개조를 요구하였던 문제에 관해서는 "중국 신문화운동의 가장 위대한 계몽주의자인 루쉰은 우리 민족의 소위 '국민성'에 대해 통렬하게 규탄하였다. 이러한 '국민성'은 바로 제국주의와 봉건주의가 중국을 오랫동안 통치하면서 인민들에게 남긴 일종의 낙후된 정신 상태이다. 그는 중국 인민의 성격 속의 이러한 소극적이고 어둡고 또한 비참한 면을 비판적으로 묘사하며 새로운 국민성이 탄생하기를 기대하였다. 현재 중국 인민은 30년간의 투쟁을 경험한 끝에 이미 제국주의와 봉건주의가 우리에게 남긴 정신적인 속박을 벗어나기 시작해 중국 민족 고유의 근면하고 용감한 품성을 비롯한 여타 모든 우수한 품성을 발전시켜, 새로운 국민성이 바야흐로 형성되고 있다. 우리의 작품들은 새로운 국민성의 성장 과정을 반영하고 또한 추진하고 있다. 우리는 인민의 결점에 관해 비판하지만, 마오쩌둥 주석이 지시한 '인민을 보호하고 교육'하는 열정적인 태도를 가지고 비판하는 것이다. 우리는 인민의 결점을 과장해서는 안 된다. 그들이 전쟁과 생산 과정에서 해낸 위대한 공헌에 비하면 그들의 결점은 아무것도 아니라고까지 할 수 있다. 우리는 그보다는 인민들에게서 새로운 광명을 보아야 한다. 이것이 우리가 처해 있는 이 새로운 군중의 시대가 과거의 모든 시대와 차별되는 특징이며, 또한 새로운 인민의 문예가 과거의 모든 문예와 차별되는 특징이다"라고 보았다. 마지막으로 저우양은 수많은 문예공작자들에게 작품의 사상성과 예술성을 제고하기 위해 노력해 위대한 중국 혁명 시대에 부끄럽지 않은 작품을 창작해 달라고 호소하였다. 문예공작에 있어서는 여전히 보급이 가장 중요한 과제로, 계획적이고 또한 단계적으로 구극舊劇을 비롯한 모든 봉건주의적 구 문예를 개혁해야 한다고 주장하였다.(『중화전국문학예술공작자대표대회 기념문집』 70쪽, 73쪽, 74쪽,

75-76쪽. 신화서점 1950년) -> 각주로 처리해야 할 듯합니다.

같은 날, 『대공보·대공원大公報·大公園』에 쩌우뤼즈鄒綠芷의 「승리를 위해 행진하며 노래하자爲勝利遊行而歌」가 발표되었다.

쩌우뤼즈(1914~1986), 시인, 문학번역가. 본명은 쩌우상루鄒尚錄로 랴오닝성 랴오양遼陽 출신이다. 1937년에 산베이공학陝北公學에 입학해 수학하였으며 1939년에 중국공산당에 가입하였다. 1948년 이후로 중국복리회中國福利會 교육과 과장, 아동시대사兒童時代社 사장 등을 역임하였다. 역서로 디킨스의 『화롯가의 귀뚜라미爐邊的蟋蟀』, 브라우닝의 『철의 성鐵城』, 넥쇠의 "디테 3부작蒂特三部曲" 등이 있다.

『인민일보』에 커중핑의 시 「공업국가를 창조하자, 공인이 보증한다 – 중국 공인을 위하여 중국공산당 설립 28주년을 경축하며創造工業國,工人敢保險——爲中國工人慶祝中國共產黨廿八周歲作」가 발표되었다. 커중핑은 시 말미의 후기에 "'7·1'에 베이핑에서 쓰다. 7월 3일, 베이핑의 공인 대표인 여성 공인과 남성 공인 각각 한 명이 문대회를 축하하러 찾아왔다. 두 공인 대표는 문예 대표들의 발언을 축하한 후 간절하고 열렬한 공인들의 요구를 제시하였다. 그런 다음 나는 주석단의 지시에 따라 이 시를 낭송하였다. 이 시는 아주 자유로운 잣은 가락에 맞춰 낭송할 수도 있고, 큰북과 해금의 곡조에 맞춰 노래할 수도 있다. 공인들 사이에서 유행하는 곡조에 맞춰 노래한다면 더욱 적절할 것이다. 알맞지 못한 부분이 있다면 고쳐도 좋다. 공인 동지들이 이 시를 작은 선물로 받아 주기를 바란다"라고 썼다.

6일, 아잉이 대회를 주관하였다.

아잉(1900~1977), 작가, 문학 이론가. 본명은 더푸德富이며 첸싱춘錢杏邨이라고도 한다. 안후이安徽성 우후蕪湖 출신이다. 1926년에 중국공산당에 가입하였다. 다음해 장광츠蔣光慈 등과 함께 '태양사太陽社'를 조직해 '혁명문학'을 제창하였으며, 『태양월간太陽月刊』, 『해풍주보海風周報』를 편집하였다. 1930년에 좌련에 가입해 상무위원을 맡았다. 중일전쟁 시기에는 상하이에 머물면서 『루쉰 전집』 출판을 위해 중요한 자료를 제공하였으며, 생명의 위험을 무릅쓰고 팡즈민方志敏 열사의 유고를 보존해 출판하였다. '고도孤島' 시기에는 궈모뤄, 샤옌夏衍과 함께 『구망시보救亡時報』를 창간하였으며 『문헌文獻』 잡지의 책임 편집을 맡았다. 1940년대 초에 가족 전체가 쑤베이蘇北 해방구로 이주하였다. 해방전쟁 기간에 화중문협 상무위원, 화둥국 문화위원회 서기, 다롄시 문화위원회 서기를 역임하였다. 공화국 성립 후에는 톈진시 문화국장, 톈진문련 주석 및 『민간문학民間文學』 편집장, 중국문련 부비서장 등을 역임하였다. 시, 소설, 산문 작품을 발표하였는데 특히 희극에서 가장 큰 성취를 보였다. 대표작으로 역사극 「이틈왕李闖王」, 「벽혈화碧血花」 등이 있으며 주요 저서로 『아잉 문집阿英文集』이 있다.

오후 2시, 저우언라이가 대회에 참석해 「중화전국문학예술공작자 대표대회에서의 정치보고在中華全國文學藝術工作者代表大會上的政治報告」를 발표하였다. 저우언라이는 우선 "전국문학예술공작자 대표대회의 성공"과 "중국 제1차 대혁명이 실패한 이래 강제로 점차 두 구역으로 분리되었던 문예공작자들이 오늘 대집결을 한 일"에 대해 축하를 표했다. 이어서 그는 대회에 3년간의 인민해방전쟁 상황을 보고하였다. 발언의 제2부분에서 저우언라이는 "문예 방면에 관한 몇 가지 문제"에 대해 언급하였다. "첫째, 단결 문제", "둘째는 인민을 위해 복무한다는 문제", "셋째, 보급과 제고 문제", "넷째는 구문예 개조에 관한 문제", "다섯째 문제는 바로 우리 문예계가 대국적인 관념을 가져야 한다는 것", "마지막 문제는 바로 조직 문제"가 그것이다. 보고의 마지막에 저우언라이는 "이번 문예계 대표대회의 단결은 이러한 상황의 단결이다. 즉, 옛 해방구와 새로운 해방구에서 온 두 부분의 문예군대의 집결이며, 신문예부대의 대표와 개조에 찬성하는 구문예 대표의 집결이다. 또한 농촌, 도시, 부대 등 세 부분의 문예군대의 집결이다. 이러한 상황들은 모두 이번 단결의 국면이 광범위한 것이며, 또한 이번 단결이 신민주주의의 기치 아래, 그리고 마오쩌둥 주석의 신문예 방향 아래의 성공적 대단결이며 대집결임을 설명해 준다"고 밝혔다.(『중화전국문학예술공작자대표대회기념문집』 28쪽, 32쪽. 신화서점 1950년) -> 각주로 처리해야 할 듯합니다.

오후 7시 20분, 저우언라이가 발표를 거의 마치려는 때에 마오쩌둥이 갑자기 대회장에 나타나 짧은 발언을 하자 회장에 우레와 같은 환호성이 터져 나왔다. 마오쩌둥은 "동지들이여, 나는 오늘 그대들을 환영하러 왔습니다. 그대들이 개최한 이 대회는 아주 훌륭합니다. 혁명이 필요로 하는 대회이며, 전국 인민이 희망하는 대회입니다. 그대들은 모두 인민이 필요로 하는 사람들이기 때문입니다. 그대들은 인민의 문학가이고, 인민의 예술가이며, 혹은 인민의 문학예술공작의 조직자입니다. 그대들은 혁명에, 그리고 인민에게 이익을 가져다줍니다. 인민이 그대들을 필요로 하기 때문에 우리는 그대들을 환영할 이유가 있습니다. 다시 한 번 말하겠습니다. 우리는 그대들을 환영합니다"라고 발언하였다.(『중화전국문학예술공작자대표대회기념문집』 3쪽. 신화서점 1950년) -> 각주로 처리해야 할 듯합니다.

7일, 문대회의 전체 대표들이 빗속에 '7·7' 기념대회에 참가하였다.

뤄젠빙駱劍冰이 편찬한 시집 『홍기가 올랐다紅旗升了起來』가 오월문예출판사五月文藝社出版에서 출간되었다.

뤄젠빙(1911~1962), 여성 작가, 시인. 본명은 잉하오英豪로 후베이성 충양崇陽 출신이다. 공화국 성립 후에 중공업부 공정처 및 중국극협『극본』 월간 편집부에 근무하였다. 시집『태양이 떠올랐다太陽升起來了』를 집필 및 편찬하였으며『울부짖어라, 일본 인민이여怒吼吧, 日本人民』 등 십여 편의 극본을 창작하였다.

8일, 문대회의 각 대표단이 각자 소모임을 가지며 대회의 보고에 관해 토론하고, 동시에 대회의 주석단은 제2차 전체 회의를 소집하였다. 마오둔이 주석을 맡았다. 주석단은 토론을 통해 서로 다른 업무에 따라 문학, 희극, 미술, 영화, 음악, 무용, 구극, 곡예 등의 8개 소조직을 구성하여 각 조직의 간사를 추천 선발해 회의 소집을 책임지게 하고, 문예 각 부문의 협회를 조직할 방안을 논의하였다.

9일, 사커푸가 회의를 주관하였다.

사커푸(1903~1961), 시인, 문학번역가. 본명은 천밍陳明 혹은 천웨이밍陳微明이다. 모스크바중산대학에서 수학하던 당시에 알렉산더·알렉세이·사커푸라는 러시아 이름을 사용했는데, 나중에 이 이름을 중국어로 음역하여 사용하였다. 저장성 하이닝海寧 출신이다. 1949년 초에 베이핑시 문화접관위원회文化接管委員會 부주임 및 제1차 전국문대회 상무주석단 구성원 겸 대회 비서장을 맡았다. 이후에는 중앙문화위원회 위원, 문화부 당조 구성원, 기관 당위원회 서기, 문화부 판공청 주임 등을 역임하였다. 1953년에 중앙희극학원 당위원회 서기 및 부원장을 맡았다. 저서로『사커푸 시문선沙可夫詩文選』이 있으며 역서로『어부와 금붕어 이야기漁父和金魚的故事』,『이집트의 밤埃及之夜』,『이탈리아 동화意大利童話』,『위선자僞善者』 등이 있다.

이 날의 대회 일정은 주제발표로 이루어졌다. 발표자는 양한성, 커중핑, 딩링 등으로 계획되었다. 천보다陳伯達도 발언하였는데, 문예작품의 사상성과 작가의 노력을 강조하였다.

10일, 저우양이 대회를 주관하였다. 이날은 전날부터 이어진 주제발표 및 대표들의 자유발언으로 이루어졌다. 류즈밍, 정전둬, 자오수리趙樹理 등이 발언하였다. 위핑보俞平伯는 발언 대신 자작 신시「7월 1일, 홍기의 비七月一日,紅旗的雨」를 낭송하였다.

11일, 홍선이 대회를 주관하였다.

홍선(1894~1955), 극작가, 희극 비평가, 교육가, 사회활동가. 장쑤성 우진(武進, 지금의 창저우常州시에 속한 지역) 출신으로 중국 현대 화극 및 영화의 기초를 다진 인물 가운데 하나이다. 1953년에 중국문학예술계연합회 주석단 위원, 중국극협 부주석, 중국작가협회 이사로 선발되었다. 1954년에 중화인민공화국 대외문화연락국 국장 겸 중국인민대외문화협회 부회장을 맡았다. 대표작으로 「염라대왕 자오趙閻王」, 「오규교五奎橋」, 「향도미香稻米」, 「바오더싱包得行」, 「날이 밝으면 날씨를 살핀다雞鳴早看天」 등이 있다.

대회에서는 자유발언이 계속되었다. 차오위, 천쉐자오陳學昭, 양후이楊晦, 중징원鍾敬文 등이 발언하였다.

양후이(1899~1983), 작가, 문예이론가. 본명은 싱둥興棟이며 자는 후이슈慧修였으나, 후에 사회의 어둠을 통감하고 후이晦로 개명하였다. 랴오닝성 랴오양 출신이다. 1925년에 친구인 펑즈, 천웨이모陳煒謨, 천샹허陳翔鶴와 함께 문예 간행물 『침종沉鍾』(주간이었다가 후에 격주간으로 변경)을 창간하였으며 1934년 초까지 총 34호의 총서를 출간하였다. 이 기간에 양후이는 화극 「웃음의 눈물笑的淚」, 「초영왕楚靈王」 등을 창작하였다. 그 외에도 셰익스피어와 몰리에르의 극본, 괴테와 레르몬토프, 에드거 앨런 포 등의 소설 및 로망 롤랑의 『베토벤 전기』를 비롯한 문학 논문 등 대량의 외국문학 명저를 번역하였다. 1952년부터 1966년까지 베이징대학 중문과 주임을 맡았다. 학술 저서로 『문예와 사회文藝與社會』, 『관한경론論關漢卿』 등이 있다.

12일, 커중핑이 대회를 주관하였다. 샤오싼蕭三이 소련의 푸시킨 탄생 150주년 기념대회에 참석했던 경험을 보고하였다. 중국인민해방군 군사위원회 정치부 부주임인 푸중傅鍾이 문대회에서 「부대의 문예공작에 관하여關於部隊的文藝工作」라는 보고를 진행하였다. 그는 보고에서 "인민해방군은 문예공작을 중시한다", "역사 발전", "세 가지 특징", "부대 문예의 지속적인 발전 및 제고 문제: 1. 당의 지도, 2. 명확한 계급 노선, 3. 부대는 견고한 통일체이다" 등의 몇 가지 문제를 논하였다. 왕퉁자오王統照가 자작 신시 「문대회 송가文代大會頌」를 낭송하였다.

13일 오후, 중화전국민주부녀연합회가 베이징 호텔北京飯店에서 다과회를 가지고, 문대회에 참석한 여성 대표를 환영하며 부녀의 생활을 반영한 문예작품을 어떻게 창작할 것인가 등의 문제를 논의하였다.

『인민일보』에서 「중화전국문학예술공작자대표대회 특집호」(3)를 발행하여 차오밍草明의 「공인이 나에게 준 깨달음工人給我的啟示」, 시젠希堅의 「민가와 민요는 군중 투쟁의 전통적인 무기이다民歌

民謠是群眾鬥爭的傳統武器」 등의 글이 발표되었다.

차오밍(1913~2002), 작가. 본명은 우쉬안원吳絢文으로 광둥성 순더順德 출신이다. 1933년에 좌련에 가입하였다. 중일전쟁 발발 후에 광둥문학계구국협회廣東文學界救亡協會를 창립해 참여하였다. 1941년에 옌안으로 가서 중앙연구원 문예연구실 특별연구원을 맡았다. 대표작으로 중편소설 「원동력原動力」, 장편소설 『기관차火車頭』, 『바람을 타고 파도를 가르며 나아가다乘風破浪』 등이 있다.

시젠(1918~1995), 작가. 본명은 왕시젠王希堅으로 산둥성 주청諸城 출신이다. 중국공산당 당원으로, 중일전쟁이 발발한 다음해에 유격대에 참가하였다. 57군 독립여단 정치부 선전과장, 중공 하이링海陵현위원회 선전과장 및 선전부 부부장, 산둥성 농민협회 선전부장 및 『산둥군중山東群眾』, 『군중문예群眾文藝』 책임 편집자, 신화서점 산둥 총지점 편집부 부주임, 산둥성 문련 편집창작부장 및 부주석 등을 역임하였다. 1946년부터 작품 발표를 시작하였으며, 저서로 시집 『해방 민가翻身民歌』, 『원방집遠方集』 및 단편소설집 『최전방의 진지前沿陣地』, 중장편소설 「천지가 뒤집히다地覆天翻記」, 「품앗이 조變工組」, 「봄맞이 노래迎春曲」, 「비 지나고 날이 개다雨過天晴」 등이 있다.

차오밍은 「공인이 나에게 준 깨달음」에서 문예공작자의 수확은 공인들과의 결합 정도와 정비례한다고 말했다. "공장에서는 공인들의 우수한 품성을 배울 수 있을 뿐만 아니라, 언어적인 면에서도 큰 깨달음을 얻을 수 있다." 공인을 깊이 이해하기 위해서는 "반드시 비교적 긴 시간 동안 그들과 함께하면서 우선 그들의 언어에 익숙해져야 한다. 그들의 언어는 입장이 견고하고 정확할 뿐만 아니라 유머와 감정이 풍부하며 매우 아름답기도 하다." "나는 공인들을 대표해 모든 선진적인 문학예술공작자들에게 요구한다. 부디 공장으로 가라! 공장에 가면 한편으로는 공인 문예의 수준을 제고할 수 있으며, 다른 한편으로는 우리 자신도 사상적인 단련뿐만 아니라 창작의 소재와 언어의 원천 등의 측면에서 분명히 얻는 것이 있을 것이다." 시젠은 「민가와 민요는 군중 투쟁의 전통적인 무기이다」에서 군중의 민가와 민요를 사용해 창작할 것을 적극적으로 제창하였다. 그는 민가와 민요를 현재 우리가 사용하는 모든 시기의 중점적인 공작 투쟁 구호에 비할 수 있다고 보았다.

14일, 양한성이 대회를 주관하였다.

양한성(1902~1993), 극작가, 영화예술가. 쓰촨성 가오현高縣 출신으로 중국 좌익문화운동의 지도자 가운데 한 사람이다. 1949년 7월에 중국문련 상무위원 및 제1기 전국전영예술공작자협회 주석에 당선되었다. 공화국 성립 후에는 중앙인민정부 정무원 문화교육위원회 위원, 부비서장 및 기관 당조서기 겸 중공 통일전선사업부 문화처 처장을 역임하였으며, 저우언라이 사무실 부주임 겸 문화부 전영지도위원회 위원, 전국문련 당조서기 및 전국문련 주석을 맡았다. 대표작으로 화극

「이수성의 죽음李秀成之死」, 「변경의 풍운塞上風雲」, 「천국춘추天國春秋」, 「민간 영웅草莽英雄」, 「천지현황天地玄黃」 및 영화 극본 「팔백 장사八百壯士」, 「수많은 집의 등불萬家燈火」, 「싼마오 유랑기三毛流浪記」, 「북국강남北國江南」 등이 있다.

사커푸가 중화전국문예계연합회 정관 초안의 초고 작성 과정을 보고하였다. 이 초안은 대표들의 토론을 통해 통과되었으며, 뒤이어 전국문련위원회의 선거조례도 통과되었다. 다음날이 원이둬 선생 사망 3주기이기 때문에 대회 일정에 따라 휴회하였다. 전체 대표들이 모두 기립해 애도하고, 원이둬 선생의 부인인 가오전高眞 여사에게 대회의 명의로 위로의 서한을 보내기로 결정하였다.

15일, 대회는 휴회하였다. 각 대표단은 문련 전국 위원회의 입후보자 명단을 논의하였다.

공인출판사工人出版社가 설립되었다. 『문예생활文藝生活』(해외판) 제16호에 샤오첸蕭乾의 소설 「성堡」과 자오수리의 창작 기록 「이 역시 경험이다也算經驗」, 린린林林의 시론 「시의 언어 사용에 관하여談詩歌的用詞」가 발표되었다.

샤오첸(1910~1999), 몽골족 작가, 문학번역가. 본명은 샤오빙첸蕭秉乾이다. 본적은 네이멍구이며 베이징에서 출생하였다. 1935년에 옌징대학 신문방송학과를 졸업한 후 톈진, 상하이, 홍콩의 『대공보大公報』에서 『문예』 부간副刊의 책임 편집자를 맡았다. 1939년에 영국 런던대학 동방학원 중문과 강사를 맡았으며, 후에 케임브리지대학교 영문학과에서 석사과정을 밟았다. 공화국 성립 후 귀국해 신문 편집 및 문학 역사 연구에 종사하였으며 수많은 외국 문학작품을 번역하였다. 1951년에 중국민주동맹中國民主同盟에 가입하였다. 1980년대 중반에 중앙문사연구관 부관장에 선발된 후 1989년 4월에 관장을 맡았다. 주요 작품으로 장편소설 『꿈의 골짜기夢之穀』, 단편소설집 『이하집籬下集』, 『밤栗子』, 『낙일落日』 및 번역서 『셰익스피어 이야기집莎士比亞故事集』, 『용감한 병사 슈베이크好兵帥克』 『톰 존스湯姆·瓊斯』 등이 있다.

린린(1910~2011), 시인, 작가, 번역가, 외교가. 본명은 린인산林印山으로 푸젠성 자오안詔安 출신이다. 1933년 여름에 일본 와세다대학에 입학하였으며, 다음해 봄에 좌련 도쿄분맹에 참가하여 『잡문雜文』(이후에 제목을 『질문質文』으로 변경), 『동류東流』, 『시가詩歌』 등 세 가지 간행물의 편집 업무에 참여하였다. 1936년에 귀국한 후 구이린 『구망일보救亡日報』 편집자, 홍콩 『화상보華商報』 부간 편집자를 맡았다. 공화국 성립 후에는 중공중앙 화난분국 선전부 공예처 부처장, 광둥성 문화국 부국장, 주인도대사관 문화참사관, 대외문화연락위원회 국장, 대외우호협회 서기처 서기 및 부회장 등을 역임하였다. 저서로 시집 『아래야 산阿萊耶山』, 『인도시고印度詩稿』와 산문집 『부상 잡기扶桑雜記』가 있으며 하이네(독일 시인)의 『직공의 노래』 및 『일본 고전 하이쿠 선집』 등을 번역하였다.

자오수리의 『땅地板』이 시베이신화서점에서 출간되었다.

자오수리(1906~1970), 작가. 본명은 자오수리趙樹禮이며 예샤오野小, 우다이吳戴 등의 필명을 사용하였다. 산시山西성 친수이沁水 출신이다. 1930년에 처음으로 농민 생활을 반영한 단편소설 「톄뉴의 복직鐵牛的複職」을 발표하였다. 1943년에 단편소설 「샤오얼헤이의 결혼小二黑結婚」을 발표하여 이름을 알렸으며, 뒤이어 발표한 중편소설 「리유차이 판화李有才板話」로 더욱 큰 명성을 얻었다. 그 후로 장편소설 『리자좡의 변천李家莊的變遷』, 중편소설 「사불압정邪不壓正」, 단편소설 「땅」, 「푸구이福貴」, 「톈 과부가 참외밭을 지키다田寡婦看瓜」, 「등록登記」 등 큰 영향을 끼친 작품들을 발표하였다. 1954년 이후의 저서로는 장편소설 『삼리만三裏灣』, 단편소설 「단련하다鍛煉鍛煉」, 「붙잡지 못하는 손套不住的手」, 「착실한 판융푸實幹家潘永福」 등이 있으며 그 외에도 다수의 평서評書와 고사鼓詞, 극본, 평론 등을 발표하였다.

녜간누聶紺弩의 『원단元旦』이 홍콩 구실출판사求實出版社에서 출간되었다. 이 책에는 「원단을 논하다論元旦」, 「1949년, 중국에서一九四九年在中國」, 「거대한 뒷모습이 넘어졌다一個高大的背影倒了」, 「불사의 창不死的槍」 등 10편의 신시가 수록되었다. 또한 소설집 『두 갈래 길兩條路』이 상하이군익출판사上海群益出版社에서 출간되었는데, 단편소설 10편이 수록되었다.

녜간누(1903~1986), 작가, 시인. 후베이성 징산京山 출신으로, '9·18' 사변 후에 좌련에 참가해 상하이 『중화일보中華日報』 부간 『동향動向』의 편집을 맡았다. 1934년에 중국공산당에 가입하였다. 공화국 성립 후에는 중난구 문교위원회中南區文教委員會 위원, 홍콩 『문회보文滙報』 총주필, 인민문학출판사 부편집장 겸 고전부 주임 등을 역임하였다. 주요 저서로는 산문집 『침음沉吟』, 잡문집 『혈서血書』가 있으며 그 외의 작품들은 대부분 『녜간누 잡문선聶紺弩雜文選』, 『녜간누 잡문집聶紺弩雜文集』, 『녜간누 산문聶紺弩散文』에 수록되어 있다.

쑹즈더宋之的 등의 저서 『아홉 벌의 옷九件衣』이 상하이잡지공사上海雜志公司에서 출간되었다.

쑹즈더(1914~1956), 극작가. 본명은 루자오汝昭로 허베이성 펑난 출신이다. 1932년에 중국좌익희극가연맹에 가입해 베이핑 분맹 출판부 부장을 맡아 『희극신문戲劇新聞』을 편집하였다. 1948년에 중국공산당에 가입하였다. 공화국 성립 후에는 제4야전군 남하공작단 연구실 주임, 총정치부 문화부처 처장 및 『해방군문예解放軍文藝』 편집장, 『극본』 월간 편집장 등을 역임하였다. 화극 「누구의 죄인가誰的罪」, 「안개 낀 충칭霧重慶」, 「국가지상國家至上」(합동 창작) 및 영화 극본 「무한생애無限生涯」, 가극 「침략자를 공격하다打擊侵略者」, 고전가무극 「아홉 벌의 옷九件衣」, 보고문학 『1936년 봄, 타이위안에서一九三六年春在太原』 등을 창작하였다.

바런巴人의 4막 비극 「페이나 아가씨費娜小姐」가 상하이해연서점上海海燕書店에서 출간되었다.

바런(1901~1972), 작가. 본명은 왕런수王任叔로 저장성 펑화奉化 출신이다. 1923년에 문학연구회에 가입했으며 다음해에 중국공산당에 가입하였다. 1950년에 주인도네시아 중국대사를 맡았다. 1954년부터 인민문학출판사 부사장 및 사장 겸 편집장, 『문예보』 편집위원을 맡았다. 1957년에 발표한 잡문 「인정을 논하다論人情」에서 문학작품 내부의 인성 문제를 강조하였으며 이로 인해 비판을 받았다. 주요 작품으로 단편소설집 『감옥監獄』. 『낡은 집破屋』, 『몰락 속에서在沒落中』. 『목숨을 바치다殉』 및 중편소설 「아구이 유랑기阿貴流浪記」, 「휘장證章」과 장편소설 『망수재 반란기莽秀才造反記』 등이 있다.

16일, 『인민일보』에 왕퉁자오의 시 「문대회 송가」가 발표되었다.

왕퉁자오(1897~1957), 작가, 시인. 산둥성 주청 출신으로, 1920년 겨울에 궈사오위郭紹虞, 정전둬, 경지즈耿濟之 등 12인과 함께 문학연구회를 발기 및 조직하였다. 공화국 성립 후에는 산둥대학 중문과 주임, 산둥성 문교청文教廳 부청장, 산둥성 문련 주석, 산둥성 문화국 국장 등을 역임하였다. 저서로 시집 『동심童心』, 『야행집夜行集』, 『횡취집橫吹集』, 『강남곡江南曲』, 『이 시대這時代』, 『작화소집鵲華小集』, 『왕퉁자오 시선王統照詩選』 등이 있다.

17일, 오후에 문대회에 참석한 시가공작자들이 좌담회를 개최해 40여 명이 참석하였다.

바이성이 「시가공작자 준비조 연의회詩歌工作者籌組聯誼會」에서 이번 좌담회에 관해 간단히 소개하였다. "이번 전국 문대회에 참가한 시가공작자들이 어제(17일) 오후 3시에 둥중부 후퉁東總布胡同 화베이위원회華北文委會에서 좌담회를 가졌다. 톈젠田間, 마판퉈, 짱커자臧克家, 리양力揚, 허징즈, 다이왕수戴望舒, 비거페이畢革飛, 안어安娥, 뤄젠, 왕야핑王亞平 등 40여 명이 출석하였다. 본 좌담회에서는 주로 창작 경험에 관한 이야기를 나누었으며 전국적인 시가공작자 친목회 준비 및 시가 간행물 출판에 관한 사항 등을 논의하였다. 마지막으로 톈젠, 마판퉈, 짱커자, 리양, 위젠, 왕야핑 등 6인이 다음 좌담회의 간사로 선발되었다.

18일, 대회는 휴회하였다.

19일, 제1차 전국 문대회 폐회식을 거행하였다. 펑쉐펑이 대회를 주관하였다.

펑쉐펑(1903~1976), 시인, 문예이론가. 본명은 푸춘福春으로 저장성 이우義烏 출신이다. 1922년에 왕징즈汪靜之 등과 함께 호반시사湖畔詩社를 조직해 시집 『호반』을 출간하였다. 1929년에 중국 좌익작가연맹 준비 업무에 참여해 이후에 '좌련'의 당단서기 및 중공 상하이 문화공작위원회 서기를 맡아 『전초前哨』 잡지의 편집 및 출판을 담당하였다. 1950년에 상하이시 문련 부주석, 루쉰저작편간사魯迅著作編刊社 사장 겸 편집장을 맡았다. 다음해 베이징으로 이동해 인민문학출판사 사장 겸 편집장, 『문예보』 편집장, 중국작가협회 부주석 및 당조서기를 역임하였다. 시집으로는 『호반』 외에도 『봄노래집春的歌集』, 『진실의 노래真實之歌』, 『쉐펑의 시雪峰的詩』가 있으며 잡문집 『농촌의 바람과 도시의 바람鄉風與市風』, 『유진무퇴有進無退』, 『뛰어넘는 나날跨的日子』 및 우화집 『지금의 우화今寓言』, 『쉐펑 우화雪峰寓言』, 『쉐펑 우화 속편雪峰寓言續編』, 영화문학 극본 『상라오 수용소上饒集中營』가 있다. 또한 논문집으로 『루쉰론 및 기타魯迅論及其他』, 『루쉰과 그의 소년 시절의 벗魯迅和他少年時候的朋友』, 『루쉰을 추억하다回憶魯迅』, 『『야초』론論<野草>』, 『루쉰의 문학 노선魯迅的文學道路』, 『다가오는 시대過來的時代』, 『민주혁명의 문예운동을 논하다論民主革命的文藝運動』, 『「옌안을 보위하라」를 논하다論<保衛延安>』 등이 있다.

폐회식에서 문련 전국위원회 당선 위원 명단을 발표하였다. 대회는 일치된 결의를 했는데, 결의의 내용은 "대회는 저우언라이 부주석의 정치보고 및 궈모뤄의 신중국 문학예술운동에 관한 총보고를 받아들여, 그들이 제시한 마오쩌둥 주석의 문예방침 아래 중국문학예술공작자들이 앞으로 노력해야 할 방향 및 의무가 완전히 정확한 것임에 일치된 의견을 모았다. 우리는 모두 그들의 보고에 동의해 이를 우리의 추후 공작의 지침으로 받아들이며, 최대한의 노력으로 관철하고 또한 집행할 것을 결의한다"이다.

대회는 또한 "전국문학예술공작자대표대회가 인민의 수도인 베이핑에서 14일간의 회의를 거쳐 오늘 막을 내렸다. 이번 대회의 참가자는 모두 648명으로, 중국문학예술계 각 방면의 대표가 포함되어 있다. 이 대회는 중국 인민의 공전의 단결 및 위대한 승리를 상징한다. 중국공산당이 인도한 중국 인민의 위대한 승리가 없었다면 이러한 대회는 개최되지 못했을 것이다." "대회는 시종일관 화목하고 유쾌하며 또한 흥분된 공기 속에서 진행되었다. 저우언라이 부주석의 정치보고와 궈모뤄의 신중국 문학예술에 관한 총보고 및 마오둔, 저우양의 국민당 반동파 통치구의 문예혁명운동 및 해방구 문예운동에 관한 보고를 청취하고 토론하였다. 각 부문과 각 지구의 공작경험에 관한 초보적인 결산을 진행하였다. 또한 전국문학예술계연합회 회칙을 통과시켰는데, 이 회칙은 원칙적인 주지와 의무를 규정하였다. 또한 100여 건의 대단히 건설적인 제안들에 관해 토론하였다. 뿐만 아니라 전국문련의 전국위원을 선발하여 전국 문학예술공작의 통일 조직을 성립하였다. 이 대회가 거둔 수확은 거대한 것이다"라고 선언하였다.(「대회선언大會宣言」, 『인민일보』 1949년 7월

20일) -> 각주로 처리해야 할 듯합니다. 궈모뤄가 폐회사를 하였다. 이날 중화전국문학예술계연합회가 정식으로 성립되었다.

20일, 『인민일보』에 사설 「우리의 희망 - 전국문학예술공작자대표대회의 성공적인 폐회를 축하하며我們的希望──祝全國文學藝術工作者代表大會勝利閉幕」가 발표되었다.

23일, 중화전국문학공작자협회(1953년 9월에 중국작가협회로 개편됨)가 중파대학中法大學 대강당에서 창립총회를 가졌다. 대표 208명이 참석하였으며 중공중앙 위원인 린보취林伯渠 등이 내빈으로 참석하였다. 대회는 딩링, 마오둔, 궈모뤄 등 69인을 위원으로 추천 선발하였으며, 그 외에도 미해방구待解放區 위원 6석과 후보위원 16석을 유보하였다. 선거를 통해 마오둔이 주석, 딩링과 커중핑이 부주석으로 당선되었으며 상무위원 21인을 선출하였다.

오후에 중화전국문학예술공작자연합회 전국위원회 제1차 회의가 베이징 호텔에서 개최되었다. 위원 64인이 출석하였다. 궈모뤄를 주석, 마오둔과 저우양을 부주석으로 선발하였으며 사커푸, 황야오멘黃藥眠, 저우웨이즈周巍峙를 비서장으로 선발하였다. 궈모뤄, 딩링, 마오둔, 저우양 등 87인을 위원으로 선발하였으며 미해방구 위원 8석을 유보하였고, 옌한彥涵 등 26인을 후보위원으로 선발하였다. 이 가운데 궈모뤄, 마오둔, 저우양 등 21인이 상무위원으로 선발되었다.

황야오멘(1903~1987), 학자, 문학평론가, 작가. 본명은 황팡黃訪, 황황黃恍으로 광둥성 메이현梅縣 출신이다. 공화국 성립 후에 베이징사범대학 교수, 중국문학예술계연합회 상무위원 및 부비서장 등을 역임하였다. 저서로 시집 『황화강 위에서黃花崗上』, 『영웅 송가英雄頌』와 논문집 『전투자의 시인戰鬥者的詩人』, 『요제프의 외투를 논하다論約瑟夫的外套』, 『심사집沉思集』, 『영신집迎新集』, 『비판집批判集』이 있다. 이외에도 산문집 『흑해, 아름다운 흑해黑海──美麗的黑海』, 소설집 『어두운 그림자暗影』, 『안녕再見』, 회고록 『동요, 내가 경험한 반세기動蕩,我所經曆的半個世紀』 및 장시 『애도悼念』 등이 있다.

저우웨이즈(1916~2014), 음악가. 본명은 량지良驥로 장쑤성 둥타이東台 출신이다. 1934년에 상하이 좌익가영활동左翼歌詠活動에 참가하였다. 중일전쟁 발발 후 팔로군에 참가하였다. 중국가곡작자협회中國歌曲作者協會 상무이사, 팔로군 주 린편 사무소八路軍駐臨汾辦事處 비서를 역임하였다. 1938년에 옌안으로 가서 같은 해에 중국공산당에 가입하였다. 그 후에 시베이전지복무단西北戰地服務團 주임, 진차지 변구晉察冀邊區 음악협회 주석, 옌안루예 문예공작단 부단장, 중공 장자커우시위원회 문화위원회 서기, 화베이연합대학 문예공작단 단장, 화베이인민정부 문화위원회 위원, 톈진시 군관회(군사관제위원회軍事管制委員會의 약칭) 문예처 처장 등을 역임하였다. 공화국 성립 후에는 문화부 예술국 국장 및 부부장, 대부장代部長, 제1부부장, 중국음악가협회(中國音樂家協會, 약칭 음협音協) 제2기 상무이사 및 제3기 부주석을 역임하였으며 1999년 3월에 중국문련 주석으로 당선되었다. 중국문련 명예주석을 역임하였다. 작곡한 가곡 작품으로 「총검을 들어라上起刺刀來」, 「전선 행진곡前線進行曲」, 「자제병 행진곡子弟兵進行曲」, 「중국인민지원군 군가中國人民志願軍戰歌」, 「십리장가가 총리를 배웅하다十裏長街送總理」 등이 있다.

24일, 중화전국희극공작자협회가 성립되었다. 185인의 대표가 출석하여 위원 88인, 후보위원 27인을 선발하였으며 톈한이 회장을 맡았다.

25일, 『대공보·대공원』에 황옌페이黃炎培의 시 「상하이 해방上海解放」이 발표되었다.

황옌페이(1878~1965), 학자이자 민주 인사로 상하이 촨사川沙 출신이다. 청 말기의 거인擧人이었으며 1905년에 중국동맹회中國同盟會에 가입하였다. 신해혁명 후에 장쑤성 교육국장, 장쑤성 교육회 부회장, 장쑤성 의회 의원을 맡았다. 공화국 성립 후에는 중앙인민정부 위원, 정무원 부총리 겸 경공업부 부장, 전국인민대표대회 상무위원회 부위원장, 정협 전국위원회 부주석, 중국민주건국회 중앙주임위원 등을 역임하였다. 저서로 시집 『단장집斷腸集』, 『포상집 초고苞桑集初稿』, 『붉은 뽕나무紅桑』 등이 있다.

27일, 중화전국희곡개진회 준비위원회가 성립되었다. 어우양위첸이 주임을 맡았으며 톈한, 양사오쉬안楊紹萱, 마옌샹馬彥祥이 부주임을, 마사오보馬少波가 비서장을 맡았다.

양사오쉬안(1893~1971), 극작가, 학자. 즈리直隸성 롼저우灤州(지금의 허베이성 롼현灤縣) 출신이다. 1920년대 중반에 베이징사범대학을 졸업한 후 베이핑사범학교 교장, 법상학원法商學院 및 중국대학 교수를 역임하였다. 1938년에 옌안으로 가서 2년 후에 중국공산당에 가입하였다. 이후에 옌안 중앙당교中央黨校 연구원, 옌안 평극연구원評劇研究院 원장을 맡았다. 1943년에 옌안에서 경극 「쫓기어 양산으로 도망치다逼上梁山」의 창작을 주관해 마오쩌둥으로부터 상찬을 받았다. 공화국 성립 후에는 문화부 희곡개진국 및 예술국 부국장, 베이징사범대학 교수 등을 역임하였다.

마사오보(1918~2009), 희극이론가로 산둥성 라이저우萊州 출신이다. 1937년에 중화민족해방선봉대中華民族解放先鋒隊에 참가하였으며 다음해에 해방군에 참가하였다. 팔로군 산둥종대山東縱隊 제5여단 사령부 비서장, 자오둥膠東문화협회 회장을 역임하였다. 공화국 성립 후에는 문화부 희곡개진위원회 비서장, 중국희곡연구원 부원장, 중국경극원 부원장, 베이징시 희곡연구소 소장, 중국극작가협회 베이징분회 부주석 등을 역임하였다. 저서로 『희곡예술논집戲曲藝術論集』, 『희곡신론戲曲新論』, 『마사오보 창작선馬少波創作選』, 『마사오보 신극작馬少波新劇作』 등이 있다.

28일, '중국희곡개진회 발기인 대회'가 개최되었다. 전국문련 주석 궈모뤄가 처음으로 발언하였다. 그는 "중국에서 구희곡의 개혁은 매우 중요한 일이다. 희곡은 군중에게 광범위한 영향을 끼치기 때문이다. 희곡은 이 땅에서 나고 자란 민족 형식이자 일종의 종합적인 예술로, 아주 중요한 사회교육 업무 중 하나이다. 오늘의 완전히 새로운 인민 자신의 시대에는 구희곡뿐만 아니라 모든 구문예가 개선되어야 하며, 우리 자신도 함께 개선되어 철저히 인민을 위해 복무하는 방향으로 단호히 나아가야 한다"라고 밝혔다. 양사오쉬안, 톈한, 자오수리 등도 뒤이어 발언하였다. 회의에서 중화전국희곡개혁위원회 준비위원회의 성립이 선포되었다. 어우양위첸이 주임을 맡았으며 톈한, 아잉, 저우양, 저우신팡周信芳 등 31인이 준비위원으로 추천 선발되었다. 마오쩌둥 주석과 주더 총사령관이 '옛것을 취사선택하여 새롭게 발전시키는 일推陳出新'과 '평극 개혁운동 전개'에 관한 기념사를 진행해 희곡공작자들의 당면 임무를 명확히 지시하였다. 29일자 『인민일보』에 마오쩌둥과 주더의 기념사가 게재되었다.

『문예보』 제13호에 중징원의 글 「민간문예에 더욱 주의를 기울이자請多多地注意民間文藝」가 발표되었다.

중징원(1903~2001), 민속학자, 시인, 산문가. 징원靜聞 등의 필명을 사용하였으며 광둥성 하이펑海豐 출신이다. 1926년에 링난대학嶺南大學에서 근무하면서 중문과에서 '경학통론經學通論', '문학개론文學概論' 등의 강의를 들으며 산문 창작을 시작하였다. 1930년에 친구와 함께 중국민속학회中國民俗學會를 창립해 중국의 민속학 발전을 추진하였다. 중일전쟁 초기에 광저우 4전구廣州四戰區 정치부에서 선전공작에 종사하면서 동시에 전지문학戰地文學 창작에도 종사하였다. 공화국 성립 후에 베이징사범대학 중문과 교수로 임용되었다. 이 이후로 50여 년간 교육 및 연구 업무에 종사하였다. 주요 저서로 『중징원 민간문학 논집鍾敬文民間文學論集』, 『루쉰에 관한 논고 및 회상關於魯迅的論考與回想』, 『서호만습西湖漫拾』 등이 있다.

30일, 『인민일보』에 지추양紀初陽의 시론 「시의 민간형식 연구詩的民間形式研究」가 발표되었다. 지추양은 '왕구이와 리샹샹王貴與李香香'(1946년에 발표된 리지李季의 장편서사시-역자 주)이라는 형식 자체를 시의 유일한 형식으로 오해해서는 안 되고, 그보다 더욱 중요한 것은 리지가 일관되게 유지한 군중적 관점을 학습해 예술적인 정치 효과를 획득하는 것이라고 보았다.

지추양(1921~), 시인. 본명은 쉬더몐徐德綿이며 쉬팡徐放이라고도 한다. 지추양, 쉬신徐辛, 뉴자신牛稼辛 등의 필명을 사용하였다. 랴오닝성 랴오양 출신이다. 중일전쟁 기간에 쓰촨 싼타이둥베이대학三台東北大學 문학원 중문과를 졸업하였다. 1936년부터 시 작품을 발표하기 시작하였다. 1943년 가을에 문협에 가입해 촨베이川北분회 이사 및 기관 간행물 『문학기간文學期刊』 편집자, 『둥베이문화東北文化』 주간 책임 편집자를 맡았다. 베이핑 해방 후 군관회 문화교육접관위원 둥베이조 조장을 맡았으며, 1949년 5월에 인민일보사로 이동하였다. 1955년에 '후펑 반혁명 집단 사건胡風反革命集團案'으로 인해 억울하게 투옥되었다. 1979년에 복권된 후 『인민일보』 문예조 편집자 및 군공부群工部 부주임을 맡았다. 주요 시집으로 『남성초南城草』, 『길을 떠나는 이起程的人』, 『야랑만野狼灣』, 『길을 서두르다趕路記』, 『쉬팡 시선徐放詩選』 등이 있다.

이달에 전국 제1차 문대회 개최를 경축하기 위해 전국문대회 공연위원회에서 성대한 공연 행사를 조직하였다. 총 32개의 희극단체가 도합 29일간 공연을 진행하였는데, 공연한 주요 화극으로는 4막 화극 「홍기의 노래紅旗歌」(화베이대학 제3문예공작단華北大學第三文藝工作團 연출, 루메이魯煤, 류창랑劉滄浪, 천화이아이陳懷皚, 천먀오陳淼, 장다밍章大明, 류무둬劉木鐸 각본, 루메이 집필, 리차오李超 감독), 5막 화극 「포탄은 어떻게 만들어지는가炮彈是怎樣造成的」(중국인민해방군 둥베이군구 정치부 선전대 연출, 천치퉁陳其通 각본, 나사那沙 감독), 4막 화극 「민주청년 행진곡民主青年進行曲」(화베이대학 제2문예공작단 연출, 자커賈克 등 합동 창작 및 각색, 자커 집필, 샤춘夏淳 감독), 5막 화극 「주구산의 영웅九股山的英雄」(중국인민해방군 전투극사中國人民解放軍戰鬥劇社 연출, 린양林揚, 옌지저우嚴寄洲, 류옌츠劉蓮池 각본, 천보陳播, 둥샤오우董小吾, 리리李力 감독), 장막극 「왕씨네 대잡원王家大院」(둥베이루예 문예공작단 연출, 바이웨이白韋, 바이쥐白居 감독), 단막 화극 「사오빙 두 개兩個燒餅」(베이징 시산 광부 아마추어 극단西山礦工業餘劇團 연출, 리춘펑厲春鵬, 멍셴치孟憲啟 각본), 3막 화극 「공장을 보위하라保衛工廠」(홍기극단紅旗劇團 연출, 천베이어우陳北鷗, 왕더산王德山 등 각본), 단막 화극 「반'회복' 투쟁反"翻把"鬥爭」(중국청년예술극원中國青年藝術劇院 연출, 리즈화李之華 각본, 우쉐吳雪, 리즈화, 덩즈이鄧止怡, 선셴沈賢 감독), 단막 화극 「명령을 이같이 조치하였습니다等因奉此」(천바이천陳白塵 각본, 선푸沈浮 감독), 단막 화극 「남방열차南下列車」(상하이시 희극공작자협회 연출, 취바이인瞿白音 각본, 잉윈웨이應雲衛 감독), 선전극 「피 튀기는 쑹 공원血濺宋公園」(스후이石揮, 황중장黃宗江 각본, 줘린佐臨 감독) 등이 있다.

공연에 참여한 중국청년예술극원은 1949년 4월 16일에 베이징에서 창립되었다. 그 전신은 1941년에 창립된 옌안청년예술극원으로, 해방전쟁 시기에는 둥베이 지구를 전전하는 둥베이 제2문예공작단으로 활동하였다. 이 극원은 공화국 최초의 전문 화극원으로, 단중앙 서기인 랴오청즈廖承志가 원장을 겸임하였으며 우쉐와 진산金山이 부원장을 맡았다. 제1차 문대회 기간에 중화전국전영예술공작자협회(후에 중국전영공작자연의회中國電影工作者聯誼會로 명칭을 변경)도 창립되었다.

쑨리孫犁의 단편소설집『갈대밭蘆花蕩』이 군익출판사에서 출간되었다.

쑨리(1913~2002), 작가. 본명은 쑨수쉰孫樹勳으로 허베이성 안핑安平 출신이며 '하화전파荷花澱派'의 창시자이다. 고등학교 졸업 후에 베이핑을 유랑하며 '윈푸芸夫'라는 필명으로 글을 발표하였다. 1927년부터 문학작품 창작을 시작하였으며, 1937년부터 안신현安新縣 퉁커우전同口鎮 소학교 교사로 근무하였다. 1939년 이후 항일공작에 참가해 허베이항전학원河北抗戰學院 교관, 진차통신사晉察通訊社, 진차지 변구 문련, 진차지일보사 및 화베이연합대학에서 편집자, 교사 등을 역임하였으며 옌안루예 문학원 교사,『평원잡지平原雜志』편집자를 맡았다. 공화국 성립 후에는 톈진일보사 부간과副刊科 부과장, 신문사 편집위원, 중국작가협회 톈진분회 주석, 톈진시 문련 명예주석 등을 역임하였다. 주요 저서로 단편집『백양전 이야기白洋澱紀事』, 장편소설『풍운초기風雲初記』(3집), 중편소설『철목전전鐵木前傳』및 산문집『수로집秀露集』,『만화집晚華集』,『경당산문耕堂散文』과 문학평론집『문학단평文學短評』등이 있다.

『문학전선文學戰線』제5호에 양판揚帆의 시「번신화翻身花」가 발표되었다.

양판(1912~1999). 본명은 스윈화石蘊華로 장쑤성 창수常熟 출신이다. 1937년에 중국공산당에 가입하였다. 공화국 성립 후에 상하이시 공안국 부국장 및 국장을 역임하였다. 1955년에 '내부 첩자'라는 죄명으로 체포되어 투옥되었다가 1983년에 완전히 복권되었다. 저서로『양판 자술揚帆自述』이 있다.

루디蘆荻의 시집『깃발 아래 소리 높여 노래하다旗下高歌』가 인간서옥人間書屋에서 출간되었다.

루디(1912~1994), 시인. 본명은 천페이디陳培迪로 광둥성 난하이南海 출신이다. 1930년대에 시 창작을 시작했으며, 동료와 함께『오늘의 시今日詩歌』,『중국시단中國詩壇』,『시장詩場』등의 간행물을 편집하였다. 중일전쟁 시기에는 구이린『광시일보廣西日報』부간『리수이漓水』의 책임 편집을 맡았다. 1956년에 중국작가협회에 가입해 전문 작가를 맡았다. 이후에 지난대학暨南大學 교수를 역임하였다. 저서로 시집『뽕나무 들판桑野』,『치구집馳驅集』,『먼 돛단배遠帆』,『깃발 아래 소리 높여 노래하다』,『전원신가田園新歌』,『하이난 송가海南頌』,『루디 시선蘆荻詩選』등이 있다.

왕이량王以良의 시집『백조의 노래天鵝之歌』가 신성출판사新星出版社에서 출간되었다. 장윈성張芸

生의 장시 『공로 축하회에서 다시 함께 모이다賀功會上再團圓』가 둥베이신화서점에서 출간되었다.

류바이위劉白羽의 보고문학 작품 4편을 수록한 책 『홍기紅旗』가 쑤베이신화서점에서 출간되었다.

류바이위(1916~2005), 작가. 베이징 퉁저우通州 출신이다. 1938년 12월에 중국공산당에 가입하였다. 문협 옌안분회 당지부 서기, 충칭 『신화일보』 부간 부주임, 중화인민공화국 문화부 부부장, 중국인민해방군 총정치부 문화부 부장, 『인민문학』 편집장 등을 역임하였다. 1950년에 해방전쟁 과정을 그린 영화 「중국 인민의 승리中國人民的勝利」 제작에 참여해 스탈린문학상 1등상을 받았다. 대표작으로 「창장 3일長江三日」, 「영혼의 역정心靈的曆程」, 「황허의 물이 하늘에 오르다黃河之水天上來」, 「두 번째 태양第二個太陽」, 「중국 인민의 승리」, 『방초집芳草集』 등이 있다.

8월

1일, 『중국청년中國青年』 제20호에 캉줘康濯의 단편소설 「어느 지식청년의 하향 이야기一個知識青年下鄉的故事」가 연재되기 시작해 제21호까지 연재되었다.

캉줘(1920~1991), 작가. 본명은 마오지창毛季常으로 후난성 샹인湘陰 출신이다. 1939년에 옌안 『군정잡지軍政雜志』와 『문예전선文藝戰線』에 작품을 발표하기 시작하였다. 종전 후에 진차지 변구 『공인보工人報』와 『시대청년時代青年』의 책임 편집자를 맡았다. 1950년 이후로 중앙문학연구소 부비서장, 『문예보』 상무 편집위원, 허베이성 문련 부주석 등을 역임하였다. 1962년에 후난성 문련 부주석을 맡았다가 이후에 주석이 되었으며, 중국작가협회 후난분회 주석을 맡았다. 주요 작품으로 단편소설 「납매화臘梅花」, 「재난의 다음날災難的明天」, 「나의 두 집주인我的兩家房東」, 「봄에 심어 가을에 수확하다春種秋收」 등이 있다.

바이더이白得易의 시집 『바이더이 시가선白得易詩歌選』이 쑤베이신화서점 난퉁南通지점에서 출간되었다.

바이더이(1919~), 시인. 본명은 옌즈다오嚴志道로 장쑤성 난퉁 출신이다. 1945년에 쑤베이 해방구 문화선전대에 참가하였으며, 공화국 성립 후에는 쑤베이문련, 화둥문련, 장쑤 영화제작소電影制片廠, 장쑤 방송국 등에서 여러 직책을 역임하였다. 저서로 가요집 『해방 가요翻身歌謠』, 『쑤베이 민요蘇北民謠』, 『쑤베이와 장난이 온통 봄이다蘇北江南都是春』와 장시 『대반격大反攻』, 시집 『바이더이 시선白得易詩選』, 『쇳물이 끓어오르다鋼水沸騰』 등이 있다.

2일, 전국시가공작자연의회全國詩歌工作者聯誼會가 베이핑에서 창립되었다. 연의회는 시가공작자들 사이에 연락을 취해 서로 경험을 교류하고 시에 관한 여러 문제를 연구하는 것을 주지로 하여 창립되었다. 회의를 통해 아이칭, 커중핑, 위안수이파이, 리양, 톈젠, 짱커자, 왕야핑, 리지, 중징원, 샤오싼, 비거페이, 창민敞民, 뤄젠, 린산林山, 왕시젠, 왕퉁자오, 가오민푸高敏夫, 허치팡何其芳, 시진錫金, 루리魯藜, 볜즈린卞之琳, 톈란天藍, 펑즈, 다이왕수, 사어우沙鷗 등 25인이 이사에 당선되었다. 그 가운데 아이칭, 위안수이파이, 리양, 톈젠, 짱커자, 왕야핑, 볜즈린, 리지, 루리 등이 상무이사로 당선되었으며, 쑤진싼, 뤄위안綠原, 리광톈李廣田, 위핑보, 린겅林庚, 천이먼陳亦門, 쉬츠徐遲, 신디辛笛, 옌자오燕郊가 후보이사로 당선되었다.

다음날 『인민일보』에 "문련 시가공작자들이 베이핑에서 연의회를 창립하여 아이칭 등이 상무이사로 당선되었다. 베이핑시 소식에 의하면, '중화전국문학공작자협회 회원 가운데 시가공작에 종사하는 이들이 시가공작자 연의회를 이미 오랫동안 준비하여 근일에 이미 베이핑에서 성립되었다. 본 연의회는 시가공작자들 사이에 연락을 취해 서로 경험을 교류하고 시에 관한 여러 문제를 연구하여 시가가 공, 농, 병을 위해 복무하는 목표에 도달하는 것을 주지로 삼는다. 문학공작자협회 회원 중에서 시가공작에 종사하는 이라면 모두 자유롭게 가입할 수 있다. 본 연의회는 창립대회에서 이사 25인, 후보이사 9인을 선출하였으며 이사회 내에서 상무이사 9인을 추천 선발하였다'고 하였다"라는 소식이 실렸다.

5일, 『문예부흥文藝復興』의 '중국문학연구 특집호'(하권)에 탕타오의 글 「신문예의 발자국 – 몇몇 선구자에 관한 서화新文藝的脚印——關於幾位先行者的書話」(상)이 발표되었다.

탕타오(1913~1992), 작가, 학자. 본명은 탕돤이唐端毅로 저장성 전하이鎮海 출신이다. 1930년대에 아마추어 창작을 시작해 산문과 잡문을 주로 창작하였다. 중일전쟁 발발 후에는 상하이에서 항일문화운동에 힘쓰며 초판 『루쉰 전집』의 편집 및 교정 작업에 참여하였다. 종전 후에는 커링柯靈과 함께 『주보周報』를 편집하였다. 공화국 성립 후에는 푸단대학復旦大學, 상하이희극전문학교上海戲劇專科學校 교수 및 상하이시 문화국 부국장, 중국작가협회 상하이분회 서기처 서기, 『문예신지文藝新地』 및 『문예월보文藝月報』 책임 편집자 등을 역임하였다. 저서로 잡문집 『추배집推背集』, 『해천집海天集』, 『단장서短長書』, 『탕타오 잡문선唐弢雜文選』과 산문 수필집 『낙범집落帆集』, 『회암서화晦庵書話』 및 논문집 『루쉰에게서 배우다向魯迅學習』, 『루쉰의 미학사상魯迅的美學思想』, 『해산논집海山論集』 등이 있다. 『중국현대문학사中國現代文學史』를 책임 편집하였고 『루쉰 전집 보유魯迅全集補遺』, 『루쉰 전집 보유 속편魯迅全集補遺續編』을 편집하였다.

7일, 『인민일보』에 스둥산史東山의 글 「현재 영화예술의 작법目前電影藝術的作法」이 발표되었다.

스둥산(1902~1955), 영화인. 본명은 스쾅사오史匡韶로 저장성 하이닝 출신이다. 1924년에 영화 극본 창작을 시작하였으며 1930년에 롄화영업공사聯華影業公司 감독을 맡았다. 다음해에 좌련에 가입하여 좌익영화운동에 적극적으로 종사하였다. 1933년에 중국전영문화협회 집행위원을 맡았으며 다음해에 이화영업공사藝華影業公司 각본가로 초빙되었다. 중일전쟁 발발 후에는 우한을 거쳐 충칭으로 가서 중국 영화제작소 건설을 계획하였으며 여러 편의 항일영화의 극본을 창작하고 또한 촬영하였다. 전쟁 승리 후 상하이로 돌아가 롄화영업사聯華影業社와 쿤룬영업공사昆侖影業公司를 개편하였다. 1948년 말에 홍콩을 거쳐 베이핑으로 이동하였다. 공화국 성립 후에는 중국극협 상무이사, 문화부 전영국 기술위원회 주임 및 예술위원회 위원 등을 역임하였다. 저서로 영화 극본 『8천리 길의 구름과 달八千裏路雲和月』, 『여인女人』, 『인지초人之初』, 『우리의 땅을 보위하라保衛我們的土地』 등이 있다.

8일, 화베이문예공작위원회 구극처와 베이징시 문화위원회 구극과에서 개설한 제1기 극예계劇藝界 강습반 강의가 시작되어 3개월간 계속되었다. 어우양위첸, 톈한, 양사오쉬안, 마사오보 등이 강습반 교사를 맡았다.

12일, 『문회보』에 류허우성劉厚生의 글 「지방극 신구 예인의 결합 문제를 논하다論地方戲新舊藝人的結合問題」가 발표되었다. 그는 이 글에서 신지방극은 "구 형식의 기초 위에 새로운 형식을 창조해 내어 더욱 적절하게 새로운 사상을 전달"해야 하며, 이를 위해서는 신구 예인이 밀접하게 결합되어 각자 자신의 장점과 한계를 의식해야 하지만, "기본적으로는 옛것은 반드시 새로운 것과 함께 나아가야 한다. 그렇지 않으면 사회는 진보할 수 없다"고 지적하였다.

류허우성(1921~2019), 희극평론가로 장쑤성 전장鎮江 출신이다. 1940년에 장안희극전문학교江安戲劇專科學校를 졸업한 후 청년극사青年劇社, 중전극단中電劇團, 관중연출공사觀眾演出公司 등의 단체에 참가해 진보희극활동에 종사하였다. 공화국 성립 후에는 상하이시 문화국 희곡개진처 부처장, 중국극협 상하이분회 부주석, 중국희극출판사 사장 등을 역임하였다. 1979년에 『인민일보』 책임편집자, 중국극협 비서장 및 서기처 서기를 맡았다. 1985년에 중국극협 제4기 부주석에 당선되었으며 중국희곡학회 부회장 및 『중국희곡지中國戲曲志』 편집위원회 부주임 등을 겸임하였다. 『류허우성 희곡 장단문劉厚生戲曲長短文』이 출간되었다.

14일, 중공중앙선전부에서 「영화사업 강화에 관한 결정關於加強電影事業的決定」을 선포하여 "중앙에서는 영화를 공농병 문예운동의 중점 발전 과제로 삼고, 마오쩌둥 주석의 문예 방향 아래 다년간 노력해 온 각 관련 예술 간부들을 선발해 영화공작에 종사하게 할 것을 원칙적으로 동의하였다"고 밝혔다.(「중앙인민정부 문화부 전영국 공작보고中央人民政府文化部電影局工作報告」 각주로 처리해야 할 것 같습니다.)

같은 날, 저우쭤런이 상하이에서 출발해 베이핑에 도착하였다.

15일, 『군중문예』 제11, 12기에 커중핑의 글 「우리의 문예공작을 한 걸음 더 끌어올리자 – 산간닝 변구 문예공작 결산把我們的文藝工作提高一步——陝甘寧邊區文藝工作總結」이 발표되었다.

『문예운동』 제3호에 딩예丁耶의 「고산왕靠山王」 등의 시와 샤오인蕭殷의 시론 「공인 시의 창작 등을 논하다論工人詩的寫作及其他」가 발표되었다. 샤오인은 공인 계층의 시가 이미 신중국에서 싹을 틔워 발전을 시작하였으며, 앞으로 신중국의 공인 군중은 자신만의 예술과 시를 가지게 될 것이라고 보았다.

딩예(1922~2001), 만주족 시인, 작가. 본명은 황둥판黃東藩이며 랴오닝성 슈옌岫岩 만족자치현 출신이다. 1940년부터 작품을 발표하기 시작했으며, 주요 저서로는 시집 『외조부의 천하外祖父的天下』(장시), 『번신집翻身集』, 『지원영웅찬志願英雄贊』, 『백옥 주춧돌白玉的基石』, 『짐차 다섯 대가 안둥을 달린다五掛大車跑安東』, 장시 『나이쯔산의 봄奶子山的春天』(광부 서사시), 『압록강 위의 목방鴨綠江上的木幫』 및 산문집 『변외집邊外集』, 『'좌'습유"左"拾遺』, 『딩예 선생 유머집丁耶先生笑話集』, 장편소설 『소년의 고난少年的磨難』 등이 있다.

샤오인(1915~1983), 문학평론가, 작가. 본명은 정원성鄭文生으로 광둥성 룽촨龍川 출신이다. 공화국 성립 전에는 『신화일보』 편집위원, 옌안 중앙연구원 연구원, 『스좌장일보』 부편집장을 역임했으며 공화국 성립 후에는 『문예보』 편집위원, 지난대학 교수 및 중문과 주임, 광둥성 문련 및 중국작가협회 광둥분회 부주석, 『작품』 월간 책임 편집자 등을 역임하였다. 저서로 단편소설집 『달밤月夜』과 문학평론집 『생활과 예술, 그리고 진실을 논하다論生活。 藝術和真實』를 비롯해 『샤오인 문학평론집蕭殷文學評論集』, 『샤오인 자선집蕭殷自選集』이 있다.

22일, 『문회보』에 상하이극영협회上海劇影協會에서 제1차 문대회에 참석했던 화극 및 영화계 대표들의 상하이 귀환 축하 회의를 개최했다는 기사가 실렸다. 기사에는 문대회 대표인 천바이천이 상하이극영협회에서 보고한 내용을 일부 인용하였다. “문예는 공농병을 위해 봉사해야 하며 또한 반드시 공농병을 주인공으로 해야 한다. 소위 ‘소자산계급에 관해서도 쓸 수 있다’는 말은 공농병을 주인공으로 한 작품 속에 소자산계급이나 자산계급 인물이 등장할 수도 있다는 의미이다.” 이 관점은 서로 다른 여러 의견을 불러일으켜, 2개월여 동안 『문회보』에 이 문제에 관한 글이 20편 이상 발표되었다. 토론에 참여한 이들은 대립하는 두 무리로 나뉘어 ‘소자산계급에 관해 쓸 수 있는가’에 관한 대토론이 형성되었다.

25일, 『문예생활』(해외판) 제17호에 리웨난李嶽南의 시평 「스뉴쓰의 시를 평하다 - 「악몽 비망록」과 「총공격 명령」評史紐斯的詩——<惡夢備忘錄>與<總攻擊令>」이 발표되었다. 같은 호에 쿵줴孔厥의 창작 자술 「하향과 창작下鄉和創作」, 두아이杜埃의 논고 「인민문학 주제의 사상성人民文學主題的思想性」 및 캉줘의 중편소설 「공인 장페이후工人張飛虎」가 발표되었다.

리웨난(1917~2007), 시인, 작가. 허난성 가오청槁城 출신으로 1943년에 쓰촨대학 문학원 외국어과를 졸업하였다. 1948년에 홍콩 주룽중업학원九龍中業學院에서 교편을 잡았으며 1950 이후에는 베이징시 문련 및 중국곡예가협회(中國曲藝家協會, 약칭 곡협曲協)간부, 베이징시 문련 연구부 부부장, 『베이징문예』 부편집장을 역임하였다. 저서로 『하이허의 자손海河的子孫』, 『한밤중의 시제午夜的詩祭』, 『허베이를 애도하다哀河北』, 『왕라오싼이 세월을 노래하다王老三唱流年』, 『신화, 이야기, 가요, 희곡 산론神話,故事,歌謠。 戲曲散論』, 『어머니의 비가母親的悲歌』, 『리웨난 시문 자선 합본李嶽南詩文自選合集』, 『리웨난 통속문학 추의 및 초보적 탐구李嶽南俗文學芻議暨初探』 등이 있다.

쿵줴(1914~1966), 작가. 본명은 정윈펑鄭雲鵬으로 장쑤성 우현 출신이다. 1936년에 장쑤성 이싱宜興에서 차오신즈曹辛之 등과 함께 문예주간 『평화平話』를 창간하였다. 1939년에서 1945년 사이에 루예 문학과 연구원 및 조교를 맡았다. 공화국 성립 후에는 『인민일보』 부간부, 중국인민대학, 중앙전영국中央電影局 등에서 여러 직책을 역임하였다. 주요 작품으로 소설 「고통받는 이受苦人」, 「두 부자父子倆」, 「한 여인의 해방 이야기一個女人的翻身故事」, 「피투성이 시체 사건血屍案」, 「신아녀영웅전新兒女英雄傳」(공동 창작) 및 가극 「란화화蘭花花」 등이 있다.

두아이(1914~1993), 작가. 본명은 차오푸메이曹傳美로 광둥성 다부大埔 출신이다. 1933년에 좌련에 가입하였으며 1937년에 중산대학中山大學 사회학과를 졸업하였다. 중공 홍콩시당위원회 선전부대 부장, 필리핀 교포 항일반간대동맹菲律賓僑抗日反奸大同盟 선전부 부장을 역임하였다. 공화국 성립 후에는 『남방일보南方日報』 부편집장, 중공 광둥성위원회 선전부 부부장, 광둥성 문련 제1기 부주석 및 중국작가협회 광둥분회 부주석을 역임하였다. 저서로 장편소설 『비바람 부는 태평양風

雨太平洋』과 산문집 『총림곡叢林曲』, 『불후의 성不朽的城』 및 평론집 『생활과 창작을 논하다論生活與創作』가 있다.

26일, 『인민일보』에 톈젠의 「소매치기 조심謹防扒手」 등의 시가 발표되었다.

톈젠(1916~1985), 시인. 본명은 퉁톈젠童天鑒으로 안후이성 우웨이無爲 출신이다. 1933년에 상하이광화대학上海光華大學에 입학하였으며 다음해에 좌련에 가입하였다. 『신시가新詩歌』와 『문학총보文學叢報』의 편집 업무에 참여하였다. 1937년 봄에 일본으로 갔다가 같은 해 7월에 귀국한 후 항일구국공작에 종사하였으며, 팔로군 시베이전지 복무단에 참가해 전지 기자로 복무하였다. 1938년에 옌안으로 가서 가두시운동街頭詩運動을 발기하였다. 1943년 이후로 옌베이雁北 지방위원회 비서장 및 선전부장, 장자커우시 당위원회 선전부장 등을 역임하였다. 1949년에 차하얼察哈爾성 문련 주임을 겸임하였으며, 그 이후로 중국작가협회 당조 구성원 및 창작부 부장, 문학연구실 주임, 『시간』 편집위원 등을 맡았다. 저서로 시집 『미명집未名集』, 『전사에게 바치다給戰鬥者』, 『그녀도 사람을 죽이려 한다她也要殺人』, 『아프리카 여행기非洲遊記』, 『청명清明』 등이 있다.

27일, 『인민일보』의 기사에 의하면 "화베이문예공작위원회 구극처가 중국희곡개진위원회中國戲曲改進委員會로 개편되었으며, 예술처와 대외문화연락처 등 2개 부서를 신설하여 저우양과 샤오싼이 각각 겸임 처장을 맡았다."

샤오싼(1896~1983), 시인. 본명은 샤오쯔장蕭子嶂으로 후난성 샹샹湘鄉 출신이다. 공화국 성립 후에 세계 평화 평의회 이사 및 서기처 서기를 역임하였다. 주요 저서로 시집 『평화의 길和平之路』, 『우정의 길友誼之路』, 『샤오싼 시선蕭三詩選』, 『복력집伏櫪集』 등이 있다. 소련에서 러시아어로 창작 및 출판한 시집으로 『상적집湘笛集』, 『우리의 운명은 이렇다我們的命運是這樣的』 및 『샤오싼 시선蕭三詩選』 등이 있다.

28일, 궈모뤄, 마오둔, 마쉬룬馬敘倫이 연명으로 마오쩌둥 주석에게 서한을 보내 이달 25일에 마오쩌둥이 문자개혁 문제에 관해 의견을 구하며 보내 온 서한에 대해 답장하여 이 문제에 관한 의견을 발표하였다. 이들은 서한에서 "첫째로는 병음문자拼音文字의 노선을 택해야 한다. 로마 문자를 사용해 중국 병음문자의 초안을 잡아야 하며, 방언의 로마자화에는 찬성하지 않으며, 북방 방언을 기초로 한 '국어'의 보급을 주장한다. '로마자화' 연구자들은 모두 반드시 북방 방언의 로마자화 방안 연구에 전력을 다해 이를 완성해야 하며, 동시에 한자를 정리하고 간화簡化해야 한다. 둘째로는 전문적인 문자개혁 기구를 설립해야 한다"고 주장하였다.

마쉬룬(1885~1970), 학자. 이추彝初, 이추夷初 등의 필명을 사용하였다. 호는 스웡石翁, 한샹寒香 등이며, 만년에는 스우라오런石屋老人이라는 호를 사용하였다. 저장성 항저우 출신이다. 5·4 운동 시기에 베이징 중등 이상 학교北京中等以上學校 교직원연합회 주석을 맡았다. 1922년 여름에 저장성립제1사범학교浙江省立第一師範學校 교장 및 저장성 교육청 청장을 맡았으며 그 후에는 북양정부北洋政府 및 국민당 정부 교육부 부장을 역임하였다. 공화국 성립 후에는 중화인민공화국 교육부 초대 부장 및 중화인민공화국 고등교육부 초대 부장을 역임하였다.

이달에 상하이『문회보·자력磁力』부간에 소자산계급을 문예작품의 주인공으로 삼을 수 있는가 하는 문제를 둘러싸고 열띤 토론이 전개되었다. 이 토론은 약 3개월간 계속되었다. 토론은 해당 신문에 게재되었던, 천바이천이 제1차 문대회에 참석한 후 문대회의 정신을 전달하기 위해 상하이 극영협회에서 진행한 보고문에 관한 기사로 인해 시작되었다. 8월 22일,『문회보』에 상하이극영협회에서 회의를 개최해 제1차 전국문대회에 참석했던 화극 및 영화계 대표들의 귀환을 축하했다는 기사가 게재되었다. 천바이천은 회의상에서 전국문대회의 회의 정신을 전달하였다. 문예작품에 등장하는 소자산계급 인물에 관한 문제를 언급할 때, 천바이천은 "문예는 공농병을 위해 봉사해야 하며 또한 반드시 공농병을 주인공으로 해야 한다. 소위 '소자산계급에 관해서도 쓸 수 있다'는 말은 공농병을 주인공으로 한 작품 속에 소자산계급이나 자산계급 인물이 등장할 수도 있다는 의미이다"라고 말했다.

8월 27일, 셴췬冼群이 먼저『문회보』에「'소자산계급에 관해 쓸 수 있는가'에 관한 문제關於"可不可以寫小資產階級"的問題」라는 글을 발표하여 천바이천의 관점을 반박하였다. 그는「강화」를 근거로 들어 세 가지 측면에서 천바이천의 주장을 반박하고 자신의 견해를 제시하였다. 첫째, 공농병을 위해 복무한다는 것은 "절대로 소자산계급을 위하여서는 안 되거나 혹은 그럴 수 없다는 의미가 아니다(비록 부차적인 것이지만)." 둘째, 옳은 입장에 서 있기만 하다면 작가는 소자산계급뿐만 아니라 반동파 혹은 제국주의에 관해서도 쓸 수 있다. 셋째, 소자산계급에 관해 창작할 수 있다는 말은 "소자산계급에 관해서만 창작하거나 혹은 그들에 관해 창작하는 것을 우리의 주된 임무로 삼으라고 작가들을 격려하는 말이 결코 아니다." 얼마 후, 천바이천이 9월 3일자『문회보』에「"오해 외에誤解之外"」를 발표해 셴췬의 반박에 답했다.

소자산계급에 관해 쓸 수 있는가 하는 문제를 둘러싼 각 방면의 논쟁은 2개월여 동안 쉬지 않고 계속되어,『문회보』에는 차오쌍喬桑, 쭤밍左明, 셴췬, 장비라이張畢來 등의 학술 논쟁 문장이 20편이상 게재되었다. 토론자들은 보편적으로 신민주주의 시기에 소자산계급도 혁명적으로 단결하고 교육을 통해 개조되어야 할 하나의 계급으로서 존재할 터인 이상, 그들의 사상과 의식 역시 문예 창작과 비평에 필연적으로 반영되어야 하며, 따라서 문예작품에서 소자산계급에 관해 쓸 수 있다는 것은 문제될 소지가 없다고 보았다.

11월 26일, 허치팡은『문회보』에 토론의 총결산으로서「어느 문예창작 문제 논쟁一個文藝創作問題的爭論」이라는 글을 발표하였다. 허치팡은 논쟁에 참여한 양쪽의 주장을 변증법적인 시각으로 보았다. 그는 셴췬을 대표로 하는 쪽이 가진 "신시대 문예의 새로운 방향의 근본정신에 대해 다소 파악이 부족"한 실수를 지적하고, 마찬가지로 "인민 대중 가운데 반드시 공농병을 우선해야 한다는 근본정신을 인식"해 오히려 "이 때문에 모든 구체적인 문예작품이 절대적으로 오로지 공농병만을 주인공으로 삼아야 한다고 간단하고 또한 과도하게 주장하는" 생각은 편파적인 것이라고 보았다. 허치팡은 "문제는 무엇을 쓰는가가 아니라 어떻게 쓰는가이다"라는 문예적 견해에 대해 자신의 생각을 밝혔는데, 그는 지금과 같은 새로운 시대에 작가가 공농병을 주인공으로 하는 작품을 창작하는 것은 "제재의 문제일 뿐만 아니라 바로 입장의 문제이다." "물론, 일부 문예가들에게 있어서는 주관적으로는 그들을 열렬히 사랑하지만 그들에게 익숙하지 않아 창작할 수 없는 상황이 발생할 수도 있다. 그러나 이런 상황에서, 우리는 그들 속으로 들어가 그들과 친숙해져야 할 것인가, 아니면 '문제는 무엇을 쓰는가가 아니라 어떻게 쓰는가'임을 이유로 들며 우리에게 익숙한 인물만을 창작할 것인가? 따라서, 지금에 와서 여전히 이러한 단편적인 문예적 견해를 강조하는 것은 마오쩌둥 주석이 옌안문예좌담회에서의 강화에서 제의한 공농병 속으로 들어가라는 호소를 부정하는 것이나 마찬가지다"라고 보았다.

천바이천(1908~1994), 극작가. 본명은 천정홍陳征鴻이며 천페이陳斐라고도 한다. 장쑤성 화이인淮陰 출신이다. 1930년에 좌익희극가연맹에 참가하여 희극활동에 종사하였으며 남국극사南國劇社, 모던극사摩登劇社 등에 참가하였다. 1932년 7월에 공산주의 청년단 화이옌淮鹽특별위원회 비서를 맡았다. 중일전쟁 발발 후에는 각지에서 진보적 희극활동을 계속하면서 희극 창작에 종사하였다. 상하이영인극단上海影人劇團, 상하이아마추어극인협회上海業餘劇人協會, 중화극예사中華劇藝社 등의 조직 및 지도 업무에 참여하였으며 '완난 사변皖南事變' 후에는 중국공산당의 지시에 따라 중화극예사를 건립해 궈모뤄의「굴원屈原」, 양한성의「천국춘추天國春秋」, 샤옌의「파시즘 세균法西斯細菌」 등의 희곡을 연출하였다. 공화국 성립 후에 영화 극본「송경시宋景詩」와「루쉰 전기魯迅傳」 등의 창작에 참여하였다. 1977년에 역사극「대풍가大風歌」를 창작하였다. 중국작가협회 서기처 서기,『인민문학』 부편집장 등을 역임하였다. 1978년에 난징대학 중문과 교수로 초빙되어 중문과 주임을 맡아 희극영상연구소戲劇影視研究所 설립을 주관하였는데, 이는 중국 최초의 희극학 전공 박사과정 학과로서 수많은 희극인을 양성하였다. 대표작으로 희극 「난세남녀亂世男女」, 「결혼 행진곡結婚進行曲」, 「세한도歲寒圖」, 「승관도升官圖」 등이 있다.

셴췬(1915~1955), 희극 및 영화 각본가, 감독. 본명은 셴저춘冼哲淳으로, 본적은 광둥성 난하이南海이며 후베이성 우창武昌에서 출생하였다. 1937년에 난징국립희극전문학교를 졸업했다. 공화국 성립 후에 중앙전영국中央電影局 예술처의 업무에 종사하였다. 1951년에 상하이전영제편창上海電影制片廠에서 영화 「여자 운전사女司機」를 감독하였으며 이후에 베이징전영제편창 연출가를 맡았다. 1952년에 라오서의 「용수구龍須溝」를 각색 및 연출하였다.

허치팡(1912~1977), 시인. 본명은 허융팡何永芳으로 충칭 완저우萬州 출신이다. 1935년에 베이징대학 철학과를 졸업하였다. 대학 시절부터 『현대』 등의 잡지에 시와 산문 작품을 발표하였다. 대학 졸업 후에는 톈진 난카이중학 및 산둥 라이양향촌사범학교萊陽鄕村師範學校 교사로 근무하였다. 중일전쟁 발발 후에 쓰촨으로 돌아가 교편을 잡으면서 시, 산문, 잡문 등의 창작을 계속하였다. 1938년에 옌안으로 가서 옌안루예에서 교편을 잡았으며 후에 루예 문학과 주임을 맡았다. 공화국 성립 후에는 주로 문학연구 및 평론에 종사하였으며 제1, 2, 3기 전국정협위원 및 제3기 전국인민대표대회 대표, 중국문련의 모든 기수의 위원, 중국작가협회 서기처 서기, 중국사회과학원 철학사회과학부 학부위원, 문학연구소 소장, 『문학평론』 편집장 등을 역임하였다. 대표 저서로 산문집 『화몽록畫夢錄』, 시집 『한원집漢園集』(볜즈린, 리광톈과의 합동시집), 『밤의 노래夜歌』, 『예언預言』, 『밤의 노래와 낮의 노래夜歌與白天的歌』 등이 있다.

샤오첸이 '화안룬華安輪'을 타고 당시의 중공 지하당원과 함께 홍콩을 벗어나 베이핑으로 와서 곧바로 국제신문국國際新聞局의 준비업무에 참여하였다.

시인 다이왕수가 화베이연합대학華北聯合大學 제3부에서 신문총서新聞總署로 이동해 국제신문국 준비업무에 참여하였으며, 이후에 불문과 주임을 맡아 프랑스어 번역 업무에 종사하였다.

다이왕수(1905~1950), 시인. 본명은 다이멍어우戴夢鷗이며 아이앙푸艾昂甫, 장쓰江思 등의 필명을 사용하였다. 저장성 항현杭縣 출신이다. 1923년 가을에 상하이대학 문학과에 입학하였으며, 2년 후에 전단대학震旦大學에 전입해 프랑스어를 공부하였다. 다음해에 스저춘施蟄存, 두헝杜衡 등과 함께 열흘 간격으로 발간된 『영락瓔珞』을 창간하였으며 1928년에는 스저춘, 두헝, 펑쉐펑과 함께 『문학공장文學工場』을 창간하였다. 1932년에는 스저춘이 주관하는 『현대』 잡지편집사에 참여하였다. 11월 초에 프랑스로 유학하였다. 1936년 10월에 볜즈린, 순다위孫大雨, 량중다이梁宗岱, 펑즈 등과 함께 『신시新詩』 월간을 창간하였다. 중일전쟁 발발 후 홍콩으로 가서 『대공보』 문예부간의 책임 편집자를 맡았으며 『경운耕耘』 잡지를 창간하였고, 아이칭과 함께 『정점頂點』의 편집을 맡았다. 공화국 성립 후에는 신문출판총서新聞出版總署 국제신문국 프랑스어과 과장을 맡아 편역 업무에 종사하였다. 대표 시집으로 『나의 기억我的記憶』, 『왕수초望舒草』, 『왕수 시고望舒詩稿』, 『재난의 세월災難的歲月』, 『다이왕수 시선戴望舒詩選』, 『다이왕수 시집戴望舒詩集』이 있으며 10여 권의 번역서가 있다.

시인 무단穆旦이 미국으로 유학해 시카고대학교 대학원에 입학해 영미문학 석사과정을 밟았다.

무단(1918~1977), 시인, 문학번역가. 본명은 차량정查良錚으로 본적은 저장성 하이닝이며 톈진에서 출생하였다. 소년 시절에 난카이중학에서 수학하던 당시에 문학에 깊은 흥미를 가져 시 창작을 시작하였다. 1935년에 베이핑 칭화대학淸華大學 외국어문학과에 입학하였다. 중일전쟁 발발 후에 학교를 따라 창사, 쿤밍 등지로 이동하며 홍콩 『대공보』 부간 및 쿤밍 『문쥐文聚』 등에 대량의 시 작품을 발표하였다. 1940년에 서남연합대학을 졸업한 후 모교에 남아 교편을 잡았다. 1942년에 중국 미얀마 원정군 제1로군 통역관을 맡았는데, 이 경험은 그의 인생에 큰 영향을 끼쳤다. 공화국 성립 후에 미국으로 유학해 시카고대학교 영문과에서 수학하여 1952년에 문학석사학위를 취득하였다. 1953년에 귀국한 후 난카이대학 외국어문학과 부교수를 맡았다. 1940년대에 『탐험가探險者』, 『무단 시집穆旦詩集(1939~1945)』, 『깃발旗』 등 세 권의 시집을 출간하였다. 그의 시는 상징적인 우의와 정신적인 사고가 풍부해 '구엽시파九葉詩派'의 대표 인물로 꼽힌다. 무단은 1950년대부터 외국 시의 번역에 종사하였다. 대표적인 번역서로 러시아 시인 푸시킨의 『폴타바波爾塔瓦』, 『청동 기사青銅騎士』와 영국 시인 셸리의 『종달새雲雀』, 『셸리 서정시선雪萊抒情詩選』, 바이런의 『돈주앙唐璜』, 『바이런 서정시선拜倫抒情詩選』, 『바이런 시선拜倫詩選』 및 『블레이크 시선布萊克詩選』, 『키츠 시선濟慈詩選』 등이 있는데, 이상의 번역서는 모두 비교적 큰 영향을 끼쳤다. 그의 번역가로서의 명성은 시인으로서의 명성과 마찬가지로 널리 알려져 있다. 볜즈린은 그가 번역한 『돈 주앙』에 대해 "중국의 시 번역이 성숙한 단계를 향해 나아가는 지표 중 하나"라고 평하였다. 1975년에 시 창작을 재개하여 「지혜의 노래智慧之歌」, 「겨울冬」, 「끝盡頭」 등 30편에 가까운 작품을 창작하였다. 90년대에 『무단 시 전집穆旦詩全集』이 출간되었다.

마오둔, 예성타오, 후펑 등이 저술하고 천황메이陳荒煤가 편찬한 『공인 문예를 논하다論工人文藝』가 상하이잡지공사上海雜志公司에서 출간되었다. 책에는 엮은이의 「서문」을 비롯해 27편의 글이 수록되었는데, 26편의 논문과 부록 번역문 1편으로 구성되어 있다. 수록된 글은 대부분 공인문예의 창작에 관한 문제를 논술하고, 또한 공인 문예 활동 상황 및 경험을 소개한 것이다.

천황메이(1913~1996), 작가, 학자. 본명은 천광메이陳光美로 후베이성 샹양襄陽 출신이다. 1938

년에 옌안으로 가서 옌안루예 희극과에서 근무하였으며 이후에 문학과 주임을 맡았다. 1946년에서 1949년 사이에는 진지루위 변구晉冀魯豫邊區, 스자좡, 톈진, 우한 등지에서 문화선전 분야의 지도 공작을 맡았다. 1952년에서 1964년 사이에는 전영국 부국장 및 국장, 문화부 부부장 등을 역임하였다. '문혁' 후에 복권되어 사회과학원 문학연구소 부소장, 중국작가협회 부주석, 중국전영가협회 부주석, 제7기 전국정협 교육문화위원회 부주임, 문화부 부부장, 문화부 및 사회과학원 문학연구소 고문 등을 역임하였다. 주요 저서로 단편소설집『우울한 노래憂鬱的歌』,『창장 위長江上』와 보고문학집『새로운 세대新的一代』, 논문집『새로운 영웅의 전형을 창조하기 위하여 노력하자爲創造新的英雄典型而努力』, 영화문학 평론집『해방집解放集』,『회고와 탐색回顧與探索』,『반등집攀登集』및 산문집『꿈의 노래夢之歌』,『영원한 기억永恒的記念』, 화극 극본「총동원總動員」(합동 창작),「먹이를 잡다撲食」,「우리의 지휘부」등이 있다.

딩링 등이 저술한『사상 개조를 논하다論思想改造』가 톈진독서서점天津讀書書店에서 출간되었다. 이 책에는 딩링의「청년 친구들과 함께 오랜 영향에 관해 이야기하다同青年朋友談談舊影響」가 수록되었다.

궈모뤄의 책『소련 기행蘇聯紀行』(1946년 중외출판사中外出版社 출판)이『소련에서의 15일蘇聯五十天』(축소판)으로 제목을 변경해 다롄신중국서국大連新中國書局에서 출간되었다. 루링路翎의 단편소설집『쇠사슬 속에서在鐵鏈中』가 다롄해연서점大連海燕書店에서 출간되었다.

사오쯔난邵子南의 단편소설집『리융이 지뢰진을 배치하다李勇大擺地雷陣』가 국광인쇄창國光印刷廠에서 출간되었다.

사오쯔난(1916~1955), 작가. 본명은 둥쭌신董尊鑫으로 쓰촨성 쯔양資陽 출신이다. 1943년에 충칭으로 가서『신화일보』취재부 주임을 맡았다. 1947년에 산시陝西 지역으로 이동해 업무에 종사하였다. 공화국 성립 후에는 충칭방송국 국장, 서남문련 부주석을 역임하였다. 저서로 단편소설집『리융이 지뢰진을 배치하다李勇大擺地雷陣』,『사오쯔난 선집邵子南選集』등이 있다.

천덩커陳登科의『두씨 아주머니杜大嫂』가 둥베이신화서점 랴오둥遼東분점에서 출간되었다.

천덩커(1919~1998), 작가. 장쑤성 롄수이漣水 출신이다. 1940년에 롄수이현 항일유격대에 참가하였으며 1945년에 중국공산당에 가입하였다.『옌푸 대중보鹽阜大眾報』및 신화통신사 허페이분사 기자, 중앙문학강습소 교원, 안후이성 문련 부주석, 중국작가협회 안후이분회 주석, 격월간 대형 문학잡지『청명淸明』책임 편집, 중국작가협회 제3, 4기 이사, 중국문련 제4기 위원, 중공 제8차 인민대표대회 대표, 제3, 5, 6, 7기 전국인민대표대회 대표 등을 역임하였다. 저서로 중편소설『활인당活人塘』,『두씨 아주머니杜大嫂』와 장편소설『폭풍우風雷』, 단편소설집『백세도百歲圖』, 산문집

『감가집坎坷集』, 『부앙집俯仰集』 및 영화문학 극본 「신 류후 송가柳湖新頌」, 「와룡호臥龍湖」(합동 창작), 「눈바람 부는 다베산風雪大別山」(합동 창작), 「쉬베이훙徐悲鴻」(합동 창작) 등이 있다.

쑨리의 문집 『하화전荷花澱』이 상하이 생활·독서·신지연합발행소海生活·讀書·新知聯合發行所에서 출간되었다. 이 책에는 산문과 소설 6편이 수록되었다. 또 다른 책 『당부囑咐』가 베이핑천하도서공사北平天下圖書公司에서 출간되었는데, 단편소설 4편이 수록되었다. 자오수리의 『전가보傳家寶』가 베이핑천하도서공사에서 출간되었다.

양숴楊朔의 소설 『남산을 바라보다望南山』가 베이핑천하도서공사에서 출간되었으며, 그의 또 다른 소설 『홍석산紅石山』이 톈진신화서점에서 출간되었다.

양숴(1913~1968), 산문가. 본명은 양위진楊毓瑨, 자는 잉수瑩叔로 산둥성 펑라이蓬萊 출신이다. 1938년에 산베이陝北 인민들의 투쟁 생활을 소재로 한 첫 중편소설을 발표하였다. 1941년에 첫 산문집 『퉁관의 밤潼關之夜』을 출간하였다. 중일전쟁 시기에 여러 편의 기사와 중, 단편 소설을 창작하였다. 해방전쟁 시기에 신화사 특파기자를 맡았으며, 한국전쟁 시기에는 우수한 장편소설 『삼천리강산三千裏江山』을 창작하였다. 공화국 성립 후에는 중국작가협회 외국문학위원회 주임, 중국보위세계화평위원회中國保衛世界和平委員會 부비서장 등을 역임하였으며 대량의 산문 작품을 창작하였다. 대표작으로 「여지밀荔枝蜜」, 「펑라이 선경蓬萊仙境」, 「설낭화雪浪花」, 「해시海市」, 「차화부茶花賦」 등이 있다.

뤄자羅迦의 장시 『태양을 필요로 하는 이要太陽的人』와 시집 『학살자에게給屠殺者』가 번신사翻身社에서 출간되었다.

뤄자(1921~1992), 시인. 본명은 선밍더沈明德로 저장성 인현鄞縣 출신이다. 30년대 후기부터 문학작품을 발표하였다. 1947년에서 1949년 사이에 시집 네 편을 출간하였는데, 그 가운데 『유혹의 도시誘惑的城市』와 『태양을 필요로 하는 이』는 장시이며 『나는 아침을 사랑한다我愛早晨』와 『학살자에게』는 단시집이다. 50년대에는 주로 중등학교 어문교육에 종사하였다. 이후에 '후펑 사건'에 연루되었으며, 여기에 언행으로 인한 잘못까지 더해져 '우파'로 몰렸다. 80년대에 복권되었으며 얼마 지나지 않아 사망하였다.

왕야핑의 시집 『무린뉘가 총을 바치다穆林女獻槍』가 천하도서공사에서 출간되었다.

왕야핑(1905~1983), 시인. 본명은 왕취안푸王全福로 허베이성 웨이현威縣 출신이다. 1932년 겨울에 푸펑蒲風을 대표로 하여 상하이시에서 설립된 중국시가회에 참가하여 허베이성 분회의 준비 업무를 맡았으며, 『신시가新詩歌』 잡지의 책임 편집자를 맡았다. 공화국 성립 후에는 『인민일보』 편집자(문예판을 주관함), 베이징 『신민보』 편집장, 베이징시 문화사업관리처 처장, 베이징시 문련 비서장 및 당조서기, 베이징시 대중문예창작연구회 부주석 등을 역임하였다. 대표 저서로 시집 『불안개火霧』, 『황허 영웅가黃河英雄歌』, 『어머니의 초상 앞에서 쓰다寫在母親像前』, 『왕야핑 시선王亞平詩選』 및 곡예집 『뭇 새들이 봉황의 뒤를 따르다百鳥朝鳳』가 있다.

셰리밍謝力鳴의 시집 『리시장 노부부李錫章老兩口子』가 둥베이신화서점에서 출간되었다.

셰리밍(1917~), 작가. 랴오닝성 랴오중 출신이다. 1937년에 팔로군 120사단에 참가하여 359여단 극사 주임, 옌안유수병단부대延安留守兵團部隊 예술학교 교원, 둥베이 랴오난 바이산 미술학교遼南白山美術學校 연출주임, 랴오둥성 문련 주임, 랴오둥성 문화국 국장 및 문화위원회 서기, 중앙전영국 각본가 등을 역임하였다. 저서로 앙가극秧歌劇 극본 「군민 일가軍民一家」, 「동서간에 영광을 다투다妯娌爭光」, 「노동영웅 왕커勞動英雄王科」, 「팔로군을 고대하다盼八路」, 「린수산林樹山」 및 시집 『리시장 노부부』 등이 있다.

리즈黎之의 시집 『전운번신轉運翻身』이 상하이잡자공사에서 출간되었다.

리즈(1928~), 작가, 편집가. 본명은 리수광李曙光이며 쉬광旭光, 팡량方亮 등의 필명을 사용하였다. 산둥성 황현黃縣 출신이다. 1945년부터 쾌판快板과 고사鼓詞 및 시 작품을 창작하였다. 1946년에 중국공산당에 가입하였으며 다음해에 인민해방군을 따라 남하해 기자, 편집자 업무에 종사하였다. 1954년에 중공중앙선전부 문예처로 이동하였다. 1973년 이후로 인민문학출판사에 근무하며 부편집장, 잡지 『화인세계華人世界』의 편집장 등을 맡았다. 저서로 시집 『전운번신』, 『일찍이 누가 이렇게 노래했던가誰曾這樣歌唱』, 『화중강火中鋼』, 『베이징을 향해 경의를 표하다向北京致敬』와 소설집 『두 명의 자동차 기사兩個汽車駕駛員』, 통신집 『징장 홍수 공사현장에서在荊江分洪工地』(합동저서) 등이 있다.

린린의 시론집 『시가 잡론詩歌雜論』이 인간서옥에서 출간되었다. 공인 시선집 『강철의 손鋼鐵的手』이 둥베이신화서점 편집부에서 출간되었다.

젠린劍林, 빙난炳南이 편찬한 『공인시가工人詩歌』가 산둥신화서점에서 출간되었다. 작품은 3부로 구성되었는데, 리구이전李貴貞의 「태양이 사람들을 비추다太陽照進眾人家」, 한구톈진화학공장漢沽天津化學工廠 공인들의 「마오 주석을 축복하다祝福毛主席」, 런샤오더任孝德의 「새로운 노동 태도를 건립하자建立新勞動態度」, 왕밍王明의 「공장이 바로 나의 집이다工廠就是我們的家」 등 180여 편의 시가 수록되었다.

쭝셴宗先이 편찬한 민요집 『마오 주석을 만나면 인사를 하자見了毛主席請個安』가 둥베이신화서점에서 출간되었다.

녜간누의 『거상巨像』이 상하이학습출판사上海學習出版社에서 출판되었다. 이 책에는 11편의 산문이 수록되었다. 잡문집 『혈서血書』가 상하이군익출판사에서 출판되었는데 40편의 잡문이 수록되었다. 잡문집 『얼야 잡문二鴨雜文』이 홍콩 구실출판사에서 출간되었다.

9월

1일, 『중국아동中國兒童』 잡지가 창간되었다. 10일, 마오쩌둥이 잡지 창간호에 "열심히 공부하세요好好學習"라는 기념사를 보냈다. 이 잡지는 이후에 『중국소년아동中國少年兒童』으로 명칭이 변경되었는데, 중국소년아동선봉대에서 발행하는 기관 간행물이었다. 중국공산주의청년단 중앙에서 주관하였으며, 1951년 11월 5일에 『중국소년보中國少年報』로 명칭이 변경되었다.

『시호각詩號角』 제7호에 옌천嚴辰의 「수차가 딸랑딸랑 소리를 내다水車響叮當」와 아이칭의 「붉은 꽃 한 송이一束紅花」, 짱커자의 「모범 보고를 듣다聽典型報告」, 왕야핑의 「무린뉘가 총을 바치다」 등의 시가 발표되었다.

옌천(1914~2003), 작가, 시인. 본명은 옌한민嚴漢民으로 장쑤성 우진武進 출신이다. 1941년에 혁명공작에 참여하여 옌안문예계항적협회延安文藝界抗敵協會, 루쉰예술문학원 연구실 및 중앙당교 4부에서 창작원 및 교사 등을 맡았으며, 중국작가협회 전문작가, 『인민문학』 부편집장, 『신관찰新觀察』 책임 편집자, 헤이룽장성 문련 부주석, 『시간』 편집장 및 고문 등을 역임하였다. 저서로 산문집 『교외의 최전선에서在城郊前哨』와 시집 『옌허에 노래를 바치다唱給延河』, 『생명의 봄生命的春天』, 『소침장小沈莊』, 『같은 구름 아래同一片雲彩下』, 『번성집繁星集』, 『소단집少丹集』, 『푸르른 숲青青的林子』, 『옌천 시선嚴辰詩選』, 『옌천 시가 60년嚴辰詩歌六十年』을 비롯해 보고문학집 『영예로운 직책光榮的崗位』, 『시대의 신인時代新人』(합동 저서) 등이 있다.

5일, 『문회보』에서 베이징과 톈진 지역의 일부 작가들을 초청해 좌담회를 개최하여 장회체章回體 소설의 창작 문제에 관해 토론하였다. 천치샤가 회의를 주관하였으며 자오수리, 딩링, 마펑馬烽, 커중핑, 류옌성劉雁聲, 타오쥔치陶君起, 천이페이陳逸飛, 쉬춘이徐春羽, 징구쉐景孤血, 궁주신宮竹心, 롄쿼루連闊如 등이 참석하였다. 『문회보』에서는 「소시민 계층의 독자를 쟁취하자 - 옛 연재 및 장회체 소설 작가 좌담회 기록爭取小市民層的讀者——記舊的連載。 章回小說作者座談會」(양리楊犁 정리)라는 제목의 기사를 게재하였다. 옛 장회체 소설 작가들은 자신들의 구 사회에서의 창작 과정을 서술하였으며 과거의 창작을 반성하였다. "그들은 '우리가 과거에 썼던 것은 전부 저급한 취미의 것들이며, 거짓말로 가득 차 있다. 우리의 작품은 청년들에게 여러 나쁜 영향을 끼쳤으며, 인민들에게 독을 퍼뜨렸다'라고 침통하게 말했다." 마지막으로 딩링이 마무리 발언을 하였다.

마펑(1922~2004), 작가. 옌즈우閆志吾, 쿵화롄孔華聯 등의 필명을 사용하였으며 산시山西성 샤오이孝義 출신이다. 1942년부터 작품을 발표하였다. 저서로 장편소설 『뤼량 영웅전呂梁英雄傳』(시룽西戎과 합동 창작), 『위룽 마을의 기록玉龍村紀事』과 단편소설집 『촌구村仇』, 『태양이 방금 솟았다太陽剛剛出山』, 『펑청구이 노인彭成貴老漢』 및 영화문학 극본 「우리 마을의 젊은이我們村裏的年輕人」, 「눈물 자국淚痕」(두 작품 모두 영화화되었음), 「꺼뜨릴 수 없는 불꽃撲不滅的火焰」(시룽과 합동 창작) 등이 있다.

타오쥔치(1915~1972), 몽골족 작가, 희곡연구가. 이름은 푸復, 호는 저탕哲堂이다. 『붉은 장미紅玫瑰』 잡지의 편집을 맡았으며 1951년에 중국희곡연구원에 가입하였다. 저서로 장편 무협소설 『기협별전奇俠別傳』, 『난세정협亂世情俠』이 있다.

징구쉐(1910~1978), 만주족 경극 작가. 본명은 쩡위안增元, 자는 수웨이叔偉이며 배번실주拜樊室主라는 필명을 사용하였다. 베이징 출신이다. 연극계의 유명 배우들과 많은 교류가 있었으며 『경보京報』의 편집을 맡았다. 창작한 극본으로 「사새화佘賽花」, 「대뇨천궁大鬧天宮」, 「백화공주百花公主」, 「육랑이 어머니를 뵙다六郎探母」 등이 있다.

궁주신(1899~1966), 무협소설가. 백우白羽라는 필명을 사용했으며 산둥성 둥어東阿 출신이다. 1930년대부터 무협소설 창작을 시작하였다. 작품으로 「황화겁黃花劫」, 「십이금전표十二金錢鏢」(합동 창작), 「금전표金錢鏢」, 「무림쟁웅기武林爭雄記」, 「투권偷拳」 등이 있다.

12일, 상하이 『문회보』 부간에 '지식분자의 사상 개조에 관하여' 특집이 게재되었다.

14일, 이위안逸園 노천광장에서 상하이 영화계와 화극계가 합동으로 대형 화극 「포효하는 중국怒吼的中國」(즉, 「포효하라! 중국이여怒吼吧! 中國」)의 공연을 시작하였다. 본 화극은 소련 작가 트리아코프의 작품을 원작으로 하여 딩리丁力, 선푸, 잉윈웨이가 집행 감독을 맡아 170여 명의 배우가 총 12회 공연하였으며, 관중은 36000명에 달했다.

15일, 『문예노동』 제4호에 쑤진싼의 「군대를 위문하는 어린 모범勞軍小模範」, 왕야핑의 「춘윈의 이혼春雲離婚」 등의 시가 발표되었다.

18일, 『인민일보』에 궈모뤄의 「「신아녀영웅전」을 읽고」가 발표되었다. 그는 글에서 이 책에 대해 "성공적인 작품으로, 옛 「아녀영웅전」 혹은 심지어 『수호전』, 『삼국지』와 같은 소설과도 독자 경쟁을 할 만하다"고 상찬하였다. 이 책은 해방구의 평범한, 하지만 집단적인 영웅을 그려내어 "인물 묘사와 사건 서술이 모두 안정적이고 자연스러우며, 인민 대중의 언어 또한 매우 능숙하게 사용하였"는데, 이것은 마오쩌둥의 문예 강화에 따랐기 때문에 획득한 성공이라고 보았다.

20일, 선충원沈從文은 부인 장자오허張兆和에게 보낸 서신에 "나는 지난 16년간의 우리의 과거와 요 반년 사이의 자기파괴적인 경향, 그리고 비정상적인 광기로 인해 얻은 모든 것을 돌아본 후에 마치 잠에서 깬 사람처럼, 그리고 내가 당신에게 몇 번이나 약속해 온 것처럼, 크고 낡은 배의 방향을 돌리려 노력해 돌아서고 있습니다." "나는 기꺼이 군중을 배우려 합니다. 내일 군중이 어떻게 변할지, 자신을 어떻게 개조할지, 그리고 사회를 어떻게 개조할지 배우려 합니다." "나는 생장하고 있는 사회의 사람들 속에서 사람다워지는 법을 배우고 있습니다"라고 밝혔다.(선충원, 장자오허: 『충원 가서從文家書』 162-164쪽, 상하이위안둥출판사上海遠東出版社, 1996년 -> 각주로 처리해야 할 듯합니다.)

선충원(1902~1998), 작가, 역사문물연구가. 본명은 선웨환沈嶽煥이며 슈윈윈休芸芸, 자천甲辰, 상관비上官碧, 뤄쉬안璿若 등의 필명을 사용하였다. 후난성 펑황鳳凰 출신으로, 한족이며 묘족苗族 혈통이 일부 섞여 있다. 소년 시기에 종군하여 상촨첸湘川黔 변경지역을 이동하였으며 이후에 옌징대학燕京大學 국문반國文班에 응시하였으나 입학하지 못하였다. 1923년에 베이징대학의 강의를 청강하면서 창작 연습을 하였다. 1924년부터 문학 창작을 시작해 『신보부간晨報副刊』에 작품을 발표하였으며 위다푸, 쉬즈모徐志摩, 린짜이핑林宰平 등과 교류하였다. 1925년에 첫 소설 「푸성福生」을 발표하였으며 다음해에 첫 창작문집 『오리鴨子』를 출간하였다. 1928년에 상하이에서 후예핀胡也頻 등과 함께 스스로 자금을 모아 『홍흑紅黑』 잡지를 창간했다가 자금 부족으로 인해 간행을 중단하였다. 그 후에는 푸런대학輔仁大學, 국립칭다오대학國立青島大學, 우한대학武漢大學, 쿤밍서남연합대학昆明西南聯合大學, 베이징대학 등의 교수를 역임하였다. 공화국 성립 후에 중국역사박물관 및 중국사회과학원 역사연구소에서 근무하면서 주로 중국 고대 복식에 관해 연구하였다. 선충원은 일생 동안 많은 작품을 남겼다. 초기 소설집으로 『밀감蜜柑』, 『비 온 후 및 기타雨後及其他』, 『무당의 사랑神巫之愛』 등이 있으며 30년대 이후의 주요 소설집으로는 『용주龍朱』, 『여인숙 및 기타旅店及其

他』, 『돌배石子船』, 『호추虎雛』, 『아헤이 소사阿黑小史』, 『월하소경月下小景』, 『팔준도八駿圖』, 『여유집如蕤集』 등이 있다. 중장편소설로는 『앨리스의 중국 여행기阿麗思中國遊記』, 『변성邊城』, 『장하長河』가 있으며 산문 『충원 자전從文自傳』, 『딩링을 기억하며記丁玲』, 『상행 잡기湘行散記』, 『샹시湘西』, 문예이론 『폐우존저廢郵存底』 및 그 속집續集, 『촉허燭虛』, 『운남간운집雲南看雲集』 등이 있다. 역사 문물 연구 분야에서는 『중국 비단 도안中國絲綢圖案』, 『당송 동경唐宋銅鏡』, 『용봉예술龍鳳藝術』, 『전국 칠기戰國漆器』, 『중국 고대 복식 연구中國古代服飾研究』 등의 학술 저서를 출간하였다.

21일, 중국인민정치협상회의가 베이징에서 개최되어 30일에 폐회하였다. 인민정협 제1차 전체회의에서 「중국인민정치협상회의 공동강령中國人民政治協商會議共同綱領」 등의 중요 안건을 통과시켰으며 마오쩌둥을 중화인민공화국 중앙인민정부 주석으로 선출하였다. 또한 국기와 국장國徽을 제정하고 「의용군 행진곡義勇軍進行曲」을 임시 국가로 정하였으며 수도를 베이핑으로 정하고 명칭을 베이징으로 변경하였다. 반포된 「공동강령」 규정은 문학예술이 인민을 위해 복무하며 인민의 정치적 자각을 깨우치고 또한 격려하며, 인민의 노동 열정을 격려하고, 우수한 문학예술작품을 장려하며 인민의 희극 및 영화사업을 발전시킬 것을 제창하였다.

24일, 『인민일보』에 마오둔이 중국인민정치협상회의 제1기 전체회의에서 선옌빙이라는 이름으로 서명하고 발언한 내용이 게재되었다.

25일, 전국문련이 발간한 『문예보』(격주간)이 정식으로 창간되었다(이전의 『문예보』(주간)는 중화전국문학예술공작자대표대회 준비위원회가 발간한 것으로 총 13호 발행되었다). 딩링, 천치샤, 샤오인이 편집장을 맡았다. 마오둔은 창간호에 「일치된 요구와 기대一致的要求和期望」라는 글을 발표하였다. 그는 글에서 “문대회에 상정된 수백여 건의 제안은 문예계 동지들의 일치된 요구와 기대를 표현하고 있다. 이를 정리하면 1. 이론 학습 강화, 2. 창작 활동 강화, 3. 문예의 조직공작 강화, 4. 봉건문예와 매판문예, 제국주의 문예에 대해 맹렬한 투쟁을 지속적으로 전개할 것 등이다”라고 밝혔다.

같은 날, 『문회보』 제1권 제1호에 장경張庚의 글 「희극창작과 형식 문제에 관하여關於戲劇創作及形式問題」가 발표되었다. 그는 글에서 창작 과정에서 “실천 과정 속에서 부단히 생활 경험을 쌓고”, “구체적인 인물을 통해 전형을 창조”하여야 하며, 창작 과정에서 집단의 이점을 발휘하여 군중의 의견을 중시하고, 연출 면에서는 ‘허장성세’하는 ‘무대식 곡조’를 지양해야 한다고 주장하였다. 희극 형식 문제에 관해서는 "적극적으로 민간 희곡의 구형식을 참고하며, 구극의 소극적인 요소를 개조해 새로운 희극형식을 창조해야 한다"고 보았다.

장경(1911~2003), 희극이론가, 학자. 본명은 야오위쉬안姚禹玄으로 1934년에 중국공산당에 가입하였다. 1938년에 옌안으로 가서 옌안루예 희극과 주임을 맡았다. 옌안문예좌담회 이후에「백모녀」등의 신가극 창작의 조직 업무에 참여하였다. 공화국 성립 후에는 중앙희극학원 부원장, 중국희곡학원 원장, 중국희극가협회 부주석 및 명예주석 등을 역임하였다. 주요 저서로『중국화극운동사 초고中國話劇運動史初稿』,『중국화극운동대사편년中國話劇運動大事編年』,『희곡개론戲曲概論』,『장경 희극논문집張庚戲劇論文集』등이 있다.

26일, 전국문협 창작조創作組에서 단편소설 좌담회를 개최해 딩링, 톈한이 출석하였다. 회의에서는 광범위한 독자들의 요구에 순응하기 위해 단편소설 창작을 강화해야 한다고 보았다.

『광명일보光明日報』에 녜간누의 시「산호山呼」가 이틀 연속으로 발표되었다. 톈젠은 1949년 12월 25일자『문회보』제1권 제7호에 이 시에 관한 의견을 발표하였는데, 그는 "시를 쓰는 적지 않은 이들이 이 시에 대해 기세가 거대하고 감정이 자유로우며 상상력이 풍부하다는 등의 찬사를 보냈다. 그러나 상당수의 독자들은 이처럼 칭찬하지 않고. 이 시에 정치적인 착오가 있다고 말하였다." "이 '산호'라는 시는 신중국 탄생을 찬양한 여타의 시들과 비교하면 언뜻 보기에 기세가 거대하고 감정이 자유로우며 상상력도 풍부해 보인다. 시인은 아주 힘있는 필치로 조국과 인민의 신생을 묘사하였으며, 위대한 영도자와 위대한 벗, 그리고 위대한 선열들을 묘사하였다. 또한, 시인이 말했듯이 '태양을 본 후에야 이전의 어둠을 더욱 뚜렷이 느끼고, 과거의 나날들을 모두 헛되이 보냈음을 더욱 후회'하게 된다." "만약 시인이 '산호'라는 시를 그저 자신의 감상으로서 발표한 것이라면, 이 시의 사상이 불명확한 부분과 몇몇 시구의 오류에 관해 우리는 시 전체에 정치적인 착오가 있다고 말할 필요가 없다. 우리는 이 시에 오류가 있음을 지적해야 하지만, 동시에 시인이 위대한 정치사건에 대해 찬양한 점은 훌륭한 것이라고 말하지 않을 수 없다. '산호'의 제1장 '일출'은, 작법이 어떠한지는 차치하고 적어도 사람들을 감동시킬 수는 있다. 그러나 일반 독자들은 '산호'를 읽은 후에 자신들의 사상 및 정서와 더욱 잘 연결될 수 있는 무언가를 볼 수 있기를 요구하게 된다. 그들은 옛 반동세력 및 총을 들지 않은 적들에 대해 여전히 경계심을 가지고 있고, '그들을 찾을 수 없다'거나 '간첩은 이미 사라졌다'고 생각하지 않는다. 그들은 신중국의 탄생에 대해 실제적인 행동으로써 환영할 것이며, 위대한 영도자에 대해서는 투쟁 속에서 찬양할 것이다." "'산호'라는 이 시가 인민의 사상 및 정서와는 여전히 거리가 있다는 점에 대해 우리는 언급하지 않을 필요가 없으며, 개별적인 오류에 대해서도 마찬가지로 회피할 필요가 없다"고 말했다.

27일, 아이칭의 장시 『평화를 보위하라!保衛和平!』가 발표되었다.

이달에 천황메이가 편찬한 논문집 『농촌신문예운동의 전개農村新文藝運動的開展』가 상하이잡지공사에서 출간되었다. 이 책에는 자오수리의 「농촌극단의 지방성 및 농촌성農村劇團的地方性與農村性」이 수록되었다.

왕시옌王西彦의 『문학과 사회생활文學與社會生活』이 상하이중화서국에서 출간되었다.

왕시옌(1914~1999), 작가. 저장성 이우 출신이다. 1933년에 좌련에 가입하였으며 1948년에 중국민주동맹에 가입하였다. 푸젠 융안永安 『현대문학』 월간 책임 편집자 및 구이린사범학원桂林師範學院, 후난대학湖南大學, 우한대학, 저장대학 교수를 역임하였으며 상하이작가협회 전문작가 및 부주석, 중국작가협회 제2, 4기 이사를 역임하였다. 저서로 장편소설 『고옥古屋』, 『꿈을 찾는 이尋夢者』, 『신의 소실神的失落』, 『시골 들판의 사랑村野的愛情』, 『미천한 사람微賤的人』 및 작품선집 『왕시옌 중편소설선王西彦中篇小說選』, 『왕시옌 소설선王西彦小說選』(3집), 『왕시옌 선집王西彦選集』(5권)과 문혁 회고록 문집 『속 끓이는 나날焚心煮骨的日子』 등이 있다.

쿵줴와 위안징袁靜이 창작한 『신아녀영웅전新兒女英雄傳』이 상하이해연출판사에서 출간되었다.

위안징(1914~1999), 작가. 본명은 위안싱구이袁行規 혹은 위안싱좡袁行莊으로 장쑤성 우진武進 출신이다. 1930년에 혁명공작에 참여해 이후에 옌안 산베이공학陝北公學 교원, 중국작가협회 톈진분회 및 중국작가협회 전문작가, 톈진시 문련 부주석, 중국작가협회 톈진분회 부주석, 중국문련 제4기 위원 등을 역임하였다. 1946년부터 작품 발표를 시작하였으며 1949년에 중국작가협회에 가입하였다. 주요 저서로 『소작료를 내리다減租』, 『류차오얼이 고소하다劉巧兒告狀』, 『란화화蘭花花』(합동 창작), 『신아녀영웅전』(합동 창작), 『중조아녀中朝兒女』 등이 있다. 80년대의 대표작으로는 장편소설 『복호기伏虎記』가 있다. 1981년 이후로는 주로 아동문학 창작에 종사하였는데, 중편소설 「리다후와 샤오츠웨이李大虎和小刺蝟」, 「팡팡과 톰芳芳和湯姆」, 과학보급동화집 『여러 영웅과 개구쟁이眾英雄和小搗蛋』, 드라마 극본 「징더우쯔 외전精豆子外傳」(합동 창작) 등이 있다.

왕린王林의 장편소설 『오지腹地』가 상하이신화서점에서 출간되었다.

왕린(1909~1984), 소설가. 허베이성 헝수이衡水 출신이다. 공산당 지하공작에 장기간 종사하였으며 중일전쟁 시기에는 지중평원 근거지冀中平原根據地에서 공작에 종사하였다. 공화국 성립 후에는 톈진시 문련 및 중국작가협회 톈진분회 주석을 역임하였다. 저서로 단편소설집 『18필의 군마十

八匹戰馬』, 장편소설 『여자 촌장女村長』, 『일어서는 인민站起來的人民』, 『큰 소리로 풍운을 일으키다 叱吒風雲』, 『오지腹地』 등이 있다.

천치샤(1913~1988), 작가, 편집가. 저장성 인현鄞縣 출신이다. 1933년에 중국공산당에 가입하였다. 공화국 성립 전에는 『중국청년』 및 『해방일보解放日報』 편집자, 화베이연합대학 문학과 주임, 『북방문화北方文化』 및 『화베이문예華北文藝』 편집자를 역임하였다. 공화국 성립 후에는 『문예보』 부편집장 및 편집장을 맡았다. 1955년에 '딩링, 천치샤 반당운동' 사건으로 인해 우파로 오인되었다. 이후에 항저우대학杭州大學에서 교편을 잡았다. 1979년 복권된 후에 『민족문학民族文學』 편집장을 맡았다. 저서로 평론집 『명예로운 의무光榮的任務』, 소설 『사취곡獅嘴穀』, 『첫 번째 정미소의 괴멸第一個碾米廠的毀滅』, 『성야곡星夜曲』 등이 있다.

우스吳視의 시집 『대륙의 긴 다리大陸的長橋』가 철려사鐵犁社에서 출간되었다.

우스(1914~1982), 시인, 평론가. 후베이성 황포黃陂 출신이다. 1940년대에 『대강보大剛報』, 『역보力報』, 『국민일보國民日報』 등의 지면에 신시를 발표하였다. 1946년에 충칭에서 중국문예협회中國文藝協會에 가입하였다. 공화국 성립 후에 라오신勞辛 등과 함께 상하이에서 상하이시가공작자연의회上海詩歌工作者聯誼를 조직해 상무이사 겸 이론비평조장을 맡았다. 1954년에 베이징으로 가서 중국곡예연구회中國曲藝研究會에서 근무하였으며 『시간』의 편집자를 역임하였다. 1961년에 닝샤寧夏후이족자치구 문련으로 이동하였다. 저서로 시집 『대륙의 긴 다리』가 있다.

주후이朱慧가 번역한 소련 작가 파노바의 소설 『길동무旅伴』가 카이밍서점에서 출간되었다. 예즈메이葉至美가 번역한 소련 작가 시모노프의 희극 『프라하의 밤나무 가로수 밑에서在布拉格的栗樹下』가 카이밍서점에서 출간되었다.

10월

1일, 중화인민공화국이 성립되었다. 베이징에서 개국대전開國大典을 개최해 톈안먼 광장에서 열병의식을 거행하였다. 마오쩌둥 주석이 "중국 인민이 이제부터 일어섰다"고 장엄하게 선포하였다. 파데예프가 소련의 문예 및 과학공작자 대표단을 인솔해 베이징을 방문해 신중국 개국대전에 참석하였다. 중앙인민정부 정무원 산하에 출판총서出版總署를 개설하였다. 11월 1일, 「중화인민공화국 중앙인민정부 조직법中華人民共和國中央人民政府組織法」에 의거하여 중앙인민정부 출판총서가 편성되었다. 서장은 후위즈胡愈之가 맡았으며 예성타오, 저우젠런周建人이 부서장을 맡았다. 국립 희극학원이 설립되어 어우양위첸이 원장을, 차오위와 장겅이 부원장을 맡았다.

『군중문예群眾文藝』가 상하이에서 창간되었다. 저우얼푸周而復, 러우스이樓適夷 등이 책임 편집자를 맡았다.

저우얼푸(1914~2004), 작가. 본명은 저우쭈스周祖式로 안후이성 징더旌德 출신이다. 1933년에 상하이광화대학上海光華大學 영문과에 입학한 후 시와 소설 창작을 시작하였으며『문학총보文學叢報』와『소설가』월간을 합동 편집하였다. 1938년에 대학을 졸업한 후 옌안, 충칭 등지에서 문예 및 편집 업무에 종사하였다. 1946년에 신화사 특파원으로서 화베이, 둥베이 등지를 취재하였다. 같은 해에 홍콩으로 가서『북방문총北方文叢』,『소설』월간 등의 잡지를 편집하였다. 공화국 성립 후에는 상하이시위원회 통일전선사업부 부부장, 중화인민공화국 문화부 부부장 등을 역임하였다. 주요 작품으로는 장편소설『의사 베쑨白求恩大夫』,『상하이의 새벽上海的早晨』(4부작),『연숙애燕宿崖』,『장성만리도長城萬裏圖』와 소설집『보릿고개春荒』,『고원단곡高原短曲』,『산골짜기 속의 봄山穀裏的春天』및 시집『야행집夜行集』등이 있다.

러우스이(1905~2001), 작가. 본명은 시춘錫春, 필명은 러우젠난樓建南으로 저장성 위야오餘姚 출신이다. 청년 시절에 태양사太陽社에 참여하였다. 일본으로 유학하였다가 1931년에 귀국한 후 좌련 및 문총(文總, 중국좌익문화계총동맹中國左翼文化界總同盟의 약칭)의 당단공작에 종사하였으며『전초前哨』의 편집자를 맡았다. 신화일보사 부간 편집자, 문협 이사,『항전문예』와『문예진지』편집자 및 편집장 대리, 신사군 저둥 근거지 저둥행정공서新四軍浙東根據地浙東行政公署 문교부 부처장,『신화일보』편집자,『시대일보』편집자, 출판총서 편집심사국 부처장, 둥베이군구 후근정치부後勤政治部 선전부장, 인민문학출판사 부사장, 부편집장, 고문 및『역문譯文』편집위원을 역임하였다. 1925년부터 작품을 발표하였다. 저서로 단편소설집『발버둥掙紮』,『병과 꿈病與夢』, 산문집『화우록話雨錄』,『해공전蟹工傳』,『스이 산문선適夷散文選』,『천평의 대마루天平之甍』, 시집『스이 시존適夷詩存』, 극본「활로活路」, 영화문학 극본「염전鹽場」, 번역소설『사람들 속에서在人間』,『체호프, 고리키 통신집契訶夫。高爾基通訊集』등이 있다.

『소설』제3권 제1호에 이췬以群의「'시간의 실루엣'을 붙잡다抓住"時代的剪影"」와「무엇을 쓸 것인가寫什麼」, 마오둔의「공인문예운동 약론略談工人文藝運動」및 쉐펑의「루쉰과 러시아문학의 관계에 관한 연구關於魯迅和俄羅斯文學關系的研究」등의 글이 발표되었다.

이췬(1911~1966), 편집가, 문학평론가, 번역가. 본명은 예위안찬葉元燦, 필명은 이췬이며 안후이성 서현歙縣 출신이다. 중공 당원이며 구삼학사九三學社의 구성원이다. 1929년에 일본 도쿄정법

대학東京政法大學 경제학과에 유학하였다. 1932년에 좌련에 가입하였으며 문협 이사, 좌련 조직부장 등을 역임하였다. 공화국 성립 이후에 상하이 문련 및 문인협회 이사, 상하이문화국 전관처電管處 부처장, 상하이연합전영제편창 부창장 및 예술처 처장, 상하이시 문련 및 작가협회 부주석, 상하이시 문학연구소 소장, 『상하이문학』및 『수확收獲』 부편집장 등을 역임하였다. 『문학기본원리文學基本原理』(상, 하권)을 편찬하였으며, 저서로 논문집 『문예사상문제 필기文藝思想問題筆記』, 『문학문제 만론文學問題漫論』을 비롯해 번역서로 소련의 문학가 비노그라도프의 『신문학교정新文學教程』 등이 있다.

『인민일보』에 궈모뤄의 시 「신화송新華頌」이 발표되었다.

2일, 중화전국희곡개혁위원회가 정식으로 성립되었으며 이달 하순에 중앙인민정부 문화희곡개진국으로 명칭이 결정되었다. 톈한이 주임을 맡았으며 양사오쉬안, 마옌샹이 부주임을, 마사오보가 비서장을 맡았다.

3일~19일, 중공중앙선전부 출판위원회가 베이징에서 '전국신화서점출판공작회의全國新華書店出版工作會議'를 개최하였다. 이 회의는 공화국 성립 후 최초로 개최된 전국적인 출판 회의이다. 마오쩌둥 주석이 회의에 "출판 공작을 진지하게 잘 합시다認真作好出版工作"라는 기념사를 보냈으며, 10월 18일에는 회의 전체 대표를 접견하였다.

6일, 상하이 『대공보』 제1판에 양강楊剛의 「상하이 사람들에게 보내는 편지 - 마오 주석은 우리와 함께 있다給上海人們的一封信——毛主席和我們在一起」가 발표되었다.

양강(1905~1957), 기자, 시인, 혁명활동가. 본명은 양지정楊季征으로, 본적은 후베이성 몐양沔陽이며 장시성 핑샹萍鄉에서 출생하였다. 1928년부터 1932년까지 베이핑옌징대학 영문과에서 수학하였다. 1933년에 영어로 단편소설 「일기습유日記拾遺」를 창작하였으며, 1938년에 홍콩 『대공보』 부간 『문예』의 책임 편집을 맡았다. 1943년에 미국으로 유학하여 문예를 공부하고 1948년에 귀국한 후 톈진 『진보일보進步日報』 부편집장을 맡았다. 공화국 성립 후에는 저우언라이 사무실 주임비서, 중공중앙선전부 국제선전처 처장, 『인민일보』 부편집장 등을 역임하였다. 주요 작품으로 역사소설 『공손앙公孫鞅』, 장편소설 『도전挑戰』, 산문집 『꿈의 비등夢的沸騰』, 보고문학 『동남행東南行』, 『미국 찰기美國劄記』 등이 있으며 『양강 문집楊剛文集』이 출간되었다.

7일, 중국희곡개진위원회에서 좌담회를 주최해 베이징 희곡계의 유명 배우, 감독, 극작가 등을 초청하여 전국정협의 회의정신 및 마오쩌둥이 제시한 '옛것을 취사선택하여 새롭게 발전시키는推陳出新' 방침을 관철 및 실행하는 방안에 관한 연구를 전달하였다. 톈한, 훙선 등이 회의에서 발언하였다.

상하이『극영일보劇影日報』에「화극의 형식과 내용에 관하여 – 톈한이 베이징에서 보낸 서신談話劇形式與內容——田漢北京來信」이 발표되었다. 톈한은 친구에게 보내는 이 편지에서 희극 수준의 높고 낮음 및 진보와 낙후의 차이는 "어떤 형식을 채택하고 어떤 무대에서 공연하는가가 아니라, 사상 내용이 인민의 요구에 부합하는가에 의해 정해진다." "물론 형식 문제가 중요하지 않은 것은 아니다. 수준 높은 사상 내용은 그에 걸맞은 수준 높은 예술 형식을 요구하기도 한다. 소위 '수준이 높다'는 것은 물질적 조건이 풍부하고 아름다운 것만을 추구함을 뜻하지 않는다. 물질적 조건이 열악하다 해도 수준 높은 형식의 극을 공연할 수 있다. 태도가 엄숙하고 소박하며 생명력이 강렬하기만 하면 된다. 이는 자신의 공작에 대한 정치적 깨달음과 예술에 관한 야심을 통해서만 얻을 수 있다"고 밝혔다.

9일, 중국인민정치협상회의 제1기 전국위원회가 베이징에서 제1차 회의를 개최하였다. 마오쩌둥이 전국정협 주석으로, 저우언라이와 궈모뤄가 부주석으로 당선되었다. 궈모뤄는 중앙인민정부 위원, 정무원 부총리, 정무원 문화교육위원회 주임 및 중국과학원 원장을 맡았다. 마오둔은 중앙인민정부 위원, 정무원 문화교육위원회 부주임, 정무원 문화부 부장을 맡았다. 저우양은 정무원 문화교육위원회 위원 및 정무원 문화부 부부장을 맡았다.

10일, 중국문예가협회 좌담회가 딩링의 주최로 개최되었다. 회의에서 소련 작가 파데예프와 중국 작가들이 문학 창작 경험을 교류하였다. 마오둔, 저우양 등 23인이 참석하였다. 이 좌담회의 기록은 양리에 의해 정리되어 25일자『문회보』제1권 제3호에「파데예프와 중국 작가들이 문학에 관한 의견을 교환하다法捷耶夫與中國作家交換文學上的意見」라는 제목으로 발표되었다.

『문회보』제1권 제2호에「중소우호협회 총회 성립대회에서의 파데예프의 연설法捷耶夫在中蘇友好協會總會成立大會上的講話」, 시모노프의「푸시킨의 세계주의普式庚底世界主義」, 마오둔의「우리의 큰 형님을 환영하고, 큰형님을 보고 배우자歡迎我們的老大哥,向我們的老大哥學習」, 딩링의「시모노프가 내게 준 인상西蒙諾夫給我的印象」, 커중핑의「쇠로 만든 영웅鐵打的英雄」, 정전둬의「"중국인이 이제부터 일어섰다中國人從此站立起來了"」 및 옌천의 시 「우리는 영광된 중화인민공화국의 주인我們是光榮的中華人民共和國的主人」 3편이 발표되었다.

베이징도서관에서 루쉰 서거 13주년을 기념하기 위해 루쉰 선생의 작품 및 생활 전시회를 개최하였다. 『광명일보』에 위안징의 「「신아녀영웅전」 창작 경험<新兒女英雄傳>的創作經驗」이 발표되었다.

13일, 『인민일보』에 캉줘의 장편소설 「헤이스포 탄광 연의黑石坡煤窯演義」의 연재가 시작되어 1950년 1월 11일에 완료되었다.

15일, 대중문예공작자 및 애호가 150인이 첸먼前門 전루箭樓에서 베이징시 대중문예창작연구회北京市大眾文藝創作研究會 성립대회를 개최하였다. 자오수리가 주석으로, 왕야핑과 롄쿼루連闊如, 궈위루郭玉儒가 부주석으로 당선되었으며 신다밍辛大明이 비서장을 맡았다. 이 회의는 단계적으로 각종 문학형식을 활용해 간행물, 극장, 방송국 및 민교관民教館 등을 통해 대중적이고 보급적인('대중적인' 정도로 고치면 어떨까 합니다.) 신문학운동을 강력히(여기는 문맥상 '널리' 정도면 적당해 보입니다.) 확대하기로 계획하였다. 『대공보』에 위안수이파이의 「『왕구이와 리샹샹』의 저자, 청년작가 리지 이야기<王貴和李香香>的作者青年作家李季的故事」가 발표되었다.

19일, 전국문련, 중화전국총공회中華全國總工會, 중화전국청년연합회中華全國青年聯合會(약칭 청련青聯), 중화전국학생연합회中華全國學生聯合會(약칭 학련學聯), 중화전국부녀연합회中華全國婦女聯合會(약칭 부련婦聯) 등 12개 단체가 루쉰 서거 13주년 기념대회를 발기하였다. 베이징기념대회는 궈모뤄가 주석을 맡았으며 우위장吳玉章, 녜룽전聶榮臻, 마오둔, 저우양, 펑쉐펑 등 1,000여 명이 참석하였다. 우위장은 "루쉰이 위대한 이유는 그가 확고히 무산계급의 입장에 서서 마르크스 레닌주의를 학습하고 장악했기 때문이다. 이로 인해 그는 어둠을 폭로했을 뿐만 아니라 인류의 밝은 앞날 또한 가리켜 주었다"라고 밝혔다. 대회는 베이징, 상하이 등지에 루쉰 동상 및 루쉰기념관을 건립하고 또한 루쉰 생가를 정리할 것을 인민정부에 건의하기로 결정하였다.

『인민일보』에서 '루쉰 선생 서거 13주년 기념 특집호'를 발간하여 궈모뤄, 마오둔, 펑쉐펑 등의 기념 산문 및 시가 발표되었다. 상하이 『문회보』에는 「중국의 문호 루쉰을 기념하며紀念中國文豪魯迅」라는 사설이 게재되었다. 『문예보』 제1권 제3호(25일자)에는 「루쉰 선생 13주기 제례魯迅先生十三周年祭」라는 제목으로 궈모뤄의 「강인한 전투정신을 지속적으로 발휘하자繼續發揚韌性的戰鬥精神」, 쉬광핑許廣平의 「루쉰의 저작을 통해 문학을 보다從魯迅的著作看文學」, 파데예프의 「루쉰에 관하여關於魯迅」 등 6편의 기념 산문이 발표되었다. 러시아어판 『루쉰 선집魯迅選集』이 소련소설출판사에서 선별 편집되어 출간되었다. 본 선집은 상, 하 2권으로 상권은 소설, 하권은 잡문 및 문학평론이 수록되었다.

25일, 『인민문학』(월간) 잡지가 창간되었다. 마오쩌둥은 창간호에 "더욱 훌륭한 작품이 탄생하기를 바랍니다希望有更多好作品出世"라는 기념사를 보냈다. 마오둔이 편집장을, 아이칭이 부편집장을 맡았다. 마오둔은 「발간사」에서 "전국문협의 기관 간행물로서, 본 잡지의 편집 방침은 당연히 전국문협이 정관에 규정한 우리의 집단적 의무에 따르는 것이다." "시, 소설, 극본, 보도, 산문, 잡문, 장편 및 단편을 막론하고, 반제국 반봉건 반관료자본주의 작품과 공농병을 위한 작품을 막론하고, 부대, 농촌, 도시생활, 공장, 해방전쟁, 생산건설, 소자산계급과 지식분자의 개조 등의 소재를 막론하고…… 인민의 굳세고 영용한 모습을 표현하고, 신민주주의 중국의 성장과 발전을 반영한 작품이라면 모두 환영한다." "일반 이론과 비평 논문도 보내 주기를 바란다. 혁명적 현실주의의 기본 미학 원칙을 주장하거나 논술한 글이든, 구미 근대문예의 유파 및 경향을 비판하고 이들이 일찍이 중국에 미쳤으며 오늘날에도 여전히 존재하고 있는 유해한 영향을 지적한 글이든, 과거와 현재에 일어난 논쟁에서 결론이 나지 않은 이론 사상과 창작 실천에 관한 몇 가지 문제를 토론하는 글이든, 문예 각 부문의 조직 활동 및 창작활동을 지도하는 글이든, 문예서적(작품, 논문집 및 기타)과 간행물을 비평해 작가와 독자를 돕는 글이든…… 엄숙한 논저이든 가벼운 감상이든 모두 환영한다"라고 밝혔다.

창간호에는 천융陳湧의 중요한 이론 문장인 「쿵줴의 창작 노선孔厥創作的道路」을 비롯해 류바이위의 중편소설 「불빛이 앞에 있다火光在前」, 허치팡의 장시 『우리의 가장 위대한 기념일我們最偉大的節日』, 커중핑의 「우리의 준마我們的快馬」, 리지예李霽野의 「'7·1' 경축대회에서在"七一"慶祝大會上」, 캉줘의 단편소설 「소를 사다買牛記」, 마펑의 단편소설 「촌구村仇」가 발표되었다.

천융(1919~2005), 문예평론가. 본명은 양쓰중楊思仲으로 광둥성 난하이현南海縣 출신이다. 일찍이 옌안 시기부터 문예이론 비평에 종사하였는데 특히 해방구 작가 작품 연구에 주력하였다. 50년대 초에 저술한 「루쉰 소설의 현실주의를 논하다論魯迅小說的現實主義」에서 『외침吶喊』과 『방황彷徨』의 사상 및 내용에 관해 심도 있게 논술하여, 당시뿐만 아니라 이후에도 널리 영향을 끼쳐 루쉰 연구사에 있어 일정한 지위를 차지하고 있다. 딩링, 류바이위 등의 작가의 창작에 관해서도 평론하였다. 이후에 논문집 『문학평론집文學評論集』과 『문학평론 2집文學評論二集』을 출간하였다. 80년대에 이르러 다시 루쉰에 관한 논문집 『루쉰론魯迅論』 및 『천융 문학논집陳湧文學論集』(상, 하권)을 출간하였다. 동시에 그는 학술계의 몇 가지 이론 문제에 관한 토론에도 적극적으로 참여하여 「문예학 방법론 문제文藝學方法論問題」 등의 글을 저술하였다.

리지예(1904~1997), 작가, 문학번역가. 안후이성 훠추霍丘 출신이다. 1924년에 루쉰을 알게 되어 이후에 미명사未名社를 조직하였다. 1930년부터 1937년까지 쭉 톈진허베이여자사범학원天津河北女子師範學院 영문과 주임을 맡았다. 중일전쟁 시기에 처음에는 베이핑푸런대학北平輔仁大學에서 교편을 잡았다가 1943년에 충칭으로 가서 푸단대학과 바이사여자사범학원白沙女子師範學院 교수를 역임하였다. 공화국 성립 후에는 톈진시 문화국 국장, 시정치협상위원회 부주석, 톈진시 문련 및 작가협회 부주석 등을 역임하였다. 저서로 소설집 『그림자影』, 『불행한 무리不幸的一群』와 산문집 『사계수필四季隨筆』, 『망중한을 찾다忙裏偷閑』, 『루쉰 선생을 추억하며回憶魯迅先生』, 『소년소녀에게給少男少女』, 『이탈리아 방문기意大利訪問記』, 『루쉰 선생과 미명사魯迅先生與未名社』, 잡문집 『루쉰 정신魯迅精神』, 시집 『해하집海河集』, 『금석집今昔集』, 『묘의곡妙意曲』이 있으며, 역서로 장편소설 『상처받은 사람들被侮辱與損害的』, 『제인 에어簡愛』, 『스탈린그라드의 참호에서在斯大林格勒戰壕中』, 『사랑의 가정愛的家庭』, 『표범의 가죽을 입은 용사虎皮武士』 등이 있다.

허치팡은 「우리의 가장 위대한 기념일」을 발표한 후에 이 시를 쓴 과정에 관해 상세히 서술하였다. "1949년, 중국인민정치협상회의 제1기 전체회의에 참석하기 전에 어떤 이가 내게 회의 기간에 시를 한 편 쓰라고 권했다. 이렇게 해서 나는 의식적으로 뭔가를 쓰려고 하게 되었다. 첫 회의 때 마오쩌둥 주석은 우렁찬 목소리로 중화인민공화국의 성립을 선포하고, 우리가 미래의 건설 속에서 얻을 승리를 예언하였다. 그의 짧디 짧은 개회사는 그렇게나 사람들을 고무시켰다. 뒤이어 나는 갑자기 찾아온 폭풍우 소리, 천둥소리, 빗방울이 회의장 천장을 두드리는 소리를 들었다. 이렇게 해서 나는 '영감'을 좀 받은 것 같았다. 밤에 숙소로 돌아온 나는 「우리의 가장 위대한 기념일」의 제1절을 썼다. 이후의 회의 기간 동안 나는 조금 더 이어 썼다. 그러나 제4절을 쓰고 나자 나는 더 이상 쓸 수 없게 되었다. 회의가 폐막하고, 10월 1일에 톈안먼 앞에서 열린 경축대회에 참석해 감동적인 모습들을 본 후에야 마지막 세 절을 완성할 수 있었다. 나 자신은 이 시가 만족스럽지 않다. 정서가 충만하지 못하고 형상화가 강렬하지 못하며 몇 부분은 정제되지 않았기 때문이다. 그러나 내 생각에, 이런 결점들이 생긴 원인은 내가 사전에 의식적으로 뭔가를 쓰려 했기 때문이 아니라 내가 오랫동안 시 쓰기를 중단했기 때문이다. 내 고향에는 '사흘 동안 일을 쉬면 손이 무뎌진다'는 속담이 있다. 이 말은 시를 쓴다는 이런 정교하고 특수한 노동에도 적용되는 것이다."(「시를 쓴 과정寫詩的經過」, 『허치팡 전집何其芳全集』 4권 339-340쪽. 인민문학출판사, 2000년 -> 각주로 표시해야 할 듯합니다.)

『문예보』 제1권 제3호의 『문예 우편함文藝信箱』란에 딩진丁進이라는 독자의 서신이 게재되었다. 그는 서신에서 주광첸朱光潛이 『문예심리학文藝心理學』에서 주장한 '거리설距離說'과 '이정설移情說'을 근거로 문학예술작품의 감상 및 비평이 현실적인 공리 관계를 넘어설 수 있다고 보면서, 따라서 문학비평에 대한 '정치적 기준이 첫째' 및 '예술적 기준은 둘째'라는 순서 문제에 관해 의문을 제기하였다. 『문예보』 편집부는 차이이蔡儀에게 답변을 요청하였다. 그는 「'거리설'과 '이정설'에 관해 논하다談"距離說"與"移情說"」라는 글을 통해 주광첸의 주장에 관한 독자의 관점을 비판하고, 미감은 사회생활에서 기원하며 심미활동은 사회공리성을 벗어날 수 없다고 보았다. 또한 문학비평의 '예술적 기준은 정치적 기준에 복종한다'라는 원칙을 거듭 천명하였는데, 이로 인해 미학 문제에 관한 토론이 전개되었다.

주광첸(1897~1986), 미학가, 문예이론가, 번역가. 안후이성 퉁청桐城 출신이다. 1923년에 홍콩대학 교육과를 졸업하였으며 1925년 여름에 영국 에든버러대학교에 유학하였다. 1930년에 프랑스 스트라스부르대학교 문학연구소에 입학해 박사학위를 취득하였다. 중일전쟁 발발 후에 쓰촨대학 문학원 원장, 우한대학 외국어문학과 주임 겸 교무장 등을 역임하였다. 공화국 성립 후에는 중국과학원 철학사회과학부 위원을 맡았으며, 중화전국미학학회中華全國美學學會 명예회장 및 고문, 문련 전국위원회 위원, 전국작가협회 고문, 외국문학연구소 연구원, 전국정협 상무위원, 중국민주동맹中國民主同盟 중앙위원 등을 역임하였다. 주요 저서로 『비극심리학悲劇心理學』, 『문예심리학』, 『아름다움을 이야기하다談美』, 『시론詩論』 등이 있다.

차이이(1906~1992), 미학가, 문예이론가. 본명은 차이난관蔡南冠으로 후베이성 유현攸縣 출신이다. 1929년부터 1937년까지 일본에서 유학하며 도쿄고등사범학교 문학부 및 큐슈제국대학 프랑스어문학부를 졸업하였다. 1948년에 화베이대학華北大學 교수를, 1950년에 중앙미술학원 교수를 맡았으며 베이징대학, 중국인민대학 교수를 겸임하였다. 1953년에 중국과학원 철학사회과학부 연구원으로 발탁되었다. 저서로 『신예술론新藝術論』, 『신미학新美學』, 『중국신문학사 강화中國新文學史講話』, 『유심주의 미학 비판唯心主義美學批判』, 『현실주의 문제를 논하다論現實主義問題』 등이 있다. 고등교육 교재 『문학개론文學概論』 및 『미학원리美學原理』를 편찬하였으며 『미학논총美學論叢』, 『미학평림美學評林』 등 간행물의 책임 편집자를 맡았다.

26일, 자오수리, 딩링, 사커푸 등 15인이 중화전국총공회 및 문화공작자 대표단으로서 소련으로 가서 10월 혁명 32주년 기념행사에 참석하였다.

30일, 톈한이 상하이 『신민보』에 「예술의 노선藝術的道路」이라는 글을 발표해 희곡 예인들이 "대상을 명확히 알고 인민을 위해 복무"하고, "새로운 이상과 마르크스 레닌주의 및 마오쩌둥 사상의 지도 아래 더욱 큰 집단적 역량으로써 민족의 자유 독립을 보위하고 세계의 평화와 민주를 위해 분투"하며, 또한 "인민에 대한 희극의 책임감"을 보여줄 것을 요구하였다.

이달에 상하이시립실험희극학교上海市立實驗戲劇學校가 상하이시립희극전문학교上海市立戲劇專科學校로 명칭을 변경하였다. 이 학교는 상하이희극학원上海戲劇學院의 전신으로, 1945년 12월 1일에 저명한 교육가 구위슈顧毓琇와 저명한 희극가 리젠우李健吾, 구중이顧仲彝, 황쭤린黃佐臨 등이 설립하였으며 슝포시熊佛西 선생이 초대 교장을 맡았다.

슝포시(1900~1965), 희극교육가이자 극작가로 중국신흥화극운동中國新興話劇運動의 개척자 가운데 한 사람이다. 본명은 슝푸시熊福禧, 필명은 시쯔戲子로 장시성 펑청豐城 출신이다. 1920년에 옌징대학에 입학해 교육학을 전공하면서 문학을 함께 공부하였다. 1922년에 첫 극본집 『청춘의 비애青春的悲哀』를 출간하였다. 옌징대학 졸업 후에 미국 컬럼비아대학교 대학원에 유학해 희극을 전공하고 1926년에 석사학위를 취득한 후 귀국해 베이징국립예술전문학교北京國立藝術專門學校 희극과 주임을 맡았다. 공화국 성립 후에는 희극교육에 오랫동안 종사하면서 수천 명의 청년 희극인을 양성하여 중국의 희극사업에 중요한 공헌을 하였다. 그는 평생 27부의 장막극과 16부의 단막극을 창작했으며 7종의 희극집을 출간하였다. 저서로 장편소설 『철 새싹鐵苗』, 『철꽃鐵花』과 희극 극본집 『포시 희극집佛西戲劇集』(4권), 『포시 항전희극집佛西抗戰戲劇集』, 『싸이진화賽金花』, 『상하이탄의 봄上海灘的春天』을 비롯해 저서 『극본 창작 원리寫劇原理』, 『과도기 및 그 연출過渡及其演出』, 『포시가 극을 논하다佛西論劇』, 『희극대중화의 실험戲劇大眾化的實驗』, 산문집 『산수인의 인상기山水人的印象記』 등이 있다.

『샤오쥔 사상비판蕭軍思想批判』이 대중서점에서 출간되었다.

샤오쥔(1907~1988), 작가. 본명은 류훙린劉鴻霖이며 류인페이劉吟飛, 류위제劉羽捷, 류웨이톈劉蔚天, 류위주劉毓竹 등의 이름을 사용하였다. 샤오쥔 외에도 퉈옌싼랑酡顏三郎, 톈쥔田軍 등의 필명을 사용하였다. 랴오닝성 이현義縣 출신이며 청년 시기에 군사軍事를 공부하였다. 1929년에 '퉈옌싼랑'이라는 필명으로 첫 백화소설 「나懦……」를 창작해 5월 10일자 선양 『성경시보盛京時報』에 발표하였다. 1932년 초에 하얼빈으로 가서 본격적으로 문학 활동을 시작하였으며 또한 정식으로 공산당 지하조직이 이끄는 혁명문예 대오의 일원이 되었다. 1935년 7월 장편소설 「8월의 농촌八月的鄉村」을 자비로 '불법' 출판하여 곧바로 문단에 파문을 일으켰으며, 이 작품으로 그는 현대문학사에서 자신의 지위를 정립하였다. 1940년 6월에 두 번째로 옌안으로 갔으며, 이때부터 1945년 말까지 쭉 옌안에 머무르면서 루쉰연구회 주임간사, 문협 분회 이사, 『문예월보文藝月報』 편집자, 루쉰예술문학원 교원 등을 역임하였다. 종전 후에는 둥베이대학 루쉰예술문학원 원장, 루쉰문화출판사 사장, 『문화보』 편집장 등을 역임하였다. 주요 저서로 장편소설 『8월의 농촌』, 『제3대第三代』와 단편소설집 『양羊』, 『강상江上』, 산문집 『10월 15일十月十五日』, 『푸른 잎의 이야기綠葉的故事』, 중편소설 「쥐안쥐안涓涓」 등이 있다. 1978년에 복권된 후 통속역사소설 『오월춘추사화吳越春秋史話』, 『샤오쥔 근작蕭軍近作』, 『샤오쥔 희극집蕭軍戲劇集』, 『샤오쥔 전집蕭軍全集』(20권) 등을 출간하였다.

루링路翎의 단편소설집 『산촌 기록山村紀事』이 상하이천하도서출판공사上海天下圖書出版公司에서 출간되었다.

루링(1923~1994), 작가. 본명은 쉬쓰싱徐嗣興으로 장쑤성 난징南京 출신이다. 1940년에 국민정부 경제부 광야연구소礦冶研究所 직원, 콜타르사무처煤焦辦事處 직원, 난징중앙대학 문학과 강사를 역임하였다. 공화국 성립 후에는 중국청년예술극원 창작조 조장, 중국희극가협회 극본창작실 전문작가를 역임하였다. 1955년에 후펑 사건에 연루되어 반혁명집단의 일원으로 몰렸다가 1980년에 복권되어 중국희극출판사 편집심사자를 맡았다. 중국작가협회 제2, 4기 이사를 역임하였다. 1937년부터 작품을 발표하였으며 저서로 장편소설 『자산가의 자녀財主的兒女們』, 중편소설 「굶주린 궈쑤어饑餓的郭素娥」, 단편소설집 『주구이화 이야기朱桂花的故事』, 『첫눈初雪』, 『구애求愛』, 화극 극본 「영웅 어머니英雄母親」, 「조국은 전진하고 있다祖國在前進」 등이 있다.

쑨리의 중편소설 『민요村歌』가 베이징천하도서출판공사에서 출간되었다. 자오수리의 『소경리小經理』가 신화서점에서 출간되었다.

딩링의 『태양은 쌍간강에서 빛난다』가 러시아어로 번역되어 소련의 대형 문예월간지인 『기치』에 발표되었다. 소련 평론계에서는 이 작품이 "수백 명의 노동 인민들이 어떻게 마오쩌둥을 대표로 하는 중국공산당의 인도 아래 각성해 새로운 생활을 위해 투쟁하였는가를 천재적이고도 기교적으로 묘사하였다", "진실되며 감화력이 풍부하다", "매우 높은 예술적 가치가 있다"고 평하였다.

마펑과 시룽의 장편소설 『뤼량 영웅전』이 베이징신화서점에서 출간되었다.

시룽(1922~2001), 소설가, 편집가. 본명은 시청정席誠正으로 산둥성 푸현 출신이다. 1942년부터 작품을 발표하였다. 1945년에 마펑과 합동으로 『뤼량 영웅전』을 창작하였다. 산시山西작가협회 주석을 역임하였다. 주요 저서로 『밀 수확麥收』, 『종신대사終身大事』, 『아가씨의 비밀姑娘的秘密』, 『풍작기豐產記』, 『쑹라오다가 성에 들어가다宋老大進城』 등의 단편소설집이 있다.

저우얼푸의 장편소설 『연숙애』가 신문예사新文藝社에서 출간되었다. 마자馬加의 장편소설 『강산촌십일江山村十日』이 신문예사에서 출간되었다.

마자(1910~2004), 소설가. 본명은 바이샤오광白曉光으로 랴오닝성 신민新民 출신이다. 1931년에 둥베이대학 과정을 수료하였다. 공화국 성립 전에는 옌안『해방일보』부간 편집자,『진차지일보晉察冀日報』부간 책임 편집자 등을 역임하였다. 공화국 성립 후에는 둥베이작가협회 부주석 및 주석, 랴오닝성 작가협회 주석 및 랴오닝성 문련 주석, 랴오닝성 작가협회 명예주석, 중국작가협회 명예고문, 중국문련 영예위원 등을 역임하였다. 저서로 장편소설『강산촌십일』,『붉은색 과실紅色的果實』,『조국의 동방에서在祖國的東方』,『후퉈강 유역滹沱河流域』과 중편소설「피지 못하는 꽃봉오리開不敗的花朵」등이 있다.

쩡커曾克의 단편소설집『소철에 꽃이 피었다鐵樹開了花』가 천하도서공사에서 출간되었다.

쩡커(1917~2009), 작가. 본명은 쩡페이란曾佩蘭이며 이커一可, 하이머우海牟, 톈번롼田本巒 등의 필명을 사용하였다. 허난성 타이캉太康 출신이다. 1936년에 옌안중앙당교 제7지부 서기, 제2야전군 신화사 야전기자단 기자, 서남군정위원회 문교위원을 역임하였으며 충칭, 윈난, 쓰촨 문련 및 작가협회에서 부주석 등을 역임하였다. 저서로 중편 보고문학「탕인 전선에서在湯陰火線」,「다볘산으로 용감하게 나아가다挺進大別山」,「전투 중에在戰鬥中」,「전방으로 향하다走向前線」와 보고문학집『영광된 사람들光榮的人們』,『계획 및 기타計劃及其他』,『소철에 꽃이 피었다』를 비롯해 단편소설집『신인新人』,『열넷째 아들第十四個兒子』, 산문집『조국의 아이들을 먼 곳으로 보내다遙寄祖國的孩子們』,『쩡커 산문집曾克散文集』,『수정과 같은 마음水晶般的心』등이 있다.

옌천의 시집『생명의 봄生命的春天』이 천하도서공사에서 출간되었다. 이 시집에는「우리의 대오我們的隊伍」,「생명의 봄生命的春天」,「너희를 위해 묘비를 세울 수 없다沒法爲你們立一支墓碑」,「해방군을 맞이하다迎解放軍」등 12편의 시가 수록되었다.

칭보青勃와 팡젠方健이 편찬한 시집『중국의 10월中國的十月』이 대중서점에서 출간되었다. 이 책의 광고는 "중화인민공화국이 빛나는 1949년 10월 1일에 탄생하였다. 이것은 전세계에 있어 역사적인 대사건으로, 인민의 시인들이 그들의 열정을 뿜어내며 유쾌한 목소리로 노래하였다. 이 책에는 인민정협 개회 때부터 개국기념일까지 평화를 보위하는 내용으로 창작된 시 25편을 선별해 수록하였다. 궈모뤄, 아이칭, 커중핑, 왕야핑, 마판퉈, 정전둬, 톈젠, 뤼젠, 옌천, 사어우, 루리, 짱커자, 리지예, 라오룽勞榮 등의 시인의 시가 수록되었는데, 이 중 여러 편의 시가 이미 여러 차례 낭송되어 군중의 환영을 얻은 바 있다. 올해의 제1회 국경일을 기념하는 이때에, 이 시집은 아주 훌륭한 시집이다"라고 밝혔다(『대중시가大眾詩歌』1950년 제2권 제4호).

칭보(1921~1991), 시인. 본명은 자오칭보趙青勃로 허베이성 룽야오隆堯 출신이다. 1942년부터 시 창작을 시작하였으며 1946년 봄에 정저우鄭州에서 지하조직에 참여하였다. 중국작가협회 허난 분회 부주석 등을 역임하였다. 저서로 시집 『호각이 울고 있다號角在哭泣』, 『최후의 지옥最後的地獄』(『거인의 발 아래巨人的腳下』의 증보판), 『북소리鼓聲』, 『분노憤怒』, 『낙원집樂園集』, 『인옥집引玉集』, 『녹색의 소리綠色的聲音』 등이 있다.

미국에서 투병 중이던 라오서老舍에게 펑나이차오와 샤옌이 연이어 서신을 보냈다. 두 사람은 저우언라이의 부탁을 받고 라오서에게 귀국을 요청하였다. 라오서는 13일에 출발해 여러 곳을 경유한 후 마침내 12월 9일에 조국의 품으로 돌아왔다.

라오서(1899~1966), 문학가. 본명은 수칭춘舒慶春, 자는 서위舍予로 베이징 출신이며 만주족이다. 1913년에 베이징사범학교에 입학해 1918년에 졸업한 후 소학교 교장, 중학교 교사 등으로 근무하였다. 1922년에 난카이중학南開中學의 국문교원을 맡았다. 같은 해에 첫 단편소설 「샤오링얼小鈴兒」을 발표하였다. 1924년에 영국으로 가서 런던대학교 동방학원 중국어 강사를 맡았다. 강사로 일하면서 본격적으로 문학 창작을 시작해 『라오장의 철학老張的哲學』, 『조자왈趙子曰』, 『마씨 부자二馬』 등 시민 생활을 묘사하고 풍자한 세 편의 장편소설을 발표하였다. 1930년에 귀국해 지난치루대학濟南齊魯大學 문학원 부교수를 맡았으며 『치루월간齊魯月刊』 편집자를 맡았다. 중일전쟁 발발 후에 우한 및 충칭에서 중화전국문예계항적협회 업무를 주관하며 상무이사 및 총무조장總務組長을 역임하였으며 협회 간행물인 『항전문예抗戰文藝』를 조직, 출간하였다. 이와 동시에 창작에도 힘써 항일을 소재로 한 20여 편의 작품을 창작하였다. 1946년 3월에 미국 국무원의 초청을 받아 미국으로 가서 1년간 강의를 하였으며, 기한이 끝난 후에도 미국에 남아 장편소설 『고서예인鼓書藝人』 및 『사세동당四世同堂』의 제3부 「기근饑荒」을 창작하였다. 1949년 말에 베이징으로 돌아왔다. 1950년에서 1966년 사이에 정무원 문교위원회 위원, 베이징시 인민정부 위원, 정협전국위원회 상무위원 등을 역임하였다. 제1, 2기 중국문련 위원, 제3기 중국문련 부주석, 제2, 3기 중국작가협회 부주석에 당선되었으며 중국작가협회 서기처 서기 및 중국희극가협회 이사, 중국곡예가협회 이사, 베이징시 문련 주석 등을 역임하였다. 1951년에 베이징시 인민정부는 라오서에게 '인민예술가人民藝術家' 칭호를 수여하였다. 1950년에서 1955년 사이에 라오서는 대량의 화극, 경극, 아동극 극본을 창작하였다. 1961년에서 1962년 사이에는 자전체 소설 「정홍기 아래正紅旗下」를 창작하였다. 주요 작품으로 장편소설 『마씨 부자』, 『고양이 나라 이야기貓城記』, 『낙타샹즈駱駝祥子』, 『고서예인』, 『사세동당』 및 중편소설 「초승달月牙兒」, 「나의 일생我這一輩子」, 단편소설집 『간집趕集』, 『앵화집櫻海集』, 『합조집蛤藻集』, 『화차집火車集』, 『빈혈집貧血集』, 극본 「용수구龍須溝」, 「찻집茶館」, 「팡전주方珍珠」 등이 있다. 그 외에 『라오서 극작 전집老舍劇作全集』, 『라오서 산문집老舍散文

集』, 『라오서 시선老舍詩選』, 『라오서 문예평론집老舍文藝評論集』 및 『라오서 문집老舍文集』 등이 있다. 「낙타샹즈」와 「찻집」은 발표된 후 문단에서 큰 명성을 얻었으며, 10여 개 언어로 번역되어 세계적으로도 이름을 알렸다.

11월

1일, 『시호각』 제8호에 톈젠의 「늙은 전사老戰士」, 사어우의 「13년十三年」, 류훙劉洪의 「마오 주석과 아이들毛主席和孩子們」, 루뎬蘆甸의 「주 총사령관에게 바치다獻給朱總司令」 등의 시가 발표되었다.

사어우(1922~1994), 시인. 본명은 왕스다王世達로 충칭 출신이다. 1940년부터 사어우라는 필명을 써서 작품 발표를 시작하였다. 1946년에 대학을 졸업한 후 상하이로 가서 『신시가新詩歌』와 『춘초시총春草詩叢』의 편집에 참여하였다. 공화국 성립 후에 베이징으로 이동해 『신민보』의 업무를 맡았으며 왕야핑과 함께 『대중시가大衆詩歌』의 편집을 맡았다. 1951년에 중국작가협회 문학강습소에서 근무하였다. 1957년에 『시간』의 편집위원을 맡았다. 1962년에 헤이룽장성 문련으로 이동해 전문 창작에 종사하였으며 후에 『북방문예北方文學』 편집을 맡았다. 1986년에 퇴직한 후 충칭에 정착하였다. 저서로 시집 『농촌의 노래農村的歌』, 『화설야化雪夜』, 『고향故鄉』, 『붉은 꽃紅花』, 『첫눈初雪』, 『매화梅』, 『장미집薔薇集』, 『베이징 단가北京短歌』 등이 있다.

루뎬(1920~1973), 시인. 본명은 류전성劉振聲이며 류양劉揚, 류구이페이劉貴佩 등의 이름을 사용하였다. 필명으로는 보신波心 등이 있다. 장시성 구이시貴溪 출신이다. 1939년에 혁명공작에 참가하였으며 이때 시창작을 시작하였고, 청두成都에서 '평원시사平原詩社'를 조직하였다. 1945년에 해방구로 이동하였다. 공화국 성립 후에는 톈진문협 비서장, 화베이문련 창작원, 톈진문련 창작원 등을 역임하였다. 1955년에 '후펑 사건'에 연루되어 투옥되었다. 1965년에 석방되어 1973년에 사망하였고, 1980년에 복권되었다. 저서로 시집 『우리는 행복하다我們是幸福的』, 소설집 『파도 속의 사람들浪濤中的人們』, 극본 「두 번째 봄第二個春天」 등이 있다.

짱커자의 시 「어떤 이 - 루쉰 기념 소감有的人——紀念魯迅有感」이 『신민보·맹아萌芽』 제16호에 발표되었다. 짱커자는 1958년에 베이징출판사에서 출간된 『잡화집雜花集』에 수록된 「단시 「어떤 이」에 관하여關於短詩<有的人>」에서 이 시를 쓴 정황에 관해 소개하였다. "이 단시는 루쉰 선생 서거

13주년 기념일로부터 보름이 채 지나지 않은 1949년 11월 1일에 쓴 것이다. 루쉰 선생의 생전에 나는 그분을 뵐 기회가 없었지만, 인민의 혁명 전사이자 작가로서의 루쉰 선생에 대해서는 나도 아주 잘 알고 있으며 매우 존경하고 사랑한다. 해방 전, 백색 공포에 뒤덮여 있던 상하이에서 나는 문예계 동지들을 따라 그의 묘지에 참배하러 간 적이 있었다. 1949년에 베이징으로 온 나는 그의 서거 13주년 기념일에 푸청먼阜成門에 가서 그의 '옛집'을 참관했다. ……루쉰 선생이 생전에 몇 년 동안 살면서 일했던 '옛집'을 보고, 그의 '옛집'을 보러 온 여러 계급과 직업을 가진 이들을 보면서 내 마음속에는 자연히 일련의 감상이 떠올라……점차 「어떤 이」라는 시의 주제가 정해졌다."

짱커자(1905~2004), 시인. 산둥성 주청諸城 출신이다. 1927년에 중앙군사정치학교中央軍事政治學校 우한분교에 입학해 북벌에 참여하였다. 1938년에 문협에 가입해 샹양襄陽 및 이창宜昌 두 곳의 분회 이사로 당선되어 항일애국활동에 적극 투신하였다. 1949년 3월에 중앙당조직의 배치에 따라 베이핑으로 이동하였다. 공화국 성립 후에는 인민출판사 편집심사자, 작가협회 서기처 서기, 『시간』 책임 편집자 등을 역임하였다. 문화대혁명 시기에 박해를 받아 강요에 의해 문학 창작 및 사회활동을 중단하고 후베이성 셴닝시 '57' 간부학교로 하방下放당했다. 1972년에 베이징으로 돌아왔으며, 1976년 1월호 『시간』 복간호의 고문 겸 편집위원으로 발탁되었다. 주요 시집으로 『낙인烙印』, 『종군행從軍行』, 『회상음淮上吟』, 『춘풍집春風集』, 『환호집歡呼集』, 『짱커자 시선臧克家詩選』 등이 있다. 사회주의 신시기 이후에 『샹양을 추억하다憶向陽』, 『낙조홍落照紅』, 『짱커자 구체시고臧克家舊體詩稿』 등의 시집과 『회인집懷人集』, 『시와 생활詩與生活』 등의 산문집 및 『시 공부 단상學詩斷想』, 『커자가 시를 논하다克家論詩』, 『짱커자 고전시문 감상집臧克家古典詩文欣賞集』 등의 논문집을 출간하였다.

『소설』 제3권 제2호에 이췬의 「새로운 사물을 표현하다表現新事物」, 탕타오의 「어떻게 쓸 것인가怎樣寫」와 쉬제許傑의 「『쌍간강에서』를 논하다(상)論<桑幹河上>上」이 발표되었다.

쉬제(1901~1993), 작가, 학자. 저장성 톈타이天台 출신이다. 1922년에 『월탁일보越鐸日報』의 『미광微光』 부간 편집을 맡았다. 1924년부터 소설 작품을 발표하였으며 문학연구회에 가입하였다. 1928년에 쿠알라룸푸르로 가서 화교신문 『익군일보益群日報』 책임 편집자를 맡았으며, 『고도枯島』 문예부간을 창간해 '신흥문학新興文學'을 제창하였다. 이후 중산대학, 안후이대학安徽大學, 지난대학 등에서 교수를 역임하였다. 공화국 성립 후에는 푸단대학 교수, 화둥사범대학 교수 겸 중문과 주임을 맡았다. 중국작가협회 상하이분회 부주석 및 고문, 상하이루쉰학회 주석, 상하이사작학회上海寫作學會 회장 등을 역임하였다. 대표 저서로 단편집 『비참한 안개慘霧』, 장편 회고록 『울퉁불퉁한 길 위의 발자취坎坷道路上的足跡』 등이 있다.

3일, 문화부에서 희곡개진국戲曲改進局을 설립해 톈한이 국장을 맡았으며 양사오쉬안과 마옌샹이 부국장을 맡았다.

마옌샹(1907~1988), 극작가, 희극이론가. 본적은 저장성 인현鄞縣이며 상하이에서 출생했다. 1928년에 푸단대학 중문과를 졸업한 후 희극활동에 힘썼다. 상하이에서『현대희극現代戲劇』월간 책임 편집자를, 광둥희극연구소廣東戲劇硏究所에서『희극戲劇』격월간 책임 편집자를 맡았으며,『희극개론戲劇槪論』,『현대희극강좌現代戲劇講座』등의 논저를 출간하였다. 이후에 화극「고도의 포효古城的怒吼」,「강남의 봄江南之春」등 화극의 대본을 쓰고 직접 연출하였으며, 레마르크의「서부 전선 이상 없다西線無戰事」등의 작품을 번역하였다. 또한 훙선, 차오위 등 유명 작가들의 극본 10여 편을 감독하였다. 공화국 성립 후에는 문화부 희곡개진국 부국장, 중국희극가협회 서기처 서기 등을 역임하였으며 경극「류음기柳蔭記」, 화극「도장을 빼앗다奪印」등의 극본을 각색 및 감독하였다.

톈진『진보일보』에 본지 기자가 메이란팡梅蘭芳을 취재한 기사「'이동'하지만 '변화'하지 않는다 - 메이란팡이 구극 개혁을 말하다"移步"而不"換形"——梅蘭芳談舊劇改革」가 발표되었다. 메이란팡은 희극 개혁의 '우경보수주의右傾保守主義' 경향이 희극계에 큰 풍파를 일으켰다고 보았다.

메이란팡(1894~1961), 경극 표현예술가. 이름은 란瀾 혹은 허밍鶴鳴, 자는 완화畹華 혹은 환화浣華이며 호는 철옥헌주인(중국어 발음이 아니라 한자의 음을 그대로 쓰고 있습니다.)綴玉軒主人, 예명은 란팡蘭芳이다. 장쑤성 타이저우泰州 출신이다. 저서로『메이란팡 문집梅蘭芳文集』,『메이란팡 공연 극본선梅蘭芳演出劇本選』,『무대생활 40년舞台生活四十年』등이 있다. 공연한 대표 경극으로「귀비취주貴妃醉酒」,「천녀산화天女散花」,「우주봉宇宙鋒」,「타어살가打漁殺家」등이 있다.

상하이『문회보』에 스퉈師陀의 장편소설「역사무정曆史無情」의 연재가 시작되었다.

스퉈(1910~1988), 작가. 본명은 왕창졘王長簡이며 루펀蘆焚 등의 필명을 사용하였다. 허난성 치현杞縣 출신이다. 9·18 사변 발생 후 즉시 반대제국주의대동맹反對帝國主義大同盟에 참가하여 구국 선전공작을 진행하였다. 1941년부터 1947년까지 소련상하이방송국蘇聯上海廣播電台 문학 편집자를 맡았다. 1946년 이후에 상하이희극학교 교원, 상하이문화전영제편공사上海文華電影制片公司 객원편집자 등을 역임하면서 영화 극본을 창작하였다. 공화국 성립 후에는 상하이출판공사 편집장, 상하이전영극본창작소 각본가 등을 역임하였다. 주요 작품으로 단편소설집『골짜기穀』, 극본「큰 곡예단大馬戲團」,「서문표西門豹」,「벌죽기伐竹記」및 소설「서문표의 운명西門豹的遭遇」등이 있다.

4일,『대공보·대공원大公園』에 류란산劉嵐山의「와일드여, 눈이 멀었구나瓦爾德,你瞎了眼睛」와 허궁차오何公超의「미 제국주의의 새 꼭두각시美帝的新傀儡」등의 시가 발표되었다.

류란산(1919~2004), 시인. 본명은 류쓰하이劉斯海이며 류중劉仲, 루리路裏, 란탄嵐炭 등의 필명을 사용하였다. 안후이성 허현和縣 출신이다. 1937년에 시 창작을 시작해 시집『유랑의 노래漂泊之歌』, 『촌사람의 노래鄉下人的歌』 등을 출간하였다. 1950년에 베이징싼롄서점北京三聯書店에 입사하였으며, 한국전쟁의 전장으로 가서 문화복무공작에 종사하였다. 1952년 가을에 인민문학출판사로 이동해 원고정리과 과장, 시가산문조장, 편집심사자 등을 역임하였다. 저서로 시집『평화로운 최전선和平的前哨』,『시골과 도시鄉村與城市』 및 산문집『길을 안내하는 이領路的人』, 통신보고집『영웅들과 함께한 나날和英雄們相處的日子』 등이 있다.

허궁차오(1905~1986), 작가, 편집가. 본명은 허웨이신何味辛이며 본적은 상하이이다. 1924년부터『민국일보民國日報』,『열혈일보熱血日報』의 편집을 맡았다. 1935년 가을에『아동일보兒童日報』 및『아동창조兒童創造』 부간 창간에 참여하면서 동화 창작을 시작하였다. 1944년에 아동문학사업에 힘을 쏟는 친구와 함께 아동세계사兒童世界社를 발기 및 조직하여『아동세계兒童世界』를 창간해 책임 편집자를 맡았다. 1952년 말에 상하이소년아동출판사上海少年兒童出版社가 설립된 후 편집자, 부편집장 등을 역임하였다. 저서로 동화집『유쾌한 새快樂鳥』,『미운 오리 새끼醜小鴨』,『작은 금붕어小金魚』 및 민간고사『룽뉘와 싼랑龍女和三郎』,『하늘에서 금이 저절로 떨어지지 않는다天上不會掉金子』 등이 있다.

7일, 문화부 희곡 개진국에서 희곡문학공작자들을 초청해 희곡개혁의 중요 문제 중 하나인 극본 문제에 관해 좌담회를 개최하였다. 톈한, 양사오쉬안이 참석해 발언하였다.

10일, 화중군구華中軍區 제4야전군에서 문대회 이후에「부대문예공작 강화에 관한 결정加強部隊文藝工作的決定」을 내리고 전군문예공작위원회全軍文藝工作委員會를 설립해『부대문예部隊文藝』 잡지를 창간하였다. 천황메이, 류바이위 등이 책임 편집자를 맡았다.

『문회보』 제1권 제4호에 볜즈린의「영국 시 강의를 시작하면서 느낀 몇 가지 체험開講英國詩想到的一些體驗」이 발표되었다. 그는 이 글에서 자신이 느낀 곤혹에 관해 언급하였다. "서양의 자산계급 시의 영향을 받았으면서 본국에서 시 창작 훈련을 받은 이들은 과거의 모든 단계를 통해 발전해 온 기교를 완전히 포기해야만 공농병을 위해 복무할 수 있는 것인가? 순수하게 민간문학 속에서만 자라난 이들은 과거에 지식분자의 시가 부단히 발전시켜 온 기술을 배울 필요가 전혀 없는 것인가?"

볜즈린(1910~2000), 시인, 학자. 본적은 장쑤성 리수이溧水이며 장수성 하이먼海門에서 출생했다. 1929년에 베이징대학 영문과에 입학해 공부하면서 영국 낭만파와 프랑스 상징파의 시를 주로 접한 후 신시 창작을 시작하였다. 대학 시기에 쉬즈모徐志摩에게 사사하면서 그에게 크게 인정받았다. 1930년부터 시 창작을 시작해 신시와 번역문을 지속적으로 발표하였다. 중일전쟁 초기에 옌안을 방문해 임시로 교육업무에 종사하면서 타이항산太行山 지역의 전방을 방문하였다. 서남부 후방으로 돌아간 후에는 쿤밍서남연합대학에서 강사, 부교수, 교수를 역임하였다. 종전된 후 1949년에 톈진난카이대학에서 1년간 교편을 잡은 후 베이징대학 서양언어학부 교수, 중국사회과학원 문학연구소 연구원, 중국셰익스피어연구회 부회장 등을 역임하였다. 저서로 시집 『삼추초三秋草』, 『어목집魚目集』, 『한원집漢園集』(합동시집), 『위로신집慰勞信集』, 『십년시초十年詩草』, 『파도를 하나 건너다翻一個浪頭』, 『조충기력雕蟲紀曆 1930~1958』 및 번역서 『셰익스피어 비극논흔莎士比亞悲劇論痕』, 『영국시선英國詩選』 등을 비롯해 시론집 『사람과 시: 옛것을 회상하며 새것을 이야기하다人與詩 : 憶舊說新』가 있다.

15일, 『신화월보新華月報』가 창간되었다. 이 잡지는 시사성과 문헌성을 갖춘 신중국 최초의 대형 종합 월간지이다. 마오쩌둥이 창간호에 "조국과 인민과 노동을 사랑하고, 공공재산을 애호해 전체 국민을 위한 공덕을 쌓으십시오愛祖國, 愛人民, 愛勞動, 愛護公共財產爲全體國民的公德"라는 기념사를 보냈다.

16일, 상하이전영제편창上海電影制片廠이 설립되었다. 위링於伶이 창장을, 중징즈鍾敬之가 부창장을 맡았으며 천바이천, 장쥔샹張駿祥이 각각 예술위원회 주임과 부주임을, 쉬타오徐韜가 비서장을 맡았다. 산하에 1장場(원 명칭 '중전1창中電一廠'), 2장(원 명칭 '중제中制'), 3장(원 명칭 '상실上實'), 4장(원 명칭 '중전2창'), 5장(원 명칭 '중화전영공업제편창中華電影工業制片廠') 등 5개 촬영장을 개설하였다.

위링(1907~1997), 희극가. 본명은 런위청任禹成으로 장쑤성 이싱 출신이다. 1930년에 베이핑대학에 입학했으며 1932년에 좌련 베이핑분맹에 가입해 이때부터 희극 및 전영사업에 힘을 쏟았다. 이후 10여 년간 동료들과 함께 포리파 극사苞莉芭劇社, 상하이무명극인협회上海無名劇人協會, 상하이희극계구망협회上海戲劇界救亡協會, 중국예술극사中國藝術劇社 등을 조직해 다수의 국내외 유명 희극을 공연하였다. 공화국 성립 후에는 상하이문화국 국장, 중국영협(中國影協, 중국전영공작자협회의 약어) 부주석, 중국작가협회 상하이분회 주석 등을 역임하였다. 주요 극본으로 「물에 뜬 익사체浮屍」, 「여자 기숙사女子公寓」, 「야광배夜光杯」, 「꽃을 보고 눈물 흘리다花濺淚」, 「밤, 상하이夜上海」, 「장야행長夜行」, 「녜얼聶耳」(합동 창작) 등이 있다. 이 가운데 「밤, 상하이」 등의 극본은 영화화되었다.

20일, 후평의 장시 『시간이 시작되었다時間開始了』의 제1악편樂篇 「환희의 송가歡樂頌」가 『인민일보』에 발표되었다.

22일, 저우쭤런이 『역보亦報』에 선서우申壽라는 필명으로 「설서인說書人」을 발표한 것을 시작으로 하여 1952년 3월 15일에 「외침 연의·이십구·구근노태吶喊衍義·二十九·九斤老太」를 끝으로, 2년 5개월 동안 총 908편의 글을 발표하였다.

25일, 『문예보』 제1권 제5호에 「구문학 학습에 관한 이야기關於學習舊文學的話」라는 제목으로 독자의 서신이 게재되었는데, 중국 구문학의 시사詩詞를 공부해도 되는가에 관해 질문하는 내용이었다. 예성타오가 두쯔진杜子勁과 예훠성葉蠖生에게 답변을 부탁하였으나, 이들의 답변은 '고전문학의 유산을 어떻게 다뤄야 할 것인가'에 관한 토론을 불러일으켰다. 『문예보』 제1권 제6호와 제7호에 토론문이 연달아 발표되었다. 쑨리의 단편소설 「우자오얼吳召兒」이 『톈진일보』에 발표되었다.

27일, 주광첸이 『인민일보』에 '자기비판'하는 글을 발표하였다.

28일, 『대공보·대공원』에 페이란沛然의 서평 「인력거꾼 전기趕車傳」가 발표되었다.

문화부 희곡개진국에서 신평극新評劇 좌담회를 개최해 양사오쉬안, 어우양위첸, 장겅, 아이칭, 마사오보 및 「구미호九尾狐」의 감독과 배우 등 총 40여 명이 참석하였다. 참석자들은 「구미호」 공연에 관해 의견을 나눴는데, 전체적으로 볼 때 이 희극은 "혁명성을 가지고 있으며, '감독제導演制'의 수립 및 각종 희곡 형식을 대담하게 흡수하고 선용選用한 면에서, 또한 배우들의 창조성 및 부단한 진보라는 면에서 모두 희곡개혁공작의 새로운 길을 개척하였다"고 보았다.

출판위원회에서 각지의 신화서점에 판권 보호 문제에 관한 통지를 발송하였다. 본 통지의 내용은 각지 서점은 작가와 원 출판자의 동의를 얻지 못하면 임의로 타 출판사 서적의 해적판을 출판할 수 없다는 것이다.

이달에 중화인민공화국 문화부가 업무를 개시하였다. 마오둔이 부장을, 저우양과 딩시린丁西林이 부부장을 맡았다. 본래 중공중앙선전부에 속해 있던 중앙전영관리국中央電影管理局이 문화부로 소속을 변경해 문화부 전영국文化部電影局으로 명칭을 변경하였으며 위안무즈袁牧之가 국장을 맡았다.

딩시린(1893~1974), 극작가, 물리학자, 사회활동가. 본명은 딩셰린丁燮林, 자는 쉰푸巽甫이며 장쑤성 출신이다. 1913년에 상하이교통부공업전문학교上海交通部工業專門學校(상하이교통대학上海交通大學의 전신)를 졸업하고 1914년에 영국 버밍엄대학교에 유학해 물리학과 수학을 공부하였다. 1920년에 귀국해 1923년에 첫 작품 「벌 한 마리一只馬蜂」를 발표하였다. 종전 후 1947년 초에 산둥대학 교수를 맡았다. 공화국 성립 후에는 정무원 문화교육위원회 위원, 문화부 부부장, 중국인민대외문화협회中國人民對外文化協會 부회장, 대외문화연락위원회對外文化聯絡委員會 부주임, 베이징도서관 관장, 중국문자개혁위원회中國文字改革委員會 부주임, 중국희극가협회 상무이사 등을 역임하였다. 딩시린은 「벌 한 마리」, 「사랑하는 남편親愛的丈夫」, 「음주 후酒後」(쇼펜하우어의 동명의 소설을 각색), 「억압壓迫」, 「한쪽 눈이 멀다瞎了一只眼」, 「베이징의 공기北京的空氣」, 단막 희극 「국폐 3위안三塊錢國幣」, 4막 희극 「부인이 돌아오시면等太太回來的時候」, 「먀오펑산妙峰山」, 「맹려군孟麗君」 등 총 10편의 극본을 발표하였는데 이 가운데 7편은 단막극이다. 생전에 발표하지 않은 「건배幹杯」와 「지취생진강智取生辰綱」은 1985년에 중국희극출판사에서 출간된 『딩시린 희극집丁西林戲劇集』에 함께 수록되었다.

위안무즈(1909~1978), 영화배우, 각본가, 감독. 본명은 위안자라이袁家萊로 저장성 닝보寧波 출신이다. 30년대에 대학을 그만두고 희극사업에 투신해 화극 「오규교五奎橋」, 「회춘의 노래回春之曲」 등의 주연을 맡았다. 1934년에 전통고분유한공사電通股份有限公司에 입사해 극본 「도리겁桃李劫」을 창작하였으며 이 작품을 영화화했을 때는 주연을 맡아 성공을 거두었다. 다음해에 중국 최초의 음악 희극인 「도시풍광都市風光」을 창작 및 감독하였으며 주연을 맡았다. 이후에 자리를 명성영편공사明星影片公司로 옮겨 천보얼陳波兒과 함께 「생사동심生死同心」에 출연하였다. 1937년에 그가 각본을 쓰고 감독한 「길 위의 천사馬路天使」가 상영되었는데, 예술기법과 사상 내용 면에서 모두 큰 성취를 거두어 "중국 영화계에 핀 진기한 꽃"이라는 찬사를 받았다. 1938년에 「8백 장사八百壯士」의 주연을 맡았다. 이 해에 옌안으로 가서 옌안전영단延安電影團의 조직을 맡았으며 「옌안과 팔로군延安與八路軍」의 촬영을 시작하였다. 1940년부터 1945년까지 소련에서 유학하면서 영화 촬영에 참여하며 연구하였다. 1946년에 귀국해 만주영화주식회사滿洲映畫株式會社의 인수와 동방전영제편창東北電影制片廠 설립 업무에 참여하였다. 1949년에 베이징으로 이동해 중앙전영국 조직 준비를 맡아 국장을 맡았다. 이후로는 병으로 인해 오랫동안 업계를 떠나 요양하였다. 화극 극본으로는 「큐피드의 화살愛神的箭」, 「링링玲玲」, 「여인과 개一個女人和一條狗」, 「종루의 괴인鍾樓怪人」이 있으며 『위안무즈 문집袁牧之文集』이 출간되었다.

류바이위의 단편소설집 『전쟁의 불꽃이 흩날리다戰火紛飛』가 베이징인민출판사에서 출간되었다.

양쉬의 중편소설『북선北線』이 베이징신화서점에서 출간되었다.

아이우艾蕪의 장편소설『향수鄕愁』가 상하이문화공작사上海文化工作社에서 출간되었다.

아이우(1904~1992), 작가. 본명은 탕다오겅湯道耕으로 쓰촨성 신판新繁 출신이다. 1925년 이후로 윈난 국경 지대와 미얀마, 말레이시아 등지를 유랑하며 소학교 교사, 잡역부 및 신문 편집자 등으로 일했다. 1932년에 좌련에 가입해 소설을 발표하기 시작하였다. 쓰촨성 문련 명예주석을 역임하였다. 주요 작품으로 단편소설집『남행기南行記』, 장편소설『고향故鄕』,『산야山野』,『풍요로운 벌판豐饒的原野』,『백 번 담금질해 강철을 만들다百煉成鋼』등이 있다. 아이우의 소설은 영어, 러시아어, 일본어, 한국어, 독일어, 프랑스어 등 여러 언어로 번역되었다.

쩌우디판鄒荻帆의 시집『뛰어넘다跨過』가 생활·독서·신지 싼롄서점生活·讀書·新知三聯書店에서 출간되었다. 이 시집에는 20편의 시가 수록되었다.

쩌우디판(1917~1995), 시인. 후베이성 톈먼天門 출신이다. 1936년에 장편서사시『관을 짜는 이做棺材的人』와『날개가 없는 사람들沒有翅膀的人們』을 발표하였다. 1938년 이후 우한 등지에서 항일구국운동에 참여하였으며, 무무톈穆木天, 펑나이차오 등과 함께 시 간행물『시조時調』를 창간하였다. 공화국 성립 후에는 대외문화연락국 사무실 주임,『문회보』편집부 주임,『시간』편집장 등을 역임하였다. 저서로 시집『푸른 하늘과 숲青空與林』,『악몽 비망록噩夢備忘錄』,『진목집塵木集』,『톈먼에서在天門』,『제재소木廠』,『북방을 향해 가다走向北方』,『금탑과도 같은 밀이삭金塔一樣的麥穗』과 시론집『시의 감상과 창작詩的欣賞與創作』, 장편소설『대풍가大風歌』등이 있다.

톈취田曲의 시집『장난해방사가江南解放史歌』가 상하이교육서점上海教育書店에서 출간되었다.

『샤옌 극작집夏衍劇作集』이 상하이카이밍서점上海開明書店에서 출간되었다. 이 책에는「부활復活」,「상하이의 처마 아래上海屋簷下」,「무성한 풀離離草」,「방초천애芳草天涯」등 4편의 극본이 수록되었다.

샤옌(1900~1995), 극작가, 영화가, 문예평론가, 번역가, 사회활동가. 본명은 선나이시沈乃熙, 자는 돤셴端先이다. 본적은 허난성 카이펑開封이며 저장성 항현杭縣(지금의 저장성 항저우)에서 출생하였다. 1930년에 좌련에 가입해 집행위원으로 당선되었다. 1933년 이후에 중공상하이문화위원회 구성원 및 전영조 조장을 맡아 중국 진보영화의 개척자이자 인도자로서의 역할을 하였다. 영화극본「광류狂流」,「춘잠春蠶」, 화극「추근 전기秋瑾傳」,「상하이의 처마 아래」및 보고문학「포신공包身工」등을 창작해 30년대 진보문예의 탄생에 중요한 영향을 끼쳤다. 중일전쟁 발발 후에는 상하이, 광저우, 구이린, 홍콩 등지에서『구망일보』와『화상보』업무를 주관하였다. 이후에 충칭에 머무르다가 저우언라이의 인도하에 후방의 문화운동을 주관하며『신화일보』편집장 대리를 맡았다. 대량의 잡문과 정치 평론을 썼으며 동시에 화극과 영화 극본의 창작도 계속하였다.「축복祝福」,「린씨네 가게林家鋪子」 등의 소설을 영화 극본으로 각색했으며 『영화 극본 창작의 몇 가지 이론 문제寫電影劇本的幾個理論問題』 등의 이론서를 출간하였다. 『샤옌 극작선夏衍劇作選』, 『샤옌 선집夏衍選集』, 『샤옌 극작집夏衍劇作集』, 『샤옌 영화극본집夏衍電影劇本集』, 『샤옌 잡문수필집夏衍雜文隨筆集』, 『샤옌이 창작을 논하다夏衍論創作』 및 회고록 『게을리 옛꿈을 찾다懶尋舊夢錄』 등 수많은 저서를 남겼으며, 『샤옌 전집夏衍全集』(16권)이 출간되었다.

허치팡의 산문집 『성화집 속편星火集續編』이 군익출판사에서 출간되었다.

소련 작가 로고프가 편찬한 『루쉰이 러시아문학을 논하다魯迅論俄羅斯文學』가 상하이시대출판사上海時代出版社에서 출간되었다. 가오밍카이高名凱가 번역한 프랑스 작가 발자크의 소설 『두 시인兩詩人』(환멸 제1편)이 상하이신문예출판사에서 출간되었다.

「싼마오 유랑기」, 「까마귀와 참새烏鴉與麻雀」, 「시계表」 등 공화국 성립 전에 촬영을 시작한 영화들이 완성되었다. 이 영화들은 모두 사립 영화제작사에서 촬영되었다.

쿤룬영업공사가 영화 「무훈전武訓傳」 촬영을 재개하였다.

12월

1일, 베이징시 희곡계 제2기 강습반이 개학하였다. 톈한이 개학식에 참석해 연설하였다. 그는 "오늘날 희곡계의 대단결은 베이징에 경극 곡예가 탄생한 이래 가장 훌륭한 현상이다. 반드시 교육적인 의의를 가진 희곡의 공연을 강화해야만 위대한 임무를 완성할 수 있다"고 주장하였다. 상샤오윈尚小雲, 쉰후이성荀慧生, 탄푸잉譚富英을 포함해 1,500여 명이 강습반에 등록해 참가하였으며 리보자오, 톈한, 차오위, 마옌샹 등이 강의를 맡았다. 학습 내용은 업무 수준을 제고하고 옛 제도를 개혁하며 옛것을 취사선택하여 새롭게 발전시키는 것으로, 저우언라이가 제시한 "민족적인 형식, 과학적인 내용, 대중적인 방향民族的形式,科學的內容,大眾的方向"이라는 지시 정신에 근거해 희곡개혁이라는 역사적 임무를 완성하기 위한 것이었다. 제2기 강습반은 4개월간의 교육 끝에 1950년 3월 31일 졸업하였다. 국제서점國際書店이 설립되었다. 이 서점은 점차 출판물 수출입 무역을 전문으로 하는 업무기구로 발전하였다.

『인민문학』 제1권 제2호에 쩌우디판의 시 「베이징北京」과 리빙李冰의 장편서사시 『자오차오얼趙巧兒』 및 허치팡의 글 「문예작품은 반드시 모순과 투쟁을 표현하는 데 능해야 한다文藝作品必須善

於寫矛盾和鬥爭」가 발표되었다.

리빙(1925~1995), 시인. 산시山西성 위안핑原平 출신이다. 1944년에 옌안루예 문학과에 입학하였다. 1945년 겨울부터 화베이 근거지, 화베이연합대학華北聯合大學 문예공작단 창작조 및 희극연구실에서 근무하였다. 1948년 겨울 이후로 중위안대학中原大學 문예연구실 및 문예학원 창작실에서 근무하였으며 이후에 중난中南 문련 및 중난 작가협회로 이동하였다. 1960년대 이후에는 우한시 문련 부주석 등을 역임하였다. 저서로 장시 『자오차오얼』, 『류후란劉胡蘭』, 『무산선녀巫山神女』 및 시집 『꽃 피는 시절花開季節』, 『파도집波濤集』, 『남풍집南風集』 등이 있다.

4일, 『문회보』 제6판에 경극 필담 특별란이 신설되어 여러 편의 글이 발표되었다. 저우신팡은 「어디서부터 시작할 것인가從何處做起」에서 구극 개혁으로 "절대로 관중을 상심하게 할 수 없다"며, "새로운 내용과 옛 형식"을 채용해 "경극으로 각색할 수 있는 문학적 재료 혹은 역사 이야기를 새로운 경극으로 창작하되, 공연할 때는 타악기 연주, 장면, 배우의 낭독, 동작, 노래, 무술 등 모든 것은 옛것 그대로 해야 한다." "이렇게 하면, 관중들이 눈으로 무대를 보면 무대 위에는 그들에게 익숙한 검보臉譜와 분장이 존재하고, 귀에 들리는 것은 판얼황反二簧과 위안반原板일 것이다……호금 소리는 예전 그대로 은은해 관중들의 마음은 넓어져 이도저도 아닌 경극을 보게 될까 걱정하지 않게 될 것이다"라고 보았다. 인쓰銀絲는 「경극 개혁의 보수적 의견改革京戲的保守意見」에서 경극 개혁 공작은 "반드시 두 방면에서 진행해야 한다. 하나는 옛것을 심의하는 것이며, 다른 하나는 새로운 것을 창조하는 것이다"라면서 두 방면의 실제 시행에 관해 몇 가지 구체적이며 적합한 의견을 제시하였다. 그 외에도 웡어우훙翁偶虹의 「내용과 아름다움이 모두 있어야 한다要有內容也要美」, 팡샤오方曉의 「경극 개작에 관하여改寫京戲小談」, 류쩌流澤의 「극본 문제에 대한 약간의 의견對劇本問題的一點意見」 등의 글에서 모두 경극 개혁에 있어서의 내용과 형식의 통일, 구극 각색과 신극 창작의 통일 등의 문제에 관해 각자의 관점을 제시하였다.

『인민일보』에 톈젠의 시 「푸 동지가 벼랑에 오르다扶同志上懸崖」, 「당신은 좋은 동지요你是好同志」가 발표되었다.

5일, 『광명일보』에 샤리바下俚巴의 글 「무훈을 보고 배우자學習武訓」가 발표되었다. 글의 내용은 무훈 탄신 110주년을 기념해 다섯 가지 면에서 무훈을 보고 배우자는 것인데, 첫째, 그가 평생 가난한 대중을 위해 살았으며 개인적인 이득을 꾀하지 않았다는 점, 둘째, 본인의 주장에 충실해 끝까지 밀고 나가는 정신, 셋째, 모든 어려움을 극복하고 오로지 앞으로 나아가는 분투 정신, 넷째,

착실하고 꾸준하게 힘겨운 일을 해 나갔던 점, 다섯째, 노동으로써 자신의 이상을 창조하고 또한 실현시켰다는 점 등이다. 같은 일자 신문에 쑨즈쥐안孫之雋의 글「나는 어떻게 무훈 선생 화전을 펴냈는가我怎樣作的武訓先生畫傳」도 발표되었다. 중공중앙에서「중앙정부 성립 후 당의 선전부문 공작 문제에 관한 지시關於中央政府成立後黨的宣傳部門工作問題的指示」를 발표하였다. 지시에 따라 1949년 2월 23일에 설립된 출판위원회의 폐쇄가 정식으로 선포되었다.

7일, 『톈진일보』에 쑨리의「신문학과 신중국 부녀新文學和新中國婦女」가 발표되었다.

「중앙인민정부 문화부 전영국 공작보고中央人民政府文化部電影局工作報告」가 발표되었다. 보고에서 "극본 심사에 관해서는 일반적인 극본은 심사하지 않는다." "단, 영화는 반드시 심사한다"라고 지적하였다.

9일, 샤오예무蕭也牧의 단편소설「"너를 기다리고 있다!我等著你!"」가 『톈진일보』에 발표되었다.

샤오예무(1918~1970), 작가. 본명은 우청吳承으로 저장성 우싱吳興 출신이다. 1937년에 항일구국활동에 참가하였으며 편집자, 배우, 기자 등으로 근무하였다. 1945년 8월에 중국공산당에 가입하였다. 공화국 성립 후에는『위대한 조국偉大的祖國』총서 편찬을 주관하였으며『홍기가 바람에 펄럭인다紅旗飄飄』총간叢刊의 책임 편집자를 맡았다. 주요 작품으로 중편소설「단련鍛煉」, 단편소설「하이허 강가에서在海河邊上」,「우리 부부 사이我們夫婦之間」,「할아버지大爹」,「샤오란과 그녀의 동료小蘭和她的夥伴」,「황혼黃昏」,「그치지 않는 가을비連綿的秋雨」등이 있다.

10일, 『문예보』 제1권 제6호에 리지의 글「나는 어떻게 민가를 학습했는가我是怎樣學習民歌的」가 발표되었다.

리지(1922~1980), 시인. 본명은 리전펑李振鵬으로 허난성 탕허唐河 출신이다. 1938년에 옌안항일군정대학延安抗日軍政大學에서 수학하였으며 다음해에 중국공산당에 가입하였다. 공화국 성립 후에는 베이징작가협회 창작위원회 부주임, 작가협회 란저우분회 주석,『인민문학』부편집장 및 편집장 등을 역임하였다. 주요 작품으로 장편서사시『왕구이와 리샹샹』,『국화석菊花石』,『양가오 전기楊高傳』,『생활의 노래生活之歌』및 단시집『옥문시초玉門詩抄』,『옥문시초 2집玉門詩抄二集』,『석유 공인에게 바치는 경례致以石油工人的敬禮』등이 있다.

제1기 둥베이구 문학예술연합회 대표대회東北區文學藝術聯合會代表大會가 개최되어 2~3년 내로 구극의 해로운 독소를 제거할 것을 호소하였다.

16일, 지인季音의 「우즈산 아래의 서사시五指山下的史詩」가 『신화일보』에 연재를 시작해 1950년 1월 14일까지 연재되었다.

지인(1923~), 본명은 구쓰친穀斯欽이며 구지인穀季音이라고도 한다. 저장성 상위上虞 출신이다. 중일전쟁 시기에 고향의 『상위보上虞報』에서 편집자로 근무하며 항일 선전공작에 종사하였다. 1940년에 중국공산당에 가입하여 당이 이끄는 국제신문사 진화기자참金華記者站에서 간사를 맡았다. 1941년에 체포되었으나 다음해에 탈옥하였다. 1943년에 완베이 신4군 군부皖北新四軍軍部로 돌아와 1944년에 신화사 화중분사에서 자료원을 맡았다. 종전 후에는 군대를 따라 화이인淮陰에 진입해 『신화일보』(화중판) 창간 준비 작업에 참여하였으며, 후에 기자, 편집자, 신화사 전선분사 종대지사縱隊支社 부사장 등을 역임하였다. 공화국 성립 후에는 난징에서 『신화일보』 특파기자, 편집위원, 부편집장 등을 역임하였다. 1953년에 『인민일보』로 이동해 공업조 편집자 및 주상해기자참駐上海記者站 책임자를 맡았다. 1978년 이후로 『인민일보』 농촌부 부주임 및 주임을 맡았다. 저서로 장편 통신문학 『대강의 물보라大江的浪花』, 『첫 총소리第一槍』, 『남선南線』, 『출격出擊』 등이 있다.

17일, 문화부 예술국에서 베이징과 톈진 지역의 문예 간행물 편집공작자들을 소집해 좌담회를 개최하였다. 『인민문학』의 아이칭, 『문예보』의 천치샤와 샤오인, 『인민일보』의 위안수이파이, 『인민중국』의 쉬츠, 『신화월보』의 짱커자, 『광명일보』의 바보巴波, 『톈진일보』의 팡지, 『대중시가大衆詩歌』의 사어우 등이 참석하였다. 저우양이 회의에 참석해 연설하였는데, 1. 사상적 전투성을 강화해 문예를 통해 군중을 교육할 것, 2. 반드시 보급문예와 결합할 것, 3. 각 간행물은 자신만의 특색을 가질 것, 4. 문예비평 및 지도공작을 강화할 것 등의 네 가지 요구를 제하였다.

20일, 둥베이지구 문예공작자 대표대회가 폐회하면서, 동시에 둥베이문련東北文聯이 설립되어 류즈밍이 주석을 맡았다.

류즈밍(1905~1968), 작가. 랴오닝성 가이현蓋縣 출신이다. 1929년에 일본 와세다대학교를 졸업하였다. 중일전쟁 시기에 옌안으로 가서 중앙당교 교무주임, 옌안평극원延安評劇院 원장, 중공 안산鞍山시위원회 서기 및 시장, 중공 랴오둥분국 선전부장, 중공중앙 둥베이국 선전부 부부장, 중앙인민정부 문화부 부부장 및 당조부서기, 중국문련 당조대리서기 및 부주석 겸 비서장 등을 역임하였다. 저서로 『번영하고 발전하는 신가극繁榮與發展新歌劇』 및 경극 극본 「옌당산雁蕩山」, 「미인계美人計」, 평극 극본 「작은사위小女婿」, 화극 극본 「새로 태어나는 사물 앞에서在新生事物面前」 등(모두 합동 창작)이 있다.

톈한, 장경, 위링이 연명으로 전국의 각 희곡단체에 통지를 보내 희곡공작자들이 "우리의 개혁의 성과 및 진도를 확실히 이해하고, 사상 내용과 예술 형식이 고도로 조화되도록 노력해 달라. 또한 가능한 한 신극과 구극 공작자들이 모두 조직화하여 자아교육을 강화하고, 봉건 식민지의 영향을 몰아내고, 마오쩌둥 주석이 명시한 민족적, 대중적, 과학적 방침을 관철해 달라"고 호소하였다.

21일, 문화부와 교육부가 연합으로 「문예선전공작 전개에 관한 지시關於展開文藝宣傳工作的指示」를 발표하였다.

『인민일보』에 마판퉈의 시 「송시頌詩」가 발표되었다. 『광명일보』에 짱커자의 시 「본받을 만한 사람一個大寫的人」이 발표되었다.

23일, 『인민일보』에 지추양(쉬팡)의 글 「인민 대중의 시를 창조하자創造人民大眾的詩歌」가 발표되었다. 그는 이 글에서 "시 창작의 문제란 기본적으로 무엇인가"라는 문제를 제기하고, 이어 "내가 보기에는 기본적으로 생활, 사상, 감정과 언어의 문제이다. 소위 표현력이라는 것의 가장 중요한 부분은 생활과 사상과 감정을 고도로 결합시키기 위해 인민 대중으로부터 가장 힘 있고 정확한 언어를 탐색하는 문제가 아닐 수 없다. 왜냐하면 마오쩌둥 주석의 문예 방향을 실천한다는 것은, 첫째로 장기적으로 현실에 깊이 침투해 끈기 있게 복잡한 투쟁을 계속하면서 한편으로는 자신을 개조하는 방법을 배우고 다른 한편으로는 생활을 체험하는 것이며, 둘째로 반드시 지식분자의 미숙하고 모호하고 공허하고 낭비적이며 또한 씁쓸한 언어 형식을 극복하는 것이기 때문이다. 여기서부터 출발하지 않고 단순히 형식에서부터 출발한다면 자기 자신부터 속박당해 짓눌려 죽어버릴지도 모른다!"라고 자신의 관점을 제시하였다.

광명일보』에 쑨리의 「해방구 문학의 내용과 주제를 어떻게 인식할 것인가怎樣認識解放區文學的內容和主題」가 『발표되었다.

24일, 『인민일보』에 베이징시 군관회에서 새롭게 7종의 간행물을 비준했으며 그 가운데 『대중시가大眾詩歌』가 포함되어 있다는 소식이 발표되었다.

25일, 『문예보』 제1권 제7호에 사설 「인민공화국이 문학예술에 부여한 영광된 임무人民共和

國給文學藝術的光榮任務」를 비롯해 쑨리의 단편소설 「돌원숭이石猴」, 톈젠의 글 「시에 관한 문제關於詩的問題」 및 시 「단가短歌」, 옌천의 시 「영신곡迎新曲」 2수, 장화江華의 글 「사람을 혼란스럽게 하는 어휘를 몰아내기 위해 노력해야 한다要努力驅逐使人糊塗的詞滙」가 발표되었다.

톈젠은 「시에 관한 문제」에서 "인민 시인"은 곧 전사라고 보았다. "나는 신시대의 인민 시인은 사실상 전사의 별명이며, 새로운 집단주의 영웅의 별칭이라고 생각한다. 이 말이 대체로 옳다면, 시는 곧 시대의 맑고도 진실한 선율이자 인민의 의지를 대표하는 소리이며, 또한 노동 인민(시인을 포함한)의 사상과 정서가 정제된 음률 언어의 예술일 것이다. 시가 그저 감정적이고 언어적인 것이라는 공허한 주장을 해서는 안 된다."

쓰마원썬司馬文森의 보고서 「집결기會師記」가 『문예생활』(해외판) 제20호에 게재되었다.

쓰마원썬(1916~1968), 본명은 허잉취안何應泉이며 린나林娜, 린시林曦, 마린馬霖 등의 필명을 사용하였다. 푸젠성 취안저우泉州 출신이다. 1933년에 중국공산당에 가입해 지하 간행물 『농민보農民報』의 책임 편집자를 맡았다. 다음해에 상하이로 가서 좌련에 가입해 『광명』, 『작가』, 『문학계』 등의 잡지에 소설과 산문을 발표하였다. 중일전쟁 발발 후에 당위원회에 의해 국민당 군대에 파견되어 공작을 진행하였다. 후에 『구망일보』와 함께 구이린으로 철수해 문협 상무이사를 맡아 『문예생활』 잡지를 창간하였다. 종전 후에는 광저우에서 『문예생활』을 복간하고 『문예신문文藝新聞』을 창간하였다. 이 두 잡지가 폐간당한 후에는 홍콩으로 가서 중공남방국中共南方局 문화위원회 위원 및 홍콩 『문회보』 책임 편집을 맡았다. 1949년에 제1기 전국인민정치협상회의에 참가해 『공동강령共同綱領』의 초안 작성에 참여하였으며 그 후에는 홍콩으로 돌아갔다. 1952년에 홍콩의 영국 당국에 의해 체포되었다가 석방된 후 대륙으로 돌아와 중공 화난분국華南分局 문화위원회 위원, 중난문련 상무위원을 맡았으며 작가협회 광둥분회의 설립 준비 업무를 맡아 『작품作品』 잡지의 책임 편집자를 맡았다. 1955년 이후에 외교 분야의 문화 업무로 이동해 주인도네시아대사관 문화참사관 및 주프랑스대사관 대외문화연락위원회 3사三司 사장을 맡았다. 주요 작품으로 장편소설 『남양도금기南洋淘金記』, 『비바람 부는 퉁장風雨桐江』이 있으며, 「불사조火鳳凰」, 「난하이의 뱃노래南海漁歌」, 「피맺힌 원한血海仇」, 「노냐娘惹」, 「외국에서 남편을 찾다海外尋夫」 등의 극본 및 영화를 창작하고 촬영하였다.

27일, 교육부에서 각 도시와 읍에 유행하는 봉건적인 미신과 선정적이고 해로운 내용을 담은 동화책의 유통을 금지시키고, 출판부문에 신민주주의 문화교육 방침에 적합한 아동도서 및 그림책을 편집하고 출판할 것을 명문화하여 공포하였다.

이달에 아이칭의 시론집 『시론詩論』이 상하이서보잡지연합발행소上海書報雜志聯合發行所에서 출간되었다.

쓰마원썬이 편찬하고 서문을 쓴 『문예학습강화文藝學習講話』(문예생활선집文藝生活選集 제5권)이 홍콩 지원서국智源書局에서 출간되었다. 이 책에는 후중츠胡仲持의 「보고문학을 논하다論報告文學」가 수록되었다.

이 외에도 쓰마원썬이 편찬한 『보고문학선報告文學選』(문예생활선집 제6권)이 홍콩 지원서국에서 출간되었다. 이 책에는 천루주陳如舊의 「감옥 안에서在監獄中」, 추화이난楚懷南의 「누른 옷의 나라에서在黃衣之國」, 천옌陳言의 「영사가 순시하다領事出巡」 등 혁명전쟁을 반영한 작품들 및 일본 통치구역과 해외 생활을 반영한 작품 일부가 수록되었다.

자오수리의 중편소설 「리자좡의 변천」이 러시아어로 번역되어 소련의 문예월간지 『원동遠東』 제2호에 발표되었다.

루리의 단편소설집 『총槍』이 상하이군익출판사에서 출간되었다.

루리(1914~1999), 시인. 본명은 쉬투디許徒弟로 푸젠성 퉁안同安 출신이다. 1936년에 좌련에 가입하였으며 같은 해에 중국공산당에 가입하였다. 진차지 군구 민족운동 간사 및 전지 기자를 역임하였다. 공화국 성립 후에는 톈진시 문학공작자협회 주석, 중국작가협회 제4기 이사, 톈진분회 주석 등을 역임하였다. 1955년 이후에 후펑 사건으로 인해 의심받아 강제로 절필하고 농업노동에 참여하였다. 1979년에 복권되어 다시 문단으로 돌아왔다. 중국작가협회 톈진분회에서 전문 창작 및 지도 업무에 종사하였으며, 『시간』 편집위원을 맡았다. '7월시파'의 대표 인물로, 그의 시에는 애국주의적 열정이 충만해 있다. 저서로 시집 『별의 노래星之歌』, 『깨어날 때醒來的時候』, 『시간의 노래時間之歌』, 『아모집鵝毛集』, 『천청집天青集』, 『루리 시선魯藜詩選』 등이 있다.

딩링 등이 창작한 3막극 『도공窯工』이 톈진대중서점天津大眾書店에서 출간되었다. 산둥신화서점山東新華書店 편집부에서 편찬한 가무극 『노동모범 리슈란勞動模範李秀蘭』이 출간되었다.

리젠우가 번역한 소련 작가 고리키의 작품 「밑바닥에서」와 「원수」가 상하이출판공사에서 출간되었다.

리젠우(1906~1982), 작가, 문학평론가, 희극가, 문학번역가. 류시웨이劉西渭 등의 필명을 사용했으며 산시山西성 윈청運城 출신이다. 유년기에 어머니를 따라 베이징으로 가서 생활하면서 베이징사범대학 부속 소학교 및 중학교를 졸업하였다. 1925년에 칭화대학에 입학해 칭화희극사清華戲劇社 사장을 맡았다. 1931년에 프랑스로 유학해 플로베르의 문학을 전공하였다. 1933년에 귀국한 후 베이징, 상하이 등지에서 교육, 창작, 번역 등에 종사하였다. 공화국 성립 후에 상하이희극전문학교 희극문학과 주임을 맡았다. 1954년에 베이징으로 이동해 베이징대학 문학연구소 연구원을 맡았다. 1964년에 외국문학연구소로 자리를 옮겼다. 저서로 문학평론집 『저화집咀華集』, 『저화 2집咀華二集』 및 소설집 『서산의 구름西山之雲』, 『마음의 병心病』, 희극집 『량윈다梁允達』, 『이것은 봄일 뿐이다這不過是春天』, 『리젠우 극작선李健吾劇作選』 등이 있으며, 번역서로 『플로베르 단편소설집福樓拜短篇小說集』, 『보바리 부인包法利夫人』, 『몰리에르 희극집莫裏哀戲劇集』, 『고리키 희극집高爾基戲劇集』 등이 있다.

루룽汝龍이 번역한 소련 작가 안드레예프의 소설 『일곱 사형수의 이야기七個絞決犯』가 핑밍출판사平明出版社에서 출간되었다.

루룽(1916~1991), 문학번역가로 장쑤성 쑤저우 출신이다. 공화국 성립 후에 중국문학원, 쑤난문화교육학원蘇南文化教育學院, 타이완 둥우대학東吳大學에서 부교수를 역임하였으며 평명출판사 편집부 주임, 중국작가협회 제4기 이사, 중국번역공작자협회 제1, 2기 이사를 역임하였다. 번역서로 고리키의 『인간』, 『아르타모노프 일가의 사업』, 톨스토이의 『부활』, 『체호프 소설선집』(1~27권) 등이 있다.

자오웨이칭趙蔚青이 번역한 투르게네프의 소설 『불행한 소녀不行的少女』와 『고요한 환류靜靜的回流』가 문화생활출판사에서 출간되었다. 가오밍카이가 번역한 발자크의 소설 『골짜기의 백합幽穀百合』이 신문예출판사에서 출간되었다. 가오밍카이가 번역한 발자크의 소설 『파리의 외지 위인外省偉人在巴黎』(환멸 제2편)과 『발명가의 고뇌發明家的苦惱』(환멸 제3편)가 신문예출판사에서 출간되었다.

1949년 정리

전국 문대회가 개최된 후, 전국의 40여개 도시에서 문학예술공작자대표대회 혹은 문예공작자회의를 개최해 지방 단위의 문학예술계 연합회를 설립하거나 혹은 기타 준비위원회를 발족하였다. 중화전국문학공작자협회(1953년 9월에 중국작가협회로 개편됨) 및 각지 분회에서 '아동문학조'를 개설해 아동문학 창작 및 작품의 수준 제고를 추진하였다.

해방구 우수문예작품선집『중국인민문예총서中國人民文藝叢書』전 53권이 출간되었다. 총서에는「백모녀」(자징즈 등),「왕슈란王秀鸞」(푸둬傅鐸) 등 23편의 희곡과「리유차이 판화」(자오수리),「태양은 쌍간강에서 빛난다」(딩링),「폭풍우暴風驟雨」(저우리보周立波),「가오간다高幹大」(어우양산歐陽山),「종곡기種穀記」(류칭柳青),「뤼량 영웅전」(마펑, 시룽) 등 16편의 소설,「노먼 베쑨 단편諾爾曼·白求恩斷片」(저우얼푸),「광명이 선양을 밝게 비춘다光明照耀著沈陽」(류바이위) 등 통신 보고문학 7편,『왕구이와 리샹샹』(리지) 등의 시 5편 및「류차오 가족이 모이다劉巧團圓」(한치샹韓起祥) 등 구전문학 2편이 수록되었다.

푸둬(1917~2005), 극작가. 허베이성 보예博野 출신이다. 공화국 성립 후에 총정치부 문화부 창작원, 총정치부 문예공작단 부단장 및 화극단 단장, 총정치부 문화부 문화처 처장, 8·1전영제편창八一電影制片廠 정치위원, 중국문련 제4기 위원, 중국희극가협회 제3, 4기 이사 등을 역임하였다. 가극「왕슈란」, 화극「남방에서 온 편지南方來信」(공동 창작),『푸둬 극작선』등의 저서를 출간하였다.

저우리보(1908~1979), 작가. 후난성 이양益陽 출신이다. 소설, 산문, 보고문학 등을 창작 및 번역하였으며 소설 창작에서 가장 뛰어난 성취를 보였다. 그의 소설은 광범위한 소재를 다루고 있으나 토지개혁 및 해방 후의 농민생활을 주로 다루고 있다. 1947년에 발표한 장편소설『폭풍우』가 그의 대표작으로, 비교적 일찍이 토지개혁운동을 반영한 소설 중 하나이다. 공화국 성립 후에는『쇳물이 세차게 흐르다鐵水奔流』,『산촌의 대격변山鄉巨變』등 신중국의 사회주의 건설을 반영한 장편소설을 창작하였다.

어우양산(1908~2000), 소설가. 본명은 양펑치楊鳳岐로 후베이성 징저우荊州 출신이다. 광둥성 인민정부 문교청 부청장, 중난군정위원회中南軍政委員會 문교위원회 위원, 광둥성 문련 주석, 중국작가협회 부주석 및 광저우분회 주석, 광둥성 인민대표대회 상무위원회 부주임 등을 역임하였다.

저서로 장편소설 『산자샹三家巷』, 『가오간다』와 중편소설 「장미가 졌다玫瑰殘了」, 「대나무 자와 망치竹尺和鐵錘」, 단편소설집 『7주년 기일七年忌』, 『산다는 것의 귀찮음生的煩擾』 등이 있다.

한치샹(1908~1989), 곡예가. 산시陝西성 헝산橫山 출신이다. 3세 때 실명하고 13세부터 곡예를 배우기 시작해 30세 때 이미 수십 부의 책을 설창하고 50여 종의 민요를 연주할 수 있었다. 산간닝 변구의 맹인 배우로 유명했다. 대표작으로 「류차오 가족이 모이다」, 「해방기翻身記」, 「이촨 대승리宜川大勝利」, 「나는 마오 주석께 설서 공연을 하러 간다我給毛主席去說書」 등이 있다.

라오서가 미국에서 장편소설 『고서예인鼓書藝人』을 완성해, 궈징추郭鏡秋가 친필 원고를 영문으로 번역한 후 라오서가 최종 교열 및 수정 작업을 하였다.

스뉴쓰史紐斯(본명 쩌우디판)가 정치풍자시집 『악몽 비망록』을 홍콩에서 자비로 출간하였다.

탕보셴唐伯先의 시집 『도시의 등불都市的燈火』이 출간되었다.

탕보셴(1909~1982), 작가. 본명은 탕멍셴唐孟先으로 안후이성 한청含城 출신이다. 공화국 성립 후에 중국작가협회 안후이성분회에 가입해 회원이 되었으며 제1~5기 현인민대표회의 상무위원회 부주임을 맡았다. 대표작으로 단편소설 「유랑하는 청년一個飄泊的青年」, 「고민에 찬 섣달 그믐밤苦悶的除夕」 및 시집 『해야의 물고기 인간海夜鮫人』, 『도시의 등불』 등이 있다.

디양笛揚의 시집 『사형死刑』이 누장출판사怒江出版社에서 출간되었다.

마젠링馬健翎의 극본 「피눈물 맺힌 원한血淚仇」이 신화서점에서 출간되었다.

마젠링(1907~1965), 희곡가. 이름은 페이댜오飛雕, 자는 젠링으로 산시陝西 미즈米脂 출신이다. 1928년에 중학교를 졸업한 후 고향의 소학교 교사가 되었으며, 같은 해에 중국공산당에 가입해 중공 미즈현위원회 선전부 부장을 역임하였다. 1934년에 베이징대학을 수료하고 1937년에 옌안사범학교에서 교편을 잡았다. 옌안에서 향토극단을 조직해 항일운동을 소재로 한 화극 「중국의 주먹中國拳頭」과 진강秦腔 지방극 「한 갈래 길一條路」을 창작해 공연하였다. 1938년에 산간닝 변구 민중극단이 성립된 후 향토극단의 구성원 대부분을 이끌고 가입해 민중극단 각본 주임에 임명되어 본격적으로 희곡예술 활동을 시작하였다. 공화국 성립 후에는 시베이군정위원회 문화부 부부장, 중국작가협회 시안분회 주석 및 부주석, 시베이희곡연구원 및 산시성희곡극원陝西省戲曲劇院 원장 등을 역임하였다. 작품으로 「구이산 유람遊龜山」, 「시후 유람遊西湖」, 「조씨 고아趙氏孤兒」, 「두아원竇娥冤」, 「피눈물 맺힌 원한」 등이 있다.

이 해 말까지 전국 대륙에서 출판된 도서의 수량은 8,000종이며, 총 인쇄 부수는 1억 5백만 권이다. 잡지는 257종이 출간되었다.

장헌수이張恨水가 7월 2일에 베이징에서 개최된 전국문대회에 초청을 받았으나, 고혈압으로 인해 갑작스러운 발작이 생겨 반신불수가 되어 회의에 참석하지 못했다. 폐회 후에 저우언라이 부주석이 특별히 인원을 파견해 그를 문병해 대회 서류를 보내고, 그를 문화부 고문으로 초빙하였다.

장헌수이(1895~1967), 소설가. 본명은 장신위안張心遠으로 안후이성 첸산潛山 출신이다. 『완장보皖江報』 편집장, 『세계일보世界日報』 편집자, 베이핑 『세계일보』 편집자, 상하이 『입보立報』 주필, 난징인보사南京人報社 사장, 베이핑 『신민보』 심사 주임 겸 사장 등을 역임하였다. 공화국 성립 후에 중앙문사관中央文史館 관원을 맡았다. 대표작으로 소설 「팔십일몽八十一夢」, 「제소인연啼笑因緣」, 「춘명외사春明外史」, 「금분세가金粉世家」, 「야심침夜深沉」 등이 있다.

선충원은 베이징에서 개최된 전국문대회에 초청받지 못했다. 선충원은 무거운 정치적·심리적 압박을 견디지 못해 정신이 거의 붕괴될 지경에 이르러 칼로 혈관을 베어 자살을 시도했으나 구조되었다. 얼마 후 베이징역사박물관北京曆史博物館으로 이동해 근무하게 되었으며 이후로 사실상 문단을 떠나게 되었다. 그는 역사박물관으로 이동한 초기의 업무 상황에 대해 이와 같이 자술한 바 있다. "나는 이곳에 매일 출퇴근하면서 오전 7시부터 오후 6시까지 11시간 동안 일한다. 공무원으로서 나는 그저 나날이 더욱 평범한 공무원이 되어 가고 있다. 다른 일들은 이야기할 만한 것이 없다. 생활은 무서울 정도로 단조로워 생각할 것조차 없다. 날마다 여러 사람과 함께 있기는 하지만 사실 많은 동료들을 아직 잘 알지 못한다. 본인이 나를 잘 안다고 생각하는 사람들은 분명히 나를 전혀 이해하지 못할 것이다. 사람들이 이야기하고 웃는 소리를 들으면 나는 마치 꿈속에 있는 것만 같다. 생명은 이처럼 나와 아무 상관없는 우스갯소리 위에 뜬 채로, 이야기할수록 점점 더 멀어져 간다. 폐관하고 나면 혼자 고궁의 오문午門 꼭대기에 서서 사방이 어둠에 뒤덮인 베이징의 풍경을 바라본다……나의 생명이 실로 완전히 혼자인 것을 명확히 깨닫는다……생명의 단절을 깨달았기에 가망이 없다는 것을 이해한다……." 이 문단은 선충원이 1951년에 어느 청년 기자에게 썼으나 보내지 않은 서신에서 인용한 것이다.(천투서우陳徒手: 『오문 성 아래의 선충원午門城下的沈從文』, 『사람에게 병이 있음을 하늘은 아는가人有病天知否』 제16쪽에서 간접 인용. 인민문학출판사, 2000년 -> 각주로 처리해야 할 듯합니다.)

후스가 베이징 해방 직전에 사직하고 남쪽으로 내려가, 이후에 홀로 미국으로 가서 정착하였다.

후스(1891~1962), 작가, 시인, 학자. 본명은 후훙싱胡洪騂, 자는 스즈適之이며 톈펑天風, 시장西疆 등의 이름을 사용하였다. 신문학운동의 개척자 가운데 한 사람이다. 베이징대학 교수, 베이징대학 문학원 원장, 푸런대학 교수 및 이사, 주아메리카합중국 중화민국대사관 특명전권대사, 미국 국회도서관 동방부 명예고문, 베이징대학 교장, 중앙연구원 원사院士, 프린스턴대학교 거스트동방도서관 관장, 중화민국 중앙연구원(타이베이 난강南港 소재) 원장 등을 역임하였다. 그의 저서 『상시집

嘗試集』은 중국현대문학사상 최초의 백화문 시집이며, 단막극「종신대사終身大事」 역시 비교적 이른 시기에 발표된 극본 중 하나이다. 이론 저서로『중국철학대강中國哲學大綱』,『국어문학사國語文學史』,『백화문학사白話文學史』 등이 있다. 이후에『후스 문집胡適文集』(12권)과『후스 전집胡適全集』(44권)이 출간되었다.

량스추梁實秋가 국민당 정부 '교육부장'인 한리우杭立武의 초청을 받아 부인 및 딸 량원창梁文薔과 함께 타이완으로 이주하였다.

량스추(1903~1987), 산문가, 문학평론가, 문학번역가. 본명은 량즈화梁治華, 자는 스추이며 베이징 출신이다. 미국 콜로라도대학교, 하버드대학교 및 콜롬비아대학교 연구소에서 유학한 후 귀국하여 신월서점新月書店 수석편집장, 국립칭다오대학 외국어문학과 주임 겸 도서관 관장, 베이징대학 영문과 교수 겸 영문과 주임,『자유평론自由評論』 주간 편집장, 국립편역관國立編譯館 번역위원회 주임, 국립사회교육학원 교수, 베이징사범대학 영문과 교수 등을 역임하였다. 쉬즈모, 원이둬와 함께 신월서점을 창립해 월간『신월新月』의 책임 편집자를 맡았다. 타이완으로 이주한 후 타이완사범대학 영문과 주임 및 영어교연소英語教研所 소장, 문학원 원장을 역임하였다. 저서로 산문집『아사소품雅舍小品』,『간운집看雲集』,『아사소품 속집雅舍小品續集』,『아사가 음식을 말하다雅舍談吃』 등이 있으며 역서로『셰익스피어 전집莎士比亞全集』 등이 있다.『원동영한대사전遠東英漢大辭典』 등을 편찬하였다. 이후에『량스추 문집梁實秋文集』(15권)이 출간되었다.

쑤쉐린蘇雪林이 홍콩으로 가서 진리학회真理學會 사무를 맡았다.

쑤쉐린(1897~1999), 여성 학자, 작가. 본명은 궁샤오메이功小梅로 안후이성 타이핑太平 출신이다. 프랑스에 유학해 예술을 공부하고 귀국한 후 여러 대학에서 교수직을 역임하였다. 1949년에 홍콩으로 가서 진리학회의 사무를 맡았으며, 다음해 프랑스로 가서 신화를 연구하였다. 1952년에 타이완으로 가서 교수직을 맡았다. 저서로 소설산문집『녹색 하늘綠天』, 역사소설집『선태집蟬蛻集』, 자전체 장편소설『극심棘心』, 산문집『도룡집屠龍集』 및 저서『20~30년대 작가와 작품二三十年代作家與作品』,『중국문학사中國文學史』 등이 있다.

두헝(杜衡, 쑤원蘇汶)이 타이완으로 가서『연합보聯合報』의 편집자를 맡았다.

쑤원(1907~1964), 작가. 본명은 다이커충戴克崇으로 저장성 위항餘杭 출신이다.『신문예』,『현대』 등 간행물의 편집자를 맡았으며 좌련에 참가하기도 하였다. 1932년에『현대』 잡지에「'제3의 인간'의 활로"第三種人"的出路」라는 글을 발표하고 본인을 '제3의 인간'이라 자칭하며 '문예자유론'을 제창한 일로 인해 취추바이瞿秋白와 루쉰 등의 작가에게서 비판을 받았다. 저서로 장편소설『역도叛徒』,『소용돌이漩渦』 및 단편소설집『회향집懷鄉集』 등이 있다.

이 해에 새로 상영된 중요한 중국 영화는 아래와 같다.

「다리橋」(위민於敏 각본, 왕빈王濱 감독, 둥베이전영제편창東北電影制片廠 제작. 신중국 최초의 영화)

「중국의 딸中華女兒」(옌이옌顔一煙 각본, 링쯔펑淩子風, 자이창翟強 감독, 둥베이전영제편창 제작. 1950년 제5회 체코슬로바키아 카를로비바리 국제영화제 자유투쟁상, 1957년 문화부 1949~1955년 우수영화상 2등상 수상)

「자신의 대오로 돌아오라回到自己的隊伍來」(청인成蔭 각본 및 감독, 둥베이전영제편창 제작, 1949년 1월 1일 상영)

「까마귀와 참새烏鴉與麻雀」(천바이천, 선푸, 왕린구王林穀, 쉬타오, 자오단趙丹, 정쥔리鄭君裏 각본, 정쥔리 감독, 쿤룬영업공사 제작. 1957년 문화부 1949~1955년 우수고사편優秀故事片 1등상, 1986년 제1회 프랑스 코르미에 국제소견편영화제科羅米埃國際消遣片電影節 우수추천작품상 수상)

「싼마오 유랑기」(양한성 극본, 자오밍趙明, 옌궁嚴恭 감독, 쿤룬영업공사 제작, 1949년 12월 상영)

1949. 7 ~ 1953. 12

1950 年

1월

1일, 『인민문학』 제1권 제3호에 저우언라이의 「중화전국문학예술공작자대표대회에서의 정치보고在中華全國文學藝術工作者代表大會上的政治報告」가 발표되었다. 같은 호에 샤오예무의 「우리 부부 사이」, 친자오양의 「개조改造」, 리가오立高의 「임무任務」, 주딩朱定의 「관 중대장關連長」 등의 소설이 발표되었으며, "스탈린 70세 생일 경축 시 특집"으로 아이칭의 「스탈린에게 바치다獻給斯大林」, 마판퉈의 「전세계가 서로 다른 언어로 하나의 이름을 환호하고 있다全世界不同的語言歡呼著同一個姓名」, 옌천의 「우리가 가장 존경하는 동지我們最最尊敬的同志」 등의 시가 발표되었다. 리잉李瑛의 시 「나팔 소리號聲」와 천칭장陳淸漳, 펑페이鵬飛, 멍허바터孟和巴特, 다무린達木林, 쥔리軍力, 메이리치거美麗其格, 쑹라이자무쑤松來紮木蘇, 싸이시야라투賽西雅拉圖 등이 합동 변역한 네이멍구의 민간 장편 서사시 『가다메이린嘎達梅林』(본 작품은 1951년 4월에 상하이해연서점에서 '민간문학총서民間文學叢書' 중 한 권으로서 출간되었으며 인쇄 부수는 1~3,000권이었다. 1979년 2월에 상하이문예출판사上海文藝出版社에서 재판을 출간하였으며 인쇄 부수는 1~50,000권이었다) 및 천칭장의 소개글 「『가다메이린』에 관하여關於<嘎達梅林>」가 발표되었으며, 판샤오거樊曉歌의 보고문학 「군대 생활 회고軍隊生活的回顧」 역시 같은 호에 발표되었다.

리잉(1926~2019), 시인. 본적은 허베이성 펑룬豐潤이며 랴오닝성 진저우錦州에서 출생하였다. 1943년부터 습작을 시작하였으며 1945년에 베이징대학 중문과에 입학하였다. 1949년에 중국인민해방군에 참가해 1955년에 해방군문예출판사解放軍文藝出版社에서 편집을 맡았으며 부편집장,

편집장, 사장, 총정치부 문화부 부장 등을 역임하였다. 1976년 1월에 창작한 장시 『1월의 애상一月的哀思』이 발표된 후 독자들로부터 큰 반응을 얻었다. 저서로 『스청의 푸른 새싹石城底青苗』, 『야전 시집野戰詩集』, 『전장에서의 명절戰場上的節日』, 『톈안먼 위의 홍등, 우정의 꽃다발天安門上的紅燈友誼的花束』, 『아침早晨』, 『시대 기록時代紀事』, 『해안 전선에서 보내온 시寄自海防前線的詩』, 『꽃의 들판花的原野』, 『고요한 초소靜靜的哨所』, 『불꽃의 시대에 바치다獻給火的年代』, 『자오린춘집棗林村集』, 『온 산에 붉은 꽃이 만발하다紅花滿山』, 『북방 국경이 불처럼 붉다北疆紅似火』, 『일어서는 인민站起來的人民』, 『진군집進軍集』, 『잊을 수 없는 1976難忘的一九七六』, 『이른 봄早春』, 『연소하는 전장에서在燃燒的戰場上』 등이 있다.

주딩(1928~), 작가로 상하이 출신이다. 상하이 성 요한대학上海聖約翰大學 신문방송학과를 졸업하였다. 1949년에 혁명공작에 참여해 베이징 중공중앙군사위원회 기술부 2국 과원科員, 신장 스허쯔石河子 문련 부주석 겸 비서장을 역임하였다. 작품으로 소설 「지옥과 천당地獄與天堂」, 「관 중대장」, 「기술자가 하는 이야기工程師講的故事」, 「빙산설연冰山雪蓮」, 「타이완에서 온 어선台灣來的漁船」 등이 있다. 1951년에 발표한 「관 중대장」은 양류칭楊柳青에 의해 동명의 영화로 각색되어 상영되었는데, 저명한 영화예술가인 스후이石揮가 감독 및 주연을 맡았다.

샤오예무의 소설 「우리 부부 사이」가 발표된 후 그림책과 화극 및 영화로 각색되어 독자들의 환영을 받았다(이 소설은 1979년 11월에 톈진백화문예출판사天津百花文藝出版社에서 출간된 『샤오예무 작품선蕭也牧作品選』에 수록되었으며 인쇄 부수는 1~65,000권이었다). 그러나 1951년 6월에 '소자산계급적 창작경향'이 보인다는 이유로 맹렬한 비판을 받았다. 가장 먼저 천융이 1951년 6월 10일자 『인민일보』에 글을 발표해 "일부 문예공작자가 문예사상 혹은 창작 측면에서 다소 건강하지 못한 경향을 드러냈다. 이러한 경향은 사실상 곧 마오쩌둥 주석이 「강화」에서 이미 비판한 바 있는 소자산계급적 경향이다. 이러한 경향이 창작에 표현되면, 즉 생활에서 벗어나거나 혹은 소자산계급적 관점에 의지해 취미의 시선에서 생활을 관찰하고 표현하게 된다"(「샤오예무 창작의 몇 가지 경향蕭也牧創作的一些傾向」)라고 주장하였다. 『문예보』 1951년 제4권 제8호에는 딩링이 샤오예무에게 보낸 공개서한이 게재되었다. "이 소설은 매우 거짓되고 부적절합니다. 당신에게 반드시 알려주고 싶습니다. 이러한 경향을 수정해야 합니다. 속임수에 빠지면 안 됩니다." "이미 일부분의 사람들이 당신의 작품을 기치로 삼아 어떤 것들을 엄호하거나 혹은 반대하는 데 사용하고 있습니다." "이것은 그저 당신 개인의 창작의 문제라고 할 수 없습니다. 이로 인해 사람들이 문예계에서 풍기는 악취를 맡게 되므로, 반드시 어떠한 문예 경향의 문제로 보아야 할 것입니다"(「하나의 경향으로서 보다 - 샤오예무에게 보내는 편지作爲一種傾向來看——給蕭也牧的一封信」). 펑쉐펑은 '리딩중

李定中'이라는 필명으로 『문예보』에 독자에게 보내는 서신을 발표하여 "이런 불량한 경향은……매우 유해한 것입니다. 그러나 나는 그 원인이 작가가 생활에서 멀어졌기 때문이 아니라 정치에서 멀어졌기 때문이라고 생각합니다! 본질적으로 보았을 때, 이러한 창작 경향은 사상의 문제이고, 만약 그대로 발전해 나간다면 정치 문제로 번질 것입니다. 따라서 지금부터 반드시 경계해야 합니다"(「인민을 우롱하는 태도와 새로운 저질 취향을 반대한다」, 『문예보』 1951년 제4권 제5호)라고 주장하였다.

톈진문협에서 편찬한 『문예학습文藝學習』이 창간되었다. 창간호에 쑨리의 글 「공장행 경험에 관하여略談下廠」가 발표되었다.

『대중시가』 제1권 제1호에 궈모뤄의 「시에 관한 몇 가지 의견關於詩歌的一些意見」이 발표되었다. 같은 호에 왕야핑의 「청춘의 중국青春的中國」, 린경의 「스탈린 동지, 마르크스레닌주의의 영광이여斯大林同志,你馬列的光榮」, 쉬츠의 「우리는 고난을 두려워 않는다艱苦我們不怕」, 짱커자의 「그들은 같은 방향을 바라보고 있다他們望著一個方向」, 사어우의 「스탈린 창전斯大林唱傳」, 펑즈의 「같은 하루共同的一天」 등의 시가 발표되었다.

린경(1910~2006), 시인, 학자. 자는 징시靜希이며 푸젠성 민허우閩侯 출신이다. 1928년에 칭화대학에 입학했으며 1934년 이후에 『베이핑 연가北平情歌』, 『동면곡 및 기타冬眠曲及其他』 등의 저서를 출간하였다. 중일전쟁 발발 후에 샤먼대학廈門大學으로 가서 교편을 잡았다. 1947년에 베이징으로 돌아와 옌징대학 중문과 교수를 맡았으며 1952년부터 베이징대학 교수를 맡았다. 저서로 『봄밤과 창문春夜與窗』, 『문로집問路集』, 『공간의 바람空間的馳想』 등의 시집과 『중국문학사中國文學史』, 『시인 굴원 및 그 작품 연구詩人屈原及其作品研究』, 『천문논전天問論箋』, 『시인 이백詩人李白』, 『당시종론唐詩綜論』, 『신시의 격률 및 언어의 시화新詩格律與語言的詩化』 등의 학술 저서가 있다.

같은 날, 베이징인민예술극원北京人民藝術劇院(연칭沿稱 '노인예老人藝')가 설립되어 리보자오가 원장을 맡았다. 이 화극 집단은 본래 옌안중앙당교 문예공작연구실과 중앙관현악단이 합병되어 성립된 화베이인민문예공작단華北人民文藝工作團을 기초로 하여 설립된 것이다.

문화부 희곡개진국이 주관한 『신희곡新戲曲』(주보)이 베이징에서 창간되었다.

6일, 문화부에서 문예보고회를 개최해 마오둔이 베이징시의 문예간부들에게 문예창작 보고를 진행하였다. 이 보고문은 이후에 「문예창작 문제文藝創作問題」라는 제목으로 『인민문학』 제1권 제5호(3월 1일자)에 발표되었다. 이 보고문은 문예창작의 정치성과 예술성의 관계에 관한 문제에 관해 언급했기 때문에 토론을 야기하였다.

이 글이 『인민문학』에 정식으로 게재되기 전에 『문예보』 제3권 제9호(1월 25일자)에 마오둔이 『인민문학』 잡지에서 개최한 '창작 좌담회' 때 발언한 「현재 창작의 몇 가지 문제目前創作上的一些問題」라는 글이 게재되었다. 마오둔은 이 두 차례의 발언에서 문예창작과 정치 임무를 완성하고 정치 선전에 호응하는 일 사이의 관계에 관하여 중점적으로 언급하였다. 그는 작품의 정치성과 예술성을 동시에 얻을 수 없는 경우에는 "정치적 임무를 희생할 바에는 예술성이 조금 부족해지는 것이 낫다"고 말했다. 그는 이렇게 말하는 것이 "그다지 과학적이지는 않다"고 솔직하게 지적하면서도, "임무를 좇는" 것은 결국은 영광스러운 일이며, "우리에게 좇아야 할 임무가 부여된다는 것이 곧 우리 문예공작자가 혁명 사업에 쓸모가 있으며 인민을 위해 복무하는 데 이득이 된다는 것을 나타내"므로, "만약 역사에 길이 남는 작품을 창작하기 위해 현재의 임무를 포기한다면 그것은 옳지 않다"고 주장하였다.

마오둔의 이러한 의견은 문예계에 논쟁을 불러일으켰다. 10월에 사오취안린은 『문예보』 제3권 제1호에 「문예창작 및 정치와 임무의 결합에 관해 논하다論文藝創作與政治和任務相結合」라는 논고를 발표해, 문예는 반드시 정치를 위해 복무해야 하지만 "정치의 구체적인 표현은 바로 정책"임을 명확히 지적하고, 따라서 "작가가 창작 과정에서 정책의 관점을 능숙하게 파악할 수 없다면 정치를 위해 제대로 복무할 수 없다"고 보았다.

이후에 샤오인이 1951년 『문예보』 제4권 제5호에 서로 다른 여러 의견들을 총결산하는 논술을 발표하였다. 그는 "자신에게 익숙하며 흥미 있는 소재에 대해 쓰라"는 요구는 사실상 "정치적 임무를 회피"하는 것이라고 보면서, 지도자가 창작 임무를 분배하는 과정에서 내용을 지나치게 융통성 없이 규정하고 시간을 너무 촉박하게 제한하는 것은 그저 작가가 '임무'를 제대로 좇지 못하는 객관적인 원인일 뿐이며, 작가 본인이 "'임무'를 부담으로 여기고 '문예는 정치를 위해 복무해야 한다'는 엄숙한 공작에 대해 '얼버무리는' 태도로 대처하는" 것이 바로 작가가 '임무'를 제대로 좇지 못하는 주관적인 원인이라고 보았다.

사오취안린(1906~1971), 문학평론가, 작가. 본명은 사오쥔윈邵駿運이며 사오이민邵逸民, 사오이민邵亦民 등의 이름을 사용하였다. 취안荃, 리푸力夫, 치뤄契若 등의 필명을 사용하였다. 본적은 저장성 츠현慈縣이며 쓰촨성 충칭에서 출생하였다. 1926년에 중국공산당에 가입하였다. 1936년 무렵에 문학작품 창작 및 번역을 시작하였다. 1938년에 중국공산당 저장성위원회 문화영도소조文化領導小組에서 업무를 시작해 중공 둥난문화위원회 서기를 맡아 『둥난전선東南戰線』의 책임 편집자를 맡았다. '완난 사변' 이후에 구이린으로 이동해 중국공산당 문화공작조 조장을 맡아 『문화잡지』를 편집하고 『청년문예』를 창간하였다. 1944년에 충칭으로 가서 중국공산당 충칭국 문화공작위원회

위원을 맡아 『문예잡지』를 편집하였다. 종전 후에 우한, 홍콩 등지에서 업무에 종사하며 『대중문예총간大眾文藝叢刊』을 편찬하였으며, 공화국 성립 후에는 정무원 문교위원회 부비서장, 문교위원회 당위원회 위원, 중공중앙선전부 부비서장 등을 역임하였다. 1953년에 중국문학공작자협회(이후에 중국작가협회로 명칭 변경) 당조서기를 맡았으며 동시에 중국문학공작자협회 부주석으로 당선되어 『인민문학』 책임 편집자를 맡았다. 1962년에 '현실주의 심화' 및 '중간 상태 인물 창작'을 제창한 일로 인해 공개적으로 비판받았다. 문화대혁명 시기에 잔혹하게 박해를 받아 옥중에서 병사하였다.

8일, 펑즈의 시 「1950년 송가一九五0年頌」가 『인민일보』에 발표되었다.

10일, 『문예보』 제1권 제8호에 주광첸의 「미감에 관한 문제關於美感問題」, 차이이의 「주광첸의 미학사상에 관하여略論朱光潛的美學思想」 및 황야오몐의 「주광첸에게 답하며 학문하는 태도에 관해 논하다答朱光潛並論治學態度」 등의 글이 게재되어 미학사상에 관한 일대 토론이 전개되었다. 그 이전인 1949년 10월 25일자 『문예보』 제1권 제3호 '문예사서함文藝信箱' 란에 저장성의 독자 딩진丁進이 주광첸의 미학사상에 관해 몇 가지 질문을 한 글이 게재되어 차이이가 「'거리설'과 '이정설'에 관해 논하다」라는 제목으로 답변하는 글을 게재하였다. 그는 "주광첸의 주장에 따르면 미감의 대상은 고립되어 있는 것으로, 외부 사물과의 관계, 즉 인생에 대한 의의를 단칼에 끊어 버린 것"이라는 관점이 존재하는 문제가 있다고 보았다. 『문예보』에서는 이 문제에 관해 지속적인 토론이 진행되었다.

같은 호에 라오서의 잡문 「미국인의 고민美國人的苦悶」, 딩링의 잡문 「소련인蘇聯人」 및 덩유메이鄧友梅의 「화이하이 전선에 간 문공단원文工團員在淮海前線」, 광웨이란光未然의 「극본 창작에 관한 몇 가지 문제에 관하여 – 화베이대학 3부 극작조의 성취와 결점談劇本創作的幾個問題——華北大學三部劇作組的成績和缺點」(『극본총간劇本叢刊』 제1집 서문), 탄투譚吐의 산베이陝北 민간전설 「마오 주석 이야기毛主席的故事」 등이 발표되었다.

덩유메이(1931~), 작가. 유메이右枚, 팡원方文, 진즈錦直 등의 필명을 사용하였다. 본적은 산둥이며 톈진에서 출생하였다. 1945년에 혁명공작에 참가해 팔로군 루중군구魯中軍區 통신원, 신4군 및 화둥야전군 문예공작단 단원, 베이징 제3건축공사第三建築公司 지부서기, 베이징시 문련 서기처 서기 및 당조성원, 중국작가협회 제4기 서기처 서기 등을 역임하였다. 1946년부터 작품을 발표하였다. 저서로 『경성 안팎京城內外』, 『코담뱃갑煙壺』, 『산문잡반散文雜拌』, 『덩유메이 자선집鄧友梅自選

集』(5권) 등이 있다. 작품 가운데 「우리의 군단장我們的軍長」은 제1회 전국 우수단편소설상을, 「타오란팅 이야기話說陶然亭」는 제2회 전국 우수단편소설상을 수상하였으며, 「대오를 쫓아가는 여군追趕隊伍的女兵」은 제1회 전국 우수중편소설상을, 「나우那五」는 제2회 전국 우수중편소설상을, 「코담뱃갑」은 제3회 전국 우수중편소설상을 수상하였다.

광웨이란(1913~2002), 시인, 사인詞人, 문학평론가. 본명은 장광녠張光年으로 후베이성 광화光化현(지금의 허커우河口시) 출신이다. 30년대에 진보적 희곡활동 및 문학활동을 시작하였다. 1936년에 우한에서 항일 지사를 찬양하는 가사歌詞 「5월의 꽃五月的鮮花」을 발표하였으며 1938년에 『가두극 창작집街頭劇創作集』을 출간하였다. 다음해에 항적연극제3대抗敵演劇第三隊를 이끌고 진시항일유격구晉西抗日遊擊區에서 출발해 옌안으로 갔으며, 3월에 옌안에서 중화민족 정신을 찬양하는 연작시 『황허 대합창黃河大合唱』을 창작하였다. 셴싱하이冼星海가 이 시에 곡을 붙여 전국 각지에서 널리 불리게 되었다. 1944년에 민간에 구전되는 이야기를 바탕으로 장편서사시 『아세인의 노래阿細人的歌』를 창작하였으며, 동시에 장편 서정시 『녹색의 이라와디綠色的伊拉瓦底』를 창작하였다. 공화국 성립 후에 『극본』, 『문예보』, 『인민문학』의 책임 편집자를 맡았으며 장광녠이라는 이름으로 대량의 문예평론을 발표하였다.

14일, 샤오예무의 중편소설 「단련」이 『중국청년』(격주간) 제30회에 연재를 시작해 제45호까지 연재되었다. 같은 호에 펑전彭真의 「청년들과 함께 혁명 일상사를 이야기하다和青年們講一點革命家常」, 쑹윈빈宋雲彬의 「많이 보라多看看」, 「겨울방학을 보내는 데 대한 건의對過寒假的一點建議」가 발표되었다.

15일, 청두시 군관회 문교부에서 전시문예계좌담회全市文藝界座談會를 개최해 200여 명이 참석하였으며, 이를 통해 청두시 문련 준비조가 정식으로 발족하였다. 본래 시 문협에 있던 리제런李劼人과 사팅沙汀 등이 발언하였다.

리제런(1890~1962), 작가, 문학번역가. 쓰촨성 청두 출신이다. 17세에 쓰촨고등학당 분설중학四川高等學堂分設中學에 입학해 동지회同志會 운동을 직접 경험하였다. 22세에 『신종보晨鍾報』에 첫 작품 「원유회遊園會」를 발표하였다. 23세 이후에 루현瀘縣 및 야안현雅安縣 정부교육과 과장을 맡았다. 5·4 운동 당시에 소년중국학회少年中國學會에 참가하였으며, 이후에 프랑스로 유학해 고학한 후 1924년에 귀국해 청두대학 교수를 맡아 『신천보新川報』 부간의 책임 편집자를 맡았다. 1933년에 루쭤푸민생공사盧作孚民生公司 기계공장 공장장으로 초빙되었다. 중일전쟁 시기에는 문협 청두분회 상무이사를 맡았다. 공화국 성립 후에는 청두문예공작자협회 상무이사, 시난군정위원회西南軍政委員會 위원, 촨시인민공서川西人民公署 위원, 청두시 부시장, 중국문련 전국위원회 위원, 쓰촨성 문련 부주석, 중국작가협회 쓰촨분회 부주석 등을 역임하였다. 평생 동안 주로 문학창작 및 프랑스문학 작품의 번역에 종사하였다. 대표작으로 1935년에서 1937년 사이에 창작한 '대하소설'인 『고인 물에 잔물결이 일다死水微瀾』, 『폭풍우 치기 전暴風雨前』, 『큰 파도大波』 3부작이 있으며, 그 외에도 해방 직전의 기형적인 경제상황과 기형적인 인성을 반영한 장편소설 『천마의 춤天魔舞』이 있다.

사팅(1904~1992), 소설가. 본명은 양차오시楊朝熙이며 양쯔칭楊子青, 양즈칭楊只青 등의 이름을 사용하였다. 필명은 인광尹光이며 쓰촨성 안현安縣 출신이다. 1929년에 상하이로 가서 바이거白戈 등과 함께 신간서점辛墾書店을 설립하였다. 1932년에 첫 단편소설집 『법률 바깥의 항로法律外的航線』를 출간해 루쉰과 마오둔으로부터 상찬과 격려를 받았다. 같은 해에 좌련에 가입하였다. 1936년에 중국공산당에 가입해 좌련 비서 및 산문조 조장을 맡았다. 1938년에 옌안으로 가서 옌안루예문학과 주임 대리를 맡았다. 공화국 성립 후에는 시난문련 부주석 및 주석을 역임하였으며 1978년에 베이징으로 이동해 중국사회과학원 문학연구소 소장을 맡았다. 1979년에 중국작가협회 부주석으로 당선되었다. 저서로 장편소설 『도금기淘金記』, 『곤수기困獸記』, 『환향기還鄉記』 및 단편소설 「치샹쥐 찻집에서在其香居茶館裏」, 「자력磁力」, 「캄차카 소경堪察加小景」 등이 있다. 문화대혁명이 종료된 후 중편소설 「푸름·비탈青·坡」, 「무위산木魚山」, 「훙스탄紅石灘」 등을 발표하였다.

『인민시가人民詩歌』 창간 특집호에 왕야핑의 「영춘곡迎春曲」, 류첸柳倩의 「행복한 세월 - 1950년을 맞이하며幸福的歲月——迎接一九五〇年」, 런쥔任鈞의 「인민의 새로운 상하이를 노래하다歌唱人民的新上海」, 펑즈의 「악수握手」 등의 시가 발표되었다. 또한 취추屈楚가 편찬한 『공인 시선工人詩選』, 양리강楊裏岡과 천다오융陳道用이 편찬한 『전사 시선戰士詩選』 및 라오신勞辛의 「'무엇을 쓸 것인가'와 '어떻게 쓸 것인가'寫什麼與怎樣寫」, 류란산의 「첫 번째 이정표 -『중국인민문예총서』 초기 권에 수록된 다섯 시집: 『소작농 린씨』, 『왕구이와 리샹샹』, 『인력거꾼 전기』, 『동방홍』, 『올가미』를 읽고第一座裏程碑——<中國人民文藝叢書>第一批中的五本詩集：<佃戶林>, <王貴與李香香>, <趕車傳>, <東方紅>, <圈套>讀後」 등의 글이 발표되었다.

류첸(1911~2004), 시인, 학자, 서예가. 본명은 류즈밍劉智明으로 쓰촨성 룽현榮縣 출신이다. 1933년에 좌련에 가입하였으며 1932년에 무무톈, 바오펑薄風 등과 함께 중국시가회中國詩歌會를 발기 및 창립해 『신시가新詩歌』 잡지를 창간하였다. 중일전쟁 발발 후에 궈모뤄의 소개를 통해 중공중앙남방국中共中央南方局이 이끄는 문화공작위원회에 참가해 문협 회원이 되었으며, 이후에 저둥행정공서浙東行政公署 문교처 부책임자를 맡았다. 공화국 성립 후에는 상하이 군관회 문예처 및 화등문화부에서 근무하였으며 상하이 시가공작자협회 부주석을 맡았다. 1953년에 베이징시 희곡편도위원회戲曲編導委員會로 이동하였다. 1979년 이후에 중국서법가협회中國書法家協會 준비공작에 참여해 중국서법가협회 상무이사 및 베이징분회 부주석을 역임하였다. 저서로 시집 『생명의 작은 흔적生命的微痕』, 『꽃 없는 봄無花的春天』, 『대지를 뒤흔드는 한 달간震撼大地的一月間』, 『류첸 시사선柳倩詩詞選』, 『지울 수 없는 상흔抹不掉的傷痕』 등이 있다.

런쥔(1909~2003), 시인. 본명은 루자원盧嘉文이며 루썬바오盧森堡, 쑨보孫博 등의 필명을 사용하였다. 광둥성 메이현梅縣 출신이다. 1926년부터 시 창작을 시작하였다. 1928년에 상하이 푸단대학에서 수학하다가 이후에 일본으로 유학해 와세다대학교 문과에서 수학하면서 장광츠 등과 함께 태양사 도쿄분사를 조직하였다. 1932년에 졸업하고 귀국한 후 상하이 푸단대학, 쓰촨성립희극학교四川省立戲劇學校, 상하이희극학원 등에서 교수를 맡았으며 태양사 및 좌련의 활동에 참가하였다. 1932년에 양사오楊騷, 무무톈, 류첸 등과 함께 중국시가회를 조직하였으며 『신시가』 편집위원을 맡았다. 1936년에 『냉열집冷熱集』을 출간하였는데, 이 시집은 중국 신시 문단 최초의 개인 풍자 시집이다. 그 외의 저서로 시집 『군가戰歌』, 『런쥔 시선任鈞詩選』, 『승리를 위해 노래하다爲勝利而歌』 및 시론집 『신시화新詩話』가 있으며, 번역서로 장편소설 『시골 아가씨鄕下姑娘』, 『사랑의 노예愛的奴隸』를 비롯해 저서 『러시아문학사조俄國文學思潮』, 『예술방법론藝術方法論』, 『톨스토이의 마지막 일기托爾斯泰最後日記』 등이 있다.

런쥔의 시 「인민의 새로운 상하이를 노래하다」가 발표된 이후 다소 비판을 받았다. 왕야핑은 "최근에 『인민시가』 창간호에 발표된 런쥔의 「인민의 새로운 상하이를 노래하다」를 읽었는데, 이 시는 제1연부터 문제가 있다……작가의 생각과 감정을 분석해 보면, 반동파가 제국주의와 결탁해 통치하던 시기의 상하이에서 작가는 그 혁명 투쟁의 현실을 감히 직시하지 못하고 있었음을 알 수 있다. 작가는 통치자에 대해 최소한으로 반항하는 분개심조차 가지고 있지 않다. 그렇지 않다면 어째서 작가는 그 시기에 '나는 줄곧 조국에 있지 않았던 것만 같다'고 느꼈겠는가? 그렇다면, 작가는 도대체 어느 나라에 있었던 것인가? 우리는 모두 당시의 통치자가 점거하고 있던 상하이에서 수많은 공산당원과 공인, 학생, 애국지사들이 모두 비밀리에 혹은 공개적으로 천지를 뒤엎을 영웅적인 투쟁을 하고 있었음을 잘 알고 있다. 그들은 조국과 인민을 사랑하고, 조국의 나무 한 그루 풀 한 포기를 사랑하는 마음으로 반동파와 제국주의의 잔혹하고 피비린내 나는 압박과 착취와 괴롭힘에 대해 분노하고 증오했기에 자기 몸을 돌보지 않고 단호히 투쟁했던 것이다. 그러나 우리의 시인은 '남의 나라에서 생활하고 있다'고 느끼고 있으니, '그것은 국제 제국주의의 천하'라서 '중국인은 노예와 소와 말'이 되어 버렸다고 여기면서 자기 자신 역시 '노예와 소와 말'이 되어 버린 것이 아니겠는가!" "만약 이것이 작가에게 너무 가혹한 요구가 아니라고 한다면, 우리는 이것이 건강하지 못한 생각이라고 말할 수 있다." "이러한 생각에서 탄생한 시는 당연히 '건강하지 못한 감정'이며, 이러한 생각과 사상은 인민 대중의 입장이 결여되어 있기에 형성된 것이다"라고 보았다(「시인의 입장 문제詩人的立場問題」, 『문예보』 1950년 제1권 제12호).

허난성 문련 준비위원회에서 격주간으로 발행되는 통속문예 잡지 『번신문예翻身文藝』를 창간하였다.

16일, 문화부에서 베이징시 문교국과 합동으로 회의를 개최해 문예가협회, 희극가협회, 미술가협회 등 8개 단체의 20여 명이 참석해 베이징 해방 후 처음으로 맞는 춘절의 문예선전공작을 더욱 잘 전개할 방법에 관해 토론하였다.

18일, 중국경극공작단中南京劇工作團이 우한에서 설립되었다.

『인민일보』에 중뎬페이의 「「중화의 딸」을 평하다評<中華女兒>」가 발표되었다. 중뎬페이는 글에서 「중화의 딸」이 소재를 "충분히 전개시키지 못했다"고 평하며, 실화를 서술하는 성격이 비교적 강한 방식으로 소재를 처리하는 창작 경향에 대해 우려를 표했다.

중뎬페이(1919~1987), 영화평론가. 본명은 중융파鍾永發로 충칭 장진江津 출신이다. 중일전쟁 발발 후 옌안으로 가서 항일군정대학抗日軍政大學에 입학했으며 다음해에 옌안루예에 전입하였다. 1939년에 화베이연합대학華北聯合大學 문예학원 교수를 맡았다. 1943년 이후로 지중유격구冀中遊擊區에서 공작에 종사하였다. 1948년에 중공중앙 화베이국 선전부로 이동했으며 다음해에 문화부로 이동해 예술국의 설립 준비 업무를 맡았다. 1952년에 중공중앙 선전부로 이동하였다. 1957년에 『문예보』에 발표한 「영화의 징과 북電影的鑼鼓」이라는 글로 인해 우파로 오인되었다. 1978년에 중국사회과학원 문학연구소로 자리를 옮겼으며 중국전영평론학회中國電影評論學會를 설립해 신진 영화평론가들을 육성하였다. 저서로 『육침집陸沉集』, 『기박서起博書』, 『영화의 징과 북』, 『영화의 계책電影策』 등이 있다.

20일, 문화부 희곡개진국이 속한 대중극장大眾劇場이 개막하였다. 극장의 개막을 경축하기 위해 23일부터 25일까지 경극연구원京劇研究院과 희곡실험학교戲曲實驗學校가 합동으로 신경극 「삼타축가장三打祝家莊」을 공연하였다. 본 경극은 웨이천쉬魏晨旭가 각색하고 톈한이 심사하였으며 리쯔구이李紫貴와 정이추鄭亦秋가 집행감독을 맡았다. 본 경극이 공연된 후 희곡계에서는 '신경극 가운데 가장 성공적인 공연'이라는 일치된 의견을 보였다.

대중문예창작연구회大衆文藝創作研究會가 편찬하고 리보자오와 자오수리가 책임 편집자를 맡은 잡지 『이야기하고 노래하다說說唱唱』가 정식으로 출간되었다. 자오수리가 톈젠의 장시 『인력거꾼 전기』를 바탕으로 각색한 고사鼓詞 「스부란이 인력거를 몰다石不爛趕車」가 창간호에 발표되었다. 본 잡지는 1955년 3월에 총권 63호로 폐간되었다.

23일, 국가출판총서 부서장인 예성타오가 저우쭤런을 방문해 그리스 문학작품 번역 업무를 맡아 달라고 요청하였다.

25일, 『문예보』 제1권 제9호의 '편집부의 말' 「앙가 수준 제고 문제秧歌提高問題」에서 "앙가의 수준 제고 문제는 군중문예운동의 중요한 일환으로서 응당 많은 이의 주의를 끌어야 한다"고 주장하였다. 또한 광웨이란의 「앙가무와 앙가극의 수준을 어떻게 높일 것인가秧歌舞和秧歌劇如何提高」, 스츠石池의 「앙가에 관한 몇 가지 의견關於秧歌的幾點意見」, 후사胡沙의 「앙가무의 수준 제고에 관하여談秧歌舞的提高」 등의 글이 발표되었다.

같은 호에 수창舒強이 독자 장전둥張振東이 제기한 "화극의 모든 장점은 완전히 가극을 위한 것인가?" 등의 문제에 대하여 「가극과 화극에 관한 문제關於歌劇和話劇的問題」라는 글을 발표하였다. 수창은 글에서 가극과 화극의 특징을 구분하면서 "각종 희극 형식은 현실을 표현하고 생활을 반영할 수 있기만 하다면 응당 각자 생존하고 또한 발전할 수 있도록 해 주어야 한다"고 보았다.

수창(1915~1999), 희극 감독. 본명은 장수창蔣樹強으로 장쑤성 난징 출신이다. 중일전쟁 시기에 상하이구망연극제4부대上海救亡演劇四隊에서 감독을 맡았으며 후에 충칭중국예술극사重慶中國藝術劇社에서 배우를 맡았다. 1944년에 옌안으로 가서 신가극 「백모녀」의 감독 작업에 참여하였으며, 이후에 화베이연합대학 문예학원 희극과 주임, 화베이대학 문공단 단장을 맡았다. 공화국 성립 후에는 중앙희극학원 연기과 주임, 중앙실험화극원中央實驗話劇院 부원장 및 원장, 총감독 등을 역임하였다. 감독을 맡은 화극으로 「대풍가大風歌」 등이 있으며 저서로 『수창 희극논문집舒強戲劇論文集』이 있다.

같은 호에 마오둔이 인민문학사의 '창작 좌담회' 때 발언한 원고 「현재 창작의 몇 가지 문제」(제목은 편집자가 추가한 것)가 전재되었다. 마오둔은 이 글에서 "1. 실제 인물과 실제 사건 및 전형성의 문제, 2. 형식과 내용의 문제, 3. 임무를 완성하는 일과 정책과의 결합에 관한 문제, 4. 낭만주의와 현실주의의 문제, 5. 어떻게 학습하고 제고해야 하는가의 문제" 등 다섯 가지 문제를 제기하였다. 마오둔은 실제 인물, 실제 사건과 전형성은 서로 대립하지 않는다고 보면서 "가장 진보적인 창작방법은 사회주의적 현실주의 창작방법이다"라고 보았다. "임무를 좇는" 일은 필요하다. 다만 "조잡하게 대충하려는 마음을 가져서는 안 되지만, 그렇다고 지나치게 거대한 야심을 가지고 불후의 명작이 아니면 결코 쓰지 않겠다고 생각하는 것도 좋지 않다." "내용이 형식을 결정한다는 말은 진리이다", "한편으로는 구형식의 합리적인 부분을 흡수하면서 다른 한편으로는 개조를 꾀해 구형식의 수준을 높여야 한다"고 주장하였다. 마오둔은 마지막으로 문학의 언어 문제에 대해 "우리는 방언을 사용할 수 있지만, 문제는 어떻게 쓰느냐이다", "문학의 언어는 일반적으로 형식 문제의 범주에 두고 토론해야 한다"고 지적하였다.

같은 호에 캉줘의 소설 「첫 번째 새해第一個新年」, 베이징신화인쇄공장 공인인 장징江靜의 소설 「쇠를 두드리다打鐵」 및 왕먼王門의 「「시멘트」를 읽고讀<士敏土>」, 옌천의 「『몽고 민가집』을 읽고讀<蒙古民歌集>」 등의 글이 발표되었다.

28일, 중앙문화부 희곡개진국 희곡실험학교가 베이징에 설립되어 톈한이 교장을 맡았다. 이 학교는 신중국 최초의 희곡실험학교로, 1955년 2월에 중국희곡학교中國戲曲學校로 명칭이 정식 변경되었다.

『인민일보』에 「소련의 영화사업蘇聯的電影事業」이 발표되었다.

29일, 『인민일보』에 주쯔치朱子奇의 산문 「12월의 모스크바十二月的莫斯科」가 발표되었다.

30일, 화중문련 준비위원회 상무위원회 제2차 회의가 한커우漢口에서 개최되어 슝푸熊複, 헤이딩黑丁 등 20여 명이 참석하였다.

슝푸(1915~1995). 푸룽傅容, 루춘茹純 등의 필명을 사용하였으며 쓰촨성 린수이鄰水 출신이다. 저서로 문예평론집 『마오쩌둥 문예노선을 고수하기 위해 투쟁하자爲堅持毛澤東文藝路線而鬥爭』 및 사집詞集 『영몽집靈夢集』, 『금슬집錦瑟集』 등이 있다.

이달에 리잉, 궁류公劉, 바이화白樺, 저우량페이周良沛 등의 청년시인들이 '붓을 내던지고 종군'해 제4야전군과 제2야전군에 합류해 중난 및 시난 지구로 진군하여 적의 잔당을 섬멸하였다.

사팅의 소설 『도금기』가 베이징작가출판사作家出版社에서 출간되었다. 바런의 소설 『런성과 그 주위 사람들任生及其周圍的一群』이 상하이해연서점에서 출간되었다. 왕린의 소설 『18필의 군마』가 상하이군익출판사에서 출간되었다. 캉줘의 소설 『어느 지식청년의 하향 이야기』가 베이징청년출판사에서 출간되었다.

후평의 장시 『시간이 시작되었다!時間開始了!』가 연이어 출간되었다. 『환희의 송가 – 시간이 시작되었다! 제1악편歡樂頌——時間開始了!第一樂篇』, 『영광의 찬가 - 시간이 시작되었다! 제2악편光榮贊——時間開始了! 第二樂篇』이 1950년 1월에 해연서점에서 출간되었으며 『진혼곡 – 시간이 시작되었다! 제4악편安魂曲——時間開始了! 第四樂篇』, 『환희의 송가 – 시간이 시작되었다! 제5악편歡樂頌——時間開始了! 第五樂篇』이 1950년 3월에 천하도서공사天下圖書公司에서 출간되었다. 1950년 6월 1일자 『대중시가』 제1권 제6호에 황야오멘의 시평 「「시간이 시작되었다!」를 평하다評<時間開始了!>」가 발표되었다. 그는 평론에서 "나는 이 시가 실패작이라고 생각한다. 그 이유는 작가가 군중의 관점을 가지고 있지 못하고, 혁명을 이해하지 못하며, 실제 투쟁 경험이 결핍되어 있기 때문이다. 작가 자신에게 그가 찬양하려 하는 영웅의 소질이 부족하기 때문에, 혁명과 지도자와 인민을 찬양할 때 작가는 진실을 파악하지 못하는 것이다. 작가는 종종 자신의 일시적이고 충동적인 열정을 방임해 공허한 외침을 내지르며, 그 속에는 작가 개인의 애상과 사적인 불평, 그리고 과거로부터 잔재해 있는 실패주의의 애상이 섞여 있다. 바로 이런 이유로 작가의 시편은 실패한 것이다. 이렇게 많은 결점을 가지고 있기 때문에 이 시는 사회에 좋은 효과를 불러올 수 없다. 이 시는 혁명에 대한 독자들의 이해를 심화시킬 수도 없고, 독자들의 투쟁의지를 드높일 수도 없으며, 인민을 대표해 혁명 승리 후의 낙관적이고 고무적인 정서를 표현할 수는 더더욱 없다"라고 말했다.

리빙의 시집 『붉은 등롱紅燈籠』이 상하이잡지공사에서 출간되었다. 이 시집에는 「영웅선英雄船」, 「한 갈래 큰길一條大道」, 「해방군이 오기를 간절히 바라다盼望解放軍」, 「붉은 등롱」 등 7편의 시가 수록되었다.

탕스唐湜의 시집 『높이 날아오르는 노래飛揚的歌』가 평원출판사에서 출간되었다. 시집은 3부로 구성되었으며 「나의 즐거움我的歡樂」, 「장엄한 사람莊嚴的人」, 「여자아이들에게 보내는 시給女孩子們的詩」, 「높이 날아오르는 노래」 등 20편의 시와 작가의 「후기」가 수록되었다.

탕스(1920~2005), 시인, 시평가. 본명은 탕양허唐揚和로 저장성 원저우溫州 출신이다. 중학교 때 장시 『푸시킨 송가普式庚頌』를 발표한 이후로 시 창작을 시작하였다. 1943년에 저장대학 외국어문학과에 입학해 본격적으로 시 공부를 시작하였다. 1954년에 『희극보戲劇報』 편집자를 맡았으며, 1957년에 우파로 몰려 고향 원저우로 돌아갔다. 1980년대 이후에 신디, 천징룽陳敬容, 항웨허杭約赫, 탕치唐祈, 정민鄭敏, 두윈셰杜運燮, 위안커자袁可嘉, 무단穆旦등의 시인과 함께 '구엽시인九葉詩人'으로 불렸다. 저서로 시집 『술렁거리는 성騷動的城』, 『높이 날아오르는 노래』 및 역사 서사시 『해릉왕海陵王』 등이 있다.

톈젠의 장시 『룽관슈戎冠秀』가 중학시대사中學時代社에서 출간되었으며, 시집 『항전시초抗戰詩抄』가 신화서점에서 출간되었다. 칭산青山의 장편서사시 『스 누나石大姐』가 희망사希望社에서 출간되었다. 런컨의 시집 『신중국 만세新中國萬歲』가 정풍출판사正風出版社에서 출간되었다.

차오위의 화극 『일출日出』이 상하이문화생활출판사上海文化生活出版社에서 출간되었다. 류첸劉千 등이 편찬한 가극 『쌀 서 말三鬥米』이 허베이성연합출판사河北省聯合出版社에서 출간되었다. 산둥신화서점 편집부에서 편찬한 화극 『총은 어디로 갔는가槍到哪裏去了』, 『생산은 1촌 더 길게生產長一寸』가 산둥신화서점에서 출간되었다.

산둥성 인민정부 교육청에서 편찬한 『문예정책과 문예이론文藝政策與文藝理論』이 산둥신화서점에서 출간되었다. 펑원빈馮文彬 등이 쓴 『어떻게 창작할 것인가怎樣寫作』가 베이징 청년출판사에서 출간되었다.

쓰마원썬의 『신중국의 10월新中國的十月』이 홍콩 전진서국前進書局에서 출간되었다. 이 책은 작가가 제1기 인민정치협상회의 대표로서 홍콩에서 베이징으로 오는 여정과 회의에 참석하고 개국대전에 참가하며 보고 들은 내용을 기록한 견문실록이다. 1951년에 재판이 출간되었다.

이셴宜閑 등이 번역한 도스토예프스키의 소설 『백치白癡』가 원광서점文光書店에서 출간되었다. 차오징화曹靖華가 번역한 카타예프의 소설 『꿈夢』이 상하이문예연합출판사에서 출간되었다. 펑후이彭慧가 번역한 소련 시인 인베르의 『레닌그라드 일기列寧格勒日記』가 상하이국제문화복무사上海國際文化服務社에서 출간되었다. 원잉文穎이 번역한 톨스토이의 희극 『어둠의 힘黑暗的勢力』이 핑밍출판사에서 출간되었다.

허난성 문련에서 간행하는 『대번신大翻身』 문예 격주간 잡지가 출간되었다. 카이펑시 문련에서 간행하는 『새싹新芽』 잡지의 폐간이 결정되었다. 허난성 문련과 카이펑시 문련이 합동으로 간행한 『허난문예河南文藝』 창간호가 1월 말에 출간되었다.

본래 홍콩에서 간행되던 월간 『문예생활』이 1950년 1월부터 광저우에서 복간되었다. 복간호는 지면의 분량을 13만 자로 확대하였다.

청년출판사가 설립되었으며, 이후 중국청년출판사中國青年出版社로 명칭을 변경하였다.

출판총서에서 간행물과 잡지의 견본 및 새로 출판된 도서의 견본을 모집하는 일에 관한 통지를 발포하였다. 모집한 견본은 장차 건립할 판본도서관版本圖書館에 보존하며 총서에서 통계를 조사하는 용도로 사용되었다.

2월

1일, 톈한의 주최로 희곡개진좌담회戲曲改進座談會가 개최되어 왕야오칭王瑤卿, 상허위尚和玉, 마더청馬德成, 탄샤오페이譚小培, 위롄취안於連泉, 바이자린白家麟, 리쭝이李宗義, 양샤오롼梁小鸞, 쉰후이성荀慧生 부인 등이 참석하였다. 최종 발언에서 톈한은 "신진 예인들의 자아 교육", "차세대 양성", "구극 극본 수정", "구극 연출제도 개혁", "현대적 감독제도 수립" 등의 문제에 관해 자신의 관점과 주장을 피력하였다. 좌담회의 내용은 「희곡개진좌담회 기록記戲曲改進座談會」이라는 제목으로 4월 1일에 발행된 『인민희극人民戲劇』 창간호에 발표되었다.

톈진문협에서 간행한 『문예학습文藝學習』 잡지가 창간되었다. 창간호에 아룽阿壟의 글 「경향성을 논하다論傾向性」가 발표되어 문예계에 문예와 정치의 관계 문제에 관한 논쟁을 불러일으켰다. 아룽은 문예와 정치는 "일원론적"인 것이라고 보면서 양자는 "'서로 다른 두 가지 원소'가 아니라 동일한 것이다. '결합'하는 것이 아니라 단일한 것이며, 예술에 정치를 더하는 것이 아니라 예술이 곧 정치이다"라고 보았다.

천융은 『인민일보』(3월 12일자) 부간 "인민문예" 제39호에 발표한 「문예와 정치의 관계를 논하다論文藝與政治的關系」라는 글에서 아룽의 "예술이 곧 정치이다", "작가와 작품을 막론하고 예술을 잘 표현하기만 하면 된다. 훌륭한 예술은 자연히 훌륭한 정치이다"라는 관점에 대해 아룽의 글이 마오쩌둥의 「강화」를 "경솔하게 왜곡"하는 오류를 범하고 있다고 비판했다. 그러면서 "형식적으로는 두 가지 노선의 투쟁을 진행하면서 예술을 위한 예술과 공식주의를 반대하고 있지만, 실질적으로는 이와 동시에 문예가 정치를 위해 복무하는 것을 반대하고 있다. 그의 주장은 예술을 위한 예술을 반대하는 것으로 시작해 예술이 정치를 위해 적극적으로 복무하는 것을 반대하는 것으로 끝난다"고 보았다.

스두史篤는 『인민일보』(3월 19일자) 부간 "인민문예" 제40호에 「마르크스레닌주의에 대한 왜곡과 위조에 반대한다反對歪曲和僞造馬列主義」라는 글을 발표하였다. 그는 이 글에서 아룽이 인용한 문장이 러우스이樓適夷가 일본어판 마르크스·엥겔스의 서평 중 한 단락을 발췌하여 번역한 내용인데, 스두 자신이 영어판에서 같은 부분을 번역한 내용과 다르다는 것을 포착하였다. 스두는 이를 근거로 아룽이 "마르크스레닌주의를 왜곡하고 위조하고 있다"고 지적하였다. 또한 아룽이 다른 필명인 '장화이루이張懷瑞'라는 이름으로 상하이『기점起點』제2호에 발표한 글「긍정적 인물과 부정적 인물을 논하다論正面人物與反面人物」에 대해 이 글이 표면적으로는 마르크스레닌주의 문구로 가득하지만 실제로는 마르크스레닌주의 문예사상을 위반하고 있다고 비판하였다.

이후에 아룽은『인민일보』부간 "인민문예" 제41호에「아룽 선생의 자아비판阿壟先生的自我批判」을 발표해 자신이 발표한 두 편의 글에 모두 잘못이 있으며, 특히 "인용문 측면"에 착오가 있음을 인정하였다.『인민일보』부간의 '편집자의 말'에서 그의 태도를 긍정하였다. 이어『문예보』제2권 제3호에서 이상의 세 편의 글의 전문을 전재하고,「편집부의 말編輯部的話」에서 "아룽은 문예와 정치의 관계 및 마르크스주의에 대한 이해와 문헌의 인용에 있어 매우 왜곡되고 잘못된 관점을 표현하였다"고 지적하였다. 이후에 이 사건은 아룽 '인용문' 사건이라고 지칭되었다.

아룽(1907~1967), 문예이론가, 시인. 본명은 천서우메이陳守梅이며 천이먼陳亦門이라고도 한다. 저장성 항저우 출신이다. 청년기에 상하이공업대학 전문대학에서 수학하였으며 국민당 중앙군교國民黨中央軍校 제10기 졸업생이다. 상하이에서 중일전쟁에 참전하면서「자베이에서 전투가 일어나다閘北打了起來」라는 보고문학 작품을 창작하였다. 1939년에 옌안으로 가서 항일군정대학에서 수학하였다. 이후에 충칭국민당육군대학重慶國民黨陸軍大學에서 수학하였으며 졸업 후에는 전술교관을 맡았다. 이 시기에 혁명에 유익한 여러 공작에 참여하였다. 40년대에 신시 창작을 시작하였으며 저명한 시파인 칠월시파의 대표 시인 중 한 사람이다. 1946년에 청두에서『호흡呼吸』잡지의 책임 편집자를 맡았으며, 공화국 성립 후에는 톈진시 문협 편집부 주임을 맡았다. 1955년에 후펑 사건으로 인해 체포되었다가 1980년에 복권되었다. 저서로 장편소설『난징南京』(『난징혈제南京血祭』), 시집『무현금無弦琴』, 문예논집『사람과 시人和詩』,『시와 현실詩與現實』,『작가의 성격과 인물의 창조作家的性格和人物的創造』등이 있다.

스두(1913~1987), 문예이론가, 번역가. 본명은 장톈쭤蔣天佐로 장쑤성 징장靖江 출신이다. 1930년에 중국공산당에 가입하였다. 중일전쟁 발발 후에 중화문화계구망협회中華文化界救亡協會 상하이 분회 이사, 상하이총회 부서기, 상하이문화계 당 총지부 서기, 중공 난징시위원회 선전부 부장, 제4군 정치부 편집심사위원을 역임하였다. 공화국 성립 후에는 인민문학출판사 부사장,『소련문예蘇聯文藝』총서 부편집장,『인민문예』총서 편집위원, 문화부 판공청 부주임 등을 역임하였다. 저서로 평론집『해말문담海沫文談』,『저미집低眉集』,『해말문담 우집海沫文談偶集』이 있으며 역서로『피크위크 페이퍼匹克威克外傳』,『우화寓言』,『스탈린이 문예를 논하다斯大林論文藝』,『중국 역사 탐구中國曆史的探討』등이 있다.

같은 호의『문예학습』에 쑨리의 단편소설「샤오성얼小勝兒」과 논문「공장행에 관하여略談下廠」

가 발표되었다.

쑨리의 단편소설 「산지의 추억山地回憶」이 잡지 『소설』 제3권 제4호에 발표되었다.

『대중시가』 제1권 제2호에 위핑보의 「시의 민족적 형식詩的民族的形式」, 아이칭의 「시에 관한 편지關於詩的一封信」 등의 글과 커중핑의 「적을 죽이러 가다殺賊去」, 린경의 「인민의 나날人民的日子」, 리양力揚의 「선서宣誓」, 런쥔의 「걸어 나아가다開步走」, 쉬츠의 「마오 주석이 소련에서 신년을 보내다毛主席蘇聯過新年」, 지팡冀汸의 「중국, 1950년에中國,在一九五〇年」 등의 시 및 시집 「전사 시선戰士詩選」, 「공인 시선工人詩選」, 「민요선民謠選」 등이 발표되었다.

위핑보(1900~1990), 작가, 학자. 본명은 위밍헝俞銘衡으로 저장성 더칭德淸 출신이다. 청년기에 5·4 신문화운동에 참가하였으며 신조사新潮社, 문학연구회, 어사사의 구성원이다. 1919년에 베이징대학을 졸업한 후 일본에 가서 교육 현황을 조사하였으며, 상하이대학, 옌징대학, 베이징대학, 칭화대학에서 교수를 맡았다. 공화국 성립 후에는 베이징대학 교수, 중국사회과학원 문학연구소 연구원, 전국문련 위원, 중국작가협회 이사, 구삼학사九三學社 중앙위원 등을 역임하였다. 주요 저서로 시집 『겨울밤冬夜』, 『고괴서옥간古槐書屋間』 및 산문집 『연지초燕知草』 등이 있으며, 논문집으로 『홍루몽변紅樓夢辨』(1923년에 초판이 출간되었으며 50년대 초에 『홍루몽 연구紅樓夢研究』라는 제목으로 재판되었다. '신홍학파新紅學派'의 대표 저서 중 하나이다)가 있다.

리양(1908~1964), 시인. 본명은 지신季信, 자는 한칭漢卿으로 저장성 칭톈靑田 출신이다. 1929년에 국립시후예술학원國立西湖藝術學院에 입학해 회화를 공부하였으며, 중일전쟁 발발 후에 충칭으로 가서 『문학월보』의 편집위원을 맡았다. 이후에 충칭에서 『신민보』 문예부간의 편집자를 맡았다. 1947년에 홍콩으로 가서 교편을 잡았다. 1948년 3월에 중국공산당에 가입하였으며, 같은 해 겨울에 진차지 근거지로 이동하였다. 중일전쟁 기간에 시 창작에 종사하였는데, 가장 유명한 작품은 『범을 쏜 자와 그의 가족射虎者及其家族』으로, 당시에 발표된 비교적 우수한 장편서사시이다. 공화국 성립 후에 마르크스레닌학원馬列學院에서 근무하였으며 이후에 중국과학원 문학연구소 연구원을 맡았다.

지팡(1920~2013), 시인. 본명은 천싱중陳性忠으로, 본적은 후베이성 톈먼天門이며 인도네시아 자바섬에서 출생하였다. 1926년에 귀국해 교육을 받은 후 1941년에 쩌우디판, 야오번姚奔 등과 함께 충칭에서 『시간지詩墾地』의 편집을 맡았다. 1945년에 문협에 가입했으며, 공화국 성립 후에는 저장성 문련 『저장문예浙江文藝』 편집자 및 창작조 조장, 중국작가협회 저장분회 부주석 등을 역임하였다. 1955년에 '후펑 사건'으로 인해 오랫동안 누명을 썼다. 1981년에 복권된 후 문단으로 복귀하였다. 저서로 장편소설 『밤길을 걷는 사람들走夜路的人們』, 『옛 정원의 비바람故園風雨』과 산문집

『무제지십無題之什』, 장편서사시 『경사스러운 날喜日』, 시집 『약동하는 밤躍動的夜』, 『관목의 나이테灌木年輪』 등이 있다.

린경의 시 「인민의 나날」에 관하여 1950년 7월 10일자 『문예보』 제2권 제8호에 루시즈陸希治의 글 「최소한의 요구起碼的要求」가 발표되었다. 루시즈는 글에서 "과거의 몇몇 시들은 아주 난해해서 인민 대중이 이해하지 못할 뿐만 아니라 일반적인 지식분자와 문예 전문가도 이해할 수 없고, 시인들조차 서로의 시를 잘 이해할 수 없었다. 몇몇 시는 심지어 시인 본인조차 자기가 쓴 시를 완전히 이해하지 못했다. 이것은 웃음거리가 아니다. 몇몇 시인들은 애초에 인민을 위해 복무해야 한다는 사상적인 요구가 없었으며, 시인과 그들의 시는 본래 군중과 동떨어져 있었기 때문이다. 그러나 우리가 이미 우선적으로 공농병을 위해 복무해야 한다는 방향을 확립한 오늘날에 와서, 시는 더 이상 난해해서는 안 된다. 그러나 오늘날의 시 창작에서도 우리는 이따금 아주 난해한 작품을 볼 수 있다. 가령 『대중시가』 제2호에 발표된 린경의 「인민의 나날」은……이런 시는 아주 이해하기 힘들다. '가을바람'은 어째서 '진실로 높은 하늘을 불어 찢'어야 하는가? '황혼'은 또 어째서 '인산인해 사이를 걸어 지나가'는가? '높은 하늘', '황혼', '생각', '문제' 등등은 도대체 어떤 구체적인 사물을 설명하고 있는가?" "이와 같은 난해한 내용과 언어는 모두 작가가 군중의 생각과 감정과는 동떨어져 있기 때문에 결정되었음이 분명하다. 작가는 여전히 그저 개인적이고 몽롱한 인식을 통해 새로운 사물을 관찰하고 있다. 이러한 난해함을 바로잡기 위해서는 우선 시인이 열렬한 군중의 투쟁 속으로 들어가 군중의 언어를 배우고 군중의 생각과 감정에 익숙해지며 부단히 자기 자신을 개조하고 향상시켜야 한다"고 말했다.

『인민일보』 제1권 제4호에 펑전彭真의 논고 「현재 베이징 문예공작의 몇 가지 문제에 관하여關於目前北京文藝工作的幾個問題」와 천융의 논문 「류바이위의 최근 소설劉白羽近年的小説」, 샤오인의 창작 토론 「어째서 본질적으로 생활을 반영할 수 없는가?爲什麽不能本質地反映生活?」를 비롯해 쉬광야오徐光耀의 「저우톄한周鐵漢」, 저우리보의 「게으름뱅이懶蛋牌子」, 시젠의 「라오인老殷」, 두펑杜峰의 「혁명부부革命夫妻」 등의 소설과 샤오싼의 「소련 문화공작자를 보고 배우자向蘇聯文化工作者學習」, 딩링의 「타나샤바의 안나·카레니나塔娜莎娃的安娜.卡列尼娜」, 라오서의 「샌프란시스코에서 톈진으로由三藩市到天津」 등의 산문 및 펑린楓林의 농촌 기록문 「한 차례의 혼사一件親事」, 예즈청葉至誠의 「우리의 노래를 레닌에게 바치다把我們的歌唱給列寧」, 뤄젠의 「조국, 사랑하는 어머니祖國,親愛的母親」, 궁무公木의 「십리 옌완十裏鹽灣」, 리빈李彬의 「리더차이의 고된 역사李德財苦史」 등의 시가 발표되었다.

쉬광야오(1925~), 영화 각본가, 소설가. 필명은 웨펑越風이며 허베이성 슝현雄縣 출신이다. 1938년에 팔로군에 참가했으며 같은 해에 중국공산당에 가입하였다. 1950년에 중앙문학연구소中央文

學研究所에 입학해 수학하였으며 1953부터 1956년까지 군직을 가진 작가의 신분으로 고향에 돌아가 초급농업합작사初級農業合作社 업무에 종사하였다. 1957년에 우파로 오인되었으며, 다음해에 중편소설 「졸병 장가小兵張嘎」 및 동명의 영화문학 극본을 창작하였다. 1981년에 허베이성 문련으로 이동해 1983년부터 1986년까지 당조서기를 맡았으며, 중국문련 제4, 5기 위원 및 중국작가협회 제3, 4기 이사를 역임하였다. 저서로 장편소설 『평원의 불길平原烈火』, 소설집 『수밍과 잉화樹明和鶯花』, 『망일연望日蓮』, 『쉬광야오 소설선徐光耀小說選』 등이 있다.

궁무(1910~1998), 시인, 학자. 본명은 장융녠張永年 혹은 장쑹푸張松甫라고도 하며 현재 이름은 장쑹루張松如이다. 궁무公木, 무눙木農 등의 필명을 사용하였다. 1928년 이후, 중일전쟁 초기에 진시베이晉西北로 이동해 『동원動員』의 편집자 및 지구 간부 양성반 지도원을 맡았다. 1938년에 중국인민항일군사정치대학中國人民抗日軍事政治大學(약칭 항대抗大) 정치부에서 시사정책간사를 맡았으며 시 창작에 종사하였다. 1954년 이후로 중국작가협회 문학강습소 소장, 작가협회 청년공작위원회 주임을 역임하였으며, 1962년 이후로는 지린대학吉林大學 교수 및 중문과 주임, 부교장 등을 역임하였다. 주요 저서로 시집 『조총 이야기鳥槍的故事』, 『헬로우, 수염!哈嘍,胡子!』, 『중화인민공화국 송가中華人民共和國頌歌』, 『황화집黃花集』, 『붕괴崩潰』, 『궁무 시선公木詩選』, 『궁무 구체시초公木舊體詩抄』, 『나는 사랑한다我愛』 및 전문 저서 『중국시가사론中國詩歌史論』, 『시론詩論』 등이 있다.

베이징 해방을 경축하기 위해 베이징인민예술극원이 베이징에서 최초로 소련 작가 소프로노프의 유명한 연극 「모스크바 성격莫斯科性格」을 공연하였다. 류위민劉鬱民이 집행감독을 맡았다.

5일, 『인민일보』에 「소련 영화 걸작집蘇聯電影集錦」이 발표되었다. 『인민일보』에 라오서의 산문 「미국인의 고민」이 발표되었다.

7일, 전국문련에서 제4기 확대 상무위원회를 개최해 궈모뤄, 마오둔, 저우양이 참석하였다. 저우양이 「전국문련의 반년간의 공작 개황 및 금년의 공작 임무全國文聯半年來工作概況及今年工作任務」라는 제목의 보고를 진행하였다.

8일, 베이징대중문예창작연구회의 간행물인 『대중문예통신大眾文藝通訊』의 창간호가 발행되었다. 이 간행물은 격월간으로 발간되었다. 창간호에는 저우양, 톈한, 자오수리 등이 성립대회 때 발언한 내용과 창작연구회의 준비과정 및 대중시선 등이 발표되었다.

10일, 『문예보』 제1권 제10호에 딩링의 「문학수양에 관하여談文學修養」, 자오수리의 「군중창작에 관하여談群眾創作」, 왕차오원王朝聞의 「희극에서의 세부 묘사에 관한 경향戲劇中細節描寫的一種傾向」, 딩리丁裏의 「화베이해방군의 예술활동華北解放軍中的藝術活動」, 쑨리의 시평 「훙양수와 만칭의 시 – 이들의 시집을 읽고紅楊樹和曼晴的詩——他們的詩集讀後」가 발표되었다. 같은 호에 "나는 어떻게 문공단원이 되었는가" 공모작인 예단葉丹의 「공인들은 내 연기가 비슷하지 않다고 말한다工人說我演得不像」, 장징張靜의 「문공단 – 나의 대학文工團——我的大學」이 발표되었다.

왕차오원(1908~2004), 문예이론가, 미학가, 조각가, 예술교육가. 왕자오원王昭文이라고도 하며 원스汶石, 랴오화廖化, 시쓰커席斯珂 등의 필명을 사용하였다. 쓰촨성 허장合江 출신이다. 젊은 시절에 회화와 조각을 공부하였다. 1940년 12월에 옌안으로 가서 옌안루예 미술과에서 교편을 잡았다. 1941년에 옌안 중앙당교 대강당에 전시할 마오쩌둥의 대형 부조상을 창작해 해방구 미술작품의 대표작으로 평가받았다. 공화국 성립 후에는 중공중앙 선전부 문예처 등의 기관에서 근무하였다. 중앙미술학원 부교무장, 『미술』 잡지 편집장 및 고문, 중국미술가협회(中國美術家協會, 약칭 미협美協) 부주석 및 고문, 중국예술연구원 부원장, 중화미학학회 회장 및 명예회장 등을 역임하였다. 저서로 『신예술창작론新藝術創作論』, 『신예술논집新藝術論集』, 『왕차오원 학술논저 자선집王朝聞學術論著自選集』, 『미학개론美學概論』 등이 있다.

딩리(1916~1994), 극작가, 감독. 본명은 자줘얼賈卓爾로 산둥성 리청曆城(지금의 지난濟南) 출신이다. 1938년에 옌안으로 가서 같은 해에 중국공산당에 가입하였으며 옌안루예 교원을 맡았다. 화베이연합대학 교사 및 문공단 단장을 역임하였다. 1942년에 팔로군에 참가하였으며 후에 진차지군구 항적극사抗敵劇社 사장을 맡았다. 공화국 성립 후에는 베이징군구 문화부 부장, 총정치부 문공단 정치위원 및 단장, 총정치부 문화부 부부장 등을 역임하였다. 작품으로 화극 「자제병과 백성子弟兵和老百姓」, 「안데스 산맥의 폭풍우安第斯山風暴」, 가극 「리거좡李各莊」, 「강철과 진흙鋼鐵與泥土」 등이 있다. 화극 「여명 전의 어둠을 돌파하다沖破黎明前的黑暗」와 무용 서사시 「동방홍東方紅」을 감독하였다.

『문예보』의 같은 호에 웨이롄전魏連珍의 화극 「매미가 아니다不是蟬」의 창작기록 「어느 공인 극작가의 자술一個工人劇作者的自述」이 발표되었다. 화극 「매미가 아니다」는 스좌장의 철로검차단 공인인 웨이롄전이 창작한 것으로, 1949년 10월 혁명절에 검차단의 아마추어 극단에 의해 공연되었다. 이후에 다시 허베이성 문대회 및 타이위안 등지에서 공연되어 높은 평가를 받았다. 스자좡과 타이위안 등지에서 공연이 이루어진 후 매번 좌담회가 개최되었으며, 해당 지역의 신문에 극본 창작과 그 평가에 관한 글이 게재되었는데 몇몇 신문에는 "공인 웨이롄전을 보고 배우자"는 구호를 내세우기도 했다. 이 극본은 공인 계급이 새로운 생활을 창조하는 노동의 열정을 반영한 내용으로, 해방 초기의 공인 창작 작품 가운데 비교적 대표성을 가진 극본 중 하나이다.

『인민일보』에 첸쥔루이錢俊瑞의 「이 무기를 잘 파악하자 – 소련 영화사업 30주년을 경축하며好好掌握這把武器——爲慶祝蘇聯電影事業三十周年紀念而作」, 류녠취劉念渠의 「인류 해방을 위해 투쟁하는 무기 – 소련 영화 전람회를 위하여爲人類解放而鬥爭的武器——爲蘇聯影片展覽而作」가 발표되었다.

12일, 『창장문예長江文藝』 제2권 제1호에 『창장문예』 개정 좌담회의 회의 기록 「창작운동을 전개하고 문예진지를 강화하자開展創作運動,加強文藝陣地」와 쉬마오융徐懋庸의 글 「문예와 인민생활文藝與人民生活」이 발표되었다.(본 간행물은 화중문련 준비위원회 및 창장문예편집부가 간행한 것으로, 1949년 6월 18일에 월간으로 창간되었다. 제2권 제1호부터 16판으로 개정되어 기존의 란 외에 '습작'(편집자의 수정 의견 첨부), '필담회', '출판물 평가', '중난문예 동태', '중난민간예술연구', '경험 소개', '창작 만담' 등의 란이 추가로 신설되었다.)

쉬마오융(1911~1977), 작가. 본명은 쉬마오룽徐茂榮으로 저장성 상위上虞 출신이다. 1934년에 상하이에서 좌련에 가입해 상무위원, 선전부장, 서기 등의 직책을 역임하였다. 1935년에 『타잡집打雜集』을 출간하였다. 1936년에 좌련 해산 등의 문제로 인해 루쉰에게 서신을 보냈는데, 루쉰은 이에 대해 「항일 통일전선 문제에 관해 쉬마오융에게 답하다答徐懋庸關於抗日統一戰線的問題」라는 글을 발표하였다. 중일전쟁 발발 후 1938년에 옌안으로 가서 중국공산당에 가입하였다. 후에 항대 교원 및 진지루위 변구 문련 주석, 『화베이문화華北文化』 책임 편집자, 지차러랴오연합대학冀察熱遼聯合大學 부교장 등을 역임하였다. 공화국 성립 후에는 우한대학 비서장, 당위원회 서기, 부교장 및 중난군정위원회 문화부, 교육부 부부장, 중국과학원 철학연구소 연구원 등을 역임하였다. 저서로 『루스벨트羅斯福』, 『간디甘地』 등의 전기와 잡문집 『타잡집』, 『가두문담街頭文談』, 역서 『톨스토이 전기托爾斯泰傳』, 『가을밤秋夜』 등이 있다.

『문예보』와 전국무용가협회가 연합하여 '앙가무 제고 문제' 좌담회를 개최해 다이아이롄戴愛蓮, 천진칭陳錦清, 아이칭, 후사胡沙, 예양葉揚, 저우웨이즈 및 문공단에서 앙가무 공작에 다년간 종사했으며 각 공장 및 학교에서 앙가 활동을 이끌어 온 공인과 학생 약 30여 명이 참석하였다. 『문예보』 제1권 제11호에 좌담회 기록인 「앙가무의 제고 문제 - '앙가무 제고 문제' 좌담회 기록秧歌舞的提高問題——記"秧歌舞提高問題"座談會」이 발표되었다.

『인민일보』에 차이추성蔡楚生의 「소련 영화를 향해 환호하다! - 소련 영화사업 30주년을 경축하며向蘇聯電影歡呼!——慶祝蘇聯電影事業三十周年紀念」와 류징이劉兢譯의 「소련 영화는 인민을 교육하는 강력한 도구이다蘇聯電影是教育人民的有力工具」가 발표되었다.

차이추성(1906~1965), 영화감독. 본적은 광둥성 차오양潮陽이며 상하이에서 출생하였다. 어려서부터 가정이 빈곤해 12세에 집을 떠나 산터우汕頭의 어느 전당포로 가서 도제 생활을 하면서 회화를 독학하였다. 대혁명 시대에 혁명에 투신해 점원공회店員工會에 참가했으며 이 시기에 희극에 깊은 관심을 가지기 시작하였다. 1932년에 좌익영화운동에 참가했으며 1933년에 중국전영문화협회中國電影文化協會에 가입해 집행위원을 맡았다. 이후에 「도시의 아침都會的早晨」, 「어광곡漁光曲」, 「신여성新女性」, 「길 잃은 어린 양迷途的羔羊」 등의 영화를 각색 및 연출하였다. 중일전쟁 시기에 구망활동에 적극적으로 참가하였으며, 1949년에 베이징으로 가서 제1기 전국 문대회에 참석해 제1기 문련 전국위원회 위원으로 당선되었다. 1955년에 문화부 전영사업관리국電影事業管理局 부국장을 맡았다. 1957년에 중국전영공작자연의회中國電影工作者聯誼會 주석을 맡았다.

15일, 『인민시가』 월간 제2호에 류란산의 「동지, 마오 주석께 알려주시오同志,請你告訴毛主席」, 딩리의 「그는 마오 주석 앞에서 눈을 깜빡이지 않는다他向著毛主席不眨眼睛」, 스웨이쓰史衛斯의 「레닌에게 바치다獻給列寧」, 쑤진싼의 「스탈린의 장수를 기원하다祝斯大林長壽」 등의 시와 라오신의 「시의 상상 단론詩的想像短論」 등의 글이 발표되었다.

같은 날 『둥베이문예東北文藝』 창간호가 출간되었다. 차이톈신蔡天心이 편집장을 맡았으며 편집위원회는 마자 등 12인으로 구성되었고, 둥베이신화서점에서 발행하였다.

차이톈신(1915~1983), 랴오닝성 선양沈陽 출신이며 중국공산당원이다. 1937년에 쓰촨대학 중문과를 졸업한 후 청두 『신민보』 부간 편집자, 옌안중앙연구원 문예이론연구원, 중공 랴오시遼西지방위원회 선전부 부부장, 지린대학 교수, 랴오닝학원遼寧學院 원장, 『둥베이문예』 편집장, 둥베이문련 비서장, 중국작가협회 랴오닝분회 전문작가 및 부주석을 역임하였다. 저서로 장편소설 『대지의 봄大地的青春』, 『훈허 강의 폭풍우渾河的風暴』 및 중단편소설 「창바이산 아래長白山下」, 「둥베이의 골짜기東北之穀」, 「초봄의 나날初春的日子」, 「부축하다扶持」, 「꿈틀거리다蠢動」와 시집 『홍기 송가紅旗頌』, 문예평론집 『문예론집文藝論集』 등이 있다.

18일, 화둥신화서점에서 출판 및 발행한 『희곡보戲曲報』가 상하이에서 창간되었다.

21일, 화베이군구 정치부 문공단이 베이징에서 4막 5장으로 구성된 화극 「전투 속에서 성장하다戰鬥裏成長」를 공연하였다. 본 화극은 후펑胡朋 등이 창작한 원작을 바탕으로 후커胡可가 각색한 것으로 류자劉佳, 리수카이李樹楷, 쑨민孫民, 자오카이趙凱가 감독을 맡았다. 극본은 『인민문학』 제1권 제5, 6호에 발표되었다. 이 화극은 공연된 후 각계의 찬사를 받았으나, 중뎬페이는 「「전투 속에서 성장하다」를 평하다」라는 글에서 이 화극이 "의도한 바가 너무나 크기 때문에 현재의 형식으로는 이 주제를 완전히 융화시킬 수 없다. 또한 소재와 사건의 취사선택 및 묘사 등의 수법에 있어서도 정교하지 못하고 극의 집중도가 부족하며 설명이 부족한 점 등의 결점이 드러나 보인다"고 지적하였다(『인민일보』 1950년 3월 5일자).

화베이군구 정치부 문공단의 전신은 중일전쟁 시기에 진차지 변구 푸핑현阜平縣에서 설립된 항적극사抗敵劇社로, 1955년 5월에 정식으로 베이징군구 전우문공단戰友文工團으로 명칭이 변경되었다.

후커(1921~2019), 극작가. 산둥성 이두益都 출신이다. 중일전쟁 발발 후에 팔로군에 참가하여 줄곧 문예선전공작에 종사하였다. 공화국 성립 후에는 화베이군구 문화부 창작조 조장, 스좌장 군분구軍分區 부정치위원副政治委員, 베이징군구 선전부 부부장, 총정치부 문화부 부부장, 해방군예술학원 원장 등을 역임하였다. 1942년부터 작품 발표를 시작하였으며 1949년에 중국작가협회에 가입하였다. 저서로 화극 극본 「영웅의 진지英雄的陣地」, 「전투 속에서 성장하다」, 「전선이 남쪽으로 이동하다戰線南移」, 「홰나무 마을槐樹莊」, 「룽관슈戎冠秀」, 「희상봉喜相逢」 및 논문집 『습극필기習劇筆記』, 『후커가 극을 논하다胡可論劇』, 『독극잡식讀劇雜識』, 『극사문고劇事文稿』 등이 있다.

23일부터 5월 6일까지 저우쭤런이 둥궈성東郭生이라는 필명으로 상하이 『역보亦報』에 「아동잡사시兒童雜事詩」 72수를 연재하였다. 펑쯔카이豐子愷가 삽화를 그렸다.

25일, 『문예보』 제1권 제11호에 「중·소 형제 동맹 만세中蘇兄弟同盟萬歲」 특집호가 출간되었다. 마오둔, 저우양, 라오서, 쉬베이훙徐悲鴻, 위핑보, 펑즈, 아이칭, 톈젠, 중징원, 화쥔우華君武, 장겅, 다이아이롄, 예첸위葉淺予 등이 필자로 참여하였다. 같은 호에 저우양의 「전국문련의 반년간의 공작 개황 및 금년의 공작 임무 – 전국문련 제4기 확대상무위원회 회의 보고문 요약全國文聯半年來工作概況及今年工作任務——在全國文聯第四屆擴大常委會議上的報告要點」, 샤오인의 「「홍기의 노래」 및 그 창작방법을 평하다評<紅旗歌>及其創作方法」, 리양犁陽의 「「홍기의 노래」를 평하다評<紅旗歌>」, 차이톈신의 「「홍기의 노래」의 주제 사상<紅旗歌>的主題思想」, 활동 기록 「앙가무의 제고 문제 - '앙가무 제고 문제' 좌담회 기록」, 저우웨이즈의 「지방예술형식을 발양하고 민족문화유산을 계승하자發揚地方藝術形式 繼承民族文化遺產」, 자오치양趙起陽의 「희곡개혁과 예인의 사상 개조에 관하여談戲曲改革與改造藝人思想」, 탕즈唐摯의 「'모스크바 성격'에 대한 나의 이해我對"莫斯科性格"的理解」, 천융의 「'새 병에 옛

술을 담는다'는 것에 관하여略談"新瓶裝舊酒"」, 리무力牧의 「민간형식을 학습하는 어떤 편향學習民間形式的一個偏向」 등의 글이 발표되었다.

탕즈(1928~1999), 본명은 탕다청唐達成으로 후난성 창사長沙 출신이며 중공 당원이다. 1948년에 중국신문전문학교中國新聞專科學校 신문방송학과를 졸업하였다. 신화사 신문훈련반 수강생, 『문예보』 편집자, 편집조장, 총편집실 부주임, 부편집장 및 중국작가협회 제4기 당조서기, 서기처 상무서기, 주석단 위원 등을 역임하였다. 중국공산당 제13차 전국대표대회 당대표, 제7기 전국 인민대표대회 대표 및 상무위원회 내무사법위원회內務司法委員會 위원을 맡았다. 저서로 평론집 『예문탐미록藝文探微錄』, 『남쪽 창에 탄환이 날아오다南窗亂彈』, 산문·잡문집 『담흔집淡痕集』, 『세상잡습世象雜拾』, 『서림습엽書林拾葉』 및 전기문학 『베토벤貝多芬』 등이 있다.

『문예보』의 같은 호에 자오치양의 글 「희곡개혁과 예인의 사상 개조에 관하여」가 발표되었다. 그는 글에서 현재의 희곡개혁에 존재하는 두 가지 부정확한 문제에 관해 비판하였는데, 하나는 구희곡을 제대로 분석 및 감별하지 않고 일률적으로 말살하고 금지하는 문제이며, 다른 하나는 군중의 저질스러운 취향을 무조건적으로 따름으로써 구극이 제멋대로 발전하도록 내버려두는 문제라고 지적하였다. 자오치양은 상술한 두 가지 현상에 관해서는 현재의 개혁 공작 과정에서 반드시 구예인들에 대한 태도 문제를 더욱 중시해야 한다고 보았다. 그는 "마땅히 그들을 존중하고 단결시키고 교육시키며 또한 그들을 보고 배워야 한다"고 주장하며, 특히 예인의 사상을 개조하는 일을 중시해야만 더욱 많은 예인들이 희곡개혁에 참여하게 할 수 있을 것이라고 보았다.

아이칭의 글 「시 창작에 관하여談談寫詩」가 『중국청년』 제33호에 발표되었다.

26일, 『인민일보』에 저우양의 「지방희극의 조사 및 연구 공작에 관하여 - 청옌추 선생께 보내는 서한關於地方戲曲的調查研究工作——致程硯秋先生的一封信」이 발표되었다.

28일, 다이왕수가 병으로 사망하여 3월 8일에 베이징 샹샨香山의 완안 공동묘지萬安公墓에 안장되었다. 향년 45세였다. 3월 1일자 『인민일보』에 「다이왕수 서거」 기사가 게재되었다. 기사는 "<신화사 베이징 28일자 전보> 시인 다이왕수가 기관지염으로 인해 수술을 받았으나 효과가 없어 금일 오후 1시에 서거하였다. 다이왕수는 작년 가을부터 천식을 앓아 수차례 셰허 병원協和醫院에 입원해 치료를 받았으나 결국 효과를 보지 못했다"고 전했다.

같은 날 『인민일보』에 후차오무胡喬木의 추모의 글 「왕수를 추모하다悼望舒」가 발표되었다. "다이왕수 선생이 천식으로 인해 세상을 떠났다는 불행한 소식은 내게 큰 충격을 주었다. 나는 중국이 인민을 위해 복무하겠다고 결심한 재능 있는 서정시인을 잃은 것에 대해 애도한다. ……나는 그와 짧은 말 몇 마디밖에 나눠 본 적이 없지만, 그의 성실하고 겸허하고 소박하며 맡은 일에 적극적인 성격은 내게 아주 깊은 인상을 남겼다. 그는 바로 사흘 전에도 병상에 누운 채 내게 그가 지금 맡고 있는, 외국에 발표할 기사를 프랑스어로 쓰고 번역하는 일에 관해 전과 다름없이 다정한 어조로 이야기해 주었다. 며칠 전에도 그는 옆에 있는 동지에게 병에 걸린 후에도 중국공산당에 가입하고 싶다는 뜻을 밝혔다. 그는 입당하고 싶다는 그의 소망을 이룰 수 있었을 것이다. 그는 더욱 많은 유익한 일들을 해낼 수 있었을 것이다. 또한, 나는 그가 머지않아 아름다운 시들을 새로 창작해낼 수 있었을 것이라고 믿는다. 그러나 그는 장년의 생명을 빼앗겨, 이 모든 가능성들은 영원히 실현되지 못하게 되었다."

볜즈린은 『인민일보』 3월 5일자에 「왕수를 추모하다悼望舒」라는 글을 발표해, 누군가가 몸을 바쳐 의미 있는 일을 해냈다면 "죽는다 해도 실제로는 죽을 수가 없다. 왕수의 재능은 과거에도 완전히 낭비되지 않았으니 더욱 그러하다. 그의 시 작품은 여전히 우리가 역사적인 판단과 비판을 할 가치가 있는 대상이다"라고 말했다.

아이칭 역시 『시간』 1952년 2월호에 「왕수의 시望舒的詩」를 발표하여(이 글은 이후에 인민문학출판사에서 1957년 4월에 출간된 『다이왕수 시선』의 서문으로 수록되었다) "왕수는 진정으로 풍부한 재능을 가진 시인이었다. 그는 순수하게 개인에 속한 낮은 탄식에서 시작해 여러 차례 변혁을 거쳐 마침내 전투의 구호를 외치게 되었다. 진리와 혁명을 향하는 길은 시인들마다 모두 다르다. 왕수가 걸은 길은 중국의 정직하고 또한 높은 문화적 교양을 가진 지식분자의 길이었다……그의 시를 사랑하는 사람으로서, 그의 친구로서, 나는 그의 너무나 이른 죽음에 대해 자주 안타까움을 느끼며, 이 일이 중국 인민에게 있어 큰 손실이라고 생각한다"라고 말했다.

이후에 천융은 『중국현대작가평전총서中國現代作家評傳叢書』(충칭출판사, 1993년 11월)의 서문에서 "다이왕수의 시는 그가 자유주의 혹은 민주개인주의 사상을 가진 지식분자로서 중국이 가장 어두운 시대에 남긴 정신 기록이다"라고 언급하였다.

이달에 중화전국문학예술계연합회에서 제4차 확대회의를 개최하였다.

거뤄葛洛의 소설 『직공을 고용하다雇工』가 한커우신화서점 중난총분점漢口新華書店中南總分店에서 출간되었다.

거뤄(1920~1994), 작가. 필명은 창추常礎로 허난성 이양伊陽(지금의 루양汝陽) 출신이다. 1938년에 중국공산당에 가입하였으며 같은 해에 옌안항대와 옌안루예에서 수학하였다. 루예 문예연구실

연구원, 문학부 비서를 역임하였으며 공화국 성립 후에는 충칭시 군관회 문예처 처장, 시난군구 정치부 문화부 창작조 조장, 『인민문학』 및 『시간』 책임 편집자, 『소설선간小說選刊』 책임 편집자, 중국작가협회 제3, 4기 이사 및 서기처 상무서기를 역임하였다. 저서로 소설산문집 『직공을 고용하다』가 있다.

궈샤오촨郭小川의 시집 『평원노인平原老人』이 창장문예총서長江文藝叢書 중 한 권으로서 중난신화서점中南新華書店에서 출간되었다. 이 시집은 그의 첫 시집으로 「평원노인」, 「우리는 황허를 노래한다我們歌唱黃河」, 「목소리一個聲音」, 「어느 장님에게 바치다給一個瞎子」 등 6편의 시가 수록되었다.

궈샤오촨(1919~1976), 시인. 본명은 궈언다郭恩大이며 궈쑤郭蘇, 웨이티偉倜, 젠펑健風, 샹윈湘雲, 덩윈登雲, 딩윈丁雲, 샤오촨曉船, 슈춘袖春 등의 필명을 사용하였다. 허베이성 펑닝豐寧 출신이다. 1936년 여름에 베이핑둥베이대학北平東北大學 공학원工學院 학습반에 입학하였다. 중일전쟁 발발 후에 베이핑을 떠나 타이위안으로 가서 팔로군에 참가하여 120사단 359여단에 배치되었다. 1937년에 중국공산당에 가입하였으며, 1941년부터 1945년까지 옌안마르크스레닌학원延安馬列學院 및 중앙당교 3부 등에서 수학하였다. 1948년에서 1954년 사이에 지차러랴오 『군중일보』 부편집장 겸 『대중일보』 책임자, 『톈진일보』 편집부 주임을 맡았다. 1955년에서 1961년 사이에 중앙작가협회 당조부서기, 작가협회 서기처 서기 겸 비서장, 『시간』 편집위원을 맡았다. 1962년에 『인민일보』로 이동해 문화대혁명 때까지 특약기자로 근무하였다. 1970년에 중국작가협회를 따라 후베이 셴닝鹹寧 오칠간부학교五七幹校로 가서 노동 단련에 임하였다. 1976년 10월에 뜻밖의 화재로 인해 사망하였다. 저서로 시집 『뜨거운 투쟁에 뛰어들다投入火熱的鬥爭』, 『청년 공민에게致青年公民』, 『눈과 산골짜기雪與山穀』, 『월하집月下集』, 『장군 3부작將軍三部曲』, 『사탕수수 숲 - 푸른 장막甘蔗林-青紗帳』, 『쿤룬행昆侖行』 및 『궈샤오촨 시선郭小川詩選』, 장편서사시 『백설의 찬가白雪的贊歌』, 『깊은 산골짜기深深的山穀』, 『장군 3부작將軍三部曲』 등이 있으며 이후에 『궈샤오촨 전집郭小川全集』(12권)이 출간되었다.

왕야핑의 시집 『중국설창시中國說唱詩』가 대중서점에서 출간되었다. 이 시집에는 「족제비를 때리다打黃狼」, 「춘윈의 이혼春雲離婚」, 「뭇 새들이 봉황을 따르다百鳥朝鳳」, 「여자 운전사 톈구이잉女司機田桂英」 등 7편의 시가 수록되었다. 광고에서는 이 시집에 대해 "작가는 다년간 구곡예의 개혁 공작에 종사하며 민간예술의 정수와 공농병 대중의 새로운 언어를 흡수해, 읽고 노래하기 쉬운 형식으로 새로운 현실과 새로운 인물을 표현하는 새로운 설창시를 여러 편 창작하였다. 이 시집에 수록된 7편의 시는 모두 많은 이들이 공인한 우수한 대표작으로, 방송국에서 방송되고 예인들이 공연해 수많은 청중들의 환영을 받았으며, 또한 중국 시가를 위해 새로운 방향을 창조하였다"(『대중시가』 1950년 제1권 제2호)고 설명하였다.

왕야핑의 시집 『만세! 스탈린!萬歲!斯大林!』이 신화서점에서 출간되었다. 쯔쉬紫墟의 시집 『경사一場喜事』가 정풍출판사正風出版社에서 출간되었다. 랴오샤오판廖曉帆의 시집 『군량을 운반하다運軍糧』가 정풍출판사에서 출간되었다. 왕차이王采의 시집 『그들이 올 때他們來的時候』가 정풍출판사에서 출간되었다.

사진沙金의 시집 『인민 철기대人民鐵騎隊』가 정풍출판사에서 출간되었다.

사진(1912~1988), 본명은 류즈더劉稚德로 충칭 출신이다. 1934년부터 작품 발표를 시작하였으며 상하이시가공작자연의회 이사를 역임하였다. 공화국 성립 후에는 상하이시 문화국 예술처 문학실 편집심사계장, 상하이악단上海樂團 창작원, 중국작가협회 상하이분회 창작위원회 연구원, 『맹아萌芽』 편집위원을 역임하였다. 저서로 시집 『조국이여, 내가 너를 노래하노라祖國,我歌唱你』, 『광부의 노래礦工之歌』 및 번역시집 『스탈린이 호소할 때當斯大林號召的時候』, 『밀회의 황혼幽會的黃昏』 등이 있다.

바런의 화극 『양다라는 사람楊達這個人』(원제 "두 세대의 사랑兩代的愛")이 상하이해연서점에서 출간되었다.

딩훙丁洪 등이 창작한 화극 『해방解放』이 한커우신화서점 중난총분점에서 출간되었다.

딩훙(1918~2002), 극작가. 본명은 탕칭융湯慶永이며 룽런蓉人, 야뉴亞牛 등의 필명을 사용하였다. 쓰촨성 청두 출신이다. 1936년에 중화민족해방선봉대中華民族解放先鋒隊에 참가해 우쉐 등과 함께 화극 「장정을 징집하다抓壯丁」를 창작하였다. 1940년에 옌안으로 이동하였다. 공화국 성립 후에는 중난군구 창작연구실 주임, 선양군구 정치부 화극단 단장 및 문화부 부부장, 문예창작조 창작원 및 중국희극가협회 랴오닝분회 부주석, 랴오닝성 문련 부주석 등을 역임하였다. 합동 창작 작품으로 영화문학 극본 「둥춘루이董存瑞」, 「레이펑雷鋒」이 있으며 창작 가사 「나는 인민을 위해 총을 짊어진다我爲人民扛起槍」, 「전진하라! 인민해방군이여前進!人民解放軍」 등이 있다.

무칭穆青의 보고문학 『샹중의 홍기湘中的紅旗』가 한커우중난인민출판사漢口中南人民出版社에서 출간되었다.

무칭(1921~2003), 보고문학가. 본명은 무야차이穆亞才로, 본적은 허난성 저우커우周口이며 안후이성 벙부蚌埠에서 출생하였다. 중학교 재학 당시에 대량의 국내외 명작 문학작품을 읽었으며, 학생운동에 참가해 '문학예술동맹文學藝術同盟' 주석을 맡아 문예잡지 『갈매기떼群鷗』를 출판하였다. 중일전쟁 발발 후 16세의 나이로 팔로군 학병대에 입학해 수학하였으며 이후에 사단 본부에 남아 선전공작에 종사하면서 기사를 작성해 발표하기 시작하였다. 1946년에 「둥베이항일연합군사략東北抗日聯軍史略」을 창작하였다. 1949년 3월에 군대를 따라 남하하며 대량의 전지 기사를 집필해 중국인민해방군 제4야전군이 승리한 발자취를 기록하였다. 공화국 성립 후에도 「지나친 간섭管得寬」, 「한 푼 정신一厘錢精神」, 「주룽장 위의 항천가九龍江上抗天歌」, 「순수기馴水記」 등의 작품을 창작하였다. 1986년에 중국신문학원中國新聞學院이 설립된 후 신문학원 원장을 겸임하며 보고문학 「현위원회 서기의 모범 - 자오위루縣委書記的好榜樣——焦裕祿」(합동 창작), 「저우 총리를 위한 부탁爲了周總理的囑托」(합동 창작), 「완성하지 못한 기사一篇沒有寫完的報道」(합동 창작) 등을 창작하였다. 저서로 산문집 『이탈리아 잡기意大利散記』, 『빈의 선율維也納的旋律』, 『무칭 산문집穆青散文選』 등이 있다.

3월

1일, 쑨리의 단편소설 「정월正月」이 톈진 『문예학습』 제1권 제2호에 발표되었다.

『대중시가』 제1권 제3호에 왕야핑의 「베이징의 요곡北京的謠曲」, 장즈민張志民의 「영웅의 어머니英雄的娘」, 사어우의 「중·소 상호원조 동맹 만세中蘇互助同盟萬歲」, 짱커자의 「우리는 영예를 쑨밍치에게 돌렸다我們把榮譽給了孫明奇」 등의 시가 발표되었다.

장즈민(1926~1998), 시인으로 베이징 출신이다. 1940년에 항대 4분교에 입학하였으며 다음해에 중국공산당에 가입하였다. 1946년부터 작품 발표를 시작하였다. 1955년에 중앙문학강습소中央文學講習所를 졸업한 후 군중출판사 부편집장, 『베이징문예』 책임 편집자, 베이징작가협회 부주석, 『시간』 책임 편집자를 역임하였다. 저서로 『죽을 수 없다死不著』, 『장군과 그의 군마將軍和他的戰馬』, 『고향의 봄家鄕的春天』, 『마을 풍속村風』 등의 시집 및 시선집과 『장즈민 소설선張志民小說選』, 산문집 『오랜 벗이 내 꿈속에 들어오다故人入我夢』, 시론집 『시설詩說』 등이 있다.

『인민문학』 제1권 제5호에 마오둔의 논고 「문예창작 문제文藝創作問題」 및 주딩의 「나의 아들我的兒子」, 사오옌샹邵燕祥의 「카스성으로 진군하다進軍喀什城」, 자즈賈芝의 「옌안이여, 너의 재생을 경축한다延安,我慶祝你的再生」 등의 시, 거비저우戈壁舟의 단시 7편(「왕전 장군의 훈시王震將軍訓師」, 「지주와 소작인의 대화主佃對話」, 「전화 교환원電話員」, 「말을 양보하다讓馬」 등) 및 시훙西虹의 「집家」, 팡지의 「생활을 더욱 아름답게 만들자讓生活變得更美好罷」, 쑨리의 「그네秋千」, 왕난王南의 「사오주쯔小柱子」, 톈런田人의 「소牛」 등의 소설이 발표되었다. 또한 후커가 각색한 극본 「전투 속에서 성장하다」(합동 창작, 6회로 연재 종료)와 양쉬楊朔의 보고 「북흑선北黑線」 및 「1950년 문학공작자 창작계획 조사一九五〇年文學工作者創作計劃調查」(작가 36인의 창작계획 수록)가 게재되었다.

사오옌샹(1933~2020), 시인. 본적은 저장성 샤오산蕭山이며 베이징에서 출생하였다. 1946년부터 작품을 발표하였다. 1949년 초에 베이징 방송국에서 근무하였다. 중국작가협회 이사 및 주석단 위원, 중국 펜클럽 회원을 역임하였다. 첫 시집 『베이징성을 노래하다歌唱北京城』(1951)과 두 번째 시집 『먼 곳으로 가다到遠方去』(1955)로 명성을 얻었다. 1950년대부터 이미 영향력을 가진 청년 시인이었으며, 이후에 산문으로 전향해 잡문 등을 창작하였다. 1980년에서 1986년 사이에 『역사에 바치는 연가獻給曆史的情歌』, 『먼 곳에서在遠方』, 『꽃처럼 만발하다如花怒放』, 『늦게 피는 꽃遲開的花』, 『사오옌샹 서정 장시집邵燕祥抒情長詩集』 등 8권의 시집과 시선집을 출간하였으며 이 외에도 시평집 『18세의 시인에게贈給十八歲的詩人』, 『아침과 저녁의 수필晨昏隨筆』, 잡문집 『꿀과 가시蜜和刺』, 『슬픔과 기쁨 100편憂樂百篇』 등을 출간하였다. 1980년 전후에 잡문 「결코 좋은 황제를 기대해서는 안 된다切不可巴望好皇帝」를 시작으로 다수의 잡문을 발표하여 사회의 각종 병폐를 비판하였다.

거비저우(1915~1986), 시인. 본명은 랴오나이난廖耐難으로 쓰촨성 청두 출신이다. 1936년에 중화민족해방선봉대에 참가하였다. 1939년에 옌안으로 가서 안우청년훈련반安吳青訓班과 옌안루예에서 수학하였다. 네이멍구 이커자오멍민족학원伊克昭盟民族學院 교원, 신화통신사 전선분사 기자, 『군중문예』 편집자를 역임하였다. 1946년에 중국공산당에 가입하였다. 공화국 성립 후에는 시베이문련 창작실 주임, 중국작가협회 시안분회 비서장, 『옌허延河』 편집장, 쓰촨성 문련 비서장, 시안시 문련 주석 등을 역임하였다. 저서로 시집 『옌안과 이별하며別延安』, 『사막의 목녀沙原牧女』, 『옌허는 변함없이 흐른다延河照樣流』, 『등림집登臨集』, 『나는 햇빛을 바라본다我迎著陽光』, 『하늘까지 닿도록 길을 닦다把路修上天』 등이 있다.

시훙(1921~2012), 작가. 본명은 닝바오루寧保祿로 산시山西성 궈현崞縣(지금의 위안핑原平) 출신이다. 1937년에 옌안항일군정대학에 입학하였다. 1940년 이후로 부대에서 선전 공작에 종사하였으며 1946년에 둥베이로 가서 종군기자로 근무하였다. 공화국 성립 후에는 중난군구 문화부 편집자, 해방군보사解放軍報社 기자 및 문화처 처장, 신문연구원 등을 역임하였다. 앙가극 「군대는 국민을 애호하고, 국민은 군대를 옹호한다軍愛民,民擁軍」를 창작하였으며 저서로 단편소설집 『영웅의 아버지英雄的父親』, 『휘장을 단 사람戴獎章的人』, 중편소설 『영하 40도에서在零下四十度』, 『바다 위의 기수海上旗手』, 장편소설 『산청山城』, 산문집 『새로 태어난 기상新生氣象』, 『바다를 건너다穿過海洋』, 보고문학 작품집 『그녀는 일본에서 왔다她從東瀛來』(왕즈치王之琪와 합동 창작) 등이 있다.

주딩의 시 「나의 아들」이 논쟁을 불러일으켰다. 1950년 8월 10일자 『문예보』 제2권 제10호에 장화의 「작품의 사상성에 관하여試談作品的思想性」와 다즈達之의 「「나의 아들」에 관하여關於<我的兒子>」가 발표되었다.

장화는 글에서 "나는 「나의 아들」이라는 시를 읽고 이토록 영광스러운 혁명에 대한 작가의 찬양과 '새로운 세대'에 치우친 희망의 찬송을 상세히 이해한 후에, 사상적인 결함으로 인해 엄습하는 공허감 또한 점차 느끼게 되었다"라고 말했다.

다즈는 글에서 작가가 "대부분의 시구에서 또 다른 감정, 즉 편협하며 그저 개인적인 '남녀간의 사랑'의 테두리에 머무르는 작은 감정만을 표현하였다. 그리고 작가가 바로 이런 감정을 세밀하게 공들여 표현했기 때문에, 독자는 작가가 시에서 표현하려 의도한 새롭고 집단적이며 혁명적인 감정들이 더 이상 존재하지 않는다는 것을 명확히 파악할 수 있는 것이다"라고 지적하였다.

10월 25일자 『문예보』 제3권 제1호에 주딩의 글 「나의 검토와 희망我的檢討與希望」이 발표되었다. 그는 글에서 "장화 동지가 지적한 바와 같이, 시 전체에 동지들 자신의 영예로운 일면에 관한 묘사가 없다. 나는 그들의 장렬한 희생을 묘사했지만, 시 속에서 이러한 장렬한 희생은 마치 그저 '우리에게는 네가 있다, 나의 아들'이라는 말을 위한 것일 뿐, 그들 자신에 대해서, 그리고 수많은 피압박 계급 형제들의 해방에 대해서는 언급하지 않았다. 자신들의 해방을 요구하는 이러한 열정이야말로 그들이 장렬히 분투한 가장 기본적인 동기인데도 그러했다. 물론, '아들'이라는 말은 아름다운 장래라는 뜻을 내포하고 있다. 그러나 자신들의 해방을 요구했다는 점 또한 시에 쓰지 않는다면 주제를 그저 단편적으로만 표현하게 되어 매우 좋지 못한 효과를 일으키게 된다. 이렇게 되면 혁명 열사를 마치 고난에 처한 이를 구제해 주는 관세음보살인 양, 하늘에서 내려와 그의 아들을 위해서만 목숨을 건 것처럼 묘사하게 되기 때문이다. 이런 면에서 보면 사상성이 확실히 대단히 부족하다." "감정에 대해 말하자면 시에서 과거의 추억과 미래에 대한 희망을 묘사한 것은 맞지만 매우 부족하다. 그리고 중간 부분의 몇 연에는 아주 섬세하고, 심지어 평범하고 속되다고까지 할 수 있는 부자지간의 정이 표현되어 있다. 시를 쓰면서 들인 노력과 분량으로 보면, 부자지간의 정에 대한 묘사는 이미 집단적인 감정을 뛰어넘었다. 더 큰 문제는 부자지간의 정은 아주 생동감 있게 표현되었지만 집단적인 감정은 그에 비해 서투르고 딱딱하게 표현되었다는 것이다. 이러한 비교를 통해 독자들이 시를 읽은 후에 받을 인상은 혁명 전사의 미래에 대한 열렬한 애정이 아니라, 그저 아버지가 자신의 소중한 아들을 품에 안고 있는 것뿐임을 알 수 있다. 특히나 미래를 표현한 단락은 누른 소와 토지 등의 이미지만으로 편협하고 빈약하게 표현되었기에 더욱 그렇다. 따라서 감정의 중심을 배치하고 처리하는 면에서도 이 시는 오류를 범하고 있다." "시의 전체적인 오류를 보면, 주제가 매우 단편적으로 표현되어 있다. 집단적 감정의 결핍과 개인적 감정의 '자연스러운 표출'은 내가 요 몇 년 사이에 비록 엄격한 교육을 받고 사상을 개조했음에도 불구하고 사상적 수준이 여전히 매우 낮아 나 자신이 해방군의 일원이기는 하지만 감정적으로는 전혀 동화되지 못했음을 증명한다. 따라서 이 시에 표현된 결점은 우연히 드러난 것이 아니라 나의 사상과 의식을 가장 정확하게 반영했기에 나타난 것이다"라고 말했다.

『인민일보』 3월 12일자에 하오퉁郝彤이 편집부에 보낸 서신 「한 편의 소설을 통해 문예창작의 경향을 보다從一篇小說看文藝創作中的一種傾向」가 게재되었는데, 그는 서신에서 팡지의 소설 「생활을 더욱 아름답게 만들자」에 대해 비평하였다. 『인민일보』 편집자는 같은 호에서 하오퉁의 비평을 긍정하며 "이 작품의 의심과 비평은 당연한 일이다", "당의 정치의 조직적 동원 역량은 결코 어여쁜 처녀 한 명의 역량에 비할 수 없다"고 보았다.

후차오무의 글 「왕수를 추모하다」가 『인민일보』에 발표되었다.

후차오무(1912~1992), 본명은 후딩신胡鼎新이며 장쑤성 옌청鹽城 출신이다. 칭화대학과 저장대학을 수료하였다. 1930년에 중국공산주의청년단中國共産主義青年團에 가입했으며 1932년에는 중국공산당에 가입하였다. 공청단(共青團, 중국공산주의청년단의 약칭) 베이핑 시자오구위원회 서기, 공청단 베이핑시위원회 선전부 부장을 역임하였으며 베이핑 학생과 공인들을 이끌고 항일애국운동에 참여하였다. 1935년 이후에 중국사회과학가연맹中國社會科學家聯盟 서기, 중국좌익문화계총동맹中國左翼文化界總同盟 서기, 중공 장쑤성 임시공작위원회中共江蘇省臨時工作委員會 위원을 맡았다. 1937년에 옌안으로 가서 1941년부터 마오쩌둥의 비서를 맡았으며 중공중앙정치국 비서를 맡았다. 1948~1949년에 신화통신사 사장 및 신문총서 서장을 맡았다. 공화국 성립 후에는 신화사 사장, 중공중앙선전부 부부장, 정무원문화교육위원회 비서장, 중공중앙 부비서장, 중앙서기처 후보서기, 국무원 정치연구실 책임자 등을 역임하였다. 1977년 이후에는 중국사회과학원 원장, 고문, 명예원장 및 중공중앙 부비서장, 마오쩌둥 저작 편집출판위원회 사무실 주임, 중공중앙 당사연구실 주임, 국무원 학위위원회 주임위원, 『중국대백과사전』 총편집위원회 주임, 중공중앙고문위원회 상무위원, 중공중앙 당사공작영도소조中共中央黨史工作領導小組 부조장, 중앙문헌연구실 주임을 역임하였다. 「건국 이후 당의 일부 역사 문제에 관한 중국공산당 중앙위원회의 결의中國共産黨中央委員會關於建國以來黨的若幹曆史問題的決議」 등 중요 문건의 초안 작업에 참여하였다. 저서로 『중국공산당의 30년中國共産黨的三十年』, 『후차오무 문집胡喬木文集』 3권, 『인도주의와 이화 문제에 관하여關於人道主義和異化問題』, 시집 『사람이 달보다 더 아름답다人比月亮更美麗』 등이 있다.

『신건설新建設』에 중징원의 「민간문예에 관한 몇 가지 기본적 인식關於民間文藝的一些基本認識」이 발표되었다. 같은 날, 『광명일보·민간문예 특집호』가 주간으로 창간되어 민간문예작품과 연구 저술을 발표하는 지면으로 사용되었다.

3일, 『인민일보』에 사오옌샹의 시 「중국 창춘 철로를 노래하다歌唱中國長春鐵路」가 발표되었다. 문화부 희곡개진국 경극연구원에서 톈한의 신작 경극 「강한어가江漢漁歌」를 공연하였다. 정이추鄭亦秋와 리쯔구이李紫貴가 감독을 맡았다.

4일, 『희곡보』 제2호에 쑹즈더의 4막 22장 경극 「황제와 기녀皇帝與妓女」가 연재되기 시작해 12호까지 연재를 마쳤다.

5일, 베이징에서 다이왕수 추모회가 거행되었다. 신화사 베이징 7일자 전보는 "시인 다이왕수의 영구는 오늘 베이징 샹산 완안 공동묘지에 안장되었다. 5일, 중앙인민정부 신문총서 국제신문국과 전국문학예술계연합회가 신문총서 강당에서 합동으로 추모회를 거행하였다. 마오둔, 후차오무, 양한성, 펑나이차오, 판창장範長江, 싸쿵러薩空了, 어우양위첸, 라오서, 쑨푸위안孫伏園 등 문화계 및 신문계 인사 100여 명이 참석하였다. 정무원 부총리 둥비우와 문교위원회 주임 궈모뤄, 중공중앙선전부장 루딩이 등이 화환과 추모 대련을 보냈다"는 소식을 전했다.(『인민일보』, 1950년 3월 8일)

볜즈린의 글 「왕수를 추모하다」가 『인민일보』에 발표되었다.

『인민일보』에 마사오보의 「희곡개혁에 관하여略談戲曲改革」가 발표되었다. 마사오보는 글에서 "희곡개혁 공작이라는 역사적인 임무를 완성하기 위해서는 기본적으로 예인들에게 의지해야 한다. 따라서 희곡개혁을 이끌기 위해서는 반드시 수많은 예인들을 조직하고 단결시켜 함께 움직여야 한다"라고 지적하였다. 희곡계 군중이 행동하게 하기 위해서는 "명령이 아니라 자각에 의지해야 한다. 따라서 개혁을 이끄는 작업은 조급하게 간략화해서는 안 되고, 반드시 차근차근 한 발짝씩 나아가야 한다"라고 말했다.

마사오보는 극본을 대하는 문제에 있어서는 "한편으로는 우수한 유산을 받아들여야 하고, 다른 한편으로는 봉건주의의 독소를 줄여야 한다. 이것은 한 가지 임무의 양면"이며, 양쪽 모두 소홀히 할 수 없다고 강조하였다. 그러나 "인민에게 유해한 구극에 대해서는" "반드시 금지하거나 수정해야 한다"고 보았다. 또한 "개혁 공작을 추진하고 제고하기 위해서는 반드시 희곡 비평을 열정적으로 전개해야 한다." "구극을 고쳐야 하며, 신극 역시 부단히 고쳐 나가야 한다. 우리가 끈기 있게 서로 도와 결점을 극복하고, 진보적인 태도를 환영해 진보를 추진하고 또한 공고히 하며, 비록 아주 작은 진보일지라도 이를 긍정하고 발전시켜야만" 희곡이 "'진일보'하기 위한 주춧돌"을 다질 수 있다고 주장하였다.

6일, 『인민일보』에 쌍간桑幹의 산문 「'낙원'의 장막을 열다揭開"樂園"的紗幕」가 발표되었다.

9일, 자오푸춘矯福純의 보고문학 작품 「바다 위의 폭풍우海上風暴」가 『해방일보』에 발표되었다. 이 작품은 1951년에 화둥신화서점에서 출판되어 그 해 화둥군구 제3야전군 문학 1등상을 수상하였다. 이 책은 영어와 러시아어로 번역되었으며 이후에 상하이전영제편창에서 동명의 영화로 제작되었다.

자오푸춘(1928~), 필명은 차오푸천喬浮沉이며 산둥성 무핑牟平 출신이다. 1985년에 중국작가협회에 가입하였다. 저서로 소설 산문집 『지난 일을 흘끗 돌아보다往事一瞥』, 중편소설 「성위원회 서기와 그 동료들省委書記和他們同僚」, 「송도편松濤篇」, 단편소설 「공격 신호攻擊信號」, 「변천變遷」, 「월미月眉」, 「흘끗 보다一瞥」, 「인생을 직면하다直面人生」, 보고문학집 『바다 위의 폭풍우』 및 문학평론과 우화집 등이 있다.

10일, 『문예보』 제1권 제12호에 '필담' 「신시가의 몇 가지 문제新詩歌的一些問題」가 게재되었는데, 샤오싼의 「신시에 관하여談談新詩」, 톈졘의 「나 자신과 전우에게 바치다寫給自己和戰友」, 펑즈의 「자유체와 가요체自由體與歌謠體」, 마판퉈의 「시가와 전통의 관계詩歌與傳統的關系」, 쩌우디판의 「송가에 관하여關於歌頌」, 자즈의 「시에 대한 어떤 이해對於詩的一點理解」, 린경의 「신시의 '건행' 문제新詩的"建行"問題」, 펑옌자오彭燕郊의 「시질과 시의 언어詩質和詩的語言」, 왕야핑의 「시인의 입장 문제詩人的立場問題」, 리양의 「시에 관하여關於詩」, 사어우의 「시의 편향에 관하여談詩的偏向」 등 11편의 글이 수록되었다.

「편집부의 말」은 "현재 시가의 창작과 운동에는 많은 문제가 존재하고 있다. 인민의 해방을 이루고 건설을 향해 나아가는 이 위대한 시대는 시가라는 전투의 진지에도 충격을 가져다주었다. 운동이 진전되면서 각종 형식의 시가 작품이 대량으로 발표되는 상황에서 제기된 문제 - 내용, 형식, 시인의 학습과 수양에 관한 문제 등이 모두 널리 주목을 끌었다." "물론 문제란 해결을 요구하는 것이므로, 토론과 연구 및 창작 실천 등의 일련의 과정이 필요하다. 『문예보』에서는 일부 시가 공작자 동지에게 특별히 요청해 시가 문제에 관한 필담을 진행하였다. 이 필담이 문제 해결의 단초가 되기를 희망한다." "우리는 다음과 같은 두 가지 내용을 담은 통지를 보냈다." "1. 귀하가 보기에 현재 시가 운동과 시가 창작에 어떤 문제들이 존재합니까?" "2. 이러한 문제들에 대해 귀하는 어떠한 감상과 의견을 가지고 있습니까?" "우리는 10여 편의 원고를 받았다. 편집 과정에서 우리는 우리가 제기한 문제가 비교적 공허한 내용이었음을 발견했다. 그러나 다행히 원고의 대부분이 이 두 가지 문제를 둘러싼 내용이었으며, 몇몇 의견은 매우 심도 있고 구체적이어서 참고할 가치가 있다. 만약 이들 가운데 더욱 심화된 토론을 전개하도록 할 수 있는 의견이 있다면, 『문예보』에서는 여러분이 토론에 참여하기를 희망하고 있다"고 밝혔다.

펑옌자오(1920~2008), 시인, 학자. 본명은 천더쥐陳德矩이며 푸젠성 푸톈莆田 출신이다. 1938년 이후에 신사군 선전대원, 전지 복무단 단원, 문협 계림분회 이사, 『광명일보』 부간 편집자, 후난대학 중문과 부교수, 샹탄대학湘潭大學 중문과 교수 등을 역임하였다. 1939년부터 작품을 발표하였다. 80년대 이후에 두 번째 시가 창작의 절정기를 맞아 인구에 널리 회자된 우수한 시 작품을 여러 편 발표하였다. 저서로 시집 『펑옌자오 시선彭燕郊詩選』, 『고원을 돌아다니다高原行腳』, 『당대 후난 작가 작품선 펑옌자오 편當代湖南作家作品選彭燕郊卷』, 『야행夜行』, 『야사무문野史無文』 및 시론집 『량량과 함께 시를 이야기하다和亮亮談詩』가 있다. 『시원역림詩苑譯林』, 『현대 산문시 명저 번역 총서現代散文詩名著譯叢』, 『외국시 사전外國詩辭典』 등을 편찬하였다.

샤오싼은 「신시에 관하여」에서 "나는 현재 우리의 신시가 천여 년간 이어져 온 중국 시의 형식(혹은 습관)과 너무나 동떨어져 있다고 생각한다. 소위 '자유시'는 너무나 '자유'로워 전혀 시 같지 않은 지경이 되었다. 중국의 고전시가와도 동떨어지고 민간의 시가와도 동떨어진 탓에, 시는 현재까지도 이 토양에 뿌리를 내리지 못하고 있다"고 말했다.

톈젠은 「나 자신과 전우에게 바치다」에서 "신시를 쓰는 우리도 격률에 신경을 쓰고 격률을 창조해야 한다. 5·4 이후에 우리는 격률에 반대했다. 우리는 격률이 족쇄이자 감옥이라고 생각하여 자연적인 운율을 사용할 것을 주장하였다. 이런 주장은 당시에는 완전히 틀렸다고 할 수는 없었다. 당시 우리는 평범하고 속된 자수刺繡쟁이가 되고 싶지 않아 격률이 곧 시라는 관점에 동의하지 않았다. 현재 우리는 피땀 어린 과거의 노력을 단번에 말살해 버릴 필요는 없다. 이 문제는 아직 자세히 살펴볼 시간이 있다. 과거에 비록 우리가 좀 과하게 용감하기는 했지만, 그래도 용감했던 것은 사실이지 않은가? 시인은 용감해야 한다. 우리는 용감해져야 한다. 우리가 필요 없다고 말한 것의 일부를 다시 주워 와서 새롭게 연구해야 한다"고 말했다.

펑즈는 「자유체와 가요체」에서 "현재의 시가는 자유체와 가요체라는 서로 다른 두 가지 시체詩體로 나뉘어 발전하고 있다. 이 두 가지 가운데 공농병이 받아들이기 더 쉬운 형식은 가요체이다. 시의 대상이 공농병이기 때문에 당연히 그들이 쉽게 받아들일 수 있는 형식을 취하는 것이 적합하다. 그러나 자유시는 최근 10여 년 사이에 수많은 지식청년들을 크게 고무하는 역할을 했다. 특히 시를 낭송할 때 더욱 그러했다. 나는 적지 않은 젊은 문예학습자들이 '우리는 가요체 시를 읽을 때는 항상 만족하지 못하는 느낌이 든다. 우리는 아무래도 자유체가 더 좋다'고 말하는 것을 여러 번 들어 왔다." "가요체 시도 그 나름의 우수한 성과를 거두었다. 가장 눈에 띄는 예가 왕시젠의 해방민가翻身民歌이다. 왕시젠은 인민의 소박한 언어를 사용해 새로운 내용을 표현하였으며, 민가의 형식을 통해 표현하면서도 이 형식의 속박을 받지 않았다. 그러나 일부 가요체 시인들은 이런 성취를 이루지 못하고, 그저 구사회에서 탄생한 몇몇 가요를 선별하지도 않고 그대로 모방했다. 때로는 심지어 이러한 가요들의 낙후된 부분까지도 그대로 답습해 저도 모르는 사이에 구체시具體詩의 옛 방법을 따라가기도 했다. 내용이 공허하고 진부하다는 것 외에, 이들 작품이 구체시와 다른 점은 어조가 교활하다는 것뿐이다." "자유체의 경우, 작가에게 요구하는 바가 매우 크다. 자유체는 작가가 언어적 능력을 충분히 파악하고, 현실생활 속에서 단련을 통해 수준 높은 사상과 감정을 얻을 것을 요구한다(물론 모든 시는 이런 것들을 요구하지만, 자유체 시가 이러한 요소를 더욱 절실히 요구한다). 자유체는 속박이 없어 새로운 사물을 표현하는 데 적합하다. 자유체 시는 아직까지는 일반 인민 대중에게 생소한 편이지만, 우리는 이 때문에 자유체 시가 인민에게 다가갈 수 없을 것이라고 의심해서는 안 된다. 현재 공인들 가운데 이미 자유체 시를 쓰고 낭송하는 이들이 나타나고 있으며, 자유체 시가 영향을 미치는 범위는 점차 커지고 있다. 그러나 자유체 시를 쓸 때는 반드시 언어를 정련하고 구조를 치밀하게 짜기 위해 노력해야 한다. 시가 너무 길어지고 형식이 너무 산만해지면 아무래도 읽기가 좀 부자연스럽기 때문이다"라고 말했다.

마판퉈는 「시가와 전통의 관계」에서 "나는 개인적으로 신시가 반드시 사람들에게 기억되고 소리 내어 읽힐 수 있게 쓰여야 한다고 생각한다. 신시는 가능한 한 어떤 형식을 수립하는 것이 좋다. 7언 내지 11자로 한 행을 구성하는 형식은 널리 채용할 만하다. 사실상 이미 사용되고 있기도 하다. 너무 길어지는 것은 피해야 한다(노래의 가사는 물론 여기에 포함되지 않는다). 신시는 구체시의 간결하고 정련되어 있으며 고도로 집중된 면을 배워야 한다. 우리가 시에 대해 칭찬하는 것은 주로 서정적인 부분에 대해서이다. 그 외에도 시란 사람과 사건과 중요한 견해를 표현해야 한다. 민가는 비록 두어 마디 정도로 매우 짧지만, 대부분의 민가에는 사람과 사건이 표현되어 있다. 신시를 창작할 때는 물론 내용을 중시해야 하지만, 형식과 기술도 소홀히 해서는 안 된다"고 말했다.

쩌우디판은 「송가에 관하여」에서 "나는 현재 송가 방면의 시에는 두 가지 좋지 못한 경향이 존재한다고 본다. 하나는 감정이 과장되어 개인의 '열정주의'에 도취해, 빛나는 인물에 대해 어찌할 바를 모르게 되는 것이다. 아마도 감정이 넘쳐서인지 종종 알맞은 말을 찾지 못해, 한쪽 면을 강조하면서 다른 면은 잃어버리고, 제대로 입장을 정하지 못해 방향을 파악하지 못하는 경향이다. 다른 하나는 특히 서사시에서 드러나는데, 현상에 대해 마치 사진을 찍는 식의 기록만을 하면서 그저 모든 행의 운자를 맞추는 것만으로 이것이 '시'임을 표시하고, 사건의 서술이 끝나면 시도 그대로 끝나는 것이다"라고 말했다.

왕야핑은 「시인의 입장 문제」에서 "시인은 반드시 정확한 창작 입장을 가지고 있어야 한다. 입장이 치우치면 사상이 문란해져 버려 창작 태도가 정확하지 못하게 되고, 주위의 구체적인 사물도 확실히 분별하지 못하게 되어 작품 속에 담긴 감정도 피상적이고 건강하지 못한 것으로 변하게 된다." "최근에 자유체 신시를 여러 편 읽었는데, 그 가운데 몇몇 시들은 '인민 대중의 입장에 서' 있지 않기 때문에 뭔가를 찬양하는 시이든 아니면 폭로하는 시이든 어딘가 문제가 있다는 느낌이 든다. 게다가 이런 시는 인민에게 적지 않은 해를 끼친다. 가령 '연인의 어깨를 껴안고 전투의 송가를 부른다', '아무나 모르는 사람과 마주치면, 속마음을 털어놓고 싶으면 털어놓아라. 그는 적의 첩자가 아니다. 첩자는 이미 사라졌기 때문이다', 그리고 마오쩌둥 주석을 '첫사랑에 빠진 소녀'에 비유하는 등등의 시구를 인민 대중이 읽으면 도대체 어떤 생각이 들겠는가? 그들에게 어떤 영향을 미치겠는가? 어쩌면 시인은 '수준 높은' 서정시를 쓰려 한 것일 수도 있다. 그러나 인민 대중이 이런 서정을 이해할 수 없고, 시인 자신도 해석하기 어려우며, 심지어 정치적인 관점도 명확하지 못하다면 이것은 심각한 입장 문제가 된다." "이것은 그야말로 엉덩이를 소자산계급 쪽에 걸쳐 놓고 앉아서 아무리 전투와 인민과 인민의 영수를 찬양한다 하더라도 제대로 찬양하기 힘든 것과 마찬가지다. 그 결과 찬양은 아무런 힘이 없고, 인민이 승리한 사실을 왜곡하며, 인민의 영수에 대해 대단히 부당한 비유를 사용하게 된 것이다. 시인의 동기가 어떠하든 간에 그 효과는 절대로 좋지 못하며 유해하다"고 말했다.

리양은 「시에 관하여」에서 "'시를 쓰는 사람은 많고 시 원고도 많지만 좋은 시는 적다.' 이 말은 문예계에 있는 친구들이 곧잘 하는 말이다. 특히 문예 잡지의 편집자들과 신문의 문예 부간을 편집하는 동지들이 더욱 절실히 느끼고 있으며, 몇몇 사람들은 이 일이 괴로운 일이라고 여기기도 한다. 이것은 항일전쟁 이후로 줄곧 존재해 온 사실이다. 이 사실은 좋은가, 아니면 나쁜가? 나는 구분해서 판단해야 한다고 생각한다. 시를 쓰는 이가 많고 투고된 시의 원고가 많다는 것은 시가 독자들 사이에 큰 영향을 끼치고 있으며 많은 이들의 사랑을 받는다는 사실을 보여준다. 또한 많은 창작자들이 시라는 형식을 즐겨 사용한다는 의미이기도 하다. 한 마디로 말하자면, 시라는 장르가 많은 군중을 보유하고 있다는 것이다. 다른 한편으로, 시를 쓰는 이가 많다는 것은 일반적으로 창작하는 시라는 것이 비교적 짧은 문예 형식이기 때문에 창작을 처음 시작하는 이들이 선택하기 쉬운 문체라는 의미도 된다." "'좋은 시가 적다'는 부분은 일단 우리, 즉 시를 쓰는 이들에게 책임을 물어야 한다. 항일전쟁 이후로, 특히 인민해방전쟁 이후로 중국의 인민 군중이 혁명 투쟁에 임한 현실이 너무나 풍부해졌다. 모든 혁명 전사와 혁명 군중의 인생 여정은 전부 한 편의 웅장한 시이다. 매 순간 모든 곳에서 위대한 시의 소재가 탄생하고 있어, 정말로 '시의 시대'라고 말할 수 있을 정도이다. 그러나 이미 표현된 내용은 이렇게나 적고, '좋은 시'라고 할 만한 시는 더욱 적다. 이처럼 위대한 인민 군중의 시대를, 그리고 거대한 변화가 일어나는 혁명의 현실을 대하고서, 시를 쓰는 우리 한 사람 한 사람은 모두 자신의 노력이 너무나 부족하다는 것을 느껴야 한다. 우리의 마르크스·레닌주의 이론은 너무나 부족해, 변증법적 유물론 관점을 통해 모든 사물을 제대로 분석할 수 없다. 우리는 국내외의 우수한 문학 유산을 많이 접하지 못했다. 우리는 문학 언어의 예술, 특히 인민의 언어에 대한 공부가 부족해 우리의 사상을 생각한 대로 표현할 수가 없다. 우리는 사회에 대한, 특히 새로운 국가의 주인인 공농병 군중 및 그들의 생활 투쟁에 관한 공부는 더더욱 부족하다. 인민과 조국, 그리고 계급을 위한 그들의 망아에 이른 지고한 희생정신, 그들의 굳건한 투쟁 의지, 그들의 창조적인 지혜, 노동에 대한 그들의 도덕과 기강에 대해 우리는 충분히 배우지 못했으며 이해가 부족하다. 때문에 우리는 그들을 잘 표현할 수가 없다. 우리는 모두 인민을 위해 복무하고자 하는 희망과, 혁명과 진리를 찬양하고자 하는 희망을 가지고 있지만, 먼저 인민을 위해 배우고자 하는 결심과 허심탄회한 자세를 갖추지 못한다면 우리의 희망은 이루기 어렵거나, 혹은 이룰 수 없을 것이다. 배움이 없이는 '좋은 시'를 쓸 수 없다"고 말했다.

『문예보』의 같은 호에 황야오멘의 글 「아름다움과 예술을 논하다論美與藝術」와 마펑의 소설 「솜틀 한 대一架彈花機」가 발표되었다.

중국청년예술극원이 베이징에서 4막 7장 화극 「애국자愛國者」를 공연하였다. 쑹즈더가 각본을, 우쉐가 감독을 맡았다.

11일, 『희곡보』 제3호에 1948년 11월 23일자 『인민일보』에 게재되었던 사설 「계획을 가지고 차례대로 구극 개혁 공작을 진행하다有計劃有步驟地進行舊劇改革工作」가 전재되었다. 이 사설은 우선 구극 개혁의 필요성과 시급함을 분명히 밝힌 후에 구극 개혁이 장기적인 역사적 임무임을 지적하였다. 구극을 개혁하기 위해서는 우선 구극에 대해 정확한 태도를 가져야 하며, 구극 개혁의 관건은 구극 목록의 심의에 있다고 보았다. 목록을 심의하여 이익이 있는 것, 무해한 것, 유해한 것의 세 부분으로 구분해 하나하나 처리해야 한다고 하였다. 목록을 심사한 후에는 수정과 창작을 진행해야 하는데, 현재의 조건 하에서는 수정을 위주로 진행해야 하며, 수정은 반드시 역사적 유물론의 방법으로 진행해야 한다고 주장하였다.

12일, 『인민일보』 '인민문예' 부간에 아룽의 글 「아룽 선생의 자아비판」이 게재되었다. 같은 호에 천융이 아룽에 대해 비판한 글 「문예와 정치의 관계를 논하다」가 게재되었다.

14일, 『인민일보』에 「비평을 받은 이는 신문에 공개적인 반성을 진행하기 바랍니다請被批評者公開在報上進行檢討」가 게재되었다.

15일, 『인민시가』 월간 제3호에 천위먼陳雨門의 「원량허運糧河」, 뤄위洛雨의 「'중소우호동맹상호원조조약' 예찬"中蘇友好同盟互助條約"禮贊」, 사진의 「오늘날의 범인을 확실히 알다認清今天的凶手」 등의 시와 라오신勞辛의 「시의 상상성을 논하다論詩的思想性」 등의 글이 발표되었다.

천위먼(1910~1995), 본명은 천위먼陳禹門이며 완칭晚晴, 샤오핑小萍 등의 필명을 사용하였다. 허난성 쑤이현睢縣 출신이다. 『청춘시간青春詩刊』 책임 편집자, 중국작가협회 허난분회 이사, 허난성문사연구관文史研究館 특약관원特約館員을 역임하였다. 저서로 장시집 『섣달 그믐날除夕』, 『보릿고개春荒』, 시집 『꽃잎이 분분히 떨어지다瓣瓣落花』, 『초벌갈이初耕』, 『좋은 소식喜訊』, 『굴뚝煙囱』 등이 있다.

뤄위(1920~1999), 본명은 양쭤위楊作雨이며 저장성 뤼안瑞安 출신이다. 1939년에 상하이 고도문학孤島文學 활동에 참가하였다. 1950년 이후에는 상하이 화둥문련 및 작가협회 창작조 간사, 조장, 연구실 주임, 연구원을 맡았으며 『인민시가』 편집자를 맡았다. 1939년부터 작품을 발표하였다. 저서로 시집 『벽이 높다壁高』, 『찬란한 내일燦爛的明天』 등이 있다.

16일, 샤오첸의 「그녀들이 다시 햇빛을 보다她們重見天日」 영문판이 『인민중국』 제1권 제6호에 발표되었다. 중문판은 발표되지 않았다.

18일, 중국인민해방군 공군정치부 문공단 화극대話劇隊가 조직되었으며 장위린이 대장을 맡았다. 이 화극대는 이후에 중국인민해방군 공군정치부 화극단으로 명칭이 변경되었다.

19일, 스두가 『인민일보』 부간 '인민문예'에 「마르크스레닌주의에 대한 왜곡과 위조에 반대한다」를 발표해 아룽을 계속해서 비판하였다.

20일, 수츠淑池의 단편소설 「금 자물쇠金鎖」가 자오수리가 편찬한 『이야기하고 노래하다』 제3호와 제4호에 연재되었다. 이 소설은 발표된 후 큰 반향을 불러일으켰다. 덩유메이鄧友梅는 「「금 자물쇠」를 평하다評<金鎖>」에서 격분한 어조로 "이것이 농민인가? 노동 군중인가? 아니, 건달이나 다름없다. 기개라고는 전혀 없는 겁쟁이이며, 지주의 개일 뿐이다. 구사회의 찌꺼기만이 이런 성격을 가지고 있을 것이다"라고 평했다.

이후에 『문예보』 제2권 제5호에 자오수리의 「「금 자물쇠」 발표 전후<金鎖>發表前後」가 발표되었다. 그는 자신이 "작풍에 민주적인 면이 부족"하며, "잘못과 타협하는 것이 독자를 존중하는 것이라고 여기는" 결점을 가지고 있다고 인정하면서, 동시에 「금 자물쇠」를 변호하며 이 작품이 "묘사가 사실적이지 못하며 노동 인민을 모욕하는" 작품이 아니라고 부인하였다. 7월 9일, 자오수리는 다시 『인민일보』에 「「금 자물쇠」 문제에 대한 재검토對<金鎖>問題的再檢討」(『문예보』 제2권 제8호에서 전재)를 발표해 이 작품에 확실히 노동 인민을 모욕하는 부분이 있다고 인정하고, 그럼에도 자신이 과거에 진행했던, 파산한 후에 하층사회로 유입된 농민에 대한 "분석이 크게 틀리지는 않았다"며 "작가가 농촌에 대해 쓸 수 있는 특수한 조건을 구비하고 있다면 상응하는 정도의 정치에 대한 학습을 거친다면 분명히 좋은 작품을 쓸 수 있다"고 보았다.

25일, 출판총서에서 「전국 신화서점 통일에 관한 결정關於統一全國新華書店的決定」을 선포해 신속히 전국의 신화서점을 통일하고 집중하며 전문성과 기업성을 강화해, 과거에 각지에 분산되어 경영되고 있던 신화서점을 점차 전국적인 국영출판기업으로 통일시킬 것을 강조하였다. 베이징에 신화서점 총관리처를 설립해 전국 각지 신화서점의 업무를 모두 총관리처에서 지도할 것을 명확히 하였다. 동시에 화베이, 화둥, 시베이, 중난 등 대형 행정구역에 신화서점 총분점을 설치하고 각 성과 시에 분점을 설치하였다.

『문예보』 제2권 제1호에 천보얼陳波兒의 「무에서 유를 창조하는 극영화의 각색 공작故事片從無到有中的編導工作」, 천이陳沂의 「예술의 사상성과 예술의 교육적 의의 - 「모스크바 성격」과 「대전환」을 중심으로藝術的思想性與藝術的教育意義——從<莫斯科性格><大轉變>談起」, 왕야핑의 「신구 곡예 창작 문제新舊曲藝創作問題」(1950년 3월 2일 베이징에서 집필) 등의 글이 발표되었다.

천보얼(1910~1951), 여성. 배우이자 인민전영사업人民電影事業을 조직하고 지도한 인물로 광둥성 산터우汕頭 출신이다. 1929년에 상하이예술대학에서 수학할 당시 상하이예술극사에 참가해 좌익희극활동에 종사하면서 「거리의 사람街頭人」, 「양상군자梁上君子」, 「탄갱부炭坑夫」 등의 주연을 맡았다. 1934년에 명성영편공사에서 첫 영화인 「청춘선青春線」의 주연을 맡았으며, 이후에 위안무즈와 함께 주연을 맡은 「도리겁」이 호평을 받았다. 1936년에 「생사동심」의 주연을 맡았다. 중일전쟁 시기에는 상하이부녀아동전선위로단上海婦女兒童前線慰勞團을 조직해 쑤이위안綏遠 항일전선으로 가서 위문 공연을 진행하였으며 항일 영화 「팔백 장사」의 연출에 참여하였다. 1940년에 옌안 마르크스레닌학원과 중공중앙당교에서 수학하였다. 무대극 「동지, 길을 잘못 들었소同志,你走錯了路」의 연출에 참여하였으며, 「옌안을 보위하다保衛延安」를 비롯한 다큐멘터리의 소재를 기획하고 촬영에 참여하였다. 극영화 「변방의 노동 영웅邊區勞動英雄」의 창작에 참여하였다. 1946년에 둥베이전영제편창 설립 공작에 참여해 '둥잉東影' 중공총지서기 겸 예술처 처장을 맡았다. 1947년에는 「민주 둥베이民主東北」 총 17편의 촬영을 주관하였는데, 그가 창작한 신중국 최초의 인형 영화 「황제의 꿈皇帝夢」도 이 가운데 수록되었다. 또한 최초의 만화영화 「독 안에 든 쥐를 잡다甕中捉鱉」의 제작을 지도하였다. 공화국 성립 후에는 중앙전영국 예술위원회 부주임위원 겸 예술처 처장 및 표현예술연구소 소장 등을 역임하였다.

천이(1912~2002), 본명은 위리핑餘立平으로 구이저우 쭌이遵義 출신이다. 1937년에 팔로군에 참가해 팔로군 진난군정간부학교晉南軍政幹部學校 교무부 주임, 지루위일보冀魯豫日報 사장, 둥베이민주연합군東北民主聯軍 총정치부 선전부 부장을 역임하였으며 공화국 성립 후에는 해방군 총정치부 문화부 부장을 맡았다. 다수의 전지 보도 및 전지 통신을 집필하였다. 1955년에 중국인민해방군 소장에 임명되었으며 2급 독립자유훈장, 1급 해방훈장을 수훈하여 '문화장군'으로 칭송받았다. 50년대 후반에 우파로 오인되었다. 1979년 6월에 중공 상하이시위원회 부서기 겸 선전부 부장을 맡았다. 저서로 『인민해방군의 문예공작을 제고하자把人民解放軍的文藝工作提高一步』, 『우리는 조선에서 돌아왔다我們從朝鮮回來』, 『정전 후의 조선停戰後的朝鮮』, 『국제주의 대가정 속에서在國際主義大家庭中』, 『50년, 한 순간五十年一瞬間』, 『가혹한 시련嚴峻的考驗』, 『귀래집歸來集』, 『10년 역정十年曆程』, 『발자국腳印』, 『창바이산과 헤이룽장白山黑水』, 『모든 것은 적에게 승리하기 위해 - 천이 평론집一切爲了戰勝敵人——陳沂評論集』, 『천이 가서陳沂家書』 등이 있다.

같은 호 『문예보』에 문예보 사설 「부정확하게 처리된 희극성의 충돌處理的不正確的戲劇性沖突」, 부대문예공작 논고, 쉬쿵徐孔의 「병연병과 군인무兵演兵和軍人舞」, 허유셴何酉先의 「전선에서의 문예공작火線上的文藝工作」, 바이쑤린白蘇林의 「전사 각본가를 어떻게 조직할 것인가如何組織戰士編劇」가 발표되었으며, 톈젠이 창작하고 러우솽婁霜이 삽화를 그린 중편소설 「그릇을 두드리는 그림拍碗圖」이 발표되었다.(제2권 제6호까지 연재)

같은 날, 장아이링張愛玲(량징梁京이라는 필명을 사용)이 장편소설 『십팔춘十八春』을 상하이 『역보亦報』에 연재하기 시작해 1951년 2월 11일까지 연재를 마쳤다. 1951년 11월에 상하이역보사에서 초판이 발행되었으며 인쇄 부수는 1~2,500권이었다. 1969년 3월에 타이완 황관잡지사皇冠雜志社에서 『십팔춘』을 『반생연半生緣』으로 각색해 출판하였다.

장아이링(1920~1995), 작가. 본명은 장잉張瑛, 필명은 량징이다. 본적은 허베이성 펑룬이며 상하이에서 출생하였다. 이름난 가문 출신으로, 외증조부 이홍장李鴻章과 조부 장패륜張佩綸은 모두 청 말기의 유명한 관리였다. 장아이링은 유년시절을 베이징과 톈진에서 보낸 후 1929년에 상하이로 이주하여 중학교를 졸업하고 홍콩대학에 입학하였다. 1942년에 홍콩이 점령당한 후 학업을 중단하고 상하이로 돌아와 글 쓰는 일을 생업으로 삼았다. 1942년에 『서풍西風』 잡지의 「나의 생활我的生活」 원고 공모전에 산문 「나의 천재몽我的天才夢」을 투고해 명예상을 수상하였다. 1943년에 첫 소설 「침향설沉香屑」(제1, 2 향로)가 저우서우쥐안周瘦鵑에 의해 『자라난紫羅蘭』 잡지에 발표되었으며, 그 외의 작품들은 주로 『천지天地』, 『만상萬象』 등의 잡지에 발표되었다. 1942년에서 1945년 사이에 다수의 소설과 산문을 발표해 상하이 윤함구淪陷區에서 가장 인기 있는 여성 작가가 되었다. 대표작으로 소설집 『전기傳奇』(「경성지련傾城之戀」, 「금쇄기金鎖記」, 「붉은 장미와 흰 장미紅玫瑰與白玫瑰」 등의 명작을 수록)와 산문집 『유언流言』이 있다. 1950년대 이후에 홍콩을 거쳐 미국으로 이주해 1973년에 로스앤젤레스에 정착하였으며, 이후에 캘리포니아대학교 중문연구중심에서 번역과 소설 고증 작업에 종사하였다. 오吳 지역의 방언으로 창작된 소설 『해상화열전海上花列傳』을 영어로 번역하였다. 만년에는 미국에서 '은거' 생활을 하다가 1995년에 샌프란시스코의 한 아파트에서 조용히 별세하였고, 며칠이 지나서야 발견되었다. 현재 여러 종류의 장아이링 문집이 출판되어 있다.

자오수리의 「샤오얼헤이의 결혼」이 황뤄하이黃若海에 의해 영화 각본으로 각색되어 홍콩에서 촬영되었다.

류칭의 서평 「나는 「밤낮으로」가 좋다我喜歡<日日夜夜>」가 『중국청년』 제35호에 발표되었다.

26일, 『인민일보』 부간 '인민문예'에 구위穀峪의 「새 일은 새로 처리하다新事新辦」, 장수레이張樹雷의 「사돈의 새 집親家新家」 등의 단편소설이 발표되었다. 서두에 편집자의 말이 추가되었다. "이들의 창작은 다른 몇몇 작가들이 미치지 못하는 군중 생활에 대한 관찰력과 묘사 능력을 보여주어 독자에게 신선한 느낌을 준다." 구위의 「새 일은 새로 처리하다」는 전국의 여러 신문에 전재되었으며 러시아어, 영어 등 여러 언어로 번역되었다.

구위(1928~1990), 본명은 구우창穀五昌으로 허베이성 우이武邑 출신이다. 1946년에 우이현 사범학교를 졸업하였다. 이후에 지난예술학교冀南藝術學校에서 수학하면서 극본과 소설 창작을 시작하였다. 1948년에 지난문화위원회 창작조로 이동하였으며 1949년에는 허베이성 문련 창립위원회 창작부로 자리를 옮겼다. 1953년에 베이징중앙문학강습소에서 연수를 받았으며 졸업한 후에 허베이성 문련으로 돌아가 전문 창작에 종사하였다. 저서로 장편소설 『스아이니의 운명石愛妮的命運』, 단편소설집 『새 일은 새로 처리하다』, 『내의汗衫』, 『새싹嫩芽』, 산문특필집 『춘귀연春歸燕』, 산문집 『뤄베이의 반달蘿北半月』, 중편특필집 『봉화가 계속되다狼煙滾滾』 등이 있다.

29일, 베이징에서 중국민간문예연구회 창립대회가 개최되었다. 저우양이 개회사를 하고 궈모뤄와 라오서가 발언하였다. 궈모뤄가 이사장에, 라오서와 중징원이 부이사장에 선출되었으며 마오둔과 저우양 등 47인의 이사를 선발하였다. 또한 회칙을 제정하였으며, 총회를 베이징에 두고 구체적인 상황에 따라 각지에 분회를 설립하기로 결정하였다. 본 연구회에서는 민간문예 자료를 수집하는 방법을 공포해 전국 각지의 인민 대중들 사이에 유행하는 민요, 민가, 평화平話, 탄사彈詞 등을 널리 수집하였다. 10월에 『민간문예연구논문집民間文藝研究集刊』을 출간하였으며, 1951년 9월에 총권 3호로 폐간되었다.

이달에 레닌 서거 26주년을 기념해 『신화일보』에 레닌의 글 「당의 조직과 당의 문학黨的組織與黨的文學」이 다시 게재되었다.

중공중앙선전부가 중난하이에서 농촌발행공작 좌담회를 개최하였다. 각 대형 행정구역의 신화서점 대표들이 회의에 참석해 서화 하향書畫下鄉 상황에 대해 보고하였다. 루딩이 부장이 발언해 농촌발행공작에 큰 힘을 기울일 것을 요구하였다.

궈모뤄의 문집 『비갱집沸羹集』, 『지하의 웃음소리地下的笑聲』, 『천지현황天地玄黃』이 상하이신문예출판사에서 출간되었다. 허치팡의 『현실주의에 관하여關於現實主義』가 상하이신문예출판사에서 출간되었다. 저우양이 편찬한 『마르스크주의와 문예馬克思主義與文藝』가 인민출판사에서 출간되었다. 쑨리의 『문예학습文藝學習』이 신문예출판사에서 출간되었다.

탕스의 평론집 『의도집意度集』이 평원사平原社에서 출간되었다. 평론집에는 「생각하는 사람 펑즈沉思者馮至」, 「정민의 고요한 밤의 기도鄭敏的靜夜裏的祈禱」, 「신디의 '수장집'辛笛的"手掌集"」, 「추구하는 사람 무단搏求者穆旦」, 「엄숙한 별들嚴肅的星辰們」 등 10편의 평론과 작가 서문이 수록되었다.

첸샤오후이錢小惠의 『공인이 연설문을 쓰다工人寫作講話』가 상하이천광출판공사上海晨光出版公司

에서 출간되었다.

첸샤오후이(1928~2018), 필명은 첸샤오후이錢小晦이며 안후이성 우후蕪湖 출신이다. 1948년부터 작품을 발표하였으며 1979년에 중국작가협회에 가입하였다. 저서로 목각만화집 『전쟁과 생산戰爭與生産』, 산문집 『폐차의 부활死車的復活』, 『삶의 길生活之路』, 소설 『돌파突破』, 『야생화가 만발하다山花爛熳』, 기록문학 『외팔 공장장獨臂廠長』, 『거울호수鏡湖水』(합동 창작), 『덩중샤 전기鄧中夏傳』(합동 창작), 영화문학 소설 『붉은색 폭풍紅色的風暴』(합동 창작) 등이 있다.

리얼중李爾重의 소설 『창바이산 아래의 자위대長白山下的自衛隊』와 통속문학 『제7반第七班』이 한커우신화서점 중난총분점에서 출간되었다.

리얼중(1913~2009), 본명은 위싼育三이며 허베이성 평룬 출신이다. 1929년에 혁명에 참가해 우한시, 중난국, 광둥성, 산시陝西성, 허베이성 등지에서 혁명 지도 업무를 맡았다. 1983년에 허베이성위원회 서기 겸 성장 자리에서 은퇴해 우한에 정착하였다. 저서로 소설 『창바이산 아래의 자위대』, 『신 전쟁과 평화新戰爭與和平』, 통속문학 『제7반』 등이 있으며, 대표작 『신 전쟁과 평화』는 제5회 전국 도서 2등상 및 후베이굴원문예상湖北屈原文藝獎 특등상을 수상하였다. 이후에 『리얼중 문집李爾重文集』 20권이 출간되었다.

후펑의 장시 『진혼곡 - 시간이 시작되었다! 제4악편』, 『환희의 송가 - 시간이 시작되었다! 제5악편』이 천하도서공사에서 출간되었다. 톈젠의 시집 『단가短歌』가 상하이군익출판사에서 출간되었다.

왕야핑의 시집 『황허영웅가』와 『청춘의 중국青春的中國』이 각각 신화서점과 문화공작사文化工作社에서 출간되었다. 『황허영웅가』에는 「인민정협이 역사를 바꾸다!人民政協把曆史改變!」, 「류진우와 그의 조롱박劉金吾和他的葫蘆」, 「황허영웅가」, 「나는 지주에게 노선을 나눠준다咱給地主分路線」 등 6편의 시가 수록되었다. 당시의 광고에는 “작가는 황허 양안의 농촌에서 3년간 일하면서 토지개혁에 직접 참여하였다. 그곳의 농민들은 공산당의 영도 아래 고되고 용감하게 해방전쟁과 토지개혁 및 제방을 쌓는 투쟁에 참가하였다. 이 시집에 수록된 6편의 서사시는 모두 작가가 직접 체험하여 잘 알게 된, 찬양할 가치가 있는 인물들에 대해 묘사하고 있다. 이 인물들 가운데는 10년간 투쟁하면서도 굴하지 않는 여성 공산당원, 목숨을 희생해 제방을 지킨 영웅, 기지를 써서 적을 격퇴한 여성 민병 등이 있다. 그들은 모두 반봉건 투쟁에 임하고 해방 사업을 위해 힘을 다해 공을 세운 고귀한 품성을 지니고 있다. 황허 위의 이 남녀 영웅들은 작가에 의해 전형적인 모습으로 새롭게 태어났다”고 되어 있었다(1950년 4월 1일자 『인민문학』 제1권 제6호).

옌천의 시집 『소침장』이 문화공작사에서 출간되었다. 저우얼푸의 시집 『야행집』이 상하이군익출판사에서 출간되었다. 넌장농민사嫩江農民社에서 편찬한 『농민시가 100수農民詩歌一百首』가 둥베이신화서점에서 출간되었다.

라오룽의 시집 『발자국脚印』이 문화공작사에서 출간되었다.

라오룽(1911~1989), 번역가, 시인. 본명은 리시李希, 자는 시즈希之로 상하이 출신이다. 1935년부터 문학작품을 발표하였다. 1948년에 해방구로 이주하였다. 1949년 이후에 『톈진일보』 부간 편집자, 『신강新港』 편집위원을 맡았다. 저서로 시집 『발자국』, 『재판裁判』, 『톈진의 노래天津之歌』, 산문집 『신생의 역정新生的曆程』이 있다. 대표 번역서로 장시집 『노예의 노래奴隸之歌』, 『실레시아의 노래西裏西亞之歌』, 시집 『중국의 미소中國的微笑』, 『화속집花束集』, 『불가리아 민가선保加利亞民歌選』, 산문집 『크림 반도 여행기克裏米亞旅行記』가 있다.

차오위의 화극 『뇌우』가 상하이문화생활출판사에서 출간되었다. 톈자田稼의 화극 『뒤집개鍋鏟』가 지난산둥신화서점濟南山東新華書店에서 출간되었다.

바이원白文의 화극 『느릅나무 숲大楡林』이 상하이신문예출판사에서 출간되었다.

바이원(1923~), 본명은 류쥔런劉駿仁, 자는 윈청雲程이며 바이원, 예셴葉弦, 리젠李筧 등의 필명을 사용하였다. 본적은 장쑤성 창저우常州이며 베이징에서 출생하였다. 단막극 극본 「경사喜事」, 「진지陣地」, 장막극 극본 「느릅나무 숲」, 「동해 전선東海前線」, 「나는 병사다我是一個兵」, 「에드거 스노埃德加·斯諾」, 영화문학 극본 「형제들 안녕하신가哥倆好」(합동 창작) 등을 창작하였다.

장성江聲 등이 창작한 보고문학 작품집 『징강산으로 돌아가다回到井岡山』가 한커우신화서점 중난총분점에서 출간되었다. 인양殷揚의 보고문학 작품집 『완난 포위망 돌파기皖南突圍記』가 상하이신문예출판사에서 출간되었다.

홍콩에서 촬영된 영화 「청궁비사淸宮秘史」가 베이징과 상해 등지에서 상영되었다. 4월 1일자 『광명일보』에 편집부의 글 「「청궁비사」를 평하다」가 게재되었다. 1954년 10월, 마오쩌둥은 「『홍루몽』 연구 문제에 관한 서신」에서 "애국주의 영화라는 평을 받고 있으나 사실은 매국주의 영화인 「청궁비사」가 전국에서 상영이 시작된 후로 지금까지 비판받지 않고 있다"고 지적하였다. 이 영화는 문화대혁명 시기에 전국적으로 큰 비판을 받았다. 치번위戚本禹는 1967년에 『홍기』 제5호에 발표한 「애국주의인가 매국주의인가 - 반동영화 「청궁비사」를 평하다」에서 이 영화가 "황제를 숭상하고 두려워하는 사상을 마구 퍼뜨리고, 제국주의에 대한 환상을 적극적으로 유포해 매국주의 이론을 공개적으로 알리고 있다", "의화단의 반제국주의 혁명 행동을 야만적인 소동으로 묘사하고 있다", "자산계급 개량주의의 대표적 인물, 특히 광서 황제를 엄청나게 떠받들어……이 영화로 군중을 미혹시키고, 자신계급 개량주의를 억지로 덮어 감추고 있다"고 지적하였다.

라오서가 각색한 「목록菜單子」, 「문장회文章會」, 「지리도地理圖」 등의 상성이 대중들에게 환영을 받았다.

옌즈쥐안燕志雋의 통속문학 작품집 『고녀 해방기苦女翻身記』가 지난산둥신화서점에서 출간되었다.

옌즈쥐안(1907~1982), 옌위밍燕遇明이라고도 하며 자는 슈푸秀夫이다. 옌옌燕燕, 옌무燕慕, 옌쑤燕素, 황예黃葉 등의 필명을 사용했으며 타이안현泰安縣 옌장춘顔張村 출신이다. 1932년에 중국공산당에 가입하였다. 공화국 성립 후에 중공칭다오시위원회 선전부 부부장, 산둥성위원회 선전부 문예처 처장, 성위원회 문교부 부부장, 성혁명위원회 문교사무실 부주임, 산둥성문학예술계연합회 당조서기 및 부주석, 주석 등을 역임하였다. 제3, 4기 전국문련 위원으로 선발되었다. 저서로 『옌위밍 문집燕遇明文集』, 소설 『고녀 해방기』, 장편서사시 『고목에 꽃이 피다枯樹開花』, 『산촌의 자녀山鄉兒女』 및 단시집 『푸른 잎碧葉』, 문예단론집 『미신을 타파하고 대담하게 창작하다破除迷信大膽創作』 등이 있다.

몽골의 민간고사 『홍구얼洪古爾』이 베이징상무인서관에서 출간되었다.

4월

1일, 중화전국희극공작자협회가 편찬하고 중화서국에서 출판한 『인민희극』(월간)이 상하이에서 창간되어 톈한이 책임 편집자를 맡았다. 창간호는 희곡개혁 특집호로 편성되어, 1944년에 마오쩌둥이 「쫓기어 양산으로 도망치다」를 관람한 후에 양사오쉬안과 치옌밍齊燕銘에게 보낸 서신이 게재되었다. 또한 희극계의 여러 저명인사가 희곡개혁에 관해 논한 글이 게재되었는데, 이 가운데에는 톈한이 저우양에게 보낸 「희곡개혁공작을 어떻게 전개할 것인가 - 저우양 동지에게 보내는 열 통의 서신怎樣做戲改工作──給周揚同志的十封信」(제1호와 제2, 3호 합본에 톈한이 저우양에게 보낸 세 통의 서신이 연재됨)도 포함되었다. 톈한은 첫 번째 서신에서 희곡개혁에 필요한 명확한 원칙을 개괄적으로 제시하였는데, 이는 바로 "민족적이고 과학적이며 민주적인" "신민주주의 희극"을 창조하는 것이다. 두 번째와 세 번째 서신에서 톈한은 풍부하게 누적된 본인의 희극 경험에 근거해 구극이 가지고 있는 민족 사상이라는 측면의 우수한 유산을 정리하였다.

양사오쉬안은 「중국희곡발전사략 및 구극혁명의 방향中國戲曲發展史略與舊劇革命的方向」에서 중국 희곡이 탄생한 이후로 큰 발전과 성숙을 이룬 역사적 맥락을 간단히 정리하고, 구극혁명의 임무가

"구문학예술과 구극장의 쓰레기를 제거하고" "새로운 역사가극과 시사가극을 보급해 유익함으로써 해로움을 대신하고, 순결함으로써 불결함을 대체하며, 건강함으로써 쇠약함을, 그리고 아름다움으로써 추함을 대신"하여, 구예인들의 사상적 자각의 제고라는 기초 위에 "새로운 인물이 새 사업을 진행"하는 목표를 실현하는 데 있음을 명확히 밝혔다.

같은 호에 마옌샹의 「신음악공작자들도 함께 구극을 개혁하기를 바란다希望新音樂工作者共同改革舊劇」, 광웨이란의 「극본 창작을 강력히 조직하자大力組織劇本創作」, 자오쥐인焦菊隱의 「희곡계여, 조직화하자戲曲界組織起來」, 어우양위첸의 「구극 개조에 관한 몇 가지關於舊戲改造的幾小點」 및 장겅, 아자阿甲 등의 글 「앞으로의 희극운동에 관한 바람今後戲劇運動的希望」 등의 글이 발표되었다. 또한 마사오보의 「희곡 감독에 관하여關於戲曲導演」, 훙선의 「한 구덩이에 한 사람一個人在一個坑裏」, 아자의 「몰락 시기의 경극의 미학관沒落時期的京戲的美學觀」 등 서로 다른 각도에서 희곡의 미학적 문제에 관해 논하는 글들이 발표되었다. 이 잡지는 1951년 5월부터 베이징에서 간행되었다.

쑹칭링宋慶齡의 발기로 아동 간행물 출판사인 아동시대사兒童時代社가 설립되어 『아동시대』 잡지 창간호가 상하이에서 출간되었다. 쑹칭링이 잡지의 서문을 썼다. 본 잡지의 취지는 "아동을 정확한 길로 인도하고 아동의 지혜를 계발해 아름다운 정서를 배양하고 새로운 세대를 육성하는 것을 목표로 하는, 소학교 고학년 학생을 독자로 하는 종합 간행물"로, 주로 문학작품을 게재하였다.

신화서점 총관리처가 베이징에 설립되었다. 출판총서 출판국 국장 황뤄펑黃洛峰이 총관리처 지배인을 겸임하였다.

중앙미술학원이 베이징에서 정식으로 설립되었다. 그 전신은 화베이대학 제3부와 베이징예술전문학교이다. 쉬베이훙徐悲鴻이 원장을 맡았으며 우쭤런吳作人이 교무장을, 왕차오원王朝聞이 부교무장을 맡았다.

쉬베이훙(1895~1953), 화가. 본명은 서우캉壽康으로 장쑤성 이싱 출신이다. 어려서부터 가학을 계승해 중국 수묵화를 연구하였다. 1918년에 차이위안페이蔡元培의 초청을 받아 베이징대학 화법연구회畫法研究會 지도교수를 맡았다. 1919년에 프랑스로 유학했으며 후에 베를린, 벨기에 등지에서 소묘와 유화를 연구하였다. 1927년에 귀국해 상하이남국예술학원上海南國藝術學院 미술과 주임, 중앙대학 예술과 교수, 베이핑대학 예술학원 원장, 베이핑예술전문학교 교장 등을 역임하였다. 공화국 성립 후에는 제1기 중화전국미술공작자협회 주석, 중앙미술학원 원장 등을 역임하였다.

우쭤런(1908~1997), 화가. 안후이성 징현涇縣 출신이다. 1927년에 상하이예술대학 미술과에 입학하였으며 다음해에 남국예술학원 미술과로 전학해 쉬베이훙에게 사사하였다. 1930년에 프랑스로 유학해 프랑스와 벨기에 등지에서 유학한 후 1935년에 귀국해 중앙대학 예술과와 중국미술학원, 베이핑예술전문학원 교수를 역임하였다. 1950년 이후로 중앙미술학원 교수 겸 교무장, 부원장, 원장, 명예원장을 거쳤다. 중국미술가협회 상무이사, 부주석, 주석, 중국문련 부주석 등을 역임하였다.

『광명일보』에 편집부의 글 「「청궁비사」를 평하다評<清宮秘史>」가 게재되었다. 『대중시가』 제1권 제4호에 사오옌샹의 「식량이 관문으로 들어가다糧食進關」, 사어우의 「곰할머니熊家婆」, 천무의 「추격 전의 그 밤追擊前的那一晚」, 쉬팡의 「얼후좡 야화二虎莊夜話」 등의 시가 발표되었다.

『인민문학』 제1권 제6호에 천자오샹陳肇祥의 「춘절春節」, 위린俞林의 「어떻게 오늘까지 왔는가怎麽到的今天」, 둥나이샹董乃相의 「내 마누라我的老婆」, 다뤼大呂의 「위 사부의 2년간於師傅這二年」 등의 소설을 비롯해 리지의 장시 『정보원 아가씨報信姑娘』, 거비저우의 「숲속樹林裏」 및 리주李株의 「하룻밤 묵다宿一夜」, 「재주 있는 사람을 집에 맞이하다一個巧人迎到家」, 「작은 푸른색 꽃小藍花」 등 단시 3편과 「중국전국문학공작자협회 편집부 1950년 문학공작자 창작계획 조사中國全國文學工作者協會編輯部一九五〇年文學工作者創作計劃調查」가 게재되었다.

위린(1918~1986), 본명은 자오펑장趙鳳章이며 위린, 런원任文, 자오베이趙北, 옌난燕南 등의 필명을 사용하였다. 허베이성 허젠河間 출신이다. 「라오자오가 하향하다老趙下鄕」, 「가정이 화목하면 집안이 번창한다家和日子旺」, 「횃불 하나一把火」, 「한영반월韓營半月」, 「평화의 수호자和平保衛者」, 「인민은 전투 중이다人民在戰鬥」 등의 소설을 창작하였다.

2일, 중국희극최고학부 중앙희극학원이 정식으로 설립되어 어우양위첸이 원장을, 차오위와 장경이 부원장을 맡았으며 장광녠이 교육장을 맡았다. 마오쩌둥이 직접 학원의 현판을 써 주었다. 중앙희극학원은 중화인민공화국 최초로 설립된 고등희극학원으로, 그 전신은 옌안루예 예술학원과 화베이대학 문예학원 및 난징국립희극전문학교이다.

중앙희극학원 간행물 『희극통신戲劇通訊』이 창간되었다. 창간호에는 어우양위첸의 「창간 축사序幕致辭」를 비롯해 톈한, 마오둔, 저우양, 리보자오, 훙선, 차오위 등의 기념사가 게재되었다. 또한 장경의 「근 50년간 중국의 극운 개황中國近五十年劇運概況」이 게재되었다. 이 글은 1949년 10월 중순에 집필되었는데, 문화부 대외문화연락국의 청탁을 받아 소련문화대표단에 중국 희극운동의 개황을 소개하기 위해 쓴 글로 대외교류를 목적으로 집필된 글이다.

4일, 상하이 『문회보』 부간 『자력』에 황상黃裳의 글 「잡문 부흥雜文復興」이 발표되었다. 그는 글에서 문예공작자들이 "일찍이 오랫동안 사용되었으며, 루쉰 선생으로부터 배운 그 무기 - 잡문"

을 계속해서 사용할 것을 호소하였다. 이후 1개월 동안 『문회보』와 『해방일보』 부간에 잡문의 창작에 대해 토론하는 10여 편의 글을 발표하였다.

6월 30일, 『문회보』 및 『문학계』 주간에 상하이문협 주석인 펑쉐펑의 글 「잡문에 관하여談談雜文」가 게재되어 잡문에 관한 이번 토론의 결말을 맺었다. 펑쉐펑은 글에서 "우리는 오늘날 잡문이 필요하다. 그것도 대단히 필요하다. 그러나 문제는 우리에게 필요한 것이 어떠한 잡문인가에 있다. 다시 말하자면 어떠한 잡문이 오늘날의 인민이 필요로 하는 것인가? 어떠한 잡문이 인민에게 복무하기 위해 필요하며, 적합한 공구가 될 것인가?"라고 지적하였다. 그는 신문의 부간에서 "반드시 사상성과 예술성이 풍부하고 생동감을 가진 힘 있는 잡문을 게재해 활발히 활약할 수 있도록" 하기를 바란다고 말했다. 그는 루쉰의 잡문 혹은 루쉰과 같은 식의 잡문만을 진정한 잡문으로 보는 관점은 "편파적이고 편협한 심리"에서 기인한 것으로, "소자산계급의 개인주의 사상의 마지막 발악이라고 할 수 있다"고 말했다.

황상(1919~2012), 산문가, 기자. 회족으로 본명은 룽딩창容鼎昌이며 황상, 몐중勉仲, 자오후이이趙會儀 등의 필명을 사용하였다. 난카이중학과 교통대학에서 수학하였다. 1943년에서 1946년 사이에 미군의 통역관을 맡아 청두, 충칭, 쿤밍, 인도 등지에서 활동하였다. 1945년에서 1956년 사이에는 『문회보』 기자, 편집자, 편집위원 등을 맡았다. 1951년에서 1956년 사이에는 상하이전영계통창작소上海電影系統創作所 각본가, 중국작가협회 이사, 상하이문련 위원을 역임하였다. 저서로 작품집 『금범집錦帆集』, 『구극을 새롭게 말하다舊戲新談』, 『화장대 잡기妝台雜記』, 『과거의 발자취過去的足跡』, 『주환기행珠還記幸』, 『금릉오기金陵五記』 등이 있으며, 이후에 『황상 문집黃裳文集』(6권)이 출간되었다.

5일, 전국문협에서 베이징과 톈진 지역의 회원을 초청해 베이하이공원에서 창작에 관해 자유롭게 토론하는 다과회를 개최하였다. 마오둔, 저우양, 딩링, 아이칭 등 100여 명이 참석하였다. 이들은 다과회에서 창작의 전개 및 창작 과정의 문제에 관해 의견을 교환하였다.

출판총서 편집심사국에서 편찬한 『도서평론圖書評論』 특집이 창간되어 『인민일보』에 격주로 간행되었다. 이는 공화국 성립 이래 최초로 신문에 창간된 서평 특집호로, 양서를 추천하고 악서를 비판하는 역할을 해 독자와 출판업계 종사자들로부터 크게 주목받았다.

8일, 문화부 예술국에서 극장관리위원회를 설립해 어우양위첸이 주임을, 리보자오가 부주임을 맡았다. 같은 날, 『중국청년』 제36호에 리지의 시 「'단지 내가 청년 단원이라는 이유만으로'"只因爲我是一個青年團員"」가 발표되었다.

9일, 『인민일보』에 궈모뤄의 「중국민간문예연구회에서의 연설在中國民間文藝研究會上的講話」이 발표되었다. 이 글은 10월에 『민간문예논문집民間文藝集刊』 제1호에 다시 게재되었다.

10일, 『문예보』 제2권 제2호에 아이칭이 독자에게 답장한 서신 「대중화와 구형식에 관하여談大眾化和舊形式」, 마오둔의 「『수호전』의 인물과 구조에 관하여談<水滸>的人物和結構」, 라오서의 「'이미 만들어진 것'과 '심오한 내용을 쉽게 표현하는 것'"現成"與"深入淺出"」(이 글은 라오서가 통속 운문문학, 즉 고사鼓詞, 단현單弦, 태평가사太平歌詞 등의 창작을 배운 경험에 근거해 집필한 글이다), 저우칭위周擎宇의 「고귀한 창작 품성 - 마르크스전기 독서 찰기 제1편高貴的寫作品德——讀馬克思傳劄記之一」 등의 글이 발표되었다.

독자는 아이칭에게 보낸 서신에서 "현재 시가 창작에서는 쾌판快板, 순구류順口溜, 가요, 운문 등이 절대적인 우세를 차지하고 있습니다." "지식분자 출신의 시가공작자 중 대다수는 사계조四季調나 오경곡五更曲 같은 구형식을 서투르게 모방해 민간 가요를 베끼는 척하면서, 자신이 진보하고 있으며 공농병을 위해 복무한다고 표현합니다." "일부는 아예 '대중화'와 '구형식'을 같은 것으로 보고, 구형식을 모방해 시를 창작하기만 하면 그것이 바로 대중화이며 이에 반대되는 것은 전부 대중화가 아니라고 여깁니다. 형식 면에서 이해하는 것뿐만 아니라 형식 면에서 대중화를 추구하고 있지만, 오히려 반대로 대중성이 풍부한 모든 우수한 신문예작품을 말살하고 있는 것입니다"라고 말했다.

아이칭은 답장에서 "나는 바로 이런 이들이 민간문예를 열심히 배우고 있다고 생각합니다. 이것은 마땅히 격려해야 할 좋은 현상입니다. 당신은 그들이 '자신이 진보하고 있다는 것을 표현'하기 위해 이렇게 하는 것이라고 말하며, 심지어 그들이 '공농병을 위해 복무'하고 있는 것을 의심하기까지 하는데, 이런 의심을 해서는 안 되며, 틀린 의심이기도 합니다." "현재까지 발표된 수많은 시가 작품 가운데 일부 민간예술을 학습한 작품이 아직 독자들을 만족시킬 수 없으며, 혹자는 민간예술을 학습할 때 형식의 모방에만 주의하고, 혹자는 케케묵은 말을 주워섬겨 자랑하며, 혹자는 창작에 있어 충분히 엄숙하지 못해 결과물이 다소 조잡하고, 혹자는 심지어 민간 형식의 시를 쓸 때는 문법이 필요 없다고 주장하기도 합니다. 그러나 일반적으로 보았을 때, 많은 작품들의 사상성이 높지 못한 등등의 문제는 어떠한 운동이 전개되는 초기에 가장 쉽게 발생할 수 있는 현상이라고 나는 생각합니다. 이러한 현상들은 점차 수정되고 극복될 수 있습니다. 이러한 현상들을 수정하고 극복하기 위해서는 시가 공작자들의 공통된 노력이 필요합니다. 현재까지 발생한 이러한 현상들 때문에 이 운동 자체에 의심을 표하고 심지어 이를 비난하는 것 역시 결코 해서는 안 될 행동입니다"라고 말했다.

『문예보』의 같은 호에 류이팅劉藝亭의 단편소설 「기름油」, 양예楊野의 단편소설 「모자母子」를 비롯해 루시즈의 「생활을 어떻게 체험할 것인가 - 「시간이여 전진하라!」 속의 소설가에 관하여怎樣體驗生活——談<時間呀前進!>中的小說家」, 추사丘沙의 「「관우의 죽음」을 통해 구극개혁을 생각하다從<關羽之死>想到舊劇改革」, 장화의 「정상적인 극평을 요구한다要求有正常的劇評」, 샤오멍肖萌과 양쯔장揚子江의 「'병연병'의 수준은 제고되어야 한다"兵演兵"應提高一步」, 웨이즈빈魏質彬의 「군인무 전개에 관한 몇 가지 의견開展軍人舞的一些意見」 등의 글과 함께 문예보 편집위원회의 「창작경험創作經驗」 원고 모집 통지가 게재되었다. 통지에는 "1. 작품의 소재는 어떻게 구성하였는가? 2. 인물의 창작 과정은 어떠했는가? 3. 플롯은 어떻게 발전하는가? 4. 이야기와 인물은 작품의 사상과 어떻게 결합되었는가? 5. 당신은 언어를 어떻게 학습하였는가?" 등의 사항이 포함되어 있었다.

류이팅(1917~2016), 류이경劉亦耕이라고도 하며 화얼스華而實, 이경以耕 등의 필명을 사용하였다. 허베이성 웨이현威縣 출신이다. 1938년에 혁명공작에 참가해 취저우현曲周縣 항일정부 문교부장, 지난삼분구冀南三分區 『인산보人山報』 편집장, 『지난일보』 시사판 책임 편집자, 신화사 지난분사 및 『지난일보』 기자, 『평원문예平原文藝』 통신원, 『자오둥문화膠東文化』 특약작가, 지난행서冀南行署 교육처 편집심사과장, 『지난교육冀南教育』 책임 편집자를 역임하였다. 저서로 『류이팅 작품집劉藝亭作品集』(5권), 시집 『나의 고향我的鄕土』, 『회춘곡回春曲』, 소설집 『오늘과 내일今天和明天』, 산문집 『어머니의 말 소쿠리母親的話笸籮』, 이야기집 『흑홍점黑紅點』 등이 있다. 이후에 『류이팅 회고록劉藝亭回憶錄』이 출간되었다.

12일, 중국민간문예연구회에서 제1차 이사회를 개최하였다. 저우양, 뤄지呂驥, 아이칭, 자오수리, 위핑보, 어우양위첸, 청옌추程硯秋, 창후이常惠, 궈모뤄, 라오서, 중징원 등 11명으로 상무이사회를 구성하기로 결정하고 각 조의 조장을 임시로 결정했으며, '민간문학총서'와 '민간음악총서'를 편집 출판할 것을 결정하였다. 같은 날, 화둥월극실험극단華東越劇實驗劇團이 설립되어 위안쉐펀袁雪芬이 단장을 맡았다.

14일, 전국문련과 소련대외문협 등의 단체가 합동으로 베이징에서 소련 작가 마야코프스키 서거 20주년을 기념하는 행사를 개최하였다. 800여 명이 참석하였으며 궈모뤄가 보고하고 샤오싼이 발언하였다.

15일, 『인민시가』 월간 제4호에 런쥔의 「국가가 없는 '총통'沒有國家的"總統"」, 톈치田奇의 「큰형수가 똥을 뒤집다大嫂翻糞」, 팡인方殷의 「어째서 너희의 붉은 별을 드러내지 않는가爲什麼不露出你們的紅星」 등의 시와 라오신勞辛의 「마야코프스키와 중국 신시에 관하여略談瑪耶可夫斯基與中國新詩」 등의 글 및 좡신莊辛이 편찬한 「화둥 농촌의 생산과 재해 구조 시가華東農村生產救災的詩歌」 등이 발표되었다. 장커푸張克夫가 편찬한 『전사의 시戰士的詩』가 중국인민해방군 화베이군구 정치부에서 출간되었다.

16일, 쑤베이문대회가 개최되었다.

상하이시가공작자연의회가 상하이에서 설립되어 라오신이 주석을, 류첸이 부주석을 맡았으며 사진, 우웨吳越, 우스吳視, 장바이산張白山, 런쥔, 투안屠岸, 쯔쉬, 천보추이陳伯吹, 무예牧野가 상무위원을 맡았다. 연의회는 조직, 창작, 낭송, 연구, 편집 출판 등 5개 부서와 비서처, 시가고문위원회로 구성되었다.

『인민일보』에 청옌추가 저우양에게 보낸 서신 「지방 희곡의 조사 계획에 관하여關於地方戲曲的調查計劃」가 게재되었다. 청옌추는 서신에서 저우양에게 본인의 '전국희곡조사계획 개요'를 소개하고 의견을 구하였다.

같은 호에 허치팡의 글 「중국 구극이 쇠퇴한 원인에 관하여關於中國舊劇下降的原因」가 발표되었다. 허치팡은 중국 구극이 쇠퇴한 원인은 청옌추가 「시베이 희곡 방문 소기西北戲曲訪問小記」에서 지적한 바와 같이 "과거에 반식민지적 상황하에 구미의 자본주의 문화와 접촉해 서양을 맹목적으로 숭배하는 풍조가 생겨나 우리의 역사적 유산을 신중하게 비판하고 받아들여야 한다는 점을 경솔하게도 소홀히 했기 때문"만은 아니라고 지적하며, 그보다는 구극이 "진보적인 신문예공작자의 주목과 도움을 충분히 받지 못"했기 때문이며, 더욱 근본적으로는 구극 개혁의 발걸음이 시대가 전진하는 속도에 맞추지 못해 구극의 내용이 시대에 크게 뒤떨어졌기 때문이라고 보았다.

18일, 뉴한牛漢은 후펑과 메이즈梅志에게 서신을 보내 "최근에 베이징에서는 시의 격률에 관한 문제에 대한 토론이 한창입니다. 한 행은 6~7자에, 한 연은 정해진 수의 행으로 구성해야 한다고 하는데, 자세한 상황은 나도 잘 모릅니다. 왕야핑, 쉬츠, 펑즈, 린겅, 아이칭 등이 다들 이미 이런 시를 쓰기 시작했습니다. 몇몇 젊은 시인들에게는 고통스러운 속박이지만, 몇몇 나이가 많은(아니, 생명이 노쇠한) 이들에게는 오히려 일종의 위안입니다. 펑즈와 린겅 등은 이런 풍조를 아주 마음에 들어 합니다. 그들은 몇 십 년 동안 계속 이렇게 시를 써 왔으니까요. 그들은 이런 시가 중국적인 풍격을 가진 정통 시라고들 합니다. 하늘이나 알 일이지요. 나는 매일 시를 읽으려는 열정으로 가득 차 있습니다. 특히 내가 좋아했던 시인들에 대해서는 큰 관심을 가지고 있습니다. 톈젠이 최근에 출간한 『항전시초抗戰詩抄』를 읽었는데, 몇 편은 아주 좋았습니다. 두 분은 읽어 보셨는지 모르겠군요. 하지만 그의 시 중 몇 편은 확실히 쉬츠와 런쥔 등의 시와 같은 길을 가고 있습니다." "요즘 형식주의가 범람해, 정말로 속이 시끄러울 정도로 떠들썩합니다. 하지만 그럼에도 좋은 시는 태어나야 합니다. 소련의 시는 내용도 훌륭하지만 형식 또한 훌륭하고 생동감 있습니다. 결코 어떤 형식을 먼저 창조한 다음에 거기에 문예를 끼워맞추는 식이 아닙니다! 나는 맞춰지지 않을 것입니다! 중국에서도 네루다나 시모노프와 같은, 인생을 진실되게 노래하는 시가 많이 나와야 합니다"라고 말했다.(뉴한 『운명의 문서命運的檔案』, 제7, 8쪽. 우한출판사 2000년-> 각주로 처리해야 할 듯합니다.)

뉴한(1923~2013), 시인. 본명은 스청한史承漢이며 구평穀風이라는 필명을 사용하기도 했다. 산시山西성 딩샹定襄 출신이다. 1940년부터 시 작품을 발표하였다. 1943년에 시베이대학 외국어학과에 입학해 러시아어를 전공하였다. 민주학생운동에 참가했던 일로 인해 1946년에 국민당 정부에 의해 체포되어 징역 2년형을 선고받았다. 공화국 성립 후에 인민대학 연구부 학술비서, 둥베이공군 직속 정치부 당위원회 위원 겸 문교사무실 주임, 인민문학출판사 상무위원회 위원, 『중국문학』 집행부 책임 편집자, 『신문학사료新文學史料』 책임 편집자, 인민문학출판사 5·4문학 편집실 주임 및 편집심사위원을 역임하였다. 1955년에 후펑 사건으로 인해 '후펑 반혁명문자'로 몰려 2년간 수감되었으며, 1979년 가을에 복권되었다. 중국시가협회 부회장, 중국작가협회 전국 명예위원을 역임하였다. 저서로 시집 『채색된 생활彩色的生活』, 『조국祖國』, 『조국 앞에서在祖國面前』, 『온천溫泉』, 『사랑과 노래愛與歌』, 『지렁이와 깃털蚯蚓和羽毛』, 『뉴한 서정시선牛漢抒情詩選』과 산문집 『유년기의 목가童年牧歌』, 『중화산문진장본 · 뉴한 편中華散文珍藏本·牛漢卷』, 시화집 『시 학습 수기學詩手記』, 『몽유인이 시를 말하다夢遊人說詩』가 있다.

19일, 중국공산당중앙위원회에서 「신문에서 비평과 자아비평을 전개하는 것에 관한 결정關於在報紙上展開批評和自我批評的決定」을 선포하였다. 이 결정은 22일자 『인민일보』에 게재되었다. 결정이 선포된 후, 5월 10일자 『문예보』 제2권 제4호에 편집부의 「『문예보』 편집공작 초보 검토<文藝報>編輯工作初步檢討」가 게재되었다. 5월 25일자 『문예보』 제2권 제5호에 사설 「문학예술공작의 비평과 자아비평을 강화하자加強文學藝術工作的批評與自我批評」가 발표되어 "중국공산당중앙위원회에서 4월 19일에 선포한 「신문에서 비평과 자아비평을 전개하는 것에 관한 결정」은 대단히 중요한 문건이다." "문학예술공작과 문학예술에 관한 신문과 간행물에 관한 중국공산당중앙위원회의 이번 결정에 대해, 우리는 그 정신과 실제가 완전히 적합하고 또한 필요한 것이라고 생각한다"고 밝혔다. 8월 10일자 『문예보』 제2권 제10호에 우첸吳倩의 「문예 간행물 자아 검토에 관한 종합 보도文藝刊物自我檢討的綜合報導」가 게재되어 "중국공산당중앙위원회에서 「신문에서 비평과 자아비평을 전개하는 것에 관한 결정」을 선포하고, 전국문련의 기관 간행물인 『문예보』에 사설이 발표되어 '문학예술공작의 비평과 자아비평을 강화'할 것을 호소한 후로 각지의 문예 간행물 및 부간에서 잇따라 검토 공작을 진행하였다. 『문예보』, 『인민문학』, 『창장문예』, 『후베이문예』, 『이야기하고 노래하다』, 『문예학습』 등의 간행물에서 모두 이미 검토 공작을 진행하였다. 『인민미술』, 『인민희극』, 『허베이문예』 등에서도 검토 공작을 준비 중이라고 한다. 이러한 비평 및 자아비평이 전개되는 분위기가 신민주주의 문학예술의 건설 공작을 위해 드넓은 길을 닦아 주어 문학예술공작이 신속히 전진하게 해 줄 것임을 의심할 여지가 없다"고 밝혔다.

전영국에서 「중앙전영국 각 제편창의 극본 및 영화 심사 방법中央電影局各廠劇本及影片審査辦法」을 반포하여 각 국영 제편창에서 생산된 영화의 주제와 내용, 문학 극본, 예술영화의 극본 및 대형 다큐멘터리의 촬영 개요 등을 모두 전영국으로 보내 심사받게 했으며, 각 영역 영화의 정식 사본을 모두 전영국에 보내 심사받도록 결정하였다.

22일, 문화부에서 좌담회를 소집하여 스좌장 공인 웨이롄전의 화극 「매미가 아니다」에 관한 토론을 진행하였다. 어우양위첸, 장겅, 저우웨이즈 등과 작가 본인이 참석하였다. 이 극본은 공인계급이 새로운 생활을 창조하기 위해 자각을 가지고 노동에 임하는 열정을 반영한 내용으로 문예계의 주목을 받았다. 이 화극은 이달 18일부터 베이징에서 공연을 시작하였는데, 스좌장시 문공단에서 주관하였으며 정아이링鄭哀伶이 감독을 맡았다.

23일, 공청단 중앙위원회에서 제1차 전국소년아동공작간부대회全國少年兒童工作幹部大會를 소집하였다. 궈모뤄가 전국의 작가 및 소년아동공작자들에게 "소년과 아동을 대상으로 하는 양질의 문학예술작품을 많이 창작"해 "그들에게 정확한 사상과 고상한 지조를 배양"하고 지식을 신장시켜 달라고 호소하였다. 궈모뤄의 호소는 수많은 작가들에게 아이들을 위해 창작하고자 하는 열정을 불러일으켰다.

25일, 『문예보』 제2권 제3호에 천융의 「문예와 정치의 관계를 논하다 – 아룽의 「경향성을 논하다」를 평하다」, 스두의 「마르크스레닌주의에 대한 왜곡과 위조에 반대한다」 등 아룽을 비평한 두 편의 논문과 아룽의 서신 「아룽 선생의 자아비평」이 전재되었다. 같은 호에 "창법 문제 연구" 특집호가 간행되어 저우웨이즈의 「새로운 중국 창법을 발전시키기 위해 노력하다努力發展新的中國唱法」, 궈란잉郭蘭英의 「산시 방쯔를 통해 전통 중국 창법을 보다從山西梆子看傳統的中國唱法」, 어우양위첸의 「다시 가창 기술에 관하여再談唱工」, 추이둥장崔東江의 「가창 기술 문제에 관하여談唱工問題」 및 음악문제통신부音樂問題通訊部의 「'창법 문제' 연구에 관한 참고 제요關於"唱法問題"研究參考提綱」 등의 글이 발표되었다.

궈란잉(1930~), 가수. 산시山西성 핑야오平遙 출신이다. 1946년 가을에 화베이연합대학 문공단에 참가해 신가극新歌劇 사업에 종사하기 시작하였다. 1947년에 화베이연합대학 희극과에 입학해 수학하면서 공연에 참가하였다. 1948년 8월에 화베이대학 문공1단으로 전입하였다. 「왕 아주머니가 장에 가다王大娘趕集」, 「부부가 글을 알다夫妻識字」, 「오누이가 황무지를 개간하다兄妹開荒」 등의 가무극 공연에 출연하였다. 공화국 성립 후에 중앙희극학원 부속 가무극원, 중앙실험가극원, 중국가극무극원 등에서 배우로 활동하였으며 문련 제4기 전국위원, 중국음악가협회 제2, 3기 이사를 역임하였다. 신가극 「백모녀」, 「류후란劉胡蘭」, 「춘뢰春雷」, 「붉은 노을紅霞」, 「샤오얼헤이의 결혼」, 「두아원竇娥冤」 등의 주연을 맡았다. 1982년에 무대에서 은퇴해 중국음악학원에서 교편을 잡았다. 1986년에 광둥에서 궈란잉예술학원郭蘭英藝術學校을 설립해 교장을 맡았다.

『문예보』의 같은 호에 중뎬페이의 「문예에서의 세부 묘사 문제에 관하여關於文藝上的細節描寫問題」, 왕차오원의 「영웅이 대의를 위해 장렬히 희생하는 장면을 어떻게 처리할 것인가如何處理英雄就義的情節」, 허치팡의 「희극에서의 류후란의 호미에 관해 논하다試論戲劇上的劉胡蘭的鋤頭」와 류진劉金, 리궈징李國經의 「「희극에서의 세부 묘사에 관한 경향」을 읽고讀<戲劇中細節描寫的一種傾向>後」 등의 글과 둥핀펀董品芬의 단편소설 「차가 충돌하다撞車」, 한좡韓莊의 시 「어째서 전고를 두드리지 않는가? - 강을 건널 명령을 기다리는 싼예 영웅들에게 바치다戰鼓爲什麽不敲?——獻給待命渡江的三野英雄們」가 발표되었다.

이달에 중국음악학원이 톈진에서 설립되었다.

닝샤성문학예술계연합회 준비위원회가 정식으로 성립되어 우젠吳堅이 주임을, 위린과 뤄쉐차오羅雪樵가 부주임을 맡았다.

우젠(1920~2008), 창옌칭常延青이라고도 한다. 허난성 멍현孟縣 출신이다. 1938년 2월에 혁명에 참가하였다. 1940년 5월에 옌안 산베이공학陝北公學 사회과학부에서 수학하였으며 1944년에서

1949년 사이에 산간닝변구 문예공작단 부단장, 단장, 연출가를 맡았다. 1950년에서 1953년 사이에 닝샤성 정부문화국 국장, 닝샤성 문예계연합회 주석을 맡았다. 1977년 이후에 중공 간쑤성위원회 선전부 부부장, 부장, 성위원회 상무위원, 성문련 주석 등을 역임하였다.

『중화전국문학예술계공작자대표대회 기념문집中華全國文學藝術界工作者代表大會紀念文集』이 신화서점에서 발행되었다. 허간즈何幹之의 『루쉰사상연구魯迅思想研究』가 베이징 생활·독서·신지 싼롄서점에서 출간되었다.

쑨리의 산문소설집 『농촌 스케치農村速寫』가 독서서점讀書書店에서 출간되었다. 런샤오任嘯의 소설 『쿤룬다오 위의 죄수들昆侖島上的囚徒』이 베이징싼롄서점에서 출간되었다. 화이샹懷湘의 소설 『녹마전鹿馬傳』이 베이징싼롄서점에서 출간되었다. 양숴의 소설 『북혹선』이 상하이신문예출판사에서 출간되었다.

왕야핑의 시집 『춘윈의 이혼』이 상하이군익출판사에서 출간되었다. 장쩌이張澤易의 시집 『복숭아나무 아래桃子樹下』가 정풍출판사에서 출간되었다.

샤옌의 화극 『추근 전기秋瑾傳』, 『1년간一年間』, 『수향음水鄕吟』이 각각 상하이카이밍서점에서 출간되었다. 차오위의 화극 『생각 중正在想』이 상하이문화생활출판사에서 출간되었다. 우이컹吳一鏗 등이 창작한 『계급의 사랑階級之愛』이 한커우신화서점 중난총분점에서 출간되었다. 산둥신화서점 편집부에서 편찬한 가극 『농가락農家樂』이 출간되었다.

리난리李南力의 보고문학집 『도강 전후渡江前後』가 한커우신화서점 중난총분점에서 출간되었다.

리난리(1920~1970), 필명은 루터단鹿特丹(로테르담)이며 충칭 난촨南川 출신이다. 1939년에 옌안으로 가서 옌안쩌둥청년간부학교延安澤東青年幹部學校와 옌안루예에서 수강하였다. 공화국 성립 후에 시난군구 정치부 문화부 창작조 창작원, 전사문화독물사戰士文化讀物社 부사장 겸 편집장, 쓰촨작가협회 비서장 및 당조서기, 『홍암紅岩』 부편집장을 역임하였다. 저서로 장편소설 『한 평범한 전사의 성장一個普通戰士的成長』, 보고문학집 『도강 전후』, 소설집 『불굴不屈』, 『장라오싼이 입당하다薑老三入黨』, 『씨를 심다種籽』, 소품문집 『거울집鏡子集』 등이 있다.

뤄커羅柯의 보고문학집 『장푸구이가 정성스럽게 농사를 짓다張富貴精耕細作』가 지난산둥신화서점濟南山東新華書店에서 출간되었다. 둥포샤오董破曉의 보고문학집 『공로자 명단 제1위功臣榜上第一名』가 지난산둥신화서점에서 출간되었다.

바이랑白朗의 보고문학집 『실제 인물과 사건真人真事』이 천하도서공사에서 출간되었다.

바이랑(1912~1994), 여성. 본명은 류둥란劉東蘭으로 펑톈奉天 성징盛京(지금의 랴오닝성 선양) 출신이다. 1931년에 하얼빈에서 반일대동맹에 참가하였다. 『국제협보國際協報』 기자 및 문예부간 책임 편집자를 역임하였으며 『문예』 주간을 창간하였다. 1941년에 옌안으로 갔으며 1945년에 중국공산당에 가입하였다. 옌안 『해방일보』 편집자, 문협 옌안분회 이사, 『둥베이일보』 부간부 부장 겸 둥베이문예가협회 출판부 부부장, 『둥베이문예』 부편집장을 역임하였다. 공화국 성립 후에는 둥베이문예가협회 부주석을 맡았다. 저서로 산문집 『달밤에서 여명까지月夜到黎明』, 단편소설집 『이와루 강가伊瓦魯河畔』, 중편소설 『행복한 내일을 위하여爲了幸福的明天』, 장편소설 『궤도 위에서 전진하다在軌道上前進』 등이 있다.

스이適夷가 번역한 고리키의 소설 『아우구로프 마을奧古洛夫鎮』이 신문예출판사에서 출간되었다. 루룽이 번역한 체호프의 소설 『무녀집巫婆集』(‘체호프 소설선집’)이 핑밍출판사에서 출간되었다. 팡신芳信이 번역한 고리키의 희극 『밑바닥에서下層』가 해연서점에서 출간되었다. 팡신이 번역한 고골의 희극 『감찰관欽差大臣』이 작가출판사에서 출간되었다.

5월

1일, 『인민문학』 제2권 제1호에 마오둔의 「공인 생활을 반영한 작품에 관하여關於反映工人生活的作品」, 아이칭의 「공인 시가에 관하여 – 공인이 쓴 시와 공인의 시談工人詩歌——工人寫的詩和工人的詩」, 지추양의 「시 공부 단상學詩斷想」, 치구齊穀의 「「생활을 더욱 아름답게 만들자」를 평하다評<讓生活變得更美好罷>」, 루샹盧湘의 「「공작은 아름다운 것이다」를 평하다評<工作著是美好的>」 등의 글이 발표되었으며, 『인민일보』에 실렸던 글 「「생활을 더욱 아름답게 만들자」에 관하여 – 한 편의 소설을 통해 문예창작의 경향을 보다關於<讓生活變得更美好罷>——從一篇小說看文藝創作中的一種傾向」가 전재되었다.

아이칭은 「공인 시가에 관하여 – 공인이 쓴 시와 공인의 시」에서 “중국의 공인 계급은 이미 자신들의 시가를 탄생시켰다. 이 시들은 신중국의 문학 창작이 거둔 대단히 중요한 수확이다. 이 시들은 대체로 비교적 장엄한 주제를 채용하고 있으며, 건강한 감정과 우렁찬 목소리로 신중국의 가슴속에 가득 찬 강인한 호흡과 힘찬 맥박을 전달하고 있다. 이 시들을 읽으면 거대한 역량이 우리를 뒤흔드는 것 같아, 마치 수많은 모터가 진동하며 신중국이 전진하는 듯한 느낌이 든다”고 말했다.

『인민문학』 같은 호에 류이팅의 「탕산 제강소에서在唐山制鋼廠」, 리잉의 「전선 사단 지휘소에서在前線師指揮所裏」, 톈치의 「소홍기小紅旗」 등의 시와 비예碧野의 보고문학 「리창순 비행반李長順機班」,

구보카이顧伯凱의 화극 「305호三0五號」, 허치팡의 글 「수필 4편隨筆四篇」 등이 발표되었다.

비예(1916~2008), 본명은 황차오양黃潮洋으로 광둥성 다푸大埔 출신이다. 어려서부터 가세가 빈한해 스승의 지원을 받아 중학교를 다녔다. 고등학교 시절에 차오저우潮州에서 학생운동을 지도한 일로 인해 수배당해 베이핑으로 도주해 도서관에서 독학하였다. 1935년부터 작품을 발표하였으며 북방 좌련이 지도하는 베이핑작가협회北平作家協會에 참가하였다. 1938년에 문협에 가입해 청두분회 이사를 맡았으며, 이후에 해방구에 진입해 진지루위북방대학晉冀魯豫北方大學 및 화베이대학에서 교편을 잡았다. 공화국 성립 후에는 중앙문학연구소 창작원, 중국작가협회 주회작가駐會作家, 후베이작가협회 부주석 및 고문, 중국작가협회 명예위원을 역임하였다. 저서로 장편소설 『우리의 힘은 무적이다我們的力量是無敵的』, 『햇빛이 톈산을 찬란히 비추다陽光燦爛照天山』, 『붉은 봉황이 해를 향하다丹鳳朝陽』, 산문집 『정만청산情滿青山』, 『하차커 목장에서在哈察克牧場』, 『웨량후月亮湖』 등이 있다.

『대중시가』 제1권 제5호에 아이칭의 「낭송시를 많이 쓰자多寫朗誦詩」, 황쥔잉黃君穎의 「시인은 어디에 서 있는가詩人站在何處」 등의 글과 리양의 「무엇으로 이 위대한 명절을 기념할 것인가用什麼來紀念這偉大的節日」, 톈젠의 「룽관슈」, 롼싱欒星의 「특수 상황에 입당하다火線入黨」, 옌천의 「마리瑪利」, 팡징方敬의 「환영곡歡迎曲」 등의 시가 발표되었다.

팡징(1914~1996), 시인, 산문가, 문학번역가. 충칭 완저우구萬州區 출신이다. 중국민주동맹 동맹원이자 중국공산당원이다. 1930년대 초기에 베이징대학 외국어학과에 입학하였다. 중일전쟁 발발 후에 쓰촨대학에서 청강하였으며, 1938년에 중국공산당 및 문협에 가입하였다. 1944년에 구이저우대학 강사 및 부교수를 맡았다. 1947년 봄에 충칭으로 가서 국립여자사범학원 및 충칭대학 교수를 맡았으며 샹후이학원相輝學院 외국어학과 주임을 맡았다. 공화국 성립 후에는 시난사범학원 교수 및 외국어학과 주임, 교무장, 부원장을 역임하였다. 저서로 시집 『비 내리는 풍경雨景』, 『목소리聲音』, 『다난한 이의 단곡多難者的短曲』, 『습수집拾穗集』. 『새의 그림자飛鳥的影子』, 『꽃의 씨앗花的種子』, 산문집 『풍진집風塵集』, 『보호색保護色』, 『생의 승리生之勝利』, 『기억과 망각記憶與忘卻』, 『화환집花環集』, 『허치팡 잡기何其芳散記』(허핀자何頻加와 공동 창작), 『팡징 선집方敬選集』 등을 비롯해 여러 권의 번역서가 있다.

충칭시 문련 준비위원회에서 편찬한 『대중문예』가 창간되어, 창간호에 런바이거任白戈의 논문 「문예창작의 두세 가지 문제에 관한 의견關於文藝創作二三問題的意見」, 사팅의 소설 「소작료를 내리다減租」, 아이우의 산문 「향행소기鄉行小記」 등이 발표되었다.

런바이거(1906~1986), 쓰촨성 난충南充 출신으로 1926년에 중국공산당에 가입하였다. 1927년에 공청단지구위원회 선전위원, 중공충칭임시지구위원회 구성원(책임자)을 맡았다. 토지혁명전쟁 시기에 상하이에서 당의 지하공작 및 좌익문화활동에 종사하였으며 상하이 좌련 선전부장 및 비서장을 역임하였다. 중일전쟁 시기에는 옌안에서 항일군정간부 교육훈련공작에 종사하였다. 해방전쟁 시기에 인민해방군 제1야전군 제18병단 정치부 선전부장을 맡았다. 공화국 성립 후에는 중공 충칭시위원회 선전부장, 시난군정위원회 문교부 부부장, 시난문련 주임, 쓰촨성 부성장, 중공 충칭시위원회 제1서기, 시난국 서기처 서기, 쓰촨성 정협 주석, 중공중앙고문위원회中共中央顧問委員會 위원을 역임하였다. 저서로 문예평론집 『국방문학의 몇 가지 문제에 관하여關於國防文學的幾個問題』, 『현 단계의 문학 문제現階段的文學問題』 등이 있다.

4일, 쑨리의 글 「5·4 운동과 중국문학의 유산五四運動與中國文學遺產」이 『톈진일보』에 발표되었다.

5일, 중국 작가들과 전국문련이 소련 청년 작가를 환영하는 좌담회를 개최하고, 세계평화 지지서명을 진행하였다.

출판총서에서 「각지 신화서점 출판물에 대한 진지한 검열 진행에 관한 지시對各地新華書店出版物應認真進行檢查的指示」를 발령하였다. 본 「지시」는 유관 규정을 엄격하게 집행해 마음대로 책을 출판하고 재판을 출간하는 일을 중지하며, 반드시 원고 심사 제도를 엄격히 집행할 것을 요구하였으며, 신화서점에 판권이 귀속되지 않은 책이라면 내용에 문제가 없다 해도 마음대로 해적판을 찍어서는 안 된다고 규정하였다.

6일, 미국의 작가이자 기자인 아그네스 스메들리가 영국에서 별세하였다. 그녀는 유언에서 자신의 모든 유품을 주더 동지에게 남기고 자신의 유골을 중국으로 보내 줄 것을 요청하였다. 전국문련에서는 5월 12일에 조전弔電을 보냈으며 마오둔, 딩링, 샤오싼 등이 추모의 글을 발표하였다. 스메들리의 유골과 유품은 1951년 2월 12일에 베이징으로 운송되었다. 스메들리의 1주기에 베이징에서 성대한 추모회가 거행되었다. 마오둔이 연설을 하고 딩링이 그녀의 생애를 소개하였으며, 샤오화肖華, 캉커칭康克清, 라오서 등이 발언하였다. 추모회 후에 장례식을 거행해 유골을 베이징 바바오산 공동묘지八寶山公墓에 안장하였으며, 유품과 저서 및 유고는 공개적으로 전시하였다. 스메들리는 1928년부터 12년간 줄곧 중국에서 생활하였는데, 이 시기는 바로 중국 혁명이 가장 큰 고난을 겪었던 시기였다. 그녀는 루쉰, 마오둔 등의 작가들과 깊은 우정을 쌓았으며, 중국에 관한 여러 권의 저서를 집필하였다. 대표 저서로 『중국인의 운명中國人的命運』, 『중국이 반격했다中國反攻了』, 『중국의 군가中國之戰歌』 등이 있으며, 미국에서 병마와 빈곤에 시달리던 최후의 시기에도 『

위대한 길偉大的道路』과 『주더 전기朱德傳』를 집필하였다.

문화부 희곡개진국에서 구극 편집심사위원회 회의를 개최하였다. 저우양, 어우양위첸, 메이란팡, 훙선, 톈한, 상허위尙和玉, 마사오보 등이 참석하였다. 회의에서는 베이핑군사관제위원회北平軍事管制委員會에서 공연을 중지시킨 55편의 구극에 관해 토론을 진행하였으며, 구극 심사 개정 공작에 있어 구극 극본의 봉건주의 미신 사상과 야만적인 테러 행위, 민족 차별과 정벌 및 자본주의에 대한 투항주의, 음행과 간살 등을 선전하는 내용 및 노동 인민을 추악하게 묘사하는 등의 유해한 내용을 철저히 제거하는 것을 원칙으로 삼을 것을 토론을 통해 결정하였다.

왕야핑의 시집 『혼인의 혁명婚姻的革命』이 『중국청년』 제38호에 발표되었다.

10일, 『문예보』 제2권 제4호에 『문예보』 편집부의 「『문예보』 편집공작 초보 검토」와 궈모뤄의 「옛 시사 창작에 관해 논하다論寫舊詩詞」, 허치팡의 「신시에 관하여話說新詩」, 딩링의 「5·4 잡담五四雜談」, 저우양의 「홍기의 노래를 논하다論紅旗歌」, 바이룽白融의 「구 소인서의 진지를 탈취하다奪取舊小人書陣地」, 캉줘의 「베이징의 책 대여 노점에 관하여談說北京租書攤」, 먀오페이스苗培時의 「연마공장에 관하여且說打磨廠」 등의 글이 발표되었다.

먀오페이스(1918~2005), 먀오전쿤苗振坤이라고도 하며 별명은 다구大古이다. 차오톈草田, 톈허田禾, 런칭任靑, 차오란曹蘭, 유광有光 등의 필명을 사용하였으며 베이징 출신이다. 1938년에 옌안 산베이공학 고급연구반에서 수학하다가 곧 옌안루예로 전입하여 편역부 편역원을 맡아 구비문학과 대중문학 연구에 종사하였다. 1943년 여름에 진지루위 변구 문련으로 이동하였으며 『화베이문화』 편집장인 쉬마오융을 도와 부편집장을 맡았다. 이후에 화베이신화서점으로 이동해 문예편집자를 맡았다. 해방전쟁 시기에는 신화사 특약전지기자, 싱타이邢台시 문교공작위원회 주임, 『신대중新大衆』 격주간 잡지 편집장, 『신대중보新大衆報』 부간 편집장을 맡았다. 공화국 성립 후에는 베이징시 문화관제위원회 조사연구조 조장, 베이징시위원회 문화공작위원회 위원, 『대중일보』, 『공인일보』 편집주임, 공인출판사工人出版社 임원, 신대중출판사新大衆出版社 편집장, 『이야기하고 노래하다』 출판사 집행편집위원 등을 역임하였다. 저서로 장편소설 『깊은 원한深仇記』, 『인민영웅 찬양 고사집人民英雄頌贊鼓詞集』, 장편 통신집 『포효하는 지난 인민咆哮了的冀南人民』, 역사소설 『자희 외전慈禧外傳』, 화극 극본 『조국청년祖國靑年』 등이 있다.

「『문예보』 편집공작 초보 검토」에서 "4월 21일, 각 신문에 중국공산당 중앙위원회의 「신문에서 비평과 자아비평을 전개하는 것에 관한 결정」이 게재되었다." "중국공산당 중앙위원회의 올바른 호소에 호응하기 위해, 최근에 우리는 『문예보』 15개 호에 관한 초보적인 검토를 진행하였다."

『문예보』의 "가장 주된 결점은 문학예술의 각종 형식을 통해 정치와 더욱 밀접하게 결합하고 현재 정치의 각 방면의 운동과 폭넓게 접촉하지 못했다는 점이다. 『문예보』의 몇몇 호에는 이에 관한 글을 게재하고 사설과 특집호를 배치하였지만, 내용이 충실하지 못해 구색을 맞추는 역할만을 한 듯하다. 여기에는 다른 이유도 존재한다. 바로 오늘날의 일반적인 작가들이 즉각적으로 새로운 문제와 소재를 포착하여 각종 형식을 통해 자신의 사상을 표현함으로써 정부가 현재 호소하고 또한 전개하고 있는 각 방면의 운동에 대한 관심과 열정을 표현하는 데 아직 익숙하지 못하다는 것이다. 그러나 우리 편집부도 마찬가지로 이러한 문제를 고려하지 못했다. 고려했다 하더라도 어려움에 부딪쳐, 작가들을 조직해 그들로 하여금 큰 흥미를 가지고 창작하게 하려는 노력을 충분히 하지 못했다. 이러한 문제의 원인 역시 우리가 정치에 대해 깊은 관심을 가지지 않고 진지하게 학습하지 않았다는 데 있다. 우리는 작품에 대해 우선 그 정치성을 요구해야 한다는 것을 알고 있지만, 현재의 정치적 임무에 호응해 이를 신속하게 반영하는 데 적합한 원고를 주동적으로 조직할 방법을 잘 알지는 못한다"고 밝혔다.

『문예보』 편집부의 이 검토는 당중앙의 「신문에서 비평과 자아비평을 전개하는 것에 관한 결정」 지시에 따르기 위한 것으로, 이후에 『문예보』 제2권 제5호(5월 25일자)에 다시 사설 「문학예술공작자의 비평과 자아비평을 강화하자」를 발표해, 문예공작자들에게 적극적으로 당중앙의 호소에 호응해 문예계에 여전히 남아 있는 비평을 피하고 두려워하며 비평에 대해 뒤로는 책임지지 않고 '무난한 처세'라는 속된 방식으로 비평을 얼버무리는 등의 풍조를 타파하고, 정당하고 엄숙하게 비평과 자아비평에 임하는 풍조를 수립할 것을 요구하였다.

5월 26일, 『문예보』 편집부에서는 후위즈, 후성胡繩, 왕쯔예王子野, 쑹윈빈, 푸빈란傅彬然, 사오취안린, 린모한林默涵, 톈한, 차오위, 장겅, 왕차오원 등 베이징 문화계 및 사상계 인사들을 초청해 좌담회를 개최하여 간행물의 정치성과 사상성 및 전투성을 강화하기 위한 의견을 구하고 경청하였다. 6월 1일자 『인민문학』 제2권 제2호에도 「우리의 공작을 개선하자改進我們的工作」가 게재되어 8개월간의 공작에 대해 검토를 진행하였다. 이 기간에 전국의 여러 문예단체와 문예 간행물 및 문예공작자들이 비평 및 자아비평을 전개하였다.

『문예보』 독자 우윈펑吳韻風이 "'5·4' 전후로 아주 대담하게 신시를 쓰던 이들이 어째서 다시 구시로 전향했는가?"라는 의문을 제기해, 궈모뤄가 「옛 시사 창작에 관해 논하다」라는 글에서 이 문제에 대해 답변하였다. 궈모뤄는 "'대담하게 신시를 쓰는' 것은 물론 사상적인 측면에서의 새로운 변화이지만, '오래된 병에 새 술을 담는' 것 역시 내용적인 면에서의 새로운 변화"라고 보면서, 오로지 형식적인 면에서만 시의 신구 구별을 논하는 것은 문제가 있으므로 "작가의 사상과 입장, 작품의 대상과 효과”도 보아야 한다고 주장하였다. “시가공작자의 임무는 인민을 위해 복무하는 새로운 민족형식을 창조하는 것이다. 이를 위해서 우리는 반드시 사상적인 면에서 혁명적인 인생관을 수립해야 하고, 생활면에서는 충실하게 복무하는 체험을 해야 하며, 형식 면에서는 현존하는 민족의 언어 규율과 생활 정서에 새로운 가공을 더해야 한다”고 말했다.

저우양은 글에서 우선 「홍기의 노래」가 훌륭한 극본이라고 긍정하였다. “「홍기의 노래」는 좋은 극본이다. 그 이유는 이 극본이 최초로 공인들의 생산을 묘사하였고, 생산 경쟁 속에서의 공인들의 뛰어난 노동 열정을 예술적인 역량으로 찬양하였으며, 공인들 가운데의 낙후 분자를 비평하는 동시에 몇몇 적극적인 공인들이 낙후 분자들에 대해 끈기 있게 단결하고 교육하려 하지 않고 그들을 풍자하고 공격하는 부당한 태도에 대해서도 비판하였기 때문이다……이 모든 것이 생동감 있고 개성적인 문체로 묘사되어 있으며, 작가는 인물 성격의 구성과 언어의 운용 면에서 우수한 재능을 드러내었다.” “「홍기의 노래」는 공인들이 생산 경쟁 속에서 표현한 뛰어난 노동 열정과 생산 경쟁 중에 발생하는 문제들을 최초로 무대 위에 옮겨놓았다.” 동시에 저우양은 이 극본이 “공장에서의 당의 영도와 노조 활동의 역할을 충분히 표현하지 못했다”고 지적하였다.

허치팡은 「신시에 관하여」에서 “일단 신시에는 여전히 내용 문제가 존재한다”, “위대한 시인은 반드시 그 작품 속에 한 시대의 사회생활과 시대정신을 심도 있고 풍부하게 반영해야 한다.” “5언시나 7언시 등이 비록 중국 구시 가운데 비교적 우수한 형식이었다고는 하나, 이 형식에 대체로 의지하거나 혹은 완전히 의지해 오늘날 중국 신시의 형식 문제를 해결하려 하는 것은 문제를 너무 단순하게 본 것이다.” “혹자는 구시가 반드시 중시해야 하는 전통이라는 점만을 알고, 5·4 이래 발전해 온 신시 자체도 마찬가지로 이미 하나의 전통이라는 점은 잊어버린 듯하다. 이들은 구시로부터 지나치게 분리되는 것이 옳지 않다는 것만 알고, 5·4 이래의 신시를 간단히 말살해 버리는 것 역시 옳지 않다는 생각은 하지 못하고 있다”고 지적하였다.

‘새로운 도시적 문예부간은 신중국 성립 후에 전쟁으로부터 건설에 이르기까지의 거대한 전환이라는 문제를 어떻게 처리해야 할 것인가’에 관해, 『문예보』 편집위원회에서는 3월 20일에 ‘도시문예부간 필담城市文藝副刊筆談’이라는 원고 공모를 진행하였다. 공모의 글에는 참고할 만한 열 가지 문제를 제시하였는데, 그 내용은 “도시문예부간의 주요 대상 독자는 누구인가? 당신이 생각하는 이상적인 문예부간은 어떠한 모습인가? 문예부간의 편집부는 업무 학습을 어떻게 진행해야 하는가?” 등으로, 제2권 제4호부터 모집된 원고를 게재하였다. 이번 ‘문예부간 필담’에는 우선 『둥베이일보』에 게재된 옌원징嚴文井의 「부간을 편집하기 위해서는 군중과 연결되어야 한다編副刊要聯系群衆」, 『탕산일보唐山日報』에 게재된 예마이葉邁의 「문예부간은 반드시 현실과 결합해야 한다文藝副刊

應與現實結合」, 『창장일보長江日報』에 게재된 뤄위안綠原의 「창장일보 문예부간 현재 상황長江日報文藝副刊現狀」, 쑨푸위안의 「30년 전의 부간 회고三十年前副刊回憶」 등 4편의 글이 게재되었다.

옌원징(1915~2005), 산문가, 아동문학가. 본명은 옌원진嚴文錦으로 후베이성 우창武昌 출신이다. 1934년에 후베이성립고급중학湖北省立高級中學을 졸업하고 다음해부터 베이징도서관에서 근무하면서 '옌원징'이라는 필명으로 작품 발표를 시작하였다. 1937년에 산문집 『산사의 황혼山寺暮』을 출간하였다. 1938년 5월에 옌안으로 가서 항일군정대학에 입학해 수학하였으며 7월에 중국공산당에 가입하였다. 1939년에 옌안루예 문학과 주임을 맡았다. 1951년에 베이징으로 이동해 중공중앙선전부 문예처 부처장을 맡았다. 1953년 이후로 중국작가협회 당조부서기 및 서기처 서기, 『인민문학』 편집장, 작가출판사 및 인민문학출판사 사장 등을 역임하였다. 주요 작품은 『옌원징 산문선嚴文井散文選』, 『옌원징 근작嚴文井近作』, 『옌원징 동화집嚴文井童話集』, 『옌원징 동화 우화집嚴文井童話寓言集』 등에 수록되어 있다.

뤄위안(1922~2009), 칠월파의 대표 시인이다. 본명은 류런푸劉仁甫이며 류반주劉半九라고도 한다. 후베이성 황피黃陂 출신이다. 1941년부터 1944년까지 충칭 푸단대학 외국문학과에서 수학하였다. 공화국 성립 전까지는 영어교육에 종사하였으며 이후로는 언론계 업무와 대외선전공작, 외국문학 편집출판 업무에 종사하였다. 인민문학출판사 부편집장으로 근무하다가 1987년에 은퇴하였다. 1941년에 충칭 『신화일보』에 첫 시 작품 「신문배달원送報者」을 발표하였으며 1942년에 첫 시집 『동화童話』를 출간하였다. 저서로 시집 『또 하나의 기점又是一個起點』, 『사람의 시人之詩』, 『또 다른 노래另一只歌』, 시화집 『여밀與蜜』, 산문집 『이혼초離魂草』, 『비화비무집非花非霧集』, 번역서 『쇼펜하우어 산문집叔本華散文集』, 『헤겔 약전黑格爾小傳』, 『독일의 낭만파德國的浪漫派』 등이 있다.

쑨푸위안(1894~1966), 산문가, 편집가. 본명은 푸위안福源, 자는 양취안養泉이며 푸루伏廬, 바이성柏生, 퉁바이桐柏, 쑹녠松年 등의 필명을 사용하였다. 저장성 사오싱 출신이다. 초년에 산후이사범학당山會師範學堂과 베이징대학에서 수학하면서 두 곳 모두에서 루쉰의 제자가 되었다. 1912년에 베이징 『신보晨報』 부간 편집자를 맡아 '부간 대왕副刊大王'으로 불렸다. 이후로는 초청에 응해 『경보京報』 부간 편집장을 맡았다. 1927년에 『중앙일보』 부간 편집자를 맡았으며, 얼마 후에 상하이로 돌아가 앵앵서옥嚶嚶書屋을 설립해 격주간으로 발간되는 『공헌貢獻』을 출간하였다. 1928년에 『당대當代』의 편집장을 맡았으며, 얼마 지나지 않아 프랑스로 유학하였다. 중일전쟁 시기에는 충칭 중외출판사重慶中外出版社 사장을 맡았다. 1939년에 문협 이사에 당선되었으며 이후에 국민정부 군사위원회 설계위원 겸 사병월보사士兵月報社 사장, 치루대학 국문과 주임, 다주大竹 향촌공작인원훈련반鄉村工作人員訓練班 주임을 역임하였다. 1945년에 청두로 가서 화시대학華西大學과 밍셴학원銘賢

學院에서 교편을 잡았으며, 청두『신민보』 편집장을 맡았다. 공화국 성립 후에 정무원 출판총서 판본도서관版本圖書館 관장으로 임명되었다. 주요 저서로『푸위안 여행기伏園遊記』,『루쉰 선생에 관한 두세 가지 일화魯迅先生二三事』 등이 있다.

15일, 후펑은 아이칭에게 보낸 서신에서 "나는 상하이에 온 지 석 달이 되었지만 아무것도 쓰지 않았습니다. 붓을 놀리기만 하면 욕을 먹습니다. 아주 재미있는 일이지요. 그런데 붓을 놀리지 않아도 욕을 먹습니다. 국민당 통치 기간에 썼던 글 때문이지요. 이제야 허치팡 동지가 문대회 이후에 했던 '국통구 작가들에게 창작의 기회를 줄 수 없다'는 말이 이해가 갑니다. 하지만, 당연하게도 국통구 작가들도 전부 똑같이 볼 수는 없을 겁니다"라고 말했다.(『후펑 전집胡風全集』 제9권, 제38쪽, 후베이인민출판사湖北人民出版社 1999년 -> 각주로 처리해야 할 듯합니다.)

같은 날,『인민시가』 월간 제5호에 쉬제의「표면의 말 – 시가 창작의 내용과 형식 문제에 대한 의견浮面的話——對於詩歌創作的內容與形式問題的意見」 등의 글과 쯔쉬의「붉은 5월紅五月」, 런쥔의「5월의 태양은 붉고도 밝다五月的太陽紅又亮」, 사진의「노랫소리는 홍기와 함께 휘날린다 – 상하이 해방 1주년을 기념하며歌聲跟著紅旗飛揚——慶祝上海解放一周年」 등의 시 및 리강裏岡이 편집한「전사 시선戰士詩選」이 발표되었다.

상하이시 희곡개진협회 준비위원회가 정식으로 설립되었다.

18일, 문화부 희곡개진국에서 제2차 구극편집심사위원회 회의를 소집하였다. 회의에서는 문화부 희곡개진국 편집심사처에서 각색한「공성계空城計」,「전태평戰太平」 등 8편의 경극 극본에 관해 토론하였다.

22일, 간쑤성 문련에서 주관한 월간『비천飛天』이 창간되었다.

24일, 중국희극가협회에서 희극 창작·비평 좌담회를 개최하였다. 톈한이 주관하였으며 딩링, 장경, 광웨이란, 차오위, 어우양위첸, 양사오쉬안 등 32인이 참석하였다. 회의에서는 주로 "희극 작품의 정치성과 예술성을 어떻게 제고할 것인가" 하는 문제에 관해 토론하였다. 톈한은 개회 발언에서 "반드시 이 위대한 시대의 여러 우수한 작품들과 호응해야 한다. 이 작품들은 이 시대의 진실을 반영할 수 있어야 할 뿐만 아니라, 또한 이 새로운 시대의 추진력이 될 수 있어야 한다"고 말했다. 그러나 현재 희극 창작의 "성취는 요구에 부응하지 못한다"며, "새로운 규모와 기세로써 현재 실현해야 하는 중요한 문제를 포착해 위대한 작품을 탄생"시키기를 희망한다고 말했다. 딩링, 장겅, 딩리, 차오위, 양사오쉬안, 자징즈, 루메이, 후커 등이 발언하였다. 좌담회의 상세한 내용은 1950년 7월 1일자 『인민희극』 제1권 제4호에 게재되었다.

25일, 『문예보』 제2권 제5호에 사설 「문학예술공작자의 비평과 자아비평을 강화하자」가 게재되었다. 같은 호에 문화부 예술국 편집심사위원회에서 소련문학, 중국 고전문학, 신문학('5·4' 이후의 문학), 인민문학, 문예이론, 희곡, 민간문예, 영화 극본 등 8종의 총서를 편집하기 시작했다는 기사가 실렸다.

26일, 『문예보』 편집부에서 간행물의 정치성, 사상성 및 전투성에 관해 토론하는 좌담회를 개최해 베이징의 문화계 인사 10여 명을 초청하였다. 딩링이 좌담회를 주관하였다.

27일, 난징시 문련이 이끄는 난징시 시가공작자연의회가 설립되었다.

『희곡보』 제14호에 마사오보의 논문 「'옛것을 취사선택하여 새롭게 발전시키는' 방침을 정확하게 집행하자正確執行"推陳出新"的方針」(제15호까지 연재)가 게재되었다. 마사오보는 글에서 "희곡개혁공작은 '옛것을 취사선택하여 새롭게 발전시키는' 방침을 고수해야 하며, 반드시 이 방침을 정확히 이해해야 한다고 주장하였다.

28일, 베이징시 문학예술공작자대표대회가 개최되어 363인의 대표가 참석하였다. 라오서가 개회사를 했으며 저우언라이, 펑전, 궈모뤄, 마오둔, 저우양, 딩링 등이 발언하고 자오수리가 폐회사를 하였다. 라오서가 베이징시 문련 주석으로, 자오수리가 부주석으로 당선되었다.

같은 날, 『인민일보』에 구위穀峪의 단편소설 「억지로 딴 참외는 달지 않다強扭的瓜不甜」가 발표되었다.

30일, 전영국에서 영화심의위원회影片審查委員會를 설립해 모든 영화의 심의를 맡았다. 위안무즈가 주임을, 차이추성蔡楚生과 스둥산史東山이 부주임을 맡았으며 뤄광다羅光達가 비서장을 맡았다. 천보얼, 뤄징위羅靜予, 성자룬盛家倫 등 14명의 위원을 두었다.

이달에 천황메이陳荒煤가 중난군구 겸 제4야전군 전군 문예공작회의에서 「부대문예창작운동을 전개하다開展部隊文藝創作運動」라는 제목으로 발언하였다. 그는 "부대문예운동을 전개하는 것은 문예라는 형식을 통해 부대에 드높은 혁명정신과 애국주의 정신을 교육하기 위해서"라며, 반드시 "우리 인민군대의 지휘관과 장병들의 가장 우수한 감정과 품성" 및 "이러한 숭고한 품성을 지닌 전형적인 인물"에 대해 창작해야 한다고 주장하였다.

문화부 희곡개진국에서 대중극장을 시작으로 극장개혁을 진행하였다. '당첨 상금彩錢'과 팁을 없애고, '외상兜帳'과 '차 대접泡茶' 등의 구습을 폐지하였다.

『대중문예논집大衆文藝論集』이 베이징공인출판사에서 출간되었다. 자오수리와 라오서 등의 논문 17편을 수록하였다.

아이칭의 『신문예논집新文藝論集』이 상하이신문예출판사에서 출간되었다. 후진쉬胡今虛의 『루쉰 작품 및 기타魯迅作品及其他』가 상하이니투사上海泥土社에서 출간되었다.

쑨첸孫謙의 소설 『빛나는 가문光榮人家』이 상하이신문예출판사에서 출간되었다. 리퉁李彤의 소설 『광산이 바로 나의 집礦山就是俺的家』이 지난산둥신화서점濟南山東新華書店에서 출간되었다.

루뎬의 시집 『우리는 행복하다我們是幸福的』가 공작시총서工作詩叢 중 한 권으로서 문화공작사文化工作社에서 출간되었다. 「침묵하는 하프沉默的豎琴」, 「주 총사령관께 바치다獻給朱總司令」, 「우리 자신의 정권을 노래하다歌唱我們自己的政權」, 「우리는 행복하다」 등 20편의 시를 수록하였다.

사어우의 시집 『첫 번째 천둥소리第一聲雷』가 공작시총서 중 한 권으로서 문화공작사에서 출간되었다. 「인민정협을 맞이하다迎接人民政協」, 「첫 번째 천둥소리—인민정협 설립대회를 찬양하다第一聲雷——頌人民政協開幕大典」, 「무적의 보루 - '8·1'을 찬양하다無敵的堡壘——頌"八一"」, 「전쟁상인의 다리를 자르다打斷戰爭販子的腿」 등 6편의 시와 「왕야핑의 서문王亞平序」이 수록되었다.

커중핑의 시집 『옌안에서 베이징까지從延安到北京』가 베이징 생활·독서·신지 싼롄서점에서 출간되었다. 딩예의 시집 『번신집』이 상하이문화공작사에서 출간되었다. 푸린福林의 시집 『다리橋』가 베이징싼롄서점에서 출간되었다. 진장金江의 장시 『황허 전기黃河傳』가 야초출판사野草出版社에서 출간되었다. 루리의 시집 『마오쩌둥 송가毛澤東頌』가 톈진지식서점天津知識書店에서 출간되었다. 칭보의 시집 『북소리鼓聲』가 상하이문화공작사에서 출간되었다. 옌천의 시집 『옌허에 노래를 바치다唱給延河』가 상하이문화생활출판사에서 출간되었다. 양양쯔楊揚子의 시집 『도강전渡江戰』이 신화서점 화둥총분점에서 출간되었다. 장즈민의 시집 『죽을 수 없다死不著』가 톈진지식서점에서 출간되었다.

두펑杜烽의 화극 『생각을 열다打通思想』가 상하이화둥인민출판사에서 출간되었다. 루선路深 등이 창작한 화극 『결혼을 연기하다緩期結婚』가 상하이군익출판사에서 출간되었다.

무칭穆青 등의 보고문학집 『백군 도적들이 근거지로 돌아가게 두지 않는다不讓白匪回老巢』가 한커우신화서점 중난총분점에서 출간되었다. 위린의 보고문학 『어떻게 오늘까지 왔는가怎麼到今天』가 한커우신화서점 중난총분점에서 출간되었다.

장무량蔣牧良 등의 보고문학집 『백군 도적들을 몰살하고 광시를 해방시키자殲滅白匪解放廣西』가 한커우신화서점 중난총분점에서 출간되었다.

장무량(1901~1973), 본명은 시중希仲이며 후난성 롄위안漣源 출신이다. 1938년에 중국공산당에 가입하였다. 국민당 정부 제30군 비서, 후난 『중국신보中國晨報』, 『국민일보國民日報』 부간 편집장, 홍콩에서 월간으로 발간된 『소설』의 편집위원을 역임하였다. 공화국 성립 후에는 제4야전군 정치부 창작원, 총정치부 문화부 보조원, 후난성 문련 부주석을 역임하였다. 저서로 단편소설집 『야간작업夜工』, 보고문학 소설집 『쇳물은 서부 전선에 흐른다鐵流在西線』, 중편소설 『가뭄旱』 등이 있다.

둥베이전영제편창에서 출품한 영화 「네이멍구의 봄 경치」가 '공통강령共同綱領' 가운데 민족통일전선 정책을 위반했다는 이유로 비판받았다. 이는 공화국 성립 이래 최초로 비판을 받은 영화이다. 이 영화는 수정 후에 「네이멍구 인민의 승리內蒙人民的勝利」라는 제목으로 정식으로 전국에 상영되었다.

6월

1일, 전영국공연예술연구소電影局表演藝術研究所가 베이징에 설립되어 천보얼이 소장을 맡았다. 본 연구소는 교육사업을 위주로 했는데, 전국에 공개적으로 학생을 모집했으며 학제는 2년이었다.

신중국실험경극단新中國實驗京劇團이 정식으로 설립되어 리사오춘李少春이 단장을, 예성장葉盛章과 위안스하이袁世海가 부단장을 맡았다.

『인민희극』 제1권 제2, 3호 합본에 여러 편의 희극 이론 문장이 발표되었다. 장경의 「신가극 - 앙가극의 기초에서 한 발 더 나아가다新歌劇──從秧歌劇基礎上提高一步」는 사상 내용, 예술 형식, 작곡, 연기 등 네 방면에서 앙가극의 예술적 질을 제고하는 데 대한 의견과 건의를 제시하였다. 홍선의 「손과 소자산계급 지식분자의 손에 관하여試論手與小資産階級知識分子的手」에서는 '소자산계급 지식분자의 손'의 연기 기교 문제에 관해 탐구하였다. 같은 호에 후커의 「「전투 속에서 성장하다」의 창작 경과 및 몇 가지 체험<戰鬥裏成長>的創作經過和幾點體驗」과 자오쉰趙尋, 란광藍光이 창작한 단막 화극 「한 줄기 길을 향해 가다走向一條道路」 및 양사오쉬안의 역사가극 「배은망덕한 자中山狼」가 발표되었다.

『인민문학』 제2권 제2호에 딩링의 「「산베이 풍광」 교정 후기 소감<陝北風光>校後記所感」, 라오서의 「고사와 신시鼓詞與新詩」, 옌천의 「민가에 관하여談民歌」, 커란柯藍의 「잡담을 수집하고 민간 고사를 연구하다雜談收集, 研究民間故事」, 광지의 「나의 반성我的檢討」 등의 글을 비롯해 쉬궈룬徐國綸의 「「개조」를 평하다評<改造>」, 뤄밍羅溟의 「계급 모순의 본질을 덮어 감추었다掩蓋了階級矛盾的本質」, 친자오양의 「「개조」에 대한 검토對<改造>的檢討」 등 「개조」에 관한 토론문이 게재되었다. 또한 업무 총결산 보고문 「우리의 공작을 개선하자改進我們的工作」와 「1950년 문학공작자 창작계획 조사一九五〇年文學工作者創作計劃調查」(작가 14인)가 게재되었다.

『인민문학』 같은 호에 한펑寒風의 「인칭춘尹青春」, 예위葉於의 「왕 노인老王頭」, 리얼중李爾重의 「두 공장장杜廠長」 등의 소설과 롼장징阮章競의 장시 『장허의 강물漳河水』, 펑스쩌馮世則의 시 「평화를 보위하라!保衛和平!」, 루즈魯芝의 「전지 창문 장식剪窗花」, 캉줘의 민간 고사 「소작농과 지주長工和地主」, 둥쥔룬董均倫의 민간 고사 「보리 종자를 전파하다傳麥種」 및 루주궈陸柱國의 보고문학 「대대 본부 - 보루의 밤營部——碉堡之夜」이 발표되었다.

롼장징(1914~2000), 시인, 극작가. 광둥성 중산中山 출신이다. 1939년에 중국공산당에 가입하였다. 팔로군 타이항산극단太行山劇團 단장, 문협 진둥난晉東南분회 상무이사를 역임하였다. 공화국 성립 후에는 중공중앙 화베이국 선전부 문예처 처장 및 선전부 부비서장, 『시간』 부편집장, 베이징시 문련 부주석, 중국작가협회 베이징분회 주석, 중국문련 제4기 위원, 중국작가협회 제2~4기 이사, 전국정협 제5기 위원을 역임하였다. 1947년에 대형 가극 「적엽하赤葉河」와 장편서사시 『함정圈套』을 창작하였으며, 1949년에 장편서사시 『장허의 강물漳河水』을 창작하였다. 1956년에 동화시 「금색의 소라金色的海螺」를 창작하였다. 1963년에 시집 『탐사자의 노래勘探者之歌』를, 다음 해에 『바이윈어보 교향시白雲鄂博交響詩』를 출간하였다. 이 외에도 시집 『홍예집虹霓集』, 『영춘귤송迎春橘頌』, 『4월의 하바나四月的哈瓦那』, 가극 『적엽하』, 화극 『시대의 열차 위에서在時代的列車上』 등의 저서를 출간하였다. 1985년에 『롼장징 시선阮章競詩選』이 출간되었다.

둥쥔룬(1917~2004), 산둥성 웨이하이威海 출신이다. 1938년에 옌안항일군정대학을 졸업하였다. 팔로군 인도원화의료대印度援華醫療隊 통역관, 유수병단구원留守兵團區院 영문교사, 부대 문예사 및 산간닝 변구 문협 전문 창작원, 산둥성 민간문예가협회 주석, 성 정협 위원, 성 작가협회 명예주석, 중국민간문예가협회 상무이사 등을 역임하였다. 1940년부터 작품 발표를 시작하였으며 저서로 장편소설 『붉은 꽃이 이제야 붉어지다紅花才放紅』, 중편소설 「피가 웨이허를 물들이다血染濰河」, 단편소설집 『보리가 익었을 때麥子熟了的時候』(합동 창작), 『누에 치는 여자蠶姑』 등이 있다.

『대중시가』 제1권 제6호에 "평화 보위 특집"이 간행되어 톈젠의 「평화를 보위하는 단가保衛和平的短歌」, 쉬츠의 「세계 평화에 바치는 노래獻給世界和平的歌」, 아이칭의 「나는 평화 호소문에 서명한다我在和平呼籲書上簽名」 등의 시가 발표되었다. 이 외에 사어우의 「괭이 밑에 식량이 있다鋤下有食糧」, 마쉰馬尋의 「초원草原」, 딩예의 「공양도公糧道」 등의 시 및 황야오멘의 시평 「「시간이 시작되었다!」를 평하다評<時間開始了!>」가 발표되었다.

마쉰(1916~), 필명은 진인金音이며 랴오닝성 선양 출신이다.1945년 이후로 창춘전영제편창 제작처 처장, 연구실 주임, 각본조 작가를 맡았으며 둥베이화보사東北畫報社 미술창작실 주임, 『랴오닝화보遼寧畫報』 편집장 및 편집심사위원, 중국작가협회 랴오닝분회 제3기 이사를 역임하였다. 1938년부터 작품을 발표하였으며 1982년에 중국작가협회에 가입하였다. 저서로 장편소설 『바람이 어제로부터 불어오다風從昨日吹來』, 시집 『국경 밖의 꿈塞外夢』, 소설집 『교군教群』, 『목장牧場』, 『날개翅膀』 등이 있다.

『만화漫畫』 월간이 상하이에서 창간되어 1955년에 베이징으로 옮겨왔다가 1960년 7월에 폐간되었다. 『대중전영大眾電影』이 상하이에서 창간되었다. 메이둬梅朵와 왕스전王世楨이 편집장을 맡았으며 샤옌, 위링 등 18인이 편집위원을 맡았다.

2일, 쑨리가 5월 간호사의 날에 창작한 단편소설 「간호看護」가 『톈진일보』에 발표되었다.

같은 날, 문화부 희곡개진국 경극연구원에서 양사오쉬안의 신작 경극 「신대명부新大名府」를 처음으로 공연하였다. 톈한이 감독을, 훙선이 무대 설계를 맡았다.

5일, 우한시 문학예술계 연합회에서 제1차 집행위원회를 개최해 리얼중, 뤄위안, 쩡줘曾卓 등 19인을 상무위원으로 선출하였다. 제1차 상무위원회를 소집해 리얼중을 주석으로, 비환우畢奐午 등 4인을 부주석으로 선출하였으며, 문예 간행물 1종을 출판할 것을 결정하고, 또한 제2차 공인희극 참관 공연에 협조하는 것을 당면 임무로 결정하였다.

쩡줘(1922~2002), '7월파'의 대표 시인이다. 본적은 후베이성 황피黃陂이며 우한에서 출생했다. 1936년에 우한시 민족해방선봉대에 가입하였으며, 우한이 함락되기 직전에 충칭으로 피신해 공부를 계속하면서 작품 발표를 시작하였다. 1940년에 문협에 가입하였으며 시간지사詩墾地社를 조직해『시간지 총간詩墾地叢刊』을 편집 출간하였다. 1943년에 충칭중앙대학 역사학과에 입학하였다. 이후에『시문학』편집 업무에 종사하였다. 1947년에 졸업한 후 우한으로 돌아가『대강보大剛報』부간 편집장을 맡았다. 1950년에 후베이성 교육학원 및 우한대학 중문과에서 교편을 잡았으며, 1952년에『창장일보』부사장을 맡았고, 우한시 문련 및 문협 부주석에 당선되었다. 1955년에 후펑 사건에 연루되어 투옥되었다. 1957년에 병으로 인해 보석 치료를 받았다. 1959년에 농촌으로 하방되었다. 1961년에 우한인민예술극원武漢人民藝術劇院으로 이동해 각본가를 맡았다. 1979년 말에 복권되어 우한시 문련으로 이동하였다.『문門』,『벼랑 끝의 나무懸崖邊的樹』,『늙은 선원의 노래老水手的歌』등의 시집을 출간하였다.

비환우(1910~2000), 허베이성 징싱井陘 출신이다. 톈진난카이중학, 칭화대학 중문과, 우한화중대학 중문과에서 교편을 잡았다. 공화국 성립 후에는 우한대학 중문과 교수, 후베이성 문련 부주석, 우한시 문련 부주석을 역임하였다. 1928년부터 작품을 발표하였다. 저서로 시집『채금기掘金記』, 산문집『비 내리는 저녁雨夕』, 시문집『금우집金雨集』등이 있다.

자오수리가 공화국 성립 후에 발표한 첫 단편소설「등록」이『이야기하고 노래하다』제6호에 게재되었다.

8일, 국제평화상 및 스탈린평화상의 중국 작품 모집 심사위원회가 성립되어 우위장吳玉章이 회의를 소집하였다. 중국보위세계화평대회위원회中國保衛世界和平大會委員會, 중소우호협회총회中蘇友好協會總會, 중화전국문학예술계연합회, 중화전국제1차자연과학공작자대표대회 준비위원회 등 4개 단체의 대표 20여 명이 출석하였다.

9일, 러시아의 혁명민주주의 문예이론가 베린스키 서거 102주년을 기념해『문예보』제2권 제6호에 베린스키의 유작 3편과「편집부의 말」이 게재되었다.

같은 날, 지팡의 시「봄이 왔다春天來了」가『문회보』에 발표되었다. 같은 해 7월 1일자『대중시가』제2권 제1호에 천야오광陳堯光의 평론「피상적인 감정은 필요 없다 – 지팡의「봄이 왔다」를 평하다不要虛浮的感情——評冀汸的<春天來了>」가 발표되었다. 천야오광은 글에서 "이 시는 영감에 기대어 쓴 시로, 사상은 정련을 거치지 않아 소자산계급의 의식과 환상이 시시때때로 드러나고 있으나, 반면에 시구에 표현된 것은 혁명가의 외모이다. 토로하는 언어는 비록 세정을 거친 것임에도 여전히 감상적인 분위기를 담고 있다. 이것은 시인이 오늘날 걸어가야 할 길이 아니다"라고 말했다.

8월 25일자『문예보』제2권 제11호에 라오신의 글「시가의 주제와 표현에 관하여 – 지팡의「봄이 왔다」를 평하다談詩歌的主題與表現——評冀汸的<春天來了>」가 발표되었다. 라오신은 "이 시의 창작 관념은 아주 작은 생활의 감회만을 포착해 거기에 공허한 상상을 더해 시의 도안을 엮은 것이다. 시 전체를 보아도 우리는 생활의 진실한 감정을 찾기가 힘들다. 거의 모든 것이 시인의 가공의 환상인 듯하다. 시인은 해방 후 우리의 실제 투쟁 생활은 완전히 내팽개쳐 버리고 전혀 쓰지 않고, 본인의 시인으로서의 열광에 근거해 시의 논리를 구성하였다. 싸구려 감정을 소리 높여 떠드는 것은 음악의 잡음처럼 귀에 거슬리는 선율이 될 뿐이다. 300행에 이르는 길고 긴 시를 읽고 나면 화려한 수식만 쌓아 놓은 듯한 느낌이 든다." "이 시는 내용 면에서는 노동 인민 대중의 의지와 감정의 산물이 아니며, 형식 면에서도 우리 민족 형식의 작품이 아니다. 그저 시의 형식으로 진실하지 않은 생활의 감정을 포장한 것에 지나지 않으며, 감정 면에서도 시인의 지극히 표면적인 생활의 감회를 표현할 뿐이다. 시의 형상 역시 생활의 토층에서 벗어나 있다"고 보았다.

10일, 『문예보』 제2권 제6호에 탕즈가 정리한 『문예보』 좌담회 회의 요록 「우리 간행물의 정치성, 사상성 및 전투성을 강화하자加強我們刊物的政治性, 思想性與戰鬥性」가 게재되었다. 1950년 5월 26일, 『문예보』는 "문예와 현재 정치의 조화를 강화하고, 간행물의 정치성을 강화하며, 간행물의 정치사상 수준을 제고"하는 방침에 근거해 전국문련회의실에서 제1차 좌담회를 개최해 베이징에 거주하는 문화계 인사 수십 명(후성, 톈한, 차오위 등)을 초청하여 각종 정치, 사상, 문화 및 문학예술 방면의 문예성을 구비한 산문과 논문을 어떻게 점차 증가시킬 것인지 토론하였다. 딩링이 회의를 주관하였다.

『문예보』 같은 호에 딩링의 「보급 공작에 관하여 – 베이징시 문대회를 축하하며談談普及工作——爲祝賀北京市文代大會而寫」, 후쑤胡蘇의 「신문예를 적극 발전시키는 일과 구문예를 강력히 개혁하는 일은 반드시 밀접하게 결합해야 한다積極發展新文藝大力改革舊文藝應密切結合起來」(이 글은 허베이성 문련 책임자인 후쑤가 전국문련에서 발표한 보고문이다. 허베이성에서는 신문예를 적극 발전시키는 일과 구문예를 강력히 개혁하는 일을 반드시 밀접하게 결합해야 한다고 주장하였으며, 특히 지방희곡 개혁의 중요성 등의 문제를 강조하였다), 왕차오신의 「포스터의 설득력宣傳畫的說服力」, 민쩌敏澤의 「아동을 위해 더 많이 창작하자多多爲兒童們寫作」, 천다위안陳大遠의 「공인들이 자신에 관해 창작하는 일을 더욱 잘 돕자更好地幫助工人寫自己」, 루시즈의 「'기교'는 '사상'에 의해 결정된다"技巧"決定於"思想"」, 왕칭주王青竹의 「두 가지 연기 방법兩種演法」, 류카이취劉開渠의 「폴란드 조형예술 회의에 참가하다參加波蘭造型藝術會議歸來」 등의 글이 발표되었으며, 바진의 「보내지 못한 편지一封未寄的信」(1949년 7월 23일 전국문협총회가 베이징에서 성립된 일에 관한 감상을 쓴 글로, 본래 『문회보』에 발표되었다)가 전재되었다.

후쑤(1915~1986), 극작가. 본명은 셰샹전謝相箴으로 저장성 전하이鎮海 출신이다. 1938년에 옌안루예 희극과를 졸업하고 중국공산당에 가입하였다. 옌안루예와 화베이연합대학 교원으로 근무했으며 지중군구 화선극사火線劇社 부사장, 지중문협 주임을 역임하였다. 공화국 설립 후에는 허베이성 문련 주임, 중공 허베이성위원회 선전부 문예처 처장, 문화부 전영국 전영극본창작소 각본가, 창춘전영제편창 각본가 및 부창장, 중국전영공작자협회 제4기 이사, 중국극협 제2기 이사 및 지린분회 주석을 역임하였다. 각색 및 창작한 영화 극본으로 「홍기보紅旗譜」(합동 창작), 「만목춘萬木春」, 「북두北鬥」 등이 있다.

천다위안(1916~1994), 후칭胡青, 다평大風 등의 필명을 사용했으며 허베이성 평룬 출신이다. 1941년에 지둥冀東 지역에서 항일활동에 참가하였으며 『구국보救國報』 등사공 및 편집자, 지둥신창청사冀東新長城社 이사 및 편집자, 창청피영사長城皮影社 지도원, 『지둥일보冀東日報』 편집부장, 탕산노동일보사唐山勞動日報社 사장 및 편집장, 탕산문련 주임, 중공탕산시위원회 선전부 부부장, 허베이문련 부주임 등을 역임하였다. 1952년에 중국작가협회에 가입하였다. 저서로 장편 기록소설 『판룽산蟠龍山』, 산문집 『안데르센 이야기安徒生的故事』, 『역외서정집域外抒情集』, 『풍우창황風雨蒼黃』 등이 있다.

류카이취(1905~1993), 조각가. 본명은 류다톈劉大田으로 안후이성 화이베이淮北 출신이다. 1952년에서 1956년 사이에 인민영웅기념비 설계 및 대형 부조 창작을 지도 및 참여해 「성공적으로 창장을 건너다勝利渡過長江」, 「전중국을 해방시키다解放全中國」, 「전선을 지원하다支援前線」, 「해방군을 환영하며歡迎解放軍」 등의 조각 작품을 창작하였다. 그 외에도 「마오 주석 조각상毛主席像」, 「공농홍군상工農紅軍像」, 「저우언라이 총리 조각상周恩來總理像」, 「항일 전사 장사 무명영웅기념비抗日陣亡將士無名英雄紀念碑」, 「쑨중산 기념비孫中山紀念碑」 등의 조각 작품을 창작하였다. 또한 『중국고대조소집中國古代雕塑集』, 『류카이취 조소 선집劉開渠雕塑選集』, 『류카이취 미술논문집劉開渠美術論文集』, 『류카이취 조소집劉開渠雕塑集』 등의 저서를 출간하였다.

12일, 중국문련에서 작가 장톈이張天翼가 마카오에서 베이징으로 온 것을 환영하는 연회를 개최하였다.

장톈이(1906~1985), 작가. 이름은 위안딩元定, 차이닝才寧이며 자는 한디漢弟, 호는 이즈一之로 장톈징張天淨, 톄츠한鐵池翰 등의 필명을 사용하였다. 본적은 후난성 샹샹湘鄉이며 난징에서 출생하였다. 1926년에 중국공산당에 가입하였으며 1931년에 좌련에 가입하였다. 1938년에 창사에서 항일구국운동에 종사하였으며 후난문예계항적협회湖南文藝界抗敵協會 이사, 『관찰일보觀察日報』 부간 편집자를 맡았다. 창작소설집『스케치 3편速寫三篇』을 출간하였는데, 이 책에 수록된「화웨이 선생華威先生」은 그의 대표적인 풍자소설이자 중국현대문학사상 명작 단편소설로 꼽힌다. 병으로 인해 1942년에 절필하였다. 공화국 성립 이후에 홍콩에서 대륙으로 이주해 중앙문학연구소 부주임, 중국작가협회 서기처 서기 및 고문,『인민문학』편집장, 중국문련 위원, 중국작가협회 이사, 제5기 전국정협 위원을 역임하였다. 장편소설『귀토일기鬼土日記』,『기어齒輪』,『양징방 기협洋涇浜奇俠』, 장편 동화『다린과 샤오린大林和小林』,『호리병의 비밀寶葫蘆的秘密』, 단편소설「21개二十一個」,「바오씨 부자包氏父子」, 중편소설「청명 시절清明時節」등을 창작하였으며『장톈이 문집張天翼文集』,『장톈이 소설집張天翼小說集』,『장톈이 동화선張天翼童話選』등의 저서를 출간하였다.

14일, 인민정협 제1기 전국위원회 제2차 회의가 베이징에서 개최되어 23일에 폐회하였다.

15일, 광시성 문학예술공작자 제1기 대표대회가 개최되었다.

『인민시가』월간 제1권 제6호에 라오신의 보고문「상하이시가공작자연의회 10개월간의 공작 총결산上海詩歌工作者聯誼會十個月來工作總結」과 천위먼의「인민의 철로 - 정저우 철로 대수리 기록人民的鐵路——記鄭州鐵路大修」, 딩리의「부부가 제방 공사를 하다 - 재해 지역의 작은 이야기夫妻上堤工——災區的小故事」등의 시와 취추, 펑란楓嵐이 편찬한「공인시선工人詩選」등이 발표되었다.

산둥문련 준비위원회와 산둥문예사가 편찬한『산둥문예山東文藝』가 창간되었다.

17일, 궈모뤄가 인민정협 제1기 전국위원회 제2차 회의에서「문화교육공작에 관한 보고關於文化教育工作的報告」를 진행하였다.

18일, 베이징중소우호협회와 대외문화협회 합동으로 소련문학의 창시자인 고리키 서거 14주년을 기념하는 행사를 거행하였다. 베이징도서관에서는 '고리키 생활 작품 전람회高爾基生活作品展覽'를 개최하였고, 전국의 대형 신문에는 기념 논고가 발표되었으며,『해방일보』와『문예보』에서는 기념 책자를 출판하였다.

중국 문화부 대표인 화쥔우와 쩌우디판 등이 프라하로 가서 체코슬로바키아에서 개최한 '중국월中國月' 행사에 참가하였다. 취추바이 서거 15주년을 기념해『광명일보』에 양즈화, 짱커자 등이 집필한 회고문 및 추모의 글 4편이 게재되었다.『문예보』제2권 제7호에도 기념의 글이 발표되었다.

19일, 시베이문대회 준비위원회에서 발기회를 구성하였다. 본 발기회에는 소수민족 및 각 방면의 대표 64인이 포함되어 있었으며, 9월 중에 문대회를 개최하기로 잠정 결정하였다.

21일, 뤄광빈羅廣斌 등이 창작한 「거룩한 피보라 – 영생할 97명의 공산당원에게 바치다聖潔的血花——獻給九十七個永生的共產黨員」가 『대중문예』 제1권 제3호에 발표되었다.

뤄광빈(1925~1967), 작가. 쓰촨성 청두 출신이다. 1944년에 쿤밍 지역 공산당의 외곽 조직인 민청사民青社에 가입하였으며 1948년에 중국공산당에 가입하였다. 같은 해 9월에 체포당해 투옥되어 충칭중미합작소重慶中美合作所 자즈둥渣滓洞 수용소와 바이궁관白公館 수용소에 수감되었다가 1949년 11월에 탈옥하였다. 1958년부터 양이옌楊益言과 함께 회고록 『열화 속에서 영생하다在烈火中永生』를 기초로 하여 장편소설 『붉은 바위紅岩』를 창작하였다. 이 소설은 발표된 후 수많은 독자에게 추앙받았으며 여러 언어로 번역되었다. '문화대혁명' 시기에 핍박받아 사망하였다.

22일, 중난문련 준비위원회 문예비평조에서 제1차 좌담회를 개최하여 왕시옌, 바이런白刃, 리지, 리얼중 등이 참석하였다. 좌담회에서는 주로 리얼중의 소설 「세 전사三個戰士」에 관해 토론하였다. 『창장문예』 제3권 제1호에 본 회의의 회의 기록이 발표되었다.

바이런(1918~2016), 본명은 왕녠쑹王年送, 아명은 톈쑹天送이며 정식 이름은 왕쿠이성王饋生이고 왕지성王寄生으로 개명하였다. 왕솽王爽, 란모藍默 등의 필명을 사용하였다. 푸젠성 스스石獅시 융닝永寧 출신이다. 1936년부터 작품을 발표하였으며 1949년에 중국작가협회에 가입하였다. 저서로 『내일까지 전투하다戰鬥到明天』(상, 하권), 『남양 표류기南洋漂流記』 및 『바이런 소설선白刃小說選』, 『바이런 극작선白刃劇作選』, 시집 『야초집野草集』, 화극 극본 『적군이 성 밑까지 쳐들어오다兵臨城下』, 전기문학 『뤄룽환 원수 기록羅榮桓元帥紀事』 등이 있다.

『문회보』에 뤄창페이羅常培의 글 「곤곡에 아직 전망이 있는가?昆曲還有前途嗎」가 발표되었다. 그는 글에서 곤곡이 번성했다가 쇠퇴하게 된 역사적 배경을 돌아본 후, 곤곡이 쇠퇴한 원인이 문인들이 곤곡을 개조해 문체가 나날이 고전화되고 사상과 내용은 점점 더 소자산계급 및 자산계급의 심미적 취미에 가까워졌기 때문이라고 지적하였다. 또한 곤곡의 전망은 그 음악과 무대예술의 정화를 계승 및 발양하는 데 있으며, 이를 위해서는 신구 세대의 예인들이 모두 힘을 합쳐 극본과 악보 창작부터 시작해 그 내용에 포함된 봉건 의식을 변혁해 시대적 요구에 걸맞은 인민대중의 예술로 변화시켜야 한다고 주장하였다.

25일, 광시성문학예술공작자 제1기 대표대회가 개최되었다.

『문예보』 제2권 제7호에 우보샤오吳伯簫의 「아마추어 창작에 관하여談業餘創作」, 장즈샹의 「부대문예창작에 관하여關於部隊文藝創作」, 천딩민陳定民의 「취추바이가 중국문자개혁에 남긴 공헌瞿秋白對於中國文字改革的貢獻」 등의 글이 발표되었다.

우보샤오(1906~1982), 산문가, 교육가. 본명은 시청熙成으로 산둥성 라이우萊蕪 출신이다. 1925년에 베이징사범대학 영어과에 입학한 후 문학 창작을 시작해 첫 작품 「낮과 밤白天與黑夜」을 발표하였다. 1931년에 대학을 졸업한 후 칭다오대학 및 산둥교육청에서 근무하였다. 1938년에 옌안으로 가서 항일군정대학에서 수학하였다. 산간닝 변구 문화협회 비서장 및 교육청장을 역임하였다. 1942년에 옌안문예좌담회에 참가하였다. 종전 후에는 서남연합대학 중문과 부주임을 맡았으며 1951년에는 둥베이교육학원 부원장을, 1954년에는 인민교육출판사 부사장 및 부편집장을 역임하였고, 이후에 중국사회과학원 문학연구소 부소장을 지냈다. 문화대혁명이 끝난 후에는 전국중학어문교학연구회全國中學語文教學研究會 회장, 『저작寫作』 책임 편집자, 중국저작연구회 회장 등을 역임하였으며 궈모뤄 저작 편집위원회에 참여해 지도 공작을 맡았다. 저서로 『우서羽書』, 『연진집煙塵集』, 『흑과 홍黑與紅』 등이 있으며 역서로 하이네의 『발트해波羅的海』가 있다. 인민문학출판사에서 『우보샤오 산문집吳伯簫散文集』이, 홍콩문학연구사에서 『우보샤오 선집吳伯簫選集』이 출간되었다.

『문예보』 같은 호에 '창작 경험' 모집 원고가 게재되었다. 류바이위의 「영원은 반드시 앞으로 나아가야 한다永遠應該到前面去」, 황구류黃穀柳의 「소설 창작에 관하여談寫小說」, 왕시젠의 「색다른 이야기와 전형적인 이야기離奇的故事和典型的故事」, 저우리보의 「창작에 관하여關於寫作」, 마자의 「내가 군중 언어를 학습한 경험我學習群眾語言的一點經驗」, 친자오양의 「생활·사상·형상生活·思想·形象」 등의 글이 발표되었다.

황구류(1908~1977), 본적은 광둥성 팡청防城(지금의 광시에 속함)이며 베트남 하이퐁시에서 출생하였다. 1929년에 윈난성 제1사범학교를 졸업하였다. 1927년에 광저우에서 입대해 군벌 혼전에 참가하였다. 중일전쟁 시기에는 상하이와 난징 전투에 참가하였으며 이후에 충칭에서 문협에 가입해 소설 및 희극 창작에 종사하면서 『남방일보』 기자로 근무하였다. 1949년에 해방군에 참가해 웨구이변종대粵桂邊縱隊 사령부 비서, 광둥성 문예창작실 전문작가를 역임하였다. 중국작가협회 제1, 2기 이사를 역임하였다. 1938년부터 작품을 발표하였으며 1952년에 중국작가협회에 가입하였다. 저서로 장편소설 『새우 완자 전기蝦球傳』, 중편소설 「양메이산 아래楊梅山下」, 「평화 보초병和平哨兵」, 화극 극본 「벽牆」, 영화문학 극본 「72명의 세입자七十二家房客」, 산문집 『전우의 사랑戰

友的愛』, 영화문학 극본 「이 원한은 끝없이 이어진다此恨綿綿無絶期」 등이 있다.

상하이 『해방일보』 부간인 『문예』 주간 창간호가 출간되었다. 창간호에는 샤옌의 「방향과 임무方向與任務」, 슝포시의 「본 간행물에 대한 기대對本刊的期望」, 루완메이陸萬美의 「없어서는 안 될 문예 진지不容忽視的文藝陣地」, 진이靳以의 「몇 가지 의견과 요구幾點意見和要求」 등의 글이 발표되었다.

진이(1909~1959), 작가. 본명은 장팡쉬章方敘이며 장이章依, 팡쉬方序, 천쥐안陳涓, 쑤린蘇麟 등의 필명을 사용하였다. 톈진 출신이다. 1932년에 푸단대학 국제무역과를 졸업하였다. 중일전쟁 시기에 충칭 푸단대학 교수를 맡았으며 『국민공보國民公報』 부간인 『문군文群』의 편집자를 겸임하였다. 1933년 이후로 정전둬와 합동으로 『문학계간』을, 바진과 합동으로 『문계월간文季月刊』을 편집하였으며 리례원黎烈文과 함께 『현대문예』를, 예성타오 등과 함께 『중국작가』를 편집하였다. 1959년에 중국공산당에 가입하였다. 공화국 성립 후에는 후장대학滬江大學 교수 및 교무주임, 푸단대학 교수, 『수확』 책임 편집자, 중국작가협회 서기처 서기 및 작가협회 상하이분회 부주석을 역임하였다. 저서로 장편소설 『전야前夕』, 단편소설집 『성형聖型』, 『중신眾神』, 『석양殘陽』, 『황사黃沙』, 『큰 흐름洪流』을 비롯해 산문집 『고양이와 짧은 편지貓與短簡』, 『안개 및 기타霧及其他』, 『피와 불꽃血與火花』, 『행복한 나날幸福的日子』, 『열정적인 찬가熱情的贊歌』 등이 있다.

28일, 중앙인민정부위원회 제8차 회의에서 「중화인민공화국 토지개혁법中華人民共和國土地改革法」이 통과되었다.

30일, 『인민일보』에 사설 「전중국 토지개혁을 실현시키기 위해 투쟁하자爲實現全中國土地改革而鬥爭」가 게재되었다.

이달 초순에 화난문련 준비위원회에서 광둥문학공작자 좌담회와 광저우시 음악공작자 좌담회를 잇따라 개최해 광둥문협 준비위원회와 광둥음악가협회 준비위원회를 설립하였다.

메이란팡과 저우신팡이 상하이에서 베이징으로 왔다. 문련에서 개최한 환영회에서 라오서는 메이란팡 선생 등이 베이징으로 온 일은 장차 희곡개혁공작에 큰 도움이 될 것이라는 내용의 환영사를 했으며, 이에 메이란팡은 베이징에 남아 개혁공작에 참여하고 싶다는 뜻을 밝혔다.

저우신팡(1895~1975), 경극 공연예술가. 이름은 스추士楚, 자는 신팡信芳이며 예명은 치린퉁麒麟童이다. 본적은 저장성 츠청慈城이며 장쑤성 칭장푸淸江浦(지금의 화이인淮陰시)에서 출생하였다. 1908년에 베이징으로 와서 희연성사喜連成社에 들어가 메이란팡, 린수썬林樹森, 가오바이수이高百歲와 함께 같은 무대에서 공연하였다. 1912년에 상하이로 돌아가 신무대新舞台 등의 극장에서 탄신페이譚鑫培, 리지루이李吉瑞, 진슈산金秀山, 펑쯔허馮子和 등과 함께 공연하며 이들에게서 깊이 영향을 받아 연기가 점차 성숙하였다. 1915년에서 1926년 사이에는 상하이의 단계제1대丹桂第一台, 갱신무대更新舞台, 대신무대大新舞台, 천섬무대天蟾舞台에서 장편 경극『한유방漢劉邦』,『천우화天雨花』,『봉신방封神榜』등을 공연하였다. 이 시기에 베이징과 톈진에서 두 차례 공연을 하며「소하월하추한신蕭何月下追韓信」,「홍문연鴻門宴」,「녹대한鹿台恨」,「반오관反五關」등의 경극을 북방 관중에게 소개하여 관중들로부터 '기파麒派'라고 불렸다. 1956년에 상하이경극원 소련 방문 공연단을 인솔해 소련으로 가서 모스크바와 레닌그라드 등의 도시에서 공연하였다. 1959년에 중국공산당에 가입하였다.

난징에서 시가 전람회를 개최하였다. "난징시의 시가공작자들은 5월 27일에 문련의 인도 하에 난징시 시가공작자 연의회를 설립한 후 곧바로 계획을 세워 적극적으로 업무를 추진하였다. 우선 6월 19일(음력 단오절)에 낭송을 주제로 하여 시가 만찬회를 개최하였으며, 바로 뒤이어 시가 전람회를 개최하였다." 전람회는 총 여섯 부분으로 나뉘었는데, 제1부분은 굴원 기념 특별전, 제2부분은 5·4 전후부터 중일전쟁 발발 시기까지의 신시, 제3부분은 중일전쟁 8년간의 신시, 제4부분은 일본 투항 이후의 작품, 제5부분은 시가 이론과 번역 작품, 제6부분은 친필 원고와 초상화로 구성되었다. "각 방면에서 이번 전람회에 대여해 준 시가 간행물 및 서적은 총 1천 권이 넘는다. 이 가운데 중복된 책을 제외하고 실제로 진열된 서적은 총 814권으로, 굴원 연구 및 초사 부문의 서적이 65종으로 116권이며, 신시 부문의 서적은 시가 간행물을 포함해 698권이다. 이 698권 가운데 시가 간행물은 129권이며(신문 부간의 합본 포함), 단행본 시집이 475권, 이론서적이 30권, 번역서가 64권이다."(천산陳山, 쑨왕孫望, 자오루이훙趙瑞蕻「난징시 제1회 시가 전람회南京市第一屆詩歌展覽」,『문예보』1950년 제2권 제10호)

펑쉐펑 등이 저술한『집필 잡담寫稿雜談』이 상하이신문예출판사에서 출간되었다. 스윈石韻 등이 편찬한『'신아녀영웅전' 평론집"新兒女英雄傳"評論集』이 상하이해연서점에서 출간되었다.

팡지의 중편소설『계속되지 않는 이야기』가 상하이문화공작사上海文化工作社에서 출간되었다.

루디陸地의 소설『훌륭한 사람好樣的人』이 상하이군익출판사에서 출간되었다.

루디(1918~2010), 장족壯族 작가. 본명은 천커후이陳克惠이며 천한메이陳寒梅 등의 이름을 사용하였다. 광시성 쑤이루綏淥(지금의 푸쑤이扶綏) 출신이다. 청년 시절에 루쉰과 고리키 등 작가의 영향을 받아 시와 산문 창작을 시작하였다. 중일전쟁이 발발한 후 옌안으로 가서 항일군정대학에 입학하였으며 1938년에 중국공산당에 가입하였다. 이후에 옌안루쉰예술문학원延安魯迅藝術文學院 문학과에 입학하였으며 졸업 후에 학교에 남아 문학연구원을 맡았다. 후에 부대예술학원部隊藝術學院 문학교원,『부대생활보部隊生活報』특약기자 및 편집자,『둥베이일보』편집부 편집조장을 역임하였다. 광시장족자치구廣西壯族自治區가 성립된 후 자치구 당위원회 선전부 부부장, 자치구 문학예술계연합회 주석, 중국작가협회 광시분회 주석, 중국문학예술계연합회 위원, 중국작가협회 민족문학창작위원회 부주임 등을 역임하였다. 저서로 장편소설 『아름다운 남방美麗的南方』, 『폭포瀑布』, 단편소설집 『훌륭한 사람』, 『고인故人』 및 문학평론집 『창작 여담創作餘談』 등이 있다.

쿵줴의 시집 『야전 3년 및 기타野戰三年及其他』가 신화서점 화둥총분점에서 출간되었다. 리빙의 장시 『자오차오얼』이 신화서점에서 출간되었다. 거셴닝葛賢寧의 시집 『창주펑의 청춘常住峰的青春』이 자비로 출간되었다.

양쿵셴楊孔嫻이 편찬한 『상하이 공인 시선上海工人詩選』이 노동문예총서勞動文藝叢書 중 한 권으로서 노동출판사勞動出版社에서 출간되었다. 이 책에는 쉬이슈徐宜秀의 「생산가生產謠」, 장정다張政達의 「기계의 노래機器歌」, 샤루이룽夏瑞龍의 「스 아우가 신기록을 세우다施小弟創新紀錄」, 뤼린성呂林生의 「반동파를 타도하고 대 상해를 해방시키다打倒反動派解放大上海」 등 50편의 시를 비롯해 「엮은이의 말編者的話」과 엮은이의 글 「공인의 신시에 관하여略談工人的詩歌」가 수록되었다.

아잉의 희극 『양아전楊娥傳』이 상하이신광출판공사上海晨光出版公司에서 출간되었다.

탕뤄湯洛의 보고문학 『마오 주석 만세毛主席萬歲』가 상하이신문예출판사에서 출간되었다.

탕뤄(1925~2006), 본명은 톈수지田樹基로 산시陝西성 옌안 출신이다. 1945년에 옌안대학 행정학과에 입학하였다. 이후에 신화통신사 제1야전기자 및 조선전선기자朝鮮前線記者, 신화사 시베이총분사 특파기자, 『옌허』 부편집장, 시안작가협회 전문작가 등을 역임하였다. 저서로 장편 보고문학 『리핑의 길黎坪之路』, 중편소설 「원한을 푼 하미解仇合密」, 「가하이탄尕海灘」 등이 있다.

리퉁李彤의 보고문학 『모범 품앗이 조模範變工組』가 지난산둥신화서점에서 출간되었다. 리옌둔李岩盾의 보고문학 『랴오시 기록遼西紀事』이 상하이신문예출판사에서 출간되었다.

『대중전영』 제1권 제2호에 쌍후桑弧의 글 「「태평춘」에 관하여關於<太平春>」가 발표되었다. 그는 글에서 「태평춘」을 구상하고 제작한 심리적 배경에 관해 설명하였다. 같은 호에 「상하이총공회 6월 하반기 각 지구 영화 상영표上海總工會六月份下半月各區放映電影表」가 발표되어, 표에 제시된 영화들 중 「백의의 전사白衣戰士」는 중국 영화이며 그 외의 「총을 든 사람帶槍的人」, 「용감한 여성勇敢的女性」, 「위대한 우정偉大的友誼」, 「소아전索雅傳」, 「1918년의 레닌列寧在一九一八」 등 5편은 소련 영화임을 밝혔다.

산둥성작가협회에서 편찬한 월간 『산둥문학山東文學』이 지난에서 창간되었다.

7월

1일, 출판총서 도서관이 설립되었다. 도서관의 주요 업무는 국가를 위해 1949년 10월 이후에 출간된 각종 출판물의 견본을 모집해 관리하고 소장하는 것이다.

중국희극공작자협회에서 전국의 희극공작자들에게 보낸 호소문「미 제국주의의 조선과 타이완 침략에 반대하고, 박해받는 각국의 평화전사들을 지원하며, 세계평화를 보위하는 창작운동을 전개하자反對美帝侵略朝鮮, 台灣,支援各國被迫害的和平戰士, 展開保衛世界和平創作運動」가『인민희극』제1권 제4호에 게재되었다. 같은 호에 톈한의 화극 극본「조선 풍운朝鮮風雲」(「갑오전쟁甲午之戰」3부작 중 1편)과 후단페이胡丹沸의 화극 극본「총을 들지 않은 적不拿槍的敵人」이 발표되었다.「총을 들지 않은 적」은 공연된 후에 비평을 받아,『문예보』제3권 제9호에 후단페이의 반성의 글「좁은 테두리 밖으로 뛰어나가다跳出狹小的圈子」가 발표되었다.

『인민문학』제2권 제3호에 왕원빙王文兵의「보루堡壘」, 원나이산文乃山의「빈농회장 자오만툰貧農會長趙滿囤」, 궈이펑郭一峰의「영광스러운 편액光榮匾」등의 소설과 거비저우의「전쟁 중의 마오주석 이야기毛主席在戰爭中的故事」, 톈젠의「높은 산 옆에서在高山旁」, 뤄젠의「터키의 감옥에 보내다寄土耳其獄中」등의 시 및 쑨쥔칭孫峻青의「피 묻은 옷血衣」, 루주궈陸柱國의「리좡 전장에서李莊戰場上」등의 보고문학, 허우진징侯金鏡의「화베이군구 창작좌담회 기록記華北軍區創作座談會」, 친자오양의「자아비평과 비평에 관하여談自我批評與批評」, 선쥐중沈巨中의「문예이론비평의 대중화文藝理論批評的大衆化」, 치구의「내가 읽은 세 편의 공인 창작에 관하여談我所讀到的三篇工人創作」, 천쉐자오의「「공작은 아름다운 것이다」에 관하여關於<工作著是美麗的>」, 허치팡, 좡펑莊風의「「문예작품은 반드시 모순과 투쟁을 표현하는 데 능해야 한다」에 관하여關於<文藝作品必須善於寫矛盾和鬥爭>」등의 글이 발표되었다.

쑨쥔칭(1923~), 본명은 쑨루제孫儒傑, 자는 쥔칭俊卿으로 산둥성 하이양海陽 출신이다. 1940년에 혁명에 참가하였다. 1955년에 중국작가협회에 가입하였으며『중원일보中原日報』편집조장,『문학보文學報』편집장, 상하이시 옌황문화연구회炎黃文化研究會 부회장, 옌황서화원炎黃書畫院 원장, 중국작가협회 제2, 3, 4기 이사를 역임하였다. 저서로 장편소설『해일海嘯』,『결전決戰』, 단편소설집『여명의 강가黎明的河邊』,『최후의 보고最後的報告』,『노도怒濤』,『바다제비海燕』,『자오둥 기록膠東紀

事』, 산문집 『추색부秋色賦』, 평론집 『쥔칭이 창작을 말하다峻青談創作』 등이 있다.

허우진징(1920~1971), 문학평론가. 베이징 출신이다. 진차지연합대학 문공단 간사, 진시 푸핑 항일연합회冀西阜平抗聯會 선전부 부부장, 화베이군구 정치부 문공단 부단장, 화베이군구 정치부 문화부 문예과장, 『문예보』 부편집장, 중국작가협회 제2기 이사 및 당조성원을 역임하였다. 오랫동안 문학 조직활동, 문학 편집 및 문예비평에 종사하였다. 저서로 평론집 『부대문예의 새로운 노정部隊文藝新的裏程』, 『고조집鼓噪集』, 『허우진징 문예평론선집侯金鏡文藝評論選集』 등이 있다.

천쉐자오(1906~1991), 작가, 중공 당원. 필명은 예취野渠로 저장성 하이닝海寧 출신이다. 천초사, 어사사 등의 문학단체에 참가하였다. 1927년에 프랑스로 유학하여 톈진 『대공보』 유럽 주재 특파기자와 상하이 『생활주보生活周報』 특약기고가를 겸임하였다. 1935년에 프랑스 클레르몽대학교에서 문학박사학위를 취득한 후 귀국해 옌안 『해방일보』 부간 편집자, 중앙당교 4부 문화교원, 『둥베이일보』 부간 편집자, 저장대학 교수, 저장성 문련 부주석, 중국작가협회 저장분회 명예주석을 역임하였다. 1921년부터 작품을 발표하였다. 저서로 장편소설 『공작은 아름다운 것이다工作著是美麗的』(3권), 『봄에 딴 찻잎春茶』(상, 하권), 『남풍의 꿈南風的夢』과 시집 『기념하는 나날紀念的日子』, 산문집 『여행에 질리다倦旅』, 『보잘것없는 마음寸草心』, 『들꽃과 덩굴풀野花與蔓草』, 『잊지 못할 세월難忘的年月』, 문학 회고록 『천애귀객天涯歸客』, 『유수 같은 세월如水年華』, 단편소설집 『신궤중연新櫃中緣』, 번역서 『아세아阿細雅』 등이 있다.

『대중시가』 제2권 제1호에 장쩌이張澤易의 「샤오장小張」, 왕야핑의 「7월의 노래七月的歌」, 뤼젠의 「마오쩌둥의 산봉우리毛澤東的山峰」 등의 시와 천야오광의 평론 「피상적인 감정은 필요없다 - 지팡의 「봄이 왔다」를 평하다」가 발표되었다.

『창장문예』 제2권 제6호에 바이런의 시 「큰아버지老伯伯」, 왕시옌의 창작 만담 「생활과 소재, 그리고 어떻게 구체적이고 생생하며 집중해서 쓸 수 있는가?生活,材料與怎樣寫得具體,生動,集中?」가 발표되었다. 같은 호에 공산당 건립 29주년을 기념하여 「'7·1' 송가"七一"頌」라는 제목으로 조시組詩가 발표되었는데, 뤼위안의 「7월 1일에 부르는 노래七月一日唱的歌」, 천무의 「공산당은 붉은 태양共產黨是紅太陽」 등 7편의 시가 수록되었다.

『해방일보』에 한쯔菡子의 「잉아 사건綜絲事件」이 발표되었다.

한쯔(1921~2003), 본명은 팡샤오方曉로 장쑤성 리양溧陽 출신이다. 1937년에 신사군新四軍에 참가하였으며 1943년에 중국공산당에 가입하였다. 1952년에 한국으로 가서 상간링上甘嶺 전투에 참가하였다. 중국작가협회 창작위원회 부주임, 중국작가협회 상하이분회 부주석을 역임하였다. 저서로 단편소설집 『군상群象』, 『분쟁糾紛』, 산문집 『전선의 송가前線的頌歌』, 『유추집幼雛集』, 『초청집初晴集』, 『소화집素花集』, 『향촌집鄕村集』, 소설산문집 『완뉴萬妞』 등이 있다.

2일, 시안시 시가공작자들이 좌담회를 개최해 '시안시 시가공작자연의회'를 성립할 것을 일제히 결정하고, 그 자리에서 리유바이李尤白 등 8인을 준비위원으로 선출하였다.

국제평화상 및 스탈린평화상의 중국 작품 모집위원회에서 "창작운동은 반드시 서명운동과 결합되어야 한다"고 호소하였다.

『인민일보』 부간에 「소비에트 작가에게 보내는 편지給蘇維埃作家的信」라는 제목으로 스탈린이 펠릭스 등의 시인에게 보낸 편지가 게재되었다. 이 편지는 차오바오화曹葆華와 마오위안칭毛遠青이 함께 번역하였다.

차오바오화(1906~1978), 번역가. 쓰촨성 러산樂山 출신이다. 청년 시절에 칭화대학 외국어학과 및 칭화연구원에서 수학하였다. 30년대 초기부터 작품을 발표하였다. 1939년에 옌안으로 이동하였다. 중공중앙선전부 스탈린 전집 번역실 부주임, 러시아어 번역실 주임, 중국사회과학원 외국문학연구소 연구원을 역임하였다. 역서로 『마르크스·엥겔스·레닌·스탈린이 문예를 논하다馬恩列斯論文藝』, 『소련문학 문제蘇聯文學問題』, 『스탈린이 문화를 논하다斯大林論文化』, 『역사유물주의와 변증법적 유물주의曆史唯物主義與辯證唯物主義』, 『자연변증법自然辯證法』, 『레닌과 문예 문제列寧與文藝問題』 등이 있다.

6일, 정부 정무원에서 「진귀한 문물 도서 수출 금지에 관한 잠정 조치禁止珍貴文物圖書出口暫行辦法」를 반포하였다.

중국청년예술극원이 베이징에서 3막 풍자극 「장정을 징발하다抓壯丁」를 공연하였다. 이 화극은 쓰촨 방언을 사용해 공동 창작된 것으로, 우쉐가 집필하였으며 우쉐와 샤오시취안肖錫荃이 감독을 맡았다.

9일, 『인민일보』에 자오수리의 「「금 자물쇠」 문제에 관한 재검토」가 게재되었으며, 『문예보』 제2권 제8호에 전재되었다. 같은 호에 중뎬페이의 「「자오이만」을 읽고看了<趙一曼>之後」가 발표되었다. 중뎬페이는 글에서 자오이만의 성격이 "중화민족의 우수한 자녀의 모습"일 뿐만 아니라 "전형적인 성격의 집중적인 반응"이며, 또한 그녀는 다시 "모든 중국 인민을 교육하고 있다"고 평하였다.

10일, 출판총서 출판국이 베이징에서 베이징과 톈진 지역의 출판공작자 회의를 소집하였다. 서장 후위즈가 회의에서 「출판사업에서의 공사관계와 분업 합작 문제出版事業中的公私關系和分工合作問題」라는 보고를 진행하였다.

후난성 문련 준비위원회가 정식으로 설립되어 30여 명의 준비위원이 참석하였다. 중난문련 준비위원회 부주석인 헤이딩黑丁이 회의에 참석해 지도하였다.

『문예보』 제2권 제8호에 딩링의 「영용한 인민해방군에게 경의를 표하다向英勇的人民解放軍致敬」(이 글은 「129사단과 진지루위 변구一二九師與晉冀魯豫邊區」라는 책의 서문으로 1950년 6월 30일에 집필되었다), 천서우주陳瘦竹의 「「미국 소식<美國之音>」」(희극 「미국 소식」의 내용을 소개하는 글)이 발표되었다. 같은 호에 싱잉추刑迎楚의 「몇 편의 영화에 관하여談談幾個影片」, 루시즈의 「최소한의 요구起碼的要求」, 천먀오의 「우리는 심각하고 구체적인 검토가 필요하다我們需要深刻具體的檢討」, 저우위안周沅의 「소설 「자오 동지」에 대한 대중일보 부간의 비평과 검토大眾日報副刊對小說<趙同志>的批評與檢討」, 자오수리의 「「금 자물쇠」 문제에 관한 재검토」, 창자둥常家東 등의 「「금 자물쇠」에 대한 독자의 시각讀者對於<金鎖>的看法」 등의 글이 게재되었다.

천서우주(1909~1990), 본명은 딩제定節이며 타이라이泰來라고도 한다. 스포石佛, 천먼주陳門竹 등의 필명을 사용하였다. 장쑤성 우시無錫 출신이다. 1924년에 장쑤성립제3사범학교江蘇省立第三師範學校에서 수학하던 당시부터 작품을 발표하였다. 1928년에 첫 중편소설 「찬란한 불꽃燦爛的火花」을 발표하였다. 1929년에 우한대학 외국문학과에 입학해 『우한문예』 월간 책임 편집자를 맡았으며, 1933년에 졸업한 후 난징국립편역관南京國立編譯館으로 이동해 편역가로 근무하며 다수의 번역소설과 문예이론문장을 발표하였다. 1949년부터 난징대학 중문과 교수를 맡았으며 1961년에 중국공산당에 가입하였다. 저서로 『춘뢰春雷』, 『내하천奈何天』, 『가녀행哥女行』 등이 있으며 역서로 『캉디드』, 『에르나니』, 논저 『현대극작가산론現代劇作家散論』, 『톈한의 화극 창작을 논하다論田漢的話劇創作』, 『비극, 희극 및 기타悲劇, 喜劇及其他』, 『희극이론문집戲劇理論文集』 등이 있다.

루시즈는 「최소한의 요구」에서 "시의 정취와 의미는 난삽해서는 안 된다", "행과 연의 구분은 이치에 맞아야 한다", "언어와 어휘는 대중화되어야 한다", "대중이 이해하지 못하는 전고를 사용해서는 안 된다"고 요구하였다. 또한 그는 『대중시가』 제2호에 발표된 린경의 시 「인민의 나날」과 1949년 12월 21일자 『광명일보』에 발표된 짱커자의 시 「본받을 만한 사람」에 관해, 전자는 "매우 이해하기 힘들"며 후자는 전고의 사용이 타당하지 못하다고 비평하였다.

리유량黎友諒, 지인季因 등이 창작한 「하이난다오 만필漫記海南島」이 『신화일보』에 연재를 시작하여 이달 15일에 연재가 완료되었다. 이 책은 같은 해에 상하이신화서점 화둥총분점에서 출간되었다.

11일, 문화 부에서 희곡계 대표와 희극 전문가 및 관련 부문의 책임자들을 초청해 '희곡개진위원회'를 조직하였다. 본 위원회는 희곡개진공작의 고문 기관으로서 저우양이 주임위원을 맡았으며 톈한, 훙선, 어우양위첸 등 43인의 위원을 두었다. 첫 회의에서는 중앙정부의 명의로 「살자보殺子報」, 「구갱천九更天」, 「활유산滑油山」, 「기원보奇冤報」, 「해혜사海慧寺」, 「쌍정기雙釘記」, 「탐음산探陰山」, 「대향산大香山」, 「관공현성關公顯聖」, 「쌍사하雙沙河」, 「철공계鐵公雞」, 「활착삼랑活捉三郎」 등 12개 희극에 대한 공연 금지 결정을 반포하였다. 회의에서는 또한 역사인물에 대한 '현대화' 관점에 반대하며, "중국 역사상의 영웅 인물에 대해서는 반드시 그들이 당시의 역사적 조건하에서 가지고 있는 진보성과 인민성 및 고상한 민족 품성에 근거해 응당한 평가를 내려야 한다"고 보았다. 예술형식의 문제에 관해서는 "구극을 개작하든 신극을 창작하든 간에 반드시 경극 및 각종 지방극이 본래 지닌 특징과 장점을 보존하는 데 주의해야 하며, 이러한 특징과 장점을 경솔하게 버려서는 안 된다"고 보았다. 본 위원회에서 편찬한 『신희곡新戲曲』이 9월에 창간되었다.

문화부 및 관련 부문에서 조직한 '전영지도위원회電影指導委員會'가 설립되어 마오둔이 주임위원을 맡았다. 본 위원회의 임무는 영화사업과 국영제편창의 영화 극본, 제작 및 발행 계획, 민영 영화기업의 영화에 대해 의견을 제출하고, 또한 문화부와 함께 심사와 평의를 진행하는 것이다. 같은 날, 정무원에서 「신작 영화에 관한 상연 허가 공포電影新片頒發上演執照」, 「구작 영화 청산電影舊片清理」, 「중국 영화 수출國產影片輸出」, 「국외 영화 수입國外影片輸入」, 「영화업 등록電影業登記」 등 5개 항목의 잠정 조치의 반포를 비준하였다.

14일, 쑨리의 단편소설 「농촌 혼인문제에 관한 보고서一篇關於農村婚姻問題的報告」가 『톈진일보』에 발표되었다. 이 소설은 후에 「혼인婚姻」으로 제목이 변경되었다.

15일, 중국전영대표단이 처음으로 출국해 체코슬로바키아에서 개최된 카를로비바리 국제영화제에 참가하였다. 극영화 「중화 자녀中華兒女」가 자유투쟁상自由鬥爭獎을 수상하였으며, 「자오이만趙一曼」의 주연인 스롄싱石聯星은 우수배우상演員優勝獎을 수상하였다. 다큐멘터리 「백만 정예군이 장난으로 내려가다百萬雄師下江南」, 「홍기가 서풍에 휘날리다紅旗漫卷西風」, 「대서남 개선가大西南凱歌」, 「둥베이 3년 해방전쟁東北三年解放戰爭」이 영예상을 수상하며 대륙 영화가 최초로 국제영화제에서 수상한 기록을 세웠다.

『산둥문예』 제2호에 산둥성 인민정부 문교청 및 산둥성 문련 준비위원회에서 작성한 「창작 상금 설립 방법 초안設立創作獎金辦法草案」이 발표되었다.

23일, 시안시 시가공작자연의회가 설립되었다.

「영용한 조선인민군에게 경의를!向英勇的朝鮮人民軍致敬!」이라는 제목으로 『인민일보』에 벤즈린의 「조선 인민에게 경의를 표하다向朝鮮人民致敬」, 스이適夷의 「조선의 형제들에게給朝鮮的兄弟們」, 뤄젠의 「아시아 인민 군가亞洲人民戰歌」 등의 시가 발표되었다.

24일, 상하이시 문학예술공작자대표대회가 개최되어 대표 547인이 참석하였으며 샤옌이 보고를 진행하였다. 상하이 시장 천이陳毅가 회의에 참석해 연설하였다. 대회는 6일간 계속되었다. 29일, 상하이시 문련이 설립을 선포하였다. 샤옌을 주석으로, 펑쉐펑, 메이란팡, 바진, 허뤼팅賀綠汀을 부주석으로 선출하였으며 위링, 저우신팡, 후펑 등 20인의 상무이사를 두고 샤옌 등 75인의 이사를 두었다. 또한 마오쩌둥 주석과 주더 총사령관, 전국문련 등에 전보를 보냈다. 장아이링이 초청에 응해 회의에 참석하였다. 샤옌은 본래 커링에게 부탁해 장아이링에게 상하이전영극본창작소의 각본가를 맡아 달라고 요청하려 했지만, 이 소식은 장아이링에게 때맞춰 전해지지 못했다.

허뤼팅(1903~1999), 후난성 사오양邵陽 출신이다. 청년기에 후난농민운동과 광저우 봉기에 참가하였다. 이후에 우창예술전문학교武昌藝術專科學校 교원, 밍싱영편공사明星影片公司 음악과 과장을 맡았다. 1943년에 옌안으로 가서 산간닝진쑤이연방군陝甘寧晉綏聯防軍 정치부 선전대 음악교원, 옌안중앙관현악단 단장을 맡았다. 1945년 이후에 화베이대학에서 교편을 잡았다. 해방전쟁 시기에는 화베이문공단 단장을 맡았다. 1949년에 중국공산당에 가입하였다. 공화국 성립 후에는 상하이음악학원 원장, 전국문련 제4기 부주석, 중국음악가협회 제2, 3기 부주석, 제5, 6기 전국정협 상무위원을 역임하였다. 주요 음악작품으로 「천애가녀天涯歌女」, 「사계의 노래四季歌」, 「유격대의 노래遊擊隊之歌」, 「자링장 위에서嘉陵江上」, 「목동의 피리牧童短笛」 및 관현악 「썬지더마森吉德瑪」, 「만찬회晚會」 등이 있다. 저서로 『허루팅 음악논문선집賀綠汀音樂論文選集』이 있다.

커링(1909~2000), 산문가, 극작가. 본명은 가오지린高季琳으로 본적은 저장성 사오싱이며 광저우에서 출생하였다. 소학교 졸업 후에 독학으로 학업을 마치고, 1926년에 상하이의 『부녀잡지婦女雜志』에 서사시 「베를 짜는 부인織布的婦人」을 발표하면서 등단하였다. 1931년에 상하이로 가서 톈이영편공사天一影片公司와 밍싱영편공사에서 선전공작에 종사하면서 창작과 영화평론에 종사하였다. 1938년에 첫 영화 극본 「무측천武則天」을 창작하였으며, 이후로 「난세풍광亂世風光」, 「몰락한 왕손末路王孫」 등의 영화 극본을 창작 혹은 각색하였다. 1945년에 스퉈와 함께 고리키의 연극 「밑

바다」을 각색한 화극 극본 「야간 업소夜店」(이후에 영화로 각색됨)를 합동 창작해 큰 반향을 불러일으켰다. 1948년에 홍콩으로 가서 『문회보』 편집장을 맡았으며 영화 극본 「봄의 성에 꽃이 지다春城花落」, 「굳은 맹세海誓」를 창작하였다. 1949년에 상하이로 돌아와 상하이 『문회보』 부사장 겸 부편집장, 상하이전영극본창작소 소장, 상하이전영예술연구소 소장, 『대중전영』 편집장, 상하이작가협회 서기처 서기, 상하이전영공작자협회 상무부주석 등을 역임하였다. 각색 혹은 창작한 영화문학 극본으로 「부식과 굳은 맹세腐蝕與海誓」, 「불야성不夜城」, 「온 천지에 봄빛이 가득하다春滿人間」, 「추근 전기秋瑾傳」 등이 있으며, 저서로 산문집 『봄풀을 바라보다望春草』, 『장상사長相思』, 『커링 산문선柯靈散文選』 및 문예평론집 『극장 잡기劇場偶記』, 『커링 잡문집柯靈雜文集』, 『커링 영화극본선집柯靈電影劇本選集』 등이 있다.

25일, 중앙인민정부 문화부에서 시골 혹은 공장으로 갈 예정인 베이징, 톈진 지역의 작가들을 소집해 좌담회를 개최하였다. 부장 마오둔과 부부장 저우양은 연설에서 작가들이 공농군중 속에 깊이 파고들어 모두가 좋아할 만한 작품을 창작해 주기를 바란다고 밝혔다. 이번에 시골과 공장으로 간 작가들은 차오위, 자오수리, 구위안, 루리, 후단페이, 자커, 친자오양 등이다.

같은 날, 『문예보』 제2권 제9호에 펑쉐펑의 「잡문에 관하여談談雜文」, 루시즈의 「저속한 문예이론서 – 판취안의 「창작론」을 평하다一本庸俗的文藝理論書——試評範泉著的<創作論>」, 왕쑹성王松生, 장멍경張夢庚의 「「석류군」의 창작 및 공연에 관한 반성關於<石榴裙>的創作與演出的檢討」, 류칭의 「「피지 못하는 꽃봉오리」를 읽고讀<開不敗的花朵>」 등의 글이 발표되었다. 펑쉐펑은 글에서 "인민의 요구를 만족시키기 위해서, 우리 국가의 인민민주정책을 공고히 하고 또한 완성시키기 위해서, 신민주주의 경제 및 문화의 건설을 위해서, 우리는 잡문을 발전시킬 필요가 있다"고 밝혔다.

『문예보』 같은 호에 "미국의 조선 침략 반대" 특집호가 발간되어 궈모뤄, 마오둔, 예성타오, 차오징화, 위핑보, 짱커자, 볜즈린, 리허린李何林 등 14인의 글이 게재되었다. 또한 장즈샹의 「온 세계가 조선 인민의 편에 서 있다全世界站在朝鮮人民一邊」, 짱커자의 「'아주 좋은' 시작"很好"的開始」 등 시 2편과 런다싱任大星의 글 「나는 시를 쓸 수 없게 되었다我寫不出詩了」가 발표되었다.

런다싱은 「나는 시를 쓸 수 없게 되었다」에서 "요즘 들어 나는 시를 쓸 수 없게 되었다. 나는 예전에는 시를 아주 많이, 빨리 썼으며 만족스럽게 썼다." "예전에 나는 시 쓰기란 완전히 '감정 토로'의 수단이라고 생각했다. 따라서 나는 '감각'에 의지해 시를 썼다. 어떠한 우연한 감각이든 간에, 그 감각이 '시의詩意'를 가지고 있다고 생각되면 나는 곧장 그것을 한 편의 시로 써냈다." "혁명공작에 참가하고 해방구에서 생활하게 되어 공산당의 교육을 받은 후에야 나의 관념은 마침내 변화하기 시작해, 나는 각성할 기회를 얻게 되었다." "무산계급의 문예이론은 내가 문예에 관한 몇 가지 기본 지식을 깨닫게 해 주었다. 첫째, 문예는 공농병을 위한 것이다. ……둘째, 문예는 단순한 '감정 토로'가 아니라, 어느 정도의 계급성과 정치적인 목적을 가지고 있다. ……셋째, 문예는 결코 현실 생활의 '서술'과 '촬영'이 아니라, 현실 생활의 개괄이며 사회현상의 집중적인 표현이다." "이러한 문예의 기본 지식을 통해 나는 발전했으며 나의 잘못을 교정해 주었다." "그러나 나 자신의 잘못을 깨달음과 동시에 어려움이 생겼다. 나는 시를 쓸 수 없게 된 것이다! 이것은 마치 오랫동안 하수도에 살고 있던 작은 청개구리 한 마리가 갑자기 밖으로 기어 나와 태양과 푸른 하늘과 대자연을 보게 되자, 어둠에 익숙해져 있던 두 눈이 모든 밝고 환한 사물에 자극을 받아 깜짝 놀라 당황하게 된 것과 같다"고 고백하였다.

런다싱(1925~2016), 아동문학가. 저장성 샤오산蕭山 출신이다. 1949년 5월에 항저우에서 혁명 공작에 참가하여 기관 간부를 맡았다. 1953년 9월에 소년아동출판사少年兒童出版社(상하이)로 이동해 편집자, 편집실 부주임 및 편집심사위원을 맡아 35년간 수많은 아동문학 도서를 편집하였으며 새로운 아동문학 작가들을 발굴하고 또한 육성하였다. 1988년에 은퇴한 후 창작에 전념하였다. 저서로 아동소설 『뤼샤오강과 여동생呂小鋼和他的妹妹』, 『이제 막 열네 살이 되다剛滿十四歲』, 『말괄량이 여동생野妹子』, 『샹후 용왕묘湘湖龍王廟』, 『나의 첫 번째 선생님我的第一個先生』, 『어린 사나이小小男子漢』 등이 있다. 전국소년아동문예창작평상全國少年兒童文藝創作評獎 1등상, 전국우수소년아동도서상全國優秀少年兒童圖書獎 2등상 등을 수상하였다.

『인민일보』에 사오옌샹의 시 「노래하라, 너희의 군가를 소리 높여 노래하라! - 영용한 조선 인민군에게 바치다唱吧,高唱你們的戰歌!——獻給英勇的朝鮮人民軍」가 발표되었다.

27일, 중공중앙에서 중앙선전부의 「현재 출판공작에 관한 통지關於目前出版工作的通知」를 전달하였다. 통지는 현재 출판 사업에 존재하는 무규칙, 무정부 상태 및 공사 관계가 조화되지 않는 결점을 지적하고 이에 관한 개선 조치를 제시하였으며, 각급 당위원회에 해당 지역의 출판사업에 관한 지도를 확실히 강화할 것을 요구하였다.

28일, 신화사의 27일자 소식에 의하면 문화부에서 메이란팡을 문화부 희곡개진국 경극연구원 원장으로 정식 초빙하였다. 문화부 희곡개진국 경극연구원의 전신은 화베이평극연구원華北平劇研究院으로, 본 연구원은 1950년에 문화부 희곡개진국으로 이동해 경극연구원으로 명칭이 변경되었다. 초대 원장은 톈한이 겸임하였다.

『톈진일보』에 쑨리의 「「농촌 혼인문제에 관한 보고서」에 대한 반성對<一篇關於農村婚姻問題的報告>的檢討」이 발표되었다.

29일, 딩링의 「지식분자 하향 중의 문제知識分子下鄕中的問題」가 『중국청년』 제44호에 발표되었다.

이달에 저우웨이周韋가 편찬한 시론집 『「왕구이와 리샹샹」을 논하다論<王貴與李香香>』가 상하이잡지공사에서 출간되었다. 류쭈춘劉祖春의 문예논저 『생근개화론生根開花論』, 『중난문예운동 전개開展中南文藝運動』가 한커우신화서점 중난총분점에서 출간되었다.

시훙의 소설 『휘장을 단 사람』이 상하이신문예출판사에서 출간되었다. 샤오예무의 단편소설집 『하이허 강가에서』가 톈진지식서점에서 출간되었다.

비예의 장편소설 『우리의 힘은 무적이다』가 상하이신화서점에서 출간되었다. 천치샤는 1951년 『문예보』 제3권 제8호에 「무적의 힘은 어디에서 오는가無敵的力量從何而來」를 발표하여, 이 작품 속의 인물 형상이 "모두 생활에 내재된 진실성이 결핍되어 있어, 거의 모두가 믿을 수 없으며 부자연스러운 인물"이라고 평했다. 뒤이어 장리윈張立雲이 『해방군문예』 제1권 제2호에 「소자산계급 사상이 문예창작에 끼치는 위해 - 『우리의 힘은 무적이다』를 평하다」를 발표해, 작가가 표현한 "인민해방군은 거의 '자유왕국'이나 다름없다"며, 작가는 "해방군을 두뇌가 없는 무모한 이들로 묘사"해, "생생한 전사들을 모두 우왕좌왕하거나 혹은 얼빠진 인물들로 표현했다"고 비판하였다. 이후로 비예의 이 소설은 당시의 '소자산계급 창작경향'의 대표작 중 하나로 굳어졌다.

아이칭이 중국대표단과 함께 소련을 방문해 6개월간 머무르면서 그 동안 「10월의 붉은 광장十月的紅場」, 「보석의 붉은 별」, 「푸시킨 광장普希金廣場」, 「쇠뿔 잔牛角杯」, 「보리수 아래의 가로수길에서菩提樹下的林蔭路上」 등의 시를 창작하였다. 귀국 후에도 「울라노바에게給烏蘭諾娃」, 「벗이 먼 곳에서 오다有朋友從遠方來臨」, 「히크멧에게給希克梅特」 등의 시를 창작하였다.

위취안玉杲의 시집 『인민의 촌락人民的村落』이 신화서점 화둥총분점에서 출간되었다.

위취안(1919~1992), 본명은 위녠餘念으로 쓰촨성 루산蘆山 출신이다. 1945년부터 작품을 발표하였으며 1953년에 중국작가협회에 가입하였다. 옌안변구 미즈米脂중학 및 옌안대학 교원으로 근무하였으며 시베이인민혁명대학 교사 및 교연실 주임, 시베이문련 전문창작원, 산시陝西작가협회 제2, 3기 이사 및 제3기 주석단 위원, 주회작가駐會作家, 『옌허』 편집부 주임, 편집자, 부편집장, 편집심사위원, 제5기 산시성 정협위원 등을 역임하였다. 저서로 장편서사시집 『다두허의 지류大渡

河支流』, 『기점起點』, 『인민의 촌락』, 『앞을 향해 가다向前面去』, 『안평 전기安風傳』, 『개척자開拓者』, 시집 『홍진기紅塵記』, 『매를 날리다飛鷹』, 『나는 정말로 아쉽다我實在舍不得』, 『아카시아 나무 아래相思樹下』, 『생기生機』 등이 있다.

린만林漫의 통속작품 『벙어리가 말을 하다啞巴講話』가 상하이군익출판사에서 출간되었다.

린만(1914~1991), 작가. 본명은 리쥐안빙李涓丙이며 리만톈李滿天, 린만林漫 등의 필명을 사용하였다. 간쑤성 린타오臨洮 출신이다. 1938년에 옌안으로 가서 옌안루예 문학과에서 수학하였다. 1939년 7월에 화베이연합대학 문예학원 희극과로 전입하였다. 1949년에 신화사 후베이분회 편집장을 맡았으며 다음해에 후베이성 문련으로 자리를 옮겼다. 이후에 후베이성 문화부 부국장을 맡았다. 1954년에 허베이성 문련 부주석을, 1978년에 중국작가협회 허베이성 분회 주석을 역임하였다. 저서로 장편소설 『물은 동쪽을 향해 흐른다水向東流』, 『인간 세상 속에 웅크린 호랑이人間伏虎』, 단편소설집 『가정家庭』, 『장애물絆腳石』, 『안위안과 샤오바오安元和小保』, 『벙어리가 말을 하다』, 『리위안力原』, 『리만톈 단편소설선李滿天短篇小說選』, 『창작 잡담寫作雜談』 등이 있다.

양보楊波 등이 창작한 통속작품 『밭두렁 나무田梜樹』가 상하이군익출판사에서 출간되었다. 루산魯山의 통속작품 『종군 전사 가오중원參軍戰士高中文』이 지난산둥신화서점에서 출간되었다. 청시린程溪林의 통속작품 『한 차례 풍파一場風波』가 지난산둥신화서점에서 출간되었다. 리청李誠 등의 통속작품 『해방군이 교양을 배우다解放軍學文化』가 지난산둥신화서점에서 출간되었다. 선창즈申場之의 민간고사 『용이 물을 토하다龍吐水』가 지난산둥인민출판사에서 출간되었다. 리퉁李彤의 민간고사 『흙으로 금을 만들다點土成金』가 지난산둥인민출판사에서 출간되었다.

루룽이 번역한 체호프의 소설 『고뇌집苦惱集』(‘체호프 소설선집’)이 핑밍출판사에서 출간되었다. 리젠우가 번역한 톨스토이의 희극 『처음으로 술을 빚은 사람頭一個造酒的』이 핑밍출판사에서 출간되었다.

사멍沙蒙이 감독하고 창춘전영제편창에서 촬영한 영화 「자오이만」이 공식적으로 상영되었다.

사멍(1907~1964), 영화감독, 극작가. 본명은 류상원劉尚文으로 즈리直隸(지금의 허베이)성 위톈玉田 출신이다. 중파대학中法大學을 졸업하였으며 30년대에 상하이에서 신디극사新地劇社, 스허우극사獅吼劇社, 상하이아마추어극인협회上海業餘劇人協會에 참가해 좌익희극활동에 종사하였다. 영화 「야반가성夜半歌聲」, 「사거리十字街頭」의 촬영에 참여하였다. 1944년 이후로 옌안루예 교원, 실험극단 단장을 맡았다. 1948년 이후로 둥베이전영제편상 및 창춘전영제편창 감독, 중국전영공작자협회 제1기 위원, 제3기 이사를 역임하였다. 감독을 맡은 영화로는 「자오이만」, 「상나오 수용소上鐃集中營」(합동 감독)가 있으며 린지林極와 함께 「상간링上甘嶺」 등의 영화를 각색하였다.

종합 대형 화보『인민화보人民畫報』가 베이징에서 창간되었다.

8월

1일,『인민문학』제2권 제4호에 '미국의 타이완 침략 반대' 특집호가 발간되어 궈모뤄, 마오둔, 아이칭, 자오수리, 톈젠, 허치팡, 펑즈, 중징원, 볜즈린 등의 시와 문장이 발표되었다. 같은 호에 리가오의「영원히 앞을 향하다永遠向著前面」(제4, 5호에 연재), 왕전예王振業의「해전海戰」, 류저우柳洲의「룽허 강가의 영웅龍河岸上的英雄」, 딩커신丁克辛의「판 반장의 수수께끼範工長的謎」등의 소설과 펑즈의「모스크바莫斯科」, 이강易剛의「보초병哨兵」, 톈보田波의「교양을 배우는 이야기學文化的故事」, 스캉史康의「평화 서명和平簽名」등의 산문, 자오양趙洋의「조국의 변경에서 전투하다戰鬥在祖國的邊疆」, 리주李株의「자오푸안趙福安」등의 시, 차오징화曹靖華의 잡문「「쇳물」의 해방<鐵流>的解放」, 루주궈陸柱國의 보고「800미터八百公尺」가 발표되었다.

차오징화(1897~1987), 번역가, 산문가. 본명은 차오롄야曹聯亞로 허난 출신이다. 1920년에 상하이외국어학사上海外國語學社에서 러시아어를 공부하였으며 사회주의청년단에 가입하였다. 모스크바동방대학莫斯科東方大學에 파견되어 수학한 후 다음해에 귀국하였다. 1924년에 문학연구회에 가입하였다. 1927년에 다시 소련으로 가서 모스크바동방대학, 레닌그라드동방어언학원列寧格勒東方語言學院에서 교편을 잡았다. 1933년에 귀국한 후 대학에서 교수로 근무하면서 문학번역공작에 종사하였다. 1939년에 중소문화협회中蘇文化協會 상무이사를 맡아『소련문학총서蘇聯文學叢書』를 편찬하였다. 공화국 성립 후에는 베이징대학 교수 및 러시아어문학과 주임, 인민문학출판사 부편집장 겸 외국문학편집부 주임을 맡았다. 1978년의 중국공산당 제11기 중앙위원회 제3차 전체회의 이후에 제5, 6기 전국정협 위원, 중국문련 위원, 국무원 학위위원회 위원, 중국작가협회 고문, 루쉰박물관 고문, 중국번역공작자협회 명예이사, 중국외국문학회 고문, 중국소련문학연구회 명예회장 등을 역임하였다. 저서로 산문집『꽃花』,『봄의 도시에 꽃잎이 날리다春城飛花』,『비화집飛花集』,『차오징화 산문선曹靖華散文選』,『차오징화 서정산문선曹靖華抒情散文選』등이 있으며, 역서로『쇳물鐵流』,『41번째第四十一個』,『차리친을 보위하다保衛察裏津』,『소련 작가 7인집蘇聯作家七人集』,『체호프 희극집契訶夫戲劇集』등이 있다.

루주궈(1928~), 작가. 본명은 루윈칭陸雲卿으로 허난성 이양 출신이다. 1948년에 중국인민해방군에 참가하였으며 다음해에 중국공산당에 가입하였다. 신화통신사 병단분사兵團分社 기자, 총정치부 문화부 창작원, 해방군 문예사 편집자, 8·1전영제편창 각본가 및 부창장, 중국영협 제4, 5기 이사를 역임하였다. 저서로 장편소설『동해의 끝없는 파도를 밟아 평평하게 만들다踏平東海萬頃浪』, 중편소설『결투決鬥』,『상간링上甘嶺』(합동 창작),『영웅의 어린 시절英雄的童年』,『마지막 겨울最後一個冬天』(합동 창작) 및 단편소설집『눈보라 치는 동부전선風雪東線』,『거우성狗剩』, 영화문학 극본『반짝이는 붉은 별閃閃的紅星』(합동 창작),『대서남을 석권하다席卷大西南』,『타이항산 위에서太行山上』 등이 있다.

『대중시가』 제2권 제2호에 '미 제국주의의 타이완과 조선 침략 반대 특집'이 간행되어 짱커자의「승리의 화살을, 쏴라勝利的箭頭,射出去」, 옌천의「꺼져라, 미국 침략자여滾出去,美國侵略者」, 톈젠의「평화의 책에 쓰다寫在和平書上」, 리양의「조선의 형제들에게給朝鮮的兄弟們」, 옌밍晏明의「김일성 장군에게 바치다獻給金日成將軍」, 볜즈린의「타이완과 조선台灣和朝鮮」 등의 시가 발표되었다.

옌밍(1920~2006), 시인, 편집가. 본명은 궈찬즈郭燦之로 후베이성 윈멍雲夢 출신이다. 40년대 초에『시총詩叢』의 책임 편집자를 맡았으며, 공화국 성립 후에는 베이징『신민보』,『대중시가』,『베이징일보』, 베이징출판사 및『시월』의 편집 업무를 맡았다. 1979년에 현대 산수시山水詩의 창작에 종사해 획기적인 성취를 이뤘다. 연작시『황산, 기이하고 아름다운 산黃山,奇美的山』을 창작하였다. 저서로『3월의 밤三月的夜』,『베이징 서정시北京抒情詩』,『꽃의 서정시花的抒情詩』,『고원의 유혹高原的誘惑』,『옌밍 산수시선晏明山水詩選』 등이 있다.

『시가와 산문詩歌與散文』이 쿤밍에서 복간되었다. 푸메이푸普梅夫가 책임 편집자를 맡았으며 시가와 산문사詩歌與散文社에서 출간하였다. 복간호에 리훙黎虹의「오늘날의 시인에게給今天的詩人」, 둥팡冬芳의「장다마의 '7·1' 선물張大媽"七一"獻禮」, 장후이張惠의「좇아라! 그 숭고한 이상을!!追尋吧!那崇高的理想!」, 우징핑吳靖平의「녜얼 - 당신이 앞장서 간다聶耳──你走在前頭」, 푸메이푸의「트루먼의 어리석은 생각과 악몽杜魯門的呆想和噩夢」, 궁류公劉의「우리의 홍기가 온 천하에 휘날린다咱們的紅旗滿天下」 등의 시가 발표되었다.

궁류(1927~2003), 시인, 작가. 본명은 류런융劉仁勇 혹은 류경즈劉耿直라고도 하며 장시성 난창南昌 출신이다. 1939년부터 시 창작을 시작하였다. 1946년에 궁류라는 필명으로 정식으로 잡문과 시가 작품을 창작해 국민당 정권을 비난하였다. 광저우 해방 후에 인민해방군에 참가해 부대를 따라 대서남으로 진군하였다. 서남 변경에서의 생활과 경험을 통해 창작의 영감을 얻었다. 1954년에 첫 시집『변경 단가邊地短歌』를 출간하였다. 1955년에『인민문학』에「카와산 연작시佧佤山組詩」,「시솽반나 연작시西雙版納組詩」,「시멍의 아침西盟的早晨」 등의 연작시를 발표하였다. 또한 황톄黃鐵,

양즈융楊智勇, 류치劉綺와 함께 민간 장시『아스마阿詩瑪』의 수집 및 정리 공작에 참여하였다. 민간 전설 및 가요를 기초로 삼아 장시『망부석望夫石』을 창작하였다. 이후에『신성한 본분神聖的崗位』(1955),『여명의 성黎明的城』을 출간하였다. 1957년에 '우파'로 오인되었다. 1978년에 문단으로 복귀한 후 시집『북방에서在北方』,『궁류 시선公劉詩選』,『인링즈尹靈芝』,『자화·홍화自花·紅花』,『들판의 무성한 풀離離原上草』,『선인장仙人掌』,『어머니－창장母親一長江』,『낙타駱駝』,『대 상하이大上海』,『남선북마南船北馬』, 시론집『시와 성실詩與誠實』,『난탄시현亂彈詩弦』등을 출간하였다.

위린의 소설「소 이야기牛的故事」가『창장문예』제3권 제1호에 발표되었다.

『인민희극』제1권 제5호에 라오서의「더위 속의 극 창작 기록暑中寫劇記」이 발표되었다. 그는 이 글에서「팡전주方珍珠」와「용수구龍須溝」의 창작 과정에 관해 소개하였다.

2일부터 6일까지 베이징, 톈진, 둥베이, 중난, 시난 등 각 행정구역의 출판행정기관에서 공사영 좌담회公私營座談會를 개최하였다.

3일,『문회보』에 양사오쉬안의 글「신문화운동과 희극혁명新文化運動與戲劇革命」이 연재되기 시작해 4일에 완료되었다. 그는 글에서 중국 희극의 유산과 가치, 결점과 문제 및 개혁의 방향 등의 문제에 관해 토론하였다.

8일, 화베이문예공작위원회 구극처 및 베이징시 문화위원회 구극과에서 개설한 극예계 제1기 강습반이 개강하였다. 학기는 3개월간 계속되었다. 어우양위첸, 톈한, 양사오쉬안, 마사오보 등이 강습반 교사를 맡았다.

9일, 베이징시 문련에서 희곡개혁문제 좌담회를 개최하였다. 라오서가 참석해 발언하였으며, 발언 내용은『베이징문예』창간호(1950년 9월 10일자)에 게재되었다.

10일, 전국문련과 중앙문화부에서 합동으로 문학연구회를 계획하였다. 딩링, 장톈이, 사커푸, 리보자오 등 12인으로 준비위원회를 구성하였다.

『문예보』제2권 제10호에 장화의「작품의 사상성에 관하여試談作品的思想性」, 류진劉金의「「춘절」을 읽고讀<春節>」, 다즈達之의「「나의 아들」에 관하여關於<我的兒子>」, 홍선의「미국이 자본가를 독점한다는 망상美國獨占資本家的妄想」 등의 글과 바이웨이白薇의 시 「전투하는 조선戰鬥的朝鮮」, 저우밍周明의 글 「하이난다오 해방 전선 단편海南島解放戰役片斷」이 발표되었다.

바이웨이(1894~1987), 작가. 본명은 황장黃彰, 황리黃鸝 이며 별명은 황쑤루黃素如이다. 후난성 쯔싱資興 출신이다. 1922년에 창작을 시작해 첫 작품인 3막 화극 극본 「소피蘇斐」를 창작하였다. 1918년에 일본으로 유학한 후 1925년에 귀국해 우창중산대학武昌中山大學에서 교편을 잡았다. 대혁명이 실패한 후 창조사에 참가하였다. 1928년에 루쉰이 편집을 맡은 『분류奔流』 잡지에 「유령탑을 나오며打出幽靈塔」를 발표해 명성을 얻었다. 1931년에 좌련에 가입하였다. 1938년에 구이린桂林으로 가서 『신화일보』 특파기자를 맡았다. 1949년에 후난유격대에 참가하였다. 공화국 성립 후에는 베이징청년예술극원北京青年藝術劇院에서 근무하였으며, 이후에 자원해서 베이다황北大荒으로 가서 7년간 생활하며 베이다황의 생활을 반영한 여러 편의 작품을 창작하였다. 주요 작품으로 시극 「린리琳麗」, 화극 「유령탑을 나오며」, 「꾀꼬리鶯」, 장편소설 『애정의 속박愛網』, 『소녀의 봄少女之春』, 연서집 『어젯밤昨夜』(합동 창작), 『바이웨이 작품선白薇作品選』 등이 있다.

저우밍(1934~), 작가이자 학자로 산시陝西성 저우즈周至현 출신이다. 란저우대학 중문과를 졸업하였다. 『인민문학』 상무부편집장, 중국작가협회 창연부創聯部 부주임, 중국현대문학관 부관장, 중국산문학회 상무부회장, 중국보고문학학회 상무부회장 등을 역임하였다. 주요 저서로 보고문학집 『끝없는 녹색의 세계에서在莽莽的綠色世界』, 산문집 『샘물이 졸졸 흐르다泉水淙淙』, 『또 한 해 봄풀이 푸르다又是一年春草綠』, 『빙신을 기억하며記冰心』, 『먼 산의 단풍遠山紅葉』, 『5월의 밤五月的夜晚』 등이 있다.

11일, 베이징시 문련과 문예처에서 작가와 희곡 배우 등을 소집해 좌담회를 개최하여 반년간 베이징시에서 각색 혹은 창작된 20여 편의 경극 및 지방극 극본의 구체적인 문제에 관해 상세한 토론을 진행하였다. 라오서, 자오수리 등이 참석하였다. 궈모뤄, 리리싼李立三을 포함한 중화인민공화국 인민대표단이 북한으로 출발하였다.

12일, 『중국청년』 제45호에 리양의 서평 「「사상 문제」에 관하여關於<思想問題>」와 옌천의 시 「꺼져라, 미국 침략자여!」가 발표되었다.

15일부터 30일까지 화둥구 군정위원회가 상하이에서 화둥희곡개혁공작간부회의華東戲曲改革工作幹部會議를 개최하였다. 본 회의에는 2개 성(산둥성, 저장성)과 2개 시(상하이시, 난징시)

및 4개 행정구역(쑤베이, 쑤난, 완베이皖北, 완난皖南)의 대표 179명이 참석하였다. 회의에서는 중앙의 희곡개혁공작 방침을 학습하였으며 구예인에 대한 사상 개조, 신화극神話戲과 미신극迷信戲의 구별, 제도의 개혁, 역사 인물의 처리 등의 문제에 관해 주제토론을 진행하였다. 본 회의의 자세한 내용은『신희곡新戲曲』제1권 제1호의 화둥희곡개혁공작회의 특집호에 게재되었다.

15일,『대중전영』제1권 제5호에 스전石榛의「「부녀춘추」 평가<婦女春秋>評介」가 발표되었다. 그는 글에서 인물과 사건에 대한 '구식 사실주의舊寫實主義'식의 묘사에서 벗어나 인민의 교육을 목적으로 하여 인물 형상을 창조할 것을 주장하였다.

19일, 베이징시 문련에서 시가 낭송 및 음악연주 만찬회를 개최하였다.

20일, 문화부 희곡개진국에서 통지를 발표하여 희곡에 대한 심사 기준을 더욱 명확히 하고 구극을 함부로 금지하는 상황이 발생하는 것을 방지하였다.

상하이인민예술극원이 설립되어 샤옌이 원장을, 황쭤린黃佐臨과 뤼푸呂複가 부원장을 맡았다. 본 극원의 전신은 화둥문공2단으로, 극원의 산하에 창작공장과 실험극단 등을 설립해 희극 창작과 공연에 전문적으로 종사하였다.

25일,『문예보』제2권 제11호에 딩링의「새로운 시대로 건너오다 - 지식분자의 옛 취미와 공농병 문예에 관하여跨到新的時代來——談知識分子的舊興趣與工農兵文藝」, 팡롄方聯의「현실 속의 모순을 직시해야 한다 -『동방문예』제6호의「어떤 창작 문제에 관한 의논」에 대한 의견要正視現實中的矛盾——對<東北文藝>第六期<一個創作問題底商榷>的意見」및 라오신의 글「시가의 주제와 표현에 관하여 - 지팡의「봄이 왔다」를 평하다談詩歌的主題與表現——評冀汸的<春天來了>」가 발표되었다.

딩링은「새로운 시대로 건너오다 - 지식분자의 옛 취미와 공농병 문예에 관하여」에서 "최근에 우리는 독자들로부터 여러 통의 편지를 받았다. 편지의 내용은 어떤 책이 좋다거나, 어떤 책이 싫다거나, 혹은 어떤 책이 필요하다거나 하는 것들이다. 이 독자들은 대부분 신 해방구의 지식청년으로 문학을 사랑하는 이들이다. 나는 그들이 모두 매우 솔직하고 열정적이라고 생각한다. 이것은 좋은 일이다. 그리고 그들의 의견은 적지 않은 수의 지식분자와 시민들의 의견을 대표하고 있다. 신문예에 대한 그들의 몇 가지 질책 역시 단편적인 이유를 가지고 있으므로 용서할 만한 것들이다.

우리는 개별적으로 답장을 보낸 것 외에도 잡지에 글을 실어 이 문제에 대해 이야기해 토론에 참고로 삼고자 한다."

"편지의 의견을 종합하면 다음 몇 가지로 정리할 수 있다." "1. 공농병을 묘사한 책을 읽고 싶지 않다. 이런 책들은 단조롭고 투박하며 예술성이 결핍되어 있다. 이런 책은 이해도 되지 않고 재미도 없다. 주제가 너무 한정되고 또한 중복되어 있어, 노상 공농병 얘기밖에 없어 읽노라면 머리가 아프다는 것이다. 혹자는 어떤 공인을 예로 들며 공인도 이런 책을 싫어한다고 말했다. 그 공인은 이런 책이 너무나 긴장감으로 가득 차 있다고 느꼈으며, 신화극이나 산수화와 같은 보다 가벼운 책을 읽고 싶다고 말했다고 한다. 공인들은 일과 생활이 모두 긴장되어 있는데, 오락에서까지 긴장해야 한다면 무너져 버릴지도 모른다는 것이다. 그들은 이런 책은 전진분자前進分子들의 향락품일 뿐이라고 말했다고 한다." "2. 그들은 바진의 책, 펑위치馮玉奇와 장헌수이의 책을 좋아하며, 격렬한 전투를 묘사한 그림책을 좋아하고, 일부는 번역된 고전문학을 좋아한다." "3. 소자산계급 지식분자의 고민에 대해 쓰고, 전형적인 지식분자 영웅을 묘사해 그들이 해방전쟁 중에 보여준 감동적인 이야기를 쓸 것을 요구한다. 지식분자가 개조를 이룬 실례를 쓰거나, 혹은 자산계급을 이야기의 중심인물로 삼거나, 혹은 도시의 소시민 생활에 대해 쓸 것을 요구한다. 또한 이 책들을 회의, 자아비평, 담화, 반성 등 천편일률적인 내용으로 쓰지 말 것을 요구하였다."

"종합하면, 이 독자들은 모두 원칙적으로는 공농병 문예 방향을 반대하고 있지 않으나, 전투적이고 정치적 분위기가 농후하며 자신들의 생활과 취향과는 동떨어져 있음에도 시장에서는 나날이 세력을 더해 가는 이러한 책들에 깊은 반감을 가지고 있다는 것이다! 그들은 자신들의 취향과 요구에 따라 작가들이 변화하고 주의를 기울일 것을 희망한다. 그들은 과거의 바진, 펑위치, 장헌수이의 방법으로 혁명적이면서 낭만적인 이야기를 써 줄 것을 바란다. 그들은 이런 책들 속에서 유익한 점을 찾아 자신을 개조하려 한다"라고 밝혔다.

26일, 류칭의 「토지개혁운동 속의 군중 노선에 관한 잡담雜談土地改革運動中的群眾路線」이 『중국청년』 제46호에 발표되었다.

28일, 화난문련 준비위원회에서 화난문련 준비위원회와 광둥성 문학, 음악, 미술, 희극, 무대 등 각 협회 회원들 및 화난인민문예학원, 화난인민극단 등의 문예공작자 600여 명을 소집해 대회를 개최하였다.

29일, 문화부 희곡개진국에서 톈한이 '새로운 감독 제도를 어떻게 건립할 것인가'를 주제로 하여 주최한 좌담회를 개최하였다. 아자, 탕화추唐槐秋, 훙선, 마옌샹, 양사오쉬안, 저우이바이周貽白, 리쯔구이李紫貴 등 19인이 참석해 발언하였다. 좌담회의 자세한 내용은 1950년 10월 20일에 출간된『신희곡』제1권 제2호에 게재되었다.

29일부터 9월 10일까지 출판총서에서 전국신화서점 제2회 공작회의를 베이징에서 개최하였다. 서장 후위즈가「신민주주의의 국영출판, 인쇄, 발행 사업을 논하다論新民主主義的國營出版, 印刷, 發行事業」라는 보고를 진행하였다. 회의에서는 분업 통일과 공사 관계 조정 등의 문제에 대해 집중적으로 토론하였다.

31일, 중난문련 준비위원회에서 제6차 상무위원회를 소집하여 헤이딩黑丁, 추이웨이崔嵬, 리지 등 3인이 전국문련 회의에 참석하기로 결정하였다.

화난문련 준비위원회에서 제4차 준비회의를 소집하여, 토론을 거쳐 화난문학예술공작자 제1차 대표대회를 9월 25일부터 10월 1일까지 개최하기로 결정하였다.

이달에 중앙인민정부 문화부 예술국에서 문예출판공작을 조직해 금년 내에 창작 총서, 소련 문예를 소개하는 총서, 민족 문예 유산을 정리하는 총서 등 세 가지 총서를 편집할 것을 계획하였다. 구체적으로는 인민문예총서, 문예이론총서 및 희곡총서 등 7종으로 결정되었다. 각 총서에서 창작과 번역의 비중은 각각 약 2/5를 차지하며 유산 정리는 약 1/5를 차지한다.

우한시 문련에서 보급 및 제고의 문예방침을 관철하기 위해 '공인이 쓰고工人寫' '공인에 대해 쓰는寫工人' 문예 간행물『공인문예工人文藝』를 준비하여 이달에 창간하였다.

궈모뤄의『굴원 연구屈原研究』가 상하이신문예출판사에서 출간되었다.

구위의 글「「새 일은 새로 처리하다」의 창작 과정創作<新事新辦>的經過」이『허베이문예』제8호에 발표되었으며『신화일보』제9호에 전재되었다.

중지밍鍾紀明의 문예 논저『민간문예로부터 배우다向民間文藝學習』가 시안시베이신화서점 시베이총분점西安西北新華書店西北總分店에서 출간되었다.

중지밍(1906~1970), 예훠野火, 바이산白山 등의 필명을 사용하였으며 후베이성 한커우 출신이다. 옌안대중독물사延安大衆讀物社 및 변구『군중보』편집자, 산간닝 변구 문협 이사 및 비서, 룽둥문예공작조隴東文藝工作組 부조장, 룽둥, 허수이合水 2구 유격대 지도원, 중공구위원회 부서기, 시베이야전군 정치부 선전대 지부 서기 및 교육과장, 시베이예술학원 교육장 등을 역임하였다. 1943년부터 작품을 발표하였다. 저서로 소설 『복주기覆舟記』(합동 창작), 고사집 『아나얼한의 노랫소리阿那爾漢的歌聲』, 논문집 『쾌판을 논하다論快板』, 『민간문예로부터 배우다』, 화극 극본 『단원의 영광團員的光榮』, 곡예 『멜대가 미국 병사를 붙잡다一條扁擔捉美兵』, 『홍군이 용감하게 우장을 건너다紅軍英勇渡烏江』, 고사鼓詞 『왕 아주머니王大娘』, 친창秦腔 극본 『관리의 횡포가 심하면 백성은 반발한다官逼民反』(합동 창작), 가극 극본 『등불 하나一盞燈』(합동 창작) 등이 있다.

류바이위의 중편소설 『불빛이 앞에 있다火光在前』가 상하이신화서점에서 출간되었다. 뤄단羅丹의 소설 『페이후커우飛狐口』가 상하이신문예출판사에서 출간되었다.

추이쉬안崔璿의 소설 『우물井』이 상하이신문예출판사에서 출간되었다.

추이쉬안(1921~), 지리蒺藜, 추이쥔탄崔君坦 등의 필명을 사용하였다. 허베이성 가오양高陽 출신이다. 1936년부터 작품을 발표하였으며 1953년에 중국작가협회에 가입하였다. 지중冀中 항일 전투에 참가하였으며 현 부녀항일구국연합회婦女抗日救國聯合會 주임, 전구專區 부녀항일구국연합회 주임, 중공구위원회 서기, 현위원회 선전부장, 성위원회 선전부 문예처장, 성 문련 주임, 둥베이작가협회 전문작가, 둥베이작가협회 선양분회 제2기 이사 등을 역임하였다. 저서로 장편소설 『바이양뎬 3부작白洋澱三部曲』, 『산철쭉山杜鵑』, 작품집 『조하집朝霞集』, 단편소설집 『우물』, 『도로道路』, 『아침놀을 맞이하다迎接朝霞』, 『저우 아주머니周大娘』, 『바지 한 벌一條褲子』, 회고록 『과거는 결코 멀지 않다過去並不遙遠』 등이 있다.

선모쥔沈默君의 소설 『쑨옌슈孫顏秀』가 상하이신문예출판사에서 출간되었다.

선모쥔(1924~2009), 필명은 츠위遲雨이며 안후이성 서우현壽縣 출신이다. 1938년에 신사군에 참가하였으며 화선극사火線劇社 배우, 감독, 문화교원, 계장, 문교과장 등을 역임하였다. 1948년에 화둥야전군 총병참부 정치부 문공단장을 맡았으며 가극 「예 아주머니葉大嫂」, 소설 「부부 영웅 이야기夫妻英雄的故事」 등의 작품을 창작하였다. 중국극협 제1기 이사, 중국영협 제3기 이사를 역임하였다. 1950년에 제3야전군 문화부 창작원을 맡아 선시멍沈西蒙, 구바오장顧寶璋과 함께 영화문학 극본 「남정북벌南征北戰」을 창작하였다. 1952년에 영화문학 극본 「도강 정찰기渡江偵察記」를 창작하였다. 1954년에 해방군 총정치부 문화부 창작실 전영창작조 조장을 맡았으며, 1957년에 황쭝장黃宗江과 합동으로 영화 극본 「해혼海魂」을 창작하였다. 1957년에 우파로 오인되었다. 1961년에 창춘전영제편창의 각본가를 맡았으며 1978년에 문화부 극본위원회 위원 겸 창작조 조장을 맡아 「타이다오 여한台島遺恨」, 「쑨중산과 쑹칭링孫中山與宋慶齡」 등 다수의 영화 극본을 창작하였다.

커중핑의 장시 『변경의 자위군邊區自衛軍』이 베이징싼롄서점에서 출간되었다.

아이칭, 뤼젠 등의 시집 『세계평화를 보위하다保衛世界和平』가 신화서점 화둥총분점에서 출간되었다. 시집에는 뤼젠의 「세계평화를 보위하다」, 가오란高蘭의 「평화의 힘으로 지구의 전진을 촉진하자!用和平的力量推動地球前進!」, 거양戈陽의 「우리는 전쟁을 원하지 않는다我們不要戰爭」, 아이칭의 「나는 평화 호소문에 서명한다」 등 15편의 시가 수록되었다.

루치魯琪의 시집 『베이다황北大荒』이 신화서점 화둥총분점에서 출간되었다. 사어우의 시집 『금호미金鋤頭』가 베이징 싼롄서점에서 출간되었다. 샤오인이 편찬한 시집 『번신시요翻身詩謠』가 톈진지식서점에서 출간되었다.

린옌林岩이 각색한 화극 『공손알公孫閼』이 바오딩허베이성연합출판사保定河北省聯合出版社에서 출간되었다.

린옌(1931~), 본명은 린징중林敬宗으로 헤이룽장성 칭안慶安 출신이다. 칭안문예공작대慶安文藝工作隊 대장, 헤이룽장성 사회교육공작대 간부, 문예공작단 희극조 조장, 중공 헤이룽장성위원회 선전부 문예처 간사, 중공 랴오닝성위원회 선전부 간사, 부처장, 처장, 부부장, 랴오닝성 작가협회 이사, 상무이사, 부주석, 당조서기 등을 역임하였다. 1950년부터 작품을 발표하여 다수의 소설, 산문, 평론, 논문 등을 발표하였다.

허베이성 문학계 예술계 연합회가 편찬한 화극 『라오장이 승리 공채를 사다老張買勝利公債』가 바오딩허베이성연합출판사에서 출간되었다. 쑤잉蘇鷹의 보고문학 『푸뉴산구 비적 토벌 이야기伏牛山區剿匪故事』가 한커우신화서점 중난총분점에서 출간되었다. 장양張揚의 통속문학 『생산군生產軍』이 지난산둥신화서점에서 출간되었다.

『대중전영』 제1권 제5호에 「전영공작자가 「영화광 전기」를 말하다電影工作者談<影迷傳>」가 발표되었다.

9월

1일, 『창장문예』 제3권 제2호에 어우양산, 리니麗尼 등 9인의 필담 「미국의 타이완과 조선 침략에 반대한다反對美國侵略台灣朝鮮」와 위린의 창작 만담 「어째서 주제를 심도 있게 표현할 수 없는가?爲什麽不能深刻的表現主題?」가 발표되었다.

리니(1909~1968), 문학번역가, 산문가. 본명은 궈안런郭安仁으로 후베이성 샤오간孝感에서 출생하였다. 『취안저우일보泉州日報』 부간 편집자를 역임하였다. 1935년에 바진 등과 함께 문화생활출판사文化生活出版社를 창립해 첫 산문집 『황혼에 바치다黃昏之獻』를 출간하였다. 중일전쟁 시기에는 푸안, 쓰촨 등지의 중학교와 대학교에서 교편을 잡았다. 1950년 이후에 우한중난인민출판사漢中南人民出版社 편집부 부주임, 부사장 겸 편집장, 우한대학 및 지난대학 교수 등을 역임하였다. 저서로 산문집 『매의 노래鷹之歌』, 『백야白夜』, 『리니 산문 선집麗尼散文選集』이 있으며 역서로 『바냐 아저씨萬尼亞舅舅』, 『갈매기海鷗』, 『이바노프伊凡諾夫』, 『전야前夜』, 『귀족의 집貴族之家』 등이 있다.

『인민문학』 제2권 제5호에 천융의 「딩링의 『태양은 쌍간강에서 빛난다』丁玲的<太陽照在桑幹河上>」, 쑨푸위안의 「문예에 반영된 농촌의 새로운 혼인文藝上反映的農村新婚姻」, 짱커자의 「어째서 '발단이 곧 정점'인가爲什麽"開端就是頂點"」, 아이칭의 「시선 자서詩選自序」 등의 글이 발표되었다.

짱커자는 「어째서 '발단이 곧 정점'인가」에서 "현재의 신시 창작에는 확실히 "'발전'할수록 쇠퇴하고, '전진'할수록 낙후하는" '거꾸로' 현상이 존재한다"며, 그 주된 원인은 "중국의 비교적 유명한 시인들은 거의 대부분이 소자산계급 출신으로, 오랫동안 장제스가 통치하는 암흑과 공포로 가득한 세계 속에서 생활하다가 최근 2~3년 사이에 주관적인 요구 혹은 객관적인 핍박에 의해 대다수가 해방구로 이동하게 되었다. 그들이 한걸음에 두 구역의 경계를 넘어온 것은 마치 한 세계에서 다른 세계로 뛰어넘어온 것과 같다. 일부는 거주하던 지역에서 해방을 맞았는데, 그들이 그런 시기를 맞은 것은 마치 한 세계에서 다른 세계로 뛰쳐나온 것과 같다! 모든 것이 달라졌고, 모든 것이 변했다. 변화는 너무나 빠르고 갑작스러워, 그 변화를 미처 확실히 인지하지 못했음에도 이미 전과는 완전히 다른 새로운 세상 속에 자리하게 된 것이다.

이러한 시가 공작자들은 모두 풍자시를 쓰는 데 익숙한 이들이다(장제스 통치 구역의 7~8년간의 시가 발전사를 풍자시의 발전사라고 보아도 무방하다). 그들은 줄곧 '부정', '부정', '부정'을 거듭해 왔다. 부정은 아주 쉬운 것이며, 또한 매우 쉽게 '진보', '혁명' 등의 영예로운 칭송을 얻을 수 있었다. 새로운 미래를 긍정하기 위해 어두운 현재를 부정했다고는 하나, 이 미래는 몽롱하고 추상적인 것이었다. 그런데 이 몽롱했던 미래가 명확히 드러나고 추상적이었던 인상이 새롭고도 웅장한 현실의 모습으로 눈앞에 우뚝 서게 되자, 지금껏 습관적으로 부정해 온 대상이 한순간에 사라져 버려 익숙하게 노래해 왔던 가락을 더 이상 노래하지 못하게 된 것이다. 이제 그들에게 요구되는 것은 더 이상 부정하거나 풍자하지 않고, 긍정하고 찬양하는 것이다. 그리고 이러한 긍정과 찬양은 공인 계급의 입장에서 해야 하며, 또한 공농병과 같은 감정을 가지고 긍정하고 찬양할 것이 요구된다. 이것은 쉬운 일이 아니다. 단번에 이룰 수 있는 일이 아니다. 후펑의 「환희의 송가」, 지팡의 「봄이 왔다」……이러한 시들이 비평을 받은 것은 그들이 여전히 소자산계급의 혁명적 시각과 감정과 방법을 통해 눈앞의 이 위대하고 전과는 완전히 다른 의미를 지닌 현실을 바라보고 또한 표현했기 때문이다. 이와 유사한 시들이 2년 전에 탄생했다면 군중의 환영과 주목을 받았을 것이다. 그러나 이 시들은 1950년에 탄생했다"고 말했다.

『인민문학』같은 호에 왕전광王真光의 「새로운 광휘新的光輝」, 차오밍草明의 「새 문제, 옛 방법新問題, 舊做法」, 다이푸戴夫의 「해상 영웅海上英雄」 등의 소설과 리잉의 시 「우리의 전사가 상처를 입었다我們的戰士受傷了」, 딩망丁芒의 「붉은 신호병紅色信號兵」 등의 시 및 루주궈의 보고 「강철 진지鋼鐵陣地」가 발표되었다.

왕전광(1925~), 본명은 왕펑구이王奉桂, 필명은 쓰마단司馬丹으로 산둥성 텅저우滕州 출신이다. 1946년부터 작품을 발표하였다. 중국작가협회 산둥분화 제1, 2, 3기 이사, 산둥작가협회 소설산문창작위원회 위원, 산둥성 문학예술계연합회 제4기 위원, 중국철로문학예술공작자협회中國鐵路文學藝術工作者協會 이사 등을 역임하였다. 저서로 중편소설 『철로 위의 암초鐵道上的暗礁』, 단편소설 및 산문집 『용을 굴복시킨 사람들降龍的人們』(합동 창작), 단편소설집 『기억 속의 이야기記憶中的故事』 등이 있다.

『대중시가』 제2권 제3호에 옌밍의 「그는 제방 위에 서 있다他站立在垸堤上」, 사어우의 「나귀 의사驢大夫」, 천위먼의 「잉허강을 파다挖潁河」 등의 시와 편집위원회의 글 「우리의 공작을 더욱 개선하자把我們的工作改進一步」가 발표되었다.

『인민희극』 제1권 제5호에 자오쉰, 란광의 「처음부터 배우다從頭學起」와 위허雨禾의 「스탈린에게 감사한다感謝斯大林」 등 두 편의 단막극이 발표되었다.

자오쉰(1920~2010), 희극가. 본명은 신성辛生이며 후베이성 우한 출신이다. 1939년에 중국공산당에 가입하였다. 중일전쟁 발발 후에 퉈황극사拓荒劇社, 항전연극대抗敵演劇隊 2대에 참가하였으며 화산연합대학華山聯合大學 극작조장, 중앙희극학원 창작실 부주임, 중국극협 창립위원회 부주임, 『극본』 편집부 주임, 중국극협 상무부주석, 중국문련 서기처 상무서기 및 당조부서기, 중국희곡학회 부회장 등을 역임하였다. 1935년부터 작품을 발표하였다. 저서로 단막극 극본집 『인민의 의지人民的意志』, 『생활 소희극生活小喜劇』, 희극평론집 『화극창작산론話劇創作散論』, 화극 극본 및 영화문학 극본집 『민주청년 행진곡民主青年進行曲』, 화극 극본 『환향기還鄉記』, 『용광로의 불꽃高爐火花』, 『옐쇼프 형제葉爾紹夫兄弟』 등이 있다.

란광(1921~2005), 희극가. 본명은 장후이란張惠蘭으로 후베이에서 출생하였다. 중일전쟁 시기에 다수의 항일구국활동 및 항적연극대 활동에 참가하였다. 공화국 성립 후에는 중앙희극학원 극본창작실로 이동하여 자오쉰과 합동으로 단막극 「한 줄기 길을 향해 가다」, 「처음부터 배우다」를 창작하였다. 1978년에 중앙실험화극원 영도소조領導小組 조장에 임명되어 중앙실험화극원의 재건 임무를 맡았다. 같은 해 11월에 중앙실험화극원 당위원회 서기 겸 부원장에 임명되었으며 이후에 원장 겸 당위원회 서기를 맡았다. 저서로 화극 극본 『두 자매姐妹倆』, 『먀오구이전苗桂珍』, 『마지막 한 막最後一幕』, 『용광로의 불꽃』, 『펀수이가 길게 흐르다汾水長流』 등이 있다.

2일, 베이징시 문련에서 공인 시가 낭송 및 공연 만찬회를 개최하였다.

5일, 중국음악가협회의 기관 간행물 『인민음악人民音樂』이 창간되었다.

『희곡보』 제3권 제2호에 사설 「구예인과의 단결 합작을 강화하고 확대하자加強和擴大與舊藝人的團結合作」가 게재되었다. 사설은 "옛 해방구에서의 다년간의 희곡개혁공작 경험 및 신해방구에서의 1년간의 희곡개혁공작 경험은 모두 한 가지 사실을 증명하고 있다. 즉 사람, 제도, 희극 개혁의 구체적인 공작 과정에서 구예인과 단결 합작한 경우에는 모두 성공을 거두었으며, 구예인과 단결 합작하지 않은 경우에는 모두 실패로 끝났다는 사실이다"라고 밝혔다.

8일, 전영지도위원회에서 1951년 제편 계획 초안을 토론하였다. 장칭江青은 영화는 거대한 소재를 표현해야 하며 서사시의 방식을 사용해야 한다고 주장하였다. 후차오무는 이러한 방식은 단편적이며, "작가들에게 그들이 익숙하지 않고 잘 모르는 사물을 쓰도록 요구할 수 없다"고 보았다.

9일, 허치팡의 「문장 해석에 관하여談講解文章」가 『중국청년』 제47호에 발표되었다.

10일, 베이징시 문련이 편집한 『베이징문예北京文藝』가 창간되어 라오서가 편집장을 맡았다. 창간호에는 펑전彭真, 궈모뤄, 저우양, 메이란팡 등의 친필 축사가 실렸으며, 라오서의 화극 「용수구」가 발표되었다. 이 화극은 베이징에서 상연된 후 관중들에게 널리 호평을 받았다. 저우양은 1951년 3월 4일자 『인민일보』에 발표한 글 「「용수구」에서 무엇을 배울 것인가?從<龍須溝>學習什麼?」에서 "「용수구」는 현실주의적인 작품인 동시에 노동 인민에 대한 송가이며, 또한 공산당과 인민 정부에 대한 송가이다. 라오서 선생은 혁명으로부터 새로운 창작의 정력을 흡수했으며, 여러 가지 새로운 것을 배웠다. 그는 여전히 계속해서 쉬지 않고 배우고 있다. 그러니 우리 문예공작자들도 그와 함께 배우고, 그에게서 배우자"라고 말했다.

같은 날, 북한을 침략한 미국 공군이 8월 27일과 29일에 중국 영공을 야만적으로 침입하고 중국 인민을 잔혹하게 해친 폭력적인 행위에 대하여『문예보』제2권 제12호에「전국문련에서 미군기가 우리 영공을 침입한 것을 항의한다全國文聯抗議美機侵入我國領空」라는 글이 발표되었다. 이 글은 전국의 문예공작자들이 즉시 단결해 인민에게 미 제국주의의 음모와 침략 및 세계평화를 파괴하는 죄악을 널리 알리고, 또한 유엔 안전보장이사회에 신속히 미 제국주의의 침략을 제지할 것을 요구해 달라고 호소하였다.

같은 호에 '토지개혁과 창작' 특집호가 발간되어 장즈민의「토지개혁 속에서 어떻게 삶을 체험할 것인가如何在土改中體驗生活」, 위린의「토지개혁 속에서의 나의 경험我在土改中的一點經驗」등 5편의 글이 발표되었다. 문예부간의 '편집공작 필담編輯工作筆談'에는 선칭롄沈清聯의「문예부간의 편집공작에 관하여談文藝副刊的編輯工作」, 멍간孟幹의「문예부간 편집에 관한 나의 몇 가지 경험我對編文藝副刊的幾點體驗」등 5편의 글이 발표되었다.

이 외에도 마펑의 글「전투하는 조선 문예계戰鬥的朝鮮文藝界」가 발표되었다. 같은 호에 루쉰 서거 14주년 원고 공모의 글「루쉰 선생이 나를 가르쳤다魯迅先生教育了我」가 발표되었다.

류시(1924~2014), 본명은 지칭선紀清侁으로 허베이성 셴현獻縣 출신이다. 1949년 초에 첫 작품「결혼 상대 찾기找對象」를 발표하였다. 1952년 가을에 중앙전영극본창작소로 이동하였으며 1979년부터 1985년까지 전문작가를 맡았다. 1985년에 톈진작가협회 당조 책임자 및 부주석, 전국작가협회 이사를 맡았다. 저서로 장편소설『공과 죄功與罪』(상, 하권),『대도 옌쯔 리싼 전기大盜燕子李三傳奇』, 단편소설집『결혼 상대 고르기挑對象』,『깃대를 기어오르는 사람爬在旗杆上的人』,『류시 단편소설집柳溪短篇小說集』, 중편소설집『생애生涯』,『남자의 약점男人的弱點』,『류시 중편소설선집柳溪中篇小說選集』, 산문집『약몽집若夢集』등이 있다.

15일, 중국청년예술극원이 베이징에서 오스트롭스키의 원작을 각색한 4막 화극「강철은 어떻게 단련되었는가鋼鐵是怎樣煉成的」(오스트롭스키의「강철은 어떻게 단련되었는가」의 주인공-역자 주)을 공연하였다. 쑨웨이스孫維世가 감독을 맡았으며 진산金山, 우쉐, 장루이팡張瑞芳 등이 주연을 맡았다. 공연 후에「강철은 어떻게 단련되었는가」연출 좌담회를 조직하였다. 랴오청즈가 주관하였으며 장민章泯, 광웨이란, 딩리, 저우웨이즈 등이 참석해 발언하였다. 참석자들은 모두 이 화극의 공연이 큰 성공을 거두었다고 보았다.

『산둥문예』제1권 제4호에 먀오더위苗得雨의「황소를 방목하다放黃牛」, 시젠의「타오항리에서

在桃行裏」 등의 시가 발표되었다.

먀오더위(1932~). 산둥성 문련 부주석, 산둥성 작가협회 부주석을 역임하였다. 저서로 시집『농가의 노래莊稼歌』,『청춘사青春辭』,『이멍춘沂蒙春』,『봄빛을 품고 날아오다銜著春光飛來』,『조국의 지도를 가슴에 품다懷揣祖國地圖』,『산천정山川情』,『빈의 가랑비維也納雨絲』,『먀오더위 시선苗得雨詩選』 및 문학논문집『먀오더위 문담시화 신편苗得雨文談詩話新編』,『탐예집探藝集』, 산문집『먀오더위 산문집苗得雨散文集』,『먀오더위 산문 2집苗得雨散文二集』 등이 있다.

15일부터 25일까지 제1회 전국출판회의가 베이징에서 개최되었다. 회의에서는「인민출판사업 발전에 관한 기본 방침關於發展人民出版事業的基本方針」,「출판물 발행 공작 개선 및 발전에 관한 방침關於改進和發展書刊發行工作」 등 5개 항목의 중요한 결의가 통과되었으며, 출판, 인쇄, 발행 사업의 전문 분업 문제 및 공사 관계 조정 문제에 관해 집중적으로 토론하였다. 5개 항목의 결의는 정무원의 비준을 거쳐 이 해 10월 28일에 출판총서에 의해 정식으로 발포되었다.

18일, 베이징시 문련에서 시가 낭송에 관한 좌담회를 개최하였다. 양전성楊振聲, 라오서, 자오수리, 뤄창페이, 볜즈린, 롄쿼루, 쉬츠, 돤무훙량端木蕻良, 리웨난李嶽南, 사어우, 옌밍 등 20여 명이 참석하였다. 라오서가 회의를 주관하였다. 참석자들은 시가 낭송 문제 및 시가 낭송 운동을 어떻게 전개해야 하는가에 관해 여러 가지 의견과 건의를 제시하였다(「시 통신詩訊」,『대중시가』 1950년 제2권 제4호).

20일, 전국희곡개진공작위원회가 편찬하는『신희곡新戲曲』이 정식으로 창간되었다. 톈한 등이 편집을 맡았으며 대중서점에서 발행하였다.

『희곡보』 제3권 제3호에 사설「희곡개혁공작과 토지개혁 선전을 결합하자把戲改工作與土改宣傳結合起來」가 게재되었다. 사설은 여러 희곡공작자들이 적극적으로 행동해 "희곡과 곡예의 모든 형식을 통해 토지개혁 선전을 진행하자"고 호소하였다. 또한 희곡개혁공작의 간부들이 희곡공작자들을 동원해 토지개혁 선전에 참여하게 하는 과정에서 "반드시 예인들이 본래 조직하던 형식을 존중해야 하며, 각종 희곡 곡예 본래의 예술 형식을 존중해야 한다." "절대로 강압적으로 명령하거나 너무 높은 요구를 해서는 안 된다"며, 예인들이 토지개혁 선전 과정에서 자아 개조를 완성해 희곡개혁공작과 토지개혁 선전의 진정한 결합을 이룰 수 있도록 해야 한다고 주장하였다.

21일, 시베이의 각 지구, 각 민족 및 부대 문예공작자들이 시안에서 시베이문학예술공작자대표대회를 개최해 시베이문련을 설립하였다. 커중핑이 주석을 맡았다.

22일, 쑨리의 장편소설 「풍운초기風雲初記」 제1집이 『톈진일보』에 연재되기 시작해 1951년 3월 18일에 연재가 종료된 후 1951년 10월에 인민문학출판사에서 출간되었다. 1951년 4월 15일부터 9월 9일까지 『톈진일보』에 「풍운초기」 제2집의 앞부분 20편이 연재되었다. 제2집은 1953년 4월에 인민문학출판사에서 출간되었다. 인민문학출판사에서는 1955년 4월에 이 작품의 제1, 2집 합본을 출간하였다. 「풍운초기」 제3집은 1954년 5월에 초고가 완성되었으나, 얼마 지나지 않아 작가가 큰 병에 걸렸다. 그 사이에 소설의 일부가 『톈진일보』, 『인민문학』, 『신항新港』에 각각 연재되었다. 1962년에야 작가가 다시 원고를 정리하고 편집해 1, 2집을 제1부로 엮어 작가출판사에서 1963년 6월에 출간하였다.

황추윈黃秋耘은 "「풍운초기」라는 작품은 강렬한 서정성을 가진 시로서 읽어도 될 정도이다. 그렇다. 이 작품은 서사 구조와 인물 형상과 장면 묘사를 모두 가지고 있어, 이 모든 것은 장편소설의 조건에 부합한다. 그러나 동시에 시적인 정취와 분위기, 정서, 여운 또한 가지고 있다. 읽는 이로 하여금 그리움을 느끼게 하는 짙은 시적 정취와 사실적인 인물 성격의 묘사가 결합된 점, 시와 소설이 결합된 점이 바로 「풍운초기」의 가장 뚜렷한 예술적 특색일 것이다. 심지어 우리는 어떤 의미에서는 쑨리 동지가 시를 쓰는 방법으로써 이 소설을 창작했다고 대담하게 상상해 볼 수도 있을 것이다. 그는 정취와 분위기를 창조하는 데 능한 서정 예술가이며, 시인과 음악가의 특징을 가진 소설가이다"라고 평했다(「시적인 소설 - 「풍운초기」의 예술적 특색에 관하여一部詩的小說——漫談<風雲初記>的藝術特色」, 『신항』 1963년 제2호).

27일, 사회 변혁을 반영한 자오유푸趙有福의 작품 「베이징 근교 농촌의 변화京郊農村的變化」가 『인민일보』에 발표되었다.

이달에 톈진시, 시베이, 화난, 후베이 등 4개 지구에서 문예공작자대표대회가 개최되었으며 각지 문학예술계연합회가 정식으로 창립되었다. 톈진시에서는 아잉을, 시베이에서는 커중핑을, 화난에서는 어우양산歐陽山을, 그리고 후베이에서는 쉬다오치許道琦를 문련 주석 혹은 주임위원으로 선출하였다.

쉬다오치(1914~1989), 안후이성 광더廣德 출신이다. 1937년에 옌안 항일군정대학에 입학하였으며 다음해에 중국공산당에 가입하였다. 신사군 제5사단 정치부 주임, 사단 정치부 간첩 처치부部鋤奸 주임, 중위안군구中原軍區 종대 정치부 보위부 부장을 역임하였다. 이후에 산난陝南군 분구 정치부 주임, 후베이성 혁명위원회 부주임, 후베이성 사화과학원 원장, 중공 후베이성위원회 서기겸 기율검사위원회紀律檢查委員會 제1서기, 제4기 성 정협 주석, 성 고문위원회 주임 등을 지냈다. 저서로 시집『야화집野火集』, 회고록『산난 일기 발췌陝南日記摘抄』,『중위안 포위망 돌파中原突圍』, 산문집『완난에서의 한 시간在皖南一小時』등이 있다.

바진의 소설『눈雪』이 상하이천광출판공사에서 출간되었다.

바진(1904~2005), 작가, 번역가. 본명은 리야오탕李堯棠, 자는 페이간芾甘이다. 본적은 저장성 자싱嘉興이며 쓰촨성 청두에서 출생하였다. 1923년에 상하이, 난징 등으로 가서 수학하였다. 1927년 2월에 프랑스로 유학해 유학 기간에 첫 소설「멸망滅亡」을 창작하였으며 1928년 말에 귀국하였다. 1930년에서 1933년 사이에『애정 3부작愛情三部曲』(『안개霧』,『비雨』,『번개電』)을 출간하였다. 1931년에 대표작인 장편소설『집家』을 완성하였는데, 이 작품은 이후에 출간한『봄春』,『가을秋』과 함께『격류 3부작激流三部曲』으로 불린다.『집』은 선명한 반봉건주의 주제와 열정이 넘치는 서정적인 필체로 30년대의 우수한 장편소설 가운데 하나로 평가되었으며, 몇 세대에 걸쳐 청년들이 민주 투쟁에 투신하도록 격려하는 효과를 낳기도 했다. 중일전쟁 시기에는『불火』3부작을 창작하였다. 이후에 중편소설「휴식의 정원憩園」,「제4병실第四病室」과 장편소설『추운 밤寒夜』을 창작하였다. 이 작품들의 주제는 모두 붕괴를 목전에 둔 구사회와 구제도를 부정하고 공격하는 것이다. 그는 소설 창작과 동시에 자연스럽고 유려한 필체의 산문을 다수 창작하였다. 공화국 성립 후에는 통신보고집『영웅들 사이에서 생활하다生活在英雄們中間』와 소설집『평화를 보위하는 사람들保衛和平的人們』을 출간하였다. 문화대혁명이 끝난 후에는 "진실한 사상과 진지한 감정真實思想和真摯感情"을 기록한 '자체 심사自審' 수필집『수상록隨想錄』을 출간하였다.『바진 문집巴金文集』(14권),『바진 전집巴金全集』(26권),『바진 번역문 전집巴金譯文全集』(10권)이 출간되었다. 그의 여러 작품은 일본어, 러시아어, 영어, 프랑스어, 독일어 등의 언어로 번역되어 해외 독자들의 사랑을 받았다. 1977년에서 1983년 사이에 중국작가협회 주석, 전국문련 부주석을 역임하였다. 1982년에서 1985년 사이에는 이탈리아 단테 국제명예상但丁國際榮譽獎, 프랑스 레지옹 도뇌르 훈장 및 홍콩 중문대학 영예문학박사, 미국 문학예술연구원 명예원사 칭호를 취득하였다. 바진은 본인이 소장하고 있던 자료와 거액을 기증해 중국현대문학관中國現代文學館 건설에 크게 공헌하였다.

루링의 장편소설『불타는 황무지燃燒的荒地』가 상하이작가서옥上海作家書屋에서 출간되었다. 친자오양의 단편소설집『행복幸福』이 인민문학출판사에서 출간되었다. 팡지의 중편소설『늙은 뽕나무 아래의 이야기』가 베이징 싼롄서점에서 출간되었다.

장유롼張友鸞의 중편소설 『신감기神龕記』가 신민보상하이사新民報上海社에서 출간되었다.

장유롼(1904~1990), 자는 유란悠然이며 유유悠悠, 뉴부이牛布衣, 차오창草廠, 푸쿠이傅逵 등의 필명을 사용하였다. 안후이성 안칭安慶 출신이다. 1924년에 베이핑평민대학北平平民大學 신문방송학과를 졸업한 후 베이핑 『세계일보』, 상하이 『입보』, 난징 『민생보民生報』, 『신민보』 편집장을 역임하였다. 1936년에 장헌수이와 함께 『난징일보南京日報』를 창간해 부사장 겸 편집장을 맡았다. 1953년에 인민문학출판사로 자리를 옮겨 고전문학 편집자를 맡았으며 1963년에 은퇴하였다. 저서로 『서상의 비평과 고증西廂的批評與考證』, 『탕현조와 그의 「목단정」湯顯祖及其<牡丹亭>』, 71회본 『수호전水滸』 교주校注 및 『사기史記』 선주選注 등이 있다.

왕창딩王昌定의 소설 『하이허 산가海河散歌』가 상하이천광출판공사에서 출간되었다.

왕창딩(1924~2006), 허난성 구스固始 출신이다. 1943년부터 작품을 발표하였다. 공화국 성립 후 톈진시 군사관제위원회軍事管制委員會 문예처 비서, 톈진시 문화국 극본창작실 각본가, 『신항』 월간 편집부 부주임, 주임, 부편집장, 톈진작가협회 전문작가, 톈진사회과학원 문학연구소 부소장 및 소장, 연구원 등을 역임하였다. 저서로 장편소설 『하이허에 봄빛이 짙다海河春濃』, 논저 『홍루몽 예술 탐구紅樓夢藝術探』, 산문집 『하이허 산가海河散歌』, 잡문집 『창작에는 재능이 필요하다創作,需要才能』, 『왕창딩 문집王昌定文集』(4권) 등이 있다.

마판퉈의 시집 『마판퉈의 산가馬凡陀的山歌』가 베이징 싼롄서점에서 출간되었다.

롼장징의 장시 『장허의 강물』이 중국인민문예총서中國人民文藝叢書 중 한 권으로서 신화서점에서 출간되었다. 작품은 「지난날往日」, 「해방解放」, 「상록수長青樹」의 3부로 구성되었으며 작가의 「서문小序」이 수록되었다. 이 책은 1953년 1월에 인민문학출판사에서 재판되었다. 책의 광고는 "이 작품은 장허 양안의 인민들이 스스로 창작한 새로운 민가를 기초로 하여 작가가 써낸 서사시로, 세 명의 부녀가 해방되는 이야기를 서술하고 있다. 시에는 그녀들이 봉건 세력 아래 억압과 학대를 당하는 괴로운 생활과 해방 후에 부지런히 일하며 느끼는 기쁨 및 원만한 혼인 생활에서 오는 행복이 뚜렷이 대조되고 있다. 또한 노동 부녀의 용감한 투쟁과 아름다운 성격도 비교적 선명하게 묘사되어 있다. 뿐만 아니라 민가를 활용해 창작한 시의 형식으로써 신시에 주의할 만한 공헌을 했다 할 수 있다"고 밝혔다(1953년 2월 15일자 『문예보』 1953년 제3호).

1953년 2월 28일자 『문예보』의 1953년 제4호 『신서간新書刊』에서는 이 책에 대해 "시인은 장허 지역에서 책 속에 등장한 사람들을 위해 10여 년 동안 일하면서 오랫동안 민가를 부지런히 학습하고 수집하였다. 그의 마음이 인민들과 가까이 있기 때문에 그는 시에서 민가의 형식을 능숙하게 운용할 수 있었으며, 민가 및 중국 전통시가의 기초 위에서 새로운 형식을 창조해 새로운 내용을 표현하여 인민의 진지한 감정과 그들의 순박하고 아름다운 목소리를 전달할 수 있었다"고 소개하였다.

왕스징王士菁의 시집 『류탕허 위에서 왕래하다往來在六塘河上』가 신화서점 화둥총분점에서 출간되었다.

왕스징(1918~2016), 장쑤성 수양沭陽 출신이다. 1948년부터 작품을 발표하였다. 저서로 『루쉰 전기魯迅傳』, 『취추바이 전기瞿秋白傳』, 『루쉰의 초기 논문 5편 주역魯迅早期五篇論文注譯』, 『당대문학사략唐代文學史略』, 『두시금주杜詩今注』, 『루쉰 창작 노선 탐색魯迅創作道路初探』, 시가집 『류탕허 위에서 왕래하다』, 논문집 『루쉰의 사랑과 증오魯迅的愛和憎』, 장편 역사소설 『우림령雨霖鈴』, 『작은 천국의 파괴小天堂的毀滅』 등이 있으며 『루쉰 전집魯迅全集』(10권, 합작), 『루쉰 역문집魯迅譯文集』(10권, 합작), 『취추바이 문집瞿秋白文集』(6권, 합작) 등을 편집하고 주석을 달았다.

진쥔金軍의 시집 『북방을 노래하다歌北方』가 스무문예사詩木文藝社에서 출간되었다.

스자좡 철로 공인 웨이롄전의 희극 『매미가 아니다』가 상하이신화서점 화둥총분점에서 출간되었다. 저명한 희극가 슝포시는 『해방일보』에 「「매미가 아니다」를 추천한다推薦<不是蟬>」라는 글을 발표해 이 희극을 열정적으로 찬양하였다. 그는 "이 작품은 우리나라 공인 계급이 최초로 창작한 극본이다. 「매미가 아니다」를 읽고, 나는 우리 공인 형제들이 가진 창작의 재능이 위대하고도 무한하다는 것을 더욱 확신하게 되었다. 「매미가 아니다」를 읽고, 나는 신중국의 희곡 문단에 아름다운 꽃과 알찬 과실이 무수히 열릴 것을 동경하게 되었다." "「매미가 아니다」의 탄생은 우리의 극본 창작의 길에 새로운 방향을 열어 주었다"고 말했다. 저명한 작가 딩커신은 상하이에서 공연을 본 후에 『인민일보』에 「훌륭한 화극 「매미가 아니다」一個好話劇<不是蟬>」라는 글을 발표하여 이 극본이 "진실한 생활과 정확한 언어를 창작하였으며, 사상뿐만 아니라 피와 살을 가지고 있다"고 상찬하였다. 저명한 작가 딩링은 『문예보』에 이 희극에 관한 논고 「새로운 시대로 건너오다跨到新時代來」를 발표해 이 희극이 "희극운동의 이정비"라고 상찬하였다.

중앙인민방송국에서 이 공연을 전국에 방송하였다. 『인민화보』 창간호에 이 화극의 공연 사진이 게재되었다. 상하이화둥신화서국上海華東新華書局에서 극본을 출간하였다. 문화부에서 스자좡시 문공단에 "공농병에 복무하는 방향爲工農兵服務的方向"이라고 적힌 깃발을 증정하였다. 1950년에서 1951년 사이에 전국의 각 대도시 문공단 및 화극단에서 분분히 이 희극을 공연하였다.

『인민일보』에는 웨이롄전의 「나는 어떻게 「매미가 아니다」를 썼는가我是怎樣寫<不是蟬>」라는 장문의 글이 발표되었다. 그는 이 글에서 자신의 창작 동기와 집필 과정에 대해 상세히 기술하고,

자신과 함께 희극을 창작한 지도자와 공인 스승 및 자신을 지지하고 도와준 스자좡시 문공단과 각급 지도자들에게 감사의 뜻을 표했다. 동시에 그는 전국에서 보내져 온 「매미가 아니다」에 대해 칭찬하는 편지와 더 많은 좋은 희극을 창작해 달라는 수많은 편지를 받았다.

차오원의 희극 『군대 기율 이야기軍紀的故事』(원제는 『그를 죽여서는 안된다不要殺他』)가 상하이 해연서점에서 출간되었다. 궈모뤄의 잡문집 『금석포검今昔蒲劍』이 상하이신문예출판사에서 출간되었다. 자오푸춘 등이 창작한 보고문학 『바다 위의 폭풍우』가 상하이신문예출판사에서 출간되었다.

왕시젠의 통속문학 『품앗이 조變工組』가 지난산둥신화서점에서 출간되었다.

톈스산田師善의 통속문학 『그들은 영웅이다他們是英雄』가 지난산둥신화서점에서 출간되었다.

톈스산(1932~), 필명은 톈룽田隴, 간원甘文이며 산둥성 린칭臨清 출신이다. 1950년부터 작품을 발표하였으며 1982년에 중국작가협회에 가입하였다. 산둥성 문협 후보위원, 톈진시 작가협회 이사를 역임하였다. 저서로 시집 『올해는 옛날과 다르다今年往年不一樣』, 동시집 『큰아버지께 낫을 보내 드리다給老伯伯送鐮刀』, 평론집 『시가 창작 예술에 관하여詩歌創作藝術淺談』, 『고시와 친구가 되다和古詩交朋友』 등이 있다.

리퉁의 민간고사 『지주와 소작농地主和長工』이 지난산둥인민출판사에서 출간되었다.

양팡楊放이 정리한 『구이산 싸니족의 서사시 「아스마」 - 싸니족 형제자매들에게 바치다圭山撒尼族的敘事詩<阿詩瑪>──獻給撒尼族的兄弟姐妹們』가 『시가와 산문』 9월호에 발표되었다.

『대중전영』 제1권 제7호에 구중이의 글 「중국 영화 생산을 촉진하고, 중국 영화의 질과 양을 제고하자!加緊國產電影的生產,提高國產影片的質和量!」가 발표되었다. 그는 글에서 '상영 수량과 백분율', '상영관 수와 백분율', '관중 수와 백분율' 등 세 가지 지표를 통해 '소련 영화'와 '국영 영화'의 지위가 부단히 상승하고 있는 반면 '서양 영화'와 '민영 영화'는 명확히 지위가 하강하고 있음을 지적하였다.

10월

1일, 『대중시가』 제2권 제4호에 왕야핑의 「첫 번째 송가第一只頌歌」, 톈젠의 「톈안먼天安門」, 런쥔의 「전국 인민이 일제히 노래하다全國人民齊歌唱」, 리웨난의 「시월을 노래하다歌唱十月」, 사어우의 「조국 찬양祖國贊」 등의 시가 '중화인민공화국 국경 경축 특집'으로서 발표되었다.

『인민문학』 제2권 제6호에 궈모뤄의 「조선을 방문하다訪問朝鮮」, 마펑의 「해방 후의 서울에서在解放後的漢城」, 딩링의 「울라노바의 청동 기사烏蘭諾娃的青銅騎士」, 류바이위의 「크렘린의 붉은 별에 감사한다向克裏姆林紅星致謝」, 리주李株의 「이런 전사這樣的戰士」, 딩망의 「붉은 신호병紅色信號兵」 등의 글과 아이밍즈艾明之의 「결합結合」, 이푸夷夫의 「좋은 아낙好娘兒」, 얼중爾重의 「마지막 물가 파동最後一次物價波動」, 시젠의 「작은 실수小毛病」 등의 소설이 발표되었다. 이번 호의 「창작 만담寫作漫談」 특집에는 마자의 「「피지 못하는 꽃봉오리」 소기<開不敗的花朵>小記」, 차오밍의 「「원동력」의 창작 과정寫<原動力>經過」, 다이푸戴夫의 「나는 여전히 탐색 중이다我仍在摸索中」, 얼중의 「창작 잡담寫作雜談」, 왕원빙의 「창작 중에 마주친 문제在寫作中所遇到的問題」 등이 발표되었다. 같은 호에 샤오인의 논문 「소설 속의 인물과 이야기를 논하다論小說中的人物和故事」와 딩이丁易의 「위다푸 선집 서문郁達夫選集序」 등이 발표되었다.

『창장문예』 제3권 제3호에 왕시옌의 「루쉰: 위대한 전투자 – 루쉰 선생 서거 14주년을 기념하며魯迅：偉大的戰鬥者——爲紀念魯迅先生逝世十四周年作」, 두룬성杜潤生의 「중난 제2차 문예공작회의에서의 토지개혁 문제에 관한 보고在中南第二次文藝工作會議上關於土改問題的報告」, 숭푸의 「토지개혁을 둘러싸고 창작운동을 전개하자 - 중난 제2차 문예공작회의 결산圍繞土地改革,開展創作運動——在中南第二次文藝工作會議上的總結」 등의 글 및 지쉐페이吉學霈의 단편소설 「송아지牛犢子」가 발표되었다.

『소설』(상하이상무인서관 발행, 월간) 제4권 제3호에 캉줘의 단편소설 「전진前進」, 루리의 단편소설 「바이진슈白金秀」, 마자의 중편소설 「피지 못하는 꽃봉오리」, 왕야오王瑤의 작가 연구 「중국문학 유산에 대한 루쉰의 태도 및 그가 중국문학에서 받은 영향魯迅對於中國文學遺產的態度和他所受中國文學的影響」, 샤오예무의 산문 「대생산의 추억大生產的回憶」, 구제시顧介希의 소설 소개 「「오데르강의 봄」과 「광명이 천지를 널리 비추다」<奧得河之春>和<光明照遍天地>」, 라오서의 장편소설 연재 「기근饑荒」이 발표되었다.

「기근」은 라오서의 장편소설 『사세동당四世同堂』의 제3부로, 제1부와 제2부의 제목은 각각 「황혹惶惑」과 「투생偷生」이다. 1950년 5월부터 1951년 1월까지, 『소설』 월간 제4권 제1호부터 제6호까지 연재되었다. 「사세동당 서문四世同堂<序>」에 의하면 「기근」은 33회로 계획되어 있었으나 『소설』 월간에는 20회로 연재가 끝났다.

왕야오(1914~1989), 자는 자오천昭琛으로 산시山西성 핑야오平遙 출신이다. 1946년에 칭화대학을 졸업하였다. 공화국 성립 후에 베이징대학 교수, 중국현대문학연구회 제1~3기 회장, 중국민주동맹 제5기 중앙위원을 역임하였다. 한위육조漢魏六朝 문학 및 중국현대문학을 전공하였다. 저서로 『중국신문학사고中國新文學史稿』(상, 하권), 『루쉰과 중국문학魯迅與中國文學』, 『이백李白』, 『중고문학사논집中古文學史論集』, 『중국 시가 발전 강화中國詩歌發展講話』, 『루쉰 작품 논집魯迅作品論集』 등이 있다.

『인민희극』 제2권 제1호에 톈한의 「1년간의 화극운동一年來的話劇運動」과 어우양위첸의 「1년간의 희극 창작에 대한 나의 감상我對一年來戲劇創作的感想」이 발표되었다. 톈한은 1년간의 화극이 창작과 연출 면에서 모두 "기본적으로 인민의 현실주의적 방향으로 나아가고 있다"고 긍정하면서, 희극 운동이 전체적으로 "시종일관 공농병을 위한 방향으로 나아가야 하며, 동시에 소재와 주제의 다양성을 발전시키기 시작해야 한다"고 주장하였다.

반면에 어우양위첸은 현재 화극 창작이 번성하지 못하고 있다고 볼 수 있는 원인을 다방면에서 심도 있게 분석하였다. 그는 현재의 희극 비평이 사상과 정책에 대해 말하는 데에 지나치게 국한되어 있는 폐해를 완곡하게 지적하면서, 비평가들에게 사상성을 고려하는 동시에 비평의 범위를 "작품의 예술성"과 "무대 위의 기본 공작자 – 배우와 조직자 – 감독"에까지 확대시켜 줄 것을 호소하였다. 같은 일자 『광명일보』에도 이 두 편의 글이 게재되었다.

2일, 톈한이 중화서국에서 출간한 『인민희극총서人民戲劇叢書』에 대해 「인민희극총서 요지人民戲劇叢書發凡」를 집필하였다. 그는 글에서 "희극사업 발전의 관건은 신 극본의 대량 창작 및 구극본의 대량 수정, 연극사의 탐구와 정리 및 새로운 이론 체계의 수립, 인민 희극 전통의 계승, 그리고 선진 국가의 연극 운용 경험 및 성취의 흡수 등의 요인과 결부되어 있다. 이러한 핵심적인 문제의 해결에 적시에 공헌하기 위해 우리는 『인민희극총서』를 편찬하기로 결정하였다"고 밝혔다. 본 총서에서는 톈한의 『정탐情探』과 『금발기金鉢記』 및 먀사오보, 신다밍辛大明의 『천년 빙하가 녹았다千年冰河開了凍』를 출간하였다.

3일, 마오쩌둥과 류야쯔柳亞子가 중난하이 화이런탕懷仁堂에서 전국의 각 소수민족 문공단이 공연한 가무 만찬회를 관람하였다. 류야쯔가 즉석에서 「완계사浣溪沙」를 읊고 마오쩌둥이 운율을 붙여 「완계사·류야쯔 선생과 함께浣溪沙·和柳亞子先生」를 지었다.

『광명일보』에 톈한의 글 「1년간의 희곡개혁공작 문답一年來戲改工作問答」이 발표되었다. 톈한은 글에서 구희곡 수정의 적극적인 의의와 실현 가능성을 긍정하고, "옛것을 고치는 것과 새것을 쓰는 것"을 대립시키지 말고 "옛것을 잘 고치는 것은 새것을 쓰는 것과 같다"고 주장하였다.

7일, 『문회보』에 마옌샹의 글 「신희곡과 구제도新戲與舊制」가 발표되었다. 그는 글에서 1년간 베이징에서 공연된 신 희곡의 수량이 적은 원인은 관중들이 신희곡을 받아들이지 못해서가 아니라 "구

제도의 영향"을 받았기 때문이므로, 희곡개혁에 있어 반드시 구제도를 개혁해야 한다고 주장하였다.

7일부터 19일까지 출판총서에서 회의를 소집해 쉬광핑許廣平이 루쉰의 저작물의 판권을 조건 없이 국가에 양도하고자 하는 문제에 대해 토론하였다. 회의는 토론을 통해 "루쉰 선생의 저작물 판권은 마땅히 그대로 가족이 보유해야 한다. 그러나 가족은 출판총서에 저작물의 선정, 번역, 국내외 인쇄 발행 등의 사항을 처리하는 권한의 위탁을 신청할 수 있다. 출판총서는 이를 통지하고 신문에 게재해 성명한다"고 결정하였다.

9일, 『인민일보』에 문예공작자와 영웅 모범 인물들이 만나 진실하고 정확하게 영웅 형상을 반영하기 위해 자료를 수집했다는 내용이 보도되었다.

10일, 시베이에서 제1회 문학예술공작자대표대회가 개최되었다.

13일, 톈진시 문학예술계에서 '항미원조抗美援朝' 좌담회가 개최되어 아잉, 루리 등 30인이 참석하였다. 좌담회의 주요 내용은 1. 항미원조에 대한 일반 시민들의 의견을 반영하고, 2. 문예계에서 앞으로 전개해야 할 공작을 토론하는 것이었다.

웨이진즈魏金枝의 「런장위안과 세 명의 지주任樟元和三個地主」가 『인민일보』에 발표되었다.

웨이진즈(1900~1972), 저장성 성현嵊縣 출신이다. 1930년에 좌련에 가입해 『맹아』 보조 편집자, 상하이마이신중학上海麥信中學 교사, 『문단』 책임 편집자를 맡았다. 공화국 성립 후에는 상하이시 교육국 연구원, 『문단월간』 편집장, 『문예월보』 부편집장, 상하이사범학원 중문과 주임, 중국작가협회 이사, 상하이작가협회 서기처 서기를 역임하였다. 1921년부터 작품을 발표하였다. 저서로 단편소설집 『편지 일곱 통의 자서전七封書信的自傳』, 『유모奶媽』, 『백기수白旗手』, 『제복制服』, 『시대의 메아리時代的回聲』, 『웨이진즈 단편소설선魏金枝短篇小說選』, 우화집 『중국고대우화中國古代寓言』, 『이를수록 좋다越早越好』, 문예논저 『편여총담編餘叢談』 등이 있다.

19일, 전국문련과 베이징시 문련에서 연합으로 루쉰 서거 14주년 기념대회를 개최해 총 900여 명이 참석하였다. 궈모뤄, 후차오무가 발언해 루쉰 정신을 배울 것을 호소하였다. 후차오무의 「우리가 이미 달성한 성취와 아직 달성하지 못한 성취我們所已經達到的和還沒有達到的成就」, 쉐펑의

「사상의 재능과 문학의 재능 - 루쉰 서거 14주년 감상思想的才能和文學的才能——魯迅逝世十四周年感想」, 장톈이의 「루쉰을 배우는 것에 대한 한두 가지 문제關於學習魯迅的一兩個問題」가 루쉰 서거 14주년 특집 원고로서 『문예보』 제3권 제1호(같은 달 25일자)에 게재되었다. 후차오무는 글에서 "루쉰식의 전투정신과 공작정신, 그리고 학습 정신 - 이것은 우리 내부의 나태하고 산만하며 진지하지 못하고 쓸데없이 바쁘며 또한 무엇이든 적당히 얼버무리는 성격을 치료하는 가장 좋은 약이다. 이 처방을 더욱 많이 전파하고 사용하자!"고 주장하였다. 루쉰 서거 14주년 기념행사 기간에 쉬광핑은 베이징 궁먼커우宮門口 시싼탸오西三條 21호에 위치한 루쉰 고택을 전부 국가에 기증하였다. 상하이, 톈진, 항저우, 한커우 등 9개 도시 및 사오싱 등지에서도 각각 기념회가 개최되었다.

25일, 중국인민지원군中國人民志願軍이 북한으로 향하면서 전국 인민이 광범위하게 항미원조 운동을 전개하였다. 전국문련 제6차 상무위원회 확대회의에서 「문예계의 항미원조 선전공작 전개에 관한 호소문關於文藝界展開抗美援朝宣傳工作的號召」을 발표하였다. 이후로 전국 각지의 문예공작자들이 다양한 형식으로 항미원조 선전공작 열풍에 참여하였다.

『문예보』 제3권 제1호에 딩링의 「창작과 생활創作與生活」, 차오위의 「앞으로의 창작에 대한 나의 초보적인 인식我對今後創作的初步認識」, 왕시옌의 「작품의 사상성 제고에서 시작해 비평가의 임무를 말하다從提高作品的思想性談到批評家的任務」, 비예의 「나의 창작 과정我的創作過程」 및 주딩의 「나의 반성과 희망我的檢討與希望」 등의 글이 발표되었다.

차오위는 글에서 "나는 소자산계급 출신의 지식분자라, '계급'이라는 두 글자의 함의를 최근에 와서야 조금씩 깨닫게 되었다. 본래 '시비지심', '정의감' 등의 관념은 그 출신이 다르기 때문에 종종 큰 차이를 불러일으킨다." "나는 어째서 「뇌우」와 「일출」 두 작품을 다시 언급한 것인가? 첫째로 이 두 작품이 비교적 사람들에게 알려져 있기 때문이다. 둘째로, 작가로서 나는 창작 사상의 반성을 통해서만 진보를 시작할 수 있지만, 나의 작품을 공농병을 위한 문예 방향이라는 X레이 광선으로 자주 비춰 보아야만 나의 창작 사상이 가진 농창을 어디서부터 없앨 수 있는지 조금씩 알 수 있게 되기 때문이다"라고 말했다. 차오위는 자신의 예전 창작에 대해 반성하고, 앞으로는 창작 과정에서 "마르크스레닌주의를 학습하고 또한 실천하며, 공농병에게서 배우고, 그들 속으로 깊이 들어가"는 것이야말로 창작의 정확한 노선이라고 보았다.

28일, 전국문련에서 제6차 상무위원회 확대회의를 개최하였다. 「문예계의 항미원조 선전공작 전개에 관한 호소문」을 발표한 것 외에도 문예계 항미원조선전위원회를 구성하여 딩링, 리보자오, 라오서, 쉬베이훙, 어우양위첸, 훙선, 사커푸, 자오수리, 사오취안린, 차이뤄훙蔡若虹, 저우웨이즈 등 11인을 선전위원으로 선발하였다.

저우언라이 총리가 「전국 출판사업의 개선 및 발전에 관한 중앙인민정부 정무원의 지시中央人民政府政務院關於改進和發展全國出版事業的指示」에 서명하여 발포하였다. 같은 날, 정무원의 비준을 거쳐 출판총서에서 제1기 전국출판회의에서 결정된 5개 항목의 결의를 발포하였다. 결의의 내용은 인민출판사업의 기본 방침 발전에 관한 결의, 출판공작 개선 및 발전에 관한 결의, 서적 발행 공작 개선 및 발전에 관한 결의, 정기 간행물 공작 개선에 관한 결의, 서적 인쇄업 개선에 관한 결의 등이다. 이 외에도 출판총서에서는 「국영 출판물 출판 인쇄 발행 기업의 분업 전문화 및 공사 관계 조정에 관한 결정關於國營書刊出版印刷發行企業分工專業化與調整公私關系的決定」을 발포하였다.

29일부터 11월 5일까지 문화부 희곡개진국이 베이징에서 희곡개진공작회의를 소집하였다. 회의에서는 희곡개혁의 방침 정책, 극본의 창작 및 수정 공작 전개, 희곡계의 일부 불합리한 제도 개혁 및 예인들을 조직해 학습과 사상개조를 진행하는 문제 등에 관해 토론하였다.

30일, 궈모뤄가 대표단을 이끌고 출국해 제2차 세계평화보호대회世界保衛和平大會에 참가하였다. 펑나이차오가 대표단의 부비서장을 맡았으며 위안수이파이도 동행하였다.

펑나이차오(1901~1983), 현대시인, 작가, 문예평론가, 번역가, 혁명활동가, 교육가. 본적은 광둥성 난하이南海이며 일본 요코하마에서 출생하였다. 1949년에 화베이인민정부 고등교육위원회 위원, 전국문련 이사 겸 연락부 부부장을 맡았으며 전국정협 제1기 전체회의에 참석하였다. 공화국 성립 후에는 정무원 문교위원회 부비서장, 중앙인사부 부부장, 중공중산대학 당위원회 제1서기 및 부교장 등을 역임하였다. 저서로 시집 『홍사등紅紗燈』, 『펑나이차오 선집馮乃超選集』, 『펑나이차오 문집馮乃超文集』 등이 있다.

톈진시 예술계에서 항미원조좌담회를 소집해 아잉, 루리 등 30인이 참석하였다.

이달에 리수쓰李束絲의 『희극초정戲劇初程』(인민백과 소책자人民百科小冊)이 베이징상무인서관에서 출간되었다. 제칭解清의 『비평 방법에 관하여談談批評方法』가 우한통속출판사에서 출간되었다.

마자의 장편소설 『피지 못하는 꽃봉오리』가 인민문학출판사에서 출간되었다. 바이런의 소설 『무적 영웅無敵英雄』이 상하이상짜출판사上海上雜出版社에서 출간되었다.

바이예白夜의 시집 『십리풍광十裏風光』이 신화서점 화둥총분점에서 출간되었다.

바이예(1919~1988), 본명은 페이치費啟로 장쑤성 수양沭陽현 마창전馬廠鎮 샤오페이좡小費莊 출신이다. 저서로 시집 『십리풍광』, 『차가운 비冷雨』, 장편소설 『난세기亂世紀』 등이 있다.

천무의 시집 『홍등紅燈』이 신화서점 중난총분점에서 출간되었다. 리즈黎之의 시집 『누가 일찍이 이렇게 노래했는가誰曾這樣歌唱』가 우한통속도서출판사武漢通俗圖書出版社에서 출간되었다. 린린林林의 시집 『아래야 산阿萊耶山』이 인간서옥人間書屋에서 출간되었다. 먀오더위의 시집 『내 수수는 정말 좋다我的高粱真正好』가 산둥인민출판사에서 출간되었다. 장쯔잉張自英의 시집 『여명시집黎明詩集』이 여명서재黎明書齋에서 출간되었다.

라오서의 화극 『팡전주』가 상하이천광출판공사에서 출간되었다. 마사오보의 화극 『천년 빙하가 녹았다』가 상하이중화서국上海中華書局에서 출간되었다. 톈한의 화극 『금발기』가 상하이중화서국에서 출간되었다. 룽스치隆世祺의 화극 『통천탕通天蕩』이 바오딩허베이성연합출판사保定河北省聯合出版社에서 출간되었다. 바오펑寶豐 공회 극단에서 공동 창작한 화극 『전선 지원용 가루를 서둘러 갈다趕磨支前粉』가 지난산둥신화서점에서 출간되었다. 왕윈王雲, 야오커청姚克成의 가극 『가족家屬』이 산둥신화서점에서 출간되었다.

화산華山의 특필 보고문학 『랴오허 천리의 눈을 밟아 무너뜨리다踏破遼河千裏雪』가 베이징공인출판사北京工人出版社에서 출간되었다.

화산(1920~1985), 광시성 난닝南寧 출신이다. 저서로 보고문학집 『원항집遠航集』, 영화문학 극본 『닭털 편지雞毛信』, 신문특필집 『랴오허 천리의 눈을 밟아 무너뜨리다』, 『영웅의 10월英雄的十月』, 장편보고문학 『전사가 부탁한 보고戰士囑托的報告』 등이 있다.

무칭穆青 등이 창작한 보고문학 『남정산기南征散記』가 한커우우한통속출판사漢口武漢通俗出版社에서 출간되었다.

장샹산張香山의 보고문학 『전투하는 나날戰鬥著的日子』이 상하이신문예출판사에서 출간되었다.

장샹산(1914~2009). 스런蒔人, 스런蒔任, 밍溟, 밍이溟漪, 주빙竹冰 등의 필명을 사용하였으며 저장성 닝보寧波 출신이다. 일본 도쿄고등사범학교에서 수학하면서 도쿄 '좌련'에서 『잡문雜文』, 『질문質文』 월간 등의 간행물을 발간하였다. 1932년에 톈진 좌련 서기를 맡았으며 1937년 가을에 팔로군에 참가하였다. 공화국 성립 후에는 중공중앙 대외연락부 비서장 및 부부장, 중국우호협회 부회장, 중앙광파사업국中央廣播事業局 국장, 중공중앙 선전부 부부장, 중일우호21세기위원회 중국 측 수석위원, 중국국제교류협회 부회장 등을 역임하였다.

장판張帆의 통속문학 『만리 출정 창청선萬裏征戰長城線』이 시안시베이신화서점 시베이총분점에서 출간되었다. 푸뤄普洛 등이 창작한 통속문학 『사부와 도제師傅和徒弟』가 지난산둥인민출판사에서 출간되었다. 리지의 통속문학 『보장춘 연의蔄掌村演義』가 한커우신화서점 중난총분점에서 출간되었다. 리지의 통속문학 『라오인양이 화가 나서 충랑예를 때리다老陰陽怒打蟲郎夜』가 한커우우한통속출판사에서 출간되었다. 류지柳季의 통속문학 『부자가 함께 상을 받다父子雙獲獎』가 한커우우한통속출판사에서 출간되었다. 마평의 민간고사집 『요술 호리병寶葫蘆』이 베이징공인출판사에서 출간되었다.

중지밍의 『민간문예로부터 배우다』가 상하이화둥신화서점에서 출간되었다. 산간닝 변구 문화협회 음악공작자위원회陝甘寧邊區文化協會音樂工作委員會에서 편찬한 『신장 민가新疆民歌』가 시안신화서점西安新華書店에서 출간되었다.

펑페이馮培가 번역한 소련 작가 폴레보이의 소설 『돌아오다歸來』가 공인출판사에서 출간되었다. 리성黎聲이 번역한 루마니아 작가 두미트리우의 소설 『진흙 판잣집泥棚戶』이 핑밍출판사에서 출간되었다.

11월

1일, 루쉰의 유작 「후한서 서문에 감사한다謝承後漢書序」가 『대중문예』 제1권 제6호에 게재되었다.

『인민일보』 제3권 제1호에 스팡위石方禹의 정치 서정 장시 『평화의 최강음和平的最強音』, 시훙의 중편소설 「바다 위의 기수海上旗手」(제3권 제2호에 연재 완료), 허치팡의 「민가를 논하다論民歌」, 옌천의 「민가의 표현 방법에 관하여試談民歌的表現手法」, 왕수밍王淑明의 「군중의 견해와 전문가의 견해群眾看法與專家看法」, 짱커자의 「비평가는 생활을 이해하고 군중과 연결되어야 한다批評家要懂得生活, 聯系群眾」, 야오멘의 「문예비평의 화력을 집중시켜야 한다需要集中文藝批評的火力」, 왕차오원의 「좀 더 정련하자精煉些」, 천융의 「어느 위대한 지식분자의 노선一個偉大的知識分子的道路」, 친원欽文의 「루쉰 선생의 유작을 더욱 연구하자進一步研究魯迅先生的遺作」 등의 글이 발표되었다.

스팡위(1925~2009), 영화 각본가, 시인. 본적은 푸젠성 푸저우福州이며 인도네시아 스마랑에서 출생하였다. 홍콩 『문회보』 기자 및 영문 번역가를 역임하였다. 공화국 성립 후에는 『창장일보』 기자, 『상하이신문』(영문판) 제1면 편집자, 상하이전영제편창 편집자, 각본가, 문학부 주임, 부창장, 광파전영전시부廣播電影電視部 전영국 국장, 중국영협 제4기 이사를 역임하였다. 저서로 서정장시 『평화의 최강음』, 『청년이 발언하게 하라讓青年人發言』, 영화극본 『천라지망天羅地網』, 『작은 축구팀小足球隊』(합동 창작) 등이 있다.

왕수밍(1902~1986), 필명은 진신金心이며 안후이성 우웨이無爲 출신이다. 1934년에 상하이좌익작가연맹에 가입해 선전부의 공작을 맡아『희망』격주간의 책임 편집자를 맡았다. 공화국 성립 후에는『인민문학』출판사 현대중국문학편집부 주임,『광명일보』및『문학평론』격주간 책임 편집자, 중공중앙 선전부 문예처 희극조 조장, 중국문련 연구실 주임, 중국사회과학원 문학연구소 연구원 등을 역임하였다. 1925년부터 작품을 발표하였다. 저서로 논문집『문학의 낙관주의를 논하다論文學的樂觀主義』,『궈모뤄의 역사극을 논하다論郭沫若的曆史劇』등이 있다.

친원(1897~1984), 작가. 본명은 쉬성야오許繩堯로 본적은 저장성 사오싱이며 저장성 산인山陰에서 출생하였다. 1917년에 항저우성립 제5사범학교를 졸업한 후 모교의 부속소학교에서 교편을 잡았다. 1920년에 베이징으로 가서 수학하였다. 1922년부터 작품을 발표하였는데, 주로『신보』부간에 소설과 잡문을 발표해 루쉰으로부터 지도 및 육성을 받았다. 1926년에 첫 단편소설집『고향』을 출간하였다. 공화국 성립 후에는 저장사범학교에서 교편을 잡았으며, 1955년 이후로 저장성 문화국 부국장, 중국작가협회 저장분회 부주석, 저장성 문련 부주석 등을 역임하였다. 주로 루쉰 저작의 연구에 종사하였다. 저서로 단편소설집『고향故鄕』,『마치 이와 같다仿佛如此』,『시후의 달西湖之月』,『쉬친원 소설선집許欽文小說選集』,『루쉰 선생의 유년시절魯迅先生的幼年時代』,『「루쉰 일기」속의 나<魯迅日記>中的我』등이 있다.

『대중시가』제2권 제5호의 '항미원조특집'에 스첸石千의「불을 지른 강도들을 불태워 죽여라!把放火的強盜們燒死在火裏!」, 가오란高蘭의「홍기가 압록강 위에 펄럭인다紅旗飄揚在鴨綠江上」등의 시가 발표되었다.

『창장문예』제3권 제4호에 바이런의 장시『번신인연翻身姻緣』과 숭푸의「구극 개혁 과정의 몇 가지 문제에 관하여 – 중난 제2차 문예공작회의 결산關於舊劇改革中的若幹問題——在中南第二次文藝工作會議上的總結」, 리니의「앞서가는 소련문학을 보고 배우자 – 10월 혁명 30주년을 기념하며向先進的蘇聯文學學習——紀念十月革命三十周年」등의 글이 발표되었다.

월간『소설』의 제4권 제4호에 펑쉐펑의「인물과 성격에 관한 의견關於人物和性格的一點意見」, 웨이진즈의「「관 중대장」의 현실성을 논하다論<關連長>的現實性」등의 글 및 아이밍즈의 단편「시합競賽」, 허페이何飛의 단편「웨이잔산魏占山」, 사팅의 단편「음주 후酒後」, 마자의 중편「피지 못하는 꽃봉오리」, 다이푸의 보고「충다오 전투 23일瓊島戰鬥卄三天」및 저우칭의「소설세계小說世界」(소련 소설「설구림雪球林」,「운전기사들司機們」,「유동하는 마을浮動的村子」,「죽은 이는 여전히 젊다死人仍舊是年青的」등의 소설을 소개), 예푸의 작가 소개「불가리아의 인민 작가 바조프保加利亞的人民作家

伐淑夫」 등의 글이 발표되었다.

6일, 베이징시가공작자들이 좌담회를 개최해 항미원조선언을 발표하였다. 상하이 문련에서 시사좌담회를 개최해 각 협회의 위원들이 모두 참가하였다.

뉴한은 후평에게 보낸 편지에서 "사실 요즘 매일 『인민일보』에 발표되는 시들은 모두 구호시口號詩입니다. 진정한 시는 너무나 무겁고 깊어, 일부 사람들은 그 압박이 너무나 커서 두각을 나타내는 자신들의 머리 위를 짓누르는 것처럼 느낍니다. 하지만 나는 그럼에도 선생의 시가 더 많은 사람들에게 읽히기를 희망합니다. 이것은 인민의 권리인데, 선생이 이를 거절할 수 있겠습니까?"라고 말했다.(뉴한 『운명의 문서命運的檔案』, 우한출판사 2000년 -> 각주로 처리해야 할 듯합니다.)

7일, 중국문련에서 항미원조와 전투의지 고무를 중심 주제로 하는 희극 및 가무 작품 원고 모집을 위해 전문 위원회를 조직하였다. 톈한, 류바이위, 쑹즈더가 책임자를 맡았다. 16일, 전국문련에서 「항미원조 전투 의지 고무를 중심으로 하는 희극, 가곡 원고 모집 공작 방안征集以抗美援朝鼓舞戰鬥意志爲中心的戲劇, 歌曲的工作方案」을 발표하였다. 중국문련에서 영중우호협회英中友好協會에 저명한 작가 버나드 쇼의 서거를 애도하는 전보를 보냈다.

10일, 『문예보』 제3권 제2호에 중화전국문학예술계연합회 제6차 상무위원회 확대회의에서 결의된 「문예계의 항미원조 선전공작 전개에 관한 호소문」 및 광웨이란의 시 「맥아더 경선을 위하여爲麥克阿瑟競選」, 왕쯔예의 「그래도 그것을 제지할 힘이 있다還是有力量制止它」, 마판퉈의 「미국 건달들아, 들어라!美國流氓們, 你們聽著!」 등의 평론이 발표되었다. 같은 호에 딩링의 「모스크바 – 내 마음속의 시莫斯科——我心中的詩」, 류바이위의 「『문학보』 방문 – 소련작가협회의 기관보는 어떻게 만들어지는가?訪問<文學報>——蘇聯作家協會機關報是怎樣辦的?」, 어우양위첸의 발레극 「평화의 비둘기和平鴿」에 대한 중뎬페이의 평론 「「평화의 비둘기」를 논하다論<和平鴿>」가 발표되었다.

16일, 베이징에 거주하는 문학공작자들이 항미원조 좌담회를 개최하였다. 좌담회에서는 선언을 통과시켰을 뿐만 아니라 문학공작자들을 널리 조직해 항미원조 창작을 진행하는 데 대한 상세한 토론과 구체적인 결정을 진행하였다. 베이징시의 시가공작자와 만화공작자, 베이징과 톈진의 음악공작자들이 모두 잇따라 회의를 소집해 선언을 발표하였다. 마오둔, 딩링, 톈한 등 베이징에 거주하는 작가 145인의 「베이징 거주 문학공작자 선언在京文學工作者宣言」이 11월 25일자 『문예보』 제3권 제3호와 12월 1일자 『인민문학』 제3권 제2호에 발표되었다.

19일, 『인민일보』에 볜즈린의 시 「우리는 곧게 나아간다我們挺上去」가 발표되었다.

20일, 『희곡보』 제3권 제7호와 제8, 9호 합본에 양사오쉬안의 20막 신경극新京劇 「신대명부新大名府」가 연재되었다.

21일, 『인민일보』에 펑즈의 시 「미국 강도들아 들어라美國強盜聽著」가 발표되었다.

23일, 베이징시 문련에서 항미원조 문예작품 좌담회를 개최해 왕야핑이 주관하였다. 짱커자, 볜즈린, 먀오페이스, 리웨난, 옌밍, 류보劉渤 등의 시가공작자들이 참석하였다.

24일, 출판총서의 비준을 거쳐 신화서점 총관리처에서 「원고 보수 집행방법(초안)書稿報酬暫行辦法(草案)」을 발포해, 원고의 보수를 '정기 보수'와 '정량 보수'의 2종으로 분류해 인민은행 절실(折實)[실물 환산]이란 공화국 성립 초기에 실행했던 방식으로, 정해진 수량의 실물을 시장가격에 따라 화폐 단위로 환산하는 방법임)로 지불하기로 하였다. 재판을 발행할 때는 중요한 수정을 행한 자에게 따로 수정비를 지급한다.

25일, 『문예보』 제3권 제3호에 중화전국문학예술계연합회의 「항미원조 전투 의지 고무를 중심으로 하는 희극, 가곡 원고 모집 공작 방안」과 쉐펑의 「"조선에서 어찌해야 하는가""要在朝鮮怎麼辦呢"」가 발표되었다.

『인민일보』에 톈한의 「전국희곡공작회의의 성공적인 개최를 맞이하다!迎接全國戲曲工作會議勝利召開!」가 발표되었다. 그는 글에서 이번 회의가 가지는 중요한 역사적 의의 및 수많은 희곡공작자들이 신시기에 가지는 중대한 역사적 사명과 역사적 임무에 대해 언급하였다.

27일부터 12월 10일까지 문화부에서 전국희곡공작회의를 개최해 마오둔, 후차오무, 저우양, 톈한이 참석해 연설하였다. 회의에서는 톈한, 양사오쉬안, 마옌샹, 저우웨이즈가 각각 「애국주의적 인민 신희곡을 위해 분투하자爲愛國主義的人民新戲曲而奮鬥」, 「최근 1년간의 극본 창작 및 그 문제最近一年的劇本創作及其問題」, 「예인 단결 학습에 관한 공작關於藝人團結學習的工作」, 「애국주의 인민희곡을 발전시키자發展愛國主義的人民戲曲」라는 제목으로 중요 보고를 진행하였다. 보고의 내용을 종합하면, 회의에 참석한 대표들은 당의 희곡개혁 방침과 정책을 어떻게 관철할 것인가, 수많은 희곡공작자들을 어떻게 단결하고 또한 교육할 것인가, 또한 극본의 창작, 수정, 심사 및 공급 등의 문제를 어떻게 해결할 것인가 등에 대해 심도 있는 토론을 진행한 것으로 요약된다.

대표들은 희곡이 인민에게 혁명정신과 애국주의를 교육하는 강력한 도구이며, 예인들은 인민을 교육하는 사업에 중대한 책임이 있다는 데 의견을 모았다. 희곡은 반드시 새로운 애국주의 정신을 발양하고, 혁명의 투지와 노동 생산에서의 영웅주의를 고무해야 하며, 봉건주의적 노예 도덕을 선전하고 야만 및 테러 행위를 선전하며 노동인민을 모욕하는 희곡을 단호히 반대해야 한다고 주장하였다.

회의를 통해 각지의 문교기관에서는 상연되는 희곡의 목록을 반드시 책임지고 심사하고, 구희곡에 대해 적극적으로 개혁하는 방침을 취하되 독단적으로 상연을 금지하지 않으며, 인민에 크게 해가 되어 반드시 상연을 금지해야 할 구희곡이 있다면 반드시 중앙문화부에 보고해 처리할 것을 결정하였다. 수정의 대상은 반드시 현실적인 영향을 가진 반동 정치 내용을 위주로 하며, 예술 형식 면에서는 무대 위의 야만적이고 낙후되어 있으며 노예근성을 가진 형상을 우선적으로 제거해야 한다고 결정하였다.

회의에서는 또한 희곡개혁에서의 반역사주의 경향을 비판하였다. 뿐만 아니라 각지의 희곡개혁 공작은 지방극을 그 주된 대상으로 하여, 풍부하고 다채로운 희곡 종류에 대해 체계적이고 깊이 있는 발굴과 개선 및 발전을 진행해 다양한 희곡 양식을 촉진하는 '백화제방' 방향을 확정하였다.

회의 기간에 정무원 총리 저우언라이, 문교위원회 부주임 마오둔, 천보다, 문화부 부부장 저우양 등이 회의에 참석해 발언하였다. 저우언라이는 대표들을 만나 "인민을 찬송하고, 인민의 진실한 생활을 반영하며, 인민을 교육하는 희곡으로써 인민에게 보답하고, 인민의 역량을 더욱 크게 고무하는 것이 희곡개혁의 영광된 임무다"라고 말했다. 회의 기간 중에 희극자료전람회와 희극 관람 만찬회도 개최되었다.

이달에 전영국 전영극본창작소가 베이징에 설립되었다.

라오신의 시론집 『시의 이론과 비평詩的理論與批評』이 인민시총人民詩叢 중 한 권으로서 정풍출판사에서 출간되었다. 이 책에는 「아이칭론艾青論」, 「벤즈린의 '십년시초'를 평하다評卞之琳的"十年詩草"」, 「서사시의 본질을 논하다論敘事詩的本質」 등 19편의 글이 수록되어 3집으로 구성되었다. 작가는 「후기」에서 "이 책에 수록된 글은 시가 이론과 비평 및 시인론 등의 분야에 관한 글이다. 그 중 대부분은 상하이 해방 전에 발표된 것이라, 일부 독자는 문장의 진행이 너무 온화한 것을 거슬리게 느낄 수도 있다."

"나는 문예비평이 선의로 남을 도와 병을 고쳐 그를 구하는 정신이라고 생각한다. 문예비평은 우리가 투쟁하는 무기이다. 그러나 투쟁의 책략은 구체적인 정황과 조건에 따라 사용되어야 한다. 해방 전의 몇몇 '비평가'들이 그러했듯이 노기에 가득 차 적아를 구분하지 않고 일률적으로 통렬히 공격하는 태도는 혁명사업에 도움이 되지 않는다. 당시에는 반동적인 통치자를 반대하는 문예작가가 있기만 하면 우리는 그들과 단결해 통일전선의 기치 아래 신민주주의 혁명을 위해 투쟁했다. 때문에 이 책에 수록된 글은 대부분 시가의 사상성과 정치성 측면에 대한 탐구에 편중되어 있고, 시가의 예술성 측면에 관한 논급은 오히려 많지 않다. 그리고 이 작품들 중 일부가 당시 우리의 정치 투쟁에 유리하기만 하다면 모두 특별히 강조하거나 혹은 매우 중시해 발양하였다. 어쩌면 이로써 작가의 소자산계급 사상비평을 소홀히 했거나, 혹은 비평을 충분히 엄격하고 깊이 있게 하지 못했는지도 모른다. 이런 점은 지금에 와서는 결점으로 보이지만, 당시에는 오히려 그리 엄격하게 요구할 수 없었다. 단결을 위해, 우리의 투쟁 책략도 융통성 있게 사용해야 했다. 비평가의 얼굴을 하고 단도직입적으로 말할 수 없고, 빙빙 에둘러 말해야 했다. 이것이 내가 당시에 가지고 있던 생각과 태도이다"라고 밝혔다.

차오밍의 장편소설 『기관차火車頭』가 베이징공인출판사에서 출간되었다. 허우간청侯幹城의 소설 『임무任務』가 상하이해연서점에서 출간되었다. 천덩커의 소설 『두씨 아주머니杜大嫂』가 상하이신문예출판사에서 출간되었다. 리얼중의 소설 『두 공장장』이 한커우신화서점 중난총분점에서 출간되었다. 선사沈沙의 소설 『불로 제련된 영웅火煉過的英雄』이 한커우신화서점 중난총분점에서 출간되었다.

우창吳強의 『영웅의 업적英雄的業績』이 상하이신군출판사上海新群出版社에서 출간되었다.

우창(1910~1990), 본명은 왕다퉁汪大同, 왕짜오샹汪藻香으로 장쑤성 롄수이漣水 출신이다. 1933년에 상하이에서 좌련에 가입하였다. 1938년에 신사군에 참가하였으며 다음해에 중국공산당에 가입하였다. 화둥군구 문화부 부부장을 역임하였으며 1952년에 전역하였다. 문화대혁명 시기에 모함과 박해를 받았다. 문화대혁명이 종결된 후에 상하이시 문련 당조부서기 및 부주석, 상하이시 작가협회 부주석, 상하이소설가연의회 회장 등을 역임하였다. 저서로 장편소설 『붉은 해紅日』, 『보루保壘』, 산문집 『포효하는 옌웨이항炮哮的煙葦港』, 화극 극본 『딩짠팅丁贊亭』(합동 창작, 『황차오 결전黃橋決戰』, 중편소설 『말을 기르는 사람養馬的人』, 『그는 눈처럼 빛나는 기병총을 높이 든다

他高高擧起雪亮的小馬槍』 등이 있다.

저우쭤런이 번역한 『그리스의 신과 영웅希臘的神與英雄』이 상하이문예생활출판사上海文藝生活出版社에서 출간되었다.

『신화월보』에 몇 편의 소수민족 시가 및 시인의 소개 문장이 전재되었다.

바이더이白得易의 시집 『해방전쟁 시초解放戰爭詩鈔』가 신화서점 화둥총분점에서 출간되었다.

뤄원駱文의 시집 『혁명을 위한 충성심一顆紅心爲革命』이 신화서점 중난총분점에서 출간되었다. 이 시집에는 「야화夜話」, 「그는 낙타를 타고 갔다他騎著駱駝走了」, 「징강산을 노래하다歌唱井岡山」, 「혁명을 위한 충성심」 등 9편의 시가 수록되었다.

뤄원(1915~2004), 극작가, 시인. 장쑤성 쥐룽句容 출신이다. 1946년에 중국공산당에 가입하였다. 1938년에 국립희극학교 희극문학과를 졸업하였다. 1933년에 중국좌익희극가연맹에 가입하였으며 1941년에 옌안으로 갔다. 공화국 성립 후에는 『군중문예』 잡지 책임 편집자, 중난국 우한인민예술극원 원장, 중국극협 우한분회 주석, 후베이성 문련 주석, 『창장문예』 책임 편집자를 역임하였다. 저서로 장편소설 『자작나무 껍질 위의 연서樺樹皮上的情書』, 시집 『혁명을 위한 충성심』, 『이슬 맺힌 풀露水草』, 산문집 『사람에 대한 총애對人的鍾愛』, 『능화녀菱花女』, 『베토벤은 하나뿐이다貝多芬只有一個』, 화극 극본 『미친 엄마瘋了的母親』, 『호상곡湖上曲』, 『광산의 주인礦山的主人』, 가극 극본 『목가牧歌』, 『지하 감옥地牢』, 『쌀米』 등이 있다.

신화서점 화둥총분점에서 편찬한 시집 『나는 그가 양식을 산처럼 쌓게 할 것이다我要他糧食堆成山』가 해당 서점에서 출간되었다. 모런墨人의 시집 『자유의 화염自由的火焰』이 자비로 인쇄 출판되었다.

차오위의 화극 『원야』, 『베이징인』이 상하이문화생활출판사에서 출간되었다. 허베이문예사河北文藝社에서 편찬한 화극 『공장의 다섯 용사工廠五勇士』가 바오딩허베이성연합출판사에서 출간되었다. 산둥신화서점 편집부에서 편찬한 화극 『장점을 취하고 단점을 보충하다取長補短』가 지난산둥신화서점에서 출간되었다.

리좡李莊의 보고문학 『조선 전지 목격기朝鮮戰地目擊記』가 상하이신문예출판사에서 출간되었다.

저우제푸周潔夫의 보고문학 『늙은 홍군이 돌아왔다老紅軍回來了』가 한커우신화서점 중난총분점에서 출간되었다.

저우제푸(1917~1966), 저장성 전하이鎮海 출신이다. 둥베이민주연합군東北民主聯軍 『자위보自衛報』 기자 및 편집자, 제4야전군 『전사보戰士報』 편집장을 역임하였다. 공화국 성립 후에는 중난군구 정치부 문화부 창작원, 총정치부 문화부 창작원, 해방군문예사 부편집장, 광저우군구 문화부 부부장을 지냈다. 저서로 장편소설 『승리를 향해 가다走向勝利』, 중편소설 『10월의 햇빛十月的陽光』, 장시 『개간開墾』, 산문집 『소련 방문 산기訪蘇散記』, 단편소설집 『추격追擊』, 『늙은 전사老戰士』, 『해상海上』, 『굳센 사람堅強的人』 등이 있다.

루치의 통속문학 『샤오란 이야기小蘭的故事』가 선양둥베이인민출판사沈陽東北人民出版社에서 출간되었다. 레이싱雷行 등이 창작한 통속문학 『싼무핑의 분쟁三畝坪的糾紛』이 시안시베이신화서점 시베이총분점에서 출간되었다. 샤오예무 등이 창작한 통속문학 『글자를 배우는 이야기識字的故事』가 지난산둥인민출판사에서 출간되었다. 린린林琳의 통속문학 『비 사부가 교양을 배우다畢師傅學文化』가 지난산둥신화서점에서 출간되었다. 린만林漫의 통속문학 『가정家庭』이 한커우우한통속출판사에서 출간되었다.

리웨이시李維西의 통속문학 『아이의 선물孩子的禮物』이 지난산둥신화서점에서 출간되었다.

리웨이시(1922~2005), 장쑤성 전장鎮江 출신이다. 『소년아동』 잡지 책임 편집자, 산둥문련 창작실 창작원, 『산둥전초山東前哨』 잡지 편집자 및 소설조장, 『산둥문학』 잡지 부편집장 등을 역임하였다. 1949년부터 작품을 발표하였으며 1963년에 중국작가협회에 가입하였다. 저서로 장편소설 『세류涓流』, 단편소설집 『농장의 손님農莊的客人』, 『성급한 사람性急的人』, 아동문학집 『아이의 선물』, 『영광스러운 작은 유격대장光榮的小遊擊隊長』 등이 있다.

정쓰鄭思의 통속문학 『양부모 한 쌍一對幹親家』이 한커우우한통속출판사에서 출간되었다.

정쓰(1917~1955), 후베이 우창武昌 출신이다. 1937년에 항일구국운동 및 국민당 통치구에서의 중공 지하공작에 종사하였으며, 이후에 『장한일보江漢日報』 부간 편집자 및 편집부 주임, 『후베이일보』 부간 편집자, 후베이 문련 부주석 등을 역임하였다. 1940년부터 작품을 발표하였다. 1955년에 후펑 사건에 연루되어 불행히 세상을 떠났다. 저서로 시집 『불어 흩뜨려진 불티吹散的火星』, 『밤의 서정夜的抒情』, 단편소설집 『양부모 한 쌍』, 극본 『토지의 주인土地的主人』, 『온가족을 동원하다全家動員』 등이 있다.

중국민간문예연구회에서 편찬한 비정기 간행물 『민간문예 논문집民間文藝集刊』이 베이징에서 창간되어 제1집이 간행되었다. 1951년에 항미원조로 인해 총권 3호로 폐간되었다. 창간호에는 궈모뤄의 「우리가 민간문학을 연구하는 목적 - 본 연구회 성립대회에서의 연설我們研究民間文學的目的——在本會成立大會上的講話」과 라오서의 「백성의 창조력은 놀랍다 - 본 연구회 성립대회에서의 연설老百姓的創造力是驚人的——在本會成立大會上的講話」이 발표되었다.

본 간행물은 이론 연구 문장의 발표를 위주로 하면서 동시에 모집된 민간문학 작품을 게재하였다. 평론과 소개뿐만 아니라, 여러 방면에서 전통적인 민간문예와 옛 혁명구의 민간문예에 대해 학술 연구를 진행하였다. 또한 각지의 수집가들이 수집한 민간문예작품을 발표하였다. 간행물에 민간문예 자료 모집의 글을 게재했을 뿐만 아니라, 간행물의 지면에 수집된 자료의 목록을 계속해서 공표하며 수집가들과 교류하였다. 제1집에는 중징원의 「구두문학: 중대한 민족문화유산口頭文學：一宗重大的民族文化遺產」, 안보安波의 「네이멍구 민가에 관하여談內蒙民歌」, 위핑보의 「민간의 사民間的詞」 등 여러 편의 가치 있는 연구 문장이 발표되었다. 또한 자즈賈芝가 편집한 「민가선民歌選」 및 가오쥔첸高駿千이 번역한 소련 작가 H·브로드스키의 글 「푸시킨과 민간문예普希金與民間文藝」가 발표되었다.

베이징전영제편창에서 신문촬영대를 파견해 지원군을 따라 북한에 가서 항미원조 신문 다큐멘터리를 촬영하였다.

한국전쟁 발발 후로 중국 대륙 각지에서 미국 영화 상영이 중지되었다.

12월

1일, 인민출판사人民出版社가 설립되어 후성이 사장을, 왕쯔예가 편집장을 맡았다.

『대중시가』가 제2권 제6호로 폐간되었다. 이번 호는 '항미원조 특집호'로, 「베이징시가공작자 항미원조 선언北京詩歌工作者抗美援朝宣言」 및 왕야핑의 「분노의 불화살憤怒的火箭」, 사어우의 「11월의 베이징十一月的北京」, 진커무金克木의 「누가 감히 불을 지른다면 그를 없애라誰敢放火,消滅它」, 취추의 「조국祖國」 등의 시가 발표되었다.

진커무(1912～2000), 문학가, 학자. 자는 즈모止默, 필명은 신주辛竹로 장시 출신이며 본적은 안후이성 서우현壽縣이다. 저서로 논문집 『범어문학사梵語文學史』, 『인도문화논집印度文化論集』, 『비교문화논집比較文化論集』, 시집 『박쥐蝙蝠集』, 『우설집雨雪集』, 소설 『옛 둥지의 흔적舊巢痕』, 『잊을 수 없는 그림자難忘的影子』, 산문수필집 『천축구사天竺舊事』, 『연귀에서 진흙을 줍다燕口拾泥』 등이 있으며 번역작품으로 『바르트리하리 시 300수伐致呵利三百詠』, 『운사雲使』 등이 있다.

왕야핑의 시 「분노의 불화살」이 발표된 후 서로 다른 여러 견해를 불러일으켰다. 1951년 1월 10일자 『문예보』 제3권 제6호에 리윈立雲, 치샹啟祥, 웨이웨이魏巍의 글 「왕야핑 동지의 「분노의 불화살」을 평하다評王亞平同志的<憤怒的火箭>」가 발표되었다. 글은 저자가 "자신의 확실한 주제를 파악해 정확히 표현하여 이로써 독자를 심도 있게 교육하는 목적을 이루지 못하고 있다. 이와는 반대로, 작가는 시에서 중국 인민의 항미원조 지원 행동에 대해 명백히 잘못된 선전과 부정확한 묘사를 하고 있어, 이 때문에 시의 주제가 훼손되었다." "저자는 이 시에서 중앙인민정부가 반포한 토지개혁정책, 간첩 처치 정책 및 우리가 적군의 포로를 대하는 정책에 대해서도 마찬가지로 부정확하게 처리하고 있다." "이상의 두 가지 문제로 보아 저자의 창작 태도는 엄숙하지 못하다고 볼 수 있으며, 이 때문에 그가 창조한 작품이 대단히 조야해지는 현상을 낳았다"고 밝혔다.

웨이웨이(1920~2008), 시인, 산문가, 소설가. 본명은 웨이훙제魏鴻傑이며 필명은 훙양수紅楊樹이다. 허난성 정저우鄭州 출신이다. 1950년 말에 북한 전선으로 가서 지원군과 함께 생활하면서 전투에 참가하였다. 귀국 후에 여러 편의 문예통신을 발표하였는데, 그 가운데 「누가 가장 사랑스러운 사람인가誰是最可愛的人」가 전국적으로 큰 영향을 끼쳤다. 『해방군문예』 부편집장, 해방군 총정치부 창작실 부주임, 베이징군구 선전부 부부장, 베이징부대정치부 문화부 부장, 베이징군구 정치부 고문, 『중류中流』 편집장 등을 역임하였다. 주요 작품으로 장편소설 『혁명전쟁革命戰爭』 3부작(『지구의 붉은 띠地球的紅飄帶』, 『불사조火鳳凰』, 『동방東方』), 시집 『여명 풍경黎明風景』, 『부단집不斷集』, 『홍엽집紅葉集』 『웨이웨이 시선魏巍詩選』, 산문집 『누가 가장 사랑스러운 사람인가』, 『장행집壯行集』, 『마오쩌둥 이야기話說毛澤東』, 『웨이웨이 잡문선魏巍雜文選』, 『웨이웨이 산문선魏巍散文選』 등이 있다. 장편소설 『동방』으로 1983년에 마오둔문학상을 수상하였다.

『인민문학』 제3권 제2호에 뤄젠의 「사랑을, 그리고 원한을 위하여爲了愛情,也爲了仇恨」, 옌천의 「'공짜 여행'"免費旅行"」, 주쯔치朱子奇의 「나는 톈안먼 광장을 한가롭게 거닌다我漫步在天安門廣場上」, 장즈민의 「장군과 그의 군마將軍和他的戰馬」 등의 시와 마오둔의 「'복면 강도'의 가면이 벗겨지다剝落"蒙面強盜"的面具」, 라오서의 「미국 병사들로부터 이야기를 시작하다從美國兵說起」, 허치팡의 「강도들의 '보증'強盜們的"保證"」, 샤오인의 「월스트리트 전쟁상인들의 논리華爾街戰販們的邏輯」, 스잉石奐의 「우리는 무엇 때문에我們爲了什麼」, 딩링의 「진실한 인생 – 후예핀을 기억하며一個真實的人生——記胡也頻」, 황야오멘의 「『장광츠 선집』 서문<蔣光慈選集>序」, 리광톈의 「『원이둬 선집』 서문<聞一多選集>序』, 스이適夷의 「가장 중요한 분야最重要的方面」, 짱커자의 「우리는 잡문이 절실히 필요하다我們迫切的需要雜文」, 왕수밍王淑明의 「보급과 제고 문제에 대해서도 이야기하자也來談談普及與提高問題」, 린천의 「『고소설구침』의 기록 연대에 관하여關於<古小說鉤沉>的輯錄年代」 등의 글 및 양쉬의 소설 「마을 아가씨村子姑娘」, 양핑의 산문 「초원에서草原上」가 발표되었다.

주쯔치(1920~2008), 시인, 산문가. 후난성 루청汝城 출신이다. 항일군정대학 정치부 과원科員, 중공중앙 군사위원회 정치부 직속 선전대 대장 및 극단 단장을 역임하였다. 공화국 성립 후에는 런비스의 비서, 세계 평화 평의회 이사, 중국·아시아·아프리카 단결위원회 부주석, 중국인민대외우호협회 상무이사, 중국작가협회 서기처 상무서기 등을 역임하였다. 저서로 시집 『춘조집春鳥集』, 『춘초집春草集』, 『우의집友誼集』, 산문집 『12월의 모스크바十二月的莫斯科』 등이 있으며 역서로 체코 시인 네즈발의 장시 『평화의 노래』 등이 있다.

리광톈(1906~1968), 산문가, 시인. 본명은 왕시줴王希爵, 호는 시천洗岑이며 리디黎地, 시천曦晨 등의 필명을 사용하였다. 산둥성 쩌우핑鄒平 출신이다. 1930년 전후로 작품 발표를 시작하였다. 격주간으로 발행된 『미명未名』 종간호에 첫 작품 「감옥 앞獄前」을 발표하였다. 1936년에 볜즈린, 허치팡과 합동 창작한 시집 『한원집漢園集』을 출간해 '한원 3시인漢園三詩人'이라 불렸다. 주요 저서로 장편소설 『인력引力』, 시집 『한원집』(합동 창작), 『춘성집春城集』, 산문집 『화랑집畫廊集』, 『은호집銀狐集』, 『작사기雀蓑記』, 『일변수필日邊隨筆』, 『서행기西行記』, 『관목집灌木集』 및 단편소설집 『진탄쯔金壇子』 등이 있다.

『소설』 월간 제4권 제5호에 쉐펑의 「감상隨感抄」, 팡링루方令孺의 「내가 본 '미국 생활방식'我所見的"美國生活方式"」, 쉬제의 「'분노를 힘으로 바꾸다'"化憤怒爲力量"」, 탕타오의 「우리 눈앞에는 두 개의 세계가 있다我們的眼前有兩個世界」, 진이의 「전국문련의 신성한 호소를 받아들이다接受全國文聯神聖的號召」, 웨이진즈의 「우리는 이미 불가능을 가능으로 바꾸었다我們已把不可能變爲可能」, 쉬제의 「「관 중대장」에 관하여也談<關連長>」 등의 글 및 리가오의 중편 「진귀한 과실珍貴的果實」, 둥보차오董伯超의 「소牛」, 톈타오田濤의 「나무배 이야기木船記」, 저우정周正의 「장진 노인이 웃었다張金老漢笑了」 등의 단편소설이 발표되었다.

팡링루(1897~1976), 산문가, 시인. 안후이성 퉁청 출신이다. 1923년에 미국으로 유학해 워싱턴주립대학교와 위스콘신대학교에서 수학하였다. 1929년에 귀국한 후 칭다오대학 강사 및 충칭국립희극전문학교 교수를 역임하였다. 1939년부터 1942년까지 충칭베이페이국립편역관重慶北碚國立編譯館 편집심사위원을 맡았다. 1943년 이후로 상하이 푸단대학 중문과 교수로 임용되었다. 공화국 성립 이후에 상하이시 부녀연합회 부주석에 당선되었다. 1958년부터 문화대혁명 전까지 저장성 문련 주석을 맡았다. 저서로 산문집 『편지信』, 『팡링루 산문선집方令孺散文選集』, 번역문집 『시계鍾』 등이 있다.

톈타오(1915~2002), 본명은 톈더위田德裕, 필명은 진추津秋로 허베이성 왕두望都 출신이다. 1937년에 항일공작에 참가하였다. 정저우 『대강보大剛報』 부간 『전시문학戰時文學』 및 『진지陣地』 잡지의 편집자, 책임 편집자 등을 역임하였다. 1935년부터 작품을 발표하였으며 1953년에 중국작가협회에 가입하였다. 저서로 장편소설 『옥토沃土』, 『조류潮』, 『톈타오 소설선田濤小說選』, 『톈타오 중편소설선집田濤中篇小說選集』 등이 있다.

『창장문예』 제3권 제5호에 중난문예계 항미원조위원회의 「'중난문예계 항미원조 선전위원회' 성립 및 문예선전공작 지도 강화에 관한 통지關於成立"中南文藝界抗美援朝宣傳委員會",加強領導文藝宣傳工作的通知」, 황메이荒煤의 「항미원조 창작운동을 전개하다 - 중난문예계 항미원조 선전위원회에서의 연설開展抗美援朝的創作運動——在中南文藝界抗美援朝宣傳委員會上的講話」, 쉬마오융의 「자신의 패기를 기르고, 적의 위세를 멸하자長自己志氣,滅敵人威風」 등의 글 및 지쉐페이의 소설 「농작물을 비교하다比莊稼」가 발표되었다.

『인민희극』 제2권 제2, 3호 합본에 항미원조전쟁을 배경으로 한 단막화극 「어머니의 마음母親的心」이 발표되었다. 이 화극은 류창랑劉滄浪, 란광, 저우쉰이 합동으로 창작하였으며 류창랑이 집필하였다.

3일, 펑즈의 글 「위대한 주제 아래 - 항미원조에 관한 시가在偉大的主題下——關於抗美援朝的詩歌」가 『인민일보』에 발표되었다. 그는 글에서 대부분의 시들이 너무 단순해 "어느 간행물의 편집부에 11월에 투고된 시 원고만 해도 900편에 가깝다. 이 시들은 거의 모두 '항미원조, 국가 보위'라는 하나의 위대한 주제를 노래하고 있다. 역사적 의의를 가진 이 운동이 현재의 시가 영역에 거대한 파도를 불러온 것은 필연적이고도 당연한 일이다. 이 사례를 통해 우리는 국내 각지의 신문 및 잡지의 편집부에 투고된 '항미원조'를 주제로 하는 시가의 총 수량이 얼마나 방대할지 추측해 볼 수 있다. 이 현상은 시가공작자들이 널리 동원되었음을 설명한다. 우리는 이 현상을 환영하고 또한 찬미한다."

"우리는 이 시들을 통해 시인들의 눈앞에 하나의 공통된 방향이 존재함을 알 수 있다. 그들은 자신들이 무엇을 옹호하고 무엇을 반대하며, 무엇을 사랑하고 무엇을 미워하는지 명확히 말하고 있다. 바꾸어 말하면, 그들은 시의 형식을 통해 인민의 의지를 표현하고 있다. 시가공작자에게 있어 인민의 의지를 표현하는 것 외에 더 큰 임무가 무엇이 있겠는가? 따라서 우리는 한 편 한 편의 시를 대할 때 시인의 마음이 시대의 맥박과 어떻게 연결되어 있는지 느낄 수 있다. 시가 어떻게 쓰였든 간에, 시인이 집필할 당시의 심정과 태도를 생각한다면 일종의 흥분과 고무를 느낄 수 있다."

"그러나 항미원조운동이 시작될 당시에 대부분의 시는 너무 단순하고 추상적이며 평범했다. 시인들은 깊이가 깊든 얕든 정확한 인식을 가지고 있으나 이를 실제 생활과 연결 짓지 못해, 이렇게 창작된 시는 공허해질 수밖에 없었다. 시 속에 어딘가에서 배워 온 문장이나 미국이 중국을 침략한 역사만을 베껴다 놓고, 단순히 '미국 침략의 화염이 이미 조국의 국경에 만연하였다', '우리는 더 이상 용인할 수 없다. 우리는 더 이상 좌시할 수 없다', '조선은 우리의 형제 나라이니, 입술이 사라지면 이가 시리고, 문이 부서지면 집이 위태로워진다', '미 제국주의여, 너는 겉으로는 강해 보이지만 속은 텅 빈 종이 호랑이이다' 등등의 표현들만을 반복해 사용하고 있다. 기성의 문장들 혹은 그와 유사한 문장들이 천편일률적인 현상을 만들어내고 있다. 이런 시들은 시인의 정치적 감응과 열정을 짐작하게 하기는 하나, 내용의 일반화와 기성 문장의 반복적인 사용 탓에 독자를 감동시키는 힘이 매우 약해지는 결과를 낳아, 읽는 이로 하여금 수량은 실로 많으나 내용은 너무나 빈약하다고 느끼게 한다. 수량은 당연히 많을수록 좋지만, 내용 또한 충실하고 견고해져야 한다"고 말했다.

4일, 출판총서에서 「독서운동 전개를 위한 염가 서적 공급 실행에 관한 통보爲開展讀書運動舉辦廉價書刊供應的通報」를 발포하였다. 출판총서에서는 간부들의 학습을 조직하고 추진할 목적으로, 전국의 공급제 간부 및 구매력이 비교적 약한 일반 공농병 독자들에게 염가 서적을 제공하기 위해 특별히 경비를 일부 지출하여, 신화서점에서 『마오쩌둥 선집毛澤東選集』 77,420권, 통속서적 300종 600만 권을 인쇄해 각급 신화서점을 통해 중점적이며 계획적으로 염가에 제공하였다(상기한 모든 서적은 정가의 50% 가격으로 판매되었다). 그 외에도 각 대형 행정구역에 2,000개의 공장 도서실, 농촌 도서실 및 부대 도서실을 설립하였다.

9일, 싼롄서점, 중화서국, 상무인서관, 카이밍서점, 롄잉서점聯營書店 등 기관의 발행부문이 연합하여 공사 합영의 성격을 띤 중국도서발행공사中國圖書發行公司를 조성하였다.

10일, 『문예보』 제3권 제4호에 딩링의 「조선에 있는 중국인민지원군 부대에 보낸 편지寄給在朝鮮的中國人民志願軍部隊」가 발표되었다. 같은 호에 어우양위첸의 「경극 개선에 관한 한두 가지漫談京戲改進的一二事」와 라오서의 「「용수구」의 인물<龍須溝>的人物」 및 논문 「희곡개혁문제에 관하여略談戲改問題」가 발표되었다.

16일, 『광명일보』에 왕야오의 글 「중국 근대문학에 반영된 반미운동反美運動在中國近代文學上的反映」이 발표되었다.

17일, 중국인민해방군 정치부 문화부 부장 천이陳沂가 전군 선전·교육·문화공작 회의에서 「인민해방군의 문예공작을 더욱 제고하자把人民解放軍的文藝工作提高一步」라는 제목의 보고를 진행하였다. 보고문은 『신화월보』 1951년 2월호에 전문이 게재되었다.

18일부터 24일까지 신화서점 전국관리위원회 제1차 회의가 베이징에서 개최되었다. 회의에서는 「신화서점 시행 조직 조례新華書店試行組織條例」 및 1951년의 공작계획 개요가 결정되어, 1951년에는 전국 신화서점의 통일 지도를 완전히 실현할 것을 요구하였다.

20일, 허징즈가 4막 신가극 「제정궈節正國」의 원고를 완성하였다. 이 극본은 머지않아 비평을 받게 되었다.

21일, 상하이희극전문학교의 교사와 학생들이 합동 창작하고 리젠우 등이 집필한 화극 「미국 폭행도美帝暴行圖」가 상하이에서 공연되었다. 본 화극은 서로 관련이 있는 다섯 편의 단막극으로 구성되었는데, 각각의 제목은 「전쟁상인戰爭販子」, 「위선자僞君子」, 「볼펜 대왕原子筆大王」, 「징밍 빌딩景明大樓」, 「규율로 이렇게 정해져 있다如此紀律」이다. 극본은 11월 28일 『해방일보』에 연재를 시작하였다.

23일, 『중국청년』 제55호에 허우진징侯金鏡의 글 「용감히 행동하라!勇敢地行動起來!」, 펑즈의 글 「인민과 국가를 사랑한 시인 – 두보愛人民, 愛國家的詩人——杜甫」, 후펑의 「위대한 열정이 위대한 사람을 창조한다偉大的熱情創造偉大的人」, 장즈민의 「전투 영웅 궈쥔칭 이야기戰鬥英雄郭俊卿談話」의 부분 「이 역량은 내 마음을 영원히 태울 것이다!這力量永遠燒著我的心!」, 류바이위의 「일린스키 숲속의 하계 캠프伊林斯基森林裏的夏令營」 등이 발표되었다.

24일, 『대중문예』 제2권 제2호에 사팅의 소설 「조선 전선으로 가다到朝鮮前線去」, 아이우의 보고 「장다푸의 어머니께 여쭙겠습니다請問張大富的母親」가 발표되었다. 「조선 전선으로 가다」는 이후에 제목이 「돌아오다歸來」로 변경되었다.

25일, 소련 작가 오스트롭스키 서거 14주년을 기념하기 위해 『문예보』 제3권 제5호에 그의 서신 네 통이 번역되어 게재되었다. 같은 호에 사설 「애국주의의 새로운 고조를 맞이하다 – 신년사迎接愛國主義的新高潮——新年獻辭」가 게재되었다.

26일, 『문예보』 편집부에서 구극개혁공작과 우수한 문화유산 흡수의 양자가 더욱 잘 결합되게 하기 위해 경극 극본 「장상화將相和」에 관한 좌담회를 개최하였다. 딩링이 주관하였으며 치옌밍齊燕銘, 톈한, 라오서, 차오위, 양사오쉬안 등이 참석하였다. 회의의 참석자들은 웡거우훙翁偶虹과 왕제주王頡竹가 각색한 극본 「장상화」가 '쓸모없는 것은 버리고 새롭게 발전'시키는 면에서 성공했으며, 구극본의 각색 면에서 귀중한 경험을 제공해 모범적인 역할을 하였다고 의견을 모았다.

캉줘의 중편소설 「우정과 원한友誼和仇恨」이 『톈진일보』에 연재를 시작해 1951년 1월 30에 종료되었다. 이 소설은 1951년 1월에 중국청년출판사에서 단행본으로 출간되었다.

28일, 출판총서에서 「도서 기본정가를 취소하고 화폐정가제로 변경하는 결정取消圖書基本定價改爲貨幣定價制的決定」을 공포하였다. 1951년 1월 1일부터 전국의 공영 및 공사합영公私合營 출판사에서 출간하는 도서 가운데 교과서와 잡지를 제외한 도서는 전부 기본정가를 폐지하고 1,000배의 화폐정가로 변경한다. 1951년 1월 1일 이전에 이미 인쇄 간행되어 기본정가가 명기된 도서는 전부 기본정가의 1,000배로 판매한다. 이후에 출판된 서적은 모두 화폐정가로 변경해 표시한다.

『인민일보』에 사설 「항미원조 국가수호 운동을 계속해서 확대하고 심화하자繼續擴大與深入抗美援朝保家衛國運動」가 발표되었다.

29일, 마오쩌둥의 「실천론實踐論」이 『인민일보』에 다시 발표되었다. 전국의 문예공작자들이 여기에 자신의 사상과 공작을 결합시켜 더욱 심도 있게 학습하였다.

저우언라이가 출판공작자들에게 "인민출판사업에 노력하기 위해 백척간두를 바라보고 한 발 더 나아갑시다"라고 격려의 말을 전했다.

30일, 『인민일보』에 사설 「중국의 경제와 문화를 침략하는 미 제국주의 세력을 추방하자肅清美帝在中國的經濟和文化侵略勢力」가 발표되었다.

이달에 숭푸 등이 저술한 문예논저 『토지개혁을 둘러싸고 창작운동을 전개하자圍繞土改開展創作運動』가 신화서점 중난총분점에서 출간되었다. 황메이 등이 저술한 문예논저 『항미원조 창작운동을 전개하다開展抗美援朝的創作運動』가 신화서점 중난총분점에서 출간되었다. 아잉의 문학연구집 『공장행과 공작下廠與工作』이 상하이천광출판공사에서 출간되었다.

스퉈의 소설『마란馬蘭』이 상하이문화생활출판사에서 출간되었다. 화이샹懷湘의 소설『녹마전鹿馬傳』이 베이징청년출판사에서 출간되었다. 딩커신, 칭잉輕影의 소설『마오쩌둥호毛澤東號』가 베이징중국청년출판사에서 출간되었다. 위양의 소설『3호 갑문三號閘門』이 상하이신문예출판사에서 출간되었다. 구위 등이 창작한 소설『억지로 딴 참외는 달지 않다』가 상하이신문예출판사에서 출간되었다.

어우양판하이歐陽凡海의 소설『무고한 사람無辜者』이 상하이신문예출판사에서 출간되었다.

어우양판하이(1912~1970), 작가, 학자. 본명은 어우양청팡歐陽成方으로 저장성 수이안遂安 출신이다. 일본 도쿄메이지대학 정치경제학과에서 수학하였다. 1935년에 귀국한 후 상하이전국문협 비서, 광시지방건설간부학교廣西地方建設幹部學校 지도원, 재화일본인민반전동맹在華日本人民反戰同盟 비서 및 고문실 주임, 충칭『신화일보』편집자, 옌안루예 교원 및 문학연구실 주임, 화베이연합대학 및 화베이대학 교수, 진차지 변구『시대청년』편집장, 중앙희극학원 교수 등을 역임하였다. 저서로 장편소설『무고한 사람』, 평론집『문학평론文學評論』, 문학극본『항일전쟁 제1단계抗戰第一階段』, 잡문집『장년단집長年短輯』, 중편소설『금보살金菩薩』,『코가 없는 금보살沒有鼻子的金菩薩』, 역서『삼형제三兄弟』,『마르크스 엥겔스 과학의 문학론馬恩科學的文學論』등이 있다.

아이칭의 시집『환호집』이 신화저섬에서 출간되었다. 시집에는「인민의 사육제人民的狂歡節」,「인민의 성人民的城」,「환호歡呼」,「스탈린에게 바치다獻給斯大林」,「나는 평화 호소문에 서명한다』 등 9편의 시가 수록되었다. 당시의 광고는 "이 시집은 일본 항복 이후 5년간 시인이 국내외의 중요한 정치 사건을 접하며 낸 목소리이다. 책에는 인민 승리와 인민 영수에 대한 열정적인 환호가 있고, 세계평화를 수호하는 데 대한 굳센 호소가 있으며, 또한 전쟁상인을 거세게 공격하는 정의의 노랫소리와 신랄한 풍자가 있다"고 밝혔다(1950년 12월 25일자『문예보』제3권 제5호). 아이칭은 이후에 "나는 찬양하는 소재를 잘 쓰지 못한다. 이 시들은 확실히 표면적이고 천박하다"라고 말했다.(저우훙싱周紅興「아이칭 담화록·1981년 7월 5일艾青談話錄·1981年7月5日」,『아이칭 연구 및 방문기艾青研究與訪問記』, 문화예술출판사 1991년 -> 각주로 처리해야 할 듯합니다.)

리지 등의 시집『증오의 노래憎恨之歌』가 항미원조문예총간抗美援朝文藝叢刊 중 한 권으로서 중난인민출판사에서 출간되었다. 시집에는 리지의「증오의 노래」, 첸판千帆의「맥아더가 직접 선택한 묘비명麥克阿瑟自撰的墓銘」, 리빙의「5만만 인민 선서五萬萬人民宣誓」, 류서우쑹劉綬松의「미 제국주의에게 따지다跟美帝算帳」등 9편의 시가 수록되었다.

리펑, 주훠쯔祝火子 등이 편찬한『항미원조시가선抗美援朝詩歌選』이 베이징사범대학출판사에서 출간되었다. 작품은 4집으로 구성되어 짱커자의「승리의 화살을, 쏴라」, 아이칭의「아시아인이여, 일어나라!亞細亞人,起來!」, 황야오멘의 「조선인민군에게 경의를 표하다向朝鮮人民軍致敬」, 옌천의 「꺼져라, 미국 침략자여」 등 20편의 시와 딩이의 「머리말前言」 및 편집자의 「편집후기編後」가 수록되었다.

거비저우의 시집 『하늘까지 닿도록 길을 닦다』가 노동출판사에서 출간되었다. 지팡의 장시 『경사스러운 날』이 신화서점 화둥총분점에서 출간되었다. 광쥔光軍의 시집 『열대시초熱帶詩抄』가 적도출판사赤道出版社에서 출간되었다. 왕야핑의 시집 『첫 번째 송가』가 베이징 생활·도서화극·신지 싼롄서점生活·讀書話劇·新知三聯書店에서 출간되었다.

커강柯崗의 시집 『날개가 달린 주인마長著翅膀的朱銀馬』가 우한통속도서출판사에서 출간되었다.

커강(1915~2002), 본명은 장커강張柯崗, 정식 이름은 장커강張克剛이며 캉런위康任愚, 거강葛崗 등의 필명을 사용하였다. 허난성 궁현鞏縣 출신이다. 진지루위 중앙국 『인민일보』 편집위원, 시난작가협회 이사, 문화부 극본위원회 사무실 주임 등을 역임하였다. 저서로 장편소설 『삼전농해三戰隴海』, 『류보청 전기劉伯承傳』, 『금 다리金橋』, 시집 『소시집小詩集』, 산문집 『우리는 행복하기 때문에因爲我們是幸福的』(합동 창작), 단편소설집 『바랑리와 우리허八朗裏和五裏河』, 『변경邊疆』, 『함께 성장하다一同成長』, 『이것은 베이징에서 발생했다這是發生在北京』, 『류쉐란柳雪嵐』, 장시 『날개가 달린 주인마』 및 『커강 문집柯崗文集』(5권) 등이 있다.

린옌林岩이 각색한 화극 『가마에 세 번 오르다三上轎』, 『한위냥韓玉娘』이 바오딩허베이인민출판사에서 출간되었다. 수이이水毅의 화극 『조문군卓文君』이 바오딩허베이인민출판사에서 출간되었다. 산둥신화서점 편집부에서 편찬한 화극 『창고에 넣을 수 없다不能入庫』, 『제도를 전달하다傳達制度』가 지난산둥신화서점에서 출간되었다.

지인, 리유량 등이 창작한 보고문학 『하이난다오 만필』이 상하이신문예출판사에서 출간되었다. 루뎬魯殿의 통속문학 『추이핑산翠屛山』이 베이징상무인서관에서 출간되었다. 리얼중의 통속문학 『우리의 보답我們的報』이 한커우우한통속출판사에서 출간되었다.

둥베이전영제편창에서 촬영한 극영화 「백모녀」가 전국에 상영된 후 큰 호평을 받았으며, 다음해에 카를로비바리 국제영화제에서 특별영예상을 수상하였다.

문화공사文華公司에서 제작된 영화 「나의 일생我這一輩子」(라오서의 원작을 각색)이 완성되어 춘절 기간에 가장 큰 인기를 끌었으며, 문화부 우수영화상 2등상을 수상하였다.

이달 말에 쑨위孫瑜가 각색하고 쿤룬영업공사에서 제작한 「무훈전」이 공개 상영되어 관객들의 큰 호평을 받았으며, 『대중전영』 잡지에서 선정하는 올해의 10대 우수 영화 후보에 올랐다. 이후 4개월여 동안 베이징, 톈진, 상하이 등 3개 도시의 간행물에 「무훈전」을 긍정하고 칭찬하는 40여 편의 글이 게재되었다.

1950년 정리

통계에 의하면, 이 해 출간된 문예서적은 약 2천 종으로 1,700여 권이다.

문화부에서 심각한 봉건주의적 독소를 포함한 구극의 공연을 금지하는 통지를 계속해서 발포하였다. 1952년까지 총 26편의 구극의 공연이 금지되었다. 공연이 금지된 구극은 경극 「살자보」, 「기원보」, 「탐음산」, 「철공계」, 「대벽관大劈棺」 및 평극 「황씨녀유혼黃氏女遊魂」 등이다.

딩링이 전국문협 당조서기 및 상무부주석을 맡아 1952년 말에 임기가 끝났다.

첸중수가 『마오쩌둥 선집毛澤東選集』 영역위원회英譯委員會 주임위원을 맡았다.

첸중수(1910~1998), 작가, 문학연구가. 본명은 양셴仰先, 자는 저량哲良으로 이후에 이름을 중수鍾書, 자를 모춘默存으로 바꾸었다. 호는 화이쥐槐聚이며 필명은 중수쥔中書君이다. 장쑤성 우시 출신이다. 학자 집안에서 출생해 어려서부터 전통 경사經史 분야의 교육을 받았으며 19세에 파격적으로 칭화대학에 입학하였다. 칭화대학 외국어문학과를 졸업한 후 상하이광화대학上海光華大學에서 교편을 잡았다. 1935년에 부인 양장楊絳과 함께 영국 런던으로 유학하였다가 프랑스로 가서 파리대학교에서 연구에 종사하였다. 1938년에 칭화대학에 교수로 초빙되었으며 다음해에 국립란톈사범학원國立藍田師範學院으로 자리를 옮겨 영문과 주임을 맡았다. 종전 후에는 상하이지난대학 외국어문학과 교수 겸 난징중앙도서관 영문 기관지 『서림계간書林季刊』 편집자를 맡았다. 이후로 3년간 단편소설 「인수귀人獸鬼」, 장편소설 『포위된 성圍城』, 시론 「담예록談藝錄」 등을 연달아 발표해 학술계의 반향을 불러일으켰다. 1949년에 칭화대학으로 돌아가 교편을 잡았으며, 1953년에는 문학연구소로 이동해 저서 『송시선주宋詩選注』를 완성하였다. 1979년에는 『관추편管錐編』과 『구문 4편舊文四篇』을 출간하였다. 1982년부터 중국사회과학원 부원장 및 특별초청고문을 맡았다. 1984~1985년에 『담예록』(증보판)과 『칠철집七綴集』을 출간하였다.

항저우에 은거하고 있던 우밍스無名氏가 장편소설 『무명서無名書』 제3권 『금색의 사야金色的蛇夜』 하권을 완성하였다.

우밍스(1917~2002), 소설가. 본명은 부닝蔔寧 혹은 부바오난蔔寶南이며 부나이푸蔔乃夫라고도 한다. 본적은 장쑤성 양저우揚州이며 난징에서 출생하였다. 1943년에 처음으로 '우밍스'라는 필명으로 소설 「북극 풍경화北極風景畫」를 발표해 큰 반향을 불러일으켰다. 이후에 홍콩으로 갔다가 다시 타이완으로 갔다. 대표작 『무명서』는 총 6권에 글자수는 260만 자로, 각 권의 제목은 『야수·야수·야수野獸·野獸·野獸』, 『해연海魘』, 『금색의 사야』, 『죽음의 암층死的岩層』, 『성운 밖에서 꽃이 피다開花在星雲之外』, 『창세기 대보리創世紀大菩提』이다.

지인季音의 보고문학 『베이징 10일北京十日』이 상하이정풍출판사에서 출간되었다.

시진錫金, 취빙청曲病誠이 편역한 『러시아 인민의 구두문학俄羅斯人民的口頭文學』이 상하이시대출판사에서 출간되었다.

옌원징의 동화 『지렁이와 꿀벌 이야기蚯蚓和蜜蜂的故事』가 출간되어 당시의 어린이 독자들에게 비교적 큰 영향을 끼쳤다. 화둥인민출판사에서 딩징탕丁景唐이 편찬한 『남북방 민가선南北方民歌選』을 출간하였다. 자오징선趙景深의 『민간문예개론民間文藝概論』이 상하이베이신서국上海北新書局에서 출간되었다.

인민문학출판사가 설립되어 중국의 현대문학, 고대문학 작품 및 세계의 고대문학, 근대문학 작품을 계획적으로 출간하였다. 인민교육출판사, 둥베이공인출판사東北工人出版社, 시베이청년출판사西北青年出版社 등이 설립되었다.

헤이룽장 작가협회에서 편찬한 월간 『북방문학北方文學』이 창간되었다. 베이징시 문학예술계연합회에서 편찬한 월간 『베이징문학北京文學』이 창간되었다. 네이멍구 자치구 문학예술계연합회에서 편찬한 『초원草原』이 월간으로 창간되었다. 정저우시 문련에서 편찬한 월간 『백화원百花園』이 창간되었다. 구이저우성 작가협회 및 구이저우기업결책연구회貴州企業決策研究會에서 편찬한 『산화山花』가 창간되었으며, 월간으로 발행되었다.

올해 새로 상영된 주요 중국 영화는 아래와 같다.

「백모녀」(수이화水華, 왕빈王濱, 양룬선楊潤身 각색, 왕빈, 수이화 감독, 둥베이전영제편창 제작. 1951년 제6회 카를로비바리 국제영화제 특별영예상, 1957년 문화부 1949~1955년 우수영화상 1등상 수상)

「태평춘太平春」(쌍후桑弧 감독, 문화영업공사文華影業公司 제작)

「무훈전」(쑨위 각색 및 감독, 쿤룬영업공사 제작)

「강철 전사鋼鐵戰士」(청인成蔭 각색 및 감독, 둥베이전영제편창 제작)

「나의 일생」(양류칭 각색, 스후이 감독, 문화영업공사 제작)

「자오이만」(위민於敏 각색, 사멍 감독, 창춘전영제편창 제작. 상영 후에 스롄싱石聯星은 이 영화로 1950년 제5회 체코 카를로비바리 국제영화제 최우수 여자배우상을 수상하였다).

「국가를 보위하다衛國保家」(왕전즈王震之 각색, 옌궁嚴恭 감독, 둥베이전영제편창 제작)

「대지에 다시 햇살이 비추다大地重光」(위안윈강袁雲港 각색, 쉬타오徐韜 감독, 상하이전영제편창

제작)

「영광스러운 가문光榮人家」(쑨첸孫謙 각색, 링쯔펑凌子風 감독, 둥베이전영제편창 제작)

「승리의 과실을 보위하다保衛勝利果實」(위산羽山 각색, 이린伊琳, 리언제李恩傑 감독, 둥베이전영제편창 제작)

「평화의 수호자和平保衛者」(후커 각색, 스란石嵐 감독, 베이징전영제편창 제작)

이 해 말까지 중국 대륙에 설립된 출판사는 모두 211곳으로, 그 가운데 중앙급 출판사는 6곳, 지방 출판사는 21곳, 사영 출판사는 184곳이다. 출판한 도서는 12,153종으로 그 가운데 신판 도서는 7,049종이며, 총 인쇄 수량은 2억 7,500만 권이다. 잡지는 295종이 출간되었다.

1949. 7 ~ 1953. 12

1951 年

1월

1일, 중공중앙에서 「전 공산당에 인민 군중에 대한 선전망을 수립하는 데 대한 결정關於在全黨建立對人民群眾的宣傳網的決定」을 발포하였다. 전 공산당에 선전원과 보고원 제도를 수립하여 당의 선전공작을 일상화하도록 하였다.

『소설월간』 제4권 제6호에 진이의 단편소설 「샤오메이도 군 간부학교에 참가했다小梅也參加了軍幹校」와 라오서의 장편 연재소설 「기근」이 발표되었다. 이 외에도 진퉈晋駝의 단편소설 「한 발 전진하다前進一步」, 저우시周熙의 단편소설 「조국의 부름祖國的召喚」, 양보楊波의 산문 「농촌 기록農村紀事」, 바이위안白原의 「콰이러춘快樂村」, 저우칭의 「십자군十字軍」과 「수야와 수라에 관한 이야기關於淑雅和舒拉的故事」, 리가오의 중편소설 「진귀한 과실」이 발표되었다.

진퉈(1910~1988), 작가. 본명은 류칭팡劉慶芳으로 산둥 출신이다. 1930년부터 작품을 발표하였다. 1940년 이후에 옌안공급학교延安供給學校 교사, 옌안루예 연구원, 하얼빈대학 문학과 교수, 문화부 전영극본창작소, 과학교육전영제편창科學教育電影制片廠, 산둥전영제편창 각본가, 산둥문학연구소 소장을 역임하였다. 저서로 소설집 『결합結合』, 『증류蒸餾』, 『한 발 전진하다』, 극본 『보고報告』, 『연옥煉獄』 등이 있다.

바이위안(1914~), 편집자, 기자. 본명은 중펑메이鍾逢美이며 펑메이逢美, 이춘李村 등의 필명을 사용하였다. 광시성 허푸合浦 출신이다. 1944년에 옌안루예 문학과를 졸업하였으며 1935년부터 작품을 발표하였다. 옌안 『해방일보』 문예편집자, 화베이 해방구 『인민일보』 및 신화사 화베이총분사 편집자, 베이징 『인민일보』 편집자 및 기자를 역임하였다. 저서로 시집 『10월十月』, 『바이위안 시선白原詩選』, 통신, 산문 및 보고문학집 『인간 세상의 봄人間的春天』, 『강산 기록河山紀事』, 『먼 길의 연기와 구름－바이위안 자서전長路煙雲——白原自傳』 등이 있다.

『인민문학』 제3권 제3호에 취촨渠川의 소설 「한마음으로 당을 따르다一心向黨」, 아이칭의 시 「보석의 붉은 별」, 무런穆仁의 시 「나는 작은 나사못이 되고 싶다我願做一顆小小的螺絲釘」, 저우리보의 산문 「톨스토이의 고향托爾斯泰的故鄕」(1950년 11월에 집필), 루펑魯風의 산문 「지난에서의 후예핀憶胡也頻在濟南」, 후쑤胡蘇의 논문 「새 시대를 반영하다反映新的時代」(1950년 11월 22일에 집필), 장샹산의 「조선 동지와 함께한 나날和朝鮮同志相處的日子」이 발표되었다. 이 외에도 허진밍何金銘의 「「보초병」을 읽다讀<哨兵>」와 후린盧林의 「「보초병」을 읽고<哨兵>讀後」 등 「보초병」에 대한 평론 두 편이 발표되었다.

취촨(1929~), 작가. 톈진 출신이다. 베이핑옌징대학北平燕京大學을 졸업하였다. 해방군 제40군 신화지사 기자, 영문 번역가, 총정치부 『지원군 1일志願軍一日』 및 『성화연원星火燎原』 편집자, 선양 군구 문화부 전문작가를 역임하였다. 주요 작품으로 단편소설 「한마음으로 당을 따르다」, 「웃음笑」, 중편소설 「황제의 능묘와 전쟁 포로의 무덤皇帝陵墓和戰俘的墳」, 장편소설 『금마金魔』(화둥우수문예도서평가상 1등상을 수상하였으며, 이후에 TV 드라마 「창진위안 표호昌晉源票號」로 각색되어 비천상飛天獎을 수상하였음)가 있다.

무런(1923~), 시인. 본명은 양번취안楊本泉으로 쓰촨성 우성武勝현 출신이다. 저서로 시집 『녹색의 샤오창綠色小唱』, 『무런 시선穆仁詩選』, 잡문집 『고사신편 100편故事新編百篇』, 우화집 『수탉이 바다로 나가다雄雞下海』, 시론집 『우득시화偶得詩話』가 있다.

루펑(1919~2019), 작가. 본명은 하오톈항郝天航으로 장쑤성 페이현沛縣 출신이다. 1937년에 페이현중학沛縣中學을 졸업한 후 충칭 『성기평론星期評論』 보조 편집자, 중국복리회中國福利會 아동시대사兒童時代社 사장 겸 편집장을 역임하였다. 1943년부터 작품을 발표하였다. 저서로 시집 『조국의 아침祖國的早晨』, 동화 『베이하이교北海橋』, 동시집 『얄미운 꼬마小討厭』, 『쥐가 딸을 시집보내다老鼠嫁女』, 『출석을 부르다點名』, 『수염이 난 꼬마長胡子的小朋友』, 평론집 『지혜의 꽃, 환상의 열매智慧的花,幻想的果』, 『루펑 작품선魯風作品選』 등이 있다.

허진밍(1931~), 작가. 산시陝西성 시안 출신이다. 1947년부터 작품을 발표하였으며 1950년에 중앙단교中央團校를 졸업하였다. 『시베이신청년보西北新青年報』 기자 및 편집자, 편집조장, 『산시청년보陝西青年報』 부편집장 및 편집장을 역임하였다. 저서로 시문집 『나는 바보처럼 기다리고 있다我在傻等』, 『무화과無花果』, 수필집 『창안 식화長安食話』, 『백성의 음식 풍속百姓食俗』, 『유탄亂彈』,

기행문집『구주연九州戀』, 회고록『연옥으로 걸어들어가다走進煉獄』등이 있다.

『창장문예』제3권 제6호에 사설「조선 전선 중국인민지원군 속의 창장문예 통신원에게 경의를 표하다向朝鮮前線中國人民志願軍中的長江文藝通訊員致敬」, 위린의 소설「평화의 수호자」, 쩡쥐의 단막화극「조국의 아이와 어머니祖國的孩子和母親」, 왕시옌의「항미원조 문예 선전을 농촌에까지 확대하자把抗美援朝文藝宣傳擴展到農村來」, 하이모海默의 문예통신「문예대군의 결의文藝大軍的誓師」가 발표되었다.

하이모(1923~1968), 각본가, 소설가. 본명은 장쩌판張澤藩이며 장판張凡, 푸리扶犁 등의 필명을 사용하였다. 산둥성 황현 출신이다. 1944년에 옌안루쉰예술학원에 입학해 수학하는 동안 뤄딩洛丁과 합동 창작한 첫 작품「양식糧食」(극본)을 발표하였다. 이후에 지차러랴오연합대학冀察熱遼聯合大學 교원, 톈진시 문공단 창작부 주임을 역임하였다. 주요 작품으로 영화문학 극본「어머니母親」,「깊은 산 속의 국화深山裏的菊花」,「붉은 스카프 이야기紅領巾的故事」,「봄 성의 곳곳에 꽃잎이 날리다春城無處不飛花」, 화극「고향故鄕」,「퉁소를 가로 불다洞簫橫吹」,「광산의 주인礦山的主人」,「양식」및 소설「나의 안내자我的引路人」,「임진강을 돌파하다突破臨津江」,「넷째 형수四嫂子」등이 있다.

『인민희극』제2권 제4호에 자오쉰, 란광의「인민의 의지人民的意志」와 황티黃悌, 왕밍푸王命夫, 옌칭嚴青이 토론하고 황티가 집필한「포탄을 터뜨려라把炮彈打上去」등 항미원조전쟁을 소재로 한 두 편의 단막극이 발표되었다.

톈한, 장겅, 위링이 함께 서명해 호소문을 발표하여 전국의 희극공작자들에게 애국주의 희극운동을 전개해 애국주의를 더욱 광범위하고 심도 있게 선전할 것을 호소하였다.

중국청년예술극원에서 라오서의 5막 화극「팡전주」를 공연하였다. 스위石羽가 감독을 맡고 루시路曦, 왕반王班 등이 주연하였다. 극본은『광명일보』1950년 8월 21자에 연재를 시작해 9월 14일자에 완료되었다.『문예』월간 제2권 제3, 4호에도 이 극본이 전재되었다. 이 극본은 1950년 10월에 천광출판공사에서 출간되었다. 라오서는 1950년 6월에 이 극본의 창작을 시작해 2개월 만에 완성하였다.

『신전영新電影』이 창간되어 창간호가 발행되었다.『신전영』편집위원회에서 편찬하고 신화서점에서 간행하였다.

신화서점 총분점이 베이징에 설립되었다. 쉬보신徐伯昕이 총지배인을 맡았으며 왕이王益, 추안핑儲安平, 스유차이史育才가 부총지배인을 맡았다.

2일, 전국문련과 문화부에서 주관한 중앙문학연구소中央文學硏究所가 설립되었다.

황쭤린黃佐臨이 상하이인민예술극원에서 「서사시극과 전통화극의 비교史詩劇與傳統話劇的比較」라는 제목으로 보고를 진행하여 브레히트의 희극이론과 그의 주요 극작품 및 무대 형태를 체계적으로 소개하였다.

황쭤린(1906~1994), 희극가, 영화인. 본명은 황쭤린黃作霖으로 본적은 광둥성 판위番禺이며 톈진에서 출생하였다. 1925년에 영국으로 유학해 버밍엄대학교 상과에 입학하여 수학하였다. 귀국 후에 톈진신서학원天津新書學院 및 난카이대학에서 교편을 잡았다. 1935년에 다시 영국으로 유학해 케임브리지대학교에서 문학석사학위를 취득하였다. 1942년에 상하이에서 황쭝강黃宗江, 스후이 등과 함께 '쿠간극단苦幹劇團'을 창설하였으며 이 시기에 각각 다른 풍격을 가진 여러 작품에서 감독을 맡았다. 1947년에 문화영업공사에 가입하여 감독을 맡아 점차 영화 영역으로 진입하여 「가짜 봉황假鳳虛凰」, 「야간 유흥업소夜店」, 「손목시계表」 등의 영화를 감독하였다. 1950년에 상하이인민예술극원으로 이동해 부원장, 원장, 명예원장 겸 상하이전영국 고문을 역임하였으며, 이 기간에도 지속적으로 희극 및 영화감독 업무에 종사하였다. 「두 번째 봄第二個春天」, 「갈릴레이 전기伽利略傳」 등의 화극을 감독하였으며 「뻐꾸기가 또 울었다布穀鳥又叫了」, 「천이 시장陳毅市長」 등의 영화를 촬영하였다.

3일, 『인민일보』에서 중공중앙의 「전 공산당에 인민 군중에 대한 선전망을 수립하는 데 관한 결정」에 관한 사설 「당과 군중을 밀접하게 연결하는 중요한 열쇠密切黨和群眾聯系的一個重要關鍵」를 발표하였다.

5일, 『희곡보』 제3권 제10호에 양사오쉬안이 각색한 3막 신경극 「이규가 물고기를 빼앗다李逵奪魚」가 발표되었다.

6일, 신화서점 총분점에서 전국 신화서점에서 파견 인원을 체계적으로 선발 및 조직해 '전지문화복무대戰地文化服務隊'를 조성하여 북한으로 보내 중국인민지원군에게 서적과 간행물을 제공하도록 하였다. 총 59명이 여러 조로 나뉘어 북한으로 가서 공작에 임했으며, 1953년 8월에 종료되었다.

7일, 『인민일보』에 상하이루쉰기념관上海魯迅紀念館이 건립되었다는 기사가 게재되었다.

시난문련 준비위원회가 성립되어 런바이거任白戈가 주석을, 사팅과 아이우가 부주석을 맡았다.

8일, 중앙문학연구소에서 개강식을 개최해 궈모뤄, 마오둔, 저우양 등이 참석하였으며 베이징시 문련 부주임 리보자오가 연설하였다. 본 연구소는 문화부에서 지도하고 전국문련이 참여한 것으로, 설립 초에는 딩링이 소장을, 장톈이가 부소장을 맡았으며 톈젠이 비서장을, 캉줘와 마펑이 부비서장을 맡았다. 설립 목적은 어느 정도의 문학 수준을 갖춘 청년 작가와 공농병 작가들을 배양하는 것으로, 학습 기간은 약 2년이며 다수의 원로 작가와 이론가들이 교육을 맡았다. 1953년 9월에 딩링이 소장직을 사임하였다. 1954년 2월에 '중국작가협회 문학강습소中國作家協會文學講習所'로 명칭이 변경되었으며, 1957년 11월 14일에 운영이 중지되었다. 운영 기간 동안 총 4기의 학생을 모집하였다.

10일, 『문예보』 제3권 제6호에 리윈, 치샹, 웨이웨이의 「왕야핑 동지의 「분노의 불화살」을 평하다」(시), 돤싱찬段星燦의 「「나귀 의사評<驢大夫>를 평하다」(시, 사어우 작, 『대중시가』 제9호에 게재), 팡류方柳, 쑤판蘇凡의 「「총을 들지 않은 적」을 평하다評<不拿槍的敵人>」(화극, 후단페이 작, 『인민희극』 제4호에 게재) 등 '불량한 경향의 조잡한 작품'을 비평하는 몇 편의 글이 게재되었다. 이들 비평에 대해 세 명의 작가는 각기 자아반성의 글을 발표하였다. 왕야핑의 반성의 글은 『문예보』 제3권 제8호에 게재되었으며, 사어우와 후단페이의 반성의 글은 『문예보』 제3권 제9호에 게재되었다.

후단페이(1913~), 극작가. 후베이성 우한 출신이다. 은행 직원, 퉈황극단拓荒劇團 단원, 항적연극대 제3대 희극조장, 옌안루예 희극과 교원, 화베이연합대학 문학원 문공단원, 지중군구 정치부 화선극사火線劇社 극작조 조장을 역임하였다. 공화국 성립 후에는 중국문련 사무실 주임, 펑타이기무단豐台機務段 당위원회 부서기, 베이징철로분국北京鐵路分局 선전부 부부장, 중국청년예술극원 각본가를 역임하였다. 1942년부터 작품을 발표하였다. 화극 극본 「전세계가 다 알게 하자!叫全世界都知道吧!」, 「여명 전의 전투黎明前的戰鬥」, 「시선을 더 멀리 두자把眼光放遠一點」가 모두 1942년 진차지 변구 루쉰문학상을 수상하였다. 그 외에도 화극 극본 「인민의 사랑人民的愛」, 「죄인罪人」, 「그는 정치위원입니까他是政委嗎」, 「파도 꼭대기에서 나는 듯 달리는 배浪頭飛舟」, 「원한仇恨」, 「창장을 건너는 데 성공하다勝利渡長江」(합동 창작), TV 드라마 극본 「진차지에서의 전투戰鬥在晉察冀」 등을 창작하였다.

『문예보』 같은 호에 딩링의 「조선 인민군에게 보내는 편지寄朝鮮人民軍」, 리유란李又然의 「이런 때에 계속 집에 있을 수 있는가?這樣的日子還能在家嗎?」, 이스易士의 「인민의 힘을 무시해서는 안 된다不要無視人民的力量」(『대중시가』 제2권 제5호에 게재된 궈자링郭嘉陵의 「미국 강도가 피투성이 입을 크게 벌렸다美國強盜張大了血嘴」에 호응하는 글), 탕즈의 「「평화의 최강음」을 평하다評<和平的最

強音>」, 원보聞博의 「「인류의 희극」을 평하다評<人類的喜劇>」, 허우진징의 「새로운 역사적 단계에서의 새로운 임무 – 화베이부대문공단의 앞으로의 공작으로부터處在新的曆史階段下的新任務——從華北部隊文工團的今後工作談起」 등의 글이 발표되었다. 지전화이季鎮淮의 「「기이한 일이 있어야 책이 된다」에 관하여談<無巧不成書>」에서 저자는 소련 작가 올스 혼차Honchar의 단편소설 두 편에 관한 분석을 통해 문예작품은 반드시 우연한 사건을 교묘하게 엮어내야 하며, 교묘하고도 우연한 사건이 필연적인 과정을 통해 적절한 곳에서 출현해 작품의 진실성을 집중시켜야 독자에게 감동을 주는 효과에 도달할 수 있다고 보았다. 자오중위안趙仲沅은 「부패한 미국 반동문학腐朽的美國反動文學」에서 "제2차 세계대전 이후에 미국 국내 경제의 불경기가 엄습해 정치는 나날이 반동화되고 파쇼화되었으며, 사회는 점점 더 어지럽고 불안해졌다. 이러한 정치와 경제를 반영하는 문학도 마찬가지로 나날이 부패하고 몰락해, 제2차 세계대전 이후의 미국 문화계를 한 마디로 형용한다면 '궁지에 빠진 세대'라고 말할 수 있을 것이다"라고 말했다.

리유란(1906~1984), 작가, 번역가. 본명은 리자치李家齊이며 유란又燃, 리쩌란李則蘭 등의 필명을 사용하였다. 저장성 츠시慈溪 출신이다. 1927년에 유럽으로 유학해 프랑스 공산당에 가입하였으며 『적광赤光』에 기고하였다. 귀국한 후에는 에스페란토를 보급하였으며 『파도소리濤聲』에 기고하였다. 1938년에 옌안으로 가서 중국공산당에 가입하여 『칠월』에 기고하였으며, 옌안중국문예협회 및 문예계항적협회 집행위원, 『곡우穀雨』 책임 편집자를 거쳤다. 1945년에 둥베이로 가서 문협 둥베이분회 상무위원, 하얼빈대학 문예학원 원장, 『문예』 편집장, 지린문협 주임, 『문예월보』 편집장을 역임하였다. 이후에 국제신문국 편역가 및 중앙문학연구소 교원을 맡았다. 1920년대에 작품 발표를 시작하였다. 저서로 산문집 『집에서 온 국제우편國際家書』, 『위대한 위로자偉大的安慰者』, 『리유란 산문집李又然散文集』이 있으며 기록문학 『마르크스馬克思』, 『마루샤瑪魯夏』, 시선 『네루다 시선聶魯達詩選』, 『보테프 시선波特夫詩選』, 극본 『제멋대로인 마리아나任性的瑪麗亞納』 등을 번역 출간하였다.

『문예보』 같은 호에 둥베이문련에서 항미원조 국가보위 선전공작의 심도 있는 전개에 관한 결정을 발표했다는 기사가 실렸다.

『신관찰新觀察』 제2권 제1호에 볜즈린의 시 「톈안먼 4중주天安門四重奏」가 발표되었다. 같은 해 2월 10일자 『문예보』 제3권 제8호에 「볜즈린의 시 「톈안먼 4중주」에 대한 논의對卞之琳的詩<天安門四重奏>的商榷」라는 제목으로 리시의 「시를 이해하기 힘든 수수께끼로 바꿔서는 안 된다不要把詩變成難懂的謎語」와 청웨이承偉, 중솽忠爽, 치위啟宇의 「우리는 일단 이해가 될 것을 요구한다我們首先要求看得懂」 등 2편의 글과 편집자의 말이 게재되었다.

리시는 글에서 "이 시는 이해하기 힘든 부분이 아주 많다. 이해되지 않는 이유는 아마도 시인이 형식적인 면을 과도하게 추구하면서 이러한 형식이 시의 내용을 적절히 전달할 수 있을지에 대해서는 제대로 고려하지 않았기 때문일 것이다." "예를 들어, 시인은 리듬의 조화와 질서정연한 배열 및 치밀한 구조를 중시하기 위해 몇몇 시어를 함부로 생략하거나 도치시켜 시의 의미가 명확해지지 않게 해 독자들이 이해하기 어렵게 만들었다." "시인은 의미가 명확하지 않은 몇몇 이미지를 창조해 그의 시가 인민의 형상을 깊이 있게 표현하지 못하게 하였으며 독자들에게 활발하고 생동감 있는 느낌을 주지 못하고, 오히려 짙은 안개 속에 빠진 듯한 기분을 느끼게 했다." "우리는 이 시를 읽은 후 이러한 경향은 좋지 못하다고 생각했다. 우리는 시인이 아직 새로운 생활 속에서 인민 대중의 정서를 잘 경험하지 못했고, 생활 속에서 진실한 시의 이미지를 포착하지 못했으며, 또한 군중의 언어를 잘 학습하고 제련하지 못했고, 그저 형식적인 면에만 힘을 기울여 억지로 만들어낸 언어와 형식으로써 생활과 감정, 그리고 사상의 결핍을 보충하려 했다고 생각한다. 이것이 바로 「톈안먼 4중주」를 독자들이 이해하기 힘든 주된 원인이다"라고 보았다.

칭웨이, 중항, 치위는 글에서 "이 시의 주제는 톈안먼과 신중국을 칭송하는 것이지만, 이 시가 독자에게 주는 것은 그저 지리멸렬한 인상과 희미하고 어렴풋한 느낌뿐이다. 이러한 점은 우선 이 시의 언어적인 면에 드러나 있다"고 말했다.

편집자의 말은 "볜즈린 동지는 항미원조운동 과정에서 조국의 영광과 중국 인민의 위대하고 정의로운 행동을 찬양하고 미 제국주의의 침략과 폭행을 폭로하는 시를 여러 편 창작하였다. 이 시들에는 뜨거운 투쟁 속에서의 시인의 드높은 열정이 잘 표현되어 있다. 이러한 정신은 배울 만한 것이다. 그러나 그의 몇몇 작품은 언어적인 면과 형식의 운용이라는 측면에서는 논의할 만한 부분이 있다. 여기에 발표된 글은 그의 「톈안먼 4중주」에 관한 몇몇 동지들의 의견으로, 우리는 이 글을 저자와 독자들과 더불어 연구할 만하다고 생각했다"라고 밝혔다.

볜즈린은 이후에 『문예보』 제3권 제12호에 「「톈안먼 4중주」에 관한 반성」을 발표하였다. 그는 "나는 '일단 이해할 수 있어야 한다'는 요구를 받아들인다." "나는 독자들에 대해 책임을 지는 정신을 강화해야 했지만 그러지 못했다." "나는 보급을 기초로 해서 제고해야 한다는 의미를 다시 한 번 체득했다"고 밝혔다.

같은 호에 샤오첸의 「나는 자랑스럽게 마오쩌둥 시대의 베이징 사람이 되리라我驕傲做毛澤東時代的北京人」가 발표되었다.

뉴한의 시집 『조국祖國』이 현실시총現實詩叢 제1집 제1권으로서 50년대출판사五十年代出版社에서 출간되었다. 시집에는 「레닌 동지는 우리와 함께 있다列寧同志和我們在一起」, 「마오 주석님! 저를 아직 기억하십니까?毛主席!您還記得我嗎?」, 「나는 갓난아이가 기쁘게 소리치는 목소리를 들은 것만 같다我仿佛聽到一個嬰兒底歡叫聲」 등 15편의 시가 수록되었으며 3부로 구성되었다. 당시의 비평은 "현재의 시 창작에는 여전히 거칠고 꼼꼼하지 못한 작풍과 엄숙하지 못하고 조잡한 태도가 존재한다. 시어의 사용과 문장, 형식의 창조, 소재의 처리 및 주제 사상의 파악 등의 측면에 모두 이러한 면이 충분히 드러나 있다." "뉴한 동지의 '조국'이 바로 아주 좋은 예이다. 시인은 열정적인 송가와 유려한 언어로 인민의 영수와 청춘의 조국을 찬양하고 있다. 이것은 물론 좋은 일이다. 시인의 찬양은 한편으로는 독자에게 인민 영수에 대한 존경과 사랑을 느끼게 하지만, 다른 한편으로는 독자에게 있어서는 안 될 착각을 가져다주기도 한다"라고 말했다(예즈野之, 「뉴한의 '조국'을 평하다評牛漢的"祖國"」, 『베이징신민보일간北京新民報日刊』1951년 6월 16일).

쉬팡의 시집 『야랑만野狼灣』이 현실시총 제1집 제2권으로서 50년대출판사에서 출간되었다. 「신중국 송가新中國頌歌」, 「조선에 바치다給朝鮮」, 「아이와 조국孩子和祖國」 등 12편의 시가 수록되었으며 4부로 구성되었다.

허징즈의 시 및 가사집 『웃음笑』이 현실시총 제1집 제3권으로서 50년대출판사에서 출간되었다. 「나의 집我的家」, 「행군 산가行軍散歌」, 「웃음」 등 20편의 시 및 가사와 저자의 「후기」가 수록되었으며 4부로 구성되었다. 「후기」에서 시인은 "옌안 정풍 이후에 나는 시를 거의 쓰지 않았다. 요 몇 년 사이에는 오히려 가사를 비교적 많이 썼다. 현재의 임무에 호응하기 위해서는 빨리 써야 하고, 군중화되어야 하며, 또한 형식 면에서 엄격한 제한을 받아야 하기 때문에 나는 항상 가장 쓰기 어렵다고 생각해 왔다. 그래서 대체로 잘 쓰지 못했다. 비록 누군가는 이런 가사들을 '찬양하는 시'라고 불러야 한다고 말하지만, 가끔은 정말로 '시'처럼 쓰지 못했다.

적지 않은 이들이 많은 가사가 너무나 일반화되고 개념화되었다고 비평하며, 그 가운데 몇몇 동지들은 이런 이유로 나를 질책하기도 했다. 그 질책은 옳은 것이다. 나 자신 역시 종종 자책하곤 한다. 그러나 이번에 이 시집을 엮을 때 나는 대담하게 몇 편을 포함시켰다(시집의 제1부와 제3부). 이 십여 편의 가사는 내가 몇 년 동안 쓴 가사들 가운데 그래도 기록할 만한 것이다(절대다수는 원고를 남기지 않았다). 물론 이 가사들은 전체 가사 중에서 아주 작은 일부일 뿐으로, 아마 10분의 1도 채 되지 않을 것이다. 내가 이 가사들을 수록한 것은 이 가사들이 잘 써졌다고 생각하기 때문이 아니라, 한편으로는 이 가사들을 내가 몇 년간 군중을 위해 노래하고 노력해 온 약간의 기념이라 할 수 있기 때문이며, 다른 한편으로는 이 기회를 빌려 내가 앞으로도 이러한 '노력'을 계속해야 한다고 격려하기 위해서일 뿐이다"라고 말했다.

허샹린賀祥麟의 장시 『안녕, 미국이여!再會了,美國!』가 현실시총 제1집 제4권으로서 50년대출판사에서 출간되었다. 저자는 「후기」에서 "이 시집에 쓴 내용은 내가 2년 반 동안(1947년 가을부터 1950년 봄까지) 미국에서 보고 들은 기록으로, 그 가운데 대부분의 사건은 내가 직접 경험한 것이다. 바로 이런 이유로 나는 미국의 거대 자본가와 전쟁상인 및 그들의 썩을 대로 썩은 제도에 대해 아주 짙은 증오를 가지고 있다"고 말했다.

허샹린(1921~2012), 작가. 허난성 보아이博愛 출신이다. 1945년에 서남연합대학 외국어문학과를 졸업하고, 1949년에 미국 에모리대학교 대학원 영문과를 졸업했다. 1935년부터 작품을 발표하였다. 저서로 장시 『안녕, 미국이여』, 잡문집 『'잘 지내' 클럽"日子過得好哇"俱樂部』, 『독학의 안내자自學的向導』, 『셰익스피어莎士比亞』가 있으며 『서방 현실주의 문학西方現實主義文學』 등을 편찬하였다.

12일, 출판총서에서 올해부터 번역서적을 출판할 때는 역자와 출판자 성명, 출판 횟수, 출판연월 외에도 판권장에 원서의 외국어 제목, 원저자의 외국어 성명, 원 출판사 명칭, 원본의 출판 횟수 및 출판연월 등을 반드시 명시하며, 만약 외국 신문에 실린 원고를 번역한 것이라면 원래 실린 신문의 외국어 명칭, 발행 호수와 출판일시, 출판지점을 명시할 것을 통지하여 규정하였다.

13일, 『중국청년』 제56호에 「중국 각 민주당파에서 조선 인민에게 보낸 광복 서울 대승리 축하 전보中國各民主黨派電朝鮮人民祝賀光復漢城大勝利」, 웨이쥔이韋君宜의 「나는 조국의 사랑스러움을 더욱 느낀다我更感到祖國的可愛」(소련 여행 기록 1편), 샤오싼의 「1920년의 마오쩌둥 동지毛澤東同志在一九二0年」 등의 글이 발표되었다.

웨이쥔이(1917~2002), 작가. 본명은 웨이전이魏蓁一였으나 웨이쥔이韋君宜로 개명하였다. 베이징 출신이다. 1934년에 칭화대학 철학과에서 수학하였다. 1935년에 12·9 항일구국운동에 참여하였으며 다음해에 중국공산당에 가입하였다. 1939년에 옌안으로 가서 편집자, 중학교 교사로 근무하면서 신문에 청년사상에 관한 논문과 산문을 자주 발표하였는데 이후에 『전진하는 발자국前進的腳跡』이라는 책으로 엮었다. 1943년에 첫 단편소설 「용龍」을 발표하였다. 공화국 성립 후에는 『중국청년』 편집장, 『문예학습』 편집장, 작가출판사 편집장, 인민문학출판사 부사장 및 편집장, 사장, 중국작가협회 문학기간공작위원회文學期刊工作委員會 주임을 역임하였다. 저서로 장편소설 『어머니와 아들母與子』, 중편소설 『세례洗禮』(제1회 중국 전국우수중편소설상 수상), 중단편소설집 『여인집女人集』, 『늙은 간부 별전老幹部別傳』, 『옛 꿈은 돌아보기 어렵다舊夢難溫』, 산문집 『세월은 유수와 같다似水流年』, 『고국정故國情』, 『해상번화몽海上繁華夢』 등이 있다.

20일, 뉴한이 후펑에게 서신을 보내 "우리나라에 진정으로 감정을 표현하는 시인은 너무 적습니다(시단을 한가롭게 거니는 몇몇 시인 말입니다). 시 속에 피와 살이 없기 때문에 열기가 없이 차갑게 바싹 메말라 있습니다. 개념과 형식에서 출발해 자신을 표현하고 조국에 대해 쓰는 시인은 정말 너무 적습니다(물론 수많은 진정한 시인들이 시를 쓰고 있습니다!). 이런 이들에게는 일격을 가할 필요도 없이, 높은 곳에서 지적이 떨어지기만 하면 XXX과 XXX 같은 뼛조각으로 산산조각 나 버립니다(그들은 피와 살이 없으니까요). 그들은 다시 고개를 숙여 시를 마주하고 자신을 단련해야만 할 것입니다. 중국의 시는 이미 전환기를 맞이한 것처럼 시가 고개를 들고 있어 아주 곤란합니다. 그러나 누군가는 그의 머리에 타격을 가할 수 있을 것입니다." "누군가가 요 1년간의 시의 총결산을 해야 합니다. 시단이 아니라 독자가, 인민이 총결산을 해야 합니다." "나는 이제야 중국에 좋은 시 잡지가 하나도 없다는 것을 느낍니다. 이 얼마나 필요합니까! 『대중시가』에는 시가 없습니다. 아무도 그 잡지를 거들떠보지 않습니다"라고 말했다.(뉴한 『운명의 문서』, 우한출판사 2000년 -> 각주로 처리해야 할 듯합니다.)

『희곡보』 제3권 제11호에 타오숭陶雄의 글 「희곡의 무대 형상 정화澄清戲曲的舞台形象」가 발표되었다. 그는 글에서 희곡 무대에 존재하는 '전족', '무릎 꿇고 머리를 조아려 절하는 것', '목을 베는 것', '눈알을 파내는 것' 등 잔혹한 형상과 코를 마구 푸는 것, 볼기를 치는 것 등 악랄한 행동, 그리고 노동인민을 추악하게 묘사해 모욕하는 검보臉譜 등은 모두 정화해야 하는 무대 형상이므로 반드시 단호히 이에 반대해야 하며, 적절한 단계와 방법을 통해 제거해야 한다고 주장하였다. 이 글은 지난해의 전국희곡공작회의에서 발의된, 희곡 심사 시에는 반드시 극본과 무대형상 양쪽을 모두 중시해야 한다는 방침에 호응하는 것으로, 이 글을 시작으로 희곡 무대 형상의 정화에 관한 일련의 토론이 시작되었다.

이 글 이후로 『희곡보』 제4권 제1호에는 화둥문화부 희곡개진처에서 소집한 '무대 형상 문제 좌담회' 기록이 발표되었으며, 제4권 제2호에는 타오숭의 「희곡의 무대 형상 정화를 다시 말하다再談澄清戲曲的舞台形象」와 허팡何妨의 「희곡 무대 형상의 여러 문제에 관하여也談戲曲舞台形象諸問題」 및 부구布穀의 수정을 거친 「희곡 무대 형상 문제 토론戲曲舞台形象問題討論」의 일부가 게재되었다. 이 글들은 중국 희곡에 등장하는 추악한 무대 형상을 정화하고 청산하는 데 큰 도움을 주었으며, '내용에서 형식까지'라는 희곡개혁 방침의 관철과 추진에 공헌하였다.

21일, 상하이 『해방일보』의 『문예』 란에 딩징탕丁景唐의 글이 발표되었다. 그는 글에서 루징산陸靜山의 아동서적 『소흑인小黑人』(대동서국大東書局 출판)에 폭로된 민족의 자존심을 상실하고,

뿔뿔이 흩어져 타협하고 투항하는 실패주의 사상이 틀린 것이라고 신랄하게 지적하였다.

딩징탕(1920~2017), 작가, 출판가. 저장성 전하이 출신이다. 1938년에 중국공산당에 가입하였다. 『소설월보』, 『문단월보』 편집자, 『문예학습』 책임 편집자, 중공상하이시위원회 선전부 처장, 상하이시 출판국 부국장, 상하이문예출판사 사장 겸 편집장, 중국출판공작자협회 제1, 2기 부주석을 역임하였다. 『중국신문학대계中國新文學大系』의 책임 편집을 맡았다. 저서로 『별의 꿈星底夢』, 『남북방 민요南北方民謠』, 『루쉰과 취추바이 작품 학습 찰기學習魯迅和瞿秋白作品的劄記』 등이 있다.

루징산(1905~), 교육가. 장쑤성 우시 출신이다. 난징샤오좡사범학교가 개교했을 당시 임시 도원(導員, 교사)을 맡았다. 이싱, 우시, 구이린, 충칭 등지의 학교에서 타오싱즈陶行知를 도와 해방될 때까지 학교를 운영하였다. 공화국 성립 후에는 오랫동안 인민교육출판사에서 근무하였으며 이후에 중국타오싱즈연구회中國陶行知研究會 고문을 맡았다. 저서로 『샤오좡 가곡집曉莊歌曲集』, 『타오싱즈의 교육방법: 가르치고 배우고 실천하는 것의 합일陶行知的教育方法教學做合一』, 『소학교 글자 교육 문제小學寫字教學問題』, 『어린이 대화小朋友談話』 등이 있으며 『소학생 자전小學生字典』을 편찬하였다.

22일, 중국인민보위세계화평반대미국침략위원회中國人民保衛世界和平反對美國侵略委員會에서 「중국인민 조선행 위문단 조직에 관한 통지關於組織中國人民赴朝慰問團的通知」를 발포하였다. 랴오청즈가 위문단의 단장을, 창천이長陳沂가 부단장을 맡았으며 톈한, 황야오멘, 예딩이, 양쉬, 톈젠, 딩충丁聰, 란마藍瑪, 허우바오린侯寶林 등의 작가 및 예술가들이 위문단에 참가하였다. 위문단은 3월에 출발했다가 5월에 귀국하였다.

23일, 『인민일보』에 일본의 여류 혁명작가 미야모토 유리코宮本百合子가 도쿄에서 별세했다는 소식이 보도되어 전국문련에서 조문 전보를 보냈다. 미야모토 유리코는 일본 무산계급 혁명전선의 최고 노장 중 하나로, 여러 차례 체포당해 투옥되었으나 굳센 의지를 꺾지 않았다.

25일, 『문예보』 제3권 제7호에 궈모뤄의 「시경에 관해 간단히 이야기하다簡單地談談詩經」, 리유란의 「백거이의 「매탄옹」白居易的<賣炭翁>」, 옌모顔默의 「두보에 관하여談杜詩」 등 고대시가에 관한 세 편의 글이 발표되었다. 서두에 추가된 '편집부의 말'에서는 "『문예보』 제1권에서 우리나라 고대문학의 예술유산을 받아들이는 문제에 관해 토론한 바 있다. 인민의 새로운 문예를 풍부하게 하고 또한 발전시키기 위해 이 문제에 관해 더욱 깊이 연구하고, 구체적인 고전 및 민간의 문예작품에 대한 분석을 통해 위대한 조국의 문화유산을 경시하거나 혹은 무시하는 경향을 비판하며, 또한 우리가 이러한 귀중한 유산에서 유익한 양분을 흡수하는 방법을 인도할 필요가 있다. 동시에 오늘날 인민의 새로운 애국주의 열기 속에서 우리나라 고전 문예작품에 대해 필요한 분석과 평가를 진행함으로써 위대한 조국의 역사와 문화적 전통에 대한 인민의 인식을 강화하여 조국에 대한 인민의 사랑을 증진하고 인민의 전투의지를 고무하는 것 역시 현재의 절실한 임무이다"라고 밝혔다.

『문예보』 같은 호에 마옌샹의 「「장상화」를 논하다論<將相和>」, 라오서의 「「장상화」에 관하여談<將相和>」와 「극본 「팡전주」에 관하여談<方珍珠>劇本」, 본 잡지 통신원 신위안辛原의 「청년 작가에게 관심을 기울이고 배양해야 한다應該關心和培養青年寫作者」, 펑바이彭拜의 「『대중시가』의 원고 처리 방법에 대한 의견對<大眾詩歌>處理稿件的意見」, 위장루이餘章瑞의 「『신민보』 부간 『맹아』에 대한 의견對<新民報>副刊<萌芽>的意見」, 스무史牧의 「투고 원고를 처리하는 태도를 바꾸기를 바란다希望改變處理來稿的態度」, 스메들리의 「나는 고발한다我控訴」(딩충丁聰의 삽화 포함), 스이의 「전지 운전기사戰地司機」(조선 기록 1편), 루즈魯芝의 「철쇄 이야기鐵鎖的故事」(1950년 11월 11일자 『화베이 해방군華北解放軍』 문예부간에서 전재) 및 소련 『문학보文學報』에서 전재된 「소비에트 작가의 창작 계획蘇維埃作家底創作計劃」(1951년 1월 4일자 소련문학보에 발표) 등의 글이 발표되었다.

『문예보』 같은 호에 게재된 '독자 의견'은 "문예 간행물의 편집부는 청년 작가를 배양하는 일에 중대한 책임을 가지고 있다. 편집부는 응당 많은 청년 작가들과 일상적으로 밀접하게 연락하며 그들을 돕고, 또한 문예사업 속에서 그들이 진보하도록 격려해야 한다. 그러나 우리의 몇몇 문예 간행물은 이런 면의 노력이 아직 매우 부족하다. 그들은 종종 냉랭하거나 혹은 대충 넘기려는 태도로 청년 작가들의 투고 원고를 대하는데, 이러한 태도를 바꿀 필요가 있다. 여기에 이 문제를 반영한 문예 간행물 통신원과 독자들의 의견을 발표한다. 우리는 이로써 문예 간행물 편집부의 반성을 불러일으켜 앞으로의 업무에 변화가 생기기를 희망한다"라고 지적하였다.

『인민일보』에 라오서의 「나는 새로운 베이징을 열렬히 사랑한다我熱愛新北京」가 발표되었다.

『신관찰』 제2권 제2호에 사오옌샹의 시 「변경에서 베이징까지從邊疆到北京」가 발표되었다.

27일, 『중국청년』 제57호에 사설 「당의 영도 하에 인민 군중에 대한 청년단의 선전공작을 잘 실행하자在黨的領導下作好青年團對人民群眾的宣傳工作」, 진찬란金燦然의 「조국의 역사를 사랑한다愛祖國的曆史」, 아이칭의 시 「나는 나의 조국을 그리워한다我想念我的祖國」, 샤오싼의 「1920년의 마오쩌둥 동지毛澤東同志在一九二0年」(하) 등의 글이 발표되었다.

진찬란(1913~1972), 편집출판가. 본명은 진신성金心聲으로 산둥성 위타이魚台 출신이다. 국무원 고적정리출판계획소조古籍整理出版規劃小組 구성원 겸 사무실 주임, 중화서국 총지배인 겸 편집장을 역임하였다. 『이십사사二十四史』, 『자치통감資治通鑒』, 『책부원구冊府元龜』, 『영락대전永樂大典』, 『전상고삼대진한삼국육조문全上古三代秦漢三國六朝文』, 『문원영화文苑英華』, 『전당시全唐詩』, 『전송시全宋詞』 등 여러 유명한 고대서적에 구두점을 찍고 정리하거나 혹은 영인본으로 출판하는 작업을 조직 및 주관하였다.

28일, 『인민일보』에 1925년 6월 18일에 러시아 공산당 중앙에서 결의한 「문예 방면에 관한 당의 정책에 관하여關於黨在文藝方面的政策」가 다시 발표되었다. '편집자의 말'은 "이 결의에서 제기된 당이 문학 활동을 영도하는 기본 원칙은 오늘날에도 현실적이며 교육적인 의의를 가지고 있어, 우리가 다시 잘 연구해 볼 가치가 있다"고 밝혔다.

29일, 뉴한은 후펑에게 보낸 서신에서 "쉬팡이 「월광곡月光曲」을 필사해 보냈습니다. 읽어 보니 아주 좋았습니다. 필사본을 받은 직후에 나는 서너 명의 동지와 함께 두세 번을 거듭해 읽어 보았습니다. 그들은 모두 농민 출신의 노병이라 나는 그들이 시에 익숙하지 않을까봐 걱정했지만, 그들은 의외로 마치 어린아이가 자장가를 듣는 듯한 모습으로 조용히 경청했습니다. 그들은 이런 시를 읽어 본 적이 전혀 없을지라도 들으면 짙은 여운을 느낍니다. 그것은 그들이 '5·4체'니 '자유체'니 하는 것들을 이해하지는 못하지만, 요즘 유행하는 고정관념이 전혀 없이 마음을 기울여 시를 읽기 때문입니다. 나중에 산둥 억양을 가진 한 동지가 시를 두 번 낭송했는데, 그는 시의 기쁨과 온화함까지도 느낄 수 있었습니다. 사람들은 모두 '이 늙은 친구가 마음은 아직 늙지 않았군……'이라고 말했습니다. 내가 잘 모르는, 잠시 이곳에 살고 있는 지원병 한 사람이 자기도 한 권 베끼겠다고 하면서 필사본을 빌려갔습니다. 내가 그에게 '시를 좋아합니까?'라고 묻자, 그는 '전선에서 가끔 쉴 때 정말로 꼭 시를 읽고 싶습니다. 부드러운 시일수록 좋습니다'라고 대답했습니다. 그는 그 다음날에야 내게 필사본을 돌려주면서, '한 권 베껴서 조선으로 가져갈 겁니다'라고 했습니다. 사실 이 이십 대의 청년은 지금껏 자기가 시를 좋아하게 될 거라고 생각해 본 적이 없었지만 이렇게 좋아하게 되었습니다. '정치시'가 아니라, 부드러운 이 「월광곡」을 말입니다"라고 말했다.(뉴한 『운명의 문서』, 우한출판사 2000년 -> 각주로 처리해야 할 듯합니다.)

30일, 류성야劉盛亞의 소설 「재생기再生記」가 충칭 『신민보』에 연재를 시작해 3월 6일에 완료되었다. 5월, 충칭 『신화일보』에 이 소설에 대한 비판이 시작되었다. 이후에 『학습學習』 제4권 제9호에 「충칭 문예계에서 반동소설 「재생기」를 비판하다重慶文藝界批判反動小說<再生記>」라는 기사가 게재되었다. 이 글은 "작가는 소설 속의 반혁명분자에 대해 동정을 표하고 그를 변호해, 수많은 무고한 사람을 죽이는 극악무도한 죄를 지은 여자 스파이를 '무고한 사람'으로 묘사하였으며, 마지막에는 그녀가 해방 후에 정부의 '관대'한 처분를 받아 '재생'을 얻는 결말을 그리고 있다. 다른 한편으로, 이 작품 속에 등장하는 혁명자의 모습은 극단적으로 왜곡되어, 몇 명의 공산당원들은 어리석은 광대처럼 묘사되어 있다"고 지적하면서, "이러한 소설이 진반운동(鎮反運動: 반혁명 진압 운동 鎮壓反革命運動의 약어-역자 주)의 절정기에 출현해 신문에 오랫동안 연재되는 동안 누구도 의문을 제기하지 않았다는 것은 사상계와 문예계에 극단적인 사상 마비 현상이 존재한다는 사실을 드러낸다"고 말했다.

류성야(1915~1960), 작가. 스위軾俞, 청민야成敏亞 등의 필명을 사용하였으며 충칭 출신이다. 1935년에 독일 프랑크푸르트대학교를 졸업하였다. 쓰촨성립희극학교 교원, 쓰촨대학 및 우한대학 교수, 문협 이사, 청두문협 이사, 군중출판사 편집장, 『서방일보西方日報』 주말문예 편집장, 『대공보』 문예 편집장, 충칭희극협회 집행위원 겸 창작부장, 시난사범학원 중문과 교수, 충칭문련 집행위원, 중국작가협회 충칭분회 이사 등을 역임하였다. 저서로 장편소설 『밤안개夜霧』, 『채홍곡彩虹曲』, 『수호외전水滸外傳』, 전기문학 『목공 황룽창木工黃榮昌』이 있으며 역서로 『노트르담의 꼽추巴黎聖母院』, 『파우스트浮士德』, 시집 『니벨룽겐의 노래尼伯龍根歌』, 『소년유少年遊』, 『괴테 시선歌德詩選』, 『하이네 시선海涅詩選』, 단편소설집 『로시나蘿茜娜』 등이 있다.

이달에 화베이군구 정치부에서 1950년 11월부터 1951년 1월 말까지 3개월간의 부대문예창작에 관한 초보적인 결산을 발표하였다. 우수작품 28편을 선정해 소설 「쇠사슬 이야기鐵鎖鏈的故事」와 화극 「해변의 노랫소리海濱的歌聲」가 1등상을 수상하였다. 화둥군정위원회에서 1950년 항미원조 희극창작 공작을 결산해 「신릉공자信陵公子」, 「마귀떼의 최후群魔末日」, 「세 영웅의 미국 징벌기三雄懲美記」, 「수박양산水泊梁山」 등의 작품에 상금 1천만 위안을 수여해 격려하였다.

화둥문화부 희곡개진처에서 매달 상금 1천만 위안을 수여해 화둥 지역의 우수한 신극 극본을 장려할 예정이라고 발표하였다. 상하이시 희곡개진처에서 매년 한 차례 상금을 수여해 한 해 동안 우수한 성적을 거둔 극단을 격려하기로 결정하였다.

허베이성 문예표창위원회에서 성 문련이 성립된 이후부터 1950년 6월까지 상을 수상한 우수작품을 발표하였다. 수상작은 화극 「매미가 아니다」, 「딸의 혼사女兒的親事」, 소설 「새 일은 새로 처리하다」, 「류 과부가 결혼하다劉寡婦結婚」, 경극 「화목란花木蘭」 및 고사, 세화, 목각 등 84종이다.

『문예보』 제3권 제6호의 '문예동태' 소식에 의하면, 문예창작 추진 과정에서 몇몇 도시에서는 창작 도전이라는 형식을 사용하였다. 광저우시 화난문공단 미술부 등 4개 단위에서는 문련에서 계획 실시한 항미원조방찬방습위원회抗美援朝防鑽防襲動員會 현장에서 선전화 180장을 5일 만에 제작하겠다고 확정하였다. 음악가협회에서는 가곡 30여 곡을 창작하기로 했으며, 무용가협회에서는 14편의 무용과 가무곡을 창작하기로 했고, 극협에서도 몇 편의 화극과 가무곡 및 선전극의 창작을 확정하였다. 뿐만 아니라 5개 협회에서 각각 군중 동원 대회를 소집하기로 결정하였다.

뤼순旅順과 다롄大連시 문학계의 창작도전운동 과정에서는 노병 동지가 10만 자의 작품을 제출하며 도전해, 이에 응전한 이들 중 일부는 매일 2천 자를 창작하기로 결정하였으며 일부는 3개월 안에 10만 자를 완성하겠다고 계획하였다.

이 밖에도 우한, 타이위안太原, 진저우錦州, 안둥安東, 다롄 등지에서 모두 대규모의 군중선전활동을 거행하였다. 우한시에서는 500여 명의 곡예공작자들이 거리에서 선전활동을 진행하였으며, 타이위안시 희곡계에서는 각 극원과 극단을 조직해 벽보 혹은 칠판을 통해 항미원조 특집호를 게재하기로 결정하고, 또한 모든 공연의 마지막에서 두 번째 희곡 시작 전에 희극인 조합과 극장, 문교위원회에서 10분간 항미원조 연설을 진행하였다.

자오수리가 중공중앙선전부로 이동해 문예간사를 맡았다. 그의 자술에 의하면 "후차오무 동지가 내가 쓴 소설이 크지 않고(중대한 소재를 다루지 않고), 깊지 않아 사람들을 감동시키는 작품을 쓰지 못한다고 비평하면서, 내게 본받을 만한 작품들을 더 많이 읽어 보라면서 직접 소련을 비롯한 다른 나라들의 작품 대여섯 권을 정해 주고서 열 일 제쳐두고 성의껏 읽으라고 말했다."(「역사를 추억하고, 자신을 인식하다回憶曆史,認識自己」, 『자오수리 문집趙樹理文集』 제4권, 제1830쪽, 공인출판사 1980년 -> 각주로 처리해야 할 듯합니다.) 이를 통해 이번 이동의 진정한 목적은 그가 더 많이 학습해 스스로를 더욱 제고하게 하기 위해서임을 알 수 있다. 오래지 않아 자오수리는 다시 진둥난晉東南(산시山西성 동남부를 뜻함-역자 주)로 돌아가 산시 창즈長治의 농업합작화운동農業合作化運動에 참여하였다.

왕시옌의 문학연구서 『새로운 시대와 새로운 풍격新的時代和新的風格』이 상하이신문예출판사에서 출간되었다.

하화哈華의 항전소설抗戰小說 『아사노 사부로淺野三郎』가 상하이신문예출판사에서 출간되었다.

하화(1918~1992), 작가. 본명은 중즈젠鍾志堅으로 쓰촨성 청두 출신이다. 해방전쟁 시기에 『대중일보』, 『보하이일보渤海日報』 부간의 편집을 맡았다. 공화국 성립 후에 상하이에서 『해방일보』 부간 편집자를 맡았다. 1956년 이후로 청년문학잡지 『맹아』의 책임 편집자를 맡았다. 작가협회 상하이분회 부주석, 『맹아』 편집장을 역임하였다. 저서로 장편소설 『아사노 사부로』, 『밤꾀꼬리 부대夜鶯部隊』, 『고아와 고녀孤兒苦女』 및 산문특필집 『조국의 눈祖國的眼睛』, 장편 아동문학 『세 명의 어린 잡기 배우의 운명三個雜技小演員的遭遇』 등이 있다.

샤오예무의 중편소설 『단련鍛煉』이 베이징중국청년출판사北京中國青年出版社에서 출간되었다. 양숴의 소설 『금수산하錦繡山河』가 베이징공인출판사에서 출간되었다. 첸샤오후이錢小惠의 소설 『폐차의 부활死車的復活』이 상하이천광출판공사에서 출간되었다.

화톄化铁의 시집 『뇌우가 엄숙하게 우르릉거리다暴雷雨岸然轟轟而至』가 칠월시총 중 한 권으로서 상하이 니투사泥土社에서 출간되었다. 시집에는 「뇌우가 엄숙하게 우르릉거리다」, 「나도 내 어머니를 기념하도록 해 주시오請讓我也來紀念我底母親」, 「도시의 외침城市底呼喊」, 「1948년의 마지막 한 달一九四八年底最後一月」 등 8편의 시가 수록되었다. 작가는 「후기」에서 "이 시집에 수록된 몇 편의 시는 41년에서 49년 사이에 쓴 것이다." "오늘에 와서 이 시들을 다시 읽어 보니 아무래도 '노인이 역사 이야기를 하는' 느낌이 들 수밖에 없다! 하지만 저자는 정말로 이러한 역사 속을 뒹굴며 갖가지 방식으로 생활해 왔다. 그리고 아무튼 간에 그 고된 역사와 함께 걸어왔으며, 역사 바깥에 서 있었다고는 할 수 없다. 그러므로 어느 시기 동안의 몇몇 단편적인 모습에 대한 반영으로서 이미 지나간 고된 세월을 읽어내기는 어렵지 않고, 또한 오늘날의 기쁨을 읽어내고 그 승리의 원인을 찾아내기도 어렵지 않다. 그래서 나는 이 어두운 그림자는 오늘날 조국과 인민에 대한 우리의 사랑을 방해하지 않고 다만 더욱 강하게 할 뿐이라고 생각한다!"라고 밝혔다.

화톄(1925~), 시인. 본명은 류더신劉德馨으로 후베이성 우한 출신이다. 빈곤한 가정에서 출생했으며, 중일전쟁 시기에 쓰촨으로 유랑해 충칭 '중앙기상국中央氣象局'에서 하급 직원으로 근무하였다. 공화국 성립 후에 중국인민해방군에 참가하였으며 이후에 전신기술업무에 종사하였다. 저서로 시집 『수부들船夫們』, 『나도 내 어머니를 기념하도록 해 주시오』, 『그들의 문화他們的文化』, 『도시의 외침』, 『여행旅行』, 『해방解放』, 『1948년의 마지막 한 달』, 『뇌우가 엄숙하게 우르릉거리다』 등이 있다. 후펑은 그의 시집 『뇌우가 엄숙하게 우르릉거리다』를 "칠월시총"에 포함시켰다.

지팡의 『날개가 있는 것有翅膀的』이 칠월시총 중 한 권으로서 상하이 니투사에서 출간되었다. 시집에는 「죄인은 여기에 없다」, 「아이의 꿈孩子底夢」, 「유랑 끝에 고향에 도착하다流浪到了故土」 등 46편의 시와 저자의 「후기」가 수록되었다. 그는 「후기」에서 "이 단시들은 1948년 가을에 이미 출판을 위해 편집을 완료했지만 출판할 기회를 계속 얻을 수 없었다. 이제는 출판할 수 있게 되었지만 '때 지난 소식'이 되어 버렸다. 만약 아름다운 유화나 혹은 장엄한 조각상이라면 시간이 얼마나 지났든지 그 존재에 방해가 되지 않을 것이다. 아니, 시간이 더 오래 지날수록 그 이정표로서의 의의가 더욱 선명해질 것이다. 내 시들이야 물론 미미하여 보잘것없다. 이들 중 몇 편은 그 강렬하거나 혹은 미약한 비분과 규탄을 문자에서 직접 느낄 수 있고, 반면에 몇 편은 의미를 이해하기 어려워 지금 보니 수수께끼 같기도 하다……지금에 와서 그럼에도 이 시집을 출판한 것은 첫째로는 역사란 서로 떼어 놓을 수 없어 오늘은 어제로부터 이어져 온 것이기 때문이며, 둘째로는 그 소란스러운 세월 속에 내가 적어 온 미약하고도 조각난 기상氣象의 기록이 수난자와 전투자들에게는 미약하고 조각났음에도 불구하고 간절한 기억이 될지도 모르기 때문이다"라고 밝혔다.

뤼위안綠原의 시집 『집합集合』이 칠월시총 중 한 권으로서 상하이 니투사에서 출간되었다. 시집에는 「성탄절의 감상聖誕節的感想」, 「사람과 사막人和沙漠」, 「집합」, 「우리는 어떻게 살아가고 있는가我們是怎樣活著」 등 70편의 시와 저자의 「후기」가 수록되었다. 그는 「후기」에서 "이 시집에 수록된 시들은 1942년에서 1948년 사이에 쓴 습작 중의 일부이다. 지금 보니 이 시들은 이미 격렬한 정서의 표현이라 할 수 있을 뿐이다. 비록 당시의 객관적인 역사적 상황이 일반적인 지식분자의 감상과 인식을 제한했다 할 수 있지만, 나 자신이 시대의 진실을 맹렬히 탐구하지 않았던 사실 역시 명백하다. 만약 독자들이 이 시집에서 옛 중국적 성격이 가진 부담이 무거운 면과 용감히 돌진하는 면 모두를 은연중에 읽어내고, 내가 내 몸에 남아 있는, 상처에 가까운 손상된 감정적 요소들을 극복하는 것을 기꺼이 도와주어 내가 다시 앞을 향해 한 발 내딛을 수 있는 힘을 내도록 해 준다면 나는 대단히 감격할 것이다"라고 밝혔다.

뉴한의 시집 『채색된 생활彩色的生活』이 칠월시총 중 한 권으로서 상하이 니투사에서 출간되었다. 시집에는 「오르도스 초원鄂爾多斯草原」, 「나의 집我的家」, 「채색된 생활」, 「피의 유역血的流域」 등 29편의 시와 저자의 「후기」가 수록되었다. 그는 「후기」에서 "이 시들은 내가 해방구에 진입하기 이틀 전에 후펑 동지에게 보낸 것이다. 원래 상하이 해방 전에 이미 편집이 끝나 있었지만 책으로 내 주겠다는 사람이 없었다. 지금 책을 출판할 기회를 얻게 되어 나는 정말로 감격스럽다. 이 시들도 조국의 행진을 따라 오늘날까지 와서 이 웅장한 전투의 바다 속에서 그 몸을 씻고, 다시 조국과 함께 전진하게 될 수 있을 줄은 몰랐다"고 밝혔다.

뉴한은 이후에 "1948년 여름에 나는 외항선의 갑판에 앉아 천진으로 향했다. 나는 처음으로 대해와 갈매기를 보았다. 바닷물은 색이 짙어 물이라기보다는 무거운 기름 같아, 나는 음침함을 느꼈다. 베이핑 쉬안와이宣外에서 열흘을 묵었다. 화베이 해방구에 잠입하기 며칠 전에 나는 가지고 있던 원고를 전부 모아 상하이에 있는 시탄펑郗潭封에게 보내고, 그가 그 원고를 존경하는 후펑 동지에게 보여주기를 바랐다. 원고가 후펑 동지에게 전해진 후에 후펑 동지는 뜻밖에도 내 원고를 전부 잘 읽어본 모양으로, 몇 편은 약간의 수정도 거친 후에 한 권의 책으로 편집했다. 이 시집이 바로 『칠월시총』에 포함된 『채색된 생활』이다. 1949년에 후펑 동지와 나는 모두 베이징에 있었지만, 나는 일하느라 바빠 계속 찾아뵙지 못했다. 시집을 출판사에 넘기기 직전에 그는 빨리 「후기」를 써서 시집에 추가하라고 루메이 편에 전해 왔다"라고 말했다.(「인생과 시에 대한 약간의 회고와 단상對於人生和詩的點滴回顧和斷想」, 『지렁이와 깃털蚯蚓和羽毛』, 인민문학출판사 1986년 -> 각주로 처리해야 할 듯합니다.)

쑨시孫鈿의 시집 『망원경望遠鏡』이 칠월시총 중 한 권으로서 상하이 니투사에서 출간되었다. 시집에는 「망원경」, 「나의 월광곡我底月光曲」, 「어촌漁村」 등 15편의 시와 후평의 「출판후기付印後記」가 수록되었다. 「출판후기」는 "이 시집은 뉴한, 뤼위안, 지팡, 화톄 등 몇 사람의 시집과 마찬가지로 해방 전에 이미 편집이 끝나 있었지만 당시에는 감히 출판하려는 서점이 없었다. 해방 후에는 워낙 바빠서 지금까지 질질 끌어 오다가 이제야 출판되었다. 나는 당시에 혹한에 저항하는 불씨이자 어둠을 뚫는 작은 빛이었던 시들이 지금의 독자들에게도 역사적인 감상을 더 잘 느끼게 해 주는 역할을 하기를 희망한다. 그러면 이 시들은 어쩌면 나날이 고양되고 있는, 새로 태어난 조국과 각성한 인민에 대한 애정의 불꽃 속에서 약간의 연료가 될는지도 모른다. 혹한 속에서 열을 내고 어둠 속에서 빛을 낼 수 있었던 것이라면, 오늘날의 이글거리는 햇빛 아래서는 비록 그 따스함과 불빛이 그 당시만큼 사람들의 주목을 끌지는 못하더라도, 이 태양광의 힘으로 인해 우리가 이들에게 다가가면 오히려 그 열기와 불빛을 더욱 강렬하게 느끼게 될지도 모른다"고 밝혔다.

쑨시(1917~2001), 작가. 본명은 위중루이鬱鍾瑞 혹은 위원위안鬱文源으로 상하이 출신이다. 1933년에 국민당 정부의 박해를 받아 일본으로 망명해 일본대학교와 와세다대학교에서 수학하였다. 중일전쟁 발발 후 귀국해 신사군 제4지대 유수처留守處 공작인원, 다볘산 제8단 연대 본부 비서 및 참모를 맡았다. 중국작가협회 저장분회 고문, 닝보시 작가협회 주석 및 명예주석을 역임하였다. 저서로 『깃발旗』, 『망원경』, 소설집 『시골에서在鄕村裏』, 『초생기初生期』, 『다카노 요시오의 죽음高野良雄之死』(프랑스어로 번역됨), 『쑨시 시문집孫鈿詩文選』 및 역서 『일본 당대시선日本當代詩選』 등이 있다.

후평의 단체 낭송집 『조선을 위하여, 인류를 위하여爲了朝鮮,爲了人類』가 베이징천하도서공사에서 출간되었다. 책에 수록된 저자의 「후기」는 "어떠한 전투의 요구이든 모두 감정의 요구가 된다. 전투의 요구는 감정의 요구와 함께하며, 심지어 감정의 요구를 선봉으로 하여 제고하고 종합한 후 감정의 요구를 더욱 높은 곳으로 끌어올린다. 항미원조대운동이 시작된 후 작가들 사이에서 어떠한 것이 일어나 며칠 동안 선회한 끝에 이처럼 토로되었다. 물론, 이 투쟁의 내용은 너무나 방대해 작가들이 할 수 있는 것은 어느 지점에서 감상을 돌파하는 것뿐이다"라고 밝혔다.

사어우의 시집 『홍차화紅茶花』가 공농병문예총서工農兵文藝叢書 중 한 권으로서 베이징싼롄서점에서 출간되었다. 시집에는 「굉이 밑에 식량이 있다」, 「홍차화」, 「쥐가 소를 훔치다老鼠盜牛」, 「나귀 의사」 등 6편의 시가 수록되었다.

옌천의 시집 『영신곡迎新曲』이 문예창작총서 중 한 권으로서 상하이신화서점 화둥총분점에서 출간되었다. 시집에는 「영신곡」, 「우리는 영광스러운 중화인민공화국의 주인이다我們是光榮的中華人民共和國的主人」, 「첫 번째 홍기가 오른 때부터自從第一面紅旗升起」, 「꺼져라, 미국 침략자여」 등 16편의 시와 저자의 「후기」가 수록되었다. 「후기」에서 그는 "중화인민공화국의 성립이 선포되고, 조국은 역사상 공전의 장엄한 시대에 발을 내딛었다. 모든 것이 급격하게 변화하고, 새로 생겨나며, 창조되고 있다. 모든 것이 찬란히 반짝거리고, 눈부시게 화려하며, 천지를 진동시킨다. 사랑과 원한은 이처럼 강렬하고, 희망과 이상은 끊임없이 우리가 전진하도록 격려한다. 이 시대는 시의 시대이고, 우리가 목청껏 노래해야 하는 시대이다." "그러나 참으로 부끄럽게도, 시를 열렬히 사랑하는 사람으로서 내가 쓴 시는 너무나 적으며 또한 잘 쓰지 못했다. 이 시집에 수록된 시들은 49년과 50년에 창작한 거의 모든 작품이다(게다가 그 중 세 편은 48년에 쓴 구작이다). 시의 내용은 잡다한 방면에 걸쳐 있고, 작풍도 일치하지 않아, 나의 개인적인 감상을 기록한 것일 따름이다"라고 밝혔다.

스리청史立成이 편찬한 『조국을 사랑하다 - 전사 시선愛祖國——戰士詩選』이 군중문예총서 중 한 권으로서 시베이인민출판사에서 출간되었다. 시집은 4부로 구성되어 허신취안何新荃의 「신중국은 참으로 아름답다新中國真美麗」, 주청셴朱成賢의 「공부하지 않으면 큰일난다不學習就糟糕」, 류잔룽劉占榮의 「열심히 생산하자努力生產」, 쑨샤오윈孫霄雲의 「나의 총我的槍」 등 80편의 시와 후차이胡采의 「전사시의 새로운 발전·서문을 대신하여戰士詩的新發展·代序」 및 엮은이의 「머리말」이 수록되었다. 「머리말」은 "이 책에 수록된 100여 편의 시들은 모두 전사들이 1950년에 쓴 시이다. 이 시들을 과거에 전사들이 쓴 '창간시槍杆詩'와 비교해 보면 놀랍지 아니할 수 없다! 몇 편은 마치 전사가 쓴 시가 아닌 듯하다. 사실, 놀라움과는 별개로 사실은 결국 사실이다! 이 시집에 수록된 대부분의 시들은 모두 전사들이 직접 쓴 것이며, 단 몇 편만 선전공작을 하는 동지들이 쓴 것이다(그러나 이 역시 전사들 속에서 직접 생활을 체험한 후에 창작한 것이다). 이 사실은 전사들의 교양 수준이 교양 학습의 절정에 따라 크게 제고되었음을 우리에게 명확히 알려준다. '공인과 농민 출신의 동지들이 문화를 장악하기만 하면, 그들의 문예창작 재능은 무궁무진하다'는 말은 사실 속에서 이처럼 확실하게 증명되었다!"라고 밝혔다.

후차이(1913~2003), 문예평론가. 본명은 선청리沈承立 혹은 선차오즈沈超之로 허베이성 리현蠡縣 출신이다. 1938년에서 1939년 사이에 제2전구 문화항적협회에서 『서선西線』과 『서선문예西線文藝』의 책임 편집자를 맡았다. 1940년 초에 옌안으로 가서 대중독물사大眾讀物社에서 『대중습작大

衆習作』의 책임 편집자를 맡았다. 1941년에 산간닝 변구 문협 대중화공작위원회에서 근무하였으며, 이후에 문협 극작조 조장을 맡았다. 1948년 이후로 『군중문예』, 『시베이문예』, 『옌허』 편집장, 중국작가협회 시안분회 부주석, 중국작가협회 산시陝西분회 주석 및 산시문련 주석을 역임하였다. 저서로 평론집 『주제, 사상 및 기타主題,思想和其他』, 『생활에서 예술까지從生活到藝術』, 『쥔칭의 「자오둥 기록」을 읽고讀峻青的<膠東紀事>』, 『신시기 문예론집新時期文藝論集』, 『후차이 문학평론선胡采文學評論選』 등이 있다.

장이톈張義田의 극본 『경사가 찾아오다喜事臨門』(지방극)가 바오딩허베이인민출판사에서 출간되었다. 리차오力橋 등이 창작한 가무극 『사마귀가 수레를 막다螳螂擋車』가 바오딩허베이인민출판사에서 출간되었다. 스튀의 화극 『다마 극단大馬戲團』이 상하이문화생활출판사에서 출간되었다.

안어安娥의 보고문학집 『소련 아주머니蘇聯大嫂』가 노동출판사에서 출간되었다. 「항장 노비코프港長諾威科夫」, 「소련 아주머니」, 「'나랴오다'"納寥達"」 등의 작품이 수록되었다.

안어(1905~1976), 작가. 본명은 장스위안張式源으로 허베이성 훠루獲鹿 출신이다. 소련으로 유학했다가 1929년에 귀국해 상하이중공중앙특공부에서 근무하면서 시 창작을 시작하였다. 공화국 성립 후에는 베이징인민예술극원, 중앙실험가극원에서 창작원을 맡았다. 저서로 시집 『옌자오 자녀燕趙兒女』, 시극 『수수가 붉어졌다高粱紅了』, 『홍파곡洪波曲』, 『전지의 봄戰地之春』, 아동극 『가짜 남편假佬佬』, 『해석화海石花』, 희곡 극본 『정탐情探』(톈한과 합동 창작), 가사 『신문 파는 노래賣報歌』, 『어광곡漁光曲』, 『세 아가씨三個姑娘』, 『명절 밤節日的晚上』등이 있다. 『안어 문집安娥文集』(3권)이 출간되었다.

싼롄서점, 중화서국, 상무인서관, 카이밍서점, 롄잉서점의 발행기구가 합병되어 '중국도서발행공사'가 설립되었다.

푸젠성 문련에서 편찬한 『푸젠문예福建文藝』가 창간되었다. 1980년에 『푸젠문학福建文學』으로 명칭이 변경되었다. 쑤베이문련의 기관 간행물 『쑤베이문예蘇北文藝』 창간호가 출간되었다.

2월

1일, 『인민문학』 제3권 제4호에 위관잉餘冠英의 논문 「『악부시선』 서문<樂府詩選>序」, 샤오예무의 「어머니의 의지母親的意志」, 리나李納의 「사랑愛」, 쑨쥔칭의 「봉화산 위에서의 이야기烽火山上

的故事」, 줘유민左佑民의 「연기 이야기煙的故事」, 커강의 「편지를 보내다 – 영웅 캉춘의 공적 단편送信——英雄康春功績片段」 등의 소설, 황야오멘의 「우리는 오성홍기를 파미르 고원에 꽂는다我們把五星紅旗插上帕米爾高原」, 쉬쉬팡徐朔方의 「베이징은 이런 곳이다北京是這樣的一個地方」 등의 시, 웨이웨이의 「조선인朝鮮人」, 왕시옌의 「힘의 가장 큰 원천力量的最大源泉」 등의 산문과 딩링의 영화 극본 「전투하는 사람들戰鬥的人們」이 발표되었다.

리나(1920~2019), 이족彝族 작가, 편집자. 본명은 리수위안李淑源이며 윈난성 루난路南 출신이다. 1940년에 옌안으로 가서 중국여자대학에 입학하였다. 1942년에 옌안루예 문학과에 입학하였다. 졸업 후에 옌안중학에서 교편을 잡았다. 종전 후에 둥베이로 가서 『둥베이일보』, 『둥베이화보』에서 편집자 및 기자로 근무하였다. 1948년에 『둥베이일보』 부간에 첫 소설 「석탄」을 발표하였다. 1950년대 초에 중앙문학연구소에서 수학하면서 근무하였으며 이후에 작가출판사에서 편집심사위원을 맡았다. 주요 저서로 단편소설집 『석탄煤』, 『맑은 물明淨的水』, 장편소설 『자수 놓는 사람의 꽃刺繡者的花』 등이 있다.

『창장문예』 제4권 제1호에 사설 「애국주의 – 문예창작의 위대한 주제愛國主義——文藝創作的偉大主題」, 위린의 소설 「평화의 수호자」, 리얼중의 「린샹첸, 스양 열사의 깃발 아래在林祥謙, 施洋烈士的旗幟下」, 바이런의 보고 「'8·1호'와 그녀의 동료"八一號"和她的夥伴」, 딩윈의 「우리의 자랑我們的驕傲」이 발표되었다.

문예동태 보도에 의하면, 장시성 문련과 난창시 문교국에서 중공중앙 중난국 선전부의 신년 춘절 선전공작에 관한 지시에 근거해 해당 시의 40여 개 단체를 소집해 좌담회를 개최하여, 난창시 신년 춘절 문예선전위원회의 설립을 통해 희극, 음악, 미술, 문학 등의 평의위원회를 구성하고 동시에 공장문예대회를 개최하였다. 토지개혁 및 항미원조 국가수호 운동의 전개에 따라 후베이성 각지의 문예선전 활동이 나날이 활발해졌다.

상하이인민예술극원 실험극단에서 자오쉰의 「인민의 의지人民的意志」, 「처음부터 배우다從頭學起」, 위허雨禾의 「스탈린에게 감사한다感謝史大林」, 리수쓰李束絲의 「놀람병吃驚病」 등 4편의 단막극을 공연하기 시작하였다.

『소설월간』 제5권 제1호에 웨이진즈의 논술 「군장을 꾸리는 것과 군장에 눌려 죽는 것打背包和被背包壓死」, 쉬제의 단편소설 「왕 지배인王老板」, 웨이시의 단편소설 「낙오될 수 없다不能掉隊」, 쑤판의 단편소설 「사고事故」, 바진의 산문 「아우슈비츠 수용소 이야기奧斯威辛集中營的故事」, 류바이위의 「모스크바를 향해 가다走向莫斯科」 등이 발표되었다.

웨이시(1922~2005), 작가. 본명은 리웨이시李維西, 필명은 린인핀林音頻으로 장쑤성 전장鎮江 출신이다. 신화사 종군기자, 신화서점 편집자, 『소년아동』 잡지 책임 편집자, 『산둥문학』 잡지 부편집장 등을 역임하였다. 1949년부터 작품을 발표하였으며 1963년에 중국작가협회에 가입하였다. 저서로 장편소설 『세류涓流』, 단편소설집 『농장의 손님農莊的客人』, 『성급한 사람性急的人』, 아동문학집 『아이의 선물』, 『영광스러운 작은 유격대장光榮的小遊擊隊長』 등이 있다. -> 1950년 11월에는 리웨이시로 소개되어 있으며, 내용은 동일합니다.

샤오판(1907~1953), 작가. 본명은 위원짜이鬱文哉로 장쑤성 장인江陰 출신이다. 1940년에 혁명 공작에 참가하였으며 『중소문화中蘇文化』 잡지의 편집자 및 편집장, 『희극월보』 편집자(천바이천陳白塵, 차오위 등과 합동 편집)를 역임하였다. 공화국 성립 후에는 『인민일보』 부간 『소련 연구蘇聯硏究』 편집자를 맡았다.

중국영편경리공사中國影片經理公司 총공사가 베이징에 설립되어 뤄광다羅廣達가 책임자를 맡았다.

2일, 베이징시 해방 2주년을 경축하기 위해 베이징인민예술극원에서 라오서의 화극 「용수구」를 최초로 공연하였다. 자오쥐인焦菊隱이 감독하고 위스즈於是之가 주연을 맡았다. 이 화극은 관중들로부터 큰 환영을 받았다.

자오쥐인(1905~1975), 희극가, 번역가. 본명은 자오청즈焦承志, 필명은 쥐잉居穎, 쥐인居尹, 량처우亮儔 등이며 예명은 쥐잉菊影이었다가 이후에 쥐인菊隱으로 변경하였다. 본적은 저장성 사오싱이며 톈진에서 출생하였다. 베이징인민예술극원의 창시자 중 한 사람이다. 1930년에 베이핑희곡전문학교를 창립해 교장을 맡았다. 1935년에 프랑스로 유학해 파리대학교에서 수학하여 문학박사학위를 취득하고, 귀국한 후에는 희극개혁에 힘을 쏟았다. 종전 후에는 베이핑사범대학 영문과 주임을 맡아 베이핑예술관을 설립하였다. 1949년에 베이징사범대학 문학원 원장 겸 외국어문학과 주임을 맡았다. 베이징인민예술극원 제1부 원장 및 총감독 겸 예술위원회 주임을 오랫동안 맡아 중국 및 외국의 유명 연극을 여러 편 감독하였다. 저서로 시집 『밤에 울다夜哭』, 『타향他鄕』, 장편소설 『충칭 소야곡重慶小夜曲』, 논저 『감독의 예술창조導演的藝術創造』, 『자오쥐인 희극논문집焦菊隱戲劇論文集』, 『자오쥐인 희극산론焦菊隱戲劇散論』 등이 있다. 역서로 『블리초프布利喬夫』, 『전야前夜』, 『갈매기海鷗』, 『체호프 희극집契訶夫戲劇集』 등이 있다. 『자오쥐인 문집焦菊隱文集』(10권)이 출간되었다.

3일, 광저우문예계에서 항미원조 및 미 제국주의의 일본 무장 반대 시위를 진행하여 6,000여 명이 참가하였다. 화난문련 주석 어우양산이 연설하여 문예계에서 각종 문예형식을 이용해 항미원조에 대한 인민의 열정과 투쟁에 대한 용기를 고무할 것을 호소하였다.

리보자오의 「베이징시 문예공작자의 1년간의 성취 및 아직 해결되지 않은 문제北京市一年來文藝工作的成就和尙待解決的問題」가 『인민일보』에 발표되었다.

4일, 『인민일보』에 라오서의 창작자술 「「용수구」의 창작 과정<龍須溝>寫作經過」이 발표되었다. 같은 일자의 『광명일보』, 『신민보』 및 『인민희극』 제2권 제6호에도 이 글이 발표되었다. 라오서는 글에서 처음 극본을 창작할 당시의 생각과 구상 과정을 상세히 소개하고, 본인이 쓴 이 희극에 대해 '희극 같지 않은 희극'이라고 말했다.

7일, 혁명 열사들과 좌련 작가 리웨이썬李偉森, 후예핀, 러우스柔石, 펑컹馮鏗, 바이망우白莽五 등의 열사들의 순국 20주년을 기념해 『해방일보』 등의 신문에 기념 특집호가 발행되었다.

10일, 허치팡의 「「실천론」과 문예창작」이 『인민문학』 제3권 제5호에 발표되었다.

『문예보』 제3권 제8호부터 천치샤陳企霞의 「무적의 힘은 어디에서 오는가 – 비예의 소설 『우리의 힘은 무적이다』를 평하다無敵的力量從何而來——評碧野的小說<我們的力量是無敵的>」와 우푸의 「『우리의 힘은 무적이다』에 대한 나의 의견我對<我們的力量是無敵的>的意見」 등 비예의 장편소설 『우리의 힘은 무적이다』를 비판하는 두 편의 글이 발표되었다. 천치샤는 글의 「덧붙임附記」에서 “나는 이 소설이 중국인민문예총서에 포함되는 것이 타당하지 못하다고 본다. 인민문예총서는 평범한 총서가 아니다. 이 총서는 우리가 문예의 새로운 방향을 수립한 이래 모범이 되는 총서이다. 총서 가운데 몇몇 작품이 종종 비예의 이 소설처럼 '조잡하다'고 여겨진다 할지라도, 그것이 과거 해방구의 작품들이 전부 조잡하지 않다는 의미는 아니다. 선별과 편집 작업을 거쳐 군중의 검증에 근거해 진행되었으므로, 절대다수의 작품들은 모두 공농병 문예 방향의 발전 과정에서 많든 적든 간에 창조적인 의의(내용에서 형식까지)를 가지고 있기 때문에 대표성을 지닌 작품이 된 것이다. 그러나 비예의 소설 『우리의 힘은 무적이다』는 이러한 요구와는 거리가 멀다”고 말했다.

뒤이어 『광명일보』와 『해방군문예』에도 이 소설을 비판하는 글이 게재되었다. 그 가운데 장리윈張立雲의 「소자산계급 사상이 문예창작에 끼치는 위해성을 논하다論小資產階級思想對文藝創作的危害性」은 『신화일보』 8월호와 『인민문학』 제4권 제5호에 모두 전재되었다. 비예는 5월 23일에 『문예보』 편집부에 자기반성을 했으며 작품도 수정하는 중이라는 내용의 서신을 보냈다. 비예의 서신은 『문예보』 제4권 제5호에 게재되었다.

장리윈(1921~), 작가. 필명은 장인판張因凡으로 허난성 쑤이현睢縣 출신이다. 1937년에 허난성립제1사범학교를 졸업하였다. 항일극단 지도원, 팔로군 정치부 비서 및 간사, 『화베이군대보 편집장, 총정치부 8·1 잡지사 편집조장, 『해방군문예』 평론조장, 허난성 문련 위원 및 작가협회 이사를 역임하였다.

『문예보』 같은 호에 민쩌敏澤의 「문예 간행물을 잘 발행하자辦好文藝刊物」가 발표되었다. 그는 글에서 "문예 간행물은 군중의 토양에 뿌리를 내리고 군중의 지혜를 부단히 흡수해야만 무한한 생기를 획득할 수 있다"고 주장하면서, 동시에 전국적인 성격의 간행물과 지방적인 성격의 간행물을 비교하였다. 그는 "전국적 간행물과 지방적 간행물은 분업을 해야 한다. 전국적 문예 간행물은 자신만의 대상과 임무가 있으므로, 문예공작과 문예운동 및 문예사상 전체를 지도하는 글을 자주 게재해야 한다. 그리고 지방적 간행물의 가장 중요한 임무는 간행물의 군중성, 지방성, 통속성을 강화하여 군중과 밀접한 연락을 취하며 군중에게 새로운 정신적 양식을 자주 제공하는 것이다"라고 보았다.

『문예보』 같은 호에 왕야핑의 「「분노의 불화살」에 대한 자아반성對於<憤怒的火箭>自我批評」이 발표되었다. 그는 글에서 "『문예보』 제3권 제6호에서 리윈, 치샹, 웨이웨이 세 동지가 나의 「분노의 불화살」에 관해 엄정히 비판하며 주제의 파악과 언어 및 풍격에 있어서의 주된 결점을 지적하였다. 나는 진심으로 감사하며, 그들의 비평이 나의 창작에 큰 도움이 되었다고 생각한다. 나는 비평문과 나의 시를 대조해 본 후 내가 정치에 대한 구체적인 이해가 결핍되어 있으며 상상에 기대어 현실을 왜곡했음을 깨달았다. 앞으로 시 창작에 있어 엄숙한 태도를 가지고 작품의 사상성과 예술성을 제고하기 위해 노력하기로 결정했다"고 밝혔다.

'편집부의 말'은 "본 간행물의 제3권 제6호에 시를 평론하는 몇 편의 글이 게재된 후 수많은 독자들로부터 서신과 투고를 받았다. 그들은 모두 문예창작에 존재하는 성급하고 조잡한 현상에 대한 비평이 바로 지금 꼭 필요한 것이라고 보았다. 독자들은 이러한 원칙적인 비평이 지속적으로 전개되기를 희망했으며, 또한 장작 태도가 충분히 엄숙하지 못한 작가들이 자기 자신을 엄격하게 반성하여 앞으로의 공작 과정에서 개선의 효과를 얻을 것을 요구하였다. 우리는 문예공작과 작가들, 시인들에 대한 독자들의 애정과 관심에 대단히 감사드린다. 그들의 의견은 중시할 가치가 있으므로, 서신과 투고 원고 중 일부를 발췌해 여기에 발표한다. 우리는 수많은 군중의 격려와 도움 아래 우리의 문예창작과 문예비평 공작이 반드시 더 나은 발전을 이룰 것이라고 믿는다"라고 밝혔다.

『문예보』 같은 호에 장경의 「문예사상과 창작－소련 희극 감상 제1편文藝思想和創作－－蘇聯戲劇觀感之一」이 발표되었다. 장경은 글에서 "1. 소련 문예의 목적: 사실상, 소련의 문예는 소련 인민의 영혼을 개조하였을 뿐만 아니라 전세계 인민의 영혼을 개조하고 있다. 2. 사회주의적 현실주의, 3. 「사상결정思想決定」 전후의 상황, 4. 문예비평, 5. 소련 작가의 창작활동" 등의 내용을 제기하였다

(다음 호에 연재 완료).

『문예보』 같은 호에 「볜즈린의 시 「톈안먼 4중주」에 관한 논의」, 「전국문련 성명문: 미 제국주의의 일본 무장을 단호히 반대한다全國文聯聲明：堅決反對美帝武裝日本」, 왕차오원의 「어째서 주제가 명확하지 못한가 – 후쯔 동지의 만화 「미국 종이호랑이와 전쟁상인 트루먼, 맥아더, 애치슨」을 평하다爲什麽主體不明確––評胡孜同志的漫畫<美國紙老虎與戰爭販子杜魯門, 麥克阿瑟, 艾奇遜>」, 화쥔우華君武의 「인민 영수를 칭송하는 작품을 더 많이 창작하자多多創作歌頌人民領袖的作品」, 쉐위안雪原의 「지방 문예 간행물의 지방성과 군중성 - 『허베이문예』와 『후베이문예』 소개地方文藝刊物的地方性與群眾性––介紹<河北文藝>和<湖北文藝>」, 왕리퉈王黎拓의 「『창장문예』의 통신원 공작<長江文藝>的通訊員工作」, 천위안陳原의 「평화의 전사 예렌부르크 – 예렌부르크 60세 생일 축하和平戰士愛倫堡––祝愛倫堡六十壽辰」(1월 27일에 60세 생일을 맞은 소련의 작가이자 사회활동가 예렌부르크에게 전국문련과 전국문협에서 1월 24일에 보낸 축하 전보), 캉줘의 「어머니들에게 경의를 표하다向母親們致敬」, 두가오杜高의 「청천강을 건너다渡清川江」가 발표되었다.

화쥔우(1915~2010), 화가. 별명은 화차오華潮이다. 본적은 장쑤성 우시이며 저장성 항저우에서 출생하였다. 중학교 시기부터 만화 작품을 발표하였다. 중일전쟁 발발 후 항전 전전공작에 종사하였으며 이후에 옌안으로 갔다. 1946년 1월에 『둥베이일보』 문자 기자文字記者를 맡았으며 이후에 문예부에서 시사만화를 전문으로 담당하였다. 1949년 12월에 베이징으로 이동해 『인민일보』 예술조 조장 및 문예부 주임을 역임하였다. 1953년 이후로 전국미술가협회의 업무를 겸임하였다. 1979년에 중국미술가협회 부주석에 당선되어 일상적인 업무를 주관하였으며, 미술 조직 및 행사 업무에 오랫동안 종사하였다. 저서로 『화쥔우 만화선華君武漫畫選』, 『화쥔우 만화華君武漫畫』 및 『나는 어떻게 생각하고 어떻게 만화를 그리는가我怎樣想和怎樣畫漫畫』, 만화영화 각본 『거만한 장군驕傲的將軍』, 『황금몽黃金夢』 등이 있다.

두가오(1930~), 희극 및 영상 평론가. 후난성 창사 출신이다. 12세에 항일구국연극활동에 참가하였으며, 이후에 신문사에서 근무하면서 창작을 시작하였다. 19세에 첫 문예평론집을 출간하였으며 20세 때부터 전문 각본가로 활동하였다. 1955년에 후펑 사건에 연루되어 그 후로 24년간 불우한 시기를 보낸 끝에 1979년에 복권되어 중국극협에 복귀해 업무를 맡았다. 중국극협 서기처 서기, 중국희극출판사 편집장, 중국전시예술가협회中國電視藝術家協會 서기처 서기, 『당대전시當代電視』 편집장 등을 역임하였다. 저서로 문예평론집 『사상전선 위에서在思想戰線上』, 통신집 『조선에서의 전투戰鬥在朝鮮』, 극본 『38선을 향해 전진하다向三八線前進』, 희극평론집 『전환과 전진轉折與前進』, 회고록 『다시 어제를 보다又見昨天』 등이 있다.

『문예보』 같은 호의 '문예동태'에서는 시가 형식에 관한 문제를 총결산하며 "이 문제에 관해서는 과거에 이미 수많은 토론이 진행되어 왔는데, 베이징 『광명일보』 부간 『문예평론』 1월 13일자에 발표된 주커위竹可羽의 「5·7·9언에 관하여略談五七九言」와 25일자에 발표된 린경의 「다시 9언시를 말하다再談九言詩」 두 편이 주목할 만한 토론 문장이다. 그러나 시의 내용과는 별개로 단순히 그 형식만을 토론하고, 또한 형식을 시의 글자수라는 면에만 국한시키는 토론 방식은 매우 타당하지 못하므로, 시가 공작자들이 이 토론의 발전에 주의하여 정확한 방향으로 토론을 이끌어 가기를 희망한다"고 밝혔다.

15일, 『중국청년』 제58호에 웨이쥔이의 「나는 소련 동지가 사상성을 이야기하는 것을 들었다我聽到蘇聯同志講思想性」(소련 여행 기록 2편)가 발표되었다.

시안문예계에서 미 제국주의의 일본 무장 반대 시위를 진행해, 4,000여 명이 참가해 「애국공약愛國公約」을 통과시켰다. 공약의 주된 내용은 적극적으로 정치에 관해 배우고, 항미원조 선전공작을 확대하고 심화하며, 애국주의 정신을 발양해 항미원조 국가수호 작품을 대량으로 창작하고, '독소'를 포함한 희극과 영화 등을 상연하지 않는 것 등이다.

20일, 『신희곡』 제1권 제6호에 마옌샹의 「희곡개혁의 중요 문제에 관하여談戲曲改革的重點問題」가 발표되었다.

21일, 마오쩌둥이 「중화인민공화국 반혁명 처벌 조례中華人民共和國懲治反革命條例」를 발포하였다.

22일, 『인민일보』에 사설 「어째서 반드시 반혁명을 단호히 진압해야 하는가?爲什麼必須堅決鎮壓反革命?」가 게재되었다.

상하이문예공작자들이 미국의 일본 무장을 반대하는 대회를 개최해 샤옌, 펑쉐펑, 천바이천 등 10여 명이 참석하였다. 회의에서는 「상하이문화예술공작자의 미 제국주의의 일본 재무장 반대 행동강령上海文化藝術工作者反對美帝重新武裝日本的行動綱領」이 통과되었다.

24일, 영화 「백모녀」가 체코슬로바키아어로 번역되어 프라하에서 상영되었다.

『중국청년』 제59호에 펑전의 「우리는 런비스 동지를 이렇게 배워야 한다我們要這樣來學習任弼時

同志」, 구무顧穆의「우리의 위대한 조국을 어떻게 인식할 것인가怎様認識我們偉大的祖國」, 후평의「위대한 열정이 위대한 사람을 창조한다」(2)가 발표되었다.

25일,『문예보』제3권 제9호에 사설「실천 속에서 진리를 인식하는 길을 부단히 개척하자 -「실천론」을 학습해 문학예술의 이론 및 사상적 수준을 제고하자在實踐中不斷開辟認識真理的道路——學習<實踐論>,提高文學藝術的理論思想水平」, 펑쉐펑이 집필한「루쉰 저작의 편집 교정 및 주석 공작 방침과 계획 초안魯迅著作編校和注釋的工作方針和計劃草案」, 장톈이의「관심과 주의의 분야 - 중앙문학연구소에서의 대화關心和注意的方面——在中央文學研究所談」, 라오서의「「용수구」의 인물」및 양리楊犁의「「용수구」를 평하다評龍須溝」가 발표되었다.

라오서는 글에서 "만약「용수구」라는 극본에 칭찬할 만한 점이 있다면, 그것은 분명히 이 극본이 몇 명의 인물을 창조해냈기 때문이다. 모든 인물들은 각자의 성격과 모습, 생각, 생활 및 자신과 용수구와의 관계를 가지고 있다"고 말했다. 양리 역시 자신의 글에서 "베이징 해방 2주년에 라오서 선생의「용수구」가 베이징에서 공연을 시작했다는 것은 매우 의미 있는 일이다. 2년간 발표된 작품들 가운데 비교적 완성도 있는 이야기를 통해 해방 후의 베이징의 시정 건설을 효과적으로 칭송한 작품은 이 작품이 최초이다. 그리고 최근 2년간 베이징시 인민정부는 시정 건설 측면뿐만 아니라 여타 각 방면에서도 인민을 위해 여러 가지 일을 해 왔다. 확실히 우리는 문예작품에 이런 면을 거의 반영하지 못했다.「용수구」는 이런 측면에서 선도적인 역할을 했다"고 평했다.

양리(1923~1994), 작가. 장쑤성 난징 출신이다. 1948년에 베이징대학 외국어문학과를 졸업했다. 공화국 성립 이후에 전국 제1차 문대회 준비위원회 위원,『문예보』편집부 부주임, 중국작가협회 비서실 부주임 및 연구실 부주임,『신관찰』잡지 부편집장, 중국현대문학관 관장,『중국현대문학연구中國現代文學研究』총서 책임 편집자를 역임하였다. 1949년부터 작품을 발표하였다.

『문예보』같은 호에 여러 편의 비평 및 '반성' 문장이 게재되었다. 사어우는「「나귀 의사」에 관한 반성」에서 "「나귀 의사」를 쓴 동기는 러우스이 동지의 아이가 화베이인민병원의 소홀로 인해 적절한 치료를 받지 못하고 사망한 사건이 일어났기 때문이다. 그러나 화베이인민병원을 겨냥해 쓴 것은 아니었다. 당시 나의 의도는 이러한 비교적 전형적인 사실로써 관료주의적 작풍이 혁명공작에 끼치는 위해를 폭로하려는 것이었다.「나귀 의사」에 존재하는 주된 결점은 정책적인 관점이 혼란스럽다는 것과 입장이 확고하지 못하다는 것 두 가지이다. 시 속에서 우리 편을 비판했다는 사실을 나는 창작 당시에 명확히 인지하고 있었다. 그러나 우리 편을 향해 날카로운 조소와 신랄한 풍자를 가해 적과 아군을 구분하지 못할 지경에 이르렀다는 점은 자각하지 못했다. 때문에, 비판받은 사람이 비판을 받아들일 수 있는지, 반감을 가지게 될 것인지 아닌지, 그리고 이렇게 하는 것이 단결에 얼마나 큰 방해가 될 것인지를 나는 고려하지 못했다. 이런 잘못의 근원은 어디에 있는가? 나는 최근 몇 년 사이의 나의 습작들을 훑어보고, 해방 전에 쓴 작품들을 자세히 읽어보았다. 그런 끝에 나는 나 자신이 정치적인 수준이 낮고 일처리가 거칠 뿐만 아니라, 교만하고 자만심이 강하며 예술을 위한 예술을 한다는 사상의 잔재가 남아 있다는 두 가지 중대한 고질병을 가지고 있음을 알게 되었다"고 말했다.

후쯔는 「나의 반성我的檢討」에서 "최근에 왕차오원 동지가 『문예보』 제3권 제8호에 「어째서 주제가 명확하지 못한가」라는 제목으로 내가 『인민만화人民畫報』 제1권 제6호에 발표한 만화를 비평하였다. 이 만화의 제목은 「미국 종이호랑이와 전쟁상인 트루먼, 맥아더, 애치슨」이다. 왕차오원 동지는 이 만화의 주제가 명확하지 못하고 장식적인 취미를 강조해, 예술 면에서의 장식적인 취미와 풍자라는 주제가 한 작품 속에서 모순을 이뤄 풍자의 대상인 인물이 미화되고 있어, 이는 잘못된 일이라고 비평하였다. 이 비평은 정확할 뿐만 아니라 정곡을 찌른 것이다. 정곡을 찌르는 의견은 언제나 더욱 받아들이기 쉽다. 정곡을 찌르지 못한 의견이라 하더라도, 그 의견이 신랄하다 해도, 옳은 의견이라면 이 역시 반드시 받아들여야 한다"고 말했다.

융췬詠群의 글 「「마오쩌둥의 노래」로부터 이야기를 시작하다從<毛澤東之歌>談起」은 인민 영수를 칭송한 몇몇 가곡을 지적하며, 그 가운데 특히 장춘차오張春橋가 작사하고 루쑤蘆肅가 작곡한 「마오쩌둥의 노래」에 심각한 결점이 존재한다고 지적하였다. 그는 "이 가곡의 감정은 대단히 건강하지 못하다. 우리는 이 의견이 음악공작 부문의 주의를 불러일으키기를 바란다. 또한 음악공작의 책임을 맡은 동지가 이 가곡에 대해 심사를 진행해, 만약 이 가곡에 인민 영수의 위대한 형상과 영수에 대한 인민의 경애의 감정을 손상시키는 면이 확실히 존재한다면 응당 공연을 중지하고, 필요한 부분에 수정을 가하며, 이미 녹음된 음반도 반드시 폐기할 것을 건의한다"라고 말했다.

같은 호에 후단페이의 「좁은 테두리를 뛰쳐나오다 - 「총을 들지 않은 적」에 존재하는 결점에 대한 반성跳出狹小的圈子——對<不拿槍的敵人>存在的缺點的檢討」, 레이멍雷萌의 「마오쩌둥의 교육 아래在毛澤東的教養下」, 린단추林淡秋의 「위험에서 위험으로從風險到風險」, 왕시옌의 「평화를 위한 전쟁爲了和平的戰爭」, 샤오싼의 통신 「노익장 예렌부르크 - 예렌부르크 60세 경축회 기록老而益壯的愛倫堡——記愛倫堡六十歲慶祝會」, 장경의 「문예사상과 창작 - 소련 희극 감상 제1편」(연재 완료) 등이 발표되었다.

린단추(1906~1981), 문학가, 번역가. 본명은 린쩌룽林澤榮이며 린빈林彬, 잉빙쯔應冰子, 잉푸췬應服群, 샤오쑹밍肖頌明 등의 필명을 사용하였다. 저장성 닝하이寧海 출신이다. 1928년에 상하이예술대학에서 수학하던 당시에 창조사의 구성원과 접촉하며 혁명문학의 영향을 받았다. 1942년 초에 소중항일근거지蘇中抗日根據地로 가서 신문 편집자, 편집장, 사장을 역임하였다. 1945년 가을에 상하이로 돌아가 『시대일보』, 『시대잡지』의 편집을 맡았다. 1950년에 『인민일보』로 이동해 편집위원, 부편집장, 문예부 주임을 맡았다. 역서로 『브로드스키布羅斯基』, 『1918년의 레닌列寧在一九一八』, 『서행만기西行漫記』(합동 번역), 『시간아! 전진하라時間呀!前進』, 『중국의 신생中國的新生』 등이 있으며 저서로 소설집 『암흑과 광명黑暗與光明』, 『산황散荒』, 산문수필집 『교향交響』, 『아마추어 만필業餘漫筆』 등이 있다.

같은 날, 상하이문예계에서 '좌련 5열사' 희생 20주년을 추모하는 기념회를 개최하였다. 『인민일보』 3월 4일자에 기념회가 성황리에 개최되었다는 기사가 보도되었다.

26일부터 28일까지 『광명일보』에 쑨위의 「「무훈전」 각색 기록編導<武訓傳>記」, 둥웨이촨董渭川의 「교육적 관점에서 「무훈전」을 평하다由教育觀點評<武訓傳>」 등 영화 「무훈전」을 평가하는 글이 게재되었다.

쑨위(1900~1990), 영화감독, 각본가. 본적은 쓰촨성 쯔궁自貢이며 충칭에서 출생하였다. 난카이중학, 칭화대학, 미국 위스콘신대학교, 뉴욕 촬영학원에서 수학한 후 1926년에 귀국해 상하이로 돌아갔다. 1928년에 첫 작품 「소상루瀟湘淚」를 각색하고 연출하였으며, 「작살 괴협漁叉怪俠」, 「풍류검객風流劍客」, 「고도춘몽故都春夢」, 「들풀과 들꽃野草閑花」, 「들장미野玫瑰」, 「함께 국난을 구하다共赴國難」, 「화산정혈火山情血」, 「하늘이 밝다天明」, 「작은 장난감小玩意」, 「대로大路」, 「만리장천萬裏長空」, 「불의 세례火的洗禮」, 「무훈전」, 「노반의 전설魯班的傳說」, 「친낭메이秦娘美」 등의 영화를 각색 및 감독하였다. 저서로 『쑨위 영화극본 선집孫瑜電影劇本選集』이 있으며 영역서 『이백 시 신역李白詩新譯』이 있다.

둥웨이촨(1901~1968), 사회교육가. 본명은 둥화이董淮, 자는 웨이촨渭川으로 산둥성 쩌우현鄒縣 출신이다. 1927년에 베이징사범대학 고등사범학교 국문연구과國文硏究科를 졸업하였으며 1948년에 구삼학사九三學社에 가입하였다. 공화국 성립 후에 베이징사범대학 교수 및 부교무장, 구삼학사 제3, 4기 중앙상무위원, 전국정협 제2~4기 위원을 역임하였다. 저서로 『중국문맹문제中國文盲問題』, 『구교육 비판舊教育批判』, 『신중국의 신교육新中國的新教育』, 『사회교육강요社會教育綱要』 등이 있다.

이달에 시안 『군중일보』에 「샹어香娥」라는 작품이 발표된 후, 작품에 드러난 계급적 관점과 인물의 전형성 문제로 인해 독자들의 열띤 토론을 불러일으켜 『시베이문예』 제1권 제4호에서 이 토론에 대한 종합적인 분석을 진행하였다.

『대중문예』 제7호에 「각 신문의 루쉰 기념 특집호를 평하다評各報紀念魯迅的專文」가 게재되어, 충칭의 각 신문에서 작년의 루쉰 기일에 발표한 기념의 글에 존재하는 몇몇 타당하지 못한 부분을 엄정히 지적하였다.

중앙희극학원에서 「러시아 문제俄羅斯問題」를 공연한 후 배우들의 창조 방법에 관한 반성이 전개되어, 배우들의 연기에 형식주의적 경향이 보편적으로 존재한다는 점이 발견되었다. 본 학원의 기관 간행물 『희극통신戲劇通訊』 제4호에 샤둔夏惇의 반성 총결산 「연기의 형식주의에 반대하다反對表演上的形式主義」 및 배우 댜오광탄刁光覃, 경전耿震, 팡관더方管德 각자의 결산 문장 등 4편의 글이 게재되어 이러한 불량한 경향이 생겨난 원인을 분석하였다. 같은 호에 「배역은 어떻게 준비하는가如何准備角色」와 「배우의 복장 속의 볼셰비키 당성演員穿著中的布爾什維克黨性」 등 두 편의 번역문이 게재되어 인물을 창조하는 정확한 방법을 설명하였다.

소수민족 문학의 발전에도 주목할 만하다. 시베이문련이 편찬하는 『시베이문예』는 이미 5호까지 발행되어, 시베이 소수민족 생활을 반영한 작품을 중점적으로 게재하는 것을 그 특징으로 삼았다. 『네이멍구 문예內蒙文藝』 제1권 제4호에 네이멍구 문예공작을 평론한 어거스틴 등의 글 4편이 게재되었는데, 모두 네이멍구 문공단이 과거에 진행한 공작에 존재하는 주된 결점을 지적하였다. 주로 도시에서 간부들을 대상으로 전혀 각색 없이 공연된 「피맺힌 원한」(몽골어로 번역해 공연)은 대중들의 호응을 얻지 못했으며, 시멍錫盟이 연출한 「백모녀」는 목축업 지구에 관한 당의 정책을 위반하였다. 이 네 편의 글은 '민족 형식', '초지草地 문예의 보급 및 제고', '현재 무용예술의 발전' 등의 문제에 대해서는 서로 상당히 다른 관점을 보여 더욱 깊이 있는 연구와 토론이 필요하다.

선장沈江 등이 편찬한 『창작연구寫作研究』 제1집이 시안시베이인민출판사에서 출간되었다.

톈젠의 중편소설 『그릇을 두드리는 그림拍碗圖』이 베이징싼롄서점에서 출간되었다.

볜즈린의 시집 『파도 하나를 넘다翻一個浪頭』가 신문학총서新文學叢刊 중 한 권으로서 상하이핑밍출판사平明出版社에서 출간되었다. 볜즈린은 "작년 11월에 항미원조가 웅장한 운동으로 발전했다. 나도 11월 7일부터 30일까지 시를 20여 편이나 썼다. 시를 쓸 당시 나는 호소에 응하는 동시에 자발적으로 창작하고, 정치 임무에 임하는 동시에 예술적인 공작에 임하며, 생각을 표현하는 동시에 도를 논하고, 형식을 통해 내용에 이르는 데도 곤란함이 없다는 주관적인 느낌을 받았다. 과작을 하는 나에게 있어 3주 좀 넘는 시간 동안 8백 행이 넘는 시(나의 『십년시초』는 고작 1천 행이 좀 넘는 정도이고, 그 이후 10년 동안은 창작량이 더욱 적었다)를 썼다는 것은 대단한 풍작이라 할 만하다(이 시들은 「톈안먼 4중주」 등 한두 편을 빼고는 『파도 하나를 넘다』라는 제목의 시집으로 엮여 이미 상하이핑밍출판사에서 출간되었다). 이 시들은 한 가지 주제에 대해 쓴 것이지만, 여러 가지 각도에서 여러 가지 방식을 통해 쓰면서 여러 면을 '깊이 파고들어' 쓰고자 했다. 그 결과 각 방면의 독자들이 모두 어떤 면은 친근하고 어떤 면은 생소한 느낌을 받게 된 듯하다. 나는 나중에야 이 사실을 스스로 깨달았다. 이것은 내가 '심오한 내용을 쉽게 표현하는' 사상 및 예술적 수양이 부족했기 때문에 나타난 결과이다"라고 말했다(「「톈안먼 4중주」에 관한 반성關於"天安門四重奏"的檢討」, 1951년 4월 10일자 『문예보』 제3권 제12호).

볜즈린은 이후에 "1950년에 한국전쟁이 발발한 직후에 나는 폭발하는 적개심의 발로로 11월 한 달 동안 단숨에 여러 편의 항미원조 시를 창작하였다. 대부분을 간행물에 발표한 후에 「파도 하나를 넘다」라는 시집으로 엮었다(나는 지금 이 시집의 제목조차 언급하기가 두렵다). 구어의 숙련된 사용을 자처했음에도 불구하고 여러 가지 서양 형식을 사용했다. 이전까지 수차례 사용했던 14행시를 썼을 뿐만 아니라 처음으로 론델체rondel와 3운구체terzarima를 사용하기도 했다. 그러나 일부 사람들은 나를 외국 것만 숭배하는 '가짜 서양 귀신'이라고 악의적으로 조롱했고, 또 다른 사람들은 나를 제국주의 분자라고 비난하고 거세게 저주했는데, 상스러워 견딜 수 없을 지경이었다. 오히려 한 편 한 편의 시들, 가령 야간 행군 생활에 대해 쓴 시의 경우, 나는 조선 전장에 가 본 일이 없어 예전에 타이항산 근교에서 직접 종군하며 경험한 감상을 참고하여 썼는데, 그래서인지 예술적인 감화력이 비교적 길었던 듯하다. 얘기하자니 이상한 일이다. 『위로신집慰勞信集』이라는 시집은 50년이 넘는 시간 동안 나 자신의 주관적인 판단과 객관적인 반응 모두에 근거해 그 중에서 두 편만을 제외했을 뿐이지만, 『파도 하나를 넘다』의 경우에는 1, 2년 사이에 스스로 거의 전부를 폐기해 버리고, 비교적 친근하고 다소 예술성을 가지고 있는 단 서너 편만을 남겼다"고 말했다.(볜즈린: 「잊을 수 없는 속세의 인연難忘的塵緣」, 『신문학사료新文學史料』 1991년 제4호)

추펑秋豐, 뤄위안 등의 시집 『만약 조국이 나를 필요로 한다면假如祖國需要我』이 항미원조통속문예총서抗美援朝通俗文藝叢刊 중 한 권으로서 우한통속도서출판사에서 출간되었다. 시집에는 추펑의 「만약 조국이 내가 전선에 돌아가기를 바란다면假如祖國需要我回到前線」, 차오린喬林의 「총을 반짝반짝하게 닦다把槍擦亮」, 바이런의 「압록강 위에서鴨綠江上」, 뤄위안의 「중국인민 항미원조 국가수호 지원부대의 노래中國人民抗美援朝保家衛國志願部隊之歌」 등 16편의 시가 수록되었다.

왕창딩王昌定의 화극 『고소하다控訴』가 상하이천광출판공사에서 출간되었다. 하이모의 화극 『무엇을 사랑하는가愛什麼』가 우한중난인민출판사武漢中南人民出版社에서 출간되었다. 주퉁朱彤 등의 화극 『능숙하다刮刮叫』와 왕즈신王治新의 화극 『노부부가 지혜롭게 비적의 스파이를 잡다老夫妻智擒匪特』가 쑤난인민출판사蘇南人民出版社에서 출간되었다. 샤오춘曉村의 화극 『세 명의 유격대원三個遊擊隊員』이 시베이인민출판사에서 출간되었다.

천황메이의 보고문학집 『새로운 세대新的一代』가 상하이신문예출판사에서 출간되었다.

쉬쩌런徐澤人이 발췌 번역한 프랑스 작가 위고의 『은촛대銀燭台』가 상무인서관에서 출간되었다.

영화 「무훈전」이 베이징에서 상영되었다.

3월

1일, 저우언라이가 국영전영제편창 신작 영화 전시의 달을 맞이해 "신중국 인민예술의 광채新中國人民藝術的光彩"라는 격려의 말을 『신전영』 제1권 제3호에 발표하였다. 『광명일보』에 랴오청즈의 글 「「용수구」의 공연 성공을 축하하며賀<龍須溝>演出成功」가 발표되었다.

『인민문학』 제3권 제5호에 허치팡의 논문 「「실천론」과 문예창작<實踐論>與文藝創作」과 아이칭의 논문 「「사진사」에 관하여談<四進士>」가 발표되었다.

『인민문학』 같은 호에 바이이런의 단편소설 「천문 지붕에서의 혈전血戰天門頂」이 발표되었다. 이 소설은 이후에 비판을 받았다. 『인민일보』 1951년 12월 2일자에 이 소설을 비판하는 글 「「천문 지붕에서의 혈전」은 우리 군대의 우수한 품성을 모독했다<血戰天門頂>汙蔑了我軍的優秀品質」가 발표되었다. 바이이런은 1952년 1월 1일자 『인민일보』에 이 소설에 대한 자신의 창작 사상을 반성하는 글을 게재하였다.

이 외에도 바이웨이白危의 소설 「기근을 나다渡荒」, 린잉룽林應龍의 시 「마음心」, 쩡커曾克의 「류보청 장군이 전쟁 창작을 말하다劉伯承將軍談寫戰爭」 등의 작품과 「1950년 문학공작자 창작계획 완성 상황 조사(1)一九五〇年文學工作者創作計劃完成計劃情況調查(1)」이 발표되었다.

바이웨이(1911~1984), 작가. 본명은 우보吳渤로 광둥성 싱닝興寧 출신이다. '9·18' 사변 이후에 항일구국운동에 투신해 목각 입문서 『목각 창작법木刻創作法』을 편역해 소개하였는데, 루쉰이 직접 교정을 보고 서문을 썼다. 1930년대에 산문과 소논문 발표를 시작하였다. 1938년에 옌안을 방문해 참관한 후 보고문학 「옌안 인상기延安印象記」를 창작했으나 원고가 소실되어, 그 일부에 해당하는 「마오쩌둥 단편毛澤東片斷」만이 1939년 7월에 출판된 『칠월』에 발표되었다. 1951년부터 창작에 전념하였다. 저서로 단편소설집 『기근을 나다』, 『청년 트랙터 운전수青年拖拉機手』, 중편소설 『관문을 넘다過關』, 장편소설 『간황곡墾荒曲』, 『사허 댐 풍치沙河壩風情』 등이 있다.

『소설월간』 제5권 제2호에 커란柯藍의 단편소설 「한치샹과 함께 하향하다和韓起祥下鄉」, 위양羽

揚의 단편 「해방되어 주인이 되다翻身當主人」, 린만의 단편 「새로운 기쁨과 옛 고생新歡舊苦」, 진자오예金肇野의 산문 「강 위에서 온 노인從江上來的老人」이 발표되었다.

커란(1920~2006), 작가. 본명은 탕이정唐一正으로 후난성 창사 출신이다. 1937년에 후난제1사범학교를 졸업한 당시 쉬터리徐特立의 소개를 통해 옌안으로 가서 다음해에 중국공산당에 가입하였다. 산베이공학陝北公學 및 옌안루예 제2기 문학과를 졸업한 후 산간닝 변구 문화협회와 『변구군중보邊區群眾報』에서 기자 및 편집자를 맡았다. 1940년부터 '커란'이라는 필명을 사용하였다. 공화국 성립 후에 상하이 『노동보』 부사장 겸 편집장, 상하이시 문련 당조부서기 등을 맡았다. 1963년에 고향인 후난으로 돌아가 창작에 전념하였다. 1979년에 베이징으로 이동해 『홍기』 잡지사 문예부 책임자를 맡았다. 2001년에 중국작가대표대회에서 그를 중국작가협회 영예위원으로 위촉하였다. 베이징의 중국현대문학관에는 '커란·원추 문고柯藍文秋文庫'를 특별히 개설해 그의 모든 저서와 친필 원고를 수집 전시하였다. 주요 작품으로 소설 「양철통 이야기洋鐵桶的故事」, 「홍기가 펄럭펄럭 나부끼다紅旗呼啦啦飄」, 「류허 열여덟 굽이瀏河十八灣」, 장편 연재 『옌안 10년延安十年』, 영화문학 극본 「꽃수레 노래彩車曲」, 「철창열화鐵窗烈火」, 원추文秋와 합동 창작한 「추수 봉기秋收起義」(이후에 제목이 「풍만소상風滿瀟湘」으로 변경됨) 등이 있다. 산문 「빈 골짜기의 메아리空穀回聲」가 영화 「황토지黃土地」로 각색되어 국제상을 수상하였다.

진자오예(1912~1995), 만주족 목각가, 작가. 본명은 아이신줴러·류퉁愛新覺羅·毓桐이며 진자오예金肇野, 시쥔細君 등의 필명을 사용하였다. 랴오닝성 랴오중遼中 출신이다. 1933년에 베이핑 좌련에 가입하여 난청南城구 좌련 지부 회원이 되었다. 공화국 성립 후에 랴오닝성 농업청장, 랴오닝성 계획위원회 부주임, 중공중앙 대외연락부 동유럽연구소 부소장을 역임하였다. 목각 작품 「허핑먼의 야경和平門夜景」, 「야도野渡」, 산문 「거리의 초소 경찰街頭一崗警」, 「훔치다偷」, 「봄春天」 등을 발표하였다.

상하이시가연의회와 난징시가공작자연의회가 합동으로 『인민시가』 복간호를 출간하였다. 복간호에는 펑쉐펑의 논문 「신시에 대한 의견對於新詩的意見」이 게재되어, 30년간의 중국 신시 창작 상황을 분석하고 앞으로의 신시 발전 노선에 대해 의견을 제시하였다. 이 글은 당시 시가 창작에서 발생한 몇 가지 문제에 관한 토론에 비교적 체계적인 의견을 제공하였다.

2일, 전국문련 위원, 전국희곡개진회 상무위원이자 중국인민정협 대표인 청옌추가 충칭에 도착하였다. 그의 이번 충칭행의 주된 목적은 시난 지역의 희곡개진공작을 고찰하고 시난 지역 희곡 공작자들과 경험을 교환하며 공연을 관람하는 것이었다. 『대중문예』 제2권 제7호(3월 5일자) '문예동태'에 이에 관한 보고가 게재되었다.

4일, 저우양의 「「용수구」로부터 무엇을 배울 것인가?從<龍須溝>學習什麼?」가 『인민일보』에 발표되었다.

5일, 전국문련에서 제7차 상무회의를 개최해 「중화전국문학예술계연합회 1950년 공작 결산 및 1951년 공작계획中華全國文學藝術界聯合會一九五零年工作總結及一九五一年工作計劃」을 통과시켰다(이 글은 3월 25일에 출간된 『문예보』 제3권 제11호에 게재되었다). 회의에서는 1950년에 1. 각 대형 행정구역 및 각 성시 문예단체의 성립을 추진하였고, 2. 각 지역 문예계에서 대규모의 항미원조 선전공작을 진행하였고, 3. 전국에 이미 74종의 문예 간행물이 출판되었으며 그 가운데 보급을 위주로 하는 통속성 간행물이 약 70%을 차지하고, 4. 문예계 인사들을 조직해 토지개혁 등 사회정치활동에 참가하였으며, 5. 중앙문학연구소의 설립을 준비하였고, 6. 대표를 선발 및 파견해 세계평화수호대회에 참가해 해외 문예계와의 교류와 연락을 점차 강화하는 등 여섯 가지 임무를 완성했다고 결산하였다.

1951년의 공작계획은 1. 문예 측면의 애국주의 선전을 심도 있게 전개하고, 2. 전국문련 제2차 회의를 개최해 창작문제 및 문예사상문제의 해결에 힘쓰며, 3. 문예공작자들의 1950년 창작계획의 완성 상황을 반성하고, 4. 문예 간행물의 조사를 강화하며, 5. 마르크스주의와 마오쩌둥 사상에 대한 문예공작자들의 학습을 강화하고, 6. 문학출판사의 설립에 협조해 전국 문학출판사업의 계획화를 촉진하며, 7. 각 협회와 상시 연락을 강화하는 것 등 일곱 가지이다.

화둥군정위원회 문화부 희곡연구원이 상하이에 설립되었다. 본 연구원은 제3야전군 문공3단, 화둥경극단 및 화둥월극실험극단華東越劇實驗劇團이 합병되어 개편된 기구이다. 저우신팡이 원장을, 위안쉐펀이 부원장을 맡았다.

『대중문예』 제2권 제7호에 시난구 문련 준비위원회, 충칭시 문련 준비위원회에서 발표한 「세계 평화 평의회 옹호 선언擁護世界和平理事會宣言」, 류지쭈劉繼祖의 소설 「자오푸인趙福銀」, 바이사白峡의 보고 「과실을 나누다分果實」, 주아이췬朱愛群의 보고 「열사의 유족 탕 노부인을 기억하며記烈屬唐老太婆」가 발표되었다.

바이사(1920~2005), 시인. 본명은 류예룽劉葉隆으로 산둥성 쥐예巨野 출신이다. 1957년 1월 1일에 바이사는 류사허流沙河, 스톈허石天河, 바이항白航과 함께 신중국 최초의 시 간행물 『별星星』을 창간했다. 이후에 류사허가 「선인장仙人掌」 등의 산문시를 쓴 일로 인해 전국적으로 비판받아 『별』이

우파의 앞잡이 잡지로 몰리면서 네 명의 시인도 모두 우파로 오인 받았는데, 이것이 바로 유명한 '별' 사건이다. 바이샤는 쓰촨성 간쯔甘孜로 하방되었다가 1979년에 복권되었다. 저서로 시집 『양지정兩地情』과 『석양집夕陽集』이 있다.

8일, 중앙문화부에서 베이징, 상하이, 톈진, 선양, 하얼빈, 한커우, 광저우, 충칭, 시안 등 26개 대도시에서 국영전영제편창 신작 영화 관람의 달 행사를 진행하기로 결정해 날마다 신작 영화를 한 편씩 상영하기로 하였다. 둥베이전영제편창, 베이징전영제편창, 상하이전영제편창에서 제작한 「백모녀」, 「신아녀영웅전」, 「홍기의 노래」, 「머나먼 시골遙遠的鄕村」, 「산베이 목가陝北牧歌」, 「중국민족 대단결中國民族大團結」 등 총 20편의 극영화와 6편의 다큐멘터리 영화를 상영하였다.

베이징에서 출간된 『신전영』 제2권 제1호에 '신작 영화 감상의 달' 특집이 발간되었는데, 특집호에 게재된 사설은 이 신작 영화들의 "주요 사상은 모두 공농병 방향을 확고히 파악하고 있다. 모든 영화가 공농병주의와 집단주의를 노래하고 있다." "중국 인민이 현재 각 방면에서 진행하고 있는 실제 투쟁 상황을 신속하고도 때맞춰 널리 알렸다. 이 영화들의 완성은 중국인민전영사업의 위대한 승리를 충분히 설명하고 있다"고 밝혔다.

10일, 『중국청년』 제60호에 위광위안於光遠의 「청년들에게 「실천론」의 기본 관점을 소개한다向青年朋友們介紹<實踐論>的基本觀點」, 청훙程鴻의 「위대한 조국의 산하偉大祖國的山河」(상), 랴오청즈의 「런비스 동지에 관한 추억關於任弼時同志的一點回憶」이 발표되었다.

위광위안(1915~2013), 경제학자. 본래의 성은 위鬱, 이름은 중정鍾正이며 상하이 출신이다. 1936년에 칭화대학 물리학과를 졸업하고 1937년에 중국공산당에 가입하였다. 중공중앙도서관 주임, 베이징대학 도서관학과 교수, 중국과학원 철학사회과학부 위원, 국가과학기술위원회 부주임, 중국사회과학원 부원장 및 고문, 중앙고문위원회 위원을 역임하였다. 저서로 수필집 『쇄상록碎思錄』, 『문혁 속의 나文革中的我』, 『고희 수기古稀手跡』, 『창 밖의 석류꽃窗外的石榴花』 등이 있다.

『문예보』 제3권 제10호에 「전국문련의 세계 평화 평의회 옹호 선언 및 결의 성명全國文聯維護世界和平理事會宣言和決議聲明」, 팡자오方炤의 「성장하고 있는 공농 작가成長中的工農作家」, 뤼잉呂熒의 「공인문예창작에 관한 몇 가지 문제關於工人文藝創作的幾個問題」, 허우진징의 「우수한 '사람'과 우수한 문예공작자優秀的"人"和優秀的文藝工作者」가 발표되었다.

뤼잉은 글에서 "공인의 극본, 시, 보고 통신문, 소설 및 대고大鼓와 쾌판快板은 사상을 더욱 제고하고 예술을 더욱 정련해야 한다. 생활과 공작 속의 사건에 대한 묘사와 혁명운동의 현실 투쟁에 대한 표현을 깊이 있게 결합해야 하며, 생산과 공적, 새로운 임무와 새로운 생명의 성장을 전형적인 형상 속에 돋을새김으로 표현해야 한다"고 주장하였다.

허우진징은 글에서 우수한 '사람', 즉 명확한 계급 관점과 날카로운 사상을 가지고 있으며 강렬한 사랑과 증오를 품은 사람이 되어야만 진실한 삶(삶의 본질)을 획득할 수 있으며, 그래야만 예술의 힘을 사상과 전투의 힘으로 바꾸어 우수한 작가와 우수한 문예공작자가 될 수 있다고 보았다.

뤼잉(1915~1969), 문예이론가, 미학가. 본명은 허지何吉로 안후이성 톈창天長 출신이다. 1935년에 베이징대학 역사학과에 입학한 후 문예단체 랑화사浪花社에 가입해 『랑화浪花』 잡지의 편찬에 참여하였다. 1939년에 쿤밍서남연합대학에 복학하였다. 1949년에 베이핑으로 가서 전국 제1차 문대회에 참석하였다. 1950년에 산둥대학 중문과 주임을 맡았다. 1952년에 베이징인민문학출판사로 이동해 번역과 미학연구에 종사하였다. 1955년에 후펑 사건에 연루되어 격리 취조를 받았으며, 문화대혁명 중에 박해를 받아 사망하였다. 저서로 미학 논저 『문학의 경향文學的傾向』, 『공인문예에 관하여關於工人文藝』, 『예술의 이해藝術的理解』, 『미학서회美學書懷』 등이 있으며 역서로 『예브게니 오네긴歐根·奧涅金』, 『레닌과 문학 문제列寧與文學問題』, 『서유럽 문학을 논하다論西歐文學』 등이 있다.

『문예보』 이번 호의 '문제 토론'란에는 류쭤충劉作驄의 「『방언문학』에 대한 나의 의견我對<方言文學>的一點意見」, 싱궁완邢公畹의 「『방언문학』에 관한 보충 의견關於<方言文學>的補充意見」, 저우리보의 「방언 문제에 관하여談方言問題」 등 방언에 관한 세 편의 글이 발표되었다.

저우리보는 글에서 "나는 우리가 창작 과정에서 지속적으로 각지의 방언을 대량으로 도입해 지방성을 가진 방언을 지속해서 사용해야 한다고 생각한다. 인민이 날마다 반복적으로 사용하는, 실제 생활을 표현하기에 적합한 생동감 있는 방언을 도입하지 않는다면 우리의 창작은 훌륭해지지 못할 것이다. 그리고 통일된 민족 언어란 헛소리가 아니게 될 것이며, 게다가 어떠한 발전도 없을 것이다"라고 말했다.

서두에 게재된 '편집부의 말'은 "군중 언어를 더욱 잘 학습하고, 군중의 언어 속에서 문학의 언어를 더욱 잘 제련하고 풍부하게 만들기 위해, 그리고 우리의 작품이 더욱 진실하고 생생하게 인민의 투쟁 생활을 반영하도록 하기 위해, 이 문제에 관해 연구와 토론을 전개할 가치가 있다"고 밝혔다.

『문예보』 같은 호에 「중국인민전영사업의 새로운 승리를 축하하며祝中國人民電影事業的新勝利」라는 글이 게재되었다. 글은 1950년 국영 및 민영 제편창에서 대량의 작품이 출품되어 인민에게 큰 공헌을 했다고 평하며, 각 제편창이 1950년의 건실한 모습 그대로 계속해서 전진해 1951년에는 사상성과 예술성이 더욱 풍부하게 결합된 영화를 더 많이 제작하기를 바란다고 밝혔다. 글에서는 구체적으로 네 가지 희망사항을 제시하였는데, 첫째로 앞으로의 극영화가 신문 보도의 형태를 벗어나 한 지역에서 일어난 어느 한 사건이라는 협소한 범위에서 소재를 얻는 방법을 최대한 지양하고, 인물을 더욱 잘 묘사해 보다 집중적이고 전형적으로 현실의 생활과 투쟁을 반영할 수 있도록 하는 것이고, 둘째로 앞으로의 극영화가 중국 인민 투쟁 속의 낙관주의와 신중국의 즐거운 분위기를 중점적으로 반영하는 것이며, 셋째로 영화극본 작가가 더욱 대담하고 신중하며 다양하고 또한 깊이 있게 소재를 발견하고 주제를 선택하는 것이고, 넷째로 문학예술가들이 최고의 열정을 응용해 우리의 새로운 전영사업에 관심을 기울여 더 많은 실제적인 행동을 통해 우리의 새로운 전영사업에 협조하는 것이다.

『문예보』 같은 호의 '해외문학통신'은 "체코 인민은 중국의 문예작품을 대단히 사랑해, 현재까지 이미 「옌안문예좌담회에서의 강화」, 『외침』, 『태양은 쌍간강에서 빛난다』, 「폭풍우」, 「백모녀」, 「리유차이 판화」, 『왕구이와 리샹샹』 등의 작품이 체코어로 번역되었다"고 밝혔다.

쑨첸孫謙의 「나는 산베이를 사랑한다 – 영화 「산베이 목가」의 창작 동기我愛陝北——電影<陝北牧歌>的寫作動機」가 『광명일보』에 발표되었다.

쑨첸(1920~), 극작가, 소설가. 본명은 쑨화이첸孫懷謙으로 산시山西성 원수이文水 출신이다. 1937년에 청년항일결사대青年抗日決死隊에 가입했으며, 1938년에 황허극사黃河劇社에서 배우 및 감독을 맡았다. 1940년에 옌안으로 가서 옌안루예 부속 부대예술 간부훈련반에서 수학하였다. 1947년 이후로 둥베이전영제편창, 전영국 전영극본창작소, 베이징전영제편창 등에서 각본가를 맡았다. 산시성 작가협회 부주석, 산시성 문련 부주석, 산시성 영협 주석 등을 역임하였다. 저서로 단편소설집 『흉터 이야기傷疤的故事』, 『난산의 등南山的燈』, 『영화 극본 빛나는 가문』, 『산베이 목가』, 『포도가 익었을 때葡萄熟了的時候』, 『여름 이야기夏天的故事』, 『누가 범인인가誰是凶手』, 『미완의 여정未完成的旅程』(합동 창작), 『야생화山花』(합동 창작), 『새로 온 현위원회 서기新來的縣委書記』(합동 창작) 등이 있다.

『신관찰』 제2권 제5호에 쑨즈중孫執中의 글 「시인 원이둬의 반미 정서詩人聞一多的仇美情緒」와 톈디田地의 시 「지원병, 큰형志願兵,大哥哥」이 발표되었다. 쑨즈중은 글에서 "원이둬 선생은 학자이자 민주 투사이자 시인으로서 일생을 살았다!" "시인으로서의 인생은 주로 30세 이전을 보아야 한다. 그가 24세부터 27세까지 미국에서 유학하던 당시에 그는 자주 인종차별적인 시선을 받았으며, 또한 미국 사회의 부패를 목격하기도 했다. 현실에 대한 시인의 촉각은 유달리 민감하다. 그는 이 모든 것을 본 후에 마음속으로 무한한 고통과 분노를 느꼈다. 쌓이고 쌓인 원망에서 그의 반미 정서가 생겨났고, 이러한 정서는 그가 이 시기에 창작한 시에 매우 뚜렷이 반영되어 있다"고 말했다.

쑨즈중(1921~2013), 경제학자. 후베이성 자위嘉魚 출신이다. 1951년에 칭화대학 대학원을 졸업한 후 주로 세계경제, 특히 일본경제 연구에 종사하였다.

『인민일보』에 사설「신문발행공작의 개진은 중요한 정치적 임무이다改進報刊發行工作是重要的政治任務」가 게재되어 신문발행공작의 중요성을 강조하고, 전국의 각급 정부와 당 및 군중이 조직해 우정郵政의 발행공작을 진지하게 감독하고 도와줄 것을 호소하였다.

18일, 중앙선전부와 출판총서에서 발행공작 좌담회를 개최하였다. 회의에서는 출판 발행의 연계와 개진 조치 등의 문제를 중점적으로 토론하였다.

20일, 영화「해방된 중국解放了的中國」과「중국 인민의 승리中國人民的勝利」가 스탈린상 1등상을 수상하였다.「해방된 중국」의 문학고문은 저우리보이며「중국 인민의 승리」의 문학고문은 류바이위이다.

『대중문예』 제2권 제8호에 런바이거의「토지개혁에 참가한 문예공작자에게參加土地改革的文藝工作者」, 충칭시 문련 준비위원회의「춘절 기간의 항미원조 문예활동抗美援朝文藝活動在春節中」, 황셴광黃賢光의 소설「각성覺醒」, 왕메이팅王梅汀의 소설「신발鞋」 및 인바이殷白의 잡문「인민을 잔인하게 대하지 않기 위하여爲了不對人民殘忍」가 발표되었다.

왕메이팅(1925~1995), 작가. 허난성 황저우潢州 출신이다. 1944년부터 작품을 발표하였으며 1949년에 해방군에 참가하였다. 이후에 윈난성 문련 창작원 및 편집자, 중국작가협회 윈난분회 이사, 윈난성 문련 위원을 역임하였다. 저서로 단편소설집『광산의 주인礦山的主人』, 중편소설집『시산의 봄錫山春』, 보고문학집『빛나는 길光輝的道路』, 영화문학 극본『시청 이야기錫城的故事』 등이 있다.

인바이(1917~2008), 작가. 본명은 장징추張驚秋로 저장성 하이닝 출신이다. 1939년에 옌안마르크스레닌학원延安馬列學院을 졸업하였다. 옌안중앙연구원 문예연구실 및 문화사상연구실 비서, 충칭시난신화일보사重慶西南新華日報社 문화조장, 시난문련 비서장 및『시난문예』 편집장 등을 역임하였다. 저서로『인바이 작품선殷白作品選』,『인바이 평론집殷白評論集』,『보행집步行集』 등이 있다.

21일, 신문총서와 출판총서에서 합동으로「전국 신문 및 간행물의 출판물 평론 공작 수립 의무화에 관한 지시關於全國報紙期刊均應建立書報評論工作的指示」를 발포하여 각종 출판물에 관한 비평과 소개 및 평론의 성격을 띤 소식을 발표하는 것이 중요한 정치적 의미를 가진 공작임을 지적하며,

전국의 각종 간행물이 반드시 구체적인 필요와 가능성에 근거해 정기적 혹은 부정기적인 출판물 평론 특별란 혹은 특집호를 증설하여 출판물에 관한 평론과 소식을 게재할 것을 요구하였다.

22일부터 23일까지 『인민일보』에 마오쩌둥의 「당팔고에 반대하다反對黨八股」 중에서 「공허하고 내용이 없는 말을 늘어놓다空話連篇,言之無物」 부분과 후차오무 동지의 「짧게, 더 짧게短些,再短些」를 다시 연재하였다. 이는 신문과 잡지에 짧고 힘 있는 통속문장을 더 많이 게재해 달라는 수많은 독자들의 요구에 호응하고, 또한 문예공작자들에게 자신의 창작에 대해 더욱 잘 공부하고 반성하며 개선할 것을 촉구하기 위한 일이었다.

23일, 『인민일보』에 사설 「출판물 평론은 출판공작과 신문공작을 지도하는 가장 중요한 방식 중 하나이다書報評論是領導出版工作和報紙工作的最重要的方式之一」가 게재되었다.

인민문학출판사가 설립되었다. 본 출판사는 중국의 당대 신문학 창작과 현대문학사상 비교적 큰 영향을 끼친 작가의 작품 및 고전문학 작품의 정리본과 영인본, 외국의 고전문학 명저 및 현대의 대표적인 작품, 문학 이론 및 문학에 관한 학술저서 등을 출판하였다. 작가출판사, 예술출판사, 문학고적간행사文學古籍刊行社, 중국희극출판사中國戲劇出版社, 외국문학출판사 등의 레이블을 사용하였다.

24일, 『광명일보』에 웨이웨이의 산문 「한강 남쪽 기슭의 밤낮漢江南岸的日日夜夜」이 발표되었다.

25일, 『문예보』 제3권 제11호에 「중화전국문학예술계연합회 1950년 공작 결산 및 1951년 공작계획」이 발표되었다.

같은 호에 화극 「운송 공인 해방기搬運工人翻身記」(즉 「6호 문六號門」)의 공연 상황과 창작 과정을 소개하는 글과 아이칭의 「새로운 사물의 성장을 묘사하다描畫新事物的成長」, 저우리보의 「「48일」에 관하여關於<四十八天>」, 샹전向真의 「우수한 단편소설 두 편 - 마펑의 「응어리를 풀다」와 「솜틀 한 대」를 읽고兩篇優秀的短篇小說——讀馬烽的<解疙瘩>和<一架彈花機>」, 저우원周文의 「「실천론」과 혁명문예공작자<實踐論>與革命文藝工作者」가 발표되었다. 이 가운데 저우원의 글은 문예공작자와 객관적 세계의 개조, 문예공작자와 '혁명 실천', 문예공작자의 자아 개조, 문예공작자의 고뇌와 실천, 문예가의 '임무를 서둘러 완성하는 일' 등의 문제를 논하였다.

저우원(1907~1952), 작가. 본명은 허다오위何稻玉, 자는 카이룽開榮이며 허구톈何穀天, 수자樹嘉 등의 필명을 사용하였다. 쓰촨성 잉징滎經현 출신이다. 1933년에 중국공산당에 가입해 좌련 단당黨團 구성원을 맡았다. 1940년에 옌안으로 가서 대중독물사의 설립을 기획하였으며 『변구군중보』, 『대중습작』의 출간에 참여하였다. 1941년 이후에 산간닝 변구 교육청장 및 비서장, 진쑤이 분구晉綏分局 비서장 등을 역임하였다. 1946년에 충칭 『신화일보』 부사장을 맡았다. 공화국 성립 후에는 중앙마르크스레닌학원 비서장을 맡았다. 저서로 소설 『바이썬전에서在白森鎮』, 『양귀비 싹이 트는 계절煙苗季』, 『구원자救亡者』 등이 있으며 『저우원 선집周文選集』이 출간되었다.

30일, 베이징 『광명일보』에 문예공작자와 문예창작에 관한 독자들의 서신 다섯 통이 발표되었다. 서신들은 현재 문학계에 존재하는 표절 현상을 반드시 방지해야 하고, 일부 문예작품에서 불결한 어휘를 사용해 노동 인민의 모습을 왜곡하는 일을 금지하며, 신중국의 아동교육영화는 애국주의를 주요 내용으로 해야 한다는 것 등을 지적하였다.

31일, 헝가리 국가극원이 부다페스트에서 중국 화극 「전투 속에서 성장하다」를 공연하였으며, 이 화극을 극원의 레파토리 중 하나로 지정하였다.

이달에 문화부 희곡개진국과 예술국이 합병되어 문화부 예술사업관리국藝術事業管理局으로 개편되었다. 톈한이 국장을, 양사오쉬안, 마옌샹, 장광녠, 저우웨이즈가 부국장을 맡았다.

중국인민해방군 총정치부 문예공작단이 성립되어 천치퉁陳其通이 초대 단장을 맡았으며 딩리丁裏가 정치위원을 맡았다. 1953년에 공작단 산하에 전문 분야에 따라 중국인민해방군 총정치부 문공단 화극단과 가무단이 설립되었다.

『인민음악』 제1권 제5호가 창작문제 특집호로 편성되어 가극 『왕구이와 리샹샹』, 무용극 「평화의 비둘기」, 동화가무극 「행복산幸福山」 등의 음악에 관해 분석과 연구를 진행하였으며, 또한 일부 가곡에 존재하는 불량한 경향, 가령 내용과는 동떨어져 취향만을 추구하거나, 또는 곡조의 리듬과 가사의 사상 감정이 조화되지 않는 점 등에 대해 비평을 진행하였다.

중국좌익작가연맹 위원 러우스, 후예핀, 바이망白莽, 리웨이썬, 펑컹 등 다섯 동지의 순국 20주년을 기념하기 위해 상하이 문련에서 편찬한 『문예신지文藝新地』 제1권 제2호에 쉐펑, 딩링, 웨이진즈 등의 기념의 글 「순국 동지 약전殉難同志傳略」, 「다섯 열사 순국 문헌五烈士殉難文獻」 등이 발표되었다.

종합성 대형 간행물 『인민화보人民畫報』 해외 독자와 국내 소수민족 독자의 요구에 호응하기 위해 제2권 제1호부터 러시아어, 영어, 몽골어, 티베트어, 위구르어 등 다섯 가지 언어의 번역판을 간행하였으며, 여타 소수민족 언어의 번역본을 지속적으로 늘리기로 결정하였다.

상하이카이밍서점에서 출간한 『진보청년進步青年』(본래 제목은 『중학생中學生』) 3월호에 펑쯔카이豐子愷의 글 「소련의 음악蘇聯的音樂」이 발표되었다.

펑쯔카이(1898~1975), 화가, 산문가, 미술 및 음악교육가, 번역가. 본명은 펑룬豐潤이며 펑런豐仁, 런仁, 잉싱嬰行이라고도 한다. 저장성 퉁샹桐鄕 출신이다. 1914년에 저장성 제1사범학교에 입학해 리수퉁李叔同으로부터 음악과 회화를 배웠다. 1921년에 일본으로 유학해 회화와 음악을 공부하였다. 귀국한 후 1924년에 상하이에서 리다중학立達中學을 창립하였으며 1925년에는 리다학회立達學會를 설립하였다. 1929년에 카이밍서점 편집자로 초빙되었다. 공화국 성립 후에는 중국미술가협회 주석, 상하이중국화원上海中國畫院 원장, 상하이대외문화협회 부회장 등을 역임하였다. 저서로 화집 『쯔카이 만화선子愷漫畫選』, 『만화 일본침략사漫畫日本侵華史』가 있으며 역서로 『음악 입문音樂入門』, 『근대 10대 음악가近世十大音樂家』, 『아이들의 음악孩子們的音樂』, 산문집 『연연당 수필緣緣堂隨筆』, 『연연당 재필緣緣堂再筆』, 『수필 20편隨筆二十篇』, 『감미로운 추억甘美的回憶』, 『솔직집率真集』 등이 있다.

류시柳溪의 문학 이론서 『소설 창작에 관하여試談寫小說』가 선양둥베이인민출판사沈陽東北人民出版社에서 출간되었다. 황망강黃芒岡의 저서 『앙가극에서 지방극까지從秧歌劇到地方劇』가 상하이중화서국上海中華書局에서 출간되었다.

샤오예무의 단편소설집 『어머니의 의지』가 중국청년출판사에서 출간되었다. 스퉈의 장편소설 『역사무정曆史無情』이 상하이출판공사에서 출간되었다. 장충張忠, 린젠林劍 등이 편찬한 단편소설집 『총공격 전야總攻的前夜』와 위린의 장편소설 『평화의 수호자』가 우한중난인민출판사武漢中南人民出版社에서 출간되었다. 아이징袁靜, 쿵줴孔厥의 장편소설 『신아녀영웅전』, 바이예白夜의 소설집 『흑목단黑牡丹』이 상하이신문예출판사에서 출간되었다.

관루關露의 아동문학 작품 『사과원蘋果園』이 베이징공인출판사에서 출간되었다.

관루(1907~1982), 작가. 본명은 후서우메이胡壽楣 혹은 후메이胡楣이다. 본적은 허베이성 옌칭延慶이며 산시山西성 타이위안太原에서 출생하였다. 9·18 사변 이후에 상하이부녀항일반제국주의대동맹上海婦女抗日反帝大同盟에 가입해 부녀운동공작에 적극적으로 종사하였다. 1932년에 중국공산당과 좌련에 동시에 가입하였다. 1939년 겨울에서 1945년 사이에 조직의 파견을 받고 왕징웨이 괴뢰정권과 일본대사관에 잠입해 해군보도부海軍報道部와 합작으로 월간 『여성女聲』을 편집하여 일본 괴뢰정부의 기밀정보를 수집하였다. 1947년 가을에서 1951년 가을 사이에 다롄 소련신문국,

관동일보사關東日報社, 화대삼부華大三部 문학창작조 및 전영국 극본창작소에서 근무하였다. 문화대혁명 시기에 박해를 받아 두 차례 투옥되었다. 저서로 시집『태평양 위의 노랫소리太平洋上的歌聲』, 장편소설『여명黎明』, 자전체 소설『신구시대新舊時代』, 아동문학『사과원』, 산문집『도시의 번뇌都市的煩惱』 등이 있다.

딩리丁力의 시집『시골에서 도시까지 노래를 부르다從鄉下唱到城裏』가 상하이정풍출판사上海正風出版社에서 출간되었다.

바이런의 시집『무쇠 다리 단장鐵腳團長』이 상하이잡지공사上海雜志公司에서 출간되었다. 시집에는「정슈란鄭秀蘭」,「무쇠 다리 단장」,「차차와 리넨恰恰和李塹」 등 3편의 시가 수록되었다.

사어우의 시집『조선을 침략해서는 안 된다不准侵略朝鮮』가 공작시총工作詩叢 신1집 중 한 권으로서 상하이문화공작사文化工作社에서 출간되었다. 시집에는「불을 지른 강도들을 불태워 죽여라把放火的強盜們燒死在火裏」,「조선을 침략해서는 안 된다」,「김일성의 깃발 아래 전진하다在金日成的旗幟下前進」,「압록강 위에서」 등 16편의 시가 수록되었다.

쑤진싼의 시집『입대하다入伍』가 문예창작총서 중 한 권으로서 화둥인민출판사에서 출간되었다. 시집은「입대하다」,「환호喚呼」 등 3부로 구성되어「위완쑤 군구에서在豫皖蘇軍區」,「마오 주석이 오셨다毛主席來了」,「루쉰 선생은 아직 살아 있다魯迅先生還活著」 등 20편의 시가 수록되었다.

위가오玉杲의 장시『기점起點』이 신군시총新群詩叢 제3권으로서 상하이신군출판사新群出版社에서 출간되었다. 장시는 총 7장으로 구성되었다. 이 책의 1954년판「내용 개요」는 "이 시는 농민의 악질 토호 반대 투쟁에 관한 소묘이다. 또한 악질 토호 반대 투쟁 과정에서 농민들이 보여준 계급적 각오에 대한 초보적인 각성을 반영하고 있다. 작가는 바로 이러한 각성을 칭송하고 있다"고 밝혔다.

장쩌이張澤易의 장시『인민영웅 류쿠이지人民英雄劉奎基』가 신군시총 제8권으로서 상하이신군출판사에서 출간되었다. 장시는 총 5장으로 구성되었으며「서문」과「맺음말」이 수록되었다.

마란보馬蘭波 등의 시집「인민의 착한 아들人民的好兒子」이 공농병문예총서 중 한 권으로서 베이징싼롄서점에서 출간되었다. 시집에는 메이산梅山의「흡혈충을 타도하다打倒吸血蟲」, 양쥔楊俊의「악당 레이양산을 고발한다控訴壞蛋雷陽善」, 마란보의「인민의 착한 아들」 등 13편의 시와 엮은이의「후기」가 수록되었다.「후기」는 "우리는 1949년 7월부터 1950년 5월까지 탕산『노동일보』 부간에 발표된 공인 작품을 선정해 다섯 권의 시집으로 엮었다. 이 시집은 그 중 한 권으로, 공인들의 투쟁 생활을 주로 묘사한 시들이다. 이 작품들은 정제된 예술품과 비교하면 조잡하고 단순하지만, 활력과 진실한 감정을 담고 있다"고 밝혔다.

후단페이의 화극『총을 들지 않은 적』이 상하이중화서국에서 출간되었다. 야오이페이姚易非의 화극 『모욕당하고 손상된 것被侮辱與被損害的』이 상하이문화생활출판사에서 출간되었다.

상하이신문예출판사에서 무칭穆青과 먀오웨繆嶽의 『남정산기南征散記』, 황수이黃穗의 『적의 후방으로 진군하다向敵後進軍』, 추이쭤푸崔左夫의 『화이하이 전선 목격기淮海前線目擊記』 등의 보고문학 작품집이 출간되었다.

추이쭤푸(1927~2007), 작가. 장쑤성 둥타이東台 출신이다. 1944년에 군에 입대하여 부대선전공작에 오랫동안 종사하였다. 황스黃石 작가협회 부주석, 후베이성 작가협회 회원을 역임하였다. 공화국 성립 초기에 보고문학집 『승리의 창조자勝利的創造者』와 『화이하이 전선 목격기』를 출간하였다. 1956년에 발표된 작품 「피로 물든 이름血染著的姓名」은 호극滬劇 「갈대숲의 불씨蘆蕩火種」로 각색되었으며 이후에 다시 경극 「사자방沙家浜」으로 각색되어 영화로도 제작되었다. 2001년에 회고록 『강한 군대의 풍모鐵軍風采』를, 2003년에 소설집 『초연과 죽음의 언저리에서在硝煙和死亡邊上』를 출간하였다.

황강黃鋼의 보고문학 『그녀들은 승리자이다 - 상하이 선신 제9공장 공인 투쟁 보고她們是勝利者——上海申新九廠工人鬥爭的報告』가 노동출판사에서 출간되었다.

황강(1917~1993), 후베이성 우창 출신이다. 1938년에 옌안루예 문학과에 입학하였다. 이후에 『해방일보』, 중공중앙 선전부, 『인민일보』, 중국사회과학원 등에서 근무하였다. 1939년부터 작품을 발표해 「두 번의 그믐날兩個除夕」, 「카메라 앞의 왕징웨이開麥拉前的汪精衛」, 「비 - 천경의 병단은 어떻게 싸우는가雨——陳賡的兵團是怎樣戰的」 등의 보고문학을 창작하였다. 저서로 장편소설 『혁명 어머니 샤 아주머니革命母親夏娘娘』, 산문집 『베이징에서 회견하다在北京的會見』, 영화극본 『내일까지 단결하다團結起來到明天』, 『영원히 사라지지 않는 전파永不消逝的電波』(합동 창작), 화극 『지휘관은 어디에 있는가指揮員在那裏』, 문예평론집 『영화비평과 창작 문제電影批評與創作問題』 등이 있다.

류바이위의 『모스크바 방문기莫斯科訪問記』가 상하이해연출판사에서 출간되었다. 류바이위의 『조국을 위해 싸우다爲祖國而戰』가 베이징천하출판사北京天下出版社에서 출간되었다. 작가는 종군기자로서 해방전쟁의 진군 행렬의 발걸음을 기록해 베이핑과 중위안, 정저우, 우한의 해방 상황을 진실되게 반영하였다.

중국과 소련이 합작한 다큐멘터리 「해방된 중국」, 「중국 인민의 승리」가 스탈린상 1등상을 수상하였다.

4월

1일, 『인민일보』에 「시급히 표현해야 할 주제 – 반혁명 진압一個急待表現的主題——鎮壓反革命」이 발표되었다. 『인민일보』 제3권 제6호에 「1950년 문학공작자 창작계획 완성 상황 조사(2)」, 저우리보의 「『루쉰 선집』 서문<魯彥選集>序言」 및 차오징화의 「「유조선 더빈트 호」와 그 작가<油船德賓特號>及其作者」, 친자오양秦兆陽, 류빙옌劉秉彥의 소설 「출성기出城記」(장편소설 『만리장정 첫걸음萬裏長征第一步』 부분), 스부쥐石不琢의 소설 「늙은 고참의 심정老高頭的心思」, 저우비周璧의 소설 「후방에서의 전쟁在後方的戰爭」, 팡징方敬의 시 「위문편지慰勞信」, 「태양이 압록강을 비추다太陽照著鴨綠江」, 진자오예의 조선 통신 「압록강 강변에서在鴨綠江畔」, 궁런弓人의 보고 「일본 침략자의 세균 시험 공장에서在日寇細菌試驗廠裏」가 발표되었다.

류빙옌(1915~1998), 허베이성 리현蠡縣 출신이다. 1934년에 베이징대학에서 수학하면서 '12·9' 운동에 참여하였다. 이후에 붓을 던지고 종군해 항일전쟁에 투신하였다. 공화국 성립 후에는 화베이군구 방공사령부 참모장 및 사령원司令員 대리, 중앙군사위원회 방공군사령부 부참모장 등을 역임하였으며 1955년에 소장으로 임명되었다. 1981년 이후에 중공 허베이성위원회 서기, 허베이성 성장, 허베이성 인민대표대회 상무위원회 주임을 역임하였다.

스부쥐(1923~2006), 만주족 작가. 본명은 쉬싱許行이며 랴오닝성 이현義縣 출신이다. 1945년에 쓰촨둥베이대학四川東北大學 중문과를 졸업하였다. 이후에 둥베이인민정부 교육부 과장 및 사무실 부주임, 중공지린성위원회 선전부 문교처 처장, 『창춘長春』 월간 책임 편집자, 쓰핑四平사범전문학교 부교장, 작가협회 지린분회 부주석 등을 역임하였다. 1940년부터 작품을 발표하였다. 저서로 시집 『고된 여행길跋涉之路』, 『변각집邊角集』, 소설집 『네 번째 단풍잎第四片楓葉』, 『봄은, 늙지 않는다春天,沒有老去』, 『들장미野玫瑰』, 『이국의 정인異國情人』, 『씁쓸한 황혼苦澀的黃昏』, 『생사연生死戀』, 『한 다발의 꽃一束鮮花』 등이 있다.

궁무의 시집 『헬로우, 수염!哈嘍,胡子!』이 현실시총 제1집 제5권으로서 상하이 50년대출판사五十年代出版社에서 출간되었다. 시집에는 「나는 사랑한다我愛」, 「헬로우, 수염!」, 「안녕, 옌안이여!再見吧,延安!」, 「조총 이야기鳥槍的故事」 등 7편의 시가 수록되었다.

『소설월간』 제5권 제3호에 바이런의 단편소설 「응급처치를 하다搶救」, 아이밍즈艾明之의 4막 화극 「강철의 힘鋼鐵的力量」, 왕시옌의 보고 「그를 고발한다 - 죄를 수없이 지은 악인控訴他---一個造夠了孽的劊子手」이 발표되었다.

아이밍즈(1925~2017), 작가. 본명은 황즈쿤黃志堃으로 광둥성 판위番禺 출신이다. 1940년부터 상하이에서 단편소설과 산문 작품을 발표하였다. 종전 후에 상하이생활서점上海生活書店 편집부에서 근무하였다. 1948년 봄에 홍콩생활서점香港生活書店으로 이동하였다. 1952년에 상하이전영극본창작소로 이동해 전문 각본가를 맡았으며, 중국작가협회 상하이분회 부주석을 역임하였다. 저서로 장편소설 『안개 도시의 가을霧城秋』, 『늑대 소굴狼窟』, 『지치지 않는 투쟁不疲倦的鬥爭』, 『부침浮沉』, 『불씨火種』, 중편소설 『상하이 24시간上海二十四小時』, 『가라앉지 않는 호수不沉的湖』, 『사랑만이 아니다不僅僅是愛情』, 단편소설집 『굶주리는 때饑餓的時候』, 『경쟁競賽』, 『햇빛 아래陽光下』, 화극극본 『강철의 힘鋼鐵的力量』, 『옆모습側影』, 『행복幸福』, 영화문학 극본 『위대한 기점偉大的起點』, 『간호사의 일기護士日記』, 『청산연青山戀』(합동 창작) 등이 있다.

상하이인민예술극원에서 공동 창작한 신형 무대극 「항미원조 대선전抗美援朝大活報」이 란신대극원蘭心大劇院에서 공연되었다. 본 무대극은 총 50장場 33경景으로, 서막과 종막 외에 네 부분으로 구성되었으며 200여 명이 출연하였다. 황쥐린이 감독을 맡았다.

3일, 중국희곡연구원이 설립되어 메이란팡이 원장을, 청옌추, 뤄허루羅合如, 마사오보가 부원장을 맡았다. 마오쩌둥이 본 연구원의 이름을 짓고, "온갖 예술이 함께 성하고, 옛것을 버리고 새것을 창조한다百花齊放,推陳出新"라는 축사를 보냈다. 이 축사는 『인민희극』 제3권 제1호에 게재되었다.

7일, 『중국청년』 제62호에 우장의 「반혁명 진압 공작에서 청년은 무엇을 배우는가?青年從鎮壓反革命的工作中學習什麼?」, 바이화柏樺의 「엥겔스 이야기恩格斯的故事」(1), 샤오싼의 「마오쩌둥 동지가 중국공산당을 창립하다毛澤東同志創立中國共產黨」 등의 글이 발표되었다.

10일, 『문예보』 제3권 제12호에 볜즈린의 「「톈안먼 4중주」에 관한 반성」이 발표되었다. 그는 글에서 "나는 처음에 『신관찰』의 독자 대중이 대체로 예전 『관찰』의 독자들과 같다고 생각했다. 그런데 잡지가 본질적으로 변하면서 독자들도 본질적으로 개조되었던 것이다. 나는 이들 지식분자들이 이러한 창작방법에 대체로 익숙할 거라고 생각해, 그렇다면 시의 사상성이 어느 정도 충족되어 있다면 많든 적든 좋은 효과를 낼 수 있다고 생각했다. 그러나 지금 나는 내 추측이 틀렸다는 것을 알게 되었다. 『신관찰』의 독자는 그 범위가 넓어졌다. 나는 독자 대중에 대해 책임을 가지는 정신을 확대해야 했으나 그러지 못했다. 이것이 첫 번째 잘못이다. 두 번째는, 나는 일반 독자들이 잡지에서 이해가 잘 가지 않는 작품을 마주하면 읽지 않고 지나칠 것이라 생각했다는 것이다. 내 추측은 또 빗나갔다. 현재 독자들은 잡지를 읽을 때 실려 있는 모든 시를 아주 진지하고 철저하게 읽고, 어떠한 난제도 흘려보내지 않는다. 나는 독자 대중에 대해 책임을 가지는 정신을 더욱 심화해야 했으나 그러지 못했다. 종합하면, 나는 세계가 변했다는 것은 알고 있었지만 그 변화가 얼마나 깊은지, 어떤 모습으로 깊은지까지는 아직 확실히 알지 못했던 것이다. 이렇게 된 주된 이유는 내가 요 몇 년간 강의와 연구 외에 실천을 거의 하지 않았기 때문이다"라고 밝혔다.

같은 호에 리광톈의 「토지개혁과 항미원조土地改革與抗美援朝」, 우쭤런吳作人의 「둔황 예술에 관하여談敦煌藝術」, 리펑李楓의 「창작지도에 관하여關於寫作指導」, 류젠칭劉劍青의 「민간 속요의 적절치 못한 모방民間小調不適當的套用」, 샤오인의 「생활의 진실과 예술의 진실生活的真實與藝術的真實」, 벤즈린의 「토지개혁이 두 가지 문화의 흥망성쇠를 드러냈다土地改革展示了兩種文化的消長」 등의 글과 본 잡지의 소개글 「1년간의 문예건설총서一年來的<文藝建設叢書>」가 발표되었다.

샤오인은 글에서 "생활 속에서 진실된 것이 전부 예술에서도 진실된 것이라 할 수는 없다. 예술의 진실은 생활의 진실보다 더욱 집중적이고, 조직적이며, 전형적이어야 한다. 예술의 진실이란 생활의 진실보다 한 단계 더 수준이 제고된 것이다. 자각하지 못했거나 혹은 군중이 아직 확실하게 인식하지 못한 모든 중대한 문제들을 문학예술가들이 날카롭고 명확하게 인식해 묘사해야 한다. 이렇게 해야만 독자들이 더욱 깊이 있게 현실을 인식하고 인도하며 또한 변화시키는 것을 문학예술이 도울 수 있다"고 말했다.

『문예보』 같은 호에 싱궁완의 「문예가는 민족공통언어의 촉진자이다文藝家是民族共同語的促進者」, 원화이사文懷沙, 뤼수샹呂叔湘의 「대중언어와 문법 - 「다들 문법에 주의합시다」라는 호소에 호응하여大衆語言與文法——響應<請大家注意文法>的號召」, 오스트롭스키의 「언어의 순결을 쟁취하자爭取語文的純潔」 등 일련의 토론 문장이 게재되었다. '편집자의 말'은 "본 신문 제3권 제10호(총권 34호)에 류쭤충劉作驄, 싱궁완, 저우리보 등 동지의 글을 게재해 문학의 언어 문제에 관해 토론을 진행한 바 있다. 이번 호에도 이 문제에 대한 싱궁완, 원화이사, 뤼수샹 등 동지의 글을 게재한다. 「언어의 순결을 쟁취하자」는 오스트롭스키가 문예저작의 언어 문제에 관한 고리키의 연설에 호응하여 쓴 글로 1934년 6월에 소련청년작가대회에서 연설한 원고이다. 그가 논한 문제가 우리가 토론해야 할 문제와 밀접한 관계가 있기에 참고를 위해 함께 게재한다. 여기에 발표된 글은 모두 이 토론을 보다 잘 전개하기 위해 선정하여 게재한 것으로, 당연히 이를 결론으로서 볼 수는 없다. 우리는 이 문제가 지속적으로 논의되기를 희망한다"고 밝혔다.

싱궁완(1914~2004), 언어학자. 본명은 싱칭란邢慶蘭으로 안후이성 안칭安慶에서 출생하였다. 난카이대학 교수, 중국언어학회 부회장을 역임하였다.

원화이사(1910~2018), 서예가, 금석학자, 초사楚辭학자. 이름은 원䆀, 서재명은 옌탕燕堂이며 호는 옌서우燕叟로 베이징에서 출생하였다. 공화국 성립 후에 베이징대학, 칭화대학, 베이징사범대학, 중앙미술학원 등의 교수로 근무하였으며 상하이대학 문학원 명예원장을 역임하였다.

뤄수샹(1904~1998), 언어학자. 장쑤성 단양丹陽 출신이다. 청년기에 영국에서 유학하였다. 공화국 성립 후에 칭화대학 교수, 중국과학원(1977년에 중국사회과학원으로 명칭이 변경됨) 철학사회과학학부 위원, 언어연구소 소장 및 명예소장, 중국언어학회 회장을 역임하였다.

같은 날, 『시베이문예』 제2권 제1호에 후허胡禾의 「「금원제국의 궤멸」을 평하다評<金元帝國的潰敗>」와 원스汶石의 「지밍 동지의 창작에 관하여談紀明同志的創作」가 발표되었다. 사설 「문예운동의 지도자, 조직자, 문예작가들은 모두 문예비평의 무기를 들어야 한다文藝運動領導者, 組織者, 文藝作者都應該拿起文藝批評的武器來」는 시베이 문예계에 문예비평을 적극적으로 전개할 것을 호소하였다. 희곡 「금원제국의 궤멸」은 중지밍鍾紀明의 작품으로 『시안군중일보西安群眾日報』 부간에 발표되었는데, 독자와 문예공작자들 사이에서 열띤 토론이 벌어졌다.

원스(1921~1999), 작가. 왕원스王汶石, 왕리청王禮曾, 왕중빈王仲斌, 왕윈스王蘊石라고도 하며 산시山西성 룽허榮河(지금의 완룽萬榮) 출신이다. 1942년에 산간닝 변구 시베이문예공작단西北文藝工作團에서 근무하였으며 단장을 역임하였다. 1949년에 변구문협邊區文協으로 이동해 『군중문예』 편집장, 『시베이문예』 부편집장을 맡았다. 1954년에 작가협회 시안분회 준비위원회에 참가해 비서장을 맡았다. 이후에 산시陝西문협 부주석, 중국작가협회 산시분회 부주석을 역임하였다. 저서로 장편소설 『검은 봉황黑鳳』, 단편소설집 『눈보라 치는 밤風雪之夜』, 『새로 알게 된 동료新結識的夥伴』, 중편소설 『아버지의 분노阿爸的憤怒』, 앙가극 극본 『장정을 징발하다抓壯丁』, 『변경에서邊境上』, 가극 극본 『전우戰友』, 평론집 『역운집亦雲集』 등이 있다.

11일, 정무원에서 「재경기관 내부 간행물의 재경 기밀 숫자 폭로에 관한 통보 및 앞으로의 내부 간행물 출판에 관한 규정關於財經機關內部刊物暴露財經機密數字的通報及對今後出版內部刊物的規定」과 「업무 간행물 통일 조정에 관한 규정關於統一調整業務刊物的規定」 등 두 가지 공문을 발송하였다.

『인민일보』에 웨이웨이의 보고문학 「누가 가장 사랑스러운 사람인가誰是最可愛的人」가 발표되었다. 저우언라이는 제2차 문대회에서 "우리는 공농병 가운데 우수한 인물에 관해 써야 하며, 그들 가운데 이상적인 인물에 관해 창작해야 한다. 웨이웨이 동지의 「누가 가장 사랑스러운 사람인가」가 바로 이런 유형의 송가이다. 이 작품은 수천만 독자를 감동시켰으며 전방의 전사들을 격려하였다. 우리는 바로 이런 전형적인 인물을 묘사하는 방법을 통해 사회의 전진을 추구해야 한다"고 말했다.(『저우언라이가 문예를 논하다周恩來論文藝』, 제53쪽, 인민문학출판사 1979년 -> 각주로 처리해야 할 듯합니다.)

딩링은 "웨이웨이의 글의 장점은 그가 영웅 인물의 사상적 활동을 썼다는 데 있으며, 숭고한 사상과 숭고한 품성을 가진 인물의 영혼을 썼다는 데 있다. 웨이웨이는 이러한 존경할 만한 인민의 영혼 속으로 뚫고 들어가 이를 자신의 영혼과 융합하여, 무궁한 감동과 사랑을 통해 이 영혼 깊은 곳에 품고 있는 모든 감각을 생생하게 이야기하였다. 따라서 그가 칭송하고자 한 인물은 대단히 뚜렷하며, 사람의 마음에 매우 친근하게 접촉해 읽는 이로 하여금 자신의 사상과 감정의 수준을 높여 가장 사랑스러운 이 사람들에게 가까이 다가가고 싶도록 만든다. 이것이 바로 교육적 의의를 가진 좋은 작품이며, '사상성'을 구비한 좋은 작품이다. 그는 정색을 하고 설교하려는 태도를 전혀 보이지 않았으며, '사상성'으로 독자를 겁주지도 않았다. 진정으로 사상을 구비하고 교육적 목적을 달성할 수 있는 좋은 작품은 반드시 그 작품만의 아름다운 표현 수법과 형식을 갖추고 있다. 즉, '예술성'을 가지고 있다"라고 평했다(「웨이웨이의 조선 통신을 읽고 - 「누가 가장 사랑스러운 사람인가」와 「겨울과 봄」讀魏巍的朝鮮通訊--<誰是最可愛的人>與<冬天和春天>」, 『문예보』 1951년 제4권 제3호).

12일, 베이징과 톈진 지역의 일부 공인 작가들이 『문예보』의 초청에 응해 문예좌담회에 참석하였다. 딩링, 천치샤 등 『문예보』의 모든 구성원이 좌담회에 참석하였다. 공인 작가들은 각자의 생활과 창작 상황을 이야기하고 문예창작에 관한 의견을 제시하였다. 좌담회의 주된 내용은 1. 공인 작가는 어떻게 창작을 시작하고, 어째서 창작을 해야 하며, 어떻게 창작해야 하는가? 2. 공장에 온 작가들과 현재 공인을 묘사한 작품들에 관한 공인 작가의 의견 등이었다. 참석자들은 현재의 시국에 관해 여러 가지 견해를 발표하기도 했다. 장더위張德裕 등이 초안을 작성한 「위대한 5·1 노동절을 맞이하다迎接偉大的五一勞動節」가 현장에서 통과되었으며 참석자들의 공동 명의로 발표하기로 결정되었다. 『문예보』 제4권 제1호에 특별 원고 형식으로 「공인작가 문예좌담회 기록記工人作家文藝座談會」이 발표되었다.

13일, 상하이 『문예보』 부간 『자력』에 시 「새로 태어난 갓난아이들이 모두 웃고 있다新生的嬰兒都在笑」가 발표되었다. 이 시는 쑹산嵩山구의 어느 갓난아이가 태어나자마자 웃음을 터뜨린 실제 사건에 근거하여 창작된 것이다. 시가 발표된 후 독자들은 이 시의 소재에 대해 분분히 불만을 표시했다. 독자들은 대체로 신중국의 새로운 기상을 칭송하는 것은 옳은 일이고 또한 반드시 해야 하는 일이지만, 새로 태어난 갓난아이가 웃음을 터뜨린 일은 우연하고도 비정상적인 생리현상일 뿐 새로운 사회의 본질을 반영할 수 없으므로 칭송하지 말아야 하며, 새로운 현실을 반영하는 것은 결코 엽기와 같은 것이 아니라고 보았다.

20일, 문화부 부부장 저우양이 정무원 제81차 정무회의에서 「1950년 전국 문화예술공작 보고 및 1951년 계획 요점1950年全國文化藝術工作報告與1951年計劃要點」이라는 제목으로 보고를 진행했으며 이후에 5월 8일자 『인민일보』에 발표되었다. 보고는 "과거 1년간 중앙문화부의 공작에 존재했던 비교적 심각한 결점은 전국 문화예술에 대한 사상 정책 면의 지도력이 부족했다는 점이다. 이러한 결점이 생긴 주된 이유는 사상 측면에서 문화공작이 사상공작의 일종임을 충분히 인식하지 못하고, 일반 행정 사무에만 정력을 과하게 기울여 어느 정도의 사무주의 작풍이 형성되는 결과를 낳았기 때문"이라고 지적하였다. 저우양은 1951년도 공작계획에 관해서는 전영사업을 더욱 발전시키고, 희곡개혁 및 연속 그림과 세화 발전 공작을 강화할 것을 강조하였다.

21일, 『중국청년』 제63호에 펑원빈의 「중국신민주주의청년단은 중국청년혁명투쟁 전통의 계승자이다中國新民主主義青年團是中國青年革命鬥爭傳統的繼承者」, 쉰신循心의 「적에 대한 우리의 경계심을 강화하자加強我們的敵情觀念」, 샤오싼의 「마오쩌둥 동지가 공인운동에 계속해서 노력을 기울인다毛澤東同志繼續努力於工人運動」(1), 바이화의 「엥겔스 이야기」(2)가 발표되었다.

상하이 『대공보』에 「책임감 없는 희곡 평가를 반대한다反對不負責的戲曲評介」라는 글이 게재되어 정디鄭笛의 글 「월극 「양축애사」를 평하다評越劇<梁祝哀史>」의 책임감 없는 비평 태도를 엄정히 지적하였다.

22일, 상하이문협에서 연례 회의를 개최하였다. 회의에서 문학창작을 강화하고 작품의 질과 양을 제고하며, '작품의 집'을 설립하고 창작보조지원금을 운영해 창작 시기의 작가들의 생활고를 해결하며, 비평과 자아비평을 강화해 『문회보』의 『문학계』 란을 문학비평 부간으로 운영할 것을 결정하였다.

천황메이가 『창장일보』에 「새로운 영웅의 전형을 창조하기 위해 노력하자爲創造新的英雄典型而努力」를 발표해 현재의 문예창작이 이미 '낙후에서 변화로' 전환되는 창작 공식을 형성했음을 지적하였다. 군중은 이러한 공식에 대해 풍자적으로 "낙후가 아니면 변화이고, 망나니가 아니면 게으름뱅이"라고 정리하고 있다. 즉 인물에 대한 묘사가 변화 전에는 충분히 생동감 있었지만, 변화 후에는 공식화되고 개념화되는 경향이 드러났다는 것이다. 천황메이는 부대문예창작이 반드시 이러한 "사상성과 예술성의 결핍"을 돌파해야만 변모할 수 있다고 보았다. 이를 위해 그는 "새로운 전형적 영웅을 창조하기 위해 노력하자!"라고 호소하며, "나는 창작자들이 「실천론」을 깊이 학습하고 혁명의 실천에 직접 참가한다면 분명히 빛나는 신중국의 영웅의 전형을 여럿 창조할 수 있을 것이며, 이를 통해 도약하고 전진하는 우리의 위대한 조국을 표현할 수 있을 것임을 열렬히 희망하며 또한 믿는다"고 말했다.

25일, 상하이문련창작위원회에서 중앙문화부 부장 마오둔 동지의 상하이 방문을 환영하기 위해 모임을 가졌다. 환영회에서 마오둔은 창작문제에 관해 「현재 문예창작에 존재하는 몇 가지 문제 – 4월 25일 상하이문예공작자 환영대회에서의 연설目前文藝創作上的幾個問題——四月二十五日在上海文藝工作者歡迎大會的講話」이라는 제목의 보고를 진행해 평화 수호, 항미원조, 반혁명 진압이 오늘날 문예가들이 직면한 3대 임무임을 지적하였다. 그는 현재 일부 작품들이 공식주의라는 실수를 범해 창작의 전형이라는 이상을 이루지 못하고 있다고 지적하였다. 또한 현재는 짧지만 힘 있는 작품들이 필요하다는 점과 문예에 있어 비평과 자아비평이 가지는 중요성에 대해 언급하였다.

『문예보』 제4권 제1호에 편집부의 글 「어째서 '서둘러' '임무'를 처리하지 못하는가爲什麼"趕"不好"任務"」가 게재되었다. 글은 "『문예보』 제3권 제9호에 「「임무를 서둘러 완성하는」 문제에 관한 토론關於<趕任務>問題的討論」이라는 글이 발표된 후 수많은 독자들이 서신과 원고를 통해 토론에 참가하였다. 원인을 규명하는 토론을 통해 1. 생활의 결핍, 2. 기본 문제가 학습에 있다는 점, 3. 문제가 작가의 자각에 있다는 점, 4. 일부 사람들이 작가들이 반드시 이렇게 하기를 원한다는 점, 5. 인물을 창작하지 못했으며 이미지가 충분하지 못하다는 점 등의 의견이 제기되었다"고 밝혔다.

『문예보』 이번 호에 '어사사' 특별란이 개설되어 후차오무의 「짧게, 더 짧게」, 샤오한曉涵의 「못 한 개一個釘子」, 천치샤의 「중국인들에게는 오래된 속담이 하나 있다中國人有一句老話」, 장화의 「교육계에서 「무훈전」을 토론할 것을 건의한다建議教育界討論<武訓傳>」, 허위안何遠의 「좀 더 깊이 들어가자再深入一步」, 린이林易의 「한 전사의 감정一個戰士的感情」 등의 글이 발표되었다.

『문예보』 이번 호에 자지賈霽의 「교훈으로 삼기에 부족한 무훈不足爲訓的武訓」 및 「루쉰 선생이 무훈을 말하다魯迅先生談武訓」 등 영화 「무훈전」에 관한 비평의 글이 게재되었다. 서두에 추가된 편집자의 말은 "영화 「무훈전」이 상영된 후 무훈이라는 역사적 인물 및 영화 「무훈전」의 사상과 예술적 내용에 관한 논쟁이 벌어졌다. 이 논쟁은 모두가 주의할 만한 것이다. 이 논쟁은 많은 동지들에게 아직 견고한 계급관념과 정확한 역사 관념이 부족하며, 또한 중국 혁명 전통에 대한 인식에 명확하지 못한 관념을 가지고 있음을 드러낸다. 『문예보』는 독자들이 이 문제를 더욱 깊이 있게 이해할 수 있도록 하기 위해 무훈에 관한 루쉰 선생의 의견을 다시 게재한다. 이 글은 매우 짧지만 우리가 깊이 있게 사고할 수 있도록 도와준다. 다른 한 편은 무훈이라는 인물의 사상적 의미와 예술적 효과에 관한 분석인데, 이 글에 제시된 몇몇 논점은 비록 충분히 전체적이지 않을지 모르나(가령, 무훈이라는 인물에 대해 역사적 진실에 따라 비판을 가해야 한다는 논점은 매우 부족하다는 것 등), 이 글에 제시된 이론 및 사상 측면의 몇 가지 원칙 문제는 우리가 연구해 볼 가치가 있다"고 밝혔다.

자지(1917~1985), 작가. 필명은 아이펀艾分, 시먼西門으로 장쑤성 전장鎮江 출신이다. 1939년에 옌안항일군정대학을 졸업하였으며 옌안루쉰 문학과를 제1기로 졸업하였다. 화베이『신화일보』 기자, 산둥문협 인민극단 단장, 중앙전영국 창작소 각본가 및 편집부 주임, 『대중전영』 편집장, 『극본』 부편집장 등을 역임하였다. 저서로 장막극 극본 『지진地震』, 『신병神兵』, 『관문을 넘다過關』, 『정신이 황무지를 개간하다鄭信開荒』, 영화문학 극본 『송경시』(합동 창작), 『송경시 노의 이야기宋景詩盧義故事』, 『각색에 관하여編劇知識』 등이 있다.

중앙의 선전공작에 호응하기 위해 『문예보』에는 이번 호부터 마트로소프의 「선전 선동 공작 과정에서 예술 문학을 어떻게 활용할 것인가在宣傳鼓動工作中如何運用藝術文學」의 연재가 시작되었다. 편집자의 말에는 "올해 1월 1일에 중국공산당 중앙위원회에서 「인민군중에 대한 선전망의 전국적 건립에 대한 결정關於在全國建立對人民群眾的宣傳網的決定」을 발포한 이후로, 전국 각 지구와 각 부문에서 분분히 선전원 제도를 수립해 새로운 규모로 선전공작을 진행하였다. 일상의 선전활동 속에서 문학예술작품을 어떻게 활용할 것인가 하는 것은 우리의 모든 선전원 동지들과 모든 문예공작자가 큰 관심을 가지고 있는 문제이다. 『문예보』 제4권 제1호부터 「선전 선동 공작 과정에서 예술 문학을 어떻게 활용할 것인가」를 연재해 선전원들의 학습 자료로 삼는다"라고 밝혔다.

『문예보』 이번 호에 위안수이파이의 「인민이여, 곁에 있는 살인자를 조심하라 – 소련 모스크바전영제편창 출품작 「음모」를 보고人民,當心你身旁的凶手——蘇聯莫斯科電影制片廠出品<陰謀>觀後」, 리광톈의 「「실천론」과 문예공작 – 3월 29일 중앙문학연구소에서의 강연<實踐論>與文藝工作——三月二十九日講於中央文學研究所」 등의 글이 게재되었다. 이번 호부터 정전둬의 「위대한 예술 전통偉大的藝術傳統」이 연재되기 시작하였다. 이번 호에는 개요에 해당하는 서문이 게재되었으며, 이후 매호 한 편씩 연재되어 중국 역사상 위대한 예술적 성과를 소개하고 사회 배경에 관해 간단하게 분석하였다.

이달 하순부터 5월 말까지 광둥 화극계에서 '애국주의 화극 관람의 달' 행사를 진행해 화난인민극단華南人民劇團, 화난문예학원華南文藝學院, 화난문공단華南文工團 등 13개 단체가 참가하였다. 공연된 주요 화극은 「국가 보위 행진곡保家衛國進行曲」, 「팡전주」, 「시련考驗」, 「강철은 어떻게 단련되었는가」, 「미국 인민의 고함 소리美國人民的呼聲」, 「전진하라, 미국의 인민이여前進,美國的人民」, 「러시아 문제俄羅斯問題」, 「매미가 아니다」, 「민주 청년 행진곡民主青年進行曲」 등이다. 본 행사는 43일간 진행되었으며, 이를 통해 화난 지역의 희극활동이 강력히 추진되었다.

화베이군구 정치부 문화부에서 전군 희극음악창작공작자 회의를 소집하였다. 회의의 목적은 창작 사상 측면의 근본적인 문제, 즉 인민해방군의 새로운 인물의 사상적 본질을 어떻게 표현해 더욱 심도 있고 강력하게 영웅 인물 형상을 창조하고, 인민해방군의 위대한 공적에 걸맞은 작품을 창작할 것인가 하는 문제를 명확히 하는 것이다. 두펑杜烽, 후커, 자오쉐스趙學詩 등이 「평화와 행복을 위해 싸우다爲和平幸福而戰」, 「영웅의 진지英雄的陣地」, 「'계란'을 먹다吃"雞蛋"」 등 희극 세 편의 창작 및 수정 과정에 대해 기조 발언을 진행하였다. 참석자들은 반드시 이론 학습을 강화해야 생활을 정확히 분석하고 인민해방군의 본질을 표현할 수 있으며, 창작 과정에서 '낙후 변화'에 열중하는 경향을 극복해야 한다고 보았다.

상하이 1951년 춘절 희곡곡예대회가 성공적으로 폐회하였다. 「착한 자녀好兒女」(호극), 「미인계美人計」(회극淮劇), 「악비嶽飛」(회극), 「십오본 수박양산十五本水泊梁山」(연속 장편 경극) 등 네 편의 희곡이 영예상을 수상하였다. 곡예 부문에서는 「태평천국太平天國」(평화評話)와 「삼상교三上橋」(탄사彈詞) 두 편이 수상하였다.

장창궁張長弓의 『당송 전기작가 및 그 시대唐宋傳奇作者暨其時代』(인민백과소책자)가 상무인서관에서 출간되었다.

장창궁(1931~2000), 작가, 서예가. 본적은 산둥성 칭저우青州이며 네이멍구 커스커텅치克什克騰旗에서 출생하였다. 1947년에 혁명에 참여하였으며 1964년에 네이멍구대학 중문과를 졸업하였다. 『자오우다 신문昭烏達報』 기자, 네이멍구 작가협회 부주석을 역임하였다. 저서로 장편소설 『모난의 혼漠南魂』, 『청춘青春』, 『변경 도시의 눈보라邊城風雪』(합동 창작), 중편소설집 『홍류紅柳』, 단편소설집 『매鷹』, 『초원의 경기병草原輕騎』, 『새벽淩晨』 및 『장창궁 소설선張長弓小說選』 등이 있다.

뤄빈지駱賓基의 『장바오뤄의 추억張保洛的回憶』이 지난산둥인민출판사에서 출간되었다.

뤄빈지(1917~1994), 작가. 본명은 장푸쥔張璞君으로 지린성 훈춘琿春 출신이다. '8·13' 이후에 상하이 항일구국운동에 참여하였다. 1939년에 저둥浙東 지역에서 항일선전공작에 종사하면서 중국공산당에 가입하였다. 1944년에 쓰촨에서 체포되었다가 공산당의 구조를 받아 석방되었다. 종전 후에 충칭에서 둥베이문화협회 상임이사 겸 비서장을 맡았다. 1947년에 하얼빈 해방구로 이동하던 중에 다시 체포되었다가 1949년에 석방되었다. 공화국 성립 후에는 산둥문교위원회 위원, 산둥문련 부주석, 작가협회 베이징분회 부주석을 역임하였다. 저서로 장편소설 『변경선 위에서邊陲線上』, 『유년幼年』, 『소년少年』, 『뤄빈지 단편소설집駱賓基短篇小說集』, 화극 극본 『5월의 라일락五月丁香』, 『결혼 전結婚之前』, 전기 『샤오홍 약전蕭紅小傳』, 회고록 『지나간 시대過去的年代』 등이 있다.

지쉐페이吉學霈의 소설 『땅을 가지게 된 사람들有了土地的人們』이 우한중난인민출판사에서 출간되었다.

지쉐페이(1926~), 작가. 본명은 지칭장吉清江으로 허난성 옌스偃師 출신이다. 1948년에 뤄양사범학원洛陽師範學院을 졸업하였으며 1956년에 중앙문학강습소를 졸업하였다. 교사, 편집자로 근무했으며 중난작가협회 전문창작원, 후베이성 문련 부주석 및 당조부서기, 비서장, 후베이성 작가협회 부주석 및 고문 등을 역임하였다. 저서로 시집 『쌀가마를 받다接糧袋』, 소설집 『땅을 가지게 된 사람들』, 『가오슈산이 집으로 돌아가다高秀山回家』, 『작은 백기의 풍파一面小白旗的風波』, 『3월의 풍운三月裏的風雲』, 『농촌 기록農村紀事』, 『두 대장兩個隊長』, 『지쉐페이 근작선吉學沛近作選』, 산문집 『랑화집浪花集』, 『옌안 장류延河長流』, 『황허의 정黃河情』, 아동문학집 『난난南南』, 『새장 밖으로 날아간 작은 비둘기飛出籠的小鴿子』, 전기 『리다구이 이야기李大貴的故事』 등이 있다.

진이의 소설 『붉은 초紅燭』, 『중신眾神』의 재판이 상하이문화생활출판사에서 출간되었다.

거비저우의 시집 『옌안과 이별하다別延安』가 현실시총 제1집 제6권으로서 50년대출판사에서 출간되었다.

후정胡征의 시집 『주석대主席台』가 시난인민문예총서西南人民文藝叢書 중 한 권으로서 충칭시난인민출판사에서 출간되었으며, 장시 『7월의 전쟁七月的戰爭』이 베이징싼롄서점에서 출간되었다. 장시는 총 10장으로 구성되었으며 시인의 「후기」가 수록되었다. 「후기」에서 그는 "1947년 7월은 위대한 인민해방전쟁이 전략적 방어에서 전략적 공격으로 전환하기 시작한 시기이다. 우리는 이 전쟁에 있어 1946년 7월부터 1947년 6월까지는 전략적 방어 단계에 있었다가, 1947년 7월부터는 전략적 공격을 시작하였다." "나는 인민해방군 전사 중 한 사람으로서 이 전쟁에 직접 참가했다. 이 타는 듯 붉은 7월, 이 위대한 전쟁이 내게 준 감동과 깨달음은 너무나 크다. 내가 전지에서 생활한 시간이 너무 짧아(전쟁의 전체 과정 중에서 내가 전선에 있었던 시간은 단 8개월여뿐이다) 전쟁에 대한 이해가 얕고, 관찰력과 창작 수양도 너무나 부족해 항상 전쟁에 관해 쓰고 싶었지만 감히 펜을 잡지 못했다. 1948년 가을에 위시豫西에 주둔하고 있던 당시에 시험 삼아 이 시의 초고를 완성했으나, 그 후에는 정리할 기회도, 자신도 없었다. 올해 4, 5월 사이에 이 시를 다시 썼다. 시를 쓸 때 나는 그저 이 위대한 전쟁이 내게 준 격동적인 심정에 기대어 전쟁이 발전한 기세에 따라 당시의 실제 감정을 서술했을 뿐, 예술적인 면에서 더 큰 노력을 기울일 능력은 없었다. 그 결과 이런 조잡한 시가 나왔다. 더 많은 도움을 받기를 바라면서 나는 얼굴을 붉힌 채 이 시를 독자들 앞에 내놓는다"고 밝혔다.

후정(1917~2007), 시인. 본명은 후추핑胡秋平으로 본적은 후베이성 다우大悟이며 허난성 뤄산羅山에서 출생하였다. 1938년 1월에 혁명에 참가하였으며 8월에 중국공산당에 가입하였다. 옌안항일군정대학과 옌안루예에서 수학하였다. 1955년에 시안작가협회로 이동해 상주 작가를 맡았다. 얼마 후 후펑 사건에 연루되어 투옥되었다. 복권된 후 1978년 12월에 산시陝西성 바오지사범학원寶雞師範學院 중문과에서 교편을 잡았다. 1980년 이후에 산시성 사회과학원에서 근무하였다. 대표작으로 장시 『7월의 전쟁』과 『대진군大進軍』 두 편이 있으며, 저서로 『시의 미학詩的美學』, 『후정 시선胡征詩選』, 『루시난 회전魯西南會戰』, 『문심집文心集』 등이 있다.

비거페이畢革飛의 시집 『'운송대장' 장제스"運輸隊長"蔣介石』가 베이징싼롄서점에서 출간되었다. 시집은 「'운송대장' 장제스(시사 쾌판시)」, 「잔인한 악인을 단호히 소멸시키다堅決消滅活閻王(전투 쾌판시)」 등 2집으로 구성되어 「장제스가 세 가지 병을 얻다蔣介石身得三種病」, 「둥베이에서 우리 군이 공전의 대승리를 얻어, 진저우를 함락해 10만여 적군을 섬멸하다東北我軍空前大勝利,打下錦州殲敵十萬餘」, 「땅 비행기土飛機」, 「'운송대장' 장제스」 등 40여 편의 시가 수록되었으며, 「비거페이가 쾌판을 쓰다畢革飛寫快板」라는 글로 서문을 대신하고, 팡밍方明의 「병사의 시인兵的詩人」, 런젠칭任劍青의 「거페이 동지와 그의 쾌판 창작에 관하여關於革飛同志及其快板的寫作」, 비거페이의 「우리 부대에서의 쾌판 운동我們部隊中的快板運動」 등 세 편의 글이 부록으로 수록되었다.

비거페이(1919~1962), 곡예작가. 산시山西성 가오핑高平 출신이다. 공화국 성립 후에 촨시군구川西軍區 선전부 부장, 중국인민지원군 선전과 과장, 해방군문예사 편집자, 공군문화부 부장, 중국곡예가협회 제1기 이사를 역임하였다. 저서로 쾌판시집 『쾌판으로 승리를 노래하다快板唱勝利』, 『비거페이 쾌판시선畢革飛板板詩選』 등이 있다.

가오자숴高加索의 시집 『장난 가요江南謠』가 장난문예총서江南文藝叢書 중 한 권으로서 상하이정풍출판사에서 출간되었다. 시집은 상, 하집으로 구성되어 「큰 경사가 오기를 바라다天大的喜事望來啦」, 「난징 해방 1주년을 경축하며慶祝南京解放一周年」, 「보리 타작 노래打麥歌」 등 29편의 시가 수록되었다.

가오자숴(1924~1998), 시인. 본명은 뤼젠쥔呂健軍으로 안후이성 닝궈寧國 출신이다. 1946년에 난징에서 비밀리에 중국공산당에 가입한 후 국민당 통계국에 잠입해 지하정보공작에 종사하였다. 공화국 성립 후에 난징시위원회 선전부 간사, 난징시 정협 학습사무실 부주임, 『애국보』 편집장을 역임하였다. 저서로 시집『온 땅에 꽃이 만발하니 또다시 봄이구나花開滿地又是春』,『장난 가요』,『정오의 눈동자正午的瞳孔』,『가을 속의 봄秋天裏的春天』 등이 있다.

허우웨이둥侯唯動의 장시『아름다운 두보천이 흐르는 산골짜기美麗的杜甫川淌過的山穀』가 문예창작총서 중 한 권으로서 상하이화둥인민출판사에서 출간되었다. 장시는 2부로 구성되어 제1부「소금을 진 사람馱鹽的」, 제2부「양진화楊金花」와「맺음말」이 수록되었다.

허우웨이둥(1917~2005), 시인. 필명은 퉁상仝上이며 산시陝西성 푸펑扶風 출신이다. 1940년에 옌안루예 문학과를 졸업하였다. 간부, 교사, 전업 작가 등에 종사하였다. 저서로 시집『황허 서쪽 기슭의 응형 지대黃河西岸的鷹形地帶』,『아름다운 두보천이 흐르는 산골짜기』,『시베이 고원의 황토가 금으로 변하는 날西北高原黃土變成金的日子』,『장군의 말將軍的馬』,『붉은 두건紅頭巾』,『노동영웅 류잉위안勞動英雄劉英源』,『투쟁하면 반드시 승리한다鬥爭就有勝利』,『자유를 위하여, 토지를 위하여爲了自由,爲了土地』,『목동이 피리로 분 것牧笛吹出的』 등이 있다.

류진劉金의 시집『서툰 송가笨拙的頌歌』가 상하이화둥인민출판사에서 출간되었다. 시집에는「후다를 노래하다唱胡達」,「우리의 중대장我們的連長」 등 4편의 시와 시인의「서문」이 수록되었다.「서문」은 "이 시집에 수록된 네 편의 시 가운데 세 편은 영웅을 칭송한 것이다. 이 세 편의 주인공은 누구인지 말할 수는 없으나 실존인물들이다. 나의 서술 역시 기본적으로 실제 인물과 실제 사건을 기록한 것이다. 그러나 어쨌든 신문기사가 아니라 창작으로서 쓴 것이므로, 세부적인 몇몇 부분에 상상을 빌려 보충과 변화를 더하는 것은 반드시 필요한 일이었다." "이 시집의 마지막 한 편은 소재가 완전히 다르다. 나는 이 시에서 인민해방전쟁의 본질적 내용을 표현해 인민해방전쟁이 어떠한 견고한 기초 위에 수립된 것인지 분명히 밝히려 했다. 독자들은 이 시에서 인민의 군대가 가는 곳마다 당할 자가 없는 이유를 쉽게 발견할 수 있을 것이다. 물론 이것은 그 이유 가운데 아주 작은 일부일 뿐이다"라고 밝혔다.

류진(1922~2008), 작가, 시인. 류우인柳無垠, 수성舒生 등의 필명을 사용했으며 저장성 성현嵊縣 출신이다. 1945년에 신사군 저둥유격종대浙東遊擊縱隊에 참가하였다. 화둥인민출판사 및 상하이문예출판사 편집실 부주임 및 주임, 중공상하이시위원회 선전부 문예처 부처장,『문학보文學報』 편집장 및 편집심사위원을 역임하였다. 저서로 시집『서툰 송가』,『전선 이야기前線的故事』, 평론집『「붉은 해」 분석<紅日>試析』, 산문 및 잡문집『마상수필馬上隨筆』,『취사거 잡문吹沙居雜文』,『취사거 수필吹沙居隨筆』,『취사거 유탄吹沙居亂彈』,『증거 삼아 문서로 보존하다立此存照』, 소설집『장락궁에서 놀라 꿈에서 깨다長樂宮驚夢』 등이 있다.

양후이羊翬의 시집『수없이 많은 산과 강이 마오 주석을 만나러 온다千山萬水來見毛主席』가 문예창작총서 중 한 권으로서 상하이잡지공사에서 출간되었다. 시집에는 「황허를 건너다渡黃河」, 「불길이 소대장을 구하다火線救排長」, 「홍군의 어머니紅軍的老媽媽」, 「수없이 많은 산과 강이 마오 주석을 만나러 온다」 등 7편의 시가 수록되었다.

양후이(1924~), 작가, 시인. 장족壯族으로 본명은 탄시즈覃錫之이며 쓰촨성 광한廣漢 출신이다. 1945년에 청두옌징대학成都燕京大學 역사학과를 수료한 후 중위안 해방구로 갔다. 우한중위안대학武漢中原大學 문예학원 교원, 중난작가협회 전문 창작원, 중국작가협회 우한분회 편집자, 『창장』 문학총간 편집심사위원을 역임하였다. 저서로 시집 『수없이 많은 산과 강이 마오 주석을 만나러 온다』가 있다.

위가오의 시집 『인민 자제병人民子弟兵』이 문예창작총서 중 한 권으로서 화둥인민출판사에서 출간되었다. 시집에는 「장거우쯔張勾子」, 「자오창서우趙長壽」, 「인민 자제병」 등 4편의 시가 수록되었다.

시베이문학예술계연합회 항미원조선전위원회에서 편찬한 커중핑 등의 시집 『승리의 대진격 – 항미원조시선勝利大進攻——抗美援朝詩選』이 시베이인민출판사에서 출간되었다. 시집에는 커중핑의 「승리의 대진격勝利大進攻」, 거비저우의 「신중국이 노호하고 있다新中國在怒吼」, 가오민푸高敏夫의 「나는 그대들을 노래한다我歌唱你們」, 거비저우의 「위대한 마음偉大的心」 등 22편의 시가 수록되었다.

가오민푸(1905~1975), 본명은 가오진량高錦亮, 필명은 가오투전高吐真으로 산시陝西성 미즈米脂 출신이다. 대혁명 시기에 국민당군의 양후청楊虎城 휘하에서 비서로 근무하였다. 1927년 12월에 중국공산당에 가입해 1930년 3월에 베이핑으로 가서 당의 지하공작에 종사하였다. 1934년 여름에 국민당에 의해 체포되었다가 1936년 9월에 두위밍杜聿明의 구조를 받아 탈옥해 고향으로 돌아가 요양하였다. 1937년 5월에 옌안으로 가서 항일공작에 종사하였다. 저서로 『가오민푸 전지 일기高敏夫戰地日記』 등이 있다.

쑨리의 시집 『산하이관 홍릉가山海關紅綾歌』가 톈진지식서점에서 출간되었다. 차오위의 화극 『집家』과 『태변蛻變』이 상하이문화생활출판사에서 재판되었다. 주징朱景이 편찬한 『신농촌여행기新農村旅行記』가 우시쑤난인민출판사無錫蘇南人民出版社에서 출간되었다.

위안커袁珂의 『중국 고대 신화中國古代神話』가 상무인서관에서 출간되었다. 천칭장陳清漳 등이 편역한 『가다메이린嘎達梅林』이 상하이신문예출판사에서 출간되었다. 루룽이 번역한 러시아 작가 쿠프린의 『결투決鬥』가 상하이문화생활출판사에서 재판되었다.

출판총서에서 「『마오쩌둥 선집』의 출판 인쇄 발행공작에 진지하게 임할 것에 관한 지시認真做好<毛澤東選集>的出版印刷發行工作的指示」를 발포하고, 『마오쩌둥 선집』의 출판, 인쇄, 발행공작위원회를 설립하기로 결정해 황뤄펑黃洛峰이 주임위원을, 주즈청祝志澄, 화잉선華應申, 왕이王益가 부주임위원을 맡았다.

출판총서에서 저우젠런周建人 부서장을 필두로 하는 「저작권 출판권 임시 조례著作權出版權暫行條例」 초안 작성 위원회를 조직해 저작권 문제 연구에 착수하였다.

5월

1일, 『인민일보』에 사설 「항미원조운동을 새로운 단계로 추진하자把抗美援朝運動推進到新的階段」가 게재되었다. 『인민문학』 제4권 제1호에 차오징화의 논문 「소련문학에 관하여談蘇聯文學」, 소련 『문학보』의 사설 「작가의 노동作家的勞動」, 캉줘의 소설 「정월 신춘正月新春」, 딩커신의 소설 「늙은 공인 궈푸산老工人郭福山」, 둥시샹董西相의 소설 「큰형님老大哥」, 옌페이燕飛의 소설 「목화棉花」 및 「1951년도 문학공작자의 창작, 연구, 번역계획 조사 발췌문(1-5)一九五一年文學工作者創作, 研究, 翻譯計劃調查摘錄(1—5)」, 「1950년 문학공작자 창작계획 완성 상황 조사(3)」이 발표되었다.

『소설월간』 제5권 제4호에 커란의 장편 연재 「옌안 10년」, 바이웨이의 단편소설 「샤정夏征」, 장즈민의 단편소설 「우리는 어떻게 전투하는가我們怎樣戰鬥」, 아이밍즈의 4막 화극 「강철의 힘」이 발표되었다.

장즈민의 시집 『장군과 그의 군마將軍和他的戰馬』가 현실시총 제1집 제7권으로서 50년대출판사에서 출간되었다. 시집에는 「장군과 그의 군마」, 「수도의 성벽 위에서 수비하다守衛在首都的城頭」, 「영웅의 어머니英雄的娘」 등 7편의 시가 수록되었다.

『신희극』 제2권 제1호에 마사오보의 「희곡의 역사 진실과 현실적 영향戲曲的曆史真實與現實影響」이 발표되었다.

4일, 『중국청년보』에 딩링의 「'5·4' 시대의 작품을 어떻게 대해야 할 것인가怎樣對待"五四"時代作品」가 발표되었다.

5일, 저우언라이 총리의 서명을 거쳐 정무원에서 「희곡개혁공작에 관한 지시關於戲曲改革工作的指示」를 발포해 '희곡 개혁, 인물 개혁, 제도 개혁改戲, 改人, 改制'을 호소하였다.

6일, 베이징에서 미국의 저명한 작가이자 기자인 스메들리의 추모회가 성대하게 거행되었다. 마오둔, 쉬광핑, 후위즈 등 문예계와 신문계, 자선계 인사들 및 스메들리의 친우들과 북경에 체재 중인 영국인민방문단 단원들과 외국 기자들 등 총 500여 명이 참석하였다. 마오둔이 추모 연설을 하고 딩링이 스메들리의 일생을 설명하였다. 샤오화肖華, 캉커칭, 라오서가 발언하고, 스메들리의 친구인 런던공인일보倫敦工人日報 기고자 아서 글렉 선생이 영국인민방문단을 대표해 연설하였다. 추모회 후에 장례식이 진행되어 유골은 베이징 서쪽 교외의 바바오산 혁명공동묘지八寶山革命公墓에 안장되었다. 이날 『인민일보』, 『광명일보』 등에 마오둔, 딩링 등의 추모의 글이 게재되어 중국 인민의 친구로서 진보와 평화사업에 헌신한 이 문화전사를 추모하였다. 스메들리의 유작과 유품 및 유고 등은 베이징에서 공개·전시되었다. 8일자 『광명일보』 에 「어느 진정한 미국인의 길 – 스메들리 유작, 유품, 유고 전시회 기록一個真正美國人的道路——記史沫特萊遺著、遺物、遺稿展覽」이라는 제목으로 보고가 게재되었다.

7일, 『인민일보』에 5일에 발포된 「희곡개혁공작에 관한 지시」와 사설 「희곡개혁공작을 중시하자重視戲曲改革工作」가 게재되었다. 『중국청년』 제64호에 사설 「항미원조 애국운동은 일상 공작과 결합되어야 한다抗美援朝愛國運動要和經常工作結合」, 아이쓰치艾思奇의 「악비는 과연 애국자인가?嶽飛是不是一個愛國者?」, 샤오싼의 「마오쩌둥 동지가 공인운동에 계속해서 노력을 기울인다(2)」, 바이화의 「엥겔스 이야기」(3), 샤오인의 「위대하게 살아야 위대한 창작을 할 수 있다活得偉大才寫得偉大」 등의 글이 발표되었다.

아이쓰치(1910~1966), 철학가. 윈난성 텅충騰沖 출신이다. 청년기에 일본에서 유학하였으며 1935년에 중국공산당에 가입하였다. 1937년에 옌안으로 가서 항일군정대학 주임교원, 중앙연구원 문화사상연구실 주임, 중공중앙 문화위원회 비서장, 『해방일보』 부편집장을 역임하였다. 공화국 성립 후에 중공중앙 고급당교高級黨校 철학교연실 주임 및 부교장, 중국철학회 부회장, 중국과학원 철학사회과학부 학부위원을 역임하였다.

9일부터 12일까지 저우쭤런이 상하이 『역보』에 스산十山이라는 필명으로 「도쿄에서의 루쉰魯迅在東京」이라는 제목으로 총 35편의 글을 발표하였다.

10일, 전국문련 연구실에서 정리한 「항미원조 문예선전의 초보적 결산 – 1951년 3월 말까지의 상황과 문제抗美援朝文藝宣傳的初步總結---一九五一年三月底以前的情況和問題」가 『문예보』 제4권 제2호에 게재되었다. 글은 이번 문예선전의 규모와 군중들 사이에서 비교적 큰 영향력을 가졌던 작품 및 창작과 운동 과정에 존재하는 결점 등을 언급하였다.

『문예보』 이번 호에 「무훈전」에 관한 토론이 전개되어 양얼楊耳의 「타오싱즈 선생이 '무훈 정신'을 표창한 일이 적극적인 영향을 끼치는가에 관하여試談陶行知先生表揚"武訓精神"有無積極作用」와 덩유메이鄧友梅의 「무훈에 관한 몇 가지 자료關於武訓的一些材料」 등 두 편의 글이 게재되었다. 양얼의 글 앞에 추가된 '편집자의 말'은 "이 글은 지난 호에 발표되었던 자지의 「교훈으로 삼기에 부족한 무훈」의 일부 논점에 관해 보충 및 수정을 가한 것으로, 모두 주의해 읽을 만하다"고 밝혔다.

『문예보』 같은 호에 허자후이何家槐의 「단편소설에 대한 나의 몇 가지 견해我對於短篇小說的一些看法」, 쉬제의 「우리는 더 다양하고 훌륭한 단편소설이 더 많이 필요하다我們也要更多更精彩多樣的短篇小說」, 천쉐자오의 「단편소설에 더욱 주의하고 더 많이 쓰자多注意多寫些短篇小說」, 리나李納의 「「훌륭하고 다양한 단편소설을 많이 쓰자」에 관하여關於<多些精彩多樣的短篇小說>」 등 단편소설 창작 문제에 관한 네 편의 글이 발표되었다.

허자후이는 글에서 "우리의 단편소설 수준은 아직 매우 낮아 객관적인 수요에 크게 뒤떨어져 있으므로, 적극적으로 방법을 모색해 지금보다 수준을 제고해야 한다. 내가 보기에 이러한 현상이 발생한 원인은 다음과 같다. 첫째, 단편소설에 대한 정확한 견해가 없기 때문이다. 둘째, 생활의 깊이와 범위가 충분치 않기 때문이다. 셋째, 비평과 자아비평이 아직 제대로 전개되지 않고 있기 때문이다. 이상의 간단한 고찰과 분석에 근거해 우리는 단편소설을 현재의 기초에서 한 단계 제고하기 위해서는 첫째로 잘못된 견해를 수정해 정확한 인식을 수립해야 하고, 둘째로 단편소설 작가들의 생활 범위를 확대해 다방면으로 생활에 깊이 침투해야 하며, 셋째로는 비평과 자아비평을 강화하는 동시에 작가들의 학습과 독서를 적극적으로 제창해 그들이 편협한 생활 경험과 감성 지식에만 단편적으로 의지하지 않도록 해야 한다는 것을 알 수 있다. 단편소설에 대한 인민의 수요는 절박하므로 단편소설은 무한한 앞날을 가지고 있다. 모든 문제는 우리가 우리 자신을 제고할 수 있는가, 그럴 결심을 할 수 있는가에 있다"고 주장하였다.

허자후이(1911~1969), 필명은 융슈永修로 저장성 이우 출신이다. 1932년에 좌련에 가입하였으며 1934년에 중국공산당에 가입하였다. 공화국 성립 후에 마르크스레닌학원(즉, 중앙고급당교中央高級黨校) 교원, 사회과학원 문학연구소 현대문학조 부조장 및 당대문학조 조장, 광저우지난대학廣州暨南大學 중문과 주임을 역임하였다. 문화대혁명 시기에 박해를 받았다. 저서로 잡문집 『촌심집寸心集』, 『모연집冒煙集』, 논문집 『일년집一年集』, 단편소설집 『애매曖昧』, 『한야집寒夜集』, 산문집 『

도량집稻粱集』, 『회구집懷舊集』이 있으며 역서로 『러시아 작가를 논하다論俄國作家』, 『모파상 단편소설집莫泊桑短篇小說集』 등이 있다.

『문예보』 같은 호에 홍웨洪嶽의 「선전의 목적과 선전의 수단宣傳的目的和宣傳的手段」, 정전둬의 「위대한 예술 전통 – 은대의 예술偉大的藝術傳統——殷代的藝術」(상), 뤄청若誠이 집필한 「「용수구」 무대효과 창작 경험<龍須溝>舞台效果的創作經驗」 등의 글이 발표되었다.

『문예보』 '문예동태' 란에서 우한시 문련에서 출판한 『공인문예』 제3권 제1호에 발표된 「서사시의 언어史詩的語言」가 전혀 구어화되어 있지 않아 공인 군중이 읽는 통속 간행물에 게재하기 매우 부적당하므로, 많은 이들이 이 문제를 중시하기 바란다고 지적하였다.

같은 날, 화둥군구 제3야전군 제1회 문예체육검열대회文藝體育檢閱大會가 난징에서 개막하였다. 중앙군사위원회 총정치부 문화부 부부장 류바이위는 개회사에서 "우리 인민해방군의 문예공작은 우수한 전통을 가지고 있다. 이 전통은 실제와 결합되고, 공농병과 결합되며, 현재의 투쟁 임무와 긴밀히 결합된 점을 통해 표현되었다. 지도 부문에서 이 방면의 성취와 문제를 정리해 부대문예공작이 더욱 제고될 수 있도록 하기를 바란다"고 밝혔다(회의 상황에 관해서는 『문예보』 제4권 제3호에 게재된 「제3야전군 전군문예검열 기록記三野全軍文藝檢閱」을 볼 것).

같은 날, 뉴한은 후평에게 보낸 서신에서 "최근에 나는 현재 중국의 문예창작(특히 시)에 있어 객관주의가 여전히 심각하게 존재한다는 사실을 깊이 깨달았습니다. 나는 항일 시기에 소련에서 이러한 소극적이고 경직되어 있으며 또한 냉담한 창작의 편향성을 단호히 일소하려 했던 것을 기억합니다. 현재 중국에 이러한 편향성이 존재한다는 사실은 더더욱 이상할 것이 없습니다. 최근에 한 친구가 내게 편지를 보내 나의 시 「채색된 생활」에 감정과 피와 살이 담겨 있어 본인을 감동시키기는 했지만, 이런 시는 결국 '좁은 범위'의 감정이라 개인에 관해서만 쓴 것이라고 비평했습니다. 그는 내게 생활 상식과 사회 경험을 더 쌓으라고 했습니다. 그 말은 나의 시가 항상 개인의 감정에서 벗어나지 못한다는 뜻입니다. 좀 더 객관적으로 말하자면, 그렇게 해야만 내가 시를 더욱 위대하고 더욱 넓고 깊게 쓸 수 있다는 것입니다. 나는 그의 말에 전혀 동의하지 않습니다. 이것이 바로 내가 반대하는 객관주의적 노선입니다. 그 동지는 어째서 「채색된 생활」이 본인을 감동시켰다고 하면서도 이 시가 '좁은 범위'의 시라고 한 것일까요? 말이 되지 않습니다.

최근에 나는 푸치크의 「올가미가 목을 감을 때의 보고絞索套著脖子時的報告」를 읽고서 시란 무엇인지를 더욱 믿게 되었습니다. 푸치크가 진정한 전투자이자 진정한 시인임을 부인할 수 있는 사람은 아무도 없습니다. 나는 현재 간행물에 발표된 시들을 겸허하게 읽고 나서 아주 화가 났습니다. 왕야핑, 사어우, 톈젠……등등의 시는 도저히 좋은 시라고 할 수 없습니다. 내 시를 평한 그 동지의 말을 빌리자면, 그들이 쓴 것은 개인의 감정이 아니라 국내외의 대사건이므로 아주 좋은 시일 것입니다. 그러나 나는 시인이 개인의 감정을 쓰지 못한다면 역사의 감정도 쓰지 못할 것이라고 생각합니다. 하지만 이 '개인'은 결코 개인주의의 '개인'이 아니라 집단 속의 한 개인이며, 대오 속 전투병의 하나입니다. 큰 전투는 시인에게 시를 쓸 힘을 주고, 시인은 이 힘으로 전투에 대해 씁니다. 역사의 진동과 한 명의 병사가 전투 속에서 느끼는 진동은 일맥상통합니다. 시인이 본인이 가진 더욱 뜨거운 전투의 감정을 큰 전투 속에 투입해 포옹하고 단련시켜 시인 개인의 감정이 역사의 감정과 한데 융합되어야만, 역사의 감정이 시인의 서정 속에서 수준 높고 진실하게 끓어올라 응결될 수 있습니다. 개인의 감정을 움직이지 않고 시를 쓰는 이들은 전부 가짜입니다. 그들은 전투자의 모습을 그려내는 것밖에 하지 못하고, 전투자의 영혼과 피와 살은 표현할 수 없습니다. 전투자의 희망은 더더욱 표현할 수 없습니다! 이 시인들은 '정치 개념'과 '일반 원칙'으로서 시의 정치성을 강조합니다. 일부 사람들은 이것이 정치적 과오를 범한 것이 아니라고 생각하지만, 한 명의 시인으로서는 정말로 과오를 범한 것입니다. 창작의 과오뿐만 아니라 정치적 과오 또한 범한 것입니다. 이런 시인들은 모두 객관 현상의 노예입니다! 전투력을 잃어버린 병사이고, 무장을 해제한 병사입니다. 그들은 그저 무미건조한 성어를 천편일률적으로 사용해 현상과 과정을 설명하는 것밖에 하지 못합니다. 진정한 강시입니다! 현상을 요약하는 것밖에 하지 못하고, 영원히 시대의 가수가 될 수 없으며, 시대의 예언자는 더더욱 될 수 없습니다.

시인의 열정이 진실로 현실을 통해 한 걸음 더 멀리 나아가 희열과 희망에 닿으면 더욱 큰 질책을 받고, 소자산계급의 환상이라고 매도당합니다. 하지만 레닌은 일찍이 '몽상은 좋은 것이다'라고 말했습니다. 레닌 역시 현실주의와 낭만주의를 좋아했음을 알 수 있습니다. 나는 전투 속의 혁명영웅주의란 어쩌면 창작에서는 일종의 낭만주의적 표현일지 모른다고 생각합니다. 그러나 이런 낭만주의자는 그 이전에 현실주의자입니다. 소련에서는 똑같이 좋은 시인으로 평가받는 이들도 각기 다른 창작 개성을 가지고 있습니다. 이러한 서로 다른 개성들이 유기적으로 모여 소련 시의 성격을 형성합니다. 중국은 지금 사람들을 억지로 나무틀 안으로 몰아넣어 천편일률적으로 만들고 있습니다. 시인들은 모두 개성이 없고, 시대적 성격은 더더욱 없습니다." "나는 요즘 이런 객관주의의 강시들이 문단에서 조국의 행복과 유쾌함을 씹고 뜯는 것을 도저히 견딜 수가 없습니다"라고 말했다.(『운명의 문서』, 우한출판사 2000년 -> 각주로 처리해야 할 듯합니다.)

11일, 체코의 「프라하의 봄」 음악축제에 참석할 대표단 마쓰충馬思聰, 위이쉬안喻宜萱, 안보安波, 궈란잉郭蘭英, 저우광런周廣仁, 두밍신杜鳴心, 볜쥔邊軍, 류광웨劉廣月 등 8인이 마쓰충 단장의 통솔 하에 출국하였다.

마쓰충(1912~1987), 바이올리니스트, 작곡가, 음악교육가. 광둥성 하이펑海豐 출신이다. 프랑스에 두 차례 유학해 음악을 공부하였다. 1950년 이후에 중앙음악학원 초임 원장을 맡았으며 중국음악가협회 부주석, 『음악창작』 편집장 등을 역임하였다. 1967년 1월에 미국에 정착하였다. 1987년에 미국 필라델피아에서 사망하였다.

12일, 저우양이 중앙문학연구소에서 「마오쩌둥 문예노선을 단호히 관철하자堅決貫徹毛澤東文藝路線」라는 제목으로 연설하였다. 연설문은 『문예보』 제4권 제5호에 게재되었다.

15일, 『민간문예집간』 제2호가 출간되었다. 허치팡의 「양산백과 축영대 이야기에 관하여關於梁山伯祝英台故事」, 마커馬可의 「마두금 및 기타馬頭琴及其他」 등의 글과 류랴오이劉遼逸가 번역한 소련 작가 A·A·카예프A·A·Ка́йев의 「소련 민간문학 이론의 일반적 문제蘇聯民間文學理論的一般問題」가 발표되었다.

16일, 『문예보』 제4권 제1, 2호에 발표된 영화 「무훈전」에 대한 비판의 글이 『인민일보』에 전재되어 이 영화에 관해 더욱 심도 있는 토론을 전개할 것을 호소하였다. 편집자의 말은 "청나라 말기의 봉건통치 옹호자인 무훈을 칭송하고, 농민의 혁명 투쟁을 모독하고 중국 역사와 중국 민족을 모독한 영화 「무훈전」이 상영된 후, 베이징, 톈진, 상하이 등지의 신문과 잡지에서 광범위한 평론이 전개되었다. 최초에 발표되었던 평론들(이 가운데에는 공산당원이 쓴 평론도 적지 않다)이 모두 이 영화 혹은 무훈이라는 인물을 찬양한 내용이었음에 반드시 주의할 필요가 있다. 그리고 현재까지 무훈이라는 인물과 「무훈전」 및 「무훈전」에 관한 여러 잘못된 평론들에 관해 체계적이고 과학적으로 비판한 글은 단 한 편도 없다……양얼 동지는……이 문제의 어느 한 면만을 언급했을 뿐이지만 그 견해는 상당한 깊이를 가지고 있다. 우리는 이 글을 통해 더욱 심도 있는 토론이 전개되기를 희망한다"고 밝혔다.

18일, 궈밍위안郭明遠의 사회 변혁을 반영한 글 「만악의 톈차오 '삼패일호'萬惡的天橋"三霸一虎"」가 『신민보』에 발표되었다.

19일, 『중국청년』 제65호에 웨이쥔이의 독후감 「골동품과 새로운 견해老古董和新看法」, 샤오싼의「마오쩌둥 동지가 공인운동에 계속해서 노력을 기울인다」(3), 바이화의「엥겔스 이야기」(4)가 발표되었다.

60년대극사六十年代劇社가 상하이에서 5막 7장 화극「노호하라, 일본 인민이여怒吼吧,日本人民」를 공연하였다. 본 화극은 쑹청즈宋成志 등이 합동 창작하였으며 잉윈웨이應雲衛가 감독을 맡았다.

20일,『인민일보』에 마오쩌둥이 직접 집필한 사설「영화「무훈전」에 관한 토론을 반드시 중시해야 한다應當重視電影<武訓傳>的討論」가 발표되었다.

「무훈전」의 원작 극본은 1944년에 창작되었다. 최초의 주제는 역사상의 입지전적 인물 무훈이 '구걸하여 교육 사업을 일으킨行乞興學' 의로운 행동을 칭송하는 것이었다. 영화는 1948년 7월에 중국전영제편창에서 촬영을 시작했으나 3분의 1을 완성한 후 경제적 문제로 인해 제작이 중지되었고, 결국 쿤룬영업공사에서 제작권과 이미 완성된 필름을 매수하였다. 공화국이 성립된 후 1949년 7월에 감독 쑨위가 제1차 문대회 정신의 고무를 받아, 신시대 계급투쟁의 요구를 결합해 원작 극본에 대대적인 수정을 가한 후 다시 영화를 촬영하였다.「무훈전」은 1950년에 완성되어 전국적으로 상영된 후 관중들의 환영을 받아 한때는 그 해의 10대 우수 영화 중 한 편으로 꼽혔다. 영화가 상영된 후 국내의 몇몇 신문과 잡지에 잇따라 여러 평론이 발표되었는데, 영화를 찬양하는 목소리뿐만 아니라 비평하고 의문을 제기하는 목소리도 있었다. 찬양하는 이들은 이 영화가 "교육적인 의의를 충분히 가진 좋은 영화"이며, 무훈은 "만고불후하며 본받을 가치가 있는 모범"이라고 보았다. 반면에 비평하는 이들은 이 영화가 "사상성이 부족하고 심각한 오류가 있는 작품"이며, "무훈은 교훈으로 삼기에 부족하다"고 보았다.

그러나 비평운동이 전면적으로 전개되기 시작한 계기는『인민일보』에 발표된 이 사설이다. 이 사설은 마오쩌둥이 직접 초안을 잡았는데, 그는 글에서 "「무훈전」이 제기한 문제는 근본적인 성격을 가지고 있다. 무훈이라는 인물은 청나라 말기에 중국 인민이 외국 침략자와 국내의 반동 봉건통치자에 반대했던 위대한 투쟁의 시대를 살아가면서도 봉건적 경제 기초 및 그 상부 구조의 털끝에도 전혀 충돌하지 않고 오히려 봉건 문화를 열렬히 선전하였고, 또한 자신이 가지지 못한 봉건 문화적 지위를 가지기 위해 반동적 봉건통치자들에게 노예처럼 비굴한 온갖 행위를 일삼았다. 이러한 추악한 행위를 우리가 칭송해야 하는 것인가? 인민 군중을 향해 이러한 추악한 행위를 칭송하고, 심지어 그러면서 '인민을 위해 복무한다'는 혁명의 기치를 내걸며, 혁명적 농민투쟁의 실패와 대조적으로 칭송하는 행동을 우리가 용인할 수 있는 것인가? 이러한 칭송을 승인하거나 혹은 용인하는 것은 농민의 혁명 투쟁을 모욕하고, 중국 역사와 중국 민족을 모욕하는 반동 선전을 정당한 선전이라고 승인하거나 혹은 용인하는 행위이다"라고 엄중히 지적하였다. 또한 "영화 「무훈전」의 출현, 특히 무훈이라는 인물 및 영화 「무훈전」에 대한 찬양이 이처럼 많은 것은 우리 문화계의 사상적 혼란이 어떠한 정도에 달했는지를 설명해 준다!"라고 밝혔다. 사설의 말미에서는 "특히 주의해야 할 점은 마르크스주의와 사회발전사-역사유물론-을 학습했다고 자처하는 공산당원들이 구체적인 역사적 사건과 역사적 인물(가령 무훈) 및 반역사적 사상(가령 영화 「무훈전」 및 여타 무훈에 관한 저작)을 마주하면 비판 능력을 잃어버리고, 혹자는 이러한 반동사상에 투항하기도 한다는 것이다." "자산계급의 반동사상이 전투 중인 공산당에 침입했다는 것이 사실이 아닌가? 마르크스주의를 학습했다고 자처하는 일부 공산당원들은 도대체 어디로 갔단 말인가?"라고 말했다.

이렇게 해서 「무훈전」은 문예계의 토론에서 전국적인 대규모 정치적 비판으로 번졌다. 이 토론은 신중국 영화사상 최초로 전개된 영화에 관한 대규모의 비판이기도 했다. 그 영향은 영화계를 훨씬 넘어서서 문학, 역사, 철학 등 거의 모든 인문사회과학 영역에까지 미쳤다. 집중적인 비판이 1년 넘게 계속되어, 중국 문예계와 문학계 및 인문사회과학 영역의 거의 모든 중요 학자들이 이에 호응해 문장을 발표하였다. 어느 학자의 통계에 따르면 1951년 5월 20일부터 8월 말까지 『인민일보』에만 40여 편의 비평 혹은 자아비평의 글이 발표되었고, 『인민일보』의 '당내생활黨內生活', '인민문예', '독자 서신'란에 60~70편의 비평 문장 및 토론 상황에 대한 기사가 발표되었다. 『광명일보』에는 30여 편의 비평 혹은 자아비평의 글이 발표되었으며 20여 통의 독자 서신이 게재되었다. 상하이, 톈진 및 여타 도시의 신문도 뒤지지 않아, 가령 『문회보』에는 같은 시기에 80여 편의 비판 문장이 발표되었으며 「무훈전」 토론에 관한 소식은 20여 편이 발표되었다.(다이즈셴戴知賢의 통계. 리다오신李道新의 『중국영화비평사中國電影批評史』 제232쪽을 볼 것. 중국전영출판사中國電影出版社 2002년 -> 각주로 처리해야 할 듯합니다.) 궈모뤄, 천황메이, 쑨위, 리스자오李士釗 등 본래 「무훈전」을 찬양했던 이들도 분분히 자아반성 및 자아비평의 글을 발표하였다.

「무훈전」에 관한 비판 이후에 취해진 중요한 조치는 신속히 무훈 역사 조사조武訓暦史調查組를 조직해 산둥에 파견한 것이다. 조사조는 『인민일보』 문화부에서 선발된 13인으로 구성되었는데, 저우양이 책임자를 맡았으며 위안수이파이, 중뎬페이, 장칭 등으로 구성되었다. 조사조는 탕이堂邑, 린칭臨清, 관타오館陶 등 무훈과 관련된 지역을 방문해 20여 일 동안 조사를 진행하였다. 조사조는 1. 무훈의 인물됨, 2. 무훈 학교의 성격, 3. 무훈의 고리대금업, 4. 무훈의 토지 착취, 5. 무훈과 동시대 인물인 그 지역의 농민혁명 영수 송경시에 관한 상황 등 다섯 가지 방면의 자료를 집중적으로 조사하였다. 160명 이상의 사람들이 조사를 받았으며 현지縣志와 장부 등 다수의 문서 자료를 수집하였다. 조사조가 베이징으로 귀환한 후 위안수이파이, 중뎬페이, 리진(李進, 즉 장칭)이 45,000여 자에 달하는

「무훈 역사 조사 기록武訓曆史調查記」을 집필하였고, 마오쩌둥의 심사와 수정을 거쳐 1951년 7월 23일부터 28일까지 『인민일보』에 전문이 연재되었다. 무훈이라는 인물에 대해 「무훈 조사기」에서 내린 정치적인 결론은 "무훈은 학교 설립을 수단으로 삼아 당시의 반동정부로부터 특권을 부여받아 지주 계급과 반동정부를 위해 복무한 무뢰한이자 돈놀이꾼이며 대지주이다"라는 것이었다.

「무훈전」에 대한 비판에서는 정치적 조사라는 방법이 사용되었다. 작품이라는 텍스트 자체를 출발점으로 삼지 않고, 텍스트에서 떨어져 나와 텍스트 배후에 숨어 있는 정치적 동기와 목적을 탐색해 정치적 평가를 하고 최종 판결을 내린 것이다. 이러한 방법은 이후의 '문화대혁명' 시기에 더욱 활발히 발휘되어 중국 문화계에 대단히 열악한 영향을 끼쳤다. 사상 예술과 정치 문제의 경계선이 심각하게 뒤섞인 이러한 비판은 신중국의 수많은 예술가들에게 극심한 심신의 상해를 남겼다. 각본가인 쑨위는 철저하게 타격을 받았고, 그 외의 40여 명의 동지들도 이에 연루되었다. 이 사건 이후로 신중국의 영화예술 발전은 매우 좋지 못한 영향을 받았다. 통계에 의하면, 1950년에 중국에서 제작된 국산 극영화는 29편이었으나 1951년에 제작된 영화는 단 한 편에 불과하다. 1951년에서 1954년 사이에 제작된 영화는 총 16편이다. 당시 상하이의 영화계 및 문화계 지도자였던 샤옌은 「무훈전」이 비판받은 이후의 영화계 상황을 40여 년이 지난 후에 회고하며 "극작가는 다들 감히 극본을 쓰지 못했고, 제편창의 책임자들은 감히 영화를 찍을 결심을 하지 못했다. 문화계에는 공을 세우기는 바라지 않고 다만 잘못이 없기만을 바라는 분위기가 형성되었다. 그 당시 누군가가 내게 농담 삼아 '영화를 찍는 건 골칫거리를 만드는 일이고, 영화를 찍지 않으면 재난 없이 평안하다'라고 말한 적이 있다. '평균주의'와 '철밥통' 등의 고질병이 이 시기에 이미 나타나고 있었다"라고 말했다.(「「무훈전」 사건의 전말<武訓傳>事件始末」, 『문회전영시보文滙電影時報』, 1994년 7월 16일 -> 각주로 처리해야 할 듯합니다.)

1985년 9월 6일, 『인민일보』 등 전국의 신문에 중공중앙 정치국 위원 후차오무가 9월 5일 타오싱즈 연구회 및 기금회 설립대회에서 연설했던 원고가 게재되었다. 후차오무는 "해방 초기, 즉 1951년에 「무훈전」에 관한 비판이 일어났던 적이 있었다. 이 비판은 상당히 넓은 범위에 미쳤다. 우리는 지금 무훈이라는 인물과 이 영화에 대해 전체적인 평가를 하지는 않을 것이다. 그러나 나는, 당시의 이러한 비판은 대단히 일방적이고 극단적이며 또한 난폭한 것이었다고 책임지고 설명할 수 있다. 따라서 이 비판은 완전히 정확하다고 볼 수 없을 뿐만 아니라 기본적으로 정확하다고조차 말할 수 없다"라고 밝혔다. 이로써 공전의 영향을 끼친 역사적 사건에 마침표를 찍은 셈이다.

23일, 『동방일보』에 「반혁명 진압 창작에 관한 몇 가지 문제關於鎭壓反革命創作上的一些問題」라는 글이 발표되었다. 여기서는 현재 반혁명 진압을 소재로 한 작품들의 일부 작가들이 자료를 수집해 창작을 하는 단계에만 머물러 있어 생활에 깊이 파고들지 못하고, 때문에 그들이 묘사한 긍정적인 인물들은 모두 비교적 개념화되어 있으며, 또한 소재 선택 측면에서는 적의 정치적 음모를 폭로하는 소재를 선택하지 못해 작품이 가진 교육적 의의가 손상된다고 지적하며, 문예공작자들이 이에 주목하기를 바란다고 밝혔다.

25일, 『신화일보』 5월호에 허치팡의 「양산백과 축영대 이야기에 관하여」와 리웨난의 「백사전 신화와 그 반항성을 논하다論白蛇傳神話及其反抗性」 등 민간에 전해지는 이야기에 관한 평론 두 편이 전재되었다. 허치팡의 글은 개별적인 평론 문장에 관한 비평이다.

같은 호에 중국 문학작품이 해외에 끼친 영향을 소개하는 글이 게재되었다. 궈모뤄의 글 「문학과 예술의 통일전선文學與藝術的統一戰線」(『인민중국』에 게재)은 인도의 진보 문학예술계에 광범위한 영향을 미쳤고, 자오수리의 소설 「톈 과부가 참외밭을 지키다田寡婦看瓜」는 체코어, 일본어, 불가리아어 등으로 번역되어 게재되었으며, 톈젠의 시 「자유가 우리를 향해 왔다自由向我們來了」, 장밍취안張明權의 시 「나는 그가 양식을 산처럼 쌓게 할 것이다我要他糧食堆成山」, 구위의 소설 「새 일은 새로 처리하다」는 독일어, 일본어, 체코어 등으로 번역되어 신문에 게재되었다. 영화 「백모녀」, 「자오이만」, 「중화 자녀」는 각각 체코, 인도, 인도네시아 등의 국가에서 상영되어 진보 작가들과 인민들로부터 호평을 받았다. 글은 중국 영화가 사상성과 교육적 의의를 가지고 있어 인민을 고무할 수 있는 것이 "신중국이 진정으로 자랑스러워할 만한 영광"이라고 밝혔다.

『문예보』 제4권 제3호에 쑨카이디孫楷第의 「중국 단편 백화소설의 발전과 예술적 특징中國短篇白話小說的發展與藝術上的特點」, 루딩이, 후차오무의 「창바오쿤, 청수탕 두 열사 추모 특집追悼常寶堃程樹棠二烈士特輯」, 딩링의 「웨이웨이의 조선 통신을 읽고 - 「웨이웨이의 조선 통신을 읽고 - 「누가 가장 사랑스러운 사람인가」와 「겨울과 봄」」이 발표되었다.

쑨카이디(1898~1989), 고전문학 연구자. 허베이성 창현滄縣 출신이다. 1928년에 베이징사범대학 국문과를 졸업하였다. 공화국 성립 후에 베이징대학, 옌징대학 교수, 중국사회과학원 문학연구소 연구원을 역임하였다. 주요 저서로 『한비자 교정韓非子校正』, 『유자신론 주석劉子新論校釋』, 『중국통속소설서목中國通俗小說書目』, 『일본 도쿄에서 본 소설 서목日本東京所見小說書目』, 『창주집滄州集』, 『소설방증小說旁證』, 『중국 단편 백화소설을 논하다論中國短篇白話小說』 등이 있다.

『문예보』 같은 호에 루시즈의 「알맞지 않은 비유不相稱的比喻」, 천펑晨風의 「문학을 교환하지 않다不交換文學」, 뤼잉의 「「실천론」을 읽고讀<實踐論>」, 저우원의 「두 가지 논의兩點商討」, 서수성佘樹

聲의 「「실천론」에 대한 나의 이해我對於<實踐論>的體會」, 양리의 「아동문학 잡담兒童文學雜談」, 정전둬의 「위대한 예술 전통 - 은대의 예술」(하)가 발표되었다.

서수성(1929~), 학자. 안후이성 보저우亳州 출신이다. 1951년에 『군중일보』에 「유화 「마오쩌둥의 산베이 자위전 4」를 평하다評油畫<毛主席在陝北自衛戰4>」를 발표한 후 시베이 문예계에 정풍整風을 불러일으켰다. 1979년에 산시성 사회과학원 역사연구소로 이동해 연구에 종사하였다.

『문예보』 이번 호의 '문예동태'에서 영화 「무훈전」이 상영된 후 베이징, 톈진, 상하이 등지의 간행물에 여러 편의 평론이 게재되었는데, 이처럼 대중적인 비평이 전개된 현상은 주의할 만하다고 언급하였다. 『문예보』 제4권 제1호에 발표된 자지의 「교훈으로 삼기에 부족한 무훈」이 문예계와 수많은 독자의 주목을 받아 상하이 『문회보』와 톈진 『진보일보』에도 이 글의 전문이 전재되었다. 『문예보』 편집부에서는 편집자의 말을 통해 자지 동지의 글에 제시된 몇몇 논점은 충분히 전체적이지 않으나, 그가 제기한 이론 및 사상 측면의 몇 가지 원칙 문제는 다 같이 연구해 볼 가치가 있다고 명확히 밝혔다.

28일, 문교위원회 대외문화사무연락국에서 주관한 신 체코슬로바키아 전시회가 베이징노동인민문화궁北京勞動人民文化宮에서 개최되었다.

이달에 중공중앙 선전부에서 제1차 전국선전공작회의를 개최해 통속 도서의 출판공작 문제에 관해 집중 토론하였다.

『인민음악』 제2권 제3호에 화둥해군정치부 문공단 음악조에서 보낸 서신이 게재되었다. 서신은 융췬詠群 동지의 「「마오쩌둥의 노래」로부터 이야기를 시작하다從<毛澤東之歌>談起」(『문예보』 제33호에 게재)와 저우웨이즈 동지의 「마오 주석을 칭송하는 가곡 창작에 관하여略談歌頌毛主席的歌曲創作」(2월 1일자 『인민일보』에 게재) 등 두 편의 글에 제기된 의견을 진심으로 옹호한다고 밝혔다.

후펑의 『현실주의의 길을 논하다論現實主義的路』가 상하이니투사에서 출간되었다.

자오이민趙毅敏 등의 논저 『문예통신원 운동을 전개하다開展文藝通訊員運動』가 우한중난인민출판사武漢中南人民出版社에서 출간되었다.

자오이민(1904~2002), 본명은 류쿤劉焜으로 허난성 화현滑縣 출신이다. 1924년에 프랑스로 유학해 고학하였다. 1925년 9월에 중국공산주의청년단에 가입하였으며 다음해 7월에 중국공산당에 가입하였다. 하얼빈, 상하이, 펑톈 등지에서 혁명공작에 종사하였다. 공화국 성립 후에는 중난국 상무위원 겸 선전부 부장, 중공중앙 국제활동지도위원회 상무부주임위원, 중공중앙 대외연락부 부부장 겸 국무원 외사사무실 부주임, 중국인민대외문화우호협회 부회장 등을 역임하였다.

왕안유王安友의 중편소설 『둘째 형수 리씨의 개가李二嫂改嫁』가 상하이화둥인민출판사에서 출간되었다.

왕안유(1923~1991), 작가. 산둥성 르자오日照 출신이다. 빈농 가정 출신으로 1942년에 혁명공작에 참여한 후에야 글을 배웠다. 1946년 3월에 처음으로 당 기관지에 글을 발표하였다. 1959년에 중국작가협회 산둥분회 부주석을 맡았다. 저서로 장편소설 『이멍 산악 지구에서의 전투戰鬥在沂蒙山區』, 『바다 위의 어가海上漁家』, 『금사기擒鯊記』, 단편소설집 『웃거름을 주다追肥』, 『열 그루의 사과나무十棵蘋果樹』, 『어선 위의 동료漁船上的夥伴』 등이 있다.

쉬광야오의 항일 장편소설 『평원의 불길平原烈火』이 인민문학출판사에서 출간되었다. 사팅의 항일소설 『의사醫生』가 상하이신문예출판사에서 출간되었다.

청자오즈程造之의 항일소설 『지하地下』가 정저우해연출판사鄭州海燕出版社에서 출간되었다.

청자오즈(1914~1986), 작가. 본명은 청자오샹程兆翔, 필명은 사오쯔韶紫로 상하이 충밍崇明 출신이다. 1940년에 혁명에 참가하였다. 중국작가협회 닝샤분회 부주석 및 명예주석을 역임하였다. 저서로 장편소설 『지하』, 『비옥한 평야沃野』, 『봉화천애烽火天涯』, 『행복문幸福門』, 중단편소설집 『풀밭 위의 황혼달草灘上的黃昏月』 등이 있다.

양단핑楊丹平, 다이스밍戴石明의 소설 『먹구름은 태양을 가릴 수 없다烏雲遮不住太陽』가 상하이신문예출판사에서 출간되었다. 이 소설은 제3차 국내혁명전쟁을 묘사한 소설이다.

다이스밍(1926~), 장수성 양저우揚州 출신이다. 1945년에 성립양저우중학省立揚州中學을 졸업하였다. 1946년에 군에 입대해 신사군 2부, 보하이군구, 야전군 후방유수처後方留守處에서 민주촉진공작과 선전공작, 토지개혁, 보조 편집 등의 공작에 종사하였다. 1955년 이후에 장쑤문련 창작지도원, 장쑤성 소아문학창작연구실少兒文學創作研究室 부주임, 장쑤성 문련 제4기 위원을 역임하였다. 1950년부터 작품을 발표하였다. 저서로 장편소설 『어린 풀이 푸르다小草青青』, 『먹구름은 태양을 가릴 수 없다』(합동 창작) 등이 있다.

커강의 시집 『단도집短刀集』이 시난인민문예총서 중 한 권으로서 충칭시난인민출판사에서 출간되었다.

뤄위洛雨의 시집 『찬란한 내일燦爛的明天』이 시대시총 제1권으로서 상하이문광서점上海文光書店에서 출간되었다. 시집에는 「인민의 대표人民的代表」, 「베이징에서 모스크바로 가는 길 위에서從北京到莫斯科的路上」, 「인민승리공채 구매의 절정을 불러일으키다掀起爭購人民勝利公債的高潮」 등 18편의 시와 저자의 「후기」가 수록되었다. 뤄위는 「후기」에서 "이 시집에 수록된 시들은 모두 1949년 9월부터 1950년 3월까지의 6개월 동안 쓴 작품으로, 전부 지면에 발표한 적이 있는 시들이다. 이 6

개월간은 나의 10년간의 창작 생활 속에서 창작량이 가장 많았던 시기라 할 수 있다. 그 가운데 몇 편은 작풍이 달라서 따로 한 권으로 출판할 계획을 가지고 있고, 또 몇 편은 내가 보기에 별로 잘 쓰지 못해 시집에 넣지 않았다. 이 시집에 수록된 시들도 그리 좋은 시는 아니지만, 그래도 당시에는 나름의 역할을 했으며 일부 독자들로부터 사랑받았던 시이다. 지금 이 시들을 다시 꺼내어 출판하는 것도 어느 정도 의의가 있을 것이다"라고 말했다.

스웨이쓰史衛斯의 『신중국을 노래하다歌唱新中國』가 시대시총 제2권으로서 상하이문광서점에서 출간되었다. 시집에는 「예전에 하나가 있었다從前有一個」, 「13인 유격대十三人遊擊隊」, 「너는 공채를 샀느냐你買了公債沒有」 등 25편의 시가 수록되었다. 저자의 시 「신중국을 노래하다」로 서문을 대신하였고, 「후기」가 수록되었다. 그는 「후기」에서 "이 시집은 내가 상하이 해방 후에 쓴 시들을 시집으로 엮은 것이다." "나는 아주 일찍부터 시를 썼다. 내 말은, 내가 아주 일찍이 좋지 않은 시들을 쓴 적이 있다는 것이다. 나는 우물쭈물하고 횡설수설하며, 빙빙 돌려서 가식적으로 시를 썼다. 나는 가끔 음풍농월하였고, 가끔은 억지로 애상에 젖었으며, 가끔은 정신 나간 듯이 불평을 늘어놓았고, 가끔은 무기력하게 풍자했다." "나의 노래는 이 얼마나 목이 잠겨 제대로 소리를 내지 못했는가!" "아주 긴 기간 동안 나는 침묵했다. 나는 너무나 답답해 숨을 쉴 수 없는 시대 속에서, 나처럼 힘없이 잠긴 목소리조차 내는 것을 허락받지 못하는 답답한 시대 속에서 살고 있다는 것을 깨달았다."

"1949년 5월에 공산당이 상하이를 해방시켰고, 나와 나의 목소리를 해방시켰다. 새로운 공기와 새로운 사물이 나를 일깨웠다. 이때부터 나는 마침내 다시 나의 붓을 들 수 있었다." "나의 가난과 초라함을 비웃지 말라. 친애하는 독자들이여, 나는 마오쩌둥 주석이 가리키는 방향으로 한 발 한 발 나아가기 위해 노력하고 있다. 나는 낡고 협소한 삶의 범위에서 벗어나기 위해 노력하고 있고, 옛 지식분자의 무거운 짐을 하나하나 내던지기 위해 노력하고 있다. 나는 새로운 중국을 향해 나의 열렬한 사랑을 숨김없이 털어놓을 것이다! 나는 과거에 습관적으로 사용했던 무미건조한 언어를 전부 버리고, 목청을 높여 한껏 노래할 것이다"라고 말했다.

사어우의 시집 『베이징 단가北京短歌』가 시대시총 제3권으로서 상하이문광서점에서 출간되었다. 시집에는 「신춘곡新春曲」, 「베이징 단가」, 「조선에서의 미군美軍在朝鮮」 등 21편의 시와 저자의 「후기 - 보내지 않은 편지後記——封未寄出的信」가 수록되었다. 사어우는 「후기」에서 "해방이 되고 인민의 베이징은 모습이 변해 더욱 사랑스러워졌다. 베이징은 우리 국가의 수도가 되었다. 나는 여기서 내 눈으로 베이징의 변화와 성장을 보고 있다." "나는 베이징을 어떻게 표현해야 할까? 어떤 형식을 써야 가장 알맞을까? 나는 탐구하고 모색하고 있다. 당신이 이 시집을 다 읽었다면 내가 이 답안을 탐구하며 쏟은 노력을 알 것이다. 당신에게 알려주자면, 이 시집의 첫 원고는 이렇지 않았다. 원고 속에는 쾌판 같기도 하고 가사 같기도 한 것들이 많았다. 그러나 나중에 이런 것들을 전부 빼 버렸다. 뺀 이유는 이것들이 조잡하고 거칠어 다른 시들과 같이 두면 잡탕같이 느껴졌기 때문이다. 그러나 남겨진 것들도 여전히 이렇게 각양각색이다. '도시城市', '장님이 눈을 뜨다瞎子睁眼', '회장會場' 등의 시를 보면 표현 방법들 사이의 거리가 얼마나 먼지 알 수 있을 것이다"라고 말했다.

천위먼의 시집 『애벌갈이初耕』가 시대시총 제4권으로서 상하이문광서점에서 출간되었다.

사진의 시집 『신기원이 시작되었다新紀元開始了』가 시대시총 제5권으로서 상하이문광서점에서 출간되었다. 시집에는 「인민해방군이여, 당신을 환영한다歡迎你,人民解放軍」, 「날마다 새롭다天天過新」, 「일어나라, 일본의 용감한 인민이여站起來,日本的勇敢人民」 등 36편의 시와 저자의 「후기」가 수록되었다. 사진은 「후기」에서 "'7·7' 사변 당시에 나는 시를 몇 편 쓴 적이 있지만, 그 후에는 시를 쓰지 않고 잡문만 쓰면서 가끔 단시를 번역했다. 최근 10년간 내가 국민당 비적 무리들에게 던진 무기는 비수였다." "'나는 어쩌면 영원히 시를 쓰지 못할지도 모른다!'라고 말했던 것을 기억한다." "그러나 백만 군대가 창장을 건너고 해방의 총성이 상하이 주위에 울려 퍼지던 때에, 기뻐 날뛰는 내 마음이 나의 열정을 쉿물처럼 콸콸 쏟아내었다! 쑤저우허 북쪽 기슭이 해방되던 날 밤에 나는 첫 번째 시인 '인민해방군이여, 당신을 환영한다!'를 썼다. 다음날 이른 아침에 나는 이 시를 직접 신민만보新民晚報에 보내 발표했다." "그 후로 나는 계속 시를 썼고, 오늘까지 쭉 써 왔다. 그리고 나는 내가 살아가는 마지막 날까지 계속해서 쓸 것을 믿으며, 그러기로 결정했다!"라고 말했다.

런쥔의 시집 『십인교十人橋』가 시대시총 제6권으로서 상하이문광서점에서 출간되었다.

런쥔, 사진, 취추屈楚, 뤄위, 류칭, 라오신 등의 시집 『환희의 명절狂歡的節日』 시대시총 제7권으로서 상하이문광서점에서 출간되었다.

취추(1919~1986), 시인. 필명은 장링江靈, 선링沈靈이며 쓰촨성 루현瀘縣 출신이다. 상하이인민예술극원 예술위원회 위원 및 창작실 책임자, 각본가, 고문을 역임하였다. 저서로 시집 『별을 따는 이의 죽음摘星者的死亡』, 『환희의 명절』, 『애국 대합창愛國大合唱』(합동 창작), 문학 극본 『항미원조 대선전抗美援朝大活報』(합동 창작), 『삼림 속의 이야기森林裏的故事』, 『처음 핀 꽃봉오리初開的花朵』, 『베이징의 종소리北京鍾聲』, 시가극 극본 『신장정 교향시新長征交響詩』 등이 있다.

리추평李秋豊의 시집 『아이들이 기억하게 하자讓孩子們記著』가 우한통속도서출판사에서 출간되었다. 시집에는 「우리나라 항미원조 인민지원군에게 바치다獻給我國抗美援朝人民志願軍」, 「만약 조국이 내가 전선으로 돌아가기를 바란다면假如祖國需要我回到前線」 등 20편의 시와 저자의 「앞머리의 몇 마디 말書前的幾句話」이 수록되었다.

마쯔성馬紫笙의 시집 『여정부위원女政府委員』이 신대중문예소총서新大衆文藝小叢書 중 한 권으로서 베이징공인출판사에서 출간되었다. 시집에는 「여정부위원 옌진편女政府委員閻金芬」, 「공인 과장 뉴잔메이工人科長牛占梅」 등 6편의 시가 수록되었다.

마쯔성(1884~1968), 시인. 필명은 라오추老秋로 허베이성 난궁南宮 출신이다. 저서로 『전화의 재戰火餘燼』, 『라오추 시집老秋詩集』 등이 있다.

사어우의 시집 『트루먼의 참상杜魯門的慘像』이 청년문예총서 중 한 권으로서 베이징청년출판사에서 출간되었다. 시집에는 「맥아더의 '공세'麥克阿瑟的"攻勢"」, 「트루먼의 참상」, 「진열장 속의 양머리櫥窗中的羊頭」 등 10편의 시가 수록되었다.

톈젠의 장시 『홍기 한 대一杆紅旗』가 수획문예총서收獲文藝叢書 중 한 권으로서 베이징공인출판사에서 출간되었다. 장시는 상편 「강변河邊」, 하편 「홍기를 나무 위에 꽂다紅旗插到樹上」로 구성되었다.

후베이자제병사湖北子弟兵社에서 편찬한 시집 『창간시槍杆詩』가 우한통속도서출판사에서 출간되었다. 시집은 「항미원조 국방 수호抗美援朝保國防」, 「원한을 힘으로 바꾸다把仇恨變成力量」 등 5집으로 구성되어 있으며, 장광옌張光炎의 「미국 도적이여, 너는 너무나 뻔뻔하구나美國賊你太不要臉」, 시중양西中揚의 「가짜 절름발이가 도적떼의 우두머리를 붙잡다假跛子捉住土匪頭」, 허원룽何文龍의 「마오 주석이 우리 고통 받는 이들을 구출하다毛主席救出我們受苦人」 등 59편의 시가 수록되었다.

난징시가공작자연합회에서 편찬한 시집 『평화를 위하여爲了和平』이 홍기시총紅旗詩叢 제1집으로서 상하이정풍출판사에서 출간되었다. 시집에는 자오루이훙의 「축복祝福」, 가오란高蘭의 「당신들이 승리하기를, 당신들이 건강하기를祝你們勝利,祝你們健康」, 창런샤常任俠의 「고향의 꿈故鄉的夢」 등 16편의 시와 황야오멘 등의 번역시 및 쑨왕孫望이 집필한 「후기」가 수록되었다.

자오루이훙(1915~1999), 번역가. 저장성 원저우 출신이다. 공화국 성립 후로 계속 난징대학 교수로 근무하였다. 저서로 시집 『바진 선생께 바치다贈巴金先生』, 역서로 『적과 흑紅與黑』, 『카스트로의 수녀원장卡斯特洛修道院女院長』, 『마야코프스키 연구馬雅可夫斯基研究』, 『레닌列寧』(장시) 등이 있다.

가오란(1909~1987), 시인. 본명은 궈더하오郭德浩로 헤이룽장성 아이후이璦琿 출신이다. 공화국 성립 후에 산둥대학 중문과 교수 및 중문과 부주임, 산둥성 문련 부주석, 작가협회 산둥분회 부주석 등을 역임하였다. 저서로 시집 『평화의 힘으로 지구의 전진을 촉진하다用和平的力量推動地球前進』, 『가오란 낭송시高蘭朗誦詩』, 『가오란 낭송시 신집高蘭朗誦詩新輯』(상, 하권) 등이 있다.

자오수리의 원작을 쉬베이원徐北文이 각색한 화극 『전가보傳家寶』가 지난산둥인민출판사에서 출간되었다.

쉬베이원(1924~2005), 고전문학 연구자로 산둥성 타이안泰安 출신이다. 산둥성 문사연구관文史研究館 관원, 지난시 정부 문화고문 등을 역임하였다. 저서로 화극 극본『전가보』, 가극 극본『불후의 조선 어머니不朽的朝鮮母親』등이 있다.

쉬츠徐遲가 북한을 방문한 후 창작한 작품「평양 폭격 목격기平壤被炸目擊記」가『신관찰』제2권 제2호에 발표되었다.

쉬츠(1914~1996), 시인, 산문학자. 저장성 우싱 출신이다. 1933년부터 작품을 발표하였으며, 1936년에 첫 시집『스무 살의 사람二十歲人』을 출간하였다. 40년대 초에 궈모뤄가 편찬하는 잡지『중원』의 집행편집자를 맡아『최강음最強音』,『시가 낭송수첩詩歌朗誦手冊』등 다수의 시집과 번역서를 출간하였다. 1949년에 전국 문대회에 참석하였으며,『인민중국』편집자,『시간』부편집장을 역임하였다. 50년대에 여러 도시와 공장, 광산, 공사 현장을 방문하며 다수의 특필 작품을 창작해 작품집『우리 시대의 사람我們這時代的人』과『공로 축하연慶功宴』으로 엮어 출간하였다. 신시기 이후로「지질의 빛地質之光」,「골드바흐의 추측哥德巴赫猜想」,「생명의 나무는 늘 푸르다生命之樹常綠」,「격류의 소용돌이 속에서在湍流的渦漩中」,「형천무간척刑天舞幹戚」등의 보고문학 작품을 발표해 큰 반향을 불러일으켰다. 저서로 보고문학집『골드바흐의 추측』, 산문집『쉬츠 산문선집徐遲散文選集』,『프랑스, 어느 봄의 여행法國,一個春天的旅行』, 자서전적 장편소설『장난의 작은 마을江南小鎮』등이 있다.

안어의 북한 전선 방문 보고문학집『조선에서 돌아오다從朝鮮歸來』가 상하이노동출판사에서 출간되었다. 두가오의 통신보고집『조선에서 전투하다戰鬥在朝鮮』가 상하이문광출판사에서 출간되었다. 린만의『고근기苦根記』가 우한중난인민출판사에서 출간되었다. 산둥인민출판사에서 편찬한 보고문학『지원군 전투 이야기志願軍戰鬥故事』,『장푸구이가 우물을 파 가뭄과 싸워 풍작을 얻다張富貴打井抗旱得豐收』가 출간되었다. 윈난인민출판사雲南人民出版社에서 편찬한 보고문학『위대하고 영웅적인 중국인민지원군 원조부대偉大而英雄的中國人民志願軍援朝部隊』가 출간되었다. 샤오팡蕭放의 보고문학『소리 없는 전선無聲的戰線』이 상하이신문예출판사에서 출간되었다. 화둥군구 제3야전군 정치부에서 편찬한『홍군 장정 이야기紅軍長征的故事』가 상하이에서 출간되었다. 아이쓰치의 잡기『'과녁을 보고 활을 쏘다' 및 기타"有的放矢"及其他』가 상하이신문예출판사에서 출간되었다.

6월

1일, 『인민문학』 제4권 제2호에 아이칭의 비평 「무훈의 노예 사상에 반대하다反對武訓奴才思想」, 왕야오의 논문 「청 말기 시인 황준헌晩清詩人黃遵憲」, 위핑보의 「홍루몽의 마지막 30회後三十回的紅樓夢」, 장창궁張長弓의 「「악부시선 서문」에 대한 의견對於<樂府詩選序>的意見」 및 위관잉餘冠英의 「장창궁 선생에게 답하다答張長弓先生」 등의 글이 발표되었다. 그 외에도 런다신任大心의 소설 「황허 댐 위에서黃河壩上」, 류이팅劉藝亭의 소설 「포도나무에 잎이 날 때葡萄樹長葉的時候」, 커추克秋의 소설 「장백산 속에서長白山中」, 원화이사文懷沙의 「굴원 「구가」 번역屈原<九歌>今譯」, 중징원의 논문 「『현대가요』 서문<現代歌謠>引言」, 슝바이스熊白施의 비평 「「기관차」를 읽고讀<火車頭>」, 우첸吳倩의 비평 「생사연生死緣」, 룽위戎虞의 비평 「「승리를 향해 가는 제1중대」를 읽고讀<走向勝利第一連>」 등의 글이 발표되었다.

런다신(1927~), 본명은 궈건선郭根深으로 허베이성 보예博野 출신이다. 인민문학출판사, 인민미술출판사, 중국전영출판사 편집자를 역임하였다. 저서로 단편소설집 『양면의 우승기兩面奬旗』, 중단편소설집 『황허 댐 위에서』, 서사시 『해방전사 양다순解放戰士楊大順』, 단막극 극본 『경계심을 높이다提高警惕』, 『한바탕 풍파一場風波』 등이 있다.

슝바이스(1923~), 필명은 뤄팡羅方, 뤄쥐안羅雋 등으로 쓰촨성 러산樂山 출신이다. 중국사회과학원 문학연구소 연구원을 역임하였다. 저서로 소설 『거리隔膜』가 있다.

『소설월간』 제5권 제5호에 리가오의 단편소설 「전진前進」, 리젠우의 산문 「옌쯔 절벽淹子崖」, 커란의 장편 연재 「옌안 10년」이 발표되었다. 『신희곡』 제2권 제2호에 양사오쉬안의 「구극 개혁 운동 속의 역사극 문제舊劇改革運動中的曆史劇問題」가 발표되었다.

2일, 『중국청년』 제66호에 사설 「인민일보에 발표된 「무훈전」에 관한 사설을 학습하자學習人民日報關於<武訓傳>的社論」와 샤오싼의 「마오쩌둥 동지가 공인운동에 계속해서 노력을 기울인다」(4)가 발표되었다.

4일, 전국문련에서 좌담회를 개최해 중국인민 조선행 위문단 문예계 대표들의 귀국을 환영하였다. 회의에서 톈한 등 대표단의 구성원이 북한에서 벌인 위문활동에 대한 감상을 발표하고 중국과 북한 인민군의 굳건하고 영웅적인 행적을 보고하였다. 참석자들은 창작운동을 더욱 활발히 전개해야만 기부운동을 더 잘 전개할 수 있다고 의견을 모았다. 마지막으로, 우선 단기간 내에 '루쉰호魯迅號' 비행기 한 대를 기증하기로 결정하였다. 이를 위해 베이징시 문예계 기부운동이 신속히 전개되어, 6월 5일에 베이징시 문련에서 베이징의 각 문예단체 대표들을 초청해 좌담회를 개최하였다.

라오서는 본 기부운동이 집단적이고 자각적인 운동이며 애국주의적 정치 운동이라고 언급하며, 솔선하여 「용수구」와 「팡전주」의 공연을 통해 얻은 수익 800만 위안(구 화폐이며 이하 동일)을 기부하였다. 자오수리는 원고료 수익 500만 위안을 기부하였으며 리보자오는 200만 위안을 기부하였다. 펑쯔鳳子는 500만 위안과 금반지 두 개를 기부하였으며, 또한 앞으로 매달 월급의 10%를 기부하겠다고 약속하였다. 마오둔, 딩링, 자오수리, 쿵줴, 위안징, 류바이위, 사커푸, 아이칭, 리보자오 등이 모두 다년간의 저축과 원고료를 기부하였다. 각지 문예계에서도 '루쉰호' 비행기 기증에 관한 건의에 호응해 분분히 원고료와 인세를 기부하였으며, 창작계획을 확정해 자선 공연 및 전람회를 개최하였다. 차오밍草明은 전선을 장기적으로 지원하기 위해 한국전쟁이 승리로 끝날 때까지 원고료의 50%를 항미원조 활동에 기부하겠다고 약속하였다. 시인 커중핑은 저서 『변경의 자위군邊區自衛軍』의 인세 전액을 기부하였다. 시베이문예공작단에서는 서둘러 유명 화극 「용수구」의 공연을 준비해 '7·1' 전후로 공연하기로 하였다. 난징과 광저우 문예계에서도 자선 공연 등을 개최하였다.

5일, 『희곡보』 제4권 제8호에 쑹즈더의 「「황제와 기녀」의 창작사상 및 각색 의견<皇帝與妓女>的創作思想和改編意見」이 발표되었다.

7일, 『인민일보』에 후성胡繩의 「무훈을 칭송하는 것은 어째서 자산계급 반동사상의 표현인가?爲什麽歌頌武訓是資産階級反動思想的表現?」가 발표되었다. 문화부에서 「대벽관大劈棺」의 공연을 금지하는 명령을 발포하였다.

8일, 중난군구 제4야전군에서 제2회 문학공작회의를 개최하였다. 회의에서는 문공단과 부대의 연출공작을 강화하는 방법 및 정치와 업무 학습을 계획적으로 진행하는 방법에 관한 문제, 혁명적 신영웅주의 전형을 어떻게 개조하고 표현할 것인가 하는 문제에 관해 토론하였다. 회의에 참석한 문예공작자들은 업무 학습의 기본 목적은 문예는 공농병을 위해 복무해야 한다는 마오쩌둥 동지의 방침을 관철하는 데 있는 것으로, 교조주의 학습에 반대하며, 반드시 생활에 더욱 깊이 파고들어 영웅의 사상과 감정을 더욱 잘 이해하고 체험해야 한다는 점을 명확히 했다. 회의는 10일간 계속되었다.

10일, 『인민일보』에 천융의 글 「샤오예무 창작의 몇 가지 경향蕭也牧創作的一些傾向」이 발표되었다. 글은 샤오예무의 소설 「우리 부부 사이」와 「하이허 강가에서」 등이 '소자산계급의 관점과 취향'을 표현했다고 비판하였다. 같은 호에 톈한의 글 「「무훈전」이 나로 하여금 깊이 반성하게 했다<武訓傳>使我猛醒」가 발표되었다.

『문예보』 제4권 제4호에 사설 「전국 문공단 공작회의 개최를 경축하며慶祝全國文工團工作會議開幕」, 편집부의 「문공단과 『문예보』文工團與<文藝報>」, 탕인唐因의 「북한 전장에서의 중국과 북한 문예朝鮮戰場上的中朝文藝」, 양리의 「제3야전군 문예검열 기록記三野全軍文藝檢閱」, 위칭의 「실제 행동으로 전선을 지지하다以實際行動支持前線」가 발표되었다.

탕인(1925~1997), 본명은 허좡何莊, 필명은 위칭於晴으로 장쑤성 쑹장松江 출신이다. 『문예보』 부편집장, 『베이징문학』 부편집장, 중국작가협회 루쉰문학원 원장을 역임하였다. 저서로 평론집 『민간가요에 관하여談民間歌謠』, 『생활과 창작生活與寫作』 등이 있다.

『문예보』 같은 호에 딩만궁丁曼公의 「무훈의 진면목 - 영화 「무훈전」과 무훈 및 쑨위 선생의 반성을 평하다武訓的真面目——評<武訓傳>影片, 武訓以及孫瑜先生的檢討」, 멍빙孟冰의 「우리는 영화 「무훈전」에 관해 토론했다 - 중앙문학연구소의 「무훈전」에 관한 토론 기록我們討論了電影<武訓傳>——記中央文學研究所對<武訓傳>的討論」, 장톈이張天翼의 「무훈의 '사업'과 '정신'에 관하여關於武訓的"事業"和"精神"」, 딩하오촨丁浩川의 「「무훈전」과 「무훈전」을 칭송하는 이들은 무엇을 선전하는가?<武訓傳>和<武訓傳>底稱頌者們在宣傳著什麼?」 및 『문예보』 기자의 「「무훈전」에 관한 토론을 광범위하게 전개하다廣泛開展關於<武訓傳>的討論」 등 영화 「무훈전」을 비판한 5편의 글이 게재되었다.

장톈이는 글에서 "무훈의 '사업' - 안으로는 옹호자와 적극적 참여자가 존재하며, 밖으로는 찬양하는 이들과 적극적 지지지가 존재하는 - 은 이미 작지 않은 집단이자 역량이 되어 있었다. 이 집단 및 역량은 당시의 계급투쟁 속에서 필연적으로 작지 않은 역할을 하고 있었다. 다시 말해, 이 집단 및 역량은 당시의 투쟁 속에서 어느 한 전선에 속해 있었으며, 이들만의 모종의 계급적 임무를 완성하는 데 목적을 두고 있었다. 그러나 무훈 사숙의 교육 목표와 교육 내용으로 보아, 무훈의 '교육사업' 및 이러한 '사업'을 진행하는 수단인 '무훈 정신'은 무훈이 살아 있던 당시의 시각으로 보아도 보수적이고 반동적이었으며, 개량주의적 의미가 있다고 보기는 힘들었다"고 지적하였다. 딩하오촨은 글에서 "「무훈전」과 「무훈전」을 칭송하는 글들은 반反마르크스주의 사상을 선전하고 있다. 그들은 문화지상주의와 비계급적인 교육관점을 선전하고 있다. 맹목적인 '망아 정신'을 칭송하면서 주관적인 동기를 강조해 '기백'을 추상적으로 숭배하고 있다"고 보았다.

딩만궁(1912~1966), 잡문가. 덩퉈鄧拓를 가리킨다. 본명은 덩쯔젠鄧子健이며 마난유馬南邨, 딩만궁丁曼公 등의 필명을 사용하였다. 푸젠성 민허우閩侯 출신이다. 1930년에 중국공산당에 가입하였다. 1937년에 진차지 변구로 가서 『진차지일보』사 사장 겸 편집장을 맡았다. 공화국 성립 후에 『인민일보』사 사장 겸 편집장, 중공베이징시위원회 서기를 역임하였다. 1961년에 『베이징만보北京晚報』 부간에 『옌산 야화燕山夜話』란을 신설하였으며, 얼마 후에 우한吳晗, 랴오모사廖沫沙와 함께 『전선前線』 잡지에 『싼자춘 찰기三家村劄記』란을 신설하였다. 1966년에 박해를 받아 사망하였으며 1979년에 복권되었다. 저서로 잡문집 『옌산 야화』, 『싼자춘 찰기』(합동 창작), 『덩퉈 시문선鄧拓詩文選』, 『덩퉈 문집鄧拓文集』 등이 있다.

『문예보』 같은 호에 『인민일보』 5월 20일자에 발표된 마오쩌둥의 사설 「영화 「무훈전」에 관한 토론을 반드시 중시해야 한다」가 전재되었다.

『문예보』 같은 호에 정전둬의 「위대한 예술 전통 – 서주 시대의 예술偉大的藝術傳統--西周時代的藝術」이 연재되었으며, 위퉁於彤의 「자오징선의 「민간문예개론」을 평하다評趙景深的<民間文藝概論>」가 발표되었다.

『문예보』 '독자 서신'란에 「인민을 우롱하는 태도와 새로운 저질 취향에 반대한다反對玩弄人民的態度,反對新的低級趣味」라는 제목의 글이 게재되었다. '편집자의 말'은 샤오예무의 창작 경향에 대한 천융의 비판이 '좋은 시작'이라고 지적하면서, 독자들의 서신이 "샤오예무의 이러한 창작 경향의 위험성을 예리하게 지적하였으며 천융의 글에 대해 강력하고도 꼭 필요한 보충을 했다", "독자들이 문예창작에 대해 대담하게 각종 의견을 제기하기를 희망한다"고 밝혔다.

『문예보』 같은 호의 '문예동태' 소식에 따르면, 전국 각지에서 반혁명 진압 운동이 대대적으로 전개된 후로 문예공작자들이 이러한 정치적 임무에 호응하기 위해 각종 문예형식을 이용해 군중에게 적극적인 선전을 펼치고 있다. 『문예신지』 제1권 제2호에 발표된 단막극 극본 「밥이 까맣게 탔다飯燒焦了」는 정치적 오류가 존재하는 작품으로, 상하이해방일보 5월 19일자에 셰윈謝雲의 평론이 게재되어 본 작품에 오류가 발생한 이유는 작가의 관점과 입장이 분명하지 못하고 모호해 반혁명분자의 죄악에 대한 인식이 부족하기 때문이라고 지적하였다.

『인민희극』 제3권 제2호에 라오서의 「생활 체험에 관하여談體驗生活」, 자오쥐인의 「「용수구」

감독 예술창조 결산<龍須溝>導演藝術創造的總結」과 쑨웨이스의 「「강철은 어떻게 단련되었는가」 감독 공작<鋼鐵是怎樣煉成的>導演工作」 및 마사오보의 「신릉군에 관한 토론으로부터 이야기를 시작하다從信陵君的討論談起」가 발표되었다.

마사오보는 글에서 역사 인물에 대해 현재의 시각에서 평가할 때는 지나치게 가혹해서는 안 되며, "그 인물이 당시 역사적 조건하의 인민의 최고 이익"에 부합하기만 한다면 긍정해야 한다고 보았다. 역사극의 현실적 의도의 처리 문제에 관해서는 "역사 희곡의 역할은 그저 역사 이야기를 통해 관객에게 간접적으로 깨달음과 격려를 주는 것으로, 이것이 바로 교육적 효과이다. 그 외에 현재의 현실과의 사이에 직접적인 관련을 발생시키는 모든 과도한 주관적 요구는 시대의 거리를 모호하게 하거나 혹은 축소시키는 것이다. 대사 한두 마디나 장면 하나라 할지라도 부당하게 처리한다면 역사의 진실을 왜곡하고 근대혁명의 현실을 모욕하는 나쁜 결과를 발생시킬 수 있다. 이는 역사유물주의를 위배하는 것이다"라고 밝혔다. 항미원조운동의 열풍이 일어난 후로 각지의 희곡 공작자들이 신릉군이 병부를 훔쳐 조나라를 구한 역사적 사실을 소재로 삼아 애국주의 사상과 스스로 자신과 이웃을 구하는 도리를 선양하였다. 이러한 배경하에서 마사오보는 이 글을 통해 역사적 사건의 각색에 대한 자신의 관점을 설명하였다.

상하이희극전문학원 희극공작단이 설립되어 양춘빈楊村彬, 왕위안메이王元美가 창작하고 양춘빈이 감독을 맡은 신작 6막 화극 「신이허 청사진新沂河藍圖」을 공연하였다.

15일, 부대생활을 반영하고 부대문예운동을 지도하는 잡지 월간 『해방군문예解放軍文藝』가 창간되었다. 창간호에 주더가 축사를 보냈으며, 류바이위의 「부대문예창작을 더욱 제고하자將部隊文藝創作提高一步」, 천황메이의 「위대한 인민해방군의 영웅 전형을 창조하자創造偉大的人民解放軍的英雄典型」('신영웅주의' 개념을 명확하게 제시), 우창의 「성적을 공고히 하고 창작 수준을 제고하자鞏固成績提高創作水平」, 후커의 「「영웅의 진지」 초고 중간 결산<英雄的陣地>初稿小結」, 천페이친陳斐琴의 「「당의 생명」 소개介紹<黨和生命>」, 린후이林暉의 「모스크바 「중앙홍군의 집」을 방문하다訪問莫斯科<中央紅軍之家>」, 허우진징의 「「쇠사슬 이야기」 추천推薦<鐵索鏈的故事>」 등의 글과 쑹즈더의 산문 「신념信念」, 지시천紀希晨, 웨이펑魏風의 보고 「히말라야 산에 홍기를 꽂다把紅旗插上喜瑪拉雅山」 및 루주궈의 「눈보라 치는 동부전선」, 장즈민의 「그는 죽어서는 안 된다他不該死」, 쑤처蘇策의 「꼬마와 연대장小鬼與團長」 등의 소설, 그리고 뤼쑹呂松의 「사격 연습打靶」, 장졘화張建華의 「진군나팔進軍號」 등의 시가 발표되었다. 이 외에도 창간호에는 '북한전선 스케치' 특집이 발간되어 웨이웨이의 「최전선의 춘절 밤火線春節夜」, 한시량韓希梁의 「전진이야말로 생활이다前進才是生路」, 주궈柱國의

「늙은 조장老組長」, 푸둬傅鐸의 「할머니와 잡낭老大娘和幹糧袋」 등의 글이 발표되었다.

지시천(1922~). 작가, 기자. 본명은 쑹샤오로 허난성 이촨伊川 출신이다. 1937년에 중국공산당에 가입하였으며 1938년에 옌안으로 갔다. 『인민일보』 시난기자참記者站 책임자, 신화사 쓰촨분사 제1사장, 『인민일보』 기자부 부주임, 『중국노년中國老年』 잡지 편집장을 역임하였다. 주요 저서로 『시대의 발자취時代的足跡』, 『2월의 역류二月逆流』, 『전투의 청춘戰鬥的青春』 등이 있다.

웨이펑(1925~), 극작가. 허베이성 탕현 출신이다. 항일군정대학을 졸업하였다. 해방군 총정치부 가무단 정치위원 및 단장, 총정치부 문공단 총단장, 해방군예술학원解放軍藝術學院 부원장 및 정치위원을 역임하였다. 저서로 화극 극본 『샤오링쯔小玲子』, 『여자 영웅 류후란女英雄劉胡蘭』, 가극 극본 『류후란劉胡蘭』, 『토지가 농민에게 돌아가다土地歸農民』 등이 있다. 『바람은 타이항에서 온다 - 웨이펑 문집風從太行來——魏風文集』이 출간되었다.

『베이징문예』 제2권 제4호에 '베이징 공인 5·1 문예대회 특집'이 발간되어 라오서의 「공연 관람에 대한 의견對於觀摩演出節目的意見」, 리강李剛의 「공연대회의 음악 프로그램競賽觀摩會上的音樂節目」, 쭤후이左輝의 「공인 미술 전시회 관람 후기工人畫展觀後感」, 톈겅田耕의 「공인문예창작 공연 검열工人文藝創作演出檢閱」 등의 글이 발표되었다. 같은 호에 '위대한 조국 수도偉大的祖國首都' 공모의 글 및 어우양산의 「반드시 성실하게 자신을 반성해야 한다應該老老實實檢討自己」와 돤무훙량端木蕻良의 「무훈전 토론을 통해 얻은 깨우침과 교육討論武訓傳所得到的啟發和教育」이 발표되었다.

돤무훙량(1912~1996), 작가. 본명은 차오징핑曹京平으로 랴오닝성 창투昌圖 출신이다. 1932년에 좌련에 가입하였으며 1935년에 '12·9' 운동에 참가하였다. 1936년에서 1938년 사이에 상하이와 우한 등지에서 항일문학활동에 종사하였다. 1938년 5월에 우한에서 샤오훙과 결혼하였다. 샤오훙이 1942년에 홍콩에서 병사한 후 돤무훙량은 구이린에 머물다가 충칭, 상하이, 홍콩 등지를 이동하며 진보적 문화운동에 적극적으로 종사하였다. 공화국 성립 후에 베이징시 문련 부비서장을 맡았다. 저서로 단편소설집 『증오憎恨』, 『펑링두風陵渡』, 『장난 풍경江南風景』, 장편소설 『대지의 바다大地的海』, 『커얼친치 초원科爾沁旗草原』, 『창장大江』, 『조설근曹雪芹』(합동 창작), 동화집 『별星星記』 및 『돤무훙량 선집端木蕻良選集』, 『돤무훙량 근작端木蕻良近作』 등이 있다.

16일, 중앙문화부에서 베이징에서 전국문공단회의를 개최하였다. 정무원 부총리 궈모뤄가 전국의 문교공작에 관한 보고를 진행하였다. 문화부 부장 마오둔이 문공단 방침과 임무 및 분업에 관한 보고를, 부부장 저우양이 문예사상과 창작문제에 관한 보고를 진행하였다. 라오서 등이 주제 발언을 진행하였다(『인민희극』 제3권 제4, 5호에 게재).

라오서는 "임무를 서둘러 완성하는 것은 꼭 해야 하는 일일 뿐 아니라 영광스러운 일이기도 하다", "서둘러 창작한 작품이 전부 좋은 것은 아니지만, 서둘러 창작할 생각조차 하지 않는다면 좋지 않은 작품조차 탄생하지 않을 것이다. 우리는 작품이 좋지 못할 것을 걱정해 서둘러 쓰려는 용기와 열정을 잃어서는 안 된다"고 말했다.

『인민일보』 7월 8일자에 사설 「문예공작단을 강화하고 인민의 새로운 예술을 발전시키자加強文藝工作團,發展人民新藝術」가 발표되어 "전국 문공단의 총 임무는 인민의 새로운 가극과 화극, 새로운 음악과 무용을 강력히 발전시켜 혁명정신과 애국주의 정신으로써 수많은 인민을 교육하는 것이다"라고 지적하였다.

회의에서는 전국의 각종 문공단체가 전체적으로 분업할 것을 규정하였다. 또한 중앙과 각 대형 행정구역 및 대도시에 극원 혹은 극단을 설립하고, 각 성급 중등 도시에 극단 혹은 극장을 위주로 하는 문공단을 설립하며, 전구專區에는 연극 혹은 가창을 위주로 하는 종합적인 문공대文工隊를 설립할 것 등을 결정하였다. 『광명일보』와 『문예보』에서도 사설을 발표하였다. 회의는 8월 28일에 폐회하였다.

『중국청년』 제67호에 양얼의 「무훈과 무훈에 관한 선전을 평하다評武訓和關於武訓的宣傳」, 슝바이스의 「무훈에 관한 몇 가지 잘못된 관점關於武訓的幾點錯誤觀點」, 바이화의 「엥겔스 이야기」(5)가 발표되었다.

17일, 『인민일보』에 차오징화가 고리키 서거 15주년을 기념해 소련 『진리보真理報』에 헌정한 글 「중국 인민의 위대한 전우 고리키中國人民的偉大戰友高爾基」와 펑정의 「인민해방군의 영웅 형상을 정확하게 창조해야 한다 – 영화 「관 중대장」을 평하다應該正確地塑造人民解放軍的英雄形象——評影片<關連長>」가 발표되었다.

25일, 중국공산당 성립 30주년을 기념해 『문예보』 제4권 제5호에 저우양의 「마오쩌둥 문예노선을 단호히 관철하자」, 펑쉐펑의 「당이 루쉰에게 힘을 주다黨給魯迅以力量」와 사오취안린의 「당과 문예黨與文藝」 등 3편의 글이 발표되었다.

저우양은 글에서 "마오쩌둥 동지는 문예가 반드시 공농병을 위해 복무해야 한다는 점을 정확하게 제시하였다. 이는 작가의 전체적인 인생관 및 그들 자신의 사상 감정의 개조 문제와 연관이 있다. 그리고 이것이 바로 모든 문제의 관건이다. 마오쩌둥 동지는 바로 이러한 근본적인 관건 위에서 문예가 방대한 인민과 결합해야 한다는 임무를 해결하였다. 이것이 '5·4' 이후로 줄곧 해결하려

했으나 해결할 수 없었던 임무이다. 마오쩌둥의 문예사상은 당원인 문예가와 비당원인 혁명적 문예가 모두를 무장시켜 그들을 공농병 군중과 결합하는 노선으로 이끌어, 문예와 문예공작자가 이로써 새롭게 변모하게 만들었다"라고 지적했다.

평쉐펑은 글에서 "국민당이 혁명을 배반한 이후로 우리 당은 줄곧 강경하게 인민을 이끌어 투쟁을 견지해 왔으며, 혁명이 더욱 깊이 발전하도록 해 왔다. 이처럼 새로운 형세 속에서 루쉰 선생은 자신의 사상적 기초 위에서 위대한 약진을 이루었다. 그 이후로 선생은 단호히 공농 계급의 편에 서서 우리 당의 기치 아래 굳건히 단결하여, 공산주의 이상과 우리 당이 이끄는 인민혁명사업을 위해 분투했다"라고 밝혔다.

샤오취안린은 글에서 30년간 우리의 문예가 "빛나는 성취"와 "강력한 창조 역량"을 이룰 수 있었던 것은 "이 문예운동이 당의 직접적인 영도 아래 광대한 인민의 투쟁과 밀접하게 결합되었기 때문이다. 그 창작활동과 이론활동은 마르크스레닌주의 과학사상을 주된 기초로 삼고 있으며, 또한 당의 정책을 근거로 하고 있다"라고 밝혔다.

『문예보』 제4권 제5호에 허우진징의 「말을 타고서 말을 찾다騎著馬找馬」, 좡스위안莊始原의 「아낄 수 없는 시간不可節省的時間」, 옌원징의 「모두의 눈을 이용하다利用大家的眼睛」, 정전둬의 연재「위대한 예술전통 - 한국의 예술偉大的藝術傳統--韓國的藝術」, 저우원의 「몇 가지 형용사 연용의 해석에 관하여談幾個形容詞連用的解釋」, 뤼수샹呂叔湘의 「구어와 문장 속의 새로운 어휘에 관하여關於口語和文章裏的新詞新語」, 양디楊堤의 「방언문학에 관한 몇 가지 문제 및 이 글에 관한 싱궁완 동지와의 논의關於方言文學的幾個問題----並以此文與邢公畹同志商榷」, 우스둥吳士動의 「「방언 문제」에 대한 나의 견해我對<方言問題>的看法」 및 샤오인의 「「임무를 서둘러 완성하다」를 논하다論<趕任務>」 등의 글이 발표되었다.

샤오인은 "문예가 정치를 위해 복무해야 하고, 문예창작이 정치적 임무와 결합되어야 한다는 것은 분명하다. 그러나 일부 사람들은 이 말을 입으로만 하면서 정작 창작할 때는 정치를 위해 복무하기를 거절한다. 정치적 임무에 대해 이런 부정확한 견해를 가지고 있기 때문에 현상의 나열에만 만족하고, 개념에서 출발하며, 사족을 더하는 등 세 가지 현상이 발생했다. 현재 청년 작가들 사이에 문예와 정치적 임무의 결합이라는 문제에 관해 여전히 여러 가지 부정확한 견해가 존재한다"고 밝혔다.

『문예보』 같은 호에 리딩중李定中(즉 펑쉐펑)의 「인민을 우롱하는 태도와 새로운 저질 취향에 반대한다」, 량난梁南의 「「관 중대장」에 드러난 잘못된 군사사상에 관하여談<關連長>中錯誤的軍事思想」, 장쉐싱張學星이 정리한 「「관 중대장」을 평하다評<關連長>」 등 영화 「관 중대장」에 관한 비평이 발표되었다.

『인민일보』에 「출판물 평론과 인민문예 폐간에 관한 공지關於書報評論, 人民文藝停刊啟事」가 게재되어, 7월부터 『출판물 평론』과 『인민문예』 등 주간 2종의 주요 내용을 제3판으로 이동시키기로 결정했음을 알렸다. 반면에 『문예보』는 문예평론공작을 강화하였다.

이달에 산둥성에서 제1차 문대회가 개최되었다.

마오쩌둥의 『옌안문예좌담회에서의 강화』가 벵골어로 번역되어 출간되었다. 책의 말미에는 궈모뤄의 「문화교육공작에 관한 보고關於文化教育工作的報告」와 루딩이의 「신중국의 교육과 문화新中國的教育與文化」가 수록되었다.

인민일보사와 중앙문화부에서 무훈역사조사단을 조직해 산둥성의 무훈의 고향으로 가서 현지조사를 진행하였다.

영화 「관 중대장」에 관한 전국적인 토론이 전개되었다. 4월에 본 영화가 상하이에서 상영된 후 『대공보』 부간 『주말영평周末影評』에 곧바로 논쟁이 벌어졌다. 『대공보』 부간의 편집자는 영화에 관한 비평 의견에 대해 억제하는 태도를 취하며 경솔하게 결론을 내렸다. 이달 17일에 『인민일보』에 「인민해방군의 영웅적인 형상을 정확하게 창조해야 한다」라는 제목의 글이 발표되어 영화 「관 중대장」에 관해 비판하였다. 뒤이어 『문예보』 제4권 제5호에 중앙문학연구소의 단체 토론문 「「관 중대장」을 평하다評<關連長>」, 량난의 「「관 중대장」에 드러난 잘못된 군사사상에 관하여」, 커위루克馭路의 「영화 「관 중대장」을 평하다評電影<關連長>」 등 영화 「관 중대장」을 집중적으로 비평한 세 편의 글이 게재되었다. 중앙문학연구소의 글은 이 영화가 "용속한 소자산계급적 인도주의를 통해 우리 인민해방군의 혁명인도주의를 왜곡했다"고 지적하며, "공농병의 외투를 걸쳤지만 실제로는 유해한 사상과 반현실주의적 창작방법을 선전하는 작품"이라고 보았다.

친서우어우秦瘦鷗의 중편소설 『장님 류씨가 눈을 뜨다劉瞎子開眼』가 상하이진장서국上海錦章書局에서 출간되었다.

친서우어우(1908~1993), 작가. 본명은 친하오秦浩로 상하이 자딩嘉定 출신이다. 청년기에 상하이상과대학上海商科大學에서 경제학을 공부하였다. 졸업 후에 통속문학 작품의 아마추어 창작과 번역에 종사하였다. 공화국 성립 후에는 홍콩 『문회보』 부간조 조장, 집문출판사集文出版社 편집장, 상하이문화출판사 및 사서출판사辭書出版社 편집심사위원을 역임하였다. 저서로 장편소설 『추해당秋海棠』, 『위성기危城記』, 『메이바오梅寶』, 단편소설집 『제3자第三者』, 산문집 『만하집晚霞集』, 『해당실 한담海棠室閑話』, 평론집 『소설종횡담小說縱橫談』 및 역서 『영대읍혈기瀛台泣血記』, 『어향표묘록禦香標緲錄』, 『춘희茶花女』 등이 있다.

린만의 소설 『장애물』이 우한중난인민출판사에서 출간되었다. 바이웨이의 소설 『기근을 나다』가 상하이신문예출판사에서 출간되었다. 왕시젠의 항일소설 『지복천번기地覆天翻記』가 인민문학출판사에서 출간되었다.

천윈하오陳允豪의 『생선 파는 남자賣魚郎』와 아이쉬안艾煊의 『창장 삼각주에서의 전투戰鬥在長江三角洲』가 상하이신문예출판사에서 출간되었다. 두 편의 소설 모두 제3차 국내혁명전쟁 시기를 그린 소설이다.

마펑의 단편 평서評書 『저우 부대 핑촨 대소동周支隊大鬧平川』이 베이징공인출판사에서 출간되었다. 왕슈펑王秀峰 등이 편찬한 『원만한 혼인美滿的婚姻』이 바오딩허베이인민출판사에서 출간되었다. 레이위의 『토지 이야기土地的故事』가 우한중난인민출판사에서 출간되었다. 장즈민이 편찬한 『류 과부의 혼사劉寡婦的親事』, 황차오荒草의 『합동으로 공을 세우다合同立功』, 류밍劉鳴, 톈펑天風의 『펑황링鳳凰嶺』이 우한통속도서출판사에서 출간되었다.

바이런의 시집 『북한 어머니朝鮮母親』가 창장문예총서長江文藝叢書 중 한 권으로서 우한중난인민출판사에서 출간되었다.

허우웨이둥의 장시 『황허 서쪽 기슭의 응형 지대黃河西岸的鷹形地帶』가 문예창작총서 중 한 권으로서 화둥인민출판사에서 출간되었다. 장시는 총 10장으로 구성되었으며 저자의 「서문」이 수록되었다. 그는 「서문」에서 "항일전쟁 시대였다. 우리의 모범 항일민주 근거지, 즉 산간닝 변구의 지도는 건장한 매가 비상하는 형상을 하고 있었다." "시 속에 묘사된 환경, 즉 관중분구關中分區는 마치 날카로운 매의 발톱처럼 뻗어나가 비적의 소굴, 즉 시안을 향해 돌격해, 징웨이涇渭 유역에 대한 국민당 비적들의 잔혹한 통치를 위협하고 있었다." "이것은 산베이 혁명 선열인 류즈단劉志丹, 셰쯔창謝子長 두 동지가 토지혁명시대에 창조한 산간쑤구陝甘蘇區이다." "오늘날 이 시집을 출간하는 것은 한편으로는 위대한 시베이의 행정구, 당, 정, 군, 민에 대한 선물인 셈이며, 다른 한편으로는 승리의 과실은 혁명 선열들의 선혈과 바꿔 얻은 것이므로, 우리는 이를 아끼고 소중히 여기며 그 건설에 노력해야 함을 우리 인민들이 알게 하기 위해서이다"라고 밝혔다.

뤼젠의 시집 『영웅비英雄碑』가 화둥인민출판사에서 출간되었다. 시집은 상, 하부로 구성되어 「노랫소리가 날아 강 위를 건너다歌聲飛過河流」, 「영웅비英雄碑」, 「사랑을, 그리고 원한을 위하여」 등 18편의 시가 수록되었다.

칭보의 시집 『최후의 지옥最後的地獄』이 공작시총工作詩叢 중 한 권으로서 상하이문화공작사上海文化工作社에서 출간되었다. 시집은 2부로 구성되어 「중국제 미국인中國造的美國人」, 「나는 봄을 방문하러 왔다我是來訪問春天的」, 「기아饑餓」 등 42편의 시와 저자의 「후기」가 수록되었다. 「후기」에서 그는 "'최후의 지옥'은 기본적으로 시집 '거인의 발아래巨人的脚下'의 증보판이다." "여기에 수록된 시들은 1942년에서 1948년 사이에 내가 국통구를 유랑하며 쓴 수기이다." "이 시집에 실린 시는 2부로 나뉜다. 문화공작사에서는 본래의 '거인의 발아래'의 지형紙型을 희생했다. 독자들을 위해 더욱 잘 복무하고자 하는 이러한 정신에 감사해야 한다. 이런 정신 덕분에 나는 해방 전에 썼던 비교적 통속적인 작품들을 시집에 더해 제1부 '지옥곡地獄曲'을 구성할 수 있었고, 본래 '거인의 발아래'에 수록되어 있던 몇몇 건강하지 못한 작품들을 다른 작품으로 바꿔 수정해 이 시집의 제2부를 구성할 기회를 얻을 수 있었다. 또한 목각 삽화 7장을 추가하였다"고 말했다.

왕야핑의 장시 『리슈전 전가李秀真傳歌』가 청년문예총서 중 한 권으로서 베이징청년출판사에서 출간되었다. 장시는 총 12장으로 구성되었다.

정창鄭昌의 장시 『삼키지 않는다不吞兒』가 청년문예총서 중 한 권으로서 베이징청년출판사에서 출간되었다. 장시는 총 7장으로 구성되었으며 저자의 「교정 후기校後記」가 수록되었다. 「교정 후기」에서 그는 "이 책의 모든 내용은 10여 년 동안의 산시山西 농촌의 변동을 쓰려 한 것이다. 원래의 계획은 상편에 구사회, 하편에 신사회에 대해 쓰는 것이었다. 이 시집에 수록된 제7장은 본래 하편의 제1장이다. 본래 하편에 쓰려고 계획했던 것은 혁명 군중이 피와 땀과 그 생명으로써 창조한 해방구의 성장 과정과, 혁명 군중과 일본 제국주의와의 투쟁, 옌시산閻錫山과의 투쟁, 항일, 민주, 소작료와 이자 경감을 둘러싼 지주 계급과의 투쟁, 그리고 혁명 대오의 확대에 따른 간부의 불순한 작풍 등이었다. 이런 부분은 앞서 말한 상황 때문에 아마도 영원히 쓰지 못할 듯하다.

나는 이 시를 이번에 교정하면서 한번 자세히 읽고서 정말로 잘 쓰지 못했다는 것을 깊이 느꼈고, 너무나 성숙하지 못한 작품이라고 생각했다. 내용면에서는 실제 인물과 사건에 얽매여 구조가 치밀하지 못하고 인물은 깊이가 부족하며 이야기는 감동적이지 못해, 문학이 갖춰야 할 필수 요소인 전형에 대한 묘사가 결핍되어 있다. 형식면에서는 언어가 정련되지 못하고 풍부하지 않으며, 민가에 대해 '쓸모없는 것은 버리고 정화를 취하'지 못했다. 읽었을 때 현지 사람들이 알아들을 수 있도록 하는 것에 얽매여 많은 부분이 거의 '신문언新文言'이 되어 버렸다. 이번에 교정할 때 어느 정도는 고쳤지만 전부 고치지는 못했다. 어쩔 수 없는 부분에는 주석을 더할 수밖에 없었다. 이 모든 것들은 결국 내가 문학적인 재능이 너무나 부족하다는 사실을 설명한다"라고 말했다.

라오서의 원작을 자오쥐인이 각색한 화극 『용수구』가 상하이문화생활출판사에서 출간되었다. 위안잉元膺 등이 창작한 화극 『적과 아군 사이敵我之間』가 우시쑤난인민출판사無錫蘇南人民出版社에서 출간되었다. 중화문예계 항미원조 선전위원회中華文藝界抗美援朝宣委會에서 편찬한 화극 『홍기는 누구에게 속하는가紅旗屬於誰』가 우한중난인민출판사에서 출간되었다. 스퉈의 화극 『진압鎮壓』이 우한중난인민출판사에서 출간되었다.

딩링의 산문집 『유럽행 잡기歐行散記』가 인민문학출판사에서 출간되었다.

린강林鋼 등의 보고문학 『지원군과 함께한 나날和志願軍相處的日子』이 우한통속도서출판사에서 출간되었다.

린강(1926~), 작가, 기자. 신사군에 참가하였으며 1951년 봄에 북한에 파견되어 한국전쟁을 취재하였다. 오랫동안 신문보도공작에 종사하였다. 저서로 통신보고문학 작품집 『지원군과 함께한 나날』, 『어느 농가의 희비극一個農家的悲喜劇』, 『청산을 편력하다踏遍青山』 등이 있다.

무신穆欣의 보고문학 『남부전선 순회南線巡回』가 베이징싼롄서점에서 출간되었다.

무신(1920~2010), 기자, 편집자. 본명은 두펑라이杜蓬萊로 허난성 푸거우扶溝 출신이다. 1938년에 뤼량산呂梁山 항일근거지에서 『전투보戰鬥報』를 창간하였다. 1940년에 『항전일보抗戰日報』(후에 『진쑤이일보晉綏日報』로 명칭 변경) 창간에 참여해 통신취재부 주임을 맡았다. 1956년 이후에 중공중앙 고급당교 신문교연실 주임, 『광명일보』 부편집장 및 편집장, 외문발행출판국外文發行出版局 부국장, 인민화보사 사장 및 편집장을 역임하였다. 저서로 『남부전선 순회』, 『천경 대장陳賡大將』, 『무신 통신선穆欣通訊選』, 『왕전 전기王震傳』, 『술학담왕 – 광명일보에서의 10년을 추억하다述學譚往——追憶在光明日報十年』 등이 있다.

광저우남방통속출판사廣州南方通俗出版社에서 편찬한 『경애하는 마오 주석敬愛的毛主席』, 『화난 인민이 마오 주석에게 쓴 편지華南人民寫給毛主席的信』가 출간되었다.

문화부가 베이징에서 전국 사영 영화사 책임자들을 소집해 협상을 진행해 사영 영화사업을 점차 공유제로 전환하기로 결정하였다.

광시장족자치구 문학예술계연합회에서 편찬한 월간 『광시문예廣西文藝』가 창간되었다. 본 잡지는 1957년 1월에 『리장漓江』으로 명칭이 변경되었으며 1958년 3월에 『홍수이허紅水河』로, 1960년 7월에 『광시문학廣西文學』으로 변경되었고, 1961년 1월에 『광시문예』로, 1971년 5월에 『혁명문예』로, 1972년 1월에 다시 『광시문예』로 변경되었으며, 1980년 7월부터는 『광시문학』으로 변경되었다.

7월

1일, 『인민문학』 제4권 제3호에 샤오인의 논문 「인물 전환과 새로운 인물 묘사를 논하다論人物轉變與新人物的描寫」, 쑨수칭孫殊青, 왕윈만王雲縵의 평론 「「늙은 공인 궈푸산」에 관하여關於<老工人郭福山>」, 탕칭민湯擎民의 비평 「「봉화산 위에서의 이야기」를 평하다評<烽火山上的故事>」 및 허쿠何苦의 「공장 안의 전투工廠裏的戰鬥」, 리가오의 「내게 다시 총을 주시오重新發給我槍吧」, 류웨이전劉爲真의 「행복幸福」, 왕시젠의 「새 집을 짓다蓋新房」 등의 소설과 위안수이파이의 「마오쩌둥 송가毛澤東頌歌」, 롼장징의 「영광은 위대한 마오쩌둥에게 돌아간다光榮歸於偉大的毛澤東」 등의 시가 발표되었다.

저우쭤런이 상하이 『역보』에 스산十山과 주유祝由라는 필명으로 「백초원百草園」이라는 글을 연재해 8월 30일에 총 60편으로 연재가 완료되었다.

『창장문예』 제4권 제6호에 사설 「문예공작 과정에서의 당성 단련을 강화하자加強文藝工作中黨性的鍛煉」, 천황메이의 「혁명영웅주의의 전형 창조를 향해 더욱 전진하자向創造革命英雄主義的典型更前進一步」, 우커런武克仁의 「경극 「중국에서 꺼져라」 소개介紹京劇<滾出中國去>」, 자오하이선趙悔深의 비평 「인민과 멀어지는 경향에 반대하다反對脫離人民的傾向」, 중난문련 준비위원회 문예비평소조의 「「신어가구」 좌담회≪新漁家仇≫座談會」, 본지 기자의 「중난 각지 문예계에서 「무훈전」 토론이 열렬히 전개되다中南各地文藝界熱烈展開<武訓傳>的討論」와 「창장문예 통신원의 「무훈전」 좌담회長江文藝通訊員座談<武訓傳>」, 리신黎辛의 「더욱 광범위하고 깊이 있게 「무훈전」에 대한 비판을 전개하자更加廣泛和深入地展開對<武訓傳>的批判」 및 차오린喬林의 산문 「우리는 마오쩌둥의 시대에 살고 있다我們生活在毛澤東的時代」가 발표되었다.

『소설월간』 제5권 제6호에 커란의 장편 연재 「옌안 10년」, 천처陳澈의 「가마니에게 약삭빠른 마음이 생기다草包生了機靈心」, 선지沈跡의 「경기競賽」 및 쉬제許傑의 「「가마니에게 약삭빠른 마음이 생기다」를 읽고<草包生了機靈心>讀後」, 웨이진즈의 「「경기」를 읽고讀<競賽>」 등의 글이 발표되었다.

『신희곡』 제2권 제3호에 양사오쉬안의 「「무훈전」 검토 정신을 희곡개혁에까지 관철하자把檢討<武訓傳>的精神貫徹到戲曲改革中去」와 마사오보의 「극장관리에 관하여關於劇場管理」 등의 글이 발표되었다.

2일, 시안『군중일보』에 유화「산베이 자위전쟁 속의 마오 주석毛主席在陝北自衛戰爭中」이 발표되었다. 본 회화는 발표된 후 독자들의 비평을 받았다.『학습』잡지 제4권 제9호에 발표된「각지 신문에 발표된 당 건립 30주년 기념 선전을 평하다評各地報紙關於黨的三十周年紀念的宣傳」라는 글은『군중일보』가 엄격한 선별을 거치지 않고 마오쩌둥 주석의 그림을 경솔하게 발표한 처사는 좋지 못하다고 지적하였다.

3일, 경무원 문화교육위원회의 비준을 거쳐 교육부와 출판총서 연합으로「전국 교육 정기 간행물 출판 조정에 관한 결정關於調整全國教育定期刊物的出版的決定」을 발포해, 중앙 및 각 대형 행정구역 교육부에서 출판한 교육 간행물 외에 각 성시 교육부문에서는 교육 간행물을 출간하지 말 것을 규정하였다.

5일,『희곡보』제4권 제10호에 이빙伊兵의 글「다시 역사극 문제에 관하여再談曆史劇問題」가 발표되었다.

6일,『인민일보』에 판원란範文瀾의 글「무훈은 어떤 인물인가? 어째서 그를 칭송하려는 사람이 있는가?武訓是什麽人? 爲什麽有人要歌頌他」가 발표되었다.

판원란(1893~1969), 역사학자. 자는 윈타이雲台, 중원仲沄이며 아명은 치린麒麟, 필명은 우보武波, 우포武陂이다. 저장성 사오싱 출신이다. 1913년에 베이징대학에 입학하였으며 졸업 후에 베이징대학 교장 차이위안페이의 개인비서를 맡았다. 1940년에 옌안으로 가서 마르크스레닌학원 역사연구실 주임, 중앙연구원 부원장 겸 역사연구실 주임을 맡았다. 공화국 성립 후에는 중국과학원 근대사연구소 소장, 중국사학회中國史學會 부회장(일상 업무 관리)을 역임하였다. 저서로『중국통사간편中國通史簡編』,『중국근대사中國近代史』,『태평천국혁명운동太平天國革命運動』등이 있다.

같은 날,『중국청년보』에 마평의 단편소설『결혼』이 발표되었으며『인민일보』10일자에도 전재되었다.

8일,『인민일보』에「문예공작단을 강화하고 인민의 새로운 예술을 발전시키자」라는 제목의 사설이 게재되었다. 글은 "전국 문공단의 총 임무는 인민의 새로운 가극과 화극, 새로운 음악과 무용을 강력히 발전시켜 혁명정신과 애국주의 정신으로써 수많은 인민을 교육하는 것이다"라고 지적하였다. 같은 호에 허쓰위안何思源의「무훈을 이용해 반동통치계급을 위해 복무한 나의 반동행위를 비판한다批判我利用武訓爲反動統治階級服務的反動行爲」가 발표되었다.

10일, 중공중앙 선전부 통속간행물회의의 지시사항이 하달된 후,『문예보』제4권 제6호에 전국문련 연구실에서 정리해 편집한「지방 문예 간행물 개선에 관한 몇 가지 문제關於地方文藝刊物改進的一些問題」가 게재되었다. 글은 "전국과 지방의 문예 간행물은 반드시 명확한 분업을 해야 한다. 지방의 문예 간행물 중 대형 행정구역에서 간행하는 것은 종합적인 문예 간행물로 발행하는 것이 가장 좋으며, 우수한 작품을 발표하는 것 외에도 해당 지역의 문예보급공작을 지도하는 데 중점을 두어야 한다. 성, 시 등급의 문예 간행물은 통속적 문예 간행물로 발행하여 군중에게 공급하는 문예작품을 발표하는 데 많은 지면을 할애하고, 통속화와 대중화 방향으로 발전해야 한다"고 지적하였다.

중앙 및 전국의 문련 정신에 근거해 각 성과 시의 문예 간행물은 모두 통속화 방침에 따라 개선을 꾀해,『허베이문예』,『화난문예』,『산둥문예』등은 본래 대형 잡지였으나 32절판의 소형 통속잡지로 변경하였다.『난화문예南華文藝』,『장시문예』,『후베이문예』,『창장문예』,『광시문예』등 기타 잡지들은 통속문학을 보급하는 문예방침을 관철하며 상응하는 방향으로 내용과 형식을 개선하였다(『창장일보』소식에서 간접 인용).

『문예보』같은 호에 이 밖에도 중앙전영국 예술위원회 각본결산소조의「1950년 영화극본 창작 공작 결산一九五〇年電影劇本創作工作的總結」, 차이이蔡儀의 글「무훈의 성격과 아Q 정신은 본질적인 차이가 있다武訓性格與阿Q精神有本質上的不同」, 차오밍의「둥핑을 추억하며憶東平」(항일전쟁 과정에서 용감히 희생한 문예공작자를 기념하는 글), 비예의「이 위대하고 빛나는 시대 속에서在這偉大光輝的時代裏」, 허핑禾平의「문화 부담文化擔子」, 왕중화王重華의「『연환화보』와『군중화보』의 출판을 환영하며歡迎<連環畫報>和<群眾畫報>的出版」, 천치샤의「용어 사용 오류의 문제가 아니다不是用詞不當的問題」가 발표되었다.

차이이는 글에서 "무훈 정신은 더욱 추악한 것이다. 그는 반항의 의지가 없었을 뿐 아니라 세력가에게 빌붙어 살아갔다. 그는 농민 해방의 기치 따위가 아니었을 뿐 아니라, 오히려 반동적인 지주 통치자에게 영합하는 노예였다. 우리는 무훈을 선전하는 이들에게 '당신들이 선전하는 무훈 정신과 당신들이 무훈을 선전하는 정신은 아Q 정신보다 훨씬 추악한 것이다'라고 지적해야 한다"고 밝혔다.

『문예보』 같은 호에 소련작가협회의 기관 간행물인 『소련문학』에 발표된 문학의 기교 문제에 관한 논쟁 기록 「작가의 기교作家的技巧」가 변역 소개되었다. 이 글은 소련 문학의 현 상황 대한 파노바, 포고딘 등 몇 명의 소련 작가들의 비평 의견을 종합적으로 소개하였으며, 현재 소련문학계에 존재하는 공식화, 개념화 등의 병폐에 관한 각 작가들의 견해를 제시하였다.

12일부터 15일까지 충칭 『신화일보』에 소설 「재생기再生記」에 관한 쩡커曾克 등의 비평이 잇따라 게재되었다. 충칭시 문련은 토론회를 개최해 1월 17일부터 3월 6일까지 충칭 『신민보』 석간에 연재된 류성야의 단편소설 「재생기」에 심각한 정치적 오류가 있음을 엄중히 지적하였다. 『학습』 잡지 제4권 제8, 9호에도 비평이 게재되어 「재생기」 발표 후 2, 3개월이 지나도록 아무도 의문을 제기하지 않은 사실은 사상계와 문예계의 사상이 극도로 마비되어 있다는 것을 드러낸다고 지적하며, 이처럼 심각한 성질을 띤 문제에 관해 반드시 각 간행물에서 충분한 토론을 진행해 간부와 인민의 정치적 깨달음을 제고해야 한다고 보았다.

14일, 제6회 국제영화제가 개막해 스둥산史東山, 장수이화張水華, 청멍成萌, 정쥔리鄭君裏, 정더위안鄭德源(조선전지 신문촬영대 촬영기사) 등 5명의 중국 대표단이 참가하였다. 참가작 「백모녀」, 「신아녀영웅전」, 「강철전사鋼鐵戰士」 등의 극영화가 특별영예상과 평화상 등을 수상하였다. 영화제는 이달 22일에 폐막하였다. 영화제에서 「강철전사」가 상영된 후 18개국 영화계 대표들이 모두 호평하며 이 영화가 "1년간의 중국 영화사업의 진전을 충분히 설명하였다"고 의견을 모았다.

『중국청년』 제70호에 위광위안於光遠의 「혁명청년의 앞길이란 무엇인가什麼是革命青年的前途」, 샤오더蕭德의 「학생들과 함께 애국주의 실천을 이야기하다和學生們談愛國主義的實踐」, 예성타오의 「붓을 들기 전에拿起筆來之前」, 바이화의 「엥겔스 이야기」(6)이 발표되었다.

15일, 『광명일보』에 「베이징시 문련 및 베이징시 총공회 문예대회北京市文聯和市總工會文藝競賽發獎大會」 소식과 리보자오의 「공인 창작의 몇 가지 문제工人創作中的一些問題」 등의 글이 게재되었다.

『베이징문예』 제2권 제5호에 류보의 「베이징 장원北京莊」, 주쯔치朱子奇의 「위대한 중국공산당을 노래하다歌頌偉大的中國共産黨」, 라오서의 「극본 습작의 몇 가지 경험劇本習作的一些經驗」, 런펑刀鋒의 「노동모범의 창조정신을 학습하고, 당 탄생 30주년을 경축하며學習勞模的創造精神,慶祝黨的三十周年誕辰」와 궈량푸郭良夫, 라오서, 펑즈 등의 「'통속화 문제' 필담"通俗化問題"筆談」 등의 글이 발표되었다.

16일, 화베이인민혁명대학華北人民革命大學 문공단이 베이징에서 소련의 유명 화극「냉전冷戰」의 공연을 시작하였다.

『해방군문예』 제1권 제2호에 장리윈張立雲의 논문「문예창작에 대한 소자산계급 사상의 위해성을 논하다論小資産階級思想對文藝創作的危害性」, 캉즈싱康志行의 소설「변경에 주둔하는 호국전사駐守邊疆的衛國戰士」, 치전샤齊震霞의 소설「천산풍설天山風雪」, 루산魯山의 소설「세심한 사람精細的人」, 쑨이즈孫儀之의 소설「나는 전선으로 가야 한다我還要到前線去」, 란만藍曼의 시「마오쩌둥의 전차병毛澤東的坦克手」, 쑹즈더, 딩이, 웨이웨이의 가극「침략자를 멸하다消滅侵略者」, 장밍張明의「스탈린그라드 영웅성을 방문하다訪斯大林格勒英雄城」, 시훙西虹의「부대생활 체험에 관하여談體驗部隊生活」 및 '조선 전지 수필'로서 랴오청즈의「잊을 수 없는 수업難忘的一課」, 톈한의「낙관주의에 관하여談樂觀主義」, 랴오헝루廖亨祿의 유작「조선행 일기 부분赴朝日記片段」 등이 발표되었다.

딩이(1921~1999), 극작가. 본명은 구캉顧康으로 산둥성 지난 출신이다. 1936년에 중국공산당에 가입했으며 1941년에 옌안으로 갔다. 공화국 성립 후에 중난군구 부대예술극원 원장, 광저우군구 문화부 부부장, 총정치부 문공단 가극단 단장 및 문공단 부단장, 총정치부 문화부 고문을 역임하였다. 주요 작품으로 가극「백모녀」(자징즈 등과 합동 창작),「둥춘루이董存瑞」(딩훙丁洪 등과 합동 창작),「침략자를 공격하다打擊侵略者」(쑹즈더, 웨이웨이와 합동 창작),「어느 지원군의 약혼녀一個志願軍的未婚妻」(톈촨田川과 합동 창작), 영화 극본「도장을 빼앗다奪印」(왕훙王鴻과 합동 창작) 등이 있다.

17일, 저우웨이즈를 단장으로 하는 216명의 중국청년문예공작단이 8월에 열릴 제3회 세계청년학생평화친목회世界青年學生和平聯歡節에 참가하기 위해 베를린으로 출발했다. 친목회 참가 작품은 가극「백모녀」,「둥춘루이」, 경극「백사전」,「삼차구三岔口」 등이었다. 공작단은 친목회 참가 후에 독일민주공화국, 헝가리, 폴란드, 소련 등 9개국을 방문해 총 418회의 공연을 했으며 230만 명의 관중이 공연을 관람하였다.

20일, 『이야기하고 노래하다』 제19호에 자오수리가 집필한「'무훈' 문제 소개」 발표에 대한 반성對發表<"武訓"問題介紹>的檢討」이 발표되었다.

23일, 중난구 광공업 기업의 민주개혁운동을 반영하기 위해 중난 지역과 우한시의 각 문예단체에서 문예공작자의 대대적인 공장행을 조직하였다. 중난구 선전부에서는 공장행 문예공작자 대회를 소집해 민주개혁 방침과 정책 및 창작문제에 관해 구체적인 지시를 내렸다. 중난문련 준비위원회에서도 「민주개혁운동을 반영하는 작품을 대량으로 창작하자大量創作反映民主改革運動的作品」라는 제목의 호소문을 발표해 중난구 문예공작자들이 광공업 기업에 더욱 깊이 침투해 민주개혁운동을 반영할 것을 호소하였다.

23일부터 28일까지 『인민일보』에 위안수이파이, 중뎬페이, 리진(장칭) 등 3인이 집필하고 마오쩌둥이 최종 수정한 「무훈 역사 조사 기록」이 연재되었다. 글은 무훈이라는 인물에 대해 완전히 부정하며, "무훈은 불량배 출신으로, 반동 통치자의 뜻을 존경하고 그에 따라 '교육 진흥'을 출세의 계단으로 삼아, 기본 계급을 배반하고 통치 계급의 지위로 기어 올라간 봉건적 착취자이다"라고 보았다.

25일, 소련 『희극』 잡지에 발표된 사설 「극작가의 기교劇作家的技巧」가 『문예보』 제4권 제7호에 게재되었다. 사설은 생활에서 동떨어져 소위 기교를 추구하는 경향을 비평하며 생활과 기교의 분리에 반대하였다. 『문예보』 같은 호에 예슈푸葉秀夫의 「샤오예무의 작품은 생활의 진실을 어떻게 위반했는가蕭也牧的作品怎樣違反了生活的真實」, 러다이윈樂黛雲의 「소설 「단련」에 대한 몇 가지 의견對小說<鍛煉>的幾點意見」, 화쥔우華君武의 「미구의 만화 세 편에 관하여談米穀的三幅漫畫」, 본지 기자의 「방언 문제에 관한 토론關於方言問題的討論」, 왕윈만王雲縵의 「영화평론의 엄숙성과 전투성을 강화하자加強影評的嚴肅性和戰鬥性」 및 정전둬의 연재 「위대한 예술 전통 – 초 민족의 예술偉大的藝術傳統——楚民族的藝術」이 발표되었다.

러다이윈(1931~), 묘족苗族 학자로 구이저우 출신이다. 베이징대학 비교문학 및 비교문화연구소 소장, 선전대학深圳大學 중문과 주임, 국제비교문학학회 부주석을 역임하였다. 현재 중국비교문학학회 회장, 전국외국문학학회 이사를 맡고 있으며 베이징대학 중문과 교수로 재직 중이다. 저서로 『비교문학 원리比較文學原理』, 『비교문학과 중국현대문학比較文學與中國現代文學』, 『국외 루쉰연구논집國外魯迅研究論集』, 『마오둔이 중국현대문학을 논하다茅盾論中國現代文學』, 『욕망과 환상 – 동방과 서방欲望與幻象--東方與西方』, 『다원적 문화 언어 환경 속의 문학多元文化語境中的文學』 및 산문집 『역사의 연진을 통과하다透過曆史的煙塵』, 『절색상풍絕色霜楓』 등이 있다.

31일, 『광명일보』에 리보자오의 「나는 「장정」을 어떻게 썼는가我怎樣寫<長征>」가 발표되었다. 가극 「장정」은 리보자오가 중국공산당 탄생 30주년 및 중국인민해방군 성립 24주년을 기념하기 위해 위춘於村, 허루팅賀綠汀 등과 합동 창작한 작품으로, 8월 1일 베이징에서 공연되었다.

이달에 중국과 소련의 영화공작자들이 합동으로 제작한 영화 「중국 인민의 승리」와 「해방된 중국」이 스탈린문학예술상을 수상하였다. 이 영화들의 문학고문인 류바이위와 저우리보는 물론 영화 제작에 참여한 중국의 영화공작자 우번리吳本立와 저우펑周峰 등도 상금을 받았다. 류바이위는 상금 전액을 부대문화 건설 경비로 중국인민해방군에 기부하였으며, 저우리보와 우번리 등도 상금 전액을 '루쉰호'와 '인민전영호人民電影號' 비행기 구입 자금으로 기부하였다.

상하이카이밍서점에서 마오둔이 책임 편집을 맡은 총24권의 '신문학선집新文學選集'을 출판하기 시작하였다. 본 선집에 선정된 신문학 작가는 루쉰, 예성타오, 쉬디산, 마오둔, 바진, 라오서, 딩링, 아이칭, 러우스, 자오수리 등이다.

라오서의 저서 『상성 창작에 관하여關於相聲寫作』가 우한통속도서출판사에서 출간되었다.

바이랑白朗의 장편소설 『행복한 내일을 위하여爲了幸福的明天』가 인민문학출판사에서 출간되었다. 천덩커의 중편소설 『활인당活人塘』이 인민문학출판사에서 출간되었다. 청년출판사에서 편찬한 소설 『우리는 영원히 국방의 최전선에 서 있다我們永遠站在國防最前線』가 출간되었다. 쑹원마오宋文茂의 소설 『내가 막 입대했을 때我剛入伍的時候』가 상하이신문예출판사에서 출간되었다. 저우시周熙의 소설 『5번 부두五號碼頭』가 상하이문화생활출판사에서 출간되었다.

아이칭의 『아이칭 선집艾青選集』이 신문학선집 중 한 권으로서 상하이카이밍서점에서 출간되었다. 선집은 8부로 구성되어 「다옌허, 나의 유모」, 「투명한 밤透明的夜」, 「눈이 중국의 땅 위에 내린다雪落在中國的土地上」, 「10월 축하十月祝賀」 등 46편의 시와 저자의 「서문」이 수록되었다. 「서문」에서 그는 "나는 최근에 세계 평화 수호를 선전하는 여행 강연에 참가한 후에 수도로 돌아오는 길에 친우들의 격려를 받아, 아주 짧은 시간 내에 나의 시집들을 한번 훑어보고 서둘러 이 선집을 엮어 독자들께 바친다. 이 시들은 내가 12권의 시집에서 가려 뽑은 것으로, 1932년부터 1945년까지의 내 창작생활의 초보적 결산이다." "내가 받은 문학 교육은 대부분 5·4 신문학과 외국문학에 관한 교육이다. 나는 지도와 도움이 부족한 상황 속에서 자유롭게 독서를 해 왔다. 때문에 내가 받은 영향도 복잡한 편이다. 19세기 러시아의 구현실주의 대가들이 현실 사회에 대한 나의 인식의 장막을 열어젖혀 주었다. 시인들 중에서 나는 휘트먼과 베르하렌, 그리고 소련 10월 혁명 시기의 대시인 마야코프스키와 불록의 시를 좋아했다. 농촌에서 태어났기 때문에 구식 농촌에 그리움을 표현한 예세닌도 좋아했다. 프랑스 시인 중에서는 랭보를 좋아한다. 나는 우리 시대에 비교적 가까운 시인들을 좋아하는 편이다." "나는 여러 가지 시의 문체를 시험해 보았는데, 소위 '자유시체自由詩體'를 비교적 많이 사용하며 내가 느낀 세계를 구속받지 않고 표현하려고 노력했다. 창작 태도는 시종일관 엄숙했으므로, 한때의 소란 때문에 머리가 혼미해질 정도는 아니었다고 자신한다. 최근에 와서야 중국 시의 민족 전통을 받아들이기 위해 나의 시를 격률화하기 위해 온 힘을 다했다"고 말했다.

바이위안의 시집 『'10월十月'』이 현실시총 제1집 제8권으로서 50년대출판사에서 출간되었다. 시집은 2부로 구성되어 「옌안延安」, 「마오 주석이 베이징에 도착하다毛主席到北京」, 「오래된 산성古老的山城」 등 15편의 시와 저자의 「후기」가 수록되었다. 그는 「후기」에서 "시를 쓰는 동지 몇 명이 내가 예전에 쓴 몇 편의 시들을 정리해서 작은 시집으로 내 주기로 약속했다. 나는 과거에 드문드문 쓴 시들을 정리해 그 중 십여 편을 뽑아서 이렇게 시집으로 인쇄했다. 이 시들은 대부분 옌안에 있던 당시에 쓴 것으로, 이 중 일부는 옌안 '해방일보' 등의 간행물에 발표했던 것들이다. 시로서 보면 전부 아주 유치한 것들이다. 나는 이것들을 과거의 생활 속에서 남긴 작은 흔적으로서 모은 것일 따름이다"라고 말했다.

딩예丁耶의 시집 『신중국의 건설은 서둘러 와야 한다新中國的建設要搶點到』가 공작시총 중 한 권으로서 상하이문화공작사에서 출간되었다. 시집에는 「신중국의 건설은 '서둘러' 와야 한다!新中國的建設要"搶點"到!」, 「조국의 위대한 한 살祖國偉大的一歲」, 「지린 공인이 난산을 노래한다吉林工人歌唱南山」, 「우리의 겨울은 따뜻하다我們的冬天是溫暖的」 등 11편의 시가 수록되었다.

류이팅劉藝亭의 시집 『8월 가서八月家書』가 수획문예총서 중 한 권으로서 베이징공인출판사에서 출간되었다. 시집에는 「우리의 철로 공장我們的鐵路工廠」, 「자신의 땅 위에서 노동하다勞動在自己的土地上」 등 11편의 시가 수록되었다.

루궁路工의 장시 『메이산 위에서煤山上』가 수획문예총서 중 한 권으로서 베이징공인출판사에서 출간되었다. 장시는 총 6장으로 구성되었으며 저자의 「후기」가 수록되었다. 또한 그의 시집 『중국인민 대합창中國人民大合唱』이 베이징화성사火星社에서 출간되었다. 시집에는 「개국 송가開國頌」, 「마오쩌둥을 노래하다歌頌毛澤東」, 「미국 강도를 깨끗이 없애다把美國強盜消滅淨」 등 12편의 시가 수록되었다.

루궁(1920~1996), 시인, 민속학자. 본명은 예더지葉德基 혹은 예펑葉楓이라 하며 루궁, 샹양向陽, 췬밍群明 등의 필명을 사용하였다. 저장성 츠시慈溪 출신이다. 1938년에 옌안으로 가서 중국공산당에 가입하였다. 공화국 성립 후에는 중앙문학연구소 교원, 중국민간문예연구회 연구부 부주임, 베이징도서관 연구원을 역임하였다. 저서로 시집 『메이산 위에서』, 『밤의 목소리夜的聲音』, 『좋은 엄마好媽媽』, 『중국인민 대합창』, 『마오쩌둥호毛澤東號』 및 대량의 민간문학 자료집 『양축고사설창집梁祝故事說唱集』, 『맹강녀만리심부집孟薑女萬裏尋夫集』 등이 있다.

칭보의 시집 『분노憤怒』가 톈진대중서점에서 출간되었다. 시집에는 「장팅푸여, 꺼져라蔣廷黻,滾開」, 「평화의 폭탄和平的炸彈」, 「나는 총탄 한 알을 기부하려 한다我要捐一粒子彈」, 「시위의 붉은 광장 위에 서서站在示威的紅場上」, 「나는 이로 그를 갈기갈기 찢을 것이다我用牙也要把他撕碎」 등 10편의 시가 수록되었다.

사진의 시집 『일본을 무장시켜서는 안 된다不准武裝日本』가 공작시총 중 한 권으로서 상하이문화공작사에서 출간되었다. 시집은 3부로 구성되어 「미국 강도美國強盜」, 「정의의 횃불을 높이 들다正義的火炬高高舉起」, 「옛 농촌舊的農村」 등 13편의 시와 저자의 「후기」가 수록되었다. 그는 「후기」에서 "이 시집에 수록한 시는 내가 작년 8월부터 올해 5월까지 쓴 시의 대부분이다. 너무 못 쓴 시들은 빼 버렸다." "제2부에 실린 5편의 시는 토지개혁에 관한 시로, 화둥의 어느 근거지 농촌에서 쓴 것이다. 아쉬운 점은 내가 그곳에서 보낸 시간이 너무 짧고 그곳의 말을 알아듣지 못해 생활에 적응하지 못했다는 것이다. 이 다섯 편의 시는 내가 비교적 이해할 수 있었던 것이기는 하지만 아마도 그리 좋지 못할 것이다"라고 말했다.

쑨빈孫濱의 시집 『산천해양집山川海洋集』이 신중국문예총서 제3권으로서 상하이핑밍출판사에서 출간되었다. 시집에는 「기관차를 관문 안으로 몰다把火車頭開進關裏去」, 「마오 주석이 베이징에 오셨다毛主席到了北京」, 「우리의 늙은 선장咱們的老船長」 등 36편의 시가 수록되었다.

왕쉐치王學奇의 시집 『압록강 노래鴨綠江歌』가 신국풍사작실新國風寫作室에서 출간되었다. 시집에는 「오늘날은 우리 인민의 시대이다今天,是我們人民的時代」, 「해방 장난의 전사에게 바치다給解放江南的戰士」, 「항미원조 노래抗美援朝歌」 등 12편의 시와 우번싱吳奔星의 서문 「새로운 꽃봉오리新的花朵」가 수록되었으며, 마지막에 우번싱의 '대구 상성체對口相聲體' 낭송시 「미군을 때려죽여 그 김에 태평양에 던지다打死美軍順手扔入太平洋」가 수록되었다.

우번싱(1913~2004), 시인. 후난성 안화安化 출신이다. 1937년에 베이징사범대학 국문과를 졸업하였다. 공화국 성립 후에 우한대학, 장쑤사범학원, 난징사범학원, 쉬저우徐州사범학원, 난징사범대학 교수 및 중국현대문학연구회 고문, 전국루쉰연구회 고문, 중국작가협회 시가학회 이사, 장쑤성 작가협회 고문 등을 역임하였다. 저서로 시집 『저녁 안개暮靄』, 『봄 불꽃春焰』, 『장난시초江南詩草』, 『분성집奔星集』 등을 비롯해 다수의 학술저서가 있다.

커중핑의 시집 『옌안에서 베이징까지從延安到北京』가 인민문학출판사에서 출간되었다.

더우마오팡竇懋芳이 편찬한 『농촌 담장 시선農村牆頭詩選』이 화둥인민출판사에서 출간되었다. 시집에는 「토지개혁土改」 29편, 「생산生產」 60편, 「국가 수호保家衛國」 16편 및 「기타其他」 8편의 시가 수록되었다.

샹신向辛의 낭송시 및 낭송극 작품집 『부녀해방 예찬婦女解放禮贊』이 니투사에서 출간되었다.

가오거高歌가 편찬한 가극 『토지혁명을 노래하다歌唱土地革命』가 구이쑤이歸綏 쑤이위안인민출판사綏遠人民出版社에서 출간되었다. 궈모뤄의 화극 『당체지화棠棣之花』의 재판이 상하이신문예출판사에서 출간되었다.

바오창鮑昌의 화극 『조국을 위하여爲了祖國』가 상하이천광출판공사에서 출간되었다.

바오창(1930~1989), 작가. 쓰마장쑤이司馬長綏, 구량춘穀梁春 등의 필명을 사용하였으며 랴오닝성 선양 출신이다. 1946년에 진차지 해방구로 가서 화베이연합대학 문학원에서 수학한 후 진둥베이晉東北, 지중冀中 등지에서 농촌공작에 종사하였다. 공화국 성립 후에 톈진인민예술극원 등에서 근무하였다. 1957년에 우파로 오인받았다. 1982년에 중국작가협회 톈진분회 부주석으로 선출되었다. 1984년에 중국작가협회 서기처 상무서기를 맡았다. 저서로 장편 역사소설 『경자년 풍운庚子風雲』, 단편소설 『수염풀芨芨草』(1982년 전국우수단편소설상 수상), 중단편소설집 『복직하다複工』, 『신비의 과실神秘果』, 『너를 축복한다, 페르마여祝福你,費爾馬』, 보고문학 『아와산의 매阿佤山的雄鷹』, 단막극 극본 『조국을 위하여』, 전문 저서 『루쉰 연보魯迅年譜』 등이 있다.

양숴의 통신 특필집 『압록강 남북鴨綠江南北』이 천하출판사天下出版社에서 출간되었다. 「압록강 남북」, 「평범한 사람平常的人」, 「상위 동지上尉同志」 등이 수록되었다.

딩링의 산문집 『새로운 시대로 건너오다跨到新的時代來』가 인민문학출판사에서 출간되었다. 거펑戈風의 『맑은 총소리淸脆的槍聲』, 쑤잉蘇鷹의 『모범 공인 교사一個模範工人教師』가 우한통속도서출판사에서 출간되었다.

신장문련준비위원회에서 위구르어와 중국어로 된 잡지 월간 『신장문예新疆文藝』를 출판하기로 결정하였다. 쯔야孜牙가 편집위원회 주임위원을, 마한빙馬寒冰이 부주임위원을 맡았다. 본 간행물은 신장 인민의 계급투쟁 및 생활투쟁을 반영한 작품을 주된 내용으로 하는 동시에 각 민족 작가의 작품을 자주 게재해 각 민족 사이의 상호 이해와 단결을 증진하였다.

8월

1일, 『창장문예』 제5권 제1호에 사설 「「실천론」을 학습하고 마오쩌둥 문예방침을 견지하자學習<實踐論>,堅持毛澤東文藝方針」가 발표되어 문예공작자들이 마오쩌둥 주석의 「실천론」을 더욱 깊이 연구하고 학습해 마오쩌둥 문예노선을 견지하고 관철하며, 혁명 투쟁의 실천에 열렬히 투신해 자신의 사상과 감정을 개조할 것을 호소하였다.

『인민문학』 제4권 제4호에 리이망李一氓의 평론 「「국상」 현대어 번역 논의<國殤>今繹商榷」, 리가오의 소설 「죽지 않는 전사不死的戰士」, 가오위안高源의 소설 「늙은 선장老船長」, 량아이커梁艾克의 「조선전선시초朝鮮前線詩抄」, 류자流笳의 시 「손手」, 바이런의 4막 극본 「달콤한 속임수糖衣炮彈」 및 류바이위의 「용감한 형제勇敢的兄弟」가 발표되었다.

리이망(1903~1990), 쓰촨성 펑저우彭州 출신이다. 청년기에 프랑스로 유학해 고학하였다. 1925년에 창조사에 가입하였다. 1926년에 중국공산당에 가입하였으며 같은 해에 북벌전쟁에 참가하였다. 중국좌익문화계총동맹中國左翼文化界總同盟의 책임자 중 한 사람이다. 1932년에 중앙소구中央蘇區(중앙혁명근거지를 말함-역자 주) 루이진瑞金으로 갔으며 1934년에 장정에 참가하였다. 공화국 성립 후에는 주 미얀마 중국대사, 국무원 외사사무실 부주임, 중공중앙대외연락부 부부장, 중앙기율검사위원회中央紀律檢查委員會 부서기, 중앙고문위원회 상무위원, 국무원 고적정리출판조古籍整理出版組 조장 등을 역임하였다. 주요 저서로 『이망서연一氓書緣』, 『격즙집擊楫集』, 『존재집存在集』, 『존재집 속편存在集續編』, 『리이망 회고록李一氓回憶錄』 등이 있다.

양핑楊坪(옌천)의 시집 『노동화勞動花』가 현실시총 제1집 제9권으로서 50년대출판사에서 출간되었다. 시집에는 「태양을 보았다看見太陽了」, 「장보 대대江波大隊」, 「노동화勞動花」 등 8편의 시가 수록되었다.

『소설월간』 제6권 제1호에 커란의 장편 연재 「옌안 10년」, 리가오의 단편 「일본 침략자가 투항했을 때在日寇投降的時候」, 차오밍의 산문 「조국의 영광祖國的光榮」이 발표되었다.

중국공산당 성립 30주년 및 중국인민해방군 건군 24주년을 기념하기 위해 베이징인민예술극원에서 리보자오의 3막 9장 화극 「장정」을 공연하였다.

야오쉐인姚雪垠이 상하이 다샤대학大夏大學 문학원 교수 겸 원장 대리 직책을 사임하고 고향인 허난성 카이펑으로 돌아가 문학창작에 전념하였다.

4일, 「병부虎符」에 묘사된 신릉군에 관한 논쟁이 『푸젠일보』 부간에 발표된 일에 대하여, 『푸젠일보』에 궈모뤄의 「「병부」를 통해 비극정신을 말하다由<虎符>談到悲劇精神」가 발표되었다. '신릉군이 병부를 훔쳐 조나라를 구했다'는 역사 인물 이야기는 항미원조 운동 과정에서 상하이 월극越劇 「신릉군信陵君」과 경극 「신릉공자信陵公子」로 각색되어 공연되었다.

『문회보』, 『희극보』, 『대중희곡』 등에서 이 두 편의 희곡의 주제 사상과 인물 형상에 관한 토론이 전개되었다. 마사오보는 『인민희극』 제3권 제2호에 「신릉군에 관한 토론으로부터 이야기를 시작하다」라는 글을 발표해 역사극과 역사 관점 등의 문제에 관해 명확히 논술하였다. 궈모뤄는 글에서 신릉군이 '진나라에 대항해 조나라를 구한' 행동을 현재의 항미원조 애국운동에 비유하는 것은 타당하지 못하며, 이러한 반역사주의적 방법에 대해 비평해야 한다고 보았다. 또한 타당하지 못한 '고사를 빙자해 현재의 사물을 풍자하는' 창작방법을 비평하며, 근대 역사를 더욱 깊이 학습하고 연구할 것을 요구하였다.

궈모뤄의 「「무훈 역사 조사 기록」을 읽고讀<武訓曆史調查記>」가 『인민일보』에 발표되었다.

6일, 상하이 『문회보』의 「문오판文娛版」 '극영 비평 특집호'에 「나비 부인」에 관한 비평 및 호극 「1001일一千零一天」, 월극 「신용봉화촉新龍鳳花燭」, 해학극滑稽戲 「산 보살活菩薩」 등에 관한 비평이 발표되었다.

8일, 『인민일보』에 저우양의 「반인민적, 반역사적 사상과 반현실주의적 예술 – 영화 「무훈전」 비판反人民, 反曆史的思想和反現實主義的藝術——電影<武訓傳>批判」이 발표되었다.

10일, 『문예보』 제4권 제8호에 딩링이 샤오예무에게 보낸 서신 「하나의 경향으로서 보다作爲一種傾向來看」 등 샤오예무의 창작 경향을 비판한 글이 계속해서 게재되었다. 『문예보』에서 샤오예무의 '불량'한 창작 경향을 비판한 후, 『중국청년』에서도 좌담회를 소집해 샤오예무의 작품이 어째서 일부 독자들에게는 환영을 받았는가, 어떠한 나쁜 영향을 끼쳤는가, 샤오예무의 착오의 근원은 어디에 있는가 등의 문제에 관해 토론하였다. 『중국청년보』 제73호에 본 좌담회의 기록이 게재되었으며, 그 외에도 리양의 「샤오예무 창작 경향의 사상 근원蕭也牧寫作傾向底思想根源」, 웨이쥔이의 「「단련」을 평하다評<鍛煉>」 및 「「하이허 강가에서」를 읽고讀<海河邊上>」 등의 글이 게재되어 샤오예무의 작품에 대해 각각 분석 및 비평을 진행하였다. 『중국청년보』 이달 24일자에도 「「하이허 강가에서」의 오류를 평하다評<海河邊上>的錯誤」가 게재되었다. 『신화월보』 9월호에 「샤오예무 작품에 대한 비판對蕭也牧作品的批判」이 게재되어 3개월간 신문 및 잡지에 발표된 샤오예무 창작을 비평한 주요 문장의 내용을 종합하였다.

『문예보』 같은 호에 자지의 「영화 「우리 부부 사이」에 관한 한 가지 문제關於影片<我們夫婦之間>的一個問題」와 좌담회 기록 원고 「영화 「우리 부부 사이」 좌담회 기록記影片<我們夫婦之間>座談會」이 게재되었다. 좌담회 기록은 이 영화가 작품의 결점을 부각시켜 "어느 정도로는 공농 간부와 공산당원에 관한 모욕이라 할 수 있다"고 보았으며, 또한 "이는 현재 문예창작에 있어 반드시 전개해야 할 사상투쟁의 중요한 문제이다"라고 지적하였다. 본 좌담회는 딩링이 주관하였으며 옌원징, 중톈페이, 류칭, 우쭈광吳祖光, 황강黃鋼, 취바이인瞿白音, 웨이쥔이 등 20여 명이 참석해 발언하였다.

같은 호『문예보』에 양리의「가극「장정」의 공연을 경축하며慶祝歌劇<長征>的演出」, 리보자오의「나는「장정」을 어떻게 썼는가」, 황강의「우리나라 기록영화의 새로운 성취我國紀錄電影的新成就」, 치샤企霞의「인민신문이 좋은 소설을 추천했다人民報紙推薦了好小說」, 장치張祺의「누구를 표현할 것인가?表現誰?」, 정전鄭震의「오래된 짐을 버리다扔掉舊包袱」, 셰원의「작품의 정치성을 강조해야 하지 않겠는가?不應該強調作品的政治性嗎?」및 거제葛傑의「구작을 신중하게 출판하자慎重出版舊作」가 발표되었다.

거제는 글에서 지팡의 시집『날개가 있는 것有翅膀的』과 왕차이王采의『꽃이 피는 토지開花的土地』에 수록된 '구작'이 "대체로 인민의 투쟁생활과 멀리 떨어져 있으며, 이 작품들에 표현된 사상 감정은 오늘날의 독자들에게 이익이 되지 않을 뿐만 아니라 해로운 것이다"라고 보았다. 또한 저우얼푸周而復의『야행집夜行集』은 "시인들이 말하는 '심혈을 기울이지 않은 작품'으로, 대부분이 주된 작품 외의 '잡품雜品'"이라고 평했다. 이러한 작품들을 출판하는 근본적인 원인은 "한편으로는 일부 작가들이 아직 자신의 과거 창작물을 제대로 비판할 수 없거나, 혹은 이 작품들 속에 표현된 오래된 사상 감정을 아직 버리기 아쉽다고 여기기 때문이며, 다른 한편으로는 작가와 출판자가 인민과 출판공작자에 대해 진지하게 책임지려는 정신이 부족하기 때문이다"라고 보았다.

11일,『중국청년』제72호에 펑쉐펑의「우리는 어째서 루쉰과 그의 잡문을 학습해야 하는가?爲什麽我們要學習魯迅和他的雜文?」와 바이화의「엥겔스 이야기」(7)이 발표되었다.

12일,『인민일보』에 스탈린의「데미얀·베드니 동지에게 보낸 서신給傑米揚·別德內依同志的信」(개요)이 게재되었으며, 서두에 '편집자의 말'이 게재되었다. 또한 둥웨이촨董謂川의 글「무훈 문제가 나에게 준 교훈武訓問題給我的教訓」이 발표되었다.

15일,『베이징문예』제2권 제6호에 궈량푸郭良夫의「새로운 인물과 새로운 사건을 어떻게 쓸 것인가怎樣寫新人新事」, 왕청치汪曾祺의「자오젠 동지의「칼을 갈다」와「전사를 검사하다」趙堅同志的<磨刀>與<檢查戰士>」가 발표되었다.

왕청치(1920~1997), 소설가, 산문가, 극작가. 장쑤성 가오유高郵 출신이다. 1939년에 서남연합대학 중국문학과에 입학했으며 1940년부터 소설 창작을 시작해 당시 중문과 교수였던 선충원의 지도를 받았다. 1948년에 베이핑으로 가서 역사박물관에서 근무하였으며, 이후에 중국인민해방군 제4야전군 남하공작단南下工作團에 참가하였다. 같은 해에 첫 작품집 『해후집邂逅集』을 출간하였다. 1950년에 다시 베이징으로 가서 문예단체와 문예 간행물 공작에 종사하였다. 1954년에 중국민간문예연구회로 이동하였다. 이 시기에 『베이징문예』, 『이야기하고 노래하다』, 『민간문예』 등 문예 간행물의 편집에 참여하였다. 1956년에 경극 극본 「범진중거範進中擧」를 발표하였다. 1958년에 우파로 오인되어 장자커우張家口의 농업연구소로 하방되었다. 1962년에 베이징시 경극단으로 이동해 각본가를 맡았다. 문화대혁명 당시에 모범극(양판희樣板戲) 「사자방沙家浜」 원고 탈고에 참여하였다. 1980년대 이후에 창작의 절정에 이르러 「계를 받다受戒」, 「다냐오 호수 이야기大淖記事」 등 민국 시기의 장난江南 지역 농촌 상황을 묘사한 다수의 작품을 창작해 호평을 받았다. 저서로 소설집 『해후집』, 『양 축사의 밤羊舍的夜晚』, 『만반화집晚飯花集』, 『왕청치 단편소설선汪曾祺短篇小說選』, 산문집 『포교집蒲橋集』, 『고포심처孤蒲深處』, 『왜지집矮紙集』, 『왕청치 소품汪曾祺小品』 및 문학평론집 『만취문담晚翠文談』 등이 있다. 『왕청치 자선집汪曾祺自選集』, 『왕청치 문집汪曾祺文集』(4권), 『왕청치 전집汪曾祺全集』(8권) 등이 출간되었다. 극본 「범진중거」로 1956년 베이징희곡휘연극본北京戲曲滙演劇本 1등상을, 단편소설 「다냐오 호수 이야기」로 1981년 전국우수단편소설상을 수상하였다.

16일, 『해방군문예』 제1권 제3호에 천이의 「화둥군구 제3야전군 문예체육검열대회에서의 연설在華東軍區三野文藝體育檢閱大會上的講話」, 간쓰치甘泗淇의 「인민군대를 어떻게 쓸 것인가怎樣寫人民軍隊」, 라오서의 「나는 언어를 어떻게 학습했는가我怎樣學習語言」, 저우제푸의 소설 「돌파突破」, 시훙西虹의 소설 「화인火人」, 셰마오궁謝茂公의 쾌판시 「일곱 용사가 소고령에서 큰 전투를 하다七勇士大戰小高嶺」, 황신친黃心欽의 시 「늙은 요리사의 말老炊事員的話」, 허경何更, 웨신嶽新의 극본 「나사못 한 개一顆螺絲釘」, 린후이의 「「레닌군사정치학원」 참관기<列寧軍事政治學院>參觀記」, 천징룽이 번역한 소련 작가 폴레보이의 소설 「어느 역사시의 탄생一篇曆史詩的誕生」이 발표되었다.

같은 호에 "'8·1' 기념 특집"이 발간되어 양리싼楊立三의 「'8·1' 봉기 당시의 호위대"八一"起義時的警衛團」, 허창궁何長工의 「징강산구의 투쟁을 회상하며回憶井崗山區的鬥爭」, 저우스디周士弟의 「24년 전의 오늘二十四年前的今天」 등의 글이 발표되었으며, '티베트 진군 특집'이 발간되어 린톈林田의 「티베트 진군 일기進軍西藏日記」, 자오치趙奇의 「란창장과 누장 사이의 여정에서在瀾滄江怒江間的旅途上」와 「눈바람과 우박과 싸워 이긴 고원 비행대戰勝風雪冰雹的高原飛行隊」 등의 글이 발표되었다.

천징룽(1917~1989), 시인, 번역가. 쓰촨성 러산 출신이다. 1948년에 월간 『중국신시中國新詩』의 창간에 참여해 편집위원을 맡았다. 저서로 시집 『성우집星雨集』, 『교향집交響集』, 『천징룽 선집陳敬容選集』, 『늙는 것은 시간이다老去的是時間』, 『원범집遠帆集』 등이 있으며 번역서로 『안데르센 동화

安徒生童話』(6권), 『태양의 보고太陽的寶庫』, 『노트르담의 꼽추巴黎聖母院』, 『마쉬왕의 딸沼澤王的女兒』, 『미운 오리 새끼醜小鴨』, 『교수대 밑에서의 보고絞刑架下的報告』, 『그림과 꽃봉오리圖象與花朵』 등이 있다.

19일, 충칭 『신화일보』에 「재생기」에 관한 반성 및 비판의 글이 계속해서 게재되었다. 충칭 『신민보』 편집부에서 자아 반성의 글을 게재해, 편집부의 정책 수준이 높지 못하고 인민신문사업의 엄숙성을 충분히 중시하지 못해 반혁명에 의지해 판매시장을 넓히는 결과를 낳았다고 지적하였다. 충칭시 문련의 아이우는 「우리의 반성我們的檢討」이라는 글에서 문예창작에 대한 문련의 사상지도가 부족한 탓에 문련 기관의 공작원인 「재생기」의 작가 류성야가 반혁명 진압 운동 과정에서 반혁명분자를 변호하는 소설을 2~3개월 동안이나 연재했다고 지적하였다.

『신화일보』 부간 『신화문예』 편집자는 「「재생기」에 관한 토론關於<再生記>的討論」에서 「재생기」에 대해 집단적인 문예비평이 전개된 상황을 정리하며 "충칭 문예계는 문예비평공작에 대해 충분히 중시하지 못했다. 앞으로 군중 노선을 단호히 관철해야만 문예비평의 사상 수준을 제고할 수 있으며, 문예공작을 더 잘 추진할 수 있다. 충칭의 문예사상이 극단적으로 마비되어 있는 잘못과 그들의 경험을 통해 얻은 교훈을 각지 문예계에서 경계의 대상으로 삼아야 한다"고 엄중히 지적하였다.

『인민일보』에 웨이웨이가 『인민일보』 좌담회에서 연설한 원고 「나는 어떻게 「누가 가장 사랑스러운 사람인가」를 썼는가我怎樣寫<誰是最可愛的人>」가 게재되었다(『신관찰』 제3권 제1호에 최초 발표).

25일, 『중국청년』 제73호에 평원빈의 「청년 군중의 문화공작을 전개하자開展青年群眾文化工作」, 리양의 「샤오예무 창작 경향의 사상 근원」, 웨이쥔이의 「「단련」을 평하다」, 천융의 「문예학습은 이론학습을 대체할 수 있는가?文藝學習是否可以代替理論學習呢?」 등의 글이 발표되었다.

『신화월보』 8월호에 공농작가 천덩커의 「나의 습작이 시작되다我的習作開始」가 발표되었다. 그는 글에서 자신이 「두씨 아주머니」와 「활인당」을 창작한 경험에 관해 상세히 소개하였다.

『문예보』 제4권 제9호에 소련 『진리보』의 사설 「사상 수준과 예술 기교를 더욱 제고하자!把思想水平和藝術技巧提得更高一些!」의 번역문과 왕화둥王化東의 「통속화와 지방화의 큰길을 향해 전진하자向通俗化, 地方化的大道前進」, 두가오의 「영웅들과 함께하며 생각한 것和英雄們相處時所想到的」, 리잉화李英華의 「혁명간부의 형상을 엄숙히 표현하자嚴肅地表現革命幹部的形象」, 청첸판程千帆의 「문예과학의 몇 가지 기본 문제에 관해 「실천론」」이 시사하는 것<實踐論>對於文藝科學幾個基本問題的啟示」 등이 발표되었다.

청첸판(1913~2000), 고대문사학자로 후난성 창사 출신이다. 난징대학 중문과 교수, 국가고적정리출판계획소조 고문, 장쑤성 문사관文史館 관장, 난징시 문련 주석, 중국당대문학학회中國唐代文學學會 회장 등을 역임하였다. 저서로 학술서 『사통전기史通箋記』, 『청씨한어문학통사程氏漢語文學通史』, 『당대 진사행권 및 문학唐代進士行卷與文學』, 『개척된 시세계被開拓的詩世界』, 『송시 수필을 읽다讀宋詩隨筆』 및 작품집 『한당시문합초閑堂詩文合鈔』, 『신시소작新詩少作』 등이 있다.

26일, 샤옌의 「「무훈전」의 비판을 통해 상하이 문화예술계에서의 나의 공작을 반성하다從<武訓傳>的批判檢查我在上海文化藝術界的工作」가 『인민일보』에 발표되었다.

27일, 『인민일보』에 첸쥔루이錢俊瑞의 「「무훈전」에 대한 토론에서 우리는 무엇을 배웠는가從討論<武訓傳>中我們學到些什麼」가 발표되었다.

27일부터 9월 4일까지 제1회 전국출판행정회의가 베이징에서 개최되었다. 회의에서는 출판물의 품질 제고, 공영과 사영 출판사업에 대한 지도와 관리, 수입 출판물의 관리 등의 문제에 관해 집중 토론하였다.

31일, 『인민일보』에 아이칭의 글 「'견우직녀'에 관하여談"牛郎織女"」가 발표되었다. 글은 양사오쉬안의 「신견우직녀新天河配」가 희곡개혁정신에 부합하지 않는다고 비평하였다. 이 글의 발표 이후로 문예계에서 양사오쉬안의 희극이론 및 희극창작의 소위 '반역사주의 경향'에 관한 논쟁이 전개되었다.

양사오쉬안은 연초에 「신백원기新白兔記」, 「신견우직녀新天河配」, 「신대명부新大名府」 등의 전통희극을 각색하였다. 아이칭은 「신견우직녀」가 "현대인의 여러 관점과 언어를 아주 서툴게 뒤섞어 독자를 놀라게 하는 물의를 일으켰"다고 보면서, "황소처럼 우직한 사람이 루쉰의 시 '매서운 눈초리로 뭇사람들의 질타에 맞서며, 기꺼이 백성들을 위해 봉사하는 마소가 되리라'라는 시를 읊게 만들었"고, 심지어 "평화의 비둘기와 부엉이와 올빼미 사이의 싸움을 통해 현재의 국제관계를 비유하였다"며, 이는 희곡개혁을 "단순하고 통속적으로 이해한 것"이라고 평했다. 양사오쉬안은 이후에 「문학을 위한 문학과 예술을 위한 예술의 위해성을 논하다 - 아이칭의 「견우직녀에 관하여」에 대한 평 및 『인민일보』 편집부에 보내는 세 통의 서신論爲文學而文學,爲藝術而藝術的危害性——評艾青的<談牛郎織女>和致<人民日報>編輯部的三封信」을 발표하여 아이칭의 관점을 반박하였다(10월 3일자 『인민일보』에 게재).

이달에 칠레 시인 네루다와 소련 작가 예렌부르크가 국제평화상위원회의 파견을 받고 중국을 방문해 쑹칭링 여사에게 상을 수여하였다. 시인 아이칭이 그들을 수행하면서 깊은 우정을 맺었다. 네루다는 아이칭을 '위대한 인민시인'이라고 칭했다.(「나와 네루다의 교류我和聶魯達的交往」를 볼 것. 『아이칭 전집艾青全集』 제5권, 화산문예출판사花山文藝出版社 1994년 -> 각주로 처리해야 할 듯합니다.)

저우시의 소설 『조국이 부르고 있다祖國在召喚』가 상하이핑밍출판사上海平明出版社에서 출간되었다. 빙보冰波의 소설 『광우狂雨』가 상하이신문예출판사에서 출간되었다. 리즈광李志廣의 단편소설 『수차水車』, 롼위안阮原의 단편소설 『왕 할머니가 아들을 보다王大娘看兒子』가 지난산둥인민출판사에서 출간되었다.

루페이逯斐의 소설 『정련提煉』이 상하이신문예출판사에서 출간되었다.

루페이(1917~1994), 작가. 본명은 왕쑹다이王松黛, 필명은 쑹다이宋玳로 장쑤성 우시 출신이다. 1938년에 혁명공작에 참가하였으며 1941년부터 작품을 발표하였다. 저서로 산문집 『해빙 이후解凍以後』, 『첫 번째 눈보라第一場風雪』, 『사냥꾼의 작은 집獵人小屋』, 『해수집海樹集』, 『영광스러운 직책光榮的崗位』, 소설집 『청춘의 광휘青春的光輝』, 『삼림이 노래하고 있다森林在歌唱』, 『정련』, 화극 극본 『기로歧途』, 『박해迫害』, 『19호十九號』(합동 창작), 『승리 열차勝利列車』(합동 창작), 가극 극본 『옌수이가 길게 흐르다延水長流』, 영화문학 극본 『열차가 나는 듯 달리다列車飛奔』 등이 있다.

스린비史林碧의 소설 『라오와이의 찢어진 귀老歪和破耳朵』와 텅훙타오滕鴻濤의 소설 『피후皮猴』가 상하이천광출판공사에서 출간되었다.

텅훙타오(1921~), 작가. 필명은 훙타오洪滔로 허베이성 닝허寧河 출신이다. 1952년부터 작품을 발표하였다. 중국작가협회 회원, 간쑤성작가협회 회원, 중국작가협회 간쑤분회 이사, 전국철로문학예술협회全國鐵路文學藝術協會 이사를 역임하였다. 저서로 단편소설집 『피후』, 『굳센 사람堅強的人』, 고사집 『100일 무사고百日無事故』, 산문집 『기적 소리汽笛的聲音』, 『우유를 보내는 사람送牛奶的人』 등이 있다.

천룽陳隴의 시집 『지구는 큰 해방 중이다地球在大翻身』가 공작시총 중 한 권으로서 상하이문화공작사에서 출간되었다. 스쑹베이史松北의 시집 『남에서 북까지 승리가 부르고 있다從南到北勝利在召

喚』가 상하이화둥인민출판사에서 출간되었다.

한샤오韓笑의 서사시 『피눈물의 규탄血淚的控訴』이 선양둥베이인민출판사에서 출간되었다.

한샤오(1929~), 시인. 본명은 한궈셴韓國賢으로 지린성 지린시 출신이다. 1947년에 해방구로 가서 기자로 근무했으며 1949년에 군대를 따라 남하하였다. 1953년에 광저우 중난군구 문화부 간사를 맡았으며 1962년에 광저우군구 전문창작원을 맡았다. 저서로 장시 『피눈물의 규탄』, 『국경 수비군의 연가邊防軍情歌』, 시집 『창바이산과 헤이룽장白山黑水』, 『한샤오 시선韓笑詩選』, 『쑹화장에서 샹장까지從松花江到湘江』 등이 있다.

리팡리李方立의 시집 『고원의 달高原的月』이 공작시총 중 한 권으로서 상하이문화공작사에서 출간되었다. 시집에는 「농부農人」, 「고원의 달」, 「펑자오메이馮嬌梅」 등 7편의 시와 저자의 「후기」가 수록되었다. 그는 「후기」에서 "이 시집에 실린 시들은 내가 요 몇 년 동안 직접 느낀 바를 쓴 것이다. 시는 창작 시기 순으로 배치하여 내가 걸어온 길을 보여준다. 지금 와서 보면 이 시들이 사상적으로든 예술적으로든 나 자신이 보기에도 만족스럽지 못한 부분이 있지만, 그럼에도 이 시들을 발표해 나와 같은 경험을 한 벗들과 함께 우리의 삶을 인식할 만하다고 생각한다. 그리고 신중국 인민의 새로운 사업이 큰 기세로 발전하고 있는 이때에 나 자신이 걸어온 길을 돌아보며 반성을 하는 것이 앞으로 공작과 학습을 발전시키는 데에 도움과 독려가 될 것으로 본다"고 밝혔다.

리잉의 시집 『야전시집野戰詩集』이 인민예술총간 제4집으로서 상하이 상짜출판사上雜出版社에서 출간되었다. 시집에는 「산지 연습山地演習」, 「잠든 전사睡著的戰士」, 「옛 홍구로 싸워 돌아가다打回老紅區」, 「우리의 깃발我們的旗」 등 23편의 시가 수록되었다. 리잉은 "베이징이 해방된 직후에 나는 나와 나이가 비슷한 한 무리의 학우들과 함께 군에 입대해 남쪽으로 내려가 부대 안에서 신문취재 공작을 하였다. 우리는 북방에서 출발해 양쯔강변에 도착할 때까지 밤낮으로 길을 서둘렀다. 우한을 해방시킨 후에 나는 부대와 함께 어간鄂贛을 지나고 우링五嶺을 넘어 광저우까지 갔다." "우리는 온종일 폭우가 내리는 추격길 도중에 신중국이 성립했다는 기쁜 소식을 들었다. 당시의 그 자랑스러워하며 기뻐하는 정경은 내가 평생 잊지 못할 광경이 되었다." "광저우가 해방된 뒤에 나는 또 광시로 진군하는 부대에 합류해 조국의 대륙이 전부 해방될 때까지 전투에 참가했고, 뒤이어 하이난다오를 해방시키기 위한 도해渡海 작전의 전투 준비에 참여했다." "1년 반 동안의 긴장에 찬 전투 생활은 내게 아주 깊은 인상을 남겼다. 뙤약볕 아래의 행군, 폭우 속의 추격, 별이 뜬 깊은 밤에 이리저리 날리는 포화, 투쟁의 고됨, 전우의 희생 등은 나의 마음속에 거대한 진동을 일으켰다. 나의 첫 시집 『야전시집』(1951년)은 바로 그 시기에 쓴 것이다"라고 밝혔다.(『리잉 시선·서문李瑛詩選·自序』, 쓰촨인민출판사四川人民出版社 1981년 5월 출판 -> 각주로 처리해야 할 듯합니다.)

리양의 장시『범을 쏜 자와 그 가족』이 상하이신문예출판사에서 출간되었다.

사오옌샹의 시집『베이징성을 노래하다歌唱北京城』가 화둥인민출판사에서 출간되었다. 시집에는「베이징성을 노래하다」,「변경에서 베이징까지從邊疆到北京」,「카스성으로 진군하다」,「조선 인민군에게給朝鮮人民軍」등 15편의 시가 수록되었다. 사어우는 "첫 시집『베이징성을 노래하다』는 시인이 1949년 10월부터 1951년 5월까지 창작한 작품을 수록한 시집이다. 인민혁명의 위대한 승리가 사오옌샹이 이 시기에 노래한 주된 주제가 되었다. 그리고 바로 이 위대한 시대에, 그는 시로써 해방된 토지와 인민들에게 자신의 열정을 쏟아부었다"고 평했다(「젊은이의 뜨거운 목소리 – 사오옌샹의 시에 관하여年青人火熱的聲音——談邵燕祥的詩」,『문예보』1956년 제1호).

장즈민張志民의 시집『쇠사슬鐵鎖鏈』이 신대중문예소총서新大衆文藝小叢書 중 한 권으로서 베이징공인출판사에서 출간되었다. 시집에는「쇠사슬」,「총을 꽉 쥐다握緊槍」,「홀로 적에 맞서는 영웅孤膽英雄」등 세 편의 시가 수록되었다.

난징시가공작자연의회에서 편찬한 시집『바른 기운의 신장正氣的伸張』이 홍기시총 제2집으로서 상하이정풍출판사에서 출간되었다. 시집에는 먀오바이먀오繆白苗의「바른 기운의 신장正氣的伸張」, 정짜오鄭造의「몰수된 지주의 집에서 회의를 열다在沒收了的地主家裏開會」, 쑨왕孫望의「붉은색의 5월紅色的五月」등 22편의 시와 위주저우俞竹舟 등의 번역시가 수록되었다.

궈모뤄의 화극『남관초南冠草』가 상하이신문예출판사에서 출간되었다.

바진의 산문집『바르샤바 성의 명절華沙城的節日』이 인민문학출판사에서 출간되었다. 궈모뤄의 산문집『바다의 파도海濤』가 상하이신문예출판사에서 출간되었다.

류바이위의 보고문학『조선은 전화 속에서 전진하고 있다朝鮮在戰火中前進』, 지잉季英의 보고문학『출격出擊』이 상하이신문예출판사에서 출간되었다.

한장류韓江流가 집필한『착한 자녀 먀오지가 비적의 스파이를 쫓다好兒女妙記捉匪特』, 뤼즈청呂志澄의『룽탄 빈농 투패기龍潭貧農鬥霸記』가 광저우남방통속출판사廣州南方通俗出版社에서 출간되었다.

뤼즈청(1915~1991), 작가. 이칭一青, 스덩士登, 스티室提, 리친李沁, 헝헝亨亨, 팡리方裏, 메이쥔梅君 등의 필명을 사용하였으며 광둥성 가오야오高要 출신이다. 홍콩에서 격주간으로 발행된『신아동新兒童』의 부편집장 및 편집장, 신문출판처新聞出版處 편집심사위원, 광둥인민출판사廣東人民出版社 문예편집자, 작가협회『소년문예보少年文藝報』편집위원을 역임하였다. 저서로 보고문학『나무배가 적함을 물리치고 하이난다오를 해방시키다木船打敗敵艦解放海南島』, 아동문학집『진보를 향해 가는 아이走向進步的孩子』,『애국소년 복수기愛國少年複仇記』등이 있다.

중국민간문예연구회에서 편찬한『민간문예총서民間文藝叢書』의 출판이 시작되었다. 제1집에는 허치팡, 장쑹루張松如가 선별 편집한 「산베이 민가선陝北民歌選」과 중국민간문예연구회에서 편찬한 「중국이 마오쩌둥을 배출했다中國出了個毛澤東」가 수록되었다.

전영공연예술연구소電影表演藝術硏究所가 베이징전영학교北京電影學校로 개편되어 예술과와 기술과를 설립했으며 바이다팡白大方이 교장을 맡았다.

『해방군가곡解放軍歌曲』이 창간되어 1968년 12월에 폐간되었으며 1972년 5월에 복간되었다.

9월

1일, 『인민문학』 제4권 제5호에 문예논문 「일반화와 공식화를 논하다論一般化公式化」가 발표되었다. 저자는 현재 창작에 보편적으로 존재하는 공식화와 개념화 경향은 현실 생활에 깊이 있게 파고들지 않았기 때문에 생긴 것이라고 지적하였다. 같은 호에 장리윈의 논문 「문예창작에 대한 소자산계급 사상의 위해성」, 소련 『진리보』의 논고 「문학 속에서의 사상의 왜곡에 반대하다反對文學中思想的歪曲」, 장쿵양蔣孔陽의 논문 「소련 소설이 영웅 인물을 표현한 경험을 학습하자學習蘇聯小說表現英雄人物的經驗」, 타오핑陶萍의 비평 「「두씨 아주머니」에 관하여談<杜大嫂>」, 쉐위안雪原의 비평 「「조국」과 「봄」을 평하다評<祖國>和<春>」, 리하오화李浩華의 소논문 「잡문을 보다 통속적으로 쓰자請把雜文寫得通俗些」, 사오화韶華의 보고 「「548」 고지 위에서在<五八四>高地上」가 발표되었다.

장쿵양(1923~1999), 미학가. 필명은 장수량蔣述亮이며 충칭 완현萬縣 출신이다. 푸단대학 중문과 교수, 상하이시 작가협회 부주석, 중화미학학회中華美學學會 부회장을 역임하였다. 저서로 논저 『문학의 기본지식文學的基本知識』, 『문학예술의 특징을 논하다論文學藝術的特征』, 『형상과 전형形象與典型』, 『미학과 문예평론집美學和文藝評論集』, 『장쿵양 문집蔣孔陽文集』(4권) 및 역서 『근대미학사 논평近代美學史述評』, 『문예를 통해 소련을 보다從文藝看蘇聯』 등이 있다.

『인민문학』 같은 호에 「사자뎬 전투沙家店戰鬥」라는 제목으로 류칭의 장편소설 『철옹성』의 마지막 4장이 발표되었다. 서두에 첨부된 '편집자의 말'은 "이 소설은 비교적 우수해 추천할 만한 장편소설로, 곧 인민문학출판사에서 출간될 예정이다"라고 밝혔다.

『소설월간』 제6권 제2호에 팡잉方膺의 단편 「평범한 시험平凡的考驗」, 리단런李丹人의 단편 「걱정거리心事」, 선쥔즈申均之의 단편 「경계警惕」, 커란의 장편 연재 「옌안 10년」이 발표되었다.

쿤룬영업공사와 창장영업공사 등 2개 사영 영업공사가 상하이에 공사 합영의 성격을 띤 '창장

쿤룬연합전영제편창長江昆侖聯合電影制片廠'을 설립해 예이췬葉以群이 책임자를 맡았다.

8일, 『중국청년』 제74호에 장난샹蔣南翔의 글 「현재 학생운동에 존재하는 몇 가지 문제目前學生運動中的幾個問題」가 발표되었다.

10일, 『인민일보』에 류칭이 「철옹성」 창작 경험에 관해 설명한 글 「마오쩌둥 사상이 나를 지도했다 - 「후난농민운동 고찰 보고」가 내게 준 깨달음毛澤東思想教導著我——<湖南農民運動考察報告>給我的啟示」이 발표되었다. '편집자의 말'은 류칭의 "이 글은 그가 농민 군중과 결합한 과정과 창작 실천 속에서 마오쩌둥 사상을 깨우친 경험을 진실하게 기술하고 있다. 이 글은 독자들에게 유익하다"라고 밝혔다.

『문예보』 제4권 제10호에 샤옌의 반성의 글 「「무훈전」의 비판을 통해 상하이 문화예술계에서의 나의 공작을 반성하다」, 위칭於晴의 「공정해 보이는 논의貌似公正的議論」, 리전李真의 「언어에 계급성이 있는가?語言有階級性嗎?」가 발표되었다. '독자 의견讀者中來'란에 자화한賈華含의 「샤오예무 작품 비평에 대한 반응對批評蕭也牧作品的反應」, 쉬간徐淦의 「동화책 「관 중대장」 편집자의 반성小人書<關連長>編者的檢討」이 발표되었다.

16일, 『해방군문예』 제1권 제4호에 천황메이의 논문 「우리의 창작 내용을 풍부하게 하자豐富我們的創作內容」, 쑨쥔칭의 소설 「마스산 위에서馬石山上」, 왕샹리王向立의 소설 「진지 위에서陣地上」, 궁류의 시 「조국의 변경에서 망을 보다守望在祖國的邊疆」, 후정胡征의 시 「대진군大進軍」 및 선시멍沈西蒙, 선모쥔, 구바오장 등이 합동 창작한 영화문학 극본 「남정북벌南征北戰」이 발표되었다. 또한 '신장에서의 인민해방군' 특집이 발간되어 쉬커성許克成의 「새로운 신장과 그 전사新新疆和它的戰士」, 샤오우肖蕪의 「허미 부대의 홍성 수로 수리 기록記哈密部隊修紅星渠」, 자오톈푸趙天福의 「만티보산을 공격해 점령하다攻占滿提伯山」, 쑨자오화孫兆華의 「후라산 위의 벌목 영웅虎拉山上的伐木英雄」이 발표되었다.

선시멍(1919~2006), 극작가로 상하이 출신이다. 1939년에 신사군에 참가하였으며 같은 해에 중국공산당에 가입하였다. 공화국 성립 후에 화둥군구 해방군 예술극원 원장, 난징군구 문화부 부장, 총정치부 문화부 부부장 및 문공단 단장을 역임하였다. 화극 「네온사인 아래의 보초병霓虹燈下的哨兵」(합동 창작), 「전선戰線」, 「충칭 교향악重慶交響樂」 및 영화 극본 「남정북벌」(합동 창작)을 창작하였다.

구바오장(1921~1998), 극작가로 상하이 출신이다. 1939년에 신사군에 참가하였다. 전선화극단前線話劇團 부감독, 배우 대장 및 각본가, 상하이예술연구소 극목연구실劇目硏究室 주임, 『신극작新劇作』 편집부 주임을 역임하였다. 주요 작품으로 화극 극본 및 동명의 영화문학 극본 「동진 서곡東進序曲」(합동 창작), 「자오위루焦裕祿」(집필), 「넘어지기 전摔跤之前」, 영화문학 극본 「남정북벌」(합동 창작) 등이 있다.

25일, 루쉰 선생 탄생 70주년을 기념하기 위해 전국 각지의 간행물에 기념의 글이 분분히 발표되었으며, 『신화월보』, 『문예보』, 『인민문학』 등에서 모두 기념 특집호를 발간하였다. 펑쉐펑의 「루쉰의 일생과 그의 사상 발전 요약魯迅生平和他思想發展的梗概」, 「루쉰은 어째서 자신이 천재임을 인정하지 않았는가?魯迅爲什麽不承認他自己是天才?」 등의 글이 발표되었다.

『신화일보』 9월호에 본 신문사의 종합 원고 「「웃음-송가」와 「생활과 창작」에 대한 비평<笑——頌>和<生活與創作>的批評」, 「영화 「관 중대장」에 대한 비평對於影片<關連長>的批評」, 「샤오예무 작품에 대한 비판對蕭也牧作品的批判」 등의 글이 발표되었다. 또한 『인민희극』 제3권 제4호에 발표된 주단朱凡의 「희곡 창작 과정에서 역사를 위반하는 부정확한 관점을 반대한다 - 「신어가구」에 대한 중난문예계의 비평反對戲曲創作中違反曆史的不正確的觀點——中南文藝界對<新漁家仇>的批評」이 전재되어 당시의 문예사상 투쟁 상황에 관해 집중적인 논평을 진행하였으며 종합적인 수치를 제공하였다.

『문예보』 제4권 제11, 12호 합본에 루쉰의 친필 원고 「중국에 불이 났다中國起了火」가 발표되었다. 이 글은 오스트리아의 혁명 시인 한스 마이어의 글로, 루쉰이 번역하고 펑쉐펑이 주석을 달았다. 이 외에도 왕시옌의 「어느 위대한 인물一個偉大的人物」, 천루후이陳汝惠의 「샤먼대학에서의 루쉰 선생魯迅先生在廈大」, 딩링의 「당신들의 방문을 환영합니다! - 예렌부르크 선생과 네루다 선생을 환영하며歡迎,歡你們的來臨!——歡迎愛倫堡, 聶魯達先生」, 라오서의 「문예 통속화에 관하여談文藝通俗化」, 리보자오의 「학습과 생활 속에서 전진하다在學習與生活中前進」, 아이우의 「학습과 단련, 창작에 관하여 – 충칭문예공작자들의 학습, 단련, 창작 상황略談學習, 鍛煉和創作——重慶文藝工作者學習鍛煉和創作情形」 및 정전둬의 연재 「위대한 예술 전통 – 양한의 예술偉大的藝術傳統——兩漢的藝術」(중) 등의 글이 발표되었다.

『문예보』 같은 호에 어우양위첸의 「희극쇄담觀劇瑣談」과 천융의 「견우직녀의 정확한 주제는 무엇인가什麽是牛郎織女正確的主題」가 발표되었다. 천융은 글에서 여러 버전의 '견우직녀' 이야기에 관한 심도 있는 연구에 기반해 양사오쉬안의 「신견우직녀」가 옛것과 지금 것을 똑같이 취급하고 있다고 보면서, "이 작품을 통해 보면 견우직녀가 살았던 시대와 인민의 민주혁명이 승리한 지금 이

시대 사이에 근본적인 차이가 없다"고 지적하였다.

27일, 『인민일보』에 마사오보의 「희곡 무대 위의 이상 상태와 추악한 형상을 철저히 제거하자清除戲曲舞台上的病態和醜惡形象」가 발표되었으며, 『인민희극』 제3권 제6호에도 전재되었다.

29일, 『중국청년』 제75호에 양쉰신楊循心의 「청년단은 어째서 공산주의와 공산당에 관한 교육을 진행해야 하는가?青年團爲什麽要進行關於共產主義與共產黨的教育?」, 저우리보의 「영화 「금수강산」 電影<錦繡河山>」이 발표되었다.

베이징사범대학 중문과에서 편찬한 『문예집간文藝集刊』 제1권이 출간되었다.

이달에 시베이문련의 『창작의 집創作之家』에서 좌담회를 개최해 『인민문학』, 『시베이문학』 및 『군중일보』에 발표된 마오쩌둥 주석을 칭송한 일곱 편의 시에 관해 토론하였다. 가장 많은 토론이 진행된 시는 거비저우의 「우리의 마오 주석은 더없이 위대하다咱毛主席偉大無比」로, 참석자들은 이 시가 비유에만 공을 들였으며 깊이 있는 사상 내용은 결핍되어 있다고 보았다. 시인의 주관적 의도는 일반인들이 마오쩌둥 주석을 칭송할 때 자주 사용하는 '등대', '조타수', '태양' 등의 비유를 타파해 새로운 비유를 찾고자 하는 것으로, 이 의도는 좋다. 그러나 마오쩌둥 주석이 중국인민혁명을 지도하는 이 위대한 사업에 대해 작가의 심도 있는 이해가 결핍되어 형식 면에서만 신선함을 추구했기 때문에, 결과적으로 '천리안', '소식통', '보살' 등 타당하지 못한 여러 가지 비유를 사용하고 또한 공허한 문장을 쌓아올려 글을 지어 예술의 감화력이 전혀 느껴지지 않게 되었다. 참석자들은 이러한 형식주의적 창작 경향은 엄중히 비평해야 할 것이라고 의견을 모았다. 회의에서 거비저우 동지는 비평 의견을 성실하게 받아들였으며, 앞으로 정치를 학습하고 생활에 깊이 파고드는 데 노력을 기울여 창작을 더욱 제고하겠다고 밝혔다(『문예보』 제4권 제10호 '문예동태'란을 볼 것).

베이징시 문학예술공작자대표대회 비서처에서 편찬한 『베이징시 문학예술공작자대표대회 기념문집北京市文學藝術工作者代表大會紀念文集』이 베이징대중서점北京大衆書店에서 출간되었다.

왕야오의 논저 『중국신문학사고中國新文學史稿』(상권)이 상하이카이밍서점에서 출간되었다(상, 하권 전권은 1953년 8월에 상하이신문예출판사에서 출간되었다).

류칭의 장편소설 『철옹성』이 인민문학사에서 출간되었다.

셰팅위謝挺宇의 소설 『원수를 갚다報仇』가 상하이핑밍출판사에서 출간되었다.

셰팅위(1911~2006), 작가, 시인. 본명은 셰팅위謝庭玉, 필명은 셰더이謝德毅로 저장성 우이武義 출신이다. 1937년에 일본 도쿄법정대학東京法政大學 문학원을 졸업하였다. 1938년에 혁명에 참가하였다. 1951년에 중국작가협회에 가입하였으며 랴오닝성 작가협회 부주석을 역임하였다. 1979년에 『랴오닝일보』에 산문 「아름다운 꽃 한 송이一株美麗的奇花」를 발표해 장즈신張志新 열사가 '사인방'에 의해 총살당하기 전에 기관氣管을 절단당한 사실을 폭로해 큰 반향을 불러일으켰다. 저서로 단편소설집 『원수를 갚다』, 『조국을 떠나다去國』, 『검수원驗收員』, 『재회重逢』, 『내 참외는 달지 않다我這瓜不甜』, 중편소설 『실을 끊어 그물을 엮다斷線結網』, 『셰팅위 소설선謝挺宇小說選』, 시집 『마오쩌둥 동지毛澤東同志』, 『옌쯔의 사랑崦嵫情思』, 산문집 『광산 위의 사람들礦山上的人們』, 『아름다운 꽃 한 송이』, 『매녀기賣女記』, 동화집 『유리 기차玻璃火車』, 『이상한 이야기奇怪的故事』 등이 있다.

허징즈의 시집 『겨울은 없다並沒有冬天』가 칠월시총 중 한 권으로서 니투사에서 출간되었다. 시집은 「약진躍進」, 「시골 사투리鄕音」 2집으로 구성되어 「생활生活」, 「다섯째 숙모의 말로五嬸子的末路」, 「붉은 등롱紅燈籠」 등 20편의 시가 수록되었다.

커강의 장시 『영웅의 노래英雄之歌』가 대중문예총서 중 한 권으로서 베이징천하출판사北京天下出版社에서 출간되었다. 장시는 총 11장으로 구성되었으며 저자의 「후기」가 수록되었다. 그는 「후기」에서 "이 시의 내용은 내가 직접 경험했던, 1948년 가을에 중국인민해방군 제2, 3야전군이 쉬저우 일대에서 진행했던 화이하이 전투를 소재로 한 것이다. 이 전투는 국내외에 크게 알려진 비교적 큰 규모의 전투였으며, 중국인민해방전쟁에서 역사적 의의를 가진 대승리이기도 하다. 이곳에서 인민군대는 더없이 용감하고 맹렬한 기세로, 인민사업에 일체의 희생을 아끼지 않는 전투정신으로, 미국과 국민당 잔당의 1등 주력군 65만 군대를 전부 섬멸하고 군의 우두머리인 두위밍杜聿明과 황웨이黃維 등 수십 명을 생포하였다. 전투는 두 달이 넘게 지속되었으며 전장은 수백 리에 달했다. 무수한 인민 영웅들의 생명으로 영원히 남을 승리의 시편을 써내려갔다. 그러나 내가 보고 들은 것은 한정되어 있고 재능에도 한계가 있어, 이 시집에 쓴 내용은 솽두이지雙堆集 전장의 남쪽 집단의 일부일 뿐이다. 다른 전장의 모습을 쓰지 못했을 뿐 아니라 솽두이지 전장의 다른 쪽의 분전하는 모습도 묘사할 수 없었다. 그저 이렇게 대충 몇 줄 적어 중국인민해방군 제23주년에 바치고, 작전에 참여한 영웅들에게 경의를 보낸다!"고 밝혔다.

칭보의 장시 『교량곡繳糧曲』이 중난군중문예총서中南群眾文藝叢書 중 한 권으로서 우한중난인민출판사武漢中南人民出版社에서 출간되었다.

위안딩袁丁, 양진楊瑾, 톈잉天鷹이 편찬한 시집 『중화민족 대단결 – 형제 민족의 인민이 마오 주석을 칭송하다中華民族大團結——兄弟民族人民歌頌毛主席』가 상하이화둥인민출판사에서 출간되었다. 시집에는 「중화민족 대단결」, 「마오 주석님, 당신은 인민의 태양입니다毛主席,你是人民的太陽」, 「마오 주석의 광휘가 묘족 사람들을 비춘다毛主席的光輝照到苗家身上」 등 78편의 시와 톈잉의 「후기」가 수록되었다.

인민문학출판사에서 루쉰의 문집 『방황彷徨』, 『화개집華蓋集』, 『아침 꽃 저녁에 줍다朝花夕拾』, 『이심집二心集』, 『남강북조집南腔北調集』, 『풍월이야기准風月談』, 『차개정잡문且介亭雜文』, 『차개정잡문 2집且介亭雜文二集』, 『차개정잡문 말편且介亭雜文末編』을 출간하였다.

저장성 문련 준비위원회에서 편찬한 월극 『대경풍년大慶豐年』, 『애국증산愛國增産』이 항저우저장인민출판사杭州浙江人民出版社에서 출간되었다. 류정핑劉正平, 류원빈劉文彬의 가극 『모두 친척이다都是親人』가 바오딩허베이인민출판사에서 출간되었다. 타오슝陶雄의 화극 『복호강伏虎崗』이 상하이천광출판공사에서 출간되었다. 린옌林岩의 화극 『화목란花木蘭』이 바오딩허베이인민출판사에서 출간되었다. 청젠훙程劍虹, 장쥔펑江俊峰의 화극 『그는 우리의 적이다他是我們的敵人』가 지난산둥인민출판사에서 출간되었다.

『전투 영웅 이야기 선집戰鬥英雄故事選集』이 지난산둥인민출판사에서 출간되었다. 우시쑤난인민출판사無錫蘇南人民出版社에서 편찬한 『작았다가 커진 어느 유격대一支從小到大的遊擊隊』가 출간되었다. 쑤잉蘇鷹의 소설 『어느 민간 쾌판가一個民間快板家』, 리건훙李根紅의 『이삭穗籽』이 우한퉁속도서출판사에서 출간되었다. 광저우남방통속출판사에서 편찬한 『화난의 민병 사나이華南的民兵好漢』가 출간되었다. 광둥성민주부녀연합회 준비위원회에서 편찬한 『광둥의 해방 부녀廣東的翻身婦女』가 광저우남방통속출판사에서 출간되었다.

펑잉馮影의 보고문학 『40일 밤낮四十日夜』이 선양둥베이인민출판사에서 출간되었다.

중국민간문예연구회의 기관 간행물 『민간문예집간』이 제3호로 폐간되었다. 중국민간문예연구회의 공작도 이 이후로 중지 상태로 접어들었다.

10월

1일, 루쉰 서거 15주년을 기념해 『베이징문예』 제3권 제1호에 기념 특집호가 발간되어 평쉐펑의 「루쉰은 어째서 자신이 천재임을 인정하지 않았는가?」, 쑨푸위안의 「루쉰 선생의 고향을 방문하다訪問了魯迅先生的故裏」, 루가오메이陸高美의 「「베이핑 5강」 전후의 루쉰 선생을 추억하다追憶魯迅先生<北平五講>前後」, 왕야오의 「루쉰과 베이징魯迅和北京」이 발표되었다.

『베이징문예』 같은 호에 노동모범 마인허馬印和의 「마오 주석께 편지를 보내 생산과 생활 상황을 보고하다給毛主席寫信報告生產和生活情況」, 자오젠趙堅의 소설 「국경절을 맞이하다迎接國慶」, 라오서의 극본 연재 「한 가족의 대표一家代表」가 발표되었다.

자오젠(1915~), 필명은 자오푸청趙福成으로 허베이성 창저우滄州 출신이다. 1953년에 중앙문학강습소 창작과를 졸업하였다. 베이징시 문련, 안다安達시 문화관 및 탕위안湯原현 문화관에서 창작지도원 및 조장을 역임하였다. 저서로 단편소설집 『서로 돕다互助』, 『칼을 갈다磨刀』 등이 있다. 『검문소에서檢查站上』로 1952년 베이징시 공인문예대회 특등상을 수상하였다.

『인민문학』 제4권 제6호에 천융의 논문 「루쉰 문예사상의 몇 가지 중요한 방면魯迅文藝思想的幾個重要方面」, 펑쉐펑의 논문 「「아Q정전」을 논하다論<阿Q正傳>」, 샤오인의 논문 「보급과 제고를 다시 논하다再論普及與提高」, 아이칭의 논문 「중국을 표현하고, 애국주의를 표현하자表現中國,表現愛國主義」, 쑨푸위안의 글 「루쉰 선생이 열거한 중국문학 입문학 12부魯迅先生開列的中國文學入門學十二部」가 발표되었다.

아이칭은 논문에서 우리의 문예가 반드시 "개국의 기상을 갖춰야 한다. 인민은 작가가 자신들을 주체로 한 새로운 국가를 묘사할 것을 요구한다"며, "문학예술의 사상 수준을 제고하려면 우선 작가가 조국과 인민을 열렬히 사랑하고, 인민을 깊이 있게 이해하며, 노동인민의 근면하고 용감하며 낙천적이고 건강한 성격과 품성을 묘사해야 한다. 노동인민을 정확하게 묘사하기 위해서는 노동인민이 역사 속에서 발휘한 위대한 역할에 대해 정확히 평가해야 한다"고 보았다.

『인민문학』 같은 호에 후정胡正의 소설 「해악을 제거하다除害」, 왕신王莘의 시 「조국을 노래하다歌唱祖國」(이후에 가곡으로 만들어져 널리 보급되었음), 샤오싼의 시 「환호하라, 중국공산당을! 환호하라, 마오쩌둥을!歡呼,中國共產黨!歡呼呵,毛澤東!」, 라오서의 감상 「신사회는 커다란 학교이다新社會就是一座大學校」, 위핑보의 감상 「건국 이후 2년간의 애국정신의 발양建國兩年來愛國精神的發揚」, 리차오李喬의 통신보고 「라멍이 돌아왔다拉猛回來了」, 위린의 통신보고 「노새도 알게 하자!叫大騾都知道吧!」, 구위의 통신보고 「역량力量」이 발표되었다.

후정(1924~2011), 작가. 본명은 후전방胡振邦, 필명은 후린톈胡林天으로 산시山西성 링스靈石 출신이다. 1938년에 혁명에 참가하였다. 산시성 작가협회 당조서기, 부주석, 명예주석, 산시성 문련 부주석을 역임하였다. 저서로 장편소설 『펀수이가 길게 흐르다汾水長流』, 중단편소설집 『몇 번의 정월 대보름幾度元宵』, 단편소설집 『호박을 따다摘南瓜』, 『7월 고묘회七月古廟會』, 중편소설 『지밍산雞鳴山』, 『중양풍우重陽風雨』, 산문보고문학집 『7월의 무지개七月的彩虹』 등이 있다.

왕신(1918~2007), 작곡가. 본명은 왕신겅王莘耕으로 장쑤성 우시 출신이다. 청년기에 상하이에서 구국가창운동에 참가하였으며 1938년에 옌안루예 음악과에 입학해 수학하였다. 톈진인민예술극원 부원장, 톈진가무극원 원장, 중국음악가협회 톈진분회 주석 등을 역임하였다. 주요 작품으로 가곡 「조국을 노래하다」, 「변경 아동단邊區兒童團」, 「그저 공을 세운 기쁜 소식이 집에 전해졌기 때문에只因爲立功喜報到了家」, 「사육사의 노래飼養員之歌」, 「조국 송가祖國頌歌」, 가극 「바오산 입대寶山參軍」, 「의화단義和團」, 「석탄 가게의 신입 공인煤店新工人」, 대합창곡 「단결하여 제국주의에 반대하다團結反帝」 등이 있다.

리차오(1908~2002), 작가. 이족彝族으로 필명은 푸지普濟이며 윈난성 스핑石屛 출신이다. 1930년부터 작품을 발표하였으며 1956년에 중국작가협회에 가입하였다. 공화국 성립 후에는 주로 민족공작에 종사하였다. 윈난성 문련 부주석, 작가협회 부주석 및 명예주석을 역임하였다. 저서로 장편소설 『즐겁게 웃는 진사장歡笑的金沙江』, 『깨어난 토지醒了的土地』, 『일찍 온 봄早來的春天』, 『씽씽 우는 산바람呼嘯的山風』, 산문집 『비틀거리는 발걸음蹣跚的脚步』 등이 있다.

『인민희극』 제3권 제6호에 허징즈의 「희극 창작에서의 소자산계급 사상을 철저히 검사하자徹底檢査戲劇創作中的小資產階級思想」가 발표되었다.

『소설월간』 제6권 제3호에 왕시옌의 논문 「「약」을 통해 루쉰 창작의 특징을 보다從<藥>看魯迅創作的特色」, 저우시의 단편 「동료들과 헤어지던 때和夥伴們分手的時候」, 리건훙李根紅의 단편 「샤오룽이 해방되었다小龍翻身了」가 발표되었다.

리건훙(1921~2004), 시인. 필명은 싸이펑塞風으로 허난성 링바오靈寶 출신이다. 뤄양 『행도일보行都日報』 부간 편집자, 우한 『대강보大剛報』 편집자, 『교동문예』 월간 편집자, 『산둥문예』 월간 편집자, 허난성 문련 상무위원 및 창작부 부부장, 지난시 작가협회 명예주석을 역임하였다. 저서로 시집 『하늘 밖에 또 하늘이 있다天外,還有天』, 『북방의 노래北方的歌』, 『황수이 가요 100수黃水謠百首』, 『굽은 길 위의 작은 꽃彎路上的小花』, 『뿌리와 잎의 사랑根葉之戀』, 『군마의 노래征馬的歌』, 『과거以往』, 『산수와 현山水和弦』, 『젖줄母親河』 등을 비롯해 산문집 『흔적痕』, 단편소설집 『인민의 목소리人民的聲音』, 중편소설 『함께 향상하다共同上升』 등이 있다.

『신희곡』 제2권 제5호에 '견우직녀 문제 토론 특집'이 발간되어 우단武端의 「견우직녀 이야기를 어떻게 정확히 처리할 것인가怎樣正確地處理牛郎織女故事」, 아이칭의 「「견우직녀」에 관하여談<牛郎織女>」, 마사오보의 「「견우직녀」에 관하여關於<牛郎織女>」, 양사오쉬안의 「희곡개혁 속의 역사극과 고사극 문제를 논하다論戲曲改革中的曆史劇和故事劇問題」(『인민희극』 제3권 제6호에도 수록), 우쭈광의 「평극 「견우직녀」의 창작評劇<牛郎織女>的編寫」, 샤오바오曉報의 「신흥극단의 「견우직녀」 공연의 원칙적인 오류新興劇團上演<天河配>原則性的錯誤」 등의 글이 발표되었다.

6일, 『광명일보』에 린즈하오林志浩, 장빙옌張炳炎의 「쑨리 창작에 대한 의견對孫犁創作的意見」, 왕원잉王文英의 「쑨리의 「민요」에 대한 몇 가지 의견對孫犁<村歌>的幾點意見」 등 쑨리의 소설 창작 경향에 관한 비평의 글이 대대적으로 게재되었다. 이 가운데 린즈하오, 장빙옌은 글에서 쑨리의 소설 창작에는 "소자산계급의 관점과 취향에 근거해 생활을 관찰하고 표현"하는 "건강하지 못한 경향"이 존재한다고 지적하면서, "그의 작품은 「하화전」 등 몇 편을 제외한 대부분은 긍정적인 인물의 감정을 비속화하고, 심지어 농촌 부녀의 성격을 억지로 분열시켜 무산계급 혁명적 행동을 하면서도 소자산계급의 감정과 취향을 가지고 있는 인물로 묘사하고 있다. 이러한 경향이 가장 노골적으로 표현된 작품이 「종鍾」과 「당부囑咐」이다. 최근에 발표한 「민요」와 「샤오성얼小勝兒」 등의 작품에도 이러한 경향이 짙게 드러나 있다. 때문에 우리가 주의를 기울이고 토론할 필요가 있다." "쑨리 동지가 저지른 오류는 바로 마오쩌둥 주석이 비평한 '공농병 감정과 공농병의 모습을 사랑하지 않는' 오류이다"라고 보았다.

7일, 문화부 예술국에서 역사극 문제 좌담회를 개최하였다. 참석자들은 최근에 베이징의 희곡 무대에서 공연된 희곡들에 존재하는 논쟁의 여지가 있는 역사 인물의 평가 문제, 신화와 미신의 구별에 관한 문제 및 민족관계 문제 등에 관해 토론을 진행하고, 또한 양사오쉬안의 역사극에 드러난 반역사주의 경향에 관해 비평하였다.

8일, 『인민일보』에 『살아 있는 교육活教育』의 창간인 천허친陳鶴琴의 『살아 있는 교육』에 관한 반성의 글이 발표되었다. 『살아 있는 교육』은 중일전쟁 시기에 국민당 통치구역에서 출판된 교육 잡지이다. 이 잡지는 "사람이 되고, 중국인이 되고, 세계인이 되고", "대자연과 대사회가 모두 살아 있는 교재"이며, "중등 교육을 하고, 행동 속에서 진보를 추구"하는 "살아 있는 교육"을 제창하였다. 올해 4월에 『인민교육人民教育』 제2권 제6호에 장링광張淩光의 「『살아 있는 교육』의 기본 원칙을 평하다評<活教育>的基本原則」가 게재된 후로 『살아 있는 교육』의 이론에 관한 비평 문장이 계속해서 발표되었다. 10월 8일에 천허친이 『인민일보』에 「『살아 있는 교육』에 대한 나의 초보적 반성我對<活教育>的初步檢討」을 발표해 『살아 있는 교육』의 '초계급', '초정치'적 개량주의 교육 사상에 관해 반성하였다.

천허친(1892~1982), 교육학자. 저장성 상위上虞 출신이다. 1914년에 칭화학교清華學校를 졸업한 후 미국으로 유학하였다. 1941년 1월에 월간 『살아 있는 교육』을 창간해 '살아 있는 교육'을 제창하며 '살아 있는 교육' 실험을 전개하였다. 공화국 성립 후에는 난징대학 사범학원 및 난징시 사범학원 원장, 중국교육학회 명예회장, 전국유아교육연구회 명예이사장 등을 역임하였다.

12일, 『마오쩌둥 선집毛澤東選集』 제1권이 베이징인민출판사에서 출간되었다. 제2권은 1952년 4월 10일에, 제3권은 1953년 4월 10일에, 제4권은 1960년 10월 1일에 출간되었다.

13일, 『중국청년』 제76호에 사설 「『마오쩌둥 선집』 출판을 경축하며慶祝<毛澤東選集>出版」, 「청년공작을 논하다論青年工作」 및 리가오의 소설 「새로운 시작新的開始」(1)이 발표되었다.

리사오춘 등이 이끄는 신중국실험극단新中國實驗劇團이 국가 극단인 중국희곡연구원 경극실험공작 제1단中國戲曲研究院京劇實驗工作第一團에 가입하였다.

14일, 『인민일보』에 「희곡개혁 속의 반역사주의 경향에 대해 비평을 전개해야 한다對戲曲改革中的反曆史主義傾向應展開批評」가 게재되었다. 이 글은 중난문련 준비위원회 문예비평소조가 황주푸黃鑄夫의 경극 「신어가구」에 드러난 반역사주의 경향에 대해 엄중히 비평한 일을 통해, 최근 희곡계에서 희곡 창작 과정에서의 반역사주의 경향에 대해 비평을 진행한 일이 정당하다고 긍정하는 한편 겸허하게 비평을 받아들이지 않는 현상에 대해서는 비판하였다.

15일, 『베이징문예』 제3권 제1호에 라오서의 화극 「한 가족의 대표」 연재가 시작되어 제2호까지 계속되었으나 연재가 완료되지 못했다.

16일, 『해방군문예』 제1권 제5호에 천이陳沂의 논문 「우리의 창작을 진지하게 조직하고 지도하자把我們的創作認真的組織領導起來」, 천페이친陳斐琴의 논문 「작가는 인민전쟁과 인민군대의 역사와 상황을 열심히 연구해야 한다作者要努力研究人民戰爭和人民軍隊的曆史和狀況」, 안미安謐의 소설 「네이멍구의 초원 위에서在內蒙草原上」, 리양정李養正의 소설 「조국의 해양에서 용맹하게 나아가며 소리 높여 노래하다猛進高歌在祖國的海洋」, 광야오光耀의 소설 「샤오왕의 급여는 어디로 갔는가小王的津貼費那裏去了」, 푸둬傅鐸의 화극 「중국과 조선 인민은 한마음이다中朝人民一條心」, 지캉季康의 산문 「처푸난의 봄車拂南的春天」, 장밍의 산문 「소련 방문기訪蘇記」(2), 차오신曹欣의 통신 「영화 「강철전사」의 전투적 역할電影<鋼鐵戰士>所起的戰鬥作用」, 장쑹팅張松亭의 스케치 「공중 강도를 공격하다打擊空中強

盜」 및 「이곳에는 '두렵다'는 단어가 없다這裏沒有"害怕"這種字眼」(폴레보이 저, 천징룽 역)이 발표되었다.

또한 '영웅 특필' 특집이 간행되어 루주궈의 「중화의 남아中華男兒」, 바이아이白艾의 「매鷹」, 한시량韓希梁의 「고사포수高射炮手」 등의 글이 발표되었으며, '위대한 조국, 영웅적인 인민' 특집이 간행되어 차이촨뤄柴川若의 「나는 마오 주석과 펑 사령원의 고향에 도착했다我到了毛主席和彭司令員的故鄉」, 둥러푸董樂府의 「조국 부녀의 마음祖國婦女的心」, 가오차오高巢의 「가장 사랑스러운 사람을 열렬히 사랑하다熱愛最可愛的人」 등이 발표되었다.

안미(1928~), 시인. 필명은 안미安米로 산둥성 양신陽信 출신이다. 1949년에 해방군에 참가하였다. 네이멍구군구 문공단 창작원, 네이멍구 문련 『초원草原』 편집부 편집자, 문련 창작실 전문작가를 역임하였다. 저서로 시집 『화초樺哨』, 『새로 빚은 젖술新釀的奶酒』, 『형제兄弟』, 『안미 시선安謐詩選』, 『손에 손을 잡다手拉手』, 『통천수通天樹』, 장시 『야화夜火』 등이 있다.

바이아이(1926~), 작가. 본명은 장즈샤蔣志俠로 안후이성 허현和縣 출신이다. 1939년에 항일 대오에 참가하였다. 『해방군보』 기자, 27군 79사단 정치부 주임을 역임하였다. 저서로 중편소설 『넓은 하늘에 성난 바람長空怒風』(합동 창작), 『쾌속선草上飛』, 특필집 『매鷹』, 『군대를 인솔하는 사람帶兵的人』, 『조선 하늘의 수호자朝鮮天空的保衛者』, 전지보고집 『영용한 수호자英勇的保衛者』, 보고문학 『우리의 철기대我們的鐵騎隊』, 『제방 위의 웃음河防上的歡笑』, 『광명과 승리를 장난에 가져가다把光明與勝利帶到江南』, 영화문학 극본 『젊은 매年輕的鷹』(합동 창작), 화극 극본 『창장을 성공적으로 건너다勝利渡長江』 등이 있다.

17일, 중국문련 제8차 상무위원회 확대회의가 개최되었다. 회의에서는 딩링을 주임으로 하는 학습위원회를 설립해 베이징 문예계의 정풍학습整風學習을 지도할 것을 결정하였다.

19일, 루쉰 서거 15주년을 기념하기 위해 『인민일보』에 사설 「루쉰을 학습하고, 사상 투쟁을 지속하자!學習魯迅,堅持思想鬥爭!」가 게재되었다. 같은 호에 마오둔의 「루쉰이 창작을 말하다魯迅談寫作」, 쉬광핑의 「용서 없이 적과 투쟁하자不容情地對敵鬥爭」와 본지의 종합 원고 「사상 전선의 위대한 전사를 추억하다 - 루쉰 선생懷念思想戰線的偉大戰士——魯迅先生」이 발표되었다. 여타 신문에도 기념의 글 혹은 특집이 게재되었는데, 불완전한 통계에 의하면 약 73편의 글이 발표되었다. 이 가운데 『해방일보』와 『문예보』는 모두 사설을 발표하였다. 『해방일보』는 지면 전체를 할애해 샤옌, 웨이진즈 등의 8편의 기념의 글을 게재하였다.

루쉰 선생 서거 15주년을 기념해 국가문물관리국國家文物管理局에서 보수를 완료한 베이징의 루쉰 고거故居를 베이징 인민에게 개방하였다. 모스크바의 문예계 인사들이 기념회를 거행해 루쉰 선생의 탄생을 기념하였다. 같은 날 소련 문학잡지에 루쉰의 일생과 작품이 소개되었다.

22일, 소련 문예계의 초청을 받아 펑쉐펑이 인솔하는 중국문예대표단이 참관을 위해소련으로 향했다.

23일, 중국인민정치협상회의 제1기 전국위원회 제3차 회의가 개최되어 11월 1일에 폐회하였다. 마오쩌둥은 개회사에서 "항미원조, 토지개혁, 그리고 반혁명 진압이라는 세 가지 대규모 운동이 위대한 승리를 얻었다"고 선언하면서, 동시에 "사상 개조, 그 중에서도 우선 각종 지식분자의 사상 개조가 우리나라가 각 방면에서 민주개혁을 철저히 실현하고 공업화를 실행하기 위한 중요한 조건 중 하나이다"라고 특별히 지적하였다. 마오쩌둥 주석의 지시에 따라 전국 지식계에서 사상 개조 운동을 전면적으로 전개하였다.

25일, 『시난문예西南文藝』가 창간되어 창간호에 시난문련 준비위원회의 「『시난문예』의 방침과 임무<西南文藝>的方針和任務」, 후야오방胡耀邦의 「새로운 영웅과 새로운 인물을 표현하는 것이 우리의 창작 방침이다表現新英雄新人物是我們創作的方向」, 쑤처蘇策의 「영웅과 광명을 창작하자寫英雄寫光明」, 천페이친의 「창작 역량 조직에 관한 몇 가지 의견關於組織創作力量的幾點意見」, 젠셴아이蹇先艾의 「문예창작 전개에 관한 몇 가지 이해關於開展文藝創作的幾點體會」, 리차오의 보고 「카와산의 봄卡瓦山的春天」이 발표되었다.

젠셴아이(1906~1994), 작가. 필명은 뤄후이羅輝, 샤오란蕭然 등이며 구이저우성 쭌이遵義 출신이다. 1926년에 문학연구회에 가입하였다. 공화국 성립 후에는 중국작가협회 충칭분회 부주석, 구이저우분회 주석, 구이저우성 문련 주석을 역임하였다. 저서로 단편소설집 『아침 안개朝霧』, 『어느 영웅一位英雄』, 『술집酒家』, 『환향집還鄕集』, 『주저집躊躇集』, 『시골의 비극鄕間的悲劇』, 『소금 이야기鹽的故事』, 『행복幸福』, 『고집 센 여인倔強的女人』, 산문집 『성하집城下集』, 『이산집離散集』, 『향담집鄕談集』, 『신아집新芽集』, 『묘령집苗嶺集』 등이 있다.

같은 날 『문예보』 제5권 제1호에 사설 「마오쩌둥 사상을 학습하고, 문예의 공농병 방향을 관철하기 위해 분투하자!學習毛澤東思想,爲貫徹文藝的工農兵方向而奮鬥!」가 발표되었다. 같은 호에 샤오예무의 자신의 창작 경향에 관한 반성의 글 「나는 반드시 착실하게 잘못을 고칠 것이다我一定要切實地改

正錯誤」와 캉줘의 「샤오예무 창작 사상에 대한 나의 견해我對蕭也牧創作思想的看法」가 발표되었다.

전국 여러 지역의 신문 및 잡지에서 새로 창작한 역사극과 신화극 문제에 관해 토론을 전개하였다. 본 토론은 8월에 베이징의 11개 극단이 공연한 「견우직녀」와 역사극 「신릉공자」로 인해 시작되었다. 토론 과정에서 양사오쉬안의 반역사주의 경향에 대해 비평하였다. 이후 12월 5일에 『인민일보』에서 양사오쉬안의 잘못된 관점에 관한 독자들의 서신을 게재하면서 토론을 종합하였다.

『문예보』 같은 호에 본지 기자의 「세계평화 수호의 기치 아래 단결하다 – 15개국 문예가 대집회 기록團結在保衛世界和平的旗幟下——記十五個國家文藝家的大聚會」, 천충陳聰의 「중소음악가 좌담회 기록記中蘇音樂家座談」, 펑즈의 「안나·제거스의 인상安娜·西格斯印象」, 탕즈唐摯의 「중국과 몽골의 문예교류中蒙文藝的交流」, 우옌吳燕의 「'정치에 관심 갖지 않는' 것이 내게 해를 끼쳤다"不問政治"害了我」, 리후이李卉의 「「우리 부부 사이」 그림책 각색가의 반성<我們夫婦之間>連環畫改編者的檢討」, 펑부이馮不異의 「고사 「관 중대장이 목숨 바쳐 아이를 구하다」 각색자의 반성鼓詞<關連長舍身救兒童>編者的檢討」, 우멍더伍夢德의 「월극 「유영복」에 관한 토론關於粵劇<劉永福>的討論」, 궈젠신郭建新 등의 「공인 작품의 평가에 신중해야 한다評閱工人作品應該慎重」, 아이예艾耶의 「정치적 내용을 용속화해서는 안 된다不要把政治內容庸俗化」, 류쥔펑劉俊鵬의 「통속작품의 사상성을 강화해야 한다通俗作品應加強思想性」 등의 글이 발표되었다.

27일, 『중국청년』 제77호에 샤오예무의 「나는 반드시 착실하게 잘못을 고칠 것이다」가 발표되었다.

이달에 베이징시 문학예술공작자연합회에서 편찬한 『발전하는 베이징 문예發展中的北京文藝』가 상하이천광출판공사에서 출간되었다.

허치팡의 『현실주의에 관하여關於現實主義』가 상하이신문예출판사에서 출간되었다. 천치샤陳企霞의 문학비평 『영광스러운 임무光榮的任務』가 베이징인민문학출판사에서 출간되었다.

쑨리의 장편소설 『풍운초기風雲初記』가 인민문학출판사에서 출간되었다. 샤오라이蕭來의 소설 『환송하다歡送』가 상하이천광출판공사에서 출간되었다.

홍양수紅楊樹(웨이웨이)의 시집 『2년兩年』이 공작시총 중 한 권으로서 상하이문화공작사에서 출간되었다.

장판蕫汎의 장시 『내가 거주하는 곳에서在我居住的地方』가 문예창작총서 중 한 권으로서 화둥인민출판사에서 출간되었다. 장시는 총 4장으로 구성되었으며 저자의 「후기」가 수록되었다. 그는 「후기」에서 "2년 동안, 인민 혁명 승리의 고조 속에서, 날마다 앞을 향해 도약하고 발전하는 시 시대 속에서, 인민의 영웅적 기개는 더욱 깊이 나를 감화시켰다. 신사회의 건설, 새로운 인물, 새로운 삶, 새로 태어나 성장하고 있는 모든 사물이 날마다 내게 새롭고 귀중한 감정을 주었다. 그리고 이런 감정은 대체로 내가 일에 지쳐 잠 못 이루는 밤에 눈부신 시구의 불꽃으로 변했다. 이렇게 해서 나는 장시『내가 거주하는 곳에서』를 썼다. 시를 쓴 후에 성 문련의 연구와 토론을 거치고, 또 성에 거주하는 몇몇 책임자 동지의 검토를 거치고, 거의 열 번의 수정을 거쳤지만, 이 시가 여전히 조잡하고 미성숙하다는 점에는 의심의 여지가 없다. 이 시를 읽는 모든 이가 내게 도움을 주기를 바란다"고 말했다.

뉴한의 시집『조국 앞에서在祖國的面前』가 대중문예총서 중 한 권으로서 베이징천하출판사에서 출간되었다. 시집에는「나의 사랑하는 동지들과 이별했다離別了我親愛的同志們」,「영웅의 성一座英雄的城」,「생명生命」,「깃발이 밤에 오르다旗幟在夜裏升起來」등 16편의 시와 지추양(쉬팡)의「조판 후기付排小記」가 수록되었다.「조판 후기」에서 지추양은 "나는 작가를 위해 이 시집을 엮어 책으로 낼 수 있어서 기쁘다. 이 시들은 항미원조라는 장엄하고 위대한 투쟁에 비하면 세기의 작은 핏줄이며 웅장한 군가의 작은 음파에 불과하지만, 나는 생활과 공작에 대한 작가의 성실함과, 당과 조국 및 인민에 대한 깊은 애정을 느꼈다." "나는 그의 시가 아주 좋은 시라고 생각하지는 않는다. 형식 면에는 몇 가지 결점도 있다. 그러나 그의 시는 생명으로 충만하며 당과 조국과 인민에 대한 애정과 무한한 충성심이 담겨 있다. 그의 시가 언어적인 면에서는 지식분자의 범위에서 완전히 벗어나지 못했고 주제의 영역에서는 충분히 넓어지지 못했으며 현실에 대한 감상에 아직 깊이가 부족하다고는 하나, 이러한 주관적인 약점, 그리고 자기 자신에 대한 자신의 한계는 한 걸음씩 돌파할 수 있는 것이다. 그와 그의 시는 나에게 뜻을 가지고 성심성의껏 인민을 위해 복무하고 전투하는 사람이라면 자신의 모든 결점을 조금씩 극복할 수 있다는 것을 믿게 했다"고 밝혔다.

위가오의 시집『우리의 위대한 조국을 사랑한다愛我們的偉大的祖國』가 예문신집藝文新輯 중 한 권으로서 상하이출판공사에서 출간되었다. 시집에는「우리의 위대한 조국을 사랑한다」,「전쟁을 소멸시키다消滅戰爭」,「중국 어린이를 죽이는 것을 불허한다不許殺害中國兒童」등 4편의 시가 수록되었다.

톈진시 운송 공인들이 합동 창작한 화극『6호 문六號門』이 베이징공인출판사에서 출간되었다. 류원빈劉文彬의 가극『붉은 꽃 두 송이兩朵紅花』가 바오딩허베이인민출판사에서 출간되었다.

탕타오의 산문집『사랑스러운 시대可愛的時代』가 상하이핑밍출판사에서 출간되었다. 웨이웨이의 산문집『누가 가장 사랑스러운 사람인가』가 인민문학출판사에서 출간되었다(인쇄 부수 1-30,000권). 루쉰의 잡문집『무덤墳』이 인민문학출판사에서 출간되었다.

후난통속독물출판사湖南通俗讀物出版社에서 편찬한『중국인민지원군 조선 투쟁기中國人民志願軍朝

鮮殲敵記』 제 1, 2, 3권이 출간되었다. 왕즈위王質玉의 단편소설 『전투자의 사랑戰鬥者的愛情』이 우한통속도서출판사에서 출간되었다. 선모쥔의 중편소설 『부부 영웅 이야기夫妻英雄的故事』가 지난산둥인민출판사에서 출간되었다.

중국민간문예연구회에서 편찬한 '민간문학총서'의 출판이 시작되었다. 1차로 출판된 시가집은 『중국이 마오쩌둥을 배출했다』, 『산베이 민가선陝北民歌選』, 『가다메이린嘎達梅林』, 『네이멍구 민가선內蒙民歌選』, 『아세인의 노래阿細人之歌』」 등이다. 가요집 『중국이 마오쩌둥을 배출했다』에는 「홍기가 허공에 흩날리다一杆紅旗半空中飄」, 「모두 구원자 마오쩌둥에게 의지하다全靠救星毛澤東」, 「마오 주석은 태양과 같다毛主席像太陽」, 「마오 주석이 우리를 위해 방법을 찾아내다毛主席幫我們想辦法」 등 50편의 가요와 「편집후기編後記」가 수록되었다. 당시의 광고는 "이 책은 마오쩌둥 주석에 관한 가요 선집으로, 여러 민족이 마오쩌둥 주석을 칭송한 민가와 순구류順口溜 50수를 정선하였다. 이 50편은 군중이 위대한 영수를 찬양한 서정시의 극히 일부분이기는 하지만 그 가운데 가장 훌륭한 부분이다. 이 시들은 서로 다른 지역과 민족의 풍격을 통해 인민이 자신의 영수에 대해 품고 있는 사랑과 환호를 표현했다"고 밝혔다(1951년 12월 16일 『해방군문예』 제1권 제7호).

11월

1일, 『베이징문예』 제3권 제2호에 후차오무의 글 「짧게, 더 짧게!」와 라오서의 극본 연재 「한 가족의 대표」가 발표되었다.

같은 날, 『인민문학』 제5권 제1호에 천이의 논문 「우리의 창작을 진지하게 조직하고 지도하자」(『해방군문예』 제1권 제5호에도 전재)가 전재되었으며, 장샤오후張嘯虎의 평론 「몇 편의 군중시가로부터 이야기를 시작하다從幾首群眾詩歌談起」가 발표되었다.

장샤오후는 글에서 "'5·4' 이후로 우리 시인들이 창조한 작품은 수량으로 보면 상대적으로 적다 할 수 없다. 그러나 이 작품들 중 대부분은 소수의 지식분자들만이 감상하고 평가할 수 있는 작품들이다. 심지어 지식분자들 가운데서도 적지 않은 이들이 신시에 대해 냉담함과 거리감을 표하고 있다. 노래하기를 즐기고 또한 노래하는 데 능한 우리의 공농병은 자신들의 작품을 더욱 좋아한다. 그들은 자기 자신을 창작하고 노래하며 감상하고, 그 속에서 더욱 많고 더욱 큰 역량과 열정을 얻는다. 문제는, 인민은 노래가 필요하지만 시인들은 아직 그들의 이러한 요구를 만족시킬 수 없다는 것이다. 시인은 인민을 위해 노래하기를 바라지만, 그들이 창작한 작품을 인민은 환영하지 않는다. 이것은 심각한 문제이며, 오랫동안 존재해 온 문제이다. 시대는 이미 우리에게 문제를 해결할 수 있는 기본적인 조건을 창조해 주었으며, 시인들이 주관적인 노력을 할 것을 요구하고 있다"고 말했다.

장샤오후(1924~1991), 학자. 장샤오푸章肖甫, 뤄쑹羅松 등의 필명을 사용하였으며 후난성 샹샹湘鄉 출신이다. 후베이성 사회과학원 문학연구소 소장을 역임하였다. 저서로 『중국정론문학사고中國政論文學史稿』, 산문집 『하산초혼록河山招魂錄』이 있으며 역서로 『초나라의 광인 굴원과 중국정치신화楚國狂人屈原與中國政治神話』(합동 창작)가 있다.

『인민문학』 같은 호에 아이칭의 「10월의 붉은 광장」, 톈젠의 「조선행 시초赴朝詩抄」, 옌천의 「전투의 깃발戰鬥的旗」 등의 시와 쑨첸의 영화문학 극본 「포도가 익었을 때」가 발표되었다.

4일, 장아이링이 량징梁京이라는 필명으로 상하이 『역보』에 중편소설 「샤오아이小艾」의 연재를 시작해 1952년 1월 24일에 연재를 완료하였다.

5일, 『중국소년아동中國少年兒童』의 명칭이 『중국소년보中國少年報』로 변경되었다. 본 잡지는 중국소년보사에서 편찬 및 출판되었으며, 신중국에서 가장 큰 영향력을 가진 소년신문이 되었다.

5일부터 12일까지 출판총서에서 제1회 전국번역공작회의를 베이징에서 개최하였다. 회의에서는 1952년도 전국번역계획을 집중 토론하고, 출판사의 번역서적 출판 및 기관과 단체의 편역기구 번역공작에 관한 출판총서의 두 가지 「규정」의 초안을 제정하였다.

9일, 『인민일보』 문화생활간평文化生活簡評란에 소논문 「희곡개혁의 반역사주의 경향을 주의해서 바로잡아야 한다應注意糾正戲曲改革中的反曆史主義傾向」가 게재되었다. 글은 "훌륭한 인민희곡공작자는 반드시 엄숙하고 정확한 태도로 우리의 우수한 민족예술 유산을 계승해야 한다. 또한 역사유물주의적 과학 관점과 현실주의 원칙을 통해 희곡개혁공작을 진행해야 한다. 현재 공연되는 몇몇 옛 희곡은 옛 사람과 옛 사건에 관한 내용이지만, 희곡 속에 곧잘 현대의 새로운 명사가 삽입되어 있고, 현재 유행하는 곡조로 부르거나 혹은 무대를 꾸밀 때 현대의 물건을 장식해 옛것과 새것이 구분되지 않아 역사를 위반하고 현실을 왜곡하고 있다. 이러한 반역사주의 경향은 반드시 주의해서 바로잡아야 한다"고 지적하였다.

10일, 저명한 영화예술가 천보얼이 상하이에서 병으로 세상을 떠났다. 베이징 문예계에서 13일에 추도회를 거행해 후차오무, 저우양, 천이, 양한성, 아이칭 등 1,200여 명이 참석하였다. 저우양이 제사를 주관하고 딩링과 위안무즈가 수행하였다. 후차오무는 연설에서 "천보얼 동지의 서거는 인민예술사업과 영화사업의 손실이다. 인민영화가 2년이라는 짧은 시간 동안 거대한 성적을 거둔 것은 천보얼 동지의 노력과 밀접한 관련이 있다"고 밝혔다. 같은 날 덩잉차오鄧穎超와 저우양의 기념사가 『인민일보』에 게재되었다. 『문예보』 제5권 제3호(11월 25일자)에도 천밍의 「영원히 사는 보얼 동지波兒同志永生」와 스롄싱石聯星의 「당신은 우리 마음속에 영원히 살아 있다你永遠活在我們心間」 등 추모의 글 2편이 발표되었다.

『문예보』 제5권 제2호에 딩링의 「「수확」을 읽고我讀<收獲>」, 야코블레프의 「신중국의 인상新中國的印象」, 양리의 「당이 영화에게 생명을 주다 -「당이 영화를 논하다」 소개黨給電影以生命——介紹<黨論電影>」, 탕즈唐摯의 「공산주의의 내일을 향해 가다 「행복」과 「세이건의 내일」을 읽고走向共産主義的明天——<幸福>和<薩根的明天>讀後」, 천서우주陳瘦竹의 「슬로프와 그의 「모스크바의 여명」蘇洛夫及其<莫斯科的黎明>」, 황강黃鋼의 「영화비평의 엄숙성과 전투성, 군중성을 강화하자 -「무훈전」 토론을 통해 영화비평공작의 문제를 보다加強電影批評的嚴肅性、戰鬥性和群眾性——從<武訓傳>討論中看電影批評工作問題」, 장칭톈張慶田의 「문예작품의 사상성을 강화하자加強文藝作品的思想性」, 샤오인의 「공인계급의 높은 곳에서 현실을 보다從工人階級的高處看現實」, 리웨이룬李威侖의 「『청춘전영』은 나쁜 잡지이다<青青電影>是一本壞雜志」가 발표되었다.

장칭톈(1923~2009), 작가. 필명은 찬망殘芒으로 허베이성 우지無極 출신이다. 1939년에 혁명공작에 참가하였다. 1946년부터 작품을 발표하였으며 1962년에 중국작가협회에 가입하였다. 허베이성 작가협회 부주석, 허베이성 문련 부주석을 역임하였다. 저서로 장편소설 『전화가 흩날리는 시대戰火紛飛的年代』, 『창망한 대지蒼茫大地』(합동 창작), 극본 『노동의 영광勞動光榮』, 『모범 군인 가족模範軍屬』, 산문집 『트랙터가 봄을 가져왔다拖拉機帶來了春天』, 『평원의 꽃봉오리平原花朵』, 시집 『봄의 시春天的詩』 등이 있다.

『문예보』 같은 호에 장치張祺의 「마오 주석의 문예사상을 떠나서는 문예교육을 진행할 수 없다離開毛主席的文藝思想是無法進行文藝教學的」, 궈무郭木의 「문예교육은 실제에서 벗어나서는 안 된다文藝教學不能脫離實際」, 잔밍신詹銘新의 「문예를 학습하는 목적은 어디에 있는가?學習文藝的目的何在?」, 커커柯可의 「교수들의 문예교재를 중시해야 한다應該重視教授們的文藝教材」, 왕즈디王之棣 등의 「어떻게 하면 '문예학'을 잘 배울 수 있는가?怎樣才能學好"文藝學"?」 등 여러 통의 독자 서신 및 청첸판의 「우한대학 중문과의 교육상황武大中文系的教學情況」이 게재되어 「고등교육기관의 문예교육에 존재하는 편향 문제에 관하여關於高等學校文藝教學中的偏向問題」라는 토론이 전개되었다. 이 가운데 산둥대학 중문과에서 온 서신 「마오 주석의 문예사상을 떠나서는 문예교육을 진행할 수 없다」는 미학가 뤼잉의 문예학 교육에 존재하는 실제와 심각하게 동떨어진 문제와 교조주의적 경향을 비평하였다. '편집부의 말'은 이 서신들이 몇몇 고등교육기관의 문예교육에 "상당히 심각한 실제와 동떨어진 문제와 교조주의적 경향 및 자산계급적 교육관점이 존재"한다는 점을 반영했다고 지적하였다. 뒤이어 『문예보』 제5권 제3호와 제5호, 1952년 제2호에도 독자의 서신이 계속해서 게재되어 본 문제에 관해 토론이 진행되었다. 본 토론은 20여 편의 문장이 발표된 후 1952년 4월에 일단락되었으며, 1952년 제8호에 기자의 글이 발표되어 이 토론에 대한 종합적인 논평이 이루어졌다.

『문예보』 같은 호의 '독자 서신'란에 야오원위안姚文元의 「심각하게 주의할 만한 숫자一個值得嚴重注意的數字」가 발표되었다. 그는 당시 상하이에서 절찬리에 공연 중인 해학극 「산 보살活菩薩」이 "인민과 당과 해방군을 모욕"했으며, "우리의 사상이 마비되어 있다는 두려운 상황을 극도로 날카롭고도 강력하게 폭로"했다고 보면서, 이 해학극이 이처럼 많은 관중을 보유한 것이 "심각하게 주의할 만한 숫자"라고 지적하였다.

야오원위안(1931~2005), 저장성 주지諸暨 출신으로 '4인방四人幫' 중 한 사람이다. 부친은 번역가 야오펑쯔姚蓬子이다. 1948년에 중국공산당에 가입하였다. 1965년 11월 10일에 상하이 『문회보』에 「신작 역사극 「해서파관」을 평하다評新編曆史劇<海瑞罷官>」를, 1966년 5월 10일에 『해방일보』와 『문회보』에 「'싼자춘'을 평하다 - 「옌산 야화」와 「싼자춘 찰기」의 반동 본질評"三家村"——<燕山夜話><三家村劄記>的反動本質」을 발표해 문화대혁명의 서막을 열었다. 문화대혁명 시기에 중공중앙문화혁명영도소조 구성원, 상하이시 혁명위원회 부주임, 중공상하이시위원회 제2서기, 중앙정치국 위원을 역임하였다. 문화대혁명 종결 후에 최고인민법원 특별법정에서 징역 20년과 정치권리 박탈 5년형을 선고받았다.

『인민희극』 제3권 제7호에 마사오보의 「역사극의 소재 선택과 인물의 평가에 관하여關於曆史劇題材的選取與人物的評價」와 「신화극 정리 공작을 엄숙히 대해야 한다 - 「견우직녀」의 각색으로부터 이야기를 시작하다嚴肅對待整理神話劇的工作——從<天河配>的改編談起」, 선밍沈銘의 「신릉군은 '긍정적'인 인물인가?信陵君是"肯定"的人物嗎?」, 『학습』 잡지 편집부의 「역사 인물의 평가 문제에 관하여關於曆史人物的評價問題」, 아자의 「「신대명부」의 반역사주의적 관점을 평하다評<新大名府>的反曆史主義觀點」 및 뤄허루羅合如의 「「신백토기」에 관하여談<新白兔記>」 등의 글이 발표되었다.

11일, 선충원이 해방 전의 자신의 정치사상과 문학노선에 관해 회고와 정리를 진행한 글 「나의 학습我的學習」이 반성의 글로서 『광명일보』에 발표되었다. 그는 글에서 "베이징성은 평화롭게 해방되었고, 역사와 중국에 모두 매우 중요한 곳이다. 그러나 나는 내가 일으킨 사상의 전쟁 속에서 병들어 쓰러졌다"라고 말했다.

16일, 해방군 전사 가오위바오高玉寶의 자서전적 장편소설 『가오위바오』의 일부분이 『해방군문예』 제1권 제6호에 발표되었다. 본 소설은 발표된 후 문예계의 주목을 받았다. 『인민일보』 12월 16일자에 「영웅의 문예전사 가오위바오英雄的文藝戰士高玉寶」라는 제목의 기사가 실렸다. 장편소설 『가오위바오』는 1955년 4월에 해방군문예출판사에서 출간되었다.

가오위바오(1927~2019), 본적은 산둥성 황현이며 랴오닝성 와팡뎬瓦房店에서 출생하였다. 1955년부터 작품을 발표하였으며 1956년에 중국작가협회에 가입하였다. 저우언라이는 그를 '전사 작가戰士作家'라고 칭했다. 단편소설 「나는 공부할 것이다我要讀書」와 「한밤중에 닭이 울다半夜雞叫」는 소학교 어문교본에 수록되었다. 저서로 장편소설 『가오위바오』, 『춘염春豔』, 『나는 병사다我是一個兵』, 『가오위바오 속집高玉寶續集』 등이 있다.

『해방군문예』 같은 호에 본지의 종합기사 「1년간의 전국 각 군구 문예검열 상황 및 수확一年來全國各軍區文藝檢閱的情況和收獲」, 장리윈의 평론 「무엇으로 전사들을 교육할 것인가用什麽教育戰士們」, 리웨이李偉의 평론 「「꼬마와 연대장」을 평하다評<小鬼與團長>」, 황차오荒草의 「영웅의 문예전사英雄的文藝戰士」, 우창의 「어느 작품의 탄생一個作品的誕生」, 후정胡征의 소설 「주룽산 위에서九龍山上」, 루주궈의 소설 「어느 포수의 경험一個炮手的經曆」, 왕즈위王質玉의 소설 「모범 당원模範黨員」, 추이린萃林, 샤오츠蕭弛의 소설 「영예를 지키다保持榮譽」, 양스쉰楊世勳의 시 「벽돌 작업장에서拓磚場上」, 진평수이靳風水의 시 「고비 사막에 관하여說戈壁」, 자오환趙寰, 량리주梁立柱 등이 합동 창작한 가극 「둥춘루이董存瑞」, 자오샤오안趙孝庵의 산문 「전세계 인민이 마오 주석과 신중국을 열렬히 사랑한다全世界人民熱愛毛主席和新中國」, 지윈寄雲의 산문 「딩즈후이의 자술을 기억하며記丁志輝的自述」, 장밍의 산문 「소련 방문기」(3), 쉬청즈徐城之의 보고 「문공단 및 문공대의 공작, 창작, 학습 문제에 관하여關於文工團, 隊的工作, 創作, 學習問題」 등이 발표되었다.

자오환(1925~), 극작가. 본명은 자오쯔허우趙子厚 혹은 자오쯔푸趙子鋪로 펑톈奉天 안둥安東(지금의 랴오닝성 단둥丹東) 출신이다. 1949년에 중국인민해방군에 참가하였다. 광저우군구 전사화극단 단장을 역임하였다. 저서로 영화문학 극본 『둥춘루이』(합동 창작), 화극 극본 『난하이 군가南海戰歌』(합동 창작), 『난하이 장성南海長城』, 『추수벽력秋收霹靂』(집필), 『신주풍뢰神州風雷』(집필), 『10년에 한 번 신주몽을 꾸다十年一覺神州夢』, 『푸르른 페이추이다오藍藍翡翠島』, 『마르크스가 런던으로 망명하다馬克思流亡倫敦』 등이 있다.

『신관찰』 제3권 제8호에 펑즈의 시 「소련 국경에 다가가다走進蘇聯的國界」가 발표되었다.

17일, 정협의 제1기 전국위원회 제3차 회의에서의 사상 개조에 관한 호소에 호응하기 위해 전국문련에서 제8차 상무확대회의를 개최하였다. 회의에서는 1. 베이징 문예계에서 정풍학습을 조직해 딩링을 주임으로, 마오둔, 저우양, 어우양위첸, 양한성, 차이추성 등 20인을 위원으로 하는 문예계 학습위원회를 조직할 것. 2. 전국적인 문예 간행물을 조정할 것: (1) 『문예보』를 보강해 이를 문학, 희극, 미술, 음악, 영화에 관한 종합적인 예술평론 및 예술학습 간행물로 만들 것, (2) 『인민문학』을 보강해 이를 전국의 우수한 작품을 집중적으로 발표하는 간행물로 만들 것, (3) 『이야기하고 노래하다』를 보강하고, 기존의 『베이징문예』를 폐간해 이 잡지의 편집인원을 『이야기하고 노래하다』의 편집부와 합병하며, 또한 새로운 편집위원회를 조직해 이 잡지를 우수한 통속문학작품을 발표하고 전국의 통속문예공작을 지도하는 간행물로 만들 것, (4) 『인민희극』, 『신희곡』, 『인민음악』, 『민간문예집간』을 폐간하고 새롭게 『극본劇本』을 창간해 정기적으로 전국에 극본을 공급할 것, (5) 『신전영新電影』을 폐간하고 『대중전영』을 보강해 이를 관객을 지도하는 전국적 문예 간행물로 만들 것 등 두 가지 결의를 통과시켰다. 『인민일보』(20일자), 『광명일보』(26일자)에 전국문련의 「베이징 문예 간행물 조정에 관한 결정關於調整北京文藝刊物的決定」의 전문이 게재되었다.

중국청년예술극원이 베이징에서 화극 「새로운 사물 앞에서在新事物面前」를 공연하였다. 본 화극은 두인杜印이 각본을, 장민章泯과 두인이 감독을 맡았다. 본 화극의 극본은 중국청년출판사에서 출간되었다.

두인(1919~), 극작가. 장쑤성 전장鎮江 출신이다. 1940년에 옌안루쉰예술학원 희극과에서 수학하였다. 옌안루쉰예술학원 실험극단 및 중앙기관 자오위안문공단棗園文工團 감독, 지차러랴오군구 문공단 희극부 및 둥베이루쉰예술학원 희극과 주임, 둥베이문공단 부단장, 전영국 극본창작소 특약 각본가, 중국작가협회 베이징분회 이사를 역임하였다. 1946년부터 작품을 발표하였다. 저서로 극본 『새로운 사물 앞에서』(합동 창작), 영화문학 극본 『영원히 사라지지 않는 전파永不消逝的電波』(합동 창작), 『봉황목 아래鳳凰樹下』(합동 창작) 등이 있다.

장민(1906~1975), 희극가. 쓰촨성 어메이峨眉 출신이다. 1929년에 국립베이핑대학 예술학원 희극과를 졸업하였다. 1931년에 좌익희극가연맹 집행위원 및 각 본부 주임에 당선되어 중국 좌익화극무대의 창시자 중 한 사람이 되었다. 30년대 초에 「인형의 집娜拉」, 「감찰관欽差大臣」 등 세계적으로 유명한 화극들을 베이징에서 최초로 공연하였다. 공화국 성립 후에는 중앙전영국 예술위원회 주임을 역임하였다. 1954년에 베이징전영학원을 창립해 부원장, 원장, 당위원회 서기를 역임하였다. 대표작으로 단막극 「활로生路」, 「패가망신家破人亡」, 「강철 시계鋼表」, 「밤夜」, 「전투戰鬥」, 장막극 「어두운 웃음소리黑暗的笑聲」, 「우리의 고향我們的故鄕」 등이 있다.

20일, 쉬츠의 북한 취재 작품 「유린당한 그 땅을 지나다走過那被蹂躪的土地」가 『대공보』에 발표되었다. 『희곡보』 제5권 제7호에 이빙伊兵의 「신화극을 논하다論神話劇」가 발표되었다.

24일, 베이징 문예계에서 정풍학습동원대회整風學習動員大會를 소집하였다. 대회에서는 문예계 정풍의 학습방법을 결정하였다. 후차오무, 저우양, 딩링 등이 연설하였으며, 연설문은 모두 12월 10일자 『문예보』 제5권 제4호에 발표되었다. 후차오무는 연설에서 “1949년 7월에 전국문학예술공작자대표대회에서 이미 마오쩌둥 동지가 1942년에 옌안문예좌담회에서 지시한 방향을 받아들일 것을 선포하였으나, 이것이 1942년 전후에 해방군 문예계에서 진행한 것과 같은 구체적이고 심도 있는 사상 투쟁을 거치지 않고도 이러한 방향을 전국의 문학예술공작자들이 정말로 아무런 이의 없이 자연스럽게 받아들일 수 있었다는 뜻은 아니다”라고 지적하며, 당시 옌안의 상황과는 달리 현재의 혁명문학 예술계는 “더욱 큰 자산계급 및 소자산계급 사상의 포위를 받고 있”으므로, “현재 문예공작에 있어 선결 문제는 근본적으로 말하자면 공인 계급의 사상적 지도를 확립하고, 수많은 비공인 계급의 문예공작자들을 도와 사상 개조를 진행하는 문제이다”라고 보았다.

문예계의 학습을 구체적으로 지도하기 위해 전국문련에서는 ‘베이징문예계 학습위원회北京文藝界學習委員會’를 조직해 딩링이 주임위원을, 마오둔과 저우양 등 20인이 위원을 맡았으며, 「실천론」, 「옌안문예좌담회에서의 강화」 등의 논저를 기본 학습 교재로 삼았다. 또한 당시 중앙당교 책임자인 양셴전楊獻珍 및 중앙당교 교원인 저우원과 허치팡을 특별 초청해 당시 문예계 상황과 연관지어 「실천론」과 「강화」에 관한 학술 강연을 진행하였다. 학습을 거쳐 희극, 영화, 미술, 음악 등 각 부문의 책임자들 및 일부 문예공작자들이 자아비평의 성격을 띤 학습 소감을 각기 여러 간행물에 발표하였다. 가령 『문예보』 1952년 2월호에 『인민문학』 편집부의 공작 반성의 글 「문예정풍학습과 우리의 편집공작文藝整風學習和我們的編輯工作」이 게재되었다. 뒤이어 인민문학출판사에서 이에 관한 글과 연설문들을 책으로 엮어 출간하였다.

『중국청년』 제79호에 사설 「샤오예무 작품 비평이 우리에게 준 교훈에 관하여對於蕭也牧作品的批評給我們的教訓」가 발표되었다.

25일, 『문예보』 제5권 제3호에 본지 기자의 「문예교육공작을 진지하게 개선하자認真地改進文藝教學工作」, 『진리보』의 논설 「문학비평에서의 반애국주의 관점을 반복하는 것에 반대한다反對重複文學批評中的反愛國主義觀點」(10월 28일자 『진리보』에서 번역), 리펑李楓의 「류칭의 「철옹성」을 평하다評柳青的<銅牆鐵壁>」, 허위안何遠의 「「포도가 익었을 때」를 평하다評<葡萄熟了的時候>」, 위칭의 「쑨리의 신작 「풍운초기」를 읽고讀孫犁的新作<風雲初記>」, 가오팡高放의 「조국의 새로운 면모를 노래하다歌頌祖國的新面貌」 및 『산둥문예』 편집부의 「오류를 바로잡고 사상을 제고해 잡지를 잘 발행하자糾正錯誤, 提高思想, 辦好刊物」, 우한시 문련 편집출판부의 「편집사상과 편집 작풍을 바로잡자端正編輯思想和編輯作風」, 『쑤베이문예』 편집부의 「『쑤베이문예』의 편집작풍을 개선하자改進<蘇北文藝>的編輯作風」 등 편집부의 공작 작풍 개선에 관한 세 편의 글이 발표되었다. 그 외에도 천밍의 「영원히 사는 보얼 동지」와 스롄싱의 「당신은 우리 마음속에 영원히 살아 있다」 등 천보얼을 추모하는 글 2편이 게재되었다.

『시난문예』 제2호에 사설 「문예계의 정풍학습운동을 맞이하다迎接文藝界的整風學習運動」, 아이우의 글 「공농병의 요구에 적응하기 위해서는 반드시 문예공작자의 정치사상 수준을 제고해야 한다爲了適應工農兵的要求,必須提高文藝工作者的政治思想水平」, 사팅의 단편소설 「어머니母親」, 리차오李喬의 소설 「2대가 베이징에 입성하다兩代進京」가 발표되었다.

출판총서에서 「발행물의 조사 및 금지에 관한 규정關於查禁書刊的規定」을 발포해 앞으로 서적의 판매를 금지할 때는 반드시 출판총서의 비준을 거치되, 정치적으로 반동적인 사상을 담고 있거나 심각한 오류가 있는 서적은 출판총서의 판매 금지를 거치지 않고 각지에서 우선 판매를 보류할 수 있도록 규정하였다.

26일부터 1952년 1월 4일까지 영화계에서 문예정풍학습을 진행하였다.

이달에 빈에서 세계평화평의회 제2차 회의가 개최되어 프랑스의 저명한 작가 위고의 탄생 150주년 및 러시아의 저명한 작가 고골의 서거 100주년 기념에 관한 결의를 통과시켰다.

문예계에서 양사오쉬안의 이론과 창작에서의 반역사주의 경향에 관해 비평을 진행하였다. 『신화월보』 제11호에 양사오쉬안이 10월 3일자 『인민일보』에 발표한 「문학을 위한 문학과 예술을 위한 예술의 위해성을 논하다 – 아이칭의 「견우직녀에 관하여」에 관한 평 및 『인민일보』 편집부에 보내는 세 통의 서신」 및 7편의 평론이 전재되었다.

서두에 추가된 본지의 '편집자의 말'은 현재 희곡개혁공작에 존재하는 반역사주의 경향이 가장 뚜렷하게 표현된 예가 바로 양사오쉬안 동지라고 지적하며, "이론 면에서 보면 그는 옛일을 빌려 지금의 일을 풍자해도 된다고 생각하며, 형상을 왜곡하는 것도 아랑곳하지 않는다. 역사적 사실을 뒤섞어 각색한 「신견우직녀」 등 3편의 희곡이 바로 이러한 잘못된 이론의 실천이 낳은 산물이다. 양사오쉬안 동지는 아이칭 동지에게 답하는 글에서 심각한 반역사주의 관점을 충분히 드러내었으며, 비평하는 태도도 대단히 좋지 못했다. 마오쩌둥 주석의 문예 방향과 역사의 실제 및 인민의 요구와 동떨어진 이러한 이론과 창작사상은 반드시 철저히 바로잡아야 한다"고 보았다.

함께 전재된 7편의 평론은 8월 31일자 『인민일보』에 발표된 아이칭의 「견우직녀」, 『문예보』 제4권 제11, 12호에 발표된 천융의 「견우직녀의 정확한 주제는 무엇인가」, 『인민일보』 9일자와 12일자에 발표된 아자의 「「신대명부」의 반역사주의적 관점을 평하다」 및 「희곡개혁에 존재하는 반역사주의 경향에 관하여戲曲改革中的反曆史主義的傾向」, 『인민일보』 11월 4일자에 발표된 마사오보의 「신화극 정리 공작을 엄숙히 대해야 한다 - 「견우직녀」의 각색으로부터 이야기를 시작하다」, 『인민일보』 11월 12일자에 발표된 아이칭의 「양사오쉬안 동지에게 답하다 – 우리는 군중창작을 말하는 것이 아니다答楊紹萱同志——我們不是談群眾創作」 등이다.

『인민희극』 제3권 제8호에도 광웨이란의 「역사유물론과 역사극 및 신화극 문제 – 양사오쉬안 동지의 반역사주의 경향을 평하다曆史唯物論與曆史劇, 神話劇問題——評楊紹萱同志的反曆史主義的傾向」, 허치팡의 「희곡개혁에 존재하는 주관주의와 공식주의에 반대하다反對戲曲改革中的主觀主義公式主義」 등의 글이 발표되었다.

1년 후, 저우양은 「민족의 희곡예술을 개혁하고 발전시키자改革和發展民族戲曲藝術」에서 "현대의 생활을 표현하든, 역사적 생활을 표현하든 간에, 예술의 최고 원칙은 진실이다. 역사의 진실은 왜곡하거나 덮어 감추거나 보기 좋게 꾸며서는 안 된다. 가령 양사오쉬안 동지와 같은 반역사주의자는 바로 이 가장 기본적인 원칙을 이해하지 못했다. 그들은 혁명을 주관적으로 선전하려는 목적을 위해서는 역사의 객관적 진실을 고려하지 않고 임의로 역사를 날조해도 된다고 생각한다"고 지적하였다(『문예보』 1952년 제24호).

이먼亦門(아룽)의 『시와 현실詩與現實』이 상하이 50년대출판사에서 출간되었다. 시집은 총 3권으로 제1권은 『형식을 논하다論形式』, 제2권은 『내용을 논하다論內容』, 제3권은 『형상을 논하다論現象』이며 저자의 「후기」가 수록되었다. 그는 「후기」에서 "1932년에 우연히 시작한 후로 조금씩 이 70편의 글을 썼다. 이 가운데 흑인의 시에 관해 쓴 한 편만 해방 후에 쓴 것인데, 글의 성격이 비슷해 같이 엮었다. 그래서 거의 전부가 길고도 어지러운 40년대에 쓴 것인데, 저자는 그 당시에 '장가천하진가당蔣家天下陳家黨'의 '암흑 왕국' 속에 살고 있었다." "그러나 내가 제기한 문제는 단 한 가지로, 시 혹은 인생과 정치에 관한 문제일 따름이다. 이것은 일단 내가 이런 문제들을 탐색하며 한편으로는 나 자신을 시험하고 한편으로는 문제를 제기해 왔다는 말이다." "따라서 여기서 시란 하나의 전체이며, 또한 전면적인 문제이다. 그러므로 어느 한 논제 혹은 한 가지 현상을 독립시켜 고찰과 탐구를 진행할 수 없다." "형식의 측면을 논하기만 해도 우리는 형식에도 형식의 본질이 있으며, 시의 그 본질을 추구하고 도달해야 한다는 이해를 얻을 수 있다"고 말했다.

루쉰의 『고소설구침古小說鉤沈』이 인민문학출판사에서 출간되었다. 샤오인의 문학창작 연구서 『문학과 현실을 논하다論文學與現實』가 상하이신문예출판사에서 출간되었다.

딩커신의 소설 『부자 영웅父子英雄』이 상하이신문예출판사에서 출간되었다.

장아이링의 장편소설 『십팔춘十八春』의 초판이 상하이역보사上海亦報社에서 발행되었다(인쇄 부수 1-2,500권). 이 소설은 1950년 3월 25일부터 『역보』에 연재되었다. 1969년 3월에 타이완황관잡지사台灣皇冠雜志社에서 『십팔춘』을 각색한 『반생연半生緣』을 출간하였다.

바이산柏山(펑바이산彭柏山)의 단편소설집 『세 시기의 실루엣三個時期的側影』이 상하이신문예출판사에서 출간되었다.

바이산(1910~1968), 작가. 본명은 펑빙산彭冰山으로 후난성 차링茶陵 출신이다. 1931년에 좌련에 가입하였다. 해방군 제3야전군 24군 부정치위원, 화둥군정위원회 문화부 부부장, 중공상하이시위원회 선전부 부장, 샤먼대학 교수를 역임하였다. 저서로 장편소설 『전쟁과 인민戰爭與人民』, 단편소설집 『벼랑 가崖邊』, 중편소설 『임무任務』, 서신집 『전투 중의 서간戰鬥中的書簡』 등이 있다.

딩예의 광산 서사시 『나이쯔산의 봄奶子山的春天』이 현실시총 제1집 제10권으로서 50년대출판사에서 출간되었다.

루치魯琪의 시집 『베이다황 이야기北大荒的故事』가 현실시총 제1집 제11권으로서 50년대출판사에서 출간되었다. 시집은 2부로 구성되어 「버텨온 시대熬過來的時代」, 「1949년 10월의 시一九四九年十月的詩」, 「나는 노동모범과 함께 밭두렁에 서 있다我和勞模站在地頭上」 등 7편의 시가 수록되었다.

루치(1924~), 작가. 필명은 화칭華青, 펑위안風原으로 랴오닝성 가이현蓋縣 출신이다. 헤이룽장성 문련 주석 및 당조서기를 역임하였다. 저서로 장편소설 『은밀한 강호詭秘江湖』, 단편소설집 『화로爐』, 『아내妻子』, 중편소설 『봄갈이 할 때春耕的時候』, 시집 『베이다황北大荒』, 『베이다황 이야기』, 영화문학 극본 『다두허大渡河』, 『나를 잊지 마세요勿忘我』, 영화문학 극본집 『도쿄의 꿈東京之夢』 등이 있다.

두인 등의 화극 『새로운 사물 앞에서』가 베이징청년출판사에서 출간되었다.

팡즈민方志敏의 산문집 『사랑스러운 중국可愛的中國』이 상하이출판공사에서 출간되었다.

팡즈민(1899~1935), 혁명가. 장시성 이양弋陽 출신이다. 본명은 위안전遠鎮, 아명은 정구正鵠, 호는 후이성慧生이며 정식 이름은 즈민이다. 1924년에 중국공산당에 가입하였다. 간둥베이贛東北성, 민쩌간閩浙贛성의 소비에트 정부 주석, 중공민쩌간성위원회 서기를 역임하였다. 1934년 11월에 중앙군사위원회 전령에 임명되었으며, 군정위원회 주석을 맡아 홍군 10군단을 인솔해 북상하였다. 1935년 1월에 반역자의 밀고로 체포당해 1935년 8월 6일에 난창 샤사워下沙窩에서 희생되었다. 저서로 『청빈清貧』, 『사랑스러운 중국』, 『옥중 기록獄中紀實』, 『죽다! - 공산주의 순국자의 기술死!——共產主義殉道者的記述』, 『내가 혁명투쟁에 종사한 간략한 기록我從事革命鬥爭的略述』 등이 있다.

토지개혁을 반영한 샤오첸의 장편 통신 『토지가 고향으로 돌아가다土地回老家』가 상하이핑밍출판사에서 출간되었다. 「황유이가 집에 돌아가다黃友毅回家」, 「토지가 고향으로 돌아가다」 등의 작품이 수록되었다. 「토지가 고향으로 돌아가다」는 본래 영어로 창작된 작품으로, 『인민중국』(영문판) 제3권 제8호부터 제4권 제3호까지 연재되었다.

보고문학 『조국의 아들祖國的兒子』이 지난산둥인민출판사에서 편집 및 출간되었다. 『영웅의 강철 연대英雄的鋼鐵連』가 허베이인민출판사에서 편집 및 출간되었다. 가오서우장高壽江, 톈무田牧의 『자유혼인 이야기自由婚姻的故事』가 바오딩허베이인민출판사에서 출간되었다.

정커시鄭克西의 단편소설 『양식을 꾸다貸糧』가 우한통속도서출판사에서 출간되었다.

정커시(1929~2010), 작가. 필명은 커시克西, 저우산舟山 등이며 상하이 출신이다. 1951년부터 작품을 발표하였으며 1958년에 중국작가협회에 가입하였다. 허난성 문련 제1기 상무위원 및 제2, 3기 위원, 허난성 작가협회 제1, 2기 상무이사 및 부주석을 역임하였다. 저서로 단편소설집 『양식을 꾸다』, 『선 사부가 돌아온 날沈師傅回來的一天』, 『한밤중에 일어난 일黑夜裏發生的事情』, 『도중途中』, 『살구나무 숲에 봄이 따뜻하다杏林春暖』, 산문집 『싼먼샤 기록三門峽紀事』 등이 있다.

샤오양蕭揚 등이 편찬한 『토지 귀가 이야기土地回家故事』가 란저우간쑤인민출판사蘭州甘肅人民出版社에서 출간되었다.

12월

1일, 월극 「양산백과 축영대梁山伯與祝英台」(난웨이南薇, 쑹즈유宋之由, 쉬진徐進 등 각색)이 베이징에서 상연되었다. 『인민문학』 제5권 제2호에 극본이 발표되었다. '편집자의 말'은 "이 극본은 구극을 개혁하는 방법과 노선이 정확한 것임을 보여준다. 이 극본은 해당 민간작품의 장점과 특징을 보존하면서도 동시에 그 극본과 연출 모두에 대담하고 적절한 개조를 가했다"고 평했다. 이밖에도 주징朱敬의 소설「기부捐獻」, 쉬진의 글「「양산백과 축영대」의 재각색<梁山伯與祝英台>的再改編」이 발표되었다.

『소설월간』 제6권 제4호에 왕커랑王克浪의 단편소설「천푸짜이가 계곡을 보수하다陳福仔修溪」, 평윈馮運의 단편소설「우리 속에서 살다活在我們中間」, 바이쑤린白蘇林의 단편소설「굴하지 않는 마음不屈的心」이 발표되었다.

5일, 『인민일보』에 논쟁을 정리하는 글로서「희곡개혁에서의 양사오쉬안의 반역사주의 경향을 비판하다批判楊紹萱在戲曲改革中的反曆史主義傾向」라는 제목의 독자 서신이 게재되었다.

중국극협이 베이징에서 상무확대회의를 개최해 톈한이 월간『극본』과『희곡총간戲曲叢刊』의 편집장을 맡을 것이 결정되었다.

6일, 베이징문예계 학습위원회에서 주최한 문예간부 제2차 학습보고회에서 허치팡이「마오쩌둥의 문예이론으로써 우리의 공작을 개선하자用毛澤東的文藝理論來改進我們的工作」(이후에『문예보』 제5권 제6호에 발표)라는 제목으로, 저우원이「「실천론」과 문예에서의 반영 문제<實踐論>與文藝上的反映問題」(이후에『문예보』 제5권 제5호에 발표)라는 제목으로 연설하였다.

7일, 정무원에서 114차 회의를 개최해 저우언라이 총리가 내린「전국적인 범위에서 절약하고 간소화하고, 생산을 증가시키고, 부정부패와 관료주의를 반대하는 운동을 전개하라在全國範圍內展開精簡節約, 增加生產,反對貪汙, 反對官僚主義運動」는 지시에 일제히 동의하였다.

화베이구에서 문예계 정풍학습동원대회를 거행하였다. 회의에서 류란타오劉瀾濤 등 책임자들이 구 전체 문예계에서 정풍학습을 전개하는 의의와 목적 및 문예계에 존재하는 문제를 명확히 지적하였다.

톈진시 문화기관의 공산당원 간부들이 학습동원대회를 개최하였다. 회의에서는 베이징문예계 정풍동원대회의 각 보고 항목 및 정황을 전달했으며 팡지와 루리가 자아비평을 진행하였다. 또한 현재 적지 않은 문예공작자들이 잘못된 사상과도 평화롭게 공존하려는 현상, 가령 아룽의 잘못된 사상에 대한 변호 혹은「무훈전」에 관한 토론에 엄숙하지 못한 태도를 취하는 현상 등에 대해서도 비평하였다.

8일, 『중국청년』 제80호에 사설 「'12·9' 사상개조운동이 우리에게 준 교훈에 관하여關於思想改造運動"一二·九"給我們的教訓」, 숑바이스熊白施의 「우리는 『쌍간강에서』와 「폭풍우」로부터 무엇을 배웠는가我們從<桑幹河上>與<暴風驟雨>裏學習什麽」가 발표되었다.

10일, 『문예보』 제5권 제4호에 사설 「진지하게 학습하고 사상을 개조해 공작을 개선하자認真學習,改造思想,改進工作」, 스탈린의 「데미얀·베드니 동지에게 보낸 서신」 및 후차오무의 「문예공작자는 어째서 사상을 개조해야 하는가?文藝工作者爲什麽要改造思想?」, 저우양의 「문예사상을 정돈하고 지도공작을 개선하자整頓文藝思想, 改進領導工作」, 딩링의 「우리 간행물의 사상성과 전투성을 제고하기 위해 투쟁하자爲提高我們刊物的思想性, 戰鬥性而鬥爭」, 라오서의 「자신의 사상을 진지하게 반성하자認真檢査自己的思想」, 어우양위첸의 「문예계의 정풍학습을 옹호한다擁護文藝界整風學習」, 저우원의 「현재 문예공작에 대한 나의 의견我對目前文藝工作的意見」 등 여러 문예공작자들이 정풍학습동원대회에서 진행한 연설문과 발언문 등, 정풍학습운동에 관한 글이 집중적으로 발표되었다.

『문예보』 같은 호에 장위張禹가 샤옌이 상하이시 문예공작의 책임자를 맡는 일에 대해 의견과 비평을 제기한 글 「「무훈전」 문제에 관한 샤옌 동지의 반성을 읽고讀夏衍同志關於<武訓傳>問題的檢討以後」, 리보자오의 「베이징시 문예사상 지도공작 검토北京市文藝思想領導工作的檢討」, 화쥔우의 「미술공작에서의 비무산계급 사상을 제거하자清除美術工作中的非無產階級思想」, 취시셴瞿希賢의 「음악전선에서의 비평과 자아비평을 전개하자展開音樂戰線上的批評與自我批評」, 리광톈의 「우리의 문예교육을 반드시 단호히 개조해야 한다必須堅決改造我們的文藝教學」, 우첸吳倩의 「통속문예 간행물의 사상과 내용을 보강해야 한다應當加強通俗文藝刊物的思想內容」, 리칭의 「통속문예 간행물의 사상성을 제고하자提高通俗文藝刊物底思想性」, 메이둬梅朵의 「영화 「류후란」은 어째서 영웅 형상을 창조하지 못했는가影片<劉胡蘭>爲什麽沒有塑造起英雄形象」 및 베이징의 문예 간행물 조정에 관한 전국문련의 결정이 발표되었다.

『문예보』 같은 호의 '예술·문화·사상'란에 시베이문련 '창작의 집'에서 가오민푸의 "작품 속의 형식주의"에 관해 비판을 진행한 소식이 게재되었다. 시베이문련 '창작의 집'은 제2차 월례회를 개최해 가오민푸가 『시베이문예』와 『군중일보』에 발표한 「항공원의 노래航空員之歌」, 「마오 주석毛主席」, 「어느 회족 노인의 노래一位回族老人之歌」 등의 시에 관해 토론하고 비평하였다. 토론을 통해 이 시들이 대체로 깊이 있는 사상 내용과 생활의 실감이 부족하며 심각한 형식주의적 경향이 존재한다고 지적하였다. 그 내용은 첫째, 사상과 생활의 결핍을 감추기 위해 시 속에 각양각색의 비유를 다수 사용하였으며 이를 시의 주요 내용으로 삼기도 했는데, 가령 마오쩌둥 주석을 찬양하면서

'태양의 형님'이라고 표현한 등의 비유는 힘이 부족하거나 혹은 적당하지 않다. 둘째, 압운과 대구를 맞추기 위해 내용을 손상시키는 것도 아랑곳하지 않아, 시 속에 "우리가 기부해 미국에 대항한 대포, 우리가 증산해 조선을 원조한 비행기" 및 "마오쩌둥 주석을 만나면 포옹한다" 등 잘못된 시구가 등장한다는 것이다. 회의에서 가오민푸 동지는 자신이 과거의 창작에서 저지른 잘못을 인정하고 비평을 받아들이겠다고 밝혔다.

『인민희극』 제3권 제8호에 광웨이란의 「역사유물론과 역사극 및 신화극 문제」가 발표되었다. 이 글은 양사오쉬안 희곡이론의 세 가지 주장에 대해 근거를 들어 조목조목 비판하였다. 같은 호에 허치팡의 「희곡개혁의 주관주의와 공식주의를 반대하다」가 발표되었다(이 글은 본래 『인민일보』 11월 16일자에 발표되었다).

16일, 『해방군문예』 제1권 제7호에 『문예보』 제5권 제4호(12월 10일자)에 발표되었던 후차오무의 「문예공작자는 어째서 사상을 개조해야 하는가?」, 저우양의 「문예사상을 정돈하고 영도공작을 개선하자」 등 베이징문예계 정풍학습동원대회에서의 연설문이 전재되었다. 이 밖에도 덩리췬鄧力群의 논문 「현실을 정확하게 반영해야 한다要正確地反映現實」, 주리지朱立基의 「바이런의 「목표는 바로 정면」評白刃<目標正前方>을 평하다」, 왕핑王坪의 소설 「임진강을 돌파하다突破臨津江」, 리위루이李玉瑞의 소설 「샤오류小劉」, 리빙빙李秉冰의 산문 「위대한 국제적 우정偉大的國際友情」, 장밍의 산문 「소련 방문기」(4), 우충吳忠 등이 합동 창작한 시 「캉짱 고원을 향해 진군하다向康藏高原進軍」, 양핑楊萍의 시 「다마라산의 대변화達馬拉山大改變」 등이 발표되었다.

20일, 전국문련에서 각지 문련 및 각 협회에 『문예보』에 대한 학습을 강화하라는 통지를 발포하였다. 본 통지는 『문예보』에서 제시하는 문예사상과 문예창작 및 문예운동 등에 관한 중요 문제에 대해 반드시 각종 방식을 통해 본 부문의 문예간부와 연관된 실제 상황과 문제에 관한 토론을 진행하며, 또한 『문예보』에 발표된 중요한 글 혹은 사설을 적시에 전재해 소개할 것을 요구하였다.

중국문련의 결정에 따라 『이야기하고 노래하다』의 제24호부터 베이징시 문련과 베이징시 대중문예창작연구회에서 편찬하게 되어 새롭게 편집위원회를 구성하였다. 라오서가 편집장을, 자오수리가 부편집장을 맡았다.

21일, 궈모뤄가 '국제평화 강화 스탈린상'을 수상하였다.

정무원 제116차 정무회의에서 「해외 인쇄물 수입에 관한 잠정 조치國外印刷品進口暫行辦法」가 비준되었으며, 「전국 신문 특집호 발행망 건립에 관한 결정關於建立全國報紙專刊發行網的決定」, 「서적 출판업 인쇄업 발행업 관리에 관한 잠정 조치管理書刊出版業印刷業發行業暫行條例」 및 「정기 간행물 등록 잠정 조치期刊登記暫行辦法」가 통과되었다. 이상의 조례와 조치들은 모두 1952년 8월 16일에 정무원에서 공식 발포해 시행되었다.

베이징시 인민위원회 및 각계 인민대표회의 협상위원회 합동회의에서 펑전彭真 시장이 정부와 인민을 대표해 「용수구」의 작가인 라오서에게 '인민예술가'라는 영예상장을 수여하였다. 상장의 전문은 다음과 같다. "라오서 선생의 명작 「용수구」는 시정건설이 전 인민, 특히 노동인민을 위해 복무하는 방침이 노동인민의 금세기 생활과 밀접히 연관되어 있음을 생생하게 표현하여 방대한 인민과 정부 간부에 대한 교육에 빛나는 공헌을 하였다. 이에 라오서 선생께 인민예술가의 영예상장을 수여한다." 감독 자오쥐인과 본 화극을 공연한 배우들 및 직원들도 함께 상을 받았다.

25일, 『문예보』 제5권 제5호에 장경이 중앙희극학원 정풍학습동원대회에서 학원을 대표해 발표한 반성의 글 「잘못을 단호히 바로잡고, 마오 주석의 문예 방향을 실현하자堅決糾正錯誤,實現毛主席的文藝方向」, 왕야핑의 자아 반성 「통속문예공작의 오류를 철저히 시정하기 위해 분투하자爲徹底改正通俗文藝工作中的錯誤而奮鬥」, 저우원의 「「실천론」과 문예에서의 반영 문제 – 12월 6일 베이징 문예계 학습위원회에서 주최한 문예간부 제2차 학습보고회에서의 연설<實踐論>與文藝上的反映問題——十二月六日在北京文藝界學習委員會主辦的文藝幹部第二次學習報告會上的講話」이 게재되었다.

『문예보』 같은 호에 황강의 「전영국의 정풍학습 전개의 두 가지 결정적인 문제電影局開展整風學習的兩個關鍵問題」, 뤼반呂班의 「나는 나의 잘못된 사상을 인식했다我認識了我的錯誤思想」, 런첸차오任遷喬의 「나는 길을 돌아왔다我走了彎路」, 중하오鍾皓 등의 「고등교육기관 문예교육에 존재하는 편향 문제에 관하여關於高等學校文藝教學中的偏向問題」, 천충의 「영화 「항미원조」는 걸작이다影片<抗美援朝>是一部傑作」, 탕즈唐摯의 「극본 「새로운 사물 앞에서」를 평하다評劇本<在新事物的面前>」, 리쭈샹李祖襄의 「판치신의 잘못된 언사에 대한 쿤밍 문예계의 비평昆明文藝界對範啟新錯誤言論的批評」, 샤오인의 「생활현상의 제고와 요약生活現象的提高和概括」(문예창작 상식 제3편)이 발표되었다. 같은 호의 '독자 서신' 란에 「『인민문학』에 대한 나의 의견我對<人民文學>的一點意見」, 「상하이 문예계는 비평과 자아비평을 전개해야 한다上海文藝界應展開批評與自我批評」, 「농촌극단에 대한 지도를 반드시 강화해야 한다必須加強對農村劇團的領導」, 「이것도 '제고'라 할 수 있는가?這也叫"提高"嗎?」, 「문예공작에 대한 공인의 비평을 중시해야 한다應當重視工人對文藝工作的批評」 등의 글이 발표되었다.

『시난문예』 제3호에 랴오징단廖井丹의 「인민투쟁의 선두에 서다站在人民鬥爭的前列」, 류양차오劉仰嶠의 「토지개혁에 참가하고, 토지개혁을 정확히 반영하자參加土地改革,正確的反映土地改革」가 발표되었다.

29일, 『중국청년』 제81호에 허우진징의 「총을 가지게 되면 내려놓을 수 없다!有了槍杆兒,就不能放下!」, 마평의 소설 「천완녠과 마융취안陳萬年和馬永泉」이 발표되었다.

이달에 취스페이曲士培, 양안룬楊安倫이 편찬한 『작가가 창작경험을 말하다作家談創作經驗』가 신베이징출판사新北京出版社에서 출간되었다.

바이웨이의 소설 『샤정夏征』이 상하이신문예출판사에서 출간되었다.

위안다이袁岱의 화극 『홍기를 빼앗다搶紅旗』가 우한통속출판사에서 출간되었다. 리푸구이李福貴, 이구易穀의 화극 『신령이 영험하지 않다神靈不靈』가 중난인민출판사中南人民出版社에서 출간되었다. 왕시젠, 창린創林이 편찬한 희극 『큰 경사大喜事』가 지난산둥인민출판사에서 출간되었다. 가오란高藍 등의 월극 『안목을 멀리 두다眼光放遠』, 저우허둥周河冬, 치충샤오祁崇孝의 월극 『마오 주석의 호소毛主席的號召』가 저장인민출판사에서 출간되었다. 지예紀葉, 부위布予의 가극 『풍작의 기쁨豐收樂』이 간쑤인민출판사에서 출간되었다.

두민杜民이 편찬한 『현대 혼사現代親事』, 왕윈산王雲山, 산눙山農이 이 편찬한 『왕위가 대신 밭을 갈다王玉代耕』, 왕커순王克順이 편찬한 『신눙현을 창작하다創作新農縣』, 구위의 원작을 린천푸林辰夫, 쑹윈펑宋雲峰이 각색한 『인민이 집을 지키다人民當家』, 마시馬烯의 원작을 산둥성 인민정부 문교청 창작조의 토론을 거쳐 쑹윈펑, 장카이메이張開帽가 각색한 『결혼結婚』, 톈자田稼가 편찬한 『사돈 찾기探親家』, 천정루陳正魯의 『쌍세배雙拜年』, 선쥔즈의 『문화를 학습해 대건설을 맞이하자學習文化迎接大建設』, 쑤겅푸蘇耕夫의 『경사를 새로 치르다喜事新辦』, 룽싱榮星의 『누가 소를 독살했는가誰藥死了牛』 등의 가극과 가무극이 산둥인민출판사에서 출간되었다.

루린魯林이 번역한 소련 작가 구바레프의 소설 『청년단증靑年團證』(중역본)이 차오펑출판사潮鋒出版社에서 출간되었다. 가오즈高植가 번역한 톨스토이의 소설 『전쟁과 평화』가 문화생활출판사에서 출간되었다. 차오징화가 번역한 소련 작가 카타예프의 소설 『우리는 노동인민의 아들이다我是勞動人民的兒子』이 인민문학출판사에서 출간되었다.

왕수런王樹人의 보고문학 『민시 인민이 투쟁을 20년간 고수하다閩西人民堅持鬥爭二十年』가 화둥인민출판사에서 출간되었다. 웨이궁리韋工立가 편찬한 『자유결혼은 얼마나 아름다운가自由結婚多美滿』

가 바오딩허베이인민출판사에서 출간되었다.

리건훙李根紅의 단편소설『햇솜新棉』이 우한통속도서출판사에서 출간되었다. 캉광위안康廣源의『해방된 농촌解放了的農村』이 광저우남방통속출판사廣州南方通俗出版社에서 출간되었다. 쉬쥔후이徐君慧의 중편소설『우관춘의 풍파五官村的風波』가 광저우남방통속출판사에서 출간되었다.

1951년 정리

생활·독서·신지 싼롄서점 편집부와 출판부가 인민출판사에 합병되어, 인민출판사의 별도의 레이블로서 그대로 '생활·독서·신지 싼롄서점'의 명의로 책을 출판하였다.

빙신 일가가 일본에서 비밀리에 배를 타고 홍콩과 광저우를 거쳐 베이징으로 왔다.

천황메이가 「새로운 영웅의 전형을 창조하기 위해 노력하자爲創造新的英雄典型而努力」, 「위대한 인민해방군의 영웅 전형을 창조하자創造偉大的人民解放軍的英雄典型」 등의 글을 발표해 전형을 '특정한 사회적 역량의 본질' 및 '시대와 계급의 대표'로 보았다.

중난군구 정치부에서 바이런의 장편소설 『내일까지 전투하다戰鬥到明天』를 출간하였다. 이후에 1952년 『해방군문예』 4월호에 이 소설에 관한 비판의 글이 여러 편 게재되었다. 그 가운데 장리윈은 「『내일까지 전투하다』의 잘못된 사상과 입장을 논하다論<戰鬥到明天>的錯誤思想和錯誤立場」에서 이 작품이 "당의 영도와 당의 정책을 왜곡하고, 인민군대와 적의 후방에서 일본에 대항한 인민을 왜곡하였고, 소자산계급의 자유주의, 개인주의, 개인영웅주의 및 그 선동적이고 낙후하며 반동적인 성질을 원형 그대로 찬양하고 부추겼으며, 투항주의를 칭송하고 심지어 적군까지도 칭송하였다"고 보았다. 이러한 비판을 받은 후 작가는 공개적으로 반성하고 대대적으로 작품을 수정했다. 1958년 8월에 작가출판사에서 『내일까지 전투하다』의 수정판이 출간되었다. 『베이징문예』 1960년 1월 6일호에 수정판에 대한 토론이 전개되었는데, 여전히 비판하는 의견이 다수를 차지했다. 1982년 5월에 인민문학출판사에서 다시 『내일까지 전투하다』를 출간하였다. 작가는 「3판 서문三版前言」에서 "한 편의 장편소설이 30년의 풍파를 거치면서 다시 쓰기와 수정을 거쳤고, 청년기부터 노년에 이르기까지 3분의 1밖에 완성하지 못했으니, 아마도 문학사에 남을 이상한 일일 것이다!"라고 말했다.

중징원이 『신건설』 제5권 제1호에 「민간문예의 새로운 수확民間文藝學上的新收獲」을 발표하였다.

중징원의 『민간문예론 단편民間文藝論斷片』에 그의 「구두문학－중대한 민족문화유산口頭文學——一宗重大的民族文化遺產」이 수록되었다(베이징사범대학출판부北京師範大學出版部 출판).

베이징의 시대출판사에서 중앙전영국 예술위원회에서 편찬한 '전영예술총서電影藝術叢書'를 계속해서 출간하였다. 총서에 실린 작품의 작가는 대부분 소련의 영화예술가와 영화이론가이다.

인민미술출판사, 세계지식출판사, 과학기술출판사, 연료공업출판사, 인민철도출판사, 외문출판사 등 전문출판사들이 설립되었다.

샤먼시문학예술계연합회에서 편찬한 월간 『샤먼문학廈門文學』이 창간되었다.

항미원조 국가수호 운동이 전국적으로 전개되었다. 1951년에 발행된 항미원조 국가수호 선전에 관한 서적과 화집은 총 1억 부가 넘는다.

올해 새로 상영된 주요 중국 영화는 아래와 같다.

「관 중대장」(양류칭 각본, 스후이 감독, 문화영업공사 제작)

「신아녀영웅전」(스둥산 각본, 스둥산, 뤼반 감독, 베이징전영제편창 제작. 1951년 제6회 카를로비바리 국제영화제 감독특별영예상, 1957년 문화부 1949~1955년 우수영화상 3등상 수상)

「상라오 수용소上饒集中營」(펑쉐펑 각본, 사멍沙蒙, 장커張客 감독, 상하이전영제편창 제작)

「우리 부부 사이」(정쥔리鄭君裏 감독, 쿤룬영업공사 제작)

「추이강 홍기翠崗紅旗」(두탄杜談 각본, 장쥔샹 감독, 상하이전영제편창 제작. 1952년 제7회 카를로비바리 국제영화제 촬영상, 1956년 문화부 1949~1955년 우수영화상 2등상 수상)

연말까지 중국 대륙에 설립된 출판사는 모두 385곳으로, 그 가운데 중앙급 출판사는 13곳, 지방출판사는 51곳, 사영 출판사는 321곳이다. 출판한 도서는 18,300종으로 그 가운데 신판 도서는 13,725종이며, 총 인쇄 수량은 7억 300만 권이다. 잡지는 302종이 출간되었다.

1949. 7 ~ 1953. 12

1952 年

1월

1일, 『인민일보』에 마오쩌둥의 「신년 축사元旦祝詞」가 발표되어 "신속하고 대대적으로 대규모의 부정부패 반대, 낭비 반대, 관료주의 반대 투쟁을 전개하자"라고 호소하였다. 이를 계기로 '삼반三反', '오반五反' 운동이 전국 각지에서 전개되었다.

『인민문학』 1월호에 후차오무의 「문예공작자는 어째서 사상을 개조해야 하는가?」, 저우양의 「문예사상을 정돈하고 영도공작을 개선하자」, 딩링의 「우리 간행물의 사상성과 전투성을 제고하기 위해 투쟁하자」 및 마라친푸瑪拉沁夫의 단편소설 「커얼친 초원의 사람들科爾沁草原的人們」, 류시柳溪의 단편소설 「경사喜事」, 옌천의 시 「영웅의 행렬 속에서在英雄的行列裏」가 발표되었다.

마라친푸(1930~), 몽골족 작가로 랴오닝성 투모터치吐默特旗 출신이다. 1945년에 팔로군에 참가하였으며 1948년에 중국공산당에 가입하였다. 공화국 성립 후에 네이멍구 문련 부주석, 중국작가협회 부주석, 『민족문학』 편집장 등을 역임하였다. 1952년에 발표한 단편소설 「커얼친 초원의 사람들」이 비교적 크게 주목받아, 이후에 장하이모張海默와 함께 이 소설을 영화 「초원 위의 사람들草原上的人們」로 각색하였다. 1957년에 출판한 장편소설 『아득한 초원 위에서在茫茫的草原上』(이후에 제목을 『아득한 초원茫茫的草原』으로 변경)이 그의 대표작이다. 1979년 이후로 중국작가협회 서기처 서기, 『민족문학』 잡지 부편집장 및 편집장을 역임하였다. 단편소설 「생불 이야기活佛的故事」로 전국우수단편소설상을 수상하였다. 저서로 단편소설집 『봄의 축가春的喜歌』, 『꽃의 초원花的草原』, 중편소설 『첫 서광第一道曙光』, 산문집 『원방집遠方集』이 있으며 영화문학 작품으로 「초원

여명악草原晨曲」, 「사막의 봄沙漠的春天」, 「조국이여, 어머니祖國啊,母親」 등이 있다.

『신화월보』 1월호에 짱커자의 「장엄하고 아름다운 시편莊嚴美麗的詩篇」이 발표되었다.

상하이인민예술극원에서 두인의 4막 화극 「새로운 사물 앞에서」를 공연하였다.

4일, 『인민일보』에 사설 「위대한 반부정부패, 반낭비, 반관료주의 투쟁 속에서 군중을 행동하게 하는 관건은 무엇인가?在反貪汙, 反浪費, 反官僚主義的偉大鬥爭中, 發動群眾的關鍵何在?」가 게재되었다.

5일, 중국인민정치협상회의 전국위원회에서 「각계 인사의 반부정부패, 반낭비 및 반관료주의 사상 개조와 학습을 호소하는 통지號召各界人士反貪汙, 反浪費和反官僚主義的思想改造學習的通知」와 「각계 인사의 사상 개조 학습 운동 전개에 관한 결정關於展開各界人士思想改造學習運動的決定」을 발포하였다.

『인민일보』에 사설 「군중이 반드시 부정부패분자를 고발하도록 해야 한다必須發動群眾檢舉貪汙分子」 및 중앙희극학원 문예정풍학습대회에서의 어우양위첸의 보고문 「학습이 나의 용기와 자신을 더해 주었다學習增加了我的勇氣和信心」가 게재되었다. 이 글은 『문예보』 제1호에 전문이 전재되었다.

『문회보』에 위링의 글 「헝산전영원의 설립을 축하하며祝衡山電影院的成立」와 웨이웨이의 시 「붉은 광장의 야경 – 10월 혁명 34주년의 밤을 기억하며紅場夜景——記十月革命卅四周年之夜」가 발표되었다.

6일, 『문회보』의 보도에 따르면, 중앙문화부에서 전국 희곡 극본의 혼란 현상을 점진적으로 해결하기 위해 전국적인 극본 수정공작을 계획적으로 진행할 예정이며, 일정 기간 내에 전국의 극본을 통일적으로 심의할 것이라고 밝혔다. 수정공작은 현재 구역을 나눠 진행 중이며, 수정 원칙은 구극본의 독소를 제거하는 데 중점을 두는 것으로, 현재 이미 24편의 경극 극본을 초보적으로 수정했다고 밝혔다.

쑨리의 산문 「소련 참관 학습 요약문赴蘇參觀學習紀要」이 『톈진일보』에 연재되기 시작해 처음으로 「마야코프스키馬雅可夫斯基」가 발표되었다. 뒤이어 「톨스토이托爾斯泰」, 「스탈린그라드斯大林格勒」, 「바쿠巴庫」, 「유치원幼稚園」, 「모스크바莫斯科」, 「레닌그라드列寧格勒」, 「고골果戈裏」, 「조지아格魯吉亞」가 각각 『톈진일보』 1월 13일자, 20일자, 2월 4일자, 15일자, 24일자 및 3월 9일자에 발표되었다.

장헌수이의 잡문 「'공작이 동남쪽으로 날아가다'의 수정에 관하여關於"孔雀東南飛"的修改」가 베이징 『신민보』에 발표되었다.

10일, 새벽 4시에 홍콩영국정부에서 무장경찰과 사복 공작원을 대거 파견해 쓰마원썬司馬文森, 마궈량馬國亮, 치원사오齊聞韶, 류충劉瓊, 수스舒適, 양화楊華, 선지沈寂 등의 가택을 포위하고 그들을 호송차에 태워 각각 호송해 강제 출국시켰다. 이들은 10일에서 11일 사이에 광저우에 도착했다.

『문예보』 제1호에 사설 「문예계에서 반부정부패, 반낭비, 반관료주의 투쟁을 전개해야 한다文藝界應展開反貪汙, 反浪費, 反官僚主義的鬥爭」 및 어우양위첸의 「학습이 나의 용기와 자신을 더해 주었다」, 『광명일보』 문학부간 책임자 왕수밍王淑明의 「『문학평론』 편집공작을 통해 나의 문예비평 사상을 반성하다從<文學評論>編輯工作中檢討我的文藝批評思想」 및 민쩌敏澤의 「아이밍즈의 작품은 공인계급의 면모를 어떻게 왜곡했는가艾明之的作品怎樣歪曲了工人階級的面貌」 등의 글이 발표되었다.

민쩌(1927~2004), 문학평론가. 본명은 허우푸하이侯福海 혹은 허우푸린侯福林이며 차오푸樵夫, 무위안牧原, 우옌吳煙 등의 필명을 사용하였다. 허난성 멘츠澠池 출신이다. 공화국 성립 후에 『문예보』 문학평론조, 고전문학 및 문예이론조 조장, 중국사회과학원 문학연구소 연구원, 『문학평론』 편집장 등을 역임하였다. 저서로 『중국문학이론비평사中國文學理論批評史』, 『중국미학사상사中國美學思想史』(제1권) 등이 있다.

『문예보』 같은 호에 소련 『문학보』의 논고 「문학언어 속의 몇 가지 문제文學語言中的幾個問題」가 게재되었다. '편집부의 말'은 "이 지면에 발표된 소련 『문학보』의 논고 「문학언어 속의 몇 가지 문제」는 소련의 문학계와 독자들이 언어 문제에 관해 진행한 토론의 결산이다. 논문은 스탈린의 언어학설에 근거해 문학언어와 작품의 사상 내용, 문학언어와 인민의 구어의 관계 등 중요한 문제에 대해 정확하고 예리하게 논술하였다"고 밝혔다.

『허베이문예』 제1호 "춘절 맞이 극본 특집호"가 출간되었다. 더룬德潤, 주궈祝國의 「까치가 나뭇가지에 오르다喜鵲登枝」(지방극), 탕산전구唐山專區 문공단의 「새 중매쟁이新媒人」(가극), 바오딩전구 문공단의 「더 큰 영광을 쟁취하다爭取更大光榮」(앙가극), 위핑於平의 「창화신窗花信」(뤄쯔洛子, 방쯔梆子 곡조 통용)이 발표되었다.

11일, 쓰마원썬이 광저우에서 열린 기자회견에서 홍콩영국정부의 중국 거주민 박해 행위에 대해 분노한 채 규탄하며 "우리가 강제로 추방당한 것은 영국 제국주의와 미국 및 국민당 공작원이 결탁해 홍콩 거주 중국 인민의 박해를 강화하려는 음모가 더욱 발전했기 때문이다. 그러나 이미 일어선 중국 인민은 그들의 이러한 폭행을 결코 용인할 수 없다. 우리는 홍콩에 있는 중국 인민들도 분명히 박해에 반대하는 투쟁을 고수하고, 또한 최후에 반드시 승리를 얻을 것을 믿는다!"라고 밝혔다.(1월 16일자 신화사 신문 원고 「홍콩영국정부가 우리나라 전영공작자를 강제로 내쫓다

香港英國政府無理驅逐我國電影工作者」를 볼 것)

충칭판『신민보』주간 및 석간이 경제적 문제 등의 이유로 폐간되었다.

13일, 화난 및 광저우 문화계에서 대규모 집회를 개최해 홍콩영국정부가 중국 전영예술공작자 쓰마원썬 등 8인을 추방한 범죄행위에 대해 강경히 항의하였다. 광저우『연합보』, 상하이『문회보』,『신문일보新聞日報』,『대공보』,『신민보』등에서도 분분히 평론을 발표해 영국정부의 폭행에 강하게 항의하였다.

후평이 상하이로 돌아가 시편「그대를 기다립니다我等著你」를 창작하였다.

14일, 선충원이 여러 차례의 수정 끝에 소설「오랜 동지老同志」의 제7고를 탈고하였다(「오랜 동지」는 현재『선충원 전집』제27권『망리집忘履集』에 수록되어 있으며, 제7고와 1951년 11월 12일에 완성된 제4고를 정리해 수록하였다). 15일, 그는 장자오허張兆和에게 보낸 서신에서 최근에 수정을 끝낸「오랜 동지」가 그리 만족스럽지 않다며 "문제는 아마도 '너무 세세한 것'에 있을 것입니다. 그러나 만약 영문으로 번역한다면 이 정도로 세세해야만 소설의 조건에 부합할 것입니다.……이렇게 수정하면 주제가 아마 '지식분자' 문제로 옮겨갈 것입니다." "글을 읽어보시고 괜찮다 싶으면 어디든 발표해 주십시오. 딩링에게 처리하라고 해도 좋습니다. 고쳐야 한다면 그들이 고치게 하십시오"라고 말하면서, 지난 며칠간 몸 상태가 조금 나아졌을 때 농촌 간부와 시골 할머니에 관한 작품을 쓰려 했다고 말했다. 또한 "제당 공장 착취 사건을 보고 지주들의 몇 가지 공통성, 특히 시골 지주의 공통성을 인식하게 되었는데, 이 미완성 작품에 큰 도움이 되었다"며 가능한 한「설청雪晴」을 완성하고 싶다고 말했다.

15일부터 2월 2일까지 저우쭤런이 중미仲密라는 필명으로 상하이『역보』에「보수서옥 과거사補樹書屋舊事」라는 제목으로 15편의 글을 발표하였다. 이 글들은 이후에 산문집『노신의 고가魯迅的故家』에 수록되었다.

16일,『해방군문예』1월호에 중화鍾華의「나는 이 신세계를 사랑하게 되었다我愛上了這新世界」, 위추이린於萃林의「면 장화棉毛靴」등의 시가 발표되었다.

『창장문예』제1호에「지방문예 간행물의 사상 지도를 강화하자(중난문예서간 논평)加強地方文藝

刊物的思想領導(中南文藝書刊述評)」 및 리지의 시 2편 「손을 잡고 풍금을 칠 때當拉起手風琴的時候」가 발표되었다. 또한 왕커랑王克浪의 「『장시문예』를 총해 나의 편집사상과 작풍을 반성하다從<江西文藝>檢査我的編輯思想與作風」가 발표되어 다섯 가지 측면의 문제를 언급하였다. 1. 방침이 명확하지 못해 마오쩌둥 주석의 문예노선을 제대로 관철하지 못했다. 2. 지방문예 간행물이 '보급 제일'의 방침을 관철하기 위해서는 반드시 선명한 지방 색채를 갖춰야 한다. 3. '보급 제일' 방침은 우선 공농병이 되어야 할 뿐만 아니라 단호히 공농병에 의지해야 하며, 간행물이 공농병 자신의 것이 되도록 해할 뿐만 아니라 공농병 군중의 역량을 운용해야만 간행물을 잘 발행할 수 있다. 4. '보급'은 자연히 '통속'과 연관되는데 과거에 우리, 특히 나 개인의 '통속'에 대한 이해는 순전히 기술적인 것이라 문자의 형식에만 국한되어 있어 통속적이고 이해하기 쉽고 노동인민의 문화 수준에 적합하며, 노동인민의 생활을 표현하고 노동인민이 선호하는 형식을 사용하기만 한다면 통속화의 요구에 부합하는 것이라고 여겼다. 5. 문예작품이 반드시 그 사상성에 충분히 주의해야 하는 이유는 문예가 반드시 정치에 복무하고 중심적인 정치 임무와 긴밀히 결합해야 하기 때문이다.

18일, 쓰마원썬이 『남방일보』에 「영미제국주의의 부조리한 박해를 규탄한다控訴英美帝國主義的無理迫害」를 발표하였다.

20일, 중앙문화부 예술사업관리국과 중화전국희극공작자협회가 베이징에서 정식으로 창간한 월간 『극본』이 인민문학출판사에서 출간되었다. 『인민희극』은 폐간되었다.

『이야기하고 노래하다』 1월호에 부편집장 자오수리가 간행물 편집 과정에서 저지른 오류에 대해 반성한 글 「나와 『이야기하고 노래하다』我與<說說唱唱>」가 발표되었다. 또한 라오서가 새로운 혼인법을 선전하기 위해 창작한 소가극 「버드나무 우물柳樹井」이 발표되었다. 보문당서점寶文堂書店에서 1952년 2월에 「버드나무 우물」의 곡극曲劇판과 평극評劇판을 출간하였다.

'창장쿤룬연합전영제편창長江昆侖聯合電影制片廠'을 기초로 원화文華, 궈타이國泰, 대동大同, 대광명大光明, 대중화大中華, 화광華光 등의 사영 전영공사가 연합해 국영 '상하이연합전영제편창上海聯合電影制片廠'으로 개편되어 위링이 창장을, 예이췬과 우방판吳邦藩이 부창장을 맡았다.

22일, 『인민일보』에 광웨이란의 「자신의 잘못을 직시하다正視自己的錯誤」가 발표되어 그가 「차를 빨리 몰다開快車」, 「처음부터 배우다從頭學起」, 「어머니의 마음母親的心」 등의 화극에 관해 부정확한 평론을 진행했던 일을 반성하였다.

25일, 『문예보』 제2호부터 펑쉐펑이 딩링을 대신해 편집장을 맡았다. 편집위원회는 펑쉐펑, 천치샤, 광웨이란, 마사오보, 왕차오원, 리환즈李煥之, 황강 등 8인으로 구성되었으며 자오수리는 편집위원직을 맡지 않았다. 딩링은 "누군가 회의에서 펑쉐펑이 『문예보』 편집장을 맡는 일을 제안해 나도 찬성했다. 내가 『문예보』를 편집하는 것이 적합치 못하다고 생각했기 때문이다. 나는 이론을 연구하지 않지만 그는 이론을 연구하는 사람이다. 그가 『문예보』를 편집하는 것이 더 좋다"고 밝혔다.

『문예보』 제2호에 논고 「문예계의 부정부패, 낭비, 관료주의를 청산하기 위한 투쟁爲肅清文藝界的貪汙, 浪費, 官僚主義而鬥爭」 및 『인민문학』 편집부의 공작 반성의 글 「문예정풍학습과 우리의 편집공작文藝整風學習和我們的編輯工作」이 게재되었다. 또한 「고등교육기관의 문예교육에 존재하는 편향문제에 관하여關於高等院校文藝教學中的偏向問題」 특집란이 게재되어 독자 서신 여러 통이 게재되었다. 「편집부의 말」은 "우리는 뤼잉 동지의 교육과 이론에 드러난 여러 가지 문제는 개별적이고 우연한 문제가 아니며, 뤼잉 동지 한 사람만의 것도 아니라고 생각한다. 문예교육과 이론공작의 편향을 바로잡기 위해 우리는 문예교사들과 문예공작자들 및 독자들이 이 문제에 관한 토론에 열의를 가지고 참가해, 마르크스레닌주의가 아닌 모든 문예사상을 더욱 철저히 청산함으로써 고등교육기관의 문예교육공작과 문예이론공작을 개선할 수 있기를 바란다"고 밝혔다(1951년 11월 『문예보』 제5권 제2호에 발표된 산둥대학 중문과의 어느 간부(이후에 다른 곳으로 이동함)의 서신 「마오 주석의 문예사상을 떠나서는 문예교육을 진행할 수 없다」에서 이 문제를 처음으로 언급한 후, 『문예보』 제5권 제3호, 제5호에 여러 통의 서신이 게재되었다. 이 서신들은 고등교육기관의 문예교육 과목에 심각한 문제가 존재하며, 실제 및 마오쩌둥 주석의 문예사상과 동떨어진 편향이 드러나 있으므로 반드시 진지하게 중시하고 토론해야 한다는 점을 설파하였다. 같은 호에 「뤼잉 동지의 서신呂熒同志來信」 및 리시판李希凡의 「우리 학교 문예교육문제에 대한 몇 가지 의견對我校文藝教學問題的幾點意見」, 자이제민翟傑民의 「어째서 새로운 인민문예를 사랑하지 않는가爲甚麼不熱愛新的人民文藝」 등의 글이 발표되었다.

리시판(1927~2018), 학자. 저장성 사오싱 출신이다. 1953년에 산둥대학 중문과를 졸업했으며 1954년에 중국인민대학 철학연구반을 졸업하였다. 『인민일보』 문예부 편집자 및 평론조장, 부주임, 상무부주임, 중국예술연구원 상무부원장 및 연구원을 역임하였다. 국가 '9·5' 중대 과제 『중화예술통사中華藝術通史』의 편찬공작에 참여하였다. 1949년부터 작품을 발표하였으며 1954년에 중국작가협회에 가입하였다. 주요 저서로 『홍루몽 평론집紅樓夢評論集』(란링藍翎과 합작), 『중국고전소설의 예술형상을 논하다論中國古典小說藝術形象』, 『『외침』, 『방황』의 사상과 예술<吶喊><彷徨>的思想與藝術』, 『리시판 문예평론(당대)선李希凡文學評論(當代)選』 등 16권이 있으며 『홍루몽 대사전紅

樓夢大辭典』의 편찬에 참여하였다.

『시난문예』 제4권에 본지 편집부의 「더욱 명확하고 구체적으로 본 간행물의 방침과 임무를 관철하기 위해 분투하자更明確, 更具體地爲貫徹本刊的方針任務而奮鬥」가 발표되어 1. 지면을 간소화하고 질을 높일 것, 2. '새로운 사물 스케치'를 대대적으로 제창할 것, 3. 문예사상 동태를 중시하고 문예비평공작을 강화할 것 등 세 가지 중요한 요구를 제시하였다. 같은 호에 본지 기자의 '문예사상 동태 총론' 「시난의 일부 문예단체에서 문예사상을 반성하고 정풍을 맞이하기 시작하다西南一些文藝團體開始檢查文藝思想,迎接整風」, 량더만梁德曼 등의 「충칭 각 대학 및 전문학교의 문예교육 개선이 시급하다重慶各大, 專學校的文藝教學亟需改進」가 발표되었다.

같은 호 『시난문예』의 '새로운 사물 스케치' 란에 리싱룽李興榮의 「집안을 맡은 사람들當了家的人們」, 펑잉彭瀅의 「마오 주석이 우리를 보러 오셨다毛主席來看我們了」, 런야오팅任耀庭의 「문화를 향해 진격하는 전사들向文化進攻的戰士們」, 장광궈蔣光國의 「린더친이 결혼하다林德琴結婚」, 리팡黎方의 「신청하다報名」, 류더주劉德久의 「촌장村長」, 웨이민偉民의 「짚신 한 짝一支草鞋」이 발표되었다.

런야오팅(1922~), 산둥성 차오현曹縣 출신이다. 1939년에 군에 입대해 부대의 연대 지도원, 병영 정치위원, 연대 정치주임 및 연대와 사단 정치위원, 군분구 정치부 주임, 촨창병참부川藏兵站部 정치위원을 역임하였다. 1941년부터 작품을 발표하였다. 저서로 작품집 『노래는 설산에서 온다歌從雪山來』, 『량산에서 달려온 준마梁山奔來的駿馬』, 『삼대검三代劍』, 『말 위에서의 세월馬上歲月』, 『세월의 메아리歲月回響』, 『쑤이웨허 위의 새소리歲月河上的鳥聲』, 『포효하는 창장과 황허咆哮的江河』(합동 창작), 『20세기 중화의 혼二十世紀中華魂』, 『포연이 기억 속에 흩날리다硝煙飄在記憶裏』 등이 있다.

『허베이문예』 제2호에 사설 「행동하여 위대한 반부정부패, 반낭비, 반관료주의 운동에 참가하자行動起來參加反貪汙, 反浪費, 反官僚主義偉大的運動」, 쥔펑俊鵬의 고사鼓詞 「미추린의 훌륭한 학생米丘林的好學生」, 장칭톈張慶田의 가극 「송이송이 꽃이 도처에 피다朵朵鮮花遍地開」, 커밍克明의 「공산당원 장쯔량共產黨員張子良」이 발표되었다.

27일, 『문회보』에서 「관 중대장」, 「우리 부부 사이」, 「영화광 전기影迷傳」, 「부부 행진곡夫婦進行曲」 등 사영 전영제편창에서 제작한 영화들을 비평하는 글을 발표하였다.

이달에 선충원이 「'삼반 운동' 이후의 사상 반성"三反運動"後的思想檢查」, 「사회관계 해명交代社會關系」, 「중대부 – 촨난 토지개혁 잡기 1편中隊部——川南土改雜記一」, 「오랜 동지」, 「촨난 네이강현 제4구의 제당 공장川南內江縣第四區的糖房」 등 사상을 반성하는 글과 회고록 여러 편을 집필해 이후에 『

선충원 전집』에 수록되었다(모두『선충원 전집』27권에 수록).

월말에 펑유란馮友蘭이 인도와 미얀마를 방문한 후 베이징으로 돌아와 곧바로 '삼반' 운동에 참가해, 1949년 이전의 자신의 언행을 여러 차례 반성하였다. 대학 및 학과 조정 이후에 정치사상 문제로 인해 4급 교수로 평가되었다.

펑유란(1895~1990), 철학자. 자는 즈성芝生으로 허난성 난양南陽 출신이다. 1915년에 베이징대학 문과대학 중국철학과에 입학했으며 1919년에 미국으로 유학해 1924년에 컬럼비아대학교에서 철학박사학위를 취득하였다. 귀국 후에 중저우대학中州大學, 광둥대학, 옌징대학 교수, 칭화대학 문학원 원장 겸 철학과 주임을 역임하였다. 1939년에서 1946년 사이에『신이학新理學』,『신세훈新世訓』,『신사론新事論』,『신원인新原人』등 '정원육서貞元六書'라 불리는 여섯 권의 책을 출간하였다. 공화국 성립 후에 마르크스주의 사상을 받아들여 이 사상을 통해 중국철학사를 연구하였다. 저서로『중국철학사 신편中國哲學史新編』제1, 2권,『중국철학사 논문집中國哲學史論文集』,『중국철학사 사료학 초고中國哲學史史料學初稿』,『40년의 회고四十年的回顧』,『중국철학사 신편中國哲學史新編』(전7권) 등이 있다.

아이칭의 논저『신시론新詩論』이 베이징천하출판사에서 출간되었다. 논문 11편이 수록되었다. 허우진징의 평론집『부대문예의 새로운 노정部隊文藝新的裏程』이 상하이 중화서국에서 출간되었다.

시중쉰習仲勳의 글「전영공작에 대한 의견對於電影工作的意見」이『전영창작통신電影創作通訊』제1호에 발표되었다.

루링의 소설집『평원平原』이 작가서옥作家書屋에서 출간되었다. 친자오양의 단편소설집『행복幸福』이 베이징 인민문학출판사에서 출간되었다. 루링의 화극『조국이 전진하고 있다祖國在前進』가 상하이 니투사에서 출간되었다.

위짜이양於在洋이 편찬한『조선전지지원군 시집朝鮮戰地志願軍詩輯』이 우한공인출판사武漢工人出版社에서 출간되었다. 수록 작품은「항미원조 국가수호抗美援朝保家衛國」,「미국 도련님 병사美國少爺兵」의 2부로 구성되어 어우양산쭌歐陽山尊의「미 제국주의를 쫓아내지 않으면 귀국하지 않겠다不趕走美帝不回國」, 광퉁廣通의「나는 무쇠 다리의 영웅 사나이다我是鐵腿英雄漢」, 웨이밍未明의「미국 병사는 정말 역겹다美國兵真惡心」, 지원군 전사의「미국 놈들은 돌격을 두려워한다美國鬼子怕沖鋒」등 49편의 시가 수록되었다.

황야오멘의 시집『영웅 송가 - 항미원조에 관한 시英雄頌——關於抗美援朝的詩』가 베이징사범대학출판부北京師範大學出版部에서 출간되었다.

루메이魯煤의 시집『불 속으로 뛰어드는 자撲火者』가 상하이 50년대출판사에서 출간되었다.

루메이(1923~), 극작가, 희극평론가. 본명은 왕푸루王夫如이며 필명은 루메이, 무칭牧青, 왕두王督 등이다. 허난성 왕두望都 출신이다. 1946년에 장자커우張家口 해방구로 가서 1948년에 중국공산당에 가입하였다. 1955년에 '후펑 반혁명 집단'으로 오인되어 오랫동안 문단을 떠났다. 복권된 후 중앙희극학원 창작실, 문화부 예술국 창작실, 중국극협 창작실 각본가 및 『희극보』, 『극본』 월간 편집자, 중국희극출판사 부편집장 및 편집심사위원을 역임하였다. 저서로 화극 『홍기보紅旗譜』(집필), 『안팎의 공회裏外工會』, 단편소설집 『쌍홍기雙紅旗』, 시집 『불 속으로 뛰어드는 자』, 『흰색의 꽃百色花』(합동 창작), 회고록 『나와 후펑의 은원 실록我和胡風恩怨實錄』 등이 있다.

자오수리의 원작을 위춘이 각색한 화극 『샤오얼헤이의 결혼』이 상하이문화생활출판사에서 출간되었다. 루쉰의 잡문집 『거짓자유서僞自由書』가 인민문학출판사에서 출간되었다. 허치팡의 잡문집 『성화집 속편星火集續編』이 상하이신문예출판사에서 출간되었다. 쉬밍徐明의 시집 『류좡의 새로운 기상柳莊的新氣象』이 우한통속독물출판사武漢通俗讀物出版社에서 출간되었다. 황쑤이黃穗의 소설 『'타오뤄멍' 해방"淘蘿夢"翻身』이 상하이신문예출판사에서 출간되었다. 쑤난대중사蘇南大眾社에서 편찬한 『새로운 농촌을 노래하다歌唱新農村』가 우시쑤난인민출판사無錫蘇南人民出版社에서 출간되었다.

바진이 번역한 소련 작가 가르신의 동화 『두꺼비와 장미꽃癩蛤蟆與玫瑰花』이 상하이출판공사에서 출간되었다. 머쉰麼洵이 번역한 소련 작가 코스모데미얀스카야의 『조야와 수라 이야기卓婭和舒拉的故事』가 중국청년출판사에서 출간되었다.

베이징곡예단北京曲藝團과 베이징실험평극단北京實驗評劇團이 베이징에서 「버드나무 우물」의 공연을 시작했다. 「버드나무 우물」은 이후에 경극, 가극 등의 형식으로도 오랫동안 공연되었다.

무무톈穆木天이 번역한 소련 작가 쿨레쇼프의 장시 『오직 전진밖에只有前進』가 상하이신문예출판사에서 출간되었다.

무무톈(1900~1977), 시인, 번역가. 본명은 무징시穆敬熙이며 무원자오穆文昭 등의 이름을 사용하였다. 필명은 머우톈侔天, 무쯔武子 등으로 지린성 이퉁伊通 출신이다. 청년기에 일본으로 유학해 1921년에 창조사에 가입하였다. 1926년에 귀국하였으며 1931년에 상하이에서 좌련에 가입하였다. 1932년에 푸펑蒲風, 양사오楊騷, 런쥔 등과 함께 중국시가회를 조직해 주간 『신시가』를 창간해 시가의 대중화를 제창하였다. 공화국 성립 후에는 둥베이사범대학, 베이징사범대학에서 교수로 근무하였다. 1957년에 우파로 오인되었다. 주요 저서로 시집 『여심旅心』, 『망명자의 노래流亡者之歌』, 『새로운 여정新的旅途』, 『무무톈 시선穆木天詩選』, 산문집 『가을날의 풍경화秋日風景畫』, 『평범집平凡集』 등이 있으며 역서로 『외제니 그랑데歐也妮·葛朗台』, 『와일드 동화王爾德童話』 등이 있다.

2월

1일, 『문회보』에 셴췬이 1951년 말의 문예정풍운동 때 공개적으로 발표한 반성의 글 「문예정풍이 나의 맹목적인 자만을 깨부쉈다 - 내가 '소자산계급에 대해 쓸 수 있는가'라는 문제를 제기한 일에 대한 반성으로부터 이야기를 시작하다文藝整風粉碎了我的盲目自滿——從反省我提出"可不可以寫小資產階級"的問題談起」가 게재되었다. 당시 토론을 이끌었던 편집자 탕타오도 『문회보』에 「편집공작을 통해 나의 잘못을 반성하다從編輯工作中檢討我的錯誤」라는 자아비평의 글을 발표하였다. 『문회보』 '편집장의 말'은 이 논쟁이 "한동안 문예사상의 혼란을 불러일으켰다", "이는 우리가 반드시 반성해야 할 일이다"라고 밝혔다.

『인민문학』 2월호에 장톈이의 아동문학 작품 「영화를 보러 가다去看電影」와 「뤄원잉 이야기羅文應的故事」가 발표되었다. 「뤄원잉 이야기」는 1953년에 전국아동문학예술평가대회 1등상을 수상하였다. 이 책은 1959년 9월에 중국소년아동출판사에서 출간되었으며, 1978년 11월까지 6쇄가 간행되어 총 207,000권이 인쇄되었다.

『인민문학』 같은 호에 편집부의 글 「문예정풍학습과 우리의 편집공작文藝整風學習和我們的編輯工作」 및 레이원雷雯의 「마량산馬良山」, 왕커우王克武의 「조선의 6월朝鮮的六月」 등의 시가 발표되었다. 편집부는 "문예사상 투쟁에 대한 경시 탓에 전국적인 지도적 역할을 맡은 본 간행물이 문예사상전선의 선두에 서지 못하고, 그 전투적 역할과 지도적 역할을 완전히 발휘하지 못하게 되었다. 이뿐만이 아니라, 우리 간행물에는 잘못된 사상을 담은 적지 않은 작품들이 발표되었다." "특히 아이칭 동지는 『인민문학』 부편집장을 맡은 시기에 업무에 대한 책임감이 매우 부족해 대부분의 시간 동안 사실상 지도를 방기한 자유주의적 태도를 보였다. 아이칭 동지는 『인민문학』의 중요 책임자 중 한 사람이자 공산당원으로서 『인민문학』의 과거 공작에 존재하는 잘못과 결점에 대해 반드시 주된 책임을 져야 하며, 다른 편집자들도 어느 정도의 책임을 져야 한다"고 밝혔다.

3일, 뉴한은 후평에게 보낸 서신에서 "당신 말이 맞습니다. 수많은 '대선배'들은 다들 노쇠해, 새로운 것들을 이해하지 못합니다. 그들에게 겸허히 대하는 것은 무장을 해제하는 것이나 마찬가지입니다. 며칠간 나는 내가 앞장서서 가고 있다는 아주 강렬한 느낌을 받았습니다. 나는 본래 내가 대오 속에 끼어 걷고 있는 일개 병사일 뿐이고, 분명히 '대선배'가 앞에서 이끌고 있을 거라고 생각했습니다. 그런데 베이징에 돌아와 사방을 둘러보니 시단詩壇은 텅 비어 아무도 없었습니다. 대오가 어디 있단 말입니까! 시인들은 어디로 간 것입니까! 늙은 시인들은 다들 정체되어 앞으로 나가지 못하고 있습니다. 그들은 움직이지 않을 뿐만 아니라 우리의 길을 막고 있습니다. 나는 그들을 뛰어넘어 앞장서서 걷고 있습니다. 불필요한 겸손은 떨지 않겠습니다. 문학출판사에서 샤오싼의 시집을 인쇄할 준비를 하고 있는 것을 보았습니다. 시집의 제목은 『선물禮物』이었습니다. 나는 시 몇 편을 읽어 보고 화가 나서 사정 보지 않고 말했습니다. '이 책을 출판한다면 정말 중국인의 망신이다!' 그 시들은 샤오싼이 이삼십 년 동안 쓴 시인데, 너무 유치해서 가엾을 정도였습니다! 나는 그가 어떻게 소련에서 시집을 다섯 권이나 냈는지 정말로 알 수가 없습니다. 그 시인도 '좋지 않다'고 말했습니다. 책상 위에는 허치팡의 『밤의 노래와 낮의 노래夜歌和白天的歌』도 한 권 누워 있었습니다. 이것이 중국의 시란 말입니까? 절대로 아닙니다! 아이칭이 소련에 간 후로 시를 여러 편 썼다고 하지만, 그 시들은 '기행문'과 소감 정도의 것들입니다. 시인이 무슨 여행객이나 되는 것처럼 말입니다. 움직이고 있기는 하지만 마음이 없기 때문에, 그는 좋은 시를 한 편도 쓰지 못한 것입니다. 나는 평범한 사람이 소련에 간다면 분명히 시를 쓸 수 있을 거라고 생각합니다"라고 말했다. (뉴한 『운명의 문서』, 제 45-46쪽, 우한출판사 2000년 -> 각주로 처리해야 할 듯합니다.)

차오밍의 산문 「두 위대한 작가를 기념하며紀念兩位偉大的作家」가 『둥베이일보』에 발표되었다.

4일, 왕멍王蒙의 「예의 이야기禮貌的故事」(아동문학)이 『중국소년보』에 발표되었다.

왕멍(1934~), 소설가. 본적은 허베이성 난피南皮이며 베이징에서 출생했다. 1948년에 중국공산당에 가입하였다. 1953년부터 소설 창작을 시작해 첫 작품인 장편소설 『청춘만세青春萬歲』를 발표하였다(1979년에 출간됨). 1956년 9월에 단편소설 「조직부에 새로 온 젊은이組織部來了個年輕人」를 발표한 후 이 소설로 인해 우파로 오인되었다. 1978년에 복권된 후로 『인민문학』 편집장, 중국작가협회 부주석, 중공중앙 위원, 문화부 부장, 국제펜클럽 중국본부 부회장, 전국정협 위원 및 상무위원 등을 역임하였다. 저서로 장편소설 『청춘만세』, 『변신인형活動變人形』, '계절 4부작'(『연애의 계절戀愛的季節』, 『실태의 계절失態的季節』, 『주저의 계절躊躇的季節』, 『광희의 계절狂歡的季節』), 『검정 여우青狐』, 『어색한 풍류尷尬風流』, 중편소설 『볼셰비키의 경례布禮』, 『나비蝴蝶』, 『잡색雜色』, 『명의 량유즈 전기名醫梁有志傳奇』, 『이리에서在伊犁』 연작소설, 소설집 『겨울비冬雨』, 『굳어 버린 묽은 죽堅硬的稀粥』, 『캐나다의 달加拿大的月亮』, 시집 『선회하는 그네旋轉的秋千』, 작품집 『왕멍 소설 보고문학선王蒙小說報告文學選』, 『왕멍 중편소설집王蒙中篇小說集』, 『왕멍 선집王蒙選集』, 『왕멍집王蒙集』, 산문집 『홀가분함과 감상輕松與感傷』, 『일소집一笑集』, 문예논집 『문학의 유혹文學的誘惑』, 『풍격산기風格散記』, 『왕멍이 창작을 말하다王蒙談創作』, 『왕멍, 왕간 대화록王蒙, 王幹對話錄』이 있으며 『왕멍 문집王蒙文集』 총10권, 『왕멍문존王蒙文存』 총23권, 『왕멍 자서전王蒙自傳』 등이 출간되었다.

6일, 중국문자개혁연구위원회中國文字改革研究委員會가 베이징에서 성립되었다.

어우양산의 「나의 반성我的檢查」이 『남방일보』에 발표되었다.

10일, 『문예보』 제3호에 사설 「문예공작자와 위대한 반부정부패, 반낭비, 반관료주의 투쟁文藝工作者與偉大的反貪汙, 反浪費, 反官僚主義的鬥爭」, 광웨이란의 「자신의 잘못을 직시하다」, 장톈이張天翼의 「문예공작자와 군중文藝工作者和群眾」 및 상하이 『대공보』의 기사 「상하이 문예계는 반드시 사상 혼란 현상을 바로잡아야 한다上海文藝界應糾正思想混亂現象」가 발표되었다. 같은 호의 '독자 서신'란에 「상하이 문화계의 부정부패 및 낭비 현상이 심각하다上海文化界貪汙, 浪費現象嚴重」가, '예술·문화·사상'란에 「희곡개혁 속의 혼란한 상황戲曲改革中的混亂情況」이 게재되었다.

『창장문예』 제2호에 편집부의 「문예계의 반부정부패 반낭비 반관료주의 투쟁을 심도 있게 전개하고, 문예정풍학습운동을 맞이하자深入開展文藝界反貪汙反浪費反官僚主義鬥爭並迎接文藝整風學習運動」, 장광張光의 「반부정부패 반낭비 반관료주의 창작운동을 전개하자展開一個反貪汙反浪費反官僚主義的創作運動」, 사훙莎蕻의 「문예창작의 반현실주의 경향을 바로잡자糾正文藝創作上反現實主義的傾向」, 얼중의 「나의 준비我的准備」, 리지의 시 2편 「소련 인민은 우리와 함께 있다蘇聯人民和我們在一起」가 발표되었다.

바진이 베이징에 도착해 전국문련의 '조선전지방문단朝鮮戰地訪問團' 단장으로 임명되어 방문단의 준비에 참여하였다.

11일, 웨이웨이의 산문 「나는 소련인을 사랑한다我愛蘇聯人」가 『인민일보』에 발표되었다.

12일, 정무원의 「조정기구 긴축 편성에 관한 결정關於調整機構緊縮編制的決定」(1951년 12월 7일 발포)에 따라 신문총서가 폐지되었다. 본래 신문총서 국제신문국에서 진행했던 대외선전 및 출판 등의 공작은 신설된 외문출판사에서 맡아 출판총서에 합병되었다. 본래 신문촬영국에서 진행했던 화보 공작은 출판총서 직속의 인민미술출판사人民美術出版社에 합병되었으며, 본래 판공청辦公廳에서 맡고 있던 신문 관리 공작은 출판총서에 합병되었다.

15일, 『인민일보』에 『남방일보』(2월 6일자)에 발표된 어우양산의 「나의 반성」이 전재되었다. 「편집부의 말」은 “문예부문에 존재하는 부정부패, 낭비, 관료주의 현상도 매우 심각하다”고 지적하며, 현재 대담하게 군중을 동원해 “중대한 계급투쟁을 전개하는 것이 문예계의 최우선 임무”라고 밝혔다. 또한 화난문련 주석 어우양산의 잘못된 사상과 작풍은 “이미 문예계의 경계심을 충분히 불러일으켰다”고 보았다. 25일자 『문예보』에도 이 글이 전재되었으며, 「편집부의 말」은 이 반성이 “혁명계급에 대한 자산계급 사상의 침식이 이미 매우 심각한 정도에 이르렀음을 설명한다”며, “반드시 모든 문예공작자들의 심각한 경계심을 불러일으켜 반부정부패 반낭비 반관료주의 운동 속에서 자기 자신을 철저히 반성하고 독소를 깨끗이 씻어내, 순결하고 견고하게 혁명에 임하는 문예 대오를 이루어야 한다”고 주장하였다.

17일, 위안수이파이의 글 「심각한 오류와 결점이 있는 소설 - 「내일까지 전투하다」一本有嚴重錯誤和缺點的小說——<戰鬥在明天>」가 『인민일보』에 발표되었다.

20일, 톈젠의 「마오 주석께 바치다給毛主席」(시 6편)이 『광명일보』에 발표되었다.

25일, 『문예보』 제4호에 궈모뤄의 「위대한 동맹 2주년偉大同盟二周年」, 마오둔의 「중국에서의 고골果戈裏在中國」과 「우리는 어째서 위고의 작품을 사랑하는가爲什麼我們喜愛雨果的作品」, 탕즈가 정리한 종합기사 「문예공작에서 무산계급의 지도를 관철하자在文藝工作中貫徹無産階級的領導」 및 황야오멘의 「문예학 교육에 관한 초보적인 반성關於文藝學教學的初步檢討」, 야오뎬중姚奠中의 「문예학 교육에 대한 나의 반성我對於文藝學教學的檢查」, 류쓰훙劉思虹의 「나의 문예학 교육에 관하여也談談我的文藝學教學」, 마처우쓰馬疇寺의 「고등교육기관 문예교육의 편향 문제에 관하여關於高等學校文藝教學中的偏向問題」, 양젠중楊建中의 「뤼잉 선생의 교육 및 그의 서신에 대한 의견對呂熒先生教學及其來信的意見」, 뤼산차呂山查의 「뤼잉 선생이 자신의 사상을 겸허히 반성하기를 바란다希望呂熒先生虛心檢查自己的思想」 등의 토론문이 발표되었다. 황야오멘은 글에서 “애국주의 선전”, “문학의 계급성”, “문학 속의 당성 문제”, “공농병 방향 문제” “나는 인민문학 작품에 대해 긍정적인 태도를 취하고 있다” 등의 관점에서 자아비평을 진행하였다.

27일, 『인민일보』에 홍선의 글 「빅토르 위고 탄생 150주년을 기념하며紀念維克多·雨果誕生一百

五十周年」와 라오서의 잡문 「지원군을 암살하는 악덕 상인을 박멸하자撲滅暗殺志願軍的奸商」가 발표되었다.

29일, 딩링과 차오위가 모스크바에 도착해 고골 서거 100주년 기념행사에 참석하였다.

이달에 문자개혁연구위원회가 전문적인 문자개혁기구로서 베이징에서 정식으로 성립되었다. 마쉬룬馬敘倫이 주임위원을, 우위장吳玉章이 부주임위원을 맡았으며 딩시린, 우샤오링吳曉鈴, 린한다林漢達, 지셴린季羨林, 후차오무, 웨이췌韋愨, 천자캉陳家康, 예궁취葉恭綽, 리진시黎錦熙, 웨이젠궁魏建功, 뤄창페이羅常培 등이 위원을 맡았다. 궈모뤄는 설립대회에서의 연설에서 "중국의 문자개혁은 장기적인 문제이다", "신중한 태도를 취해야 한다"라고 지적하며 반드시 병음화拼音化의 노선을 걸어야 한다고 주장하였다. 또한 그는 생리학을 근거로 들어 시력 손실을 감소시키기 위해 "중국 문자는 왼쪽에서부터 가로로 쓰는 것이 적합하다"라고 주장하였다. 그의 제안에 따라 『광명일보』에서 솔선하여 가로쓰기를 실행하였다.

펑즈가 장시江西 지역에서 서사시 「한보가 장작을 패다 - 모자 야화 기록韓波砍柴——記母子夜話」를 창작해, 이후에 『서교집西郊集』에 수록되었다.

루쉰의 『중국소설사략中國小說史略』, 『외침吶喊』, 『루쉰 서신魯迅書簡』 및 그가 편찬한 『당송전기집唐宋傳奇集』이 베이징 인민문학출판사에서 출간되었다.

탕타오가 편찬한 『루쉰 전집 보유 속편魯迅全集補遺續編』이 상하이출판공사에서 출간되었다. 실전된 루쉰의 글 106편(재판에서는 111편으로 증가)을 비롯해 「중국광산지中國礦產志」, 「인생상학人生象學」(즉 「생리학 강의生理學講義」)가 수록되었으며, 「루쉰 필명 보유속魯迅筆名補遺續」과 「편집후기編校後記」가 수록되었다.

라오서의 소설 『이혼離婚』의 수정판이 상하이천광출판공사에서 출간되었다. 작가는 「신판 「이혼」 서문<離婚>新序」에서 이 소설의 창작 과정과 예술 측면의 득실에 대해 언급하였다. "지난에서 여러 사람이 더위로 죽은 그 여름에, 나는 머리에 수건을 두르고 팔목 밑에는 압지를 대어 땀이 눈에 흘러들어가거나 원고지를 적시지 않게 한 채로 혹독한 더위와 함께 소설에 목숨을 걸었다. 그 결과 문예에서 승리를 거두지는 못했지만 무더위를 격퇴할 수는 있었다. 70여 일의 시간 끝에 나는 원고를 끝냈다." "이 소설의 문장과 구조는 모두 이전에 썼던 소설들보다 조금 더 발전했다."

예성타오의 『붓을 들기 전에』가 중국인민대학출판사中國人民大學出版社에서 출간되었다.

저우이바이周貽白의 『중국희곡논총中國戲曲論叢』이 중화서국에서 출간되었다.

저우이바이(1900~1977), 희곡사학자로 후난성 창사 출신이다. 1927년에 톈한이 이끄는 남국사南國社에 참가하였다. 1936년에 『중국희곡사략中國戲曲史略』과 『중국극장사中國劇場史』를 출간하였다. 1937년에 상하이희극계구국협회上海戲劇界救亡協會에 가입해 어우양위첸과 함께 경극 개량 작업에 종사하여 「양훙옥梁紅玉」, 「어부한漁夫恨」 등의 희곡을 창작해 공연하였으며 「소무목양蘇武牧羊」, 「옌먼관雁門關」 등의 극본을 창작하였다. 1941년에 태평양전쟁이 발발한 후 중국여행극단中國旅行劇團과 함께 베이핑으로 이동하였으나, 「이향군李香君」을 공연한 일로 인해 일본군에 쫓겨 화베이로 도주하였다. 이후에 우시로 피난해 중국희곡사 연구에 전념하였다. 1948년에 홍콩으로 갔다. 1949년 겨울에 베이징으로 돌아와 중앙희극학원의 준비작업에 참여하였으며, 이후에 본 학원에서 오랫동안 교편을 잡았다.

저우쭤런(필명 스산十山)이 3월까지 총 91편의 「외침 연의吶喊衍義」를 완성하였다. 이 가운데 29편은 상하이 『역보』(2월 16일자부터 3월 15일자까지)에 발표되었다. 이 글은 모두 『루쉰 소설 속의 인물魯迅小說裏的人物』에 수록되었다.

저우리보가 소설 「섯물이 세차게 흐르다」의 초고를 완성한 후 두 차례 수정하였다. 그는 이후에 『인민문학』 편집부로 자리를 옮겨 집행위원을 맡았다.

톈치田奇의 장시 『뤄허의 노래洛河曲』, 선쓰沈思가 편찬한 『전사 시선戰士詩選』이 상하이문화공작사에서 출간되었다. 아이칭의 시집 『환호집歡呼集』이 인민문학출판사에서 출간되었다.

중국 소수민족 시인들이 창작하고 중야오中耀가 편찬한 시집 『만세, 마오쩌둥!萬歲, 毛澤東!』이 공작시총 중 한 권으로서 상하이문화공작사에서 출간되었다. 시집에는 카자흐족哈薩克族의 「만세, 마오쩌둥!」, 노족怒族의 「마오 주석의 빛이 누장까지 비추다毛主席的光照到了怒江」, 몽골족의 「공산당에 감사하고 마오 주석을 축복하다感謝共產黨祝福毛主席」, 묘족의 「묘족의 구원자 마오 주석苗家救星毛主席」, 티베트족藏族의 「마오쩌둥의 깃발을 히말라야 산 정상에 꽂아라!把毛澤東的旗幟插在喜馬拉雅山頂上!」 등 40편의 시가 수록되었다.

궈모뤄의 역사극 『병부虎符』가 상하이신문예출판사에서 출간되었다.

라오서가 극본 「춘화추실春花秋實」의 창작을 시작하였다. 『용수구』 수정판이 천광출판공사에서 출간되었다. 라오서는 수정판 서문에서 "무대 버전의 대화와 에피소드를 일부 차용해 내 원고를 더욱 충실하게 했다", "무대 배경에 관한 설명은 본래 원고에는 없었지만, 이번에 수정하면서 무대 버전에서 전부 차용하였다"고 밝혔다.

마젠링馬健翎이 각색한 진강秦腔 『사진사四進士』가 시안시베이인민출판사에서 출간되었다. 먀오페이스 등이 창작한 평극評劇 『이란기二蘭記』가 베이징 보문당서점寶文堂書店에서 출간되었다.

장즈민張志民의 통신보고집 『영웅의 보고英雄的報告』가 중국인민해방군 화베이군구 정치부에서 출간되었다. 첸펑千夆의 보고문학 『화이허 기행淮河紀行』이 상하이신문예출판사에서 출간되었다. 리뤄왕李若望의 보고문학 『조선행 위문기赴朝慰問記』가 상하이신문예출판사에서 출간되었다.

자오수리의 단편소설 『땅地板』이 위구르어로 번역되어 신장인민출판사新疆人民出版社에서 출간되었다.

진진金近의 『사발 이야기碗的故事』가 상하이대동서국上海大東書局에서 출간되었다. 책에는 동시 8편이 수록되었다.

진진(1915~1989), 아동문학 작가. 본명은 진즈원金知溫, 필명은 진루성金汝盛 등으로 저장성 상위 출신이다. 1937년에 『어린이小朋友』 잡지에 첫 동화 작품 「늙은 매의 성쇠老鷹鶴的升沉」를 발표하였다. 1944년 말에 처음으로 '진진'이라는 필명을 써서 충칭 『신화일보』 부간에 아동소설을 발표하였다. 공화국 성립 후에 저장성 작가협회 부주석을 역임하였다. 저서로 『개구쟁이 바퀴頑皮的輪子』, 『아기 오리가 헤엄을 배우다小鴨子學遊水』, 『봄바람이 불어오는 동화春風吹來的童話』, 동시집 『샤오마오의 생활小毛的生活』, 『시냇물이 노래하다小河唱歌』, 동화시 『겨울의 장미冬天的玫瑰』, 중편 동화 『다마오와 날랜 다리大毛和小快腿』 등이 있다. 그의 동화 「아기고양이가 물고기를 잡다小貓釣魚」, 「아기 잉어가 출세하다小鯉魚跳龍門」 등은 만화영화로 제작되었다.

궈모뤄가 번역한 괴테의 『헤르만과 도로테아赫曼與竇綠苔』가 상하이신문예출판사에서 출간되었다.

3월

1일, 『창장문예』 제3호에 루야딩陸亞丁의 「「내일까지 전투하다」에 관한 초보적 비평初評<戰鬥到明天>」, 장밍章明의 「「내일까지 전투하다」는 소자산계급의 자아를 표현한 작품이다<戰鬥到明天>是一部小資產階級自我表現的作品」, 탄위모譚玉模의 「사상을 개조해 후난성 문련의 지도공작을 개선하자改造思想,改進湖南省文聯的領導工作」가 발표되었다. 같은 호에 어우양산의 「나의 반성」이 게재되었으며, 『인민일보』의 편집자의 말이 전재되었다.

편집자의 말은 "각지 문예기관 및 단체의 반부정부패 반낭비 반관료주의 운동 과정에서 제공된 사실들은 문예부문에 존재하는 반부정부패 반낭비 반관료주의 현상 역시 심각하다는 것을 증명한다. 따라서 문예부문에서 반드시 대담하게 군중을 동원해 이 중대한 계급투쟁을 진지하게 전개하는 것이 현재 문예계의 최우선 임무이다. 화난문학예술계연합회 주석 어우양산은 화난문련 지도 공작 과정에서 심각한 결점과 오류를 드러내었다. 어우양산 동지는 이미 자아 반성을 진행하였다. 이 반성은 비록 그 깊이가 충분하지는 않으나, 그가 폭로한 수많은 잘못된 사상과 작풍은 문예계의 경계심을 불러일으키기에 충분하다"고 밝혔다.

장밍(1925~), 작가. 본명은 장이민章益民으로 장시성 난창 출신이다. 1949년에 우한대학 법학과를 졸업하였다. 1950년부터 작품을 발표하였으며 1979년에 중국작가협회에 가입하였다. 광둥성 작가협회 이사 및 잡문창작위원회 주임을 역임하였다. 저서로 장편소설 『해상 기동 부대海上特遣隊』, 시집 『세 곡의 찬가三支贊歌』, 『너울거리는 야자나무椰樹翩翩』, 중단편소설집 『바다 건너의 상념隔海的想念』, 가극집 『출발 전出發之前』, 『네 명의 수도병四個守島兵』, 『수구춘풍數九春風』, 작품집 『장밍 작품선章明作品選萃』, 『하느님과 바보上帝與傻子』 등이 있다.

4일, 『인민일보』에 펑쉐펑의 글 「루쉰과 고골 – 고골 서거 100주년을 기념하며魯迅和果戈裏——爲果戈裏逝世百年紀念而作」가 발표되었다.

베이징시 중소우호협회와 소련 대외문화협회 연합으로 러시아 작가 고골 서거 100주년 기념회를 거행하였다. 라오서가 개회사를 하였다.

6일, 『인민일보』에 「중국전국문학예술계연합회에서 작가들을 조직해 생활에 깊이 침투해 창작을 진행하다中國全國文學藝術界聯合會組織作家深入生活進行創作」라는 기사가 게재되었다. 기사에 의하면 최근에 전국문련에서 전국적으로 작가들을 조직해 부대, 공장, 농촌에 깊이 침투해 생활을 체험하는 활동을 조직하였다. 1차로 조직된 작가들 가운데 북한 전선에 다녀온 이들은 문학공작자 바진, 거뤄葛洛, 바이랑白朗, 황구류黃穀柳 등과 미술공작자 구위안古元, 뤄궁류羅工柳, 신망辛莽, 음악공작자 왕신王莘, 영화 각본가 이밍伊明 등이 있으며, 이 외에 공장으로 간 차오위, 아이우 등과 농촌으로 간 마자, 허징즈 등이 있다.

본 활동에 관해 『문예보』 제5호(이달 10일자)에 사설 「장기적이고 무조건적으로 온 몸과 마음을 다해 공농병 군중 속으로 들어가자長期地無條件地全身心地到工農兵群眾中去」가 게재되어 "중화전국문학예술계연합회에서 작가의 사상 감정을 개선해 풍부한 창작의 원천을 얻을 수 있도록 하기 위해, 최근에 일부 작가들을 조직해 북한 전선과 공장 및 농촌으로 가서 실제 투쟁에 깊이 침투해 군중생활을 체험하게 하였다. 이는 축하할 만한 감격적인 소식이다"라고 밝혔다.

문화부에서 둥베이행정위원회 문화부에 경극 「인랑입실引狼入室」의 공연을 금지할 것을 통지하고 또한 본 통지를 전국 각지에 전달하였다.

10일, 『문예보』 제5호에 사설 「자산계급에 대해 사상투쟁을 전개하는 것은 혁명의 절실한 임무이다對資產階級展開思想鬥爭是革命的迫切任務」, 「장기적이고 무조건적으로 온 몸과 마음을 다해 공농병 군중 속으로 들어가자」가 게재되었다. 또한 장유롼張友鸞이 상하이 『신민보』에 연재한 소설 「신감기神龕記」를 비평한 장화江華의 글 「불법상인을 변호하는 소설一本爲不法商人辯護的小說」, 옌쯔청嚴子琤의 글 「자산계급 창작방법의 실패 – 상하이전영문학연구소에 관하여資產階級創作方法的失敗——關於上海電影文學研究所」, 수이판水番의 글 「상하이 희곡 공연에 존재하는 좋지 못한 현상上海戲曲演出中的惡劣現象」 등 상하이 문예계에 존재하는 자산계급 창작경향을 폭로하고 비평하는 세 편의 글이 발표되었다.

『문예보』 같은 호에 원산聞山의 글 「황당무계한 『문학론 교정』荒謬絕倫的<文學論教程>」이 발표되었다. 편집자의 말은 "린환핑林煥平의 『문학론 교정』은 제국주의 사상과 자산계급의 반동 문예사상을 선전하는 황당한 내용의 책이다. 이러한 책이 청년 독자들 사이에 퍼지면 나쁜 영향을 끼치므로, 우리는 관련 부문에서 이러한 서적에 대해 검사를 진행하고 즉시 발행을 중지하기를 건의한다"라고 밝혔다. 이 외에도 야오원위안의 「반동적인 자산계급 문예이론에 주의하자注意反動的資產階級的文藝理論」, 천충陳驄의 「문예공작 내부의 자산계급 사상을 반대한다反對文藝工作中的資產階級思想」 등의 글이 발표되었다.

린환핑(1911~2000), 시인, 문학평론가. 본명은 린찬환林燦桓이며 무건木亘, 왕웨望月, 스중쯔石仲子 등의 필명을 사용하였다. 광둥성 타이산台山 출신이다. 1930년에 상하이에서 좌련에 가입하였다. 1933년에 일본으로 유학해 지령에 따라 좌련 도쿄지맹을 회복하고 서기를 맡았다. 1937년에 추방당해 귀국하였다. 공화국 성립 후에는 광시대학, 장시사범대학 교수 겸 중문과 주임, 중국문예이론학회 부회장, 광시문련 부주석, 작가협회 광시분회 부주석, 광시정협 상무위원 등을 역임하였다.

12일, 『시난문예』 제5호에 『문예보』의 사설 「문예공작자와 위대한 반부정부패, 반낭비, 반관료주의 투쟁」이 전재되었으며, 본지 기자의 '문예사상동태 총론' 「시난 1급 및 충칭시 문예기관과 단체의 심각한 부정부패, 낭비, 관료주의 현상西南一級和重慶市文藝機關, 團體的貪汙, 浪費, 官僚主義嚴重現象」, 커강의 소설 「췌얼산 정상의 눈 쌓인 경계에 자외선이 작열할 때當紫外陽光灼上雪線雀兒山的峰頂」, 상유즈尚友智의 3막 화극 「자산계급 앞에서在資產階級面前」가 발표되었다.

13일, 『인민일보』의 '『인민일보』 독자 비평 건의에 대한 반응'란에 「「내일까지 전투하다」의 서문을 쓴 일에 대한 마오둔의 반성茅盾關於爲<戰鬥到明天>一書作序的檢討」이 게재되었다.

15일, 소련의 각 신문에 1951년에 문학예술 방면에서 탁월한 성적을 거둔 작가에게 스탈린상을 수여하는 일에 관한 소련 부장회의의 결정이 게재되었다. 딩링의 장편소설 『태양은 쌍간강에서 빛난다』와 허징즈, 딩이의 가극 「백모녀」가 2등상을 수상하였으며 저우리보의 장편소설 「폭풍우」가 3등상을 수상하였다. 이는 신중국에서 출판된 작품이 해외에서 수상한 첫 사례이다.

『인민일보』에 장시문련 주석 스링허石淩鶴가 자신이 저지른 잘못에 대해 반성한 글이 게재되었다.

스링허(1906~1995), 극작가. 본명은 스렌쉐石聯學이며 스렌완石煉頑이라고도 한다. 완스頑石, 단펑丹楓, 징우鏡吾, 유천遊塵 등의 필명을 사용하였다. 장시성 러핑樂平 출신이다. 1926년에 대혁명에 참가하였으며 1927년에 난창에서 중국공산당에 가입하였다. 대혁명 실패 후에 일본으로 망명하였으며 1930년에 일본 당국에 의해 추방당해 귀국하였다. 귀국 후 상하이로 가서 상하이예술극사에 참가해 극본 창작을 시작하였으며 희극 감독 및 영화평론 공작에 종사하였다. 1930년에 중국좌익희극가연맹에 참가하였다. 중일전쟁 당시에 구국연극, 전지연극 공작에 종사하였다. 공화국 성립 후에는 장시성 극협 주석, 상하이극협 부주석을 역임하였다. 화극 극본 「검은 지옥黑地獄」, 「루거우차오를 사수하라保衛盧溝橋」, 「불바다 속의 고군火海中的孤軍」, 「철제 아래의 상하이鐵蹄下的上海」, 「파시즘의 조종이 울렸다法西斯喪鍾響了」, 「팡즈민方志敏」과 영화 극본 「사거리十字街頭」를 창작하였으며 희곡 극본 「환혼기還魂記」, 「서상기西廂記」, 「서역행西域行」, 「옥명화소玉茗花笑」 등을 창작 및 각색하였다.

자오수리의 신시 「미 제국주의는 인류의 공적이다美帝是人類的公敵」가 베이징 『신민보』에 발표되었다.

17일, 딩링이 스탈린상을 받은 일에 대해 신화사 기자에게 담화를 발표해 중국 작가와 인민에 대한 소련 인민의 격려와 도움에 감사한다고 밝혔다. 본 담화는 18일자 『인민일보』 제4판에 최초로 게재되었다. 딩링은 담화에서 "『태양은 쌍간강에서 빛난다』가 소련에서 번역 출판된 후로 보급판 50만 부가 인쇄되어 각 방면으로부터 지속적으로 격려를 받았으며, 이번에는 소련 부장회의의 선포에 의해 스탈린상을 받았다. 이 영광은 중국의 모든 작가와 중국 인민이 함께 받은 것이다"라고 밝혔다.

18일, 상하이화둥국문예위원회에서 문예계 인사를 동원해 '오반' 투쟁에 참가하도록 하였다.

차오밍의 잡문 「미국 침략자의 세균전을 단호히 분쇄하자堅決粉碎美國侵略者的細菌戰」가 『둥베이일보』에 발표되었다.

19일, 전국문련에서 통지를 발포해 각지 문련에서 문예공작자를 조직해 '삼반', '오반' 운동에 참가하고 이에 관한 문학 창작을 진행할 것을 요구하였다. "위대한 '삼반', '오반'운동이 전국적인 범위로 더욱 심도 있게 전개되는 때를 맞이하여, 우리 문예공작자도 응당 전력으로 이 투쟁에 뛰어들어 자산계급의 공격에 무정한 반격을 가해야 한다. 또한 이 투쟁을 통해 우리 자신에게 존재하는 자산계급 사상과 그 영향을 완전히 없애고 창작에 임해야 한다. 이를 위해, 전국문련 단위에서 '삼반' 임무를 완성하는 것 외에도 반드시 각 구역의 모든 문예공작자들을 즉시 동원하고 또한 계획적으로 조직해 적극적으로 '오반' 운동에 투신해야 함을 특별히 통지한다. 첫째, 투쟁과 단련을 거치지 않은 문예공작자들이 단련과 개조의 기회를 얻게 해야 한다. 둘째, 창작 경험이 비교적 갖춰진 문예공작자들을 계획적으로 조직해 심도 있게 투쟁하고, 자료를 수집해 창작을 진행해야 한다. 이 투쟁을 묘사한 소설, 보고, 시가, 극본, 희곡 등의 작품을 적시에 창작해 광범위하고 효과적인 선전을 진행해야 한다. 전자의 문예공작자에게는 구체적인 요구를 하지 않아도 되나, 후자의 문예공작자에게는 반드시 구체적인 창작 임무를 부여하고 제시간에 완성하도록 감독해야 한다. 구체적인 계획은 각 구역의 실제 상황에 따라 결정한다."(1952년 4월 1일자 『인민일보』, 1952년 3-4월호)

20일, 바진을 단장으로 하는 '조선전지방문단朝鮮戰地訪問團'이 북한에 도착해 창작생활경험을 진행하였다. 22일, 중국인민지원군 사령원 펑더화이彭德懷가 창작조 전원을 접견하였다. 이후에 바진은 「우리는 펑더화이 사령원을 만났다我們會見了彭德懷司令員」(전지통신)을 창작해 『문예보』 제8호(4월 25일자)에 발표하였다.

『극본』 제2, 3호 합본에 반부정부패 특집호가 간행되어 쑹즈더의 화극 극본 「고발控訴」과 라오서의 단막극 「생일生日」이 발표되었다.

저우리보의 글 「파시즘 세균을 박멸하자撲滅法西斯細菌」가 『인민일보』와 4월 1일자 『인민문학』 제3, 4호 합본에 발표되었다.

마오쩌둥은 리다李達에게 보낸 서신에서 그가 보낸 두 통의 서신과 첨부한 「「실천론」 해설<實踐論>解說」 원고를 받았다고 말하며 "이 해설은 아주 좋습니다. 통속적인 언어로 유물주의를 선전하는 데 매우 큰 역할을 할 것입니다. 제3부분을 완성해 발표한 후에 꼭 단행본을 출판해 널리 보급해야 합니다".(리다의 「「실천론」 해설」은 베이징 싼롄서점에서 1951년 7월에 최초로 출간되었다.) "과거에는 변증법적 유물론에 대한 통속적인 선전이 매우 부족했습니다. 이는 수많은 공작 간부와 청년 학생들에게 절실히 필요한 것이므로, 당신이 글을 더 많이 쓰기를 바랍니다"라고 밝혔다. 12월 28일, 마오쩌둥은 리다에게 다시 서신을 보내 "당신의 글은 통속적이고 이해하기 쉽다는 장점이 있습니다. 글을 다시 쓸 때는 철학의 기본 개념에 대해 적절한 상황을 이용해 설명을 더하여 일반 간부와 독자들도 모두 이해할 수 있도록 할 것을 건의합니다. 이 기회를 이용해 철학을 이해하지 못하는 당 내외의 수많은 간부들이 마르스크주의 철학을 좀 더 이해할 수 있도록 해야 합니다"라고 말했다.

리다(1890~1966), 후난성 융저우永州 출신이다. 1919년 5·4 운동 이후로 마르크스주의 연구와 선전에 힘을 쏟았다. 1920년 여름에 천두슈陳獨秀 등과 함께 상하이의 중국공산당 초기 조직을 발기 및 설립하였으며 월간 『공산당』의 책임 편집자를 맡았고, 『신청년』의 편집공작에도 참여하였다. 1921년 2월에 상하이의 중국공산당 초기조직 서기 대리를 맡았다. 같은 해 7월에 중국공산당 제1차 전국대표대회에 참석해 중앙국 선전주임으로 당선되어 중국공산당의 주요 창시인 및 초기 지도자 중 한 사람이 되었다. 1921년 9월에 중국공산당 최초의 출판 기구인 인민출판사를 설립해 마르크스레닌주의 저작과 혁명총서革命叢書를 출판하였다. 1922년에 후난쯔슈대학湖南自修大學 교장을 맡아 쯔슈대학 기관 간행물 『신시대新時代』의 책임 편집자를 맡았다. 1937년 5월에 상하이에서 출판한 『사회학 대강社會學大綱』은 마오쩌둥으로부터 "중국인이 스스로 쓴 최초의 마르크스주의 철학교과서"라는 상찬을 받았다. 공화국 성립 후에는 우한대학 교장 및 중국철학학회 회장을 오랫동안 맡아 중국에서의 마르크스주의 전파와 응용 및 발전에 다방면으로 공헌하였다. 마오쩌둥은 그를 대면한 자리에서 '이론계의 루쉰'이라고 상찬한 바 있다.

21일, 저우리보가 스탈린상을 수상한 후에 쓴 글 「감상感想」이 『인민일보』에 발표되었다.

위핑보의 자아반성 「삼반운동이 나를 교육했다三反運動教育了我」가 『문회보』의 '비평과 자아비평의 방법을 통해 사상개조운동을 전개하자'란에 발표되었다. 위핑보는 자신이 '삼반' 운동을 이해하지 못했다가 이해하게 되고, 적극적으로 운동에 참가하게 되고, 자각적이고 자발적으로 결점을 반성하고 고치게 된 과정을 설명하였다.

24일, 『인민일보』의 「문화생활 간평」란에서 스링허가 진행한 초보적인 반성이 자신의 잘못을 심각하게 인식하지 못했으며, 자산계급 사상과 봉건계급 사상이 이미 그의 사상 속에서 주도적인 위치를 차지해 그의 문학창작과 지도공작에 심각한 영향을 끼쳤다고 지적하였다. 또한 스링훠의 사상과 행위의 반동적 본질에 대해 반드시 경계하고 비판해야만 본인이 자신의 잘못된 사상을 제대로 인식하게 할 수 있다고 지적하며, 수많은 문예공작자들이 자신이 가지고 있는 유사한 문제와 결점을 깊이 반성해야 한다고 주장하였다.

25일, 『문예보』 제6호에 천치샤의 「공공연하게 자본가를 두둔하는 작품 – 루링의 「조국은 전진하고 있다」를 평하다一部明目張膽爲資本家捧場的作品——評路翎的<祖國在前進>」가 발표되었다. 천치샤는 글에서 "이 4막 화극의 제목은 「조국은 전진하고 있다」이지만, 실제로 그 주요 내용은 민족자본가가 '비교적 순조롭게' '전진'하는 이야기이다"라고 평했다(『조국은 전진하고 있다』, 상하이 니투사 1952년 1월 초판).

리퉁李彤의 글 「반부정부패, 반절도 극본창작에 관하여關於反貪汙, 反盜竊的劇本創作」는 "반부정부패, 반절도 운동이 전개된 이후로 문예공작자들은 대부분 이 위대한 혁명 투쟁에 열렬히 참가해 이 운동을 반영한 각종 형식의 문예작품을 적시에 창작하였다. 이 가운데 몇몇 작품은 선전 및 동원 과정에서 큰 역할을 했다. 그러나 문예전선 전체를 놓고 보면 자산계급의 추악한 사상과 행위에 대해 우리는 아직 충분히 심각하게 인식하고 있지 못하며, 문예를 무기로 하여 전개한 투쟁의 기세도 충분히 크지 않다. 각지의 간행물에 발표된 문예작품은 그 양과 질 모두 아직 만족스럽지 못하다. 우리는 최근 2개월 동안 『톈진일보』, 『진보일보』, 시안 『군중일보』, 『허난일보』 및 『둥베이문예』에 발표된 반부정부패, 반절도 운동을 소재로 한 극본들을 읽어 본 결과, 이들 극본에 존재하는 문제가 매우 크다는 것을 심각하게 인식하였다"라고 밝혔다.

같은 호의 「문예·공작·사상」란에 베이징, 상하이, 톈진 등지의 수많은 문예공작자들이 '삼반' 운동의 중심 공작에 근거해 창작한 각종 형식의 문예작품이 게재되었다.

26일, 궈모뤄의 시 「세균전을 소멸시키자消滅細菌戰」가 『인민일보』에 발표되었다.

30일, 저우쭤런이 「외침 연의·후기」를 집필하였다. 그는 후기에서 '외침 연의' 집필 당시의 상황을 소개하면서 "나는 본문(『외침』 본문을 말함)을 읽고, 내가 느낀 곳에 내가 아는 대로 약간의 설명을 더했다. 그러나 주석을 달 대목은 전부 주관적으로 결정한 것이므로 그 결정이 모두 적절하지 않을 수 있다. 또한 빠뜨린 곳이 있을 수도 있는데, 내가 견문이 부족해 알지 못하는 부분도 있다. 부디 독자들이 이러한 결점을 양해해 주기를 바란다"고 밝혔다.

『공인일보』에 「왕춘 동지 추모 특집」이 간행되어 자오수리의 「왕춘에 대한 단편적인 기억東鱗西爪憶王春」이 발표되었다. 이 전에 25일자 『신민보』에 자오수리의 「왕춘 동지를 기억하며憶王春同志」와 라오서의 「왕춘 동지는 영원하리王春同志千古」 등 2편의 추모의 글이 발표되었다.

왕춘(1907~1951), 산시山西성 양청陽城 출신이다. 화베이 『신화일보』 편집과장, 화베이문련 『화베이문화』 편집장, 신대중보新大眾報사 사장, 베이징 대중일보사 사장, 공인일보사 사장, 공인출판사 부사장 겸 편집장을 역임하였다.

31일, 쑨리의 글 「진실함을 논하다論切實」가 『톈진일보』에 발표되었다.

이달에 전국문학예술계연합회에서 정풍을 통해 작가들을 조직해 생활에 깊이 침투하도록 했다. 아이우는 충칭대학 중문과 주임 및 문화국 국장직에서 잠시 물러나 부인과 함께 안산鞍山 철강 공장으로 가서 생활을 체험한 후 이듬해 가을에 베이징으로 갔다. 류칭은 상하이에서 '오반' 운동에 참가하였으며, 5월에 산시陝西성 창안長安현 황푸춘皇甫村에 정착해 현위원회 부서기를 맡아 농촌 합작화운동農村合作化運動의 전 과정에 참여하였다. 천바이천은 '송경시 역사 조사조宋景詩曆史調查組'를 따라 산둥으로 가서 2개월간 현지 조사를 진행하였다. 바이랑은 중국문련에서 조직한 조선행 창작조에 참가해 북한을 방문하였다.

자오수리가 공인출판사 사장직에서 물러났다.

『인민문학』 편집위원회가 개편되어 아이칭은 편집위원으로 남았다.

『문예공작자는 어째서 사상을 개조해야 하는가文藝工作者爲什麽要改造思想』가 인민문학출판사에서 편집 및 출간되었다. 샤오인의 문학평론집 『생활과 예술, 진실을 논하다論生活, 藝術和真實』가 인민문학출판사에서 출간되었다. 저우양의 『마오쩌둥 문예노선을 단호히 관철하자堅決貫徹毛澤東文藝路線』가 인민문학출판사에서 출간되었다.

자오징선趙景深이 편찬한 『통속문예를 어떻게 창작할 것인가怎樣寫通俗文藝』가 상하이 베이신서국北新書局에서 출간되었다.

자오징선(1902~1985), 희곡사학자. 쉬추旭初, 쩌우샤오鄒嘯 등의 필명을 사용하였다. 본적은 쓰촨성 이빈宜賓이며 저장성 란시蘭溪에서 출생하였다. 1919년에 난카이중학에서 수학하던 당시에 신문에 원고를 투고하며 5·4운동에 적극적으로 참가하였다. 1923년에 문학연구회에 가입하였다. 공화국 성립 후에 푸단대학 교수를 맡았다. 저서로 단편소설집 『치자꽃 공梔子花球』, 시집 『연꽃荷

花』, 극본 『백조 가극天鵝歌劇』, 『펑위메이馮玉梅』, 산문집 『쇄억집瑣憶集』, 『해상집海上集』, 『문인 인상文人印象』, 『문단의 옛 기억文壇憶舊』 등이 있다.

루쉰의 소설집 『새로 쓴 옛날이야기故事新編』와 그가 편찬한 『소설구문초小說舊聞鈔』가 인민문학출판사에서 출간되었다. 류시劉溪의 중편소설 『대지에 봄이 돌아오다大地回春』가 문예창작총서 중 한 권으로서 상하이신문예출판사에서 출간되었다.

아이칭의 시집 『환호집』이 인민문학출판사에서 출간되었다. 리지의 장편서사시 『왕구이와 리샹샹』이 인민문학출판사에서 출간되었다.

돤무훙량의 평극 『나한전羅漢錢』이 베이징 보문당서점에서 출간되었다. 쓰촨성 난충南充시 실험극단의 왕보쥔王伯俊이 각색한 희곡 『샤오얼헤이의 결혼』이 촨베이인민출판사川北人民出版社에서 출간되었다. 정쓰鄭思, 황리딩黃力丁이 편찬한 『토지의 주인土地的主人』, 주쓰빈朱泗濱이 편찬한 『솥을 때우다補鍋』, 시수이쾌활링샹극단浠水快活嶺鄉劇團에서 편찬한 『세 가지 경사가 한꺼번에 오다三椿喜事一路來』 등의 가극 및 가무극이 우한통속출판사에서 출간되었다. 왕춘王春, 먀오페이스가 편찬한 경극 『장상화將相和』가 베이징 보문당서점에서 출간되었다. 왕쭌싼王尊三이 편집 저술하고 먀오페이스가 교정한 『신아녀영웅전』(설창 제4권)이 베이징 보문당서점에서 출간되었다. 둥쥔룬董均倫이 채록한 『보리 종자를 전파하다傳麥種』가 인민문학출판사에서 출간되었다.

먀오페이스의 아동문학집 『포루가 춤추다炮樓跳舞』가 신아동총서新兒童叢書 제5집으로서 베이징문화공응사北京文化供應社에서 출간되었다. 아동문학 작품 2편을 수록하였다. 먀오페이스가 편찬한 『농언잡학農諺雜學』이 베이징 보문당서점에서 출간되었다.

루쉰이 번역한 러시아 작가 고골의 소설 『죽은 혼死魂靈』이 상하이핑밍출판사에서 출간되었다. 차오징화가 번역한 소련 작가 크리모프Крымов의 소설 『유조선 '더빈트 호'油船"德賓號"』가 인민문학출판사에서 출간되었다. 장웨이쉰張維訓이 번역한 소련 작가 아르타모노프의 저서 『18세기 외국문학사 교육 요강十八世紀外國文學史教學大綱』이 선양둥베이교육출판사沈陽東北教育出版社에서 출간되었다.

4월

1일, 『인민일보』에 마오쩌둥의 철학 저작 「모순론矛盾論」이 다시 발표되어 수많은 문예공작자들이 이 저작을 학습하였다.

『인민문학』 제3, 4월호 합본 출간시부터 부편집장의 서명이 아이칭에서 딩링으로 변경되었으며, 아이칭, 허치팡, 저우리보, 자오수리를 편집위원으로 두었다. 딩링은 1953년 8월까지 부편집장을 맡았다.

『인민문학』 해당 호는 위고 탄생 150주년 및 고골 서거 100주년 기념호로 발간되어 위고의 시와 위고와 고골에 대한 평론이 게재되었다. 이 외에도 딩커신의 「「늙은 공인 궈푸산」의 오류 반성으로부터 이야기를 시작하다從<老工人郭福山>的錯誤檢討說起」, 쑨쳰孫謙의 창작소감 「진심으로 감사한다 - 「포도가 익었을 때衷心的感激——<葡萄熟了的時候>」」, 짱커자의 「'삼반' 수필 3장"三反"隨筆三章」, 천융의 「고골에게서 무엇을 배울 것인가向果戈裏學習什麼」 및 리지의 시 「모스크바의 겨울莫斯科的冬天」, 「손을 잡고 풍금을 칠 때」, 「톨스토이 유아원의 어린 소녀들에게致托爾斯泰幼兒院的小妹妹們」 등의 시와 캉춰의 산문 「카타예프를 기억하며紀卡達耶夫」가 발표되었다.

『창장문예』 제4호에 본지의 종합기사 「문예전선에서의 반자산계급 사상 투쟁을 더욱 강하게 전개하자更進一步地展開文藝戰線上反資產階級思想的鬥爭」가 게재되었다. 기사는 1. 우한시 문련에서 왕차이王采의 문예사상을 비판한 일, 2. 장시 문예계에서 스링허의 사상과 작풍에 대한 적극적인 비판을 전개해야 한다는 점, 3. 후베이성 문련에서 문예단체의 '삼반' 운동에 대한 지도를 강화한 점, 4. 광시, 후난 등지의 문련 조직에서 자산계급 문예사상을 더욱 엄밀히 반성해야 한다는 점, 5. 문예공작자를 조직해 '오반' 투쟁에 참가해야 한다는 점 등을 보도하였다.

같은 호에 헤이딩黑丁의 「공인계급의 지도사상을 확립하고, 문학예술 영역에 대한 자산계급 사상의 침범을 단호히 격퇴하자確立工人階級的領導思想,堅決擊退資產階級思想對文學藝術領域的侵襲」, 리지의 시 「종 증오자는 반드시 보상해야 한다種仇恨者定要報償」 및 공인 쾌판시집 「승리하지 못하면 군대를 철수하지 않는다不獲勝利不收兵」가 발표되었다.

짱커자의 「'범잡이' 수필 5제"打虎"隨筆五題」가 『신화월보』 4월호에 발표되었다. 짱커자의 「기쁜 수확 - 「섬강의 빙파」와 「커얼친 초원의 사람들」을 읽고可喜的收獲——<蟾江冰波><科爾沁草原的人們>讀後」가 『신관찰』 4월호에 발표되었다.

2일, 리지예李霽野의 글 「나의 비무산계급 사상을 평가하다評判我的非無產階級思想」가 『톈진일보』에 발표되었다.

3일, 『극본』 월간의 반부정부패, 반절도 특집호가 발간되었다.

4일, 신화사는 보도를 통해 정무원 제131차 회의에서 「전영제편창 공작계획電影制片廠工作計劃」이 통과되어 쑨첸의 「포도가 익었을 때」, 라오서 원작의 「용수구」, 선시멍 등이 각색한 「남정북벌」, 천밍이 각색한 「6호 문」 등이 영화화될 계획이라고 밝혔다.

저우리보의 산문 「썬지 제제소 기록記森記木廠」이 『인민일보』에 발표되었다. 차오밍의 산문 「우리의 고발我們的控訴」이 『둥베이일보』에 발표되었다.

5일, 저우리보가 『중국청년보』사에서 개최한 중국 작가 4인의 1951년도 스탈린문학상 수상 축하 문예 강연회에 참석해 「폭풍우」의 창작 과정을 소개하였다. 강연 개요는 18일자 『중국청년보』에 게재되었다.

톈젠의 글 「지원군에게給志願軍」가 『광명일보』에 발표되었다. 쉬마오융의 「「모순론」의 사상개조공작에의 적용<矛盾論>在思想改造工作中的應用」이 『창장일보』에 발표되었다.

7일, 궈모뤄가 스탈린 평화상과 상금을 받게 된 심정을 표현한 시 「영광과 사명光榮與使命」을 창작해 『문예보』 제8호(이달 25일자)에 발표하였다.

10일, 『마오쩌둥 선집』 제2권이 인민출판사에서 출간되었다.

딩링이 베이징으로 돌아온 후 후차오무의 의견에 따라 『태양은 쌍간강에서 빛난다』의 원고를 약간 수정해 인민문학출판사에 보냈다.

『문예보』 제7호에 원산의 글 「가극 「리순다」를 평하다評歌劇<李順達>」가 발표되었다. 그는 글에서 이 가극이 농업노동모범의 모습을 왜곡했다고 보았으며, 이 가극이 1951년에 산시山西성 희극창작 '갑등상甲等獎'을 수상한 일에 대해 가극의 작가와 산시성의 심사위원들이 모두 반성하고 이를 통해 교훈을 얻어야 한다고 지적하였다.

같은 호에 리바이가 「작가의 책임作家的責任」의 연재를 시작해 제8호에 완료되었다. 편집부의 말은 "이 글은 헝가리 인민공화국 문화부장이자 헝가리 노동인민당 정치국 위원인 요제프 리바이가 폐막식(1951년 4월 말, 헝가리 작가협회 제1차 대표대회) 때 발표한 중요한 연설문이다. 이 연설의 대상은 헝가리 작가이기는 하지만, 이 글에서 언급한 몇몇 문제는 보편성을 가지고 있으므로 우리나라 작가들과 독자들도 참고로 삼을 만하다"라고 밝혔다. 이 글은 "반 개념화 투쟁", "전형적 인물 문제", "긍정적 인물", "작가의 세계관과 생활 경험", "개념화와 세심한 창작", "현재와 미래의 관계", "동반자 문제", "문학계의 진정한 단결 쟁취", "문학 여론의 배양" 등의 측면을 논술하였다.

14일, 톈젠이 소련 시인 마야코프스키 서거 22주년을 기념해 쓴 글 「시인들에게給詩人們」와 「마야코프스키에 관하여關於馬雅可夫斯基」가 『인민일보』에 발표되었다.

16일, 『해방군문예』 4월호에 쑹즈더와 딩이, 웨이웨이가 합동 창작한 가극 「파시즘 세균을 없애라消滅法西斯細菌」가 발표되었다. 본 극본은 실제로 공연하고 단행본이 출간될 때는 제목을 「침략자를 공격하라打擊侵略者」로 변경하였다. 같은 호에 「지원군 쾌판시志願軍快板詩」가 발표되어 전사 류즈핑劉志平의 「조국의 돈 한 푼을 더 아끼다又省祖國一筆錢」, 전사 저우창취안周昌泉의 「작은 숟가락小勺兒」 등의 시가 발표되었다.

18일, 딩이의 「가극 「백모녀」의 창작 과정」과 저우리보의 「「폭풍우」의 창작 과정」이 『중국청년보』에 발표되었다.

20일, 라오서의 「세균을 없애자消滅細菌」(소가무극小歌舞劇)가 『이야기하고 노래하다』 4월호에 발표되었다.

22일, 문화부에서 「구극 수정 및 심의 공작 진행에 관한 지시關於進行修改與審定舊劇劇目工作的指示」를 발포하였다.

25일, 『문예보』 제8호에 궈모뤄의 「영광과 사명」, 바진의 「우리는 펑더화이 사령원을 만났다」, 류바이위의 「인류여, 일어나서 스스로 지켜라!人類起來自衛!」, 차오징화의 「평화和平」 및 딩링의 「고골 - 진보 인류의 귀중한 문화 거인果戈裏——進步人類所珍貴的文化巨人」, 차오위의 「고골 기념회에 참가하다參加果戈裏紀念會歸來」 등 고골 서거 100주년 기념의 글이 발표되었다.

이 외에도 『문예보』 기자의 「고등교육기관의 문예교육을 개선하자 - 고등교육기관 문예교육 문제에 관한 토론 종합 논평改進高等學校的文藝教學——關於高等學校文藝教學問題討論的綜合評述」이 게재되었다. 논평은 1. 지식분자의 사상개조는 현재 우리 국가의 중요한 임무 중 하나이다. 2. 고등교육기관의 문예교육을 개선하는 관건은 교사의 사상개조이다. 3. 앞서 열거한 여러 가지 편향과 나쁜 현상이 존재한다는 사실은 부정할 수 없다. 4. 현재의 교육 실천과 교사들의 구체적인 사상 상황은 이미 사상 개조가 시급하고 중요한 임무임을 의심의 여지없이 증명하고 있다. 5. 사장개조의 중요성을 충분히 인식하고 실천에 옮기는 것과 동시에, 우리는 반드시 우리의 교육방법과 연구공작을 철저히 바꿔야 한다. 6. 고등교육기관의 문예교육 문제에 관한 이번 토론은 우리가 현재 고등교육기관 문예교육의 구체적인 상황을 더욱 잘 이해하게 해 주었으며, 또한 지식분자의 사상개조와 실제와 동떨어진 교육방법에 대한 개조가 매우 절실하고 중요한 문제임을 인식하게 해 주었다는 점을 지적하였다.

『시난문예』 제6호에 시난문학예술연합회 준비위원회의 「세균전을 진행하는 미국 침략자의 악행에 항의한다抗議美國侵略者進行細菌戰的滔天罪行」, 추투난楚圖南의 「미국 침략자 세균전의 악랄한 세력을 박멸하고, 인류의 과학문명과 세계평화를 수호하자!撲滅美國侵略者細菌戰的毒焰,維護人類科學文明和世界和平!」, 류지쭈劉繼祖의 「세균전의 전범들이 교활하게 발뺌하게 둘 수 없다不容細菌戰犯狡賴」, 팡징方敬의 시 「반부정부패, 반절도!反貪汙, 反盜竊!」, 웨이민魏敏 등이 합동 창작한 7막 화극 「당의를 입힌 포탄의 공격을 분쇄하자粉碎糖衣炮彈的進攻」가 발표되었다.

29일, 차오밍의 산문 「미국 침략자의 폭행을 제지하자制止美國侵略者的暴行」가 『인민일보』에 발표되었다.

이달에 「문예보 통신원 내부 통보文藝報通訊員內部通報」 제15호에 「후평 문예이론에 대한 몇 가지 의견對胡風文藝理論的一些意見」이 발표되어 그의 문예이론에 대한 비판이 시작되었다.

펑딩馮定의 『중국 자산계급의 성격을 파악하고, 중국 자산계급의 잘못된 사상에 대해 투쟁을 진행하는 것에 관한 문제關於掌握中國資產階級的性格並和中國資產階級的錯誤思想進行鬥爭的問題』(단행본)가 인민출판사에서 출간되었다. 이 책의 중요 부분은 상하이 『해방일보』에 발표된 바 있다. 『학습』 잡지 제4호에 이 글이 발표되었을 당시 '편집부의 말'은 "잡지 『학습』의 제1, 2, 3호에 발표된 몇몇 동지의 글은 자산계급 문제에 관해 단편적인 오류를 범하고 있다"고 지적하며, 펑딩의 이 글의 "관점이 기본적으로 정확하다"고 평했다.

쉬마오융의 『루쉰 – 위대한 사상가이자 위대한 혁명가魯迅——偉大的思想家和偉大的革命家』가 한커우중난인민출판사에서 출간되었다. 루쉰을 기념하는 글 4편을 수록하였다.

딩링의 장편소설 『태양은 쌍간강에서 빛난다』, 마펑, 시룽의 장편소설 『뤼량 영웅전』, 레이자雷加의 장편소설 『우리의 명절我們的節日』이 인민문학출판사에서 출간되었다.

레이자(1915~2009), 본명은 류디劉滌 혹은 류톈다劉天達이며 랴오닝성 단둥丹東 출신이다. 1937년부터 작품을 발표하였다. 1938년에 옌안항대에 입학하였으며 같은 해에 중국공산당에 가입하였다. 공화국 성립 후에 중국작가협회 베이징분회 부주석을 역임하였다. 1949년에 중국작가협회에 가입하였다. 저서로 장편소설 『우리의 명절』, 『잠재력 3부작潛力三部曲』, 단편소설집 『급수탑水塔』, 『남자 영웅과 여자 영웅男英雄和女英雄』, 『청춘의 부름青春的召喚』, 산문집 『헝가리, 체코 방문기匈捷訪問記』, 『새로운 사물을 위해 길을 개척하다爲新事物開辟道路』, 『5월의 꽃五月的鮮花』 등이 있다.

루주궈의 중편소설 『결투決鬥』가 인민문학출판사에서 출간되었다. 리가오의 단편소설집 『영생하는 전사永生的戰士』가 인민문학출판사에서 출간되었다.

왕퉁자오王統照가 4월부터 6월까지 뤼현呂縣, 광라오廣饒현 등의 농촌을 방문해 참관하고 수십 편의 시를 창작해 이후에 정리를 거쳐 『작화소집鵲華小集』에 수록하였다.

톈젠의 시집 『나의 단시선我的短詩選』이 인민문학출판사에서 출간되었다. 시집은 7부로 구성되어 「전투자에게給戰鬥者」, 「만약 우리가 전쟁에 나가지 않는다면假使我們不去打仗」, 「마오 주석 송가毛主席頌」, 「톈안먼天安門」 등 37편의 시가 수록되었다. 당시의 광고는 "본 시집에는 저자가 '전투자에게', '단가短歌', '항전시초抗戰詩抄' 등의 시집에서 가려 뽑은 30여 편의 단시가 수록되어 있는데, 대부분 독자들이 사랑하는 시이다. 이 선집에 수록한 시는 전부 단시이기는 하지만, 사실상 저자의 15년간의 대표작들이다"라고 밝혔다(1952년 5월 25일자 『문예보』 제10호).

옌천의 시집 『전투의 깃발戰鬥的旗』이 문예건설총서文藝建設叢書 중 한 권으로서 인민문학출판사에서 출간되었다. 시집에는 「조국祖國」, 「어느 척탄병에게給一位投彈手」, 「전투의 깃발」, 「영웅의 행렬 속에서在英雄的行列裏」 등 16편의 시와 저자의 「후기」가 수록되었다. 그는 「후기」에서 "나는 작년 봄에 조선 전지에 가 볼 기회를 얻었다. 당시는 마침 제5차 전투가 일어나던 즈음이었다. 미국 침략자의 잔인하고 후안무치한 모습은 모두를 분노하게 했다. 반면에 조선 인민의 굳세고 의연한 모습과 우리 중국인민지원군의 용감하고 기개에 찬 모습, 그리고 드높은 애국주의와 국제주의 정신은 온 세상을 놀라게 할 정도로 감동적이고 눈물겨웠다. 나는 내가 느낀 바를 기록하고 싶다는 열렬하고도 간절한 바람이 생겼지만, 시간이 촉박하고 경험이 깊지 못해 막상 글로 써 보니 그 색채와 광택을 잃어버렸다." "나는 이 시편들을 자신의 선혈과 생명으로써 불후의 서사시를 창조한 조선 전장의 수많은 영웅들에게 삼가 바친다!"라고 말했다. 당시의 광고는 "이 시집은 영웅적인 중국인민지원군과 조선인민을 노래한 시집이다. 이 시들은 조국과 마오쩌둥 주석에 대한 중국인민지원군의 사랑, 영예에 대한 이해, 그들이 겪은 단련과 그 역량의 원천, 위대한 국제주의 정신, 그리고 조선 인민의 굳센 의지와 필승의 신념을 표현하고자 했다"고 밝혔다(1952년 2월 25일자 『문예보』 제10호).

허징즈, 마커馬可가 편찬한 가극 『백모녀』가 인민문학출판사에서 출간되었다. 류창랑劉滄浪 등이 창작한 화극 『홍기의 노래紅旗歌』가 인민문학출판사에서 출간되었다. 싱예邢野의 화극 『유격대장遊擊隊長』이 인민문학출판사에서 출간되었다.

차오밍의 산문집 『평화로운 나라에서在和平的國家裏』가 둥베이청년출판사東北青年出版社에서 출간되었다. 산문집에는 「청년성青年城」, 「레닌 사업이 우리의 전진을 격려한다列寧事業鼓舞我們前進」, 「마음이 스탈린을 향하다心向斯大林」, 「붉은 광장의 야경紅場夜景」, 「행복한 소련 어린이幸福的蘇聯兒童」 등이 수록되었다.

루치, 창위안暢園의 시가집 『두 자매가 이야기하다姐倆嘮嗑』가 둥베이인민출판사에서 출간되었다. 간쑤인민출판사에서 편찬한 민가집 『꽃 고르기花兒選』(제1권)가 출간되었다.

허이賀宜가 개작한 소년문학 『정찰병偵察兵』이 베이징청년출판사에서 출간되었다.

먀오페이스 등이 창작한 『기러기의 행군大雁行軍』이 베이징문화공응사北京文化供應社에서 출간되었다. 먀오페이스의 「호랑이와 작은 곰이 싸우다老虎和狗熊打架」, 「기러기의 행군」, 「대부호와 세 소작인大老財和三個長工」을 비롯해 5편의 아동문학이 수록되었다.

저우쭤런이 그리스 비극 「아울리스의 이피게네이아伊菲革涅亞在奧利斯」의 번역 원고를 탈고하였다.

루쉰이 번역한 고골의 소설 『코鼻子』가 인민문학출판사에서 출간되었다. 류랴오이劉遼逸가 번역한 고골의 소설 『외투外套』가 인민문학출판사에서 출간되었다. 정바이화鄭伯華 등이 번역한 시모노프의 『사회주의 현실주의의 몇 가지 문제社會主義現實主義的幾個問題』가 베이징문예번역출판사北京文藝翻譯出版社에서 출간되었다.

스저춘施蟄存이 번역한 불가리아 작가 바조프의 소설 『멍에軛下』가 상하이문화공작사에서 출간되었다.

스저춘(1905~2003), 작가. 본명은 스칭핑施青萍이며 칭핑青萍, 안화安華, 쉐후이薛蕙, 리완허李萬鶴, 천웨이陳蔚, 서즈舍之, 베이산北山 등의 필명을 사용하였다. 저장성 항저우 출신이다. 1930년에 다이왕수 등과 함께 월간 『신문예』를 창간하였다. 1932년에 대형 문학 간행물 『현대現代』를 편집하였다. 1952년 이후에 화둥사범대학 중문과 교수를 맡았다. 1958년 전후로 문물고고학 및 고전문헌학 연구에 종사하였다. 저서로 소설집 『쥐안쯔 아가씨娟子姑娘』, 『리스스李師師』, 『상원등上元燈』, 『장군의 머리將軍的頭』, 『장맛비가 내리던 저녁梅雨之夕』, 『소진집小珍集』, 산문집 『등하집燈下集』, 『대단록待旦錄』 및 번역서 『프랑스 산문시 10편法國散文詩十篇』 등이 있다.

오스트롭스키 탄생 129년을 기념하여 영화 「죄 없는 이無罪的人」(오스트롭스키의 원작을 각색)가 상영되었다. 이 영화는 화둥군정위원회 세무국, 중국영편경리공사中國影片經理公司 화둥구공사 및 관련 기관에 의해 '소극적 영화'로 평가되어 상영이 중단되었다. 4월 2일자 『인민일보』의 「문화생활간평」 란에서 "이는 그들이 정치적 열정과 고도의 원칙성이 부족하다는 점을 충분히 드러내고 있다", "이러한 오류는 당의 조직이 충분히 견고하지 못하다는 점 또한 시사하고 있다"고 평하면서, 문화유산의 진정한 가치를 충분히 인식하고, 모든 위대한 인류 문화의 전통을 정확히 수용해 발양해야 한다고 강조하였다.

전영국에서 베이징전영제편창에 과학교육영화조를 설립해 훙린洪林이 조장을, 쉬싱즈許幸之가 부조장을 맡았다.

5월

1일, 『인민문학』에 러시아의 민주주의 혁명가 체르니셰프스키의 문예논문 「러시아문학의 고골 시대의 면모俄國文學的果戈裏時代底面貌」와 고골의 소설 「마차馬車」가 게재되었다. 또한 「지원군 시집志願軍詩集」 10편이 게재되었다.

『창장문예』 제5호에 사설 「문예정풍학습운동을 전개하고, 마오 주석의 「옌안문예좌담회에서의 강화」 발표 10주년을 기념하자展開文藝整風學習運動,紀念毛主席<在延安文藝座談會上的講話>發表十周年」, 본지의 종합기사 「문예기관단체 '삼반' 속지文藝機關團體"三反"續志」, 웨이양未央의 「전장에서의 만찬회火線上的聯歡晚會」(조선 전지 생활 기록), 루뤼리陸綠藜의 「왕차이의 문예사상을 평하다試評王采的文藝思想」 및 저우자쉐周家學 등 24인의 「왕차이 문예사상 비판王采文藝思想批判」(독자 토론회)이 발표되었다.

웨이양(1930~), 본명은 장카이밍章開明으로 후난성 린펑臨澧 출신이다. 1949년에 중국인민해방군에 참가하였으며 1950년에 중국인민지원군을 따라 북한으로 갔다. 1952년에 시 「조국이여, 내가 돌아왔다祖國, 我回來了」를 발표한 후 큰 주목을 받았다. 중국작가협회 후난분회 주석, 후난성 정협 위원을 역임하였다. 저서로 장편서사시 『양슈전楊秀珍』, 시집 『조국이여, 내가 돌아왔다』, 『대지에 봄이 이르다大地春早』, 소설특필집 『계화 향기 흩날릴 때桂花飄香的時候』, 영화극본 『노도怒潮』(합동 창작) 등이 있다.

4일, 중국인민세계평화수호위원회, 전국문련, 중소우호협회, 중화전국자연과학전문학회연합회, 중국적십자학회 총회 등 7개 단체에서 세계 4대 문화 명인인 아비센나 탄생 1000주년, 레오나르도 다빈치 탄생 500주년, 위고 탄생 150주년, 고골 서거 100주년을 기념하는 행사를 성대하게 거행하였다. 중국인민세계평화수호위원회 주석 궈모뤄가 「평화민주와 진보를 위한 사업爲了和平民主與進步的事業」이라는 제목의 보고를 진행하였다.

『인민일보』에 사설 「인류문화의 우수한 전통을 지키기 위해 투쟁하자 - 위고, 다빈치, 고골, 아비센나를 기념하며爲保衛人類文化的優秀傳統而鬥爭——紀念雨果, 達·芬奇, 果戈裏和阿維森納」가 게재되었다.

『해방일보』에 탕타오의 논문 「빅토르 위고를 기념하며維克多·雨果紀念」, 위링의 산문 「고골 예찬果戈理贊」, 샤옌의 「상하이시 문화계 세계4대 문화 명인 기념대회에서의 보고在上海市文化界紀念世界四大文化名人大會上的報告」가 게재되었다.

8일, 차오밍의 산문 「미국 포로의 자백을 읽은 감상讀美國俘虜供詞的感想」이 『둥베이일보』에 발표되었다.

10일, 『문예보』 제9호에 궈모뤄의 「평화와 진보를 위한 사업 - 위고, 다빈치, 고골, 아비센나를 기념하며(5월 4일 세계 4대 문화 명인 기념회에서의 발언)爲了和平與進步的事業——紀念雨果、達·芬奇、果戈裏和阿維森納(五月四日在世界四大文化名人紀念會上的發言)」, 황구류의 「평양이여, 우리는 존경을 품고 너를 외쳐 부른다!平壤, 我們懷著尊敬呼喚你!」가 발표되었다.

『문예보』 같은 호에 '새로운 영웅 인물 창조 문제에 관한 토론' 특집란이 개설되어 제16호까지 지속되었다. '편집부의 말'은 "새로운 영웅 인물을 창조하는 문제에 관해서는 이전까지 일부 문예 간행물에서 토론을 진행한 바 있다. 이는 수많은 문예비평 문장에서 보편적으로 언급하는 주된 문제이기도 하다. 일부 문예 간행물에서는 문예공작자에게 '새로운 영웅 인물을 창조하는 것이 우리의 창작 방향이다'라고 호소하기도 했다. 이 문제는 현재 문예창작에 있어서의 낙후된 상황, 즉 새로운 인물과 사건, 새로운 감정과 주제가 결핍되어 있으며 노동인민의 모습을 왜곡하는 등의 상황에 대하여 제기된 것이다. 이러한 창작의 중요 문제에 관해 토론을 진행하는 것은 분명히 의의가 있는 일이며 매우 필요한 일이다"라고 밝혔다.

같은 호에 청웨이曾煒의 「영웅 인물의 묘사에 관하여關於英雄人物的描寫」, 량융梁勇의 「작가는 생활에 충실해야 한다作家應該忠實於生活」, 리수난李樹楠의 「작가가 모순과 투쟁을 정확히 묘사하도록 도와주자幫助作家正確地描寫矛盾與鬥爭」, 둥샤오톈董曉天의 「생활 속의 모순과 투쟁을 소홀히 해서는 안 된다不應忽視生活中的矛盾與鬥爭」 및 소련 『진리보』의 논고 「희극 창작의 낙후 현상을 극복하자克

服戲劇創作的落後現象」와 소련 작가협회 책임자인 수르코프의 논문 「인민에게 빚을 지다有負於人民」의 번역문이 게재되었다. 두 편의 번역 논문은 모두 '무충돌'론을 비평하는 내용이다. '편집부의 말'은 "이 두 편의 글은 우리가 진행하고 있는 토론에 대해 본보기로 삼을 만한 가치를 지니고 있다"며, "최근에 우리 극원의 무대에 출현하는 극본의 수많은 결점들은 우리로 하여금 이처럼 날조된 무충돌적인 희극'이론'이 창작에 대단히 열악한 영향을 끼친다는 점을 확신하게 한다. 이 극본들 가운데 다수는 흥미롭고도 중요한 현대적 주제를 묘사한 것이다. 그러나 이 희극들이 진정으로 관중들을 감동시켰는가? 과연 이 희극들이 이미 관중들의 생활 속의 선명한 사건이 되었으며, 그들이 주위의 현실을 더욱 심각하게 인식할 수 있도록 해 주었는가?"라고 지적하였다.

『문예보』 같은 호에 루시즈의 「현실을 왜곡하는 '현실주의'歪曲現實的"現實主義"」가 발표되었다. 이 글은 루링의 단편소설집 『주구이화 이야기朱桂花的故事』(톈진지식서점天津知識書店 1951년)를 비판하였다. 루시즈는 '루링의 현실주의'에 대해 다음과 같은 네 가지 측면에서 비평하였다. "루링이 묘사한 '공인 계급'의 '품성적인 특징'은 개인주의와 무정부주의 사상이 농후한 불량배에 무뢰한이다", "루링이 묘사한 '공인 계급'의 '정신 상태'는 신경질적인 정신병 환자이다", "루링이 묘사한 공산당 간부는 무지하고 무능하며 입장을 상실한 인물이다. 루링은 생활 속의 당의 역할을 왜곡했다".

같은 호에 장유롼張友鸞의 「「신감기」에 대한 초보적인 반성對<神龕記>的初步檢討」이 발표되었다.

12일, 쑨리의 글 「우리의 작품을 어떻게 제고할 것인가怎樣把我們的作品提高一步」가 『톈진일보』에 발표되었다. 푸둬의 글 「「고발」을 평하다評<控訴>」가 푸진符金이라는 필명으로 『광명일보』에 발표되었다.

15일, 리지예李霽野의 잡문 「문예와 정치文藝與政治」가 『광명일보』에 발표되었다.

16일, 『해방군문예』 5월호에 「마오 주석의 「옌안문예좌담회에서의 강화」 발표 10주년 기념紀念毛主席<在延安文藝座談會上的講話>發表十周年」 특집호가 발간되어 류바이위의 「새로운 시대, 새로운 인물을 표현하자表現新的時代, 新的人物」, 웨이웨이의 「소련 방문 시초訪蘇詩抄」, 친잉하오秦英豪의 「문화의 산을 공격하자攻上文化山」, 쑨궈잉孫國英의 「큰 승리를 거두다打它一個大勝仗」 등의 시와 가오위바오의 단편소설 「밤중에 닭이 울다半夜雞叫」(장편소설 『가오위바오』에서 발췌. 이 책은 해방군문예총서 편집부의 편집을 거쳐 중국청년출판사에서 1955년 4월에 초판이 발행되었다)가 발표되었다.

18일, 어우양산의 「위고 탄생 150주년과 고골 100주기를 기념하며紀念雨果誕生一百五十周年和果戈裏的百年忌」가 『남방일보』에 발표되었다. 쑨리의 「기회와 수확機會和收獲」이 『톈진일보』에 발표되었다.

21일, 『해방일보』에 샤옌의 3년간의 문예공작 반성의 글 「잘못을 바로잡고, 지도를 개선하고, 마오 주석의 문예방침을 관철하자糾正錯誤,改進領導,貫徹毛主席的文藝方針」가 발표되었다. 라오서의 「마오쩌둥이 내게 새로운 문예 생명을 주었다毛澤東給了我新的文藝生命」가 『인민일보』에 발표되었으며, 『신화월보』 6월호에 전재되었다.

22일, 차오밍의 산문 「마오 주석께 진심으로 감사드린다衷心感謝毛主席」가 『광명일보』에 발표되었다. 이 글은 『베이징일보』, 『톈진일보』, 『대공보』, 『문회보』에도 동시에 게재되었다.

앙리 카손이 번역한 「샤오얼헤이의 결혼」이 「정신병을 앓는 부모患神經病的父母」라는 제목으로 프랑스 『50선五〇線』 주간 제296호에 발표되었다.

23일, 전국문련에서 마오쩌둥의 「옌안문예좌담회에서의 강화」 발표 10주년 기념 문예좌담회를 개최해 궈모뤄, 저우양, 펑쉐펑, 메이란팡 등이 참석하였다. 『인민일보』사와 베이징시 총공회 및 문교부에서 공인문예좌담회를 개최하였다. 베이징시 문련, 시 인민정부 문예처 등에서 연합으로 축하 행사를 개최하였다.

『인민일보』에 사설 「마오쩌둥 동지가 제시한 문예 방향을 위해 지속적으로 투쟁하자 - 마오쩌둥 동지의 「옌안문예좌담회에서의 강화」 발표 10주년을 기념하며繼續爲毛澤東同志所提出的文藝方向而鬥爭——紀念毛澤東同志的<在延安文藝座談會上的講話>發表十周年」가 게재되어 현재 문예계에 존재하는 사상 혼란 상황이 주로 드러나는 두 가지 측면에 대해 지적하였다. “첫째, 주된 원인은 자산계급 사상의 혁명문예에 대한 침식이다. 둘째, 상술한 경향과는 상반되는 듯 보이지만, 실제로는 군중 및 생활과 동떨어져 있다는 것, 즉 문예창작의 공식화 및 개념화 경향이다.” 이를 전후로 하여 『인민일보』에는 라오서의 「마오쩌둥이 내게 새로운 문예 생명을 주었다」(21일자), 자오수리의 「군중 속으로 들어가기로 결심하다決心到群眾中去」(22일자), 궈모뤄의 「마오쩌둥의 기치 아래 영원히 일개 문화의 첨병이 되리라在毛澤東旗幟下永遠作一名文化尖兵」(23일자), 마오둔의 「사상을 진지하게 개조하고, 결연히 공농병을 바라보자認真改造思想,堅決面向工農兵」(23일자), 딩링의 「인민을 위해 더욱 잘 복무해야 한다要爲人民服務得更好」(24일자), 차오위의 「영원히 전진하자 – 개조 중인 어느 문예공작자의 말永遠向前——一個在改造中的文藝工作者的話」(24일자) 등의 글이 발표되었다.

화베이문련준비위원회에서 「강화」 발표 10주년을 기념하는 전국문예좌담회를 개최하였다. 충칭 문예계 인사 800여 명이 인민극장에서 집회를 열어 「강화」 발표 10주년 기념행사를 성대히 거행하였다.

라오서의 「우리는 이 위대한 기념일을 열정적으로 맞이한다我們熱誠地迎接這偉大的節日」가 『신민보』에 발표되었다. 왕퉁자오의 「혁명문예의 이정표革命文藝的裏程碑」가 『대중일보』에 발표되었다. 루주궈의 「전사들의 영웅적인 기개가 나를 감화하고 개조한다戰士們的英雄氣概感染著我改造著我」가 『문회보』에 발표되었다. 천쉐자오의 「마오 주석의 문예방침을 실천하기 위해 분투하자爲實踐毛主席的文藝方針而奮鬥」가 『저장일보浙江日報』에 발표되었다.

24일, 차오위의 「영원히 전진하자 – 개조 중인 어느 문예공작자의 말」가 『인민일보』에 발표되었다. 그는 글에서 토지개혁 과정 중의 자신의 사상과 창작에 대해 보고하고, 자신의 사상과 창작에 대해 다시 한 번 반성과 청산을 시도하였다.

위링의 「잘못을 반성하고 사상을 개조하자 – 영화예술에서의 마오 주석 문예 방향의 철저한 승리를 위해 분투하자檢查錯誤,改造思想——爲毛主席文藝方向在電影藝術中的徹底勝利而奮鬥」가 『해방일보』와 『대공보』에 동시에 발표되었다. 류바이위의 「새로운 시대와 새로운 인물을 표현하자表現新的時代新的人物」가 『문회보』 24일, 25일자에 발표되었다.

25일, 수우舒蕪의 글 「「옌안문예좌담회에서의 강화」를 처음부터 학습하자從頭學習<在延安文藝座談會上的講話>」가 『창장일보』에 발표되었다. 그는 글에서 「주관을 논하다論主觀」라는 글에 드러난 잘못된 관점을 반성하였다. 『인민일보』 6월 8일자에 이 글이 전재되었다. 편집부의 말은 “이 글은 본래 5월 25일자 『창장일보』에 발표된 글이다. 저자가 글에서 언급한 본인의 논문 「주관을 논하다」는 1945년에 충칭의 문예 간행물 『희망』에 발표된 글이다. 이 간행물은 후펑을 위시한 어느 문예집단이 간행한 것으로, 이들은 문예창작에 있어 ‘주관정신’의 역할을 일방적으로 과장하고, 소위 ‘생명력의 확장’을 추구하면서 사실상 혁명 실천과 사상 개조의 의의를 부인하였다. 이는 실질적으로 자산계급 및 소자산계급에 속하는 개인주의적 문예사상이다. 수우의 「주관을 논하다」는 바로 이러한 문예사상을 부추기는 논문 중 하나이다. 여기에 발표된 이 글은 수우가 과거에 가지고 있던 자신의 잘못된 관점에 대해 비평한 내용으로, 이는 환영할 만한 일이다"라고 밝혔다.

수우(1922~2009), 작가. 본명은 팡관方管, 정식 이름은 팡시더方矽德, 자는 중위重禹로 안후이성 퉁청桐城 출신이다. 1937년에 항일구국활동에 참가하였다. 1938년에 『광시일보』 부간 『남방』에 투고할 때부터 '수우'라는 필명을 사용하기 시작하였다. 1945년 초에 후펑이 편찬한 『칠월』에 발표한 논문 「주관을 논하다」는 장장 5년간 지속된 문예논쟁을 일으킨 불씨 중 하나가 되었다. 공화국 성립 후에 인민문학출판사 편집심사위원, 『중국사회과학』 잡지 편집심사위원을 맡았다. 저서로 잡문집 『괘검집掛劍集』, 『물망초毋忘草』, 『괘검신집掛劍新集』, 산문집 『공백空白』, 『관미독서串味讀書』, 『미면유정未免有情』, 평론집 『설몽록說夢錄』, 『책과 현실書與現實』 등이 있으며 『수우집舒蕪集』(전8권)이 출간되었다.

『문예보』 제10호에 『인민일보』 23일자에 발표된 사설 「마오쩌둥 동지가 제시한 문예 방향을 위해 지속적으로 투쟁하자 – 마오쩌둥 동지의 「옌안문예좌담회에서의 강화」 발표 10주년 기념」이 전재되었으며, 「마오 주석의 옌안문예좌담회에서의 강화 10주년 경축」 특집이라는 제목하에 어우양위첸의 「마오 주석의 문예사상이 우리가 앞을 향하도록 인도한다毛主席的文藝思想引導著我們向前」, 차이추성蔡楚生의 「마오 주석의 빛나는 기치 아래 전진하자!在毛主席光輝的旗幟下前進!」, 리보자오의 「희극창작의 질을 제고하기 위해 노력하자爲提高戲劇創作的質量而努力」, 장펑江豐의 「실제적인 요구를 만족시키기 위해, 미술교육을 반드시 제고해야 한다爲了滿足實際要求,美術教育必須提高一步」, 장겅의 「문예사상정풍 과정에서 깨달은 몇 가지 문제在文藝思想整風中所體會到的幾個問題」, 마커의 「우리는 가극음악 분야에서 무엇을 했는가我們在歌劇音樂上做了什麽」, 마펑馬烽의 「공농병을 위하는 방향을 견지하자堅持爲工農兵的方向」, 펑쉐펑의 「『태양은 쌍간강에서 빛난다』가 우리 문학발전사에서 가지는 의의<太陽照在桑幹河上>在我們文學發展史上的意義」 및 딩링의 「나와 쉐펑의 교류我與雪峰的交往」 등 영화, 희극, 문학, 미술계의 저명한 문예공작자들이 집필한 8편의 글이 발표되었다.

이 가운데 펑쉐펑의 글은 딩링의 소설의 사상 내용과 예술적 성취를 심도 있게 분석하여, "나는 예술적인 면에서 창조성을 가진 이 작품이 토지개혁을 눈부시게 반영하였으며, 상당한 진실성을 가져다준 서사시적인 작품이라고 본다. 동시에 이 작품은 우리 무산계급 현실주의가 최초로 거둔 비교적 뚜렷한 승리로서, 이것이 바로 이 작품이 우리의 문학 발전사에서 가지는 의의이다!"라고 밝혔다. 딩링은 "몇 십 년의 풍파를 거치면서 내 작품을 평론한 글은 아주 많았지만, 나는 그 중 일부는 모두 쉐펑의 논문을 기초로 하여 쓰인 것이며, 그의 논술을 뛰어넘은 개개의 단락 혹은 논점조차 발견하기 힘들다고 생각한다"라고 밝혔다.

『문예보』 같은 호에 저우리보의 「사상감정의 변화를 논하다論思想感情的變化」가 발표되었다. 그는 글에서 자신이 "마오쩌둥 동지의 지시에 따라 공농병 내부에 침투한 몇 가지 경험과 이해"에 대해 중점적으로 논술하였다.

같은 날, 어우양산의 「마오 주석의 「옌안문예좌담회에서의 강화」 발표 10주년을 경축하며慶祝毛主席<在延安文藝座談會上的講話>發表10周年」가 『창장일보』에 발표되었다.

『시난문예』에 편집부의 글 「우리의 편집공작을 개선하자改進我們的編輯工作」가 발표되어, 현재 본 간행물에 간행물의 사상성과 간행물의 조직공작(혹은 조직 노선)에 관한 문제 등 두 가지 문제가 존재한다고 지적하였다. 이 외에도 사팅의 「풍자라는 무기를 정확히 사용해 중국 자산계급의 반동사상행위에 대해 비판을 진행하자 – 고골 서거 100주년을 기념하며正確使用諷刺武器,對中國資產階級的反動思想行爲進行批判——爲紀念果戈裏逝世百周年而作」, 추투난楚圖南의 「인류의 아름다운 행복과 이상의 실현을 위해 분투한 4인의 문화 거장을 기념하며紀念四位文化巨匠,爲實現人類美好的幸福和理想而奮鬥」, 허젠쉰何劍熏의 「빅토르 위고를 기념하며紀念維克多·雨果」가 발표되었다.

28일, 『인민일보』에 궈모뤄의 글 「역사극 「굴원」 러시아어판 서문曆史劇<屈原>的俄文譯本序」 및 「러시아어판 역사극 「굴원」 머리말序俄文譯本史劇<屈原>」의 '보충'이 발표되었다. '보충'의 글에는 파데예프가 이 극본을 호평했으며 인물의 형상화가 선명하다고 평했다는 내용이 언급되었다.

29일, 해방군 전사 작가 가오위바오의 단편소설 「밤중에 닭이 울다」가 『인민일보』에 발표되었다.

31일, 장헌수이가 베이징문련이 소집한 '통속소설 좌담회'에 참석하였다.

궈모뤄의 「새로운 생명을 애호하다愛護新鮮的生命」가 『인민일보』에 발표되었다.

이달에 류칭이 농업합작화 운동의 전 과정을 이해하기 위해 온가족을 이끌고 상하이에서 산시陝西성 창안長安현 황푸춘皇甫村으로 이주해, 현위원회 부서기를 맡아 도합 14년간 농촌에서 생활하였다.

올해 60세의 량수밍梁漱溟이 「나는 어째서 마침내 개량주의로 돌아왔는가何以我終於落歸改良主義」를 집필해 주동적으로 자신의 사상을 반성하였다. 이 글은 약 4만 자에 달하며 15장으로 구성되었다. 초반 5장에서는 중일전쟁 전후 및 종전 후의 본인의 언행을 서술하였으며, 제6장부터 본인의 잘못된 사상의 원인을 진술하였다. 잘못된 사상을 분석한 결과 주된 원인은 중국 문제의 특수성을 지나치게 강조함으로써 중국 사회에 계급 및 계급투쟁이 존재한다는 사실을 부정하고, 중국 혁명 문제에 무력으로써 정권을 차지하는 길이 필요하지 않다고 보았기 때문이다. 상부를 통일하는 것이 아니라 하부를 통일하는 것을 추구해 향촌 건설이라는 노선을 주장하였으나, 이 노선은 통하지 않음이 사실로써 증명되었다. 13장 이후로는 신중국 성립 후에 그가 보고 들은 것과 당의 방침과 정책 및 마오쩌둥의 저서를 학습한 후 자신의 교육과 사상에 발생한 변화를 서술하였다. 자신이 과거에 걸었던 잘못된 노선이 "입장 문제", 즉 "자신이 유산자의 입장에서 출발"했으며, "계급 출신과 환경의 한계"를 가지고 있고, "근본적인 원인은 적아의 구별이 없었던 것" 등의 문제를 가지고 있음을 인식하기 시작하였다. 마지막으로 그는 "한 마디로 정리하면, 마오쩌둥 주석의 실사구시와 투쟁을 통해 연합을 추구하는 연합 정권은 오늘날 성공을 거두었다. 나의 주관주의적으로 연합하되 투쟁하지 않는다는 연합정권은 본래부터 공상에서 비롯된 것이라 오늘날 자연히 물거품이 되었다. 사실이 증명하고 역사가 정론을 제시한 것과 같이, 나 스스로는 30년간 혁명을 해 왔다고 생각했지만, 마지막에 이르러 이것이 개량이었음을 인정할 수밖에 없다"고 밝혔다. 이 글은 5월 5일에 린보취林伯渠 비서장에게 보내져, 마오쩌둥 주석의 교정을 바라며 그에게 전달되었다. 8월 7일에 마오쩌둥 주석은 량수밍과 면담을 가졌다.(바이지안白吉庵, 『다가온 사물에 순응하다 - 량수밍 전기 및 취재 기록物來順應——梁漱溟傳及訪談錄』, 산시인민출판사, 1997년 -> 각주로 처리해야 할 듯합니다.)

량수밍(1893~1988), 사상가, 철학가, 교육가, 사회활동가. 본명은 환딩煥鼎, 자는 서우밍壽銘, 샤오밍蕭名, 수밍漱溟이다. 본적은 광시성 구이린이며 베이징에서 출생하였다. 초기 현대 신유가新儒家를 대표하는 인물 중 하나이다. 청년기에 차이위안페이의 초청을 받아 베이징대학 교수를 맡아 『동서 문화 및 그 철학東西文化及其哲學』을 출간해 '동방정신문명론東方精神文明論'과 신유가사상을 설파하여 학술계에 큰 영향을 끼쳤다. 1924년, 베이징대학 교수직을 사임하고 산둥으로 가서 향촌건설연구원鄕村建設硏究院을 설립해 향촌건설운동을 추진하였다. 중일전쟁 발발 후에 항일활동에 참가하였다. 1940년에 '중국민주동맹'을 발기하였다. 1946년에 충칭정치협상회의에 참가하였으며 민주동맹을 대표해 국공 양당의 평화회담에 참여하였다. 공화국 성립 후에 중국인민정치협상회의 위원을 맡았다. 1955년에 당시의 농민정책을 비평한 일로 인해 정치적 비판을 받았다. 이후에는 주로 이론 연구와 저술 활동에 종사하였다. 저서로 『동서 문화 및 그 철학』, 『인심과 인생人心與人生』, 『동방학술개관東方學術概觀』, 『량수밍 전집梁漱溟全集』(전8권) 등이 있다.

후펑이 「옌안문예좌담회에서의 강화」 발표 10주년을 기념하는 글 「실천을 위해 학습하자學習, 爲了實踐」를 집필하였다(발표되지 않음).

천황메이의 『새로운 영웅의 전형 창조를 위해 노력하자爲創造新的英雄典型努力』가 인민문학출판사에서 출간되었다. 중징원의 이론 저서 『가요 속의 각성의식歌謠中的覺醒意識』이 베이징사범대학출판부에서 출간되었다.

류바이위의 단편소설집 『새벽 6시 정각早晨六點鍾』이 인민문학출판사에서 출간되었다. 리가오 등이 창작한 영화문학 극본 『아무리 견고해도 극복할 수 있다無堅不克』가 상하이핑밍출판사에서 출간되었다. 선쥔즈申均質의 『청년 세대青年一代』가 상하이신문예출판사에서 출간되었다. 아잉이 편찬하고 천샤오후이錢小惠가 집필한 『작업 현장 위원車間委員』이 상하이천광출판사에서 출간되었다.

허치팡의 시집 『밤의 노래와 낮의 노래』가 인민문학출판사에서 출간되었다. 시집에는 「청두여, 내가 너를 흔들어 깨우게 해 다오成都,讓我把你搖醒」, 「나는 소년 소녀들을 위해 노래한다我爲少男少女們歌唱」, 「신중국의 몽상新中國的夢想」, 「우리의 가장 위대한 기념일我們最偉大的節日」 등 27편의 시와 저자의 「재판 후기」 및 「초판 후기」가 수록되었다. 당시의 광고는 "저자는 1938년에서 1942년 사이에 쓴 시들을 이전에 '밤의 노래'라는 시집으로 엮어 출판한 바 있다. 그 시집에 반영된 현실의 범위가 충분히 넓지는 않으나, 저자는 자신의 경험을 통해 옛 중국과 혁명생활을 몇 가지 그림으로 그려내었다. 친근한 서정적 풍격과 생동감 있는 구어의 사용으로 인해 지식청년들 가운데 저자의 시에 공감하고 이를 사랑하는 이들이 늘어났다. 이번에 재판을 출간하면서 저자는 본래의 시집에 존재했던 건강하지 못한 부분을 다수 수정하고, 또한 1942년 이후에 발표한 몇 편의 시를 추가하였다"라고 밝혔다(『문예보』 1952년 제10호).

푸둬가 창작한 가극 『왕슈롼王秀鸞』이 인민문학출판사에서 출간되었다. 후펑胡朋 등이 합동 창작하고 후커胡可가 각색한 화극 『전투 속에서 성장하다戰鬥裏成長』가 인민문학출판사에서 출간되었다.

자오수리의 단편소설 「등록」이 간쑤인민출판사 편집부에 의해 진강秦腔 및 미호극眉戶劇으로 각색되어 출간되었다.

루쉰의 『집외집集外集』이 인민문학출판사에서 출간되었다. 팡즈민方志敏의 유작 『사랑스러운 중국可愛的中國』이 인민문학출판사에서 출간되었다. 메이란팡이 진술하고 쉬지촨許姬傳이 기록한 『무대생활 40년舞台生活四十年』이 상하이핑밍출판사에서 출간되었다.

징강산보사井岡山報社에서 편찬한 산가山歌 합창집 『중국공산당을 노래하다歌唱中國共產黨』가 장시통속독물출판사江西通俗讀物出版社에서 출간되었다.

자오징선이 창작한 설창문학 『시사신창時事新唱』이 상하이베이신서국上海北新書局에서 출간되었다. 대고大鼓, 곤곡昆曲, 태자조太子調, 쾌판, 의민가擬民歌 등 12편의 작품이 수록되었다.

푸레이傅雷가 번역한 발자크의 『종형 퐁스斯邦舅舅』가 상하이핑밍출판사에서 출간되었다.

푸레이(1908~1966), 문학번역가. 자는 누안怒安, 호는 누안怒庵으로 상하이시 난후이南滙 출신이다. 1927년에 프랑스로 유학하였다. 귀국 후에 문학 창작 및 번역 소개 공작에 오랫동안 힘을 쏟았다. 번역 작품은 30여 종에 달하는데, 발자크, 로맹 롤랑 등 주로 프랑스 문학작품을 번역하였다. 그 외의 저서로 『푸레이 역문집傅雷譯文集』과 『푸레이 가서傅雷家書』가 있다.

이췬以群이 번역한 비노그라도프의 저서 『신문학 교정新文學教程』, 『신문학 교정』(신판)이 상하이신문예출판사에서 출간되었다. 바진이 번역한 투르게네프의 『무무木木』가 상하이핑밍출판사에서 출간되었다. 빙웨이冰蔚 등이 번역한 북한 작가 홍순철洪淳哲의 『영광을 너희에게 돌린다光榮歸於你們』가 인민문학출판사에서 출간되었다.

세계 문화 명인 고골을 기념하기 위해 중국청년예술극원과 베이징인민예술극원이 연합해 고전 명극 「감찰관」을 공연하였다. 쑨웨이스가 감독을 맡았으며 위춘, 댜오광탄, 스위, 예쯔葉子, 주린朱琳, 레이핑雷平, 톈충田沖 등이 주연을 맡았다.

6월

1일, 『인민문학』 5월호에 딩링의 「인민을 위해 더욱 잘 복무해야 한다」, 캉줘의 「여전히 학습의 길 위에 있다還在學習的路上」, 류칭의 「인민과 함께 전진하다和人民一道前進」 등의 글이 발표되었다.

같은 호에 샤오인의 「시가 창작의 개념화 및 현상 나열 경향을 극복하자克服詩歌創作中的概念化和現象羅列的傾向」, 톈젠의 「「옌안문예좌담회에서의 강화」 발표 10주년을 기념하며紀念<在延安文藝座談會上的講話>發表十周年」가 발표되었다. 톈젠은 "어제 오후에 나는 내 시집 한 권을 마오쩌둥 주석께 보냈다. 나는 이 시집에 '경애하는 마오쩌둥 주석께 바칩니다'라고 적었다." "이 한 마디 말은 내 마음속에 있는 천 마디 만 마디의 말을 대표하지 못하고, 그저 마오쩌둥 주석에 대한 나의 감사의 뜻을 대표할 뿐이다." "내가 마오쩌둥 주석께 감사하는 것은 마오쩌둥 사상과 마오쩌둥 주석의 「옌안문예좌담회에서의 강화」가 나를 교육하고 개조해 내가 마오쩌둥의 큰 깃발 아래 한 명의 전사가 되게 하고, 마오쩌둥 시대의 한 명의 시인이 될 수 있게 해 주었기 때문이다. 마오쩌둥 주석은 내가 '전사'라는 존귀한 칭호를 얻게 해 주었다"라고 밝혔다.

같은 호에 바이화白樺의 단편소설 「죽초竹哨」, 장톈이의 단편소설 「그들과 우리他們和我們」, 바진의 산문 「평양平壤」이 발표되었다.

바이화(1930~2019), 시인, 극작가. 본명은 천유화陳佑華로 허난성 신양信陽 출신이다. 1947년에 해방군에 참가했으며 1949년에 중국공산당에 가입하였다. 1957년에 우파로 오인되어 군적軍籍과 당적黨籍을 박탈당했다. 1964년에 다시 부대로 돌아가 우한군구에서 창작원을 맡았다. 1979년에 복권되어 당적을 회복하였다. 작가협회 후베이분회 부주석, 작가협회 상하이분회 부주석, 중국전영가협회 부주석 등을 역임하였다. 저서로 장편소설 『엄마, 엄마!媽媽呀,媽媽!』, 『사랑은 마음속에 맺혀 있다愛,凝固在心裏』, 『먼 곳에 여인국이 있다遠方有個女兒國』, 시집 『진사장의 그리움金沙江的懷念』, 『만가와 즐거운 노래晩歌與歡歌』, 『바이화의 시白樺的詩』, 장시 『매의 무리鷹群』, 『공작孔雀』, 화극 극본 『서광曙光』, 『오왕의 군대와 월왕의 검吳王金戈越王劍』, 영화문학 극본 『오늘밤에 별빛이 찬란하다今夜星光燦爛』, 『애련苦戀』(합동 창작) 등이 있으며 『바이화 소설선白樺小說選』, 『바이화 중편소설白樺中篇小說』, 『바이화 극작선白樺劇作選』, 『바이화, 예난 영화극작집白樺, 葉楠電影劇作集』(합동 창작) 등이 출간되었다.

『창장문예』 제6호에 천황메이의 「문예정풍학습운동을 전개해 마오쩌둥 문예노선을 단호히 관철하자開展文藝整風學習運動堅決貫徹毛澤東的文藝路線」, 위헤이딩於黑丁의 「사상을 철저히 개조하는 것이 문예공작자의 근본적인 문제이다徹底改造思想是文藝工作的一個根本問題」, 딩이丁毅의 「마오 주석의 문예방침 아래 쓸모 있는 문예 병사가 되리라在毛主席的文藝方針下做一個有用的文藝兵」 및 웨이양未央의 「반세균전의 최전선反細菌戰的最前線」(조선 전지 생활 기록)이 발표되었다.

5일, 차오밍의 산문 「아이의 고발孩子的控訴」이 『인민일보』에 발표되었다.

7일 오후, 주중국 소련대사관에서 스탈린상 위원회를 대표해 대사관에서 시상식을 개최하였다. 주중국 소련대사가 시상식을 주관했으며 딩링과 저우리보가 발언하였다.

8일, 중국문련에서 딩링, 저우리보, 허징즈, 딩이 등 네 명 동지의 스탈린문학상 수상 축하 행사를 개최하였다. 저우양이 행사를 주관하였으며 궈모뤄, 딩링, 저우리보 등이 발언하였다.

9일, 『신민보』의 『신희곡』란에 베이펑北風의 비판의 글 「누가 고발하는가?是誰控訴?」가 게재되어 쑹즈더의 극본 「고발」을 비평하였다.

『인민일보』의 보도에 따르면, 『태양은 쌍간강에서 빛난다』가 이미 러시아어, 루마니아어, 체코어, 헝가리어, 폴란드어, 일본어, 독일어 등 12개 언어로 번역 출판되었고, 「폭풍우」는 일본어, 러시아어, 헝가리어 및 체코어로 번역 출판되었으며, 「백모녀」(가극, 영화) 역시 해외에서 큰 환영을 받고 있다.

8일에서 9일까지, 자오수리의 「샤오얼헤이의 결혼」을 일본 교토대학 학생이 극본으로 각색해 이틀간 공연하였다.

10일, 류바이위의 통신보고 「판문점 장막 밖의 핏자국板門店帳篷外的血跡」이 『인민일보』와 『광명일보』에 동시에 발표되었다. 11일자 『문회보』에도 이 글이 발표되었다.

11일, 라오서의 「원고 쓰기를 어떻게 연습해야 하는가怎樣練習寫稿子」(창작경험)가 『공인일보』 제3판에 발표되었다. 이 글은 이후에 『어문학습語文學習』 7월호에도 전재되었다.

궈모뤄가 시 「마오쩌둥의 깃발이 바람에 펄럭인다毛澤東的旗幟迎風飄揚」를 창작하였다. 이후에 6월 27일자 『인민일보』에 발표할 때는 제목을 「공농이 '7·1'을 노래한다工農歌唱"七·一"」로 변경하였다.

12일, 베이징인민예술극원이 베이징인예화극단北京人藝話劇團과 중앙희극학원 화극단과 합병되어 전문화극원專業話劇院으로 개편되었다. 차오위가 원장을 맡았으며 자오쥐인이 제1부원장 겸 총감독 및 예술위원회 주임을 맡았다. 개편된 후 베이징인예조직의 전 예술인원은 각각 공장과 농촌으로 가서 수개월간 생활에 침투해 공농 생활을 반영한 시사 단막극을 창작하였다. 또한 라오서의 「춘화추실」과 「용수구」 등을 공연하였다.

14일, 류바이위의 통신보고 「전투 중의 개성戰鬥中的開城」이 『인민일보』와 『광명일보』에 동시에 발표되었다. 15일자 『문회보』에도 이 글이 발표되었다.

충칭의 『관중보觀眾報』가 간행물 정돈으로 인해 폐간되었다.

15일, 자오수리의 「리유차이 판화」가 러시아어로 번역되어 소련의 문학잡지인 월간 『신세계』에 게재되었으며, 이후에 소련 『진리보』 출판국에서 출간되었다.

16일, 『해방군문예』 6월호에 덩바이런登白刃의 「잘못을 고치고 처음부터 학습하기로 결정하다決心改正錯誤從頭學起」와 독자 통신 「「내일까지 전투하다」가 독자들에게 끼친 나쁜 영향을 제거하자清除<戰鬥到明天>在讀者中的壞影響」가 발표되었으며, 「전사 쾌판시戰士快板詩」 기획하에 덩하오鄧浩의 「바위 모서리를 폭파하다炸岩頭」, 우양춘吳陽春의 「샤오위안하오小圓鎬」 등의 시가 발표되었다.

18일, 베이징시 문예계에서 소련의 인민작가 고리키 서거 16주년 기념행사를 거행하였다.

난징시 중소우호협회와 난징시 문학예술공작자연합회에서 합동으로 고리키 서거 16주년 기념 만찬회를 개최하였다. 난징시 신화서점 등 여덟 곳에서 고리키의 생애와 문학활동에 관한 사진을 전시하였다. 차오밍의 산문 「위대한 성장 – 고리키 서거 16주년을 기념하며偉大的成長——紀念高爾基逝世十六周年」가 『둥베이일보』에 발표되었다.

20일, 라오서의 문예잡담 「신곡예는 더욱 발전해야 한다新曲藝應更進一步」가 『신민보』에 발표되었다.

21일, 『인민일보』에 저우리보가 획득한 스탈린문예상 상금을 지원군에 기부하기로 했다는 기사가 실렸다.

22일, 『인민일보』의 기사는 충칭시 문예계의 정풍운동이 정식으로 시작되어, 시 문련의 책임자 동지가 문예계의 「강화」 발표 기념회 석상에서 수많은 문예공작자들이 마오쩌둥 동지의 문예방침을 진지하게 관철하지 않아 「한계界限」, 「각성覺醒」, 「남편과 아내丈夫與妻子」 등 자산계급 사상을 표현한 작품들이 출현하였으며, '보급 제일' 방침을 충분히 중시하지 않았고, 비평과 자아비평이 부족해 「재생기」 등 반동소설에 대한 비판을 적시에 전개하지 못했다고 지적하였다고 밝혔다.

25일, 『문예보』 제11~12호에 샤옌의 「잘못을 바로잡고, 지도를 개선하고, 마오 주석의 문예방침을 관철하자」, 커중핑의 「마오 주석의 문예방침을 견지하기 위해 분투하자 – 시안 문예계 정풍학습동원대회에서의 연설爲堅持毛主席文藝方針而奮鬥——在西安文藝界整風學習動員大會上的講話」, 저우리보의 「사상감정의 변화에 관하여談思想感情的變化」, 즈환之奐의 「「강화」의 국제적 영향<講話>的國際影響」, 차오밍의 「스탈린상이 중국 인민을 격려한다斯大林獎金給中國人民的鼓舞」 등의 글이 발표되었다.

같은 호 『문예보』에 '새로운 영웅 인물 창조 문제에 관한 토론'이 계속해서 게재되었다. '편집부의 말'은 "『문예보』 1952년 제9호에서 전개된 '새로운 영웅 인물 창조 문제에 관한 토론'에 독자 서신 네 통이 발표되어 문예창작 과정에서의 새로운 영웅 인물의 묘사에 관해 의견을 제시하였다. 이 문제는 지난번의 「편집부의 말」에서 언급한 바와 같이 '현재 문예창작에 있어서의 낙후된 상황, 즉 새로운 인물과 사건, 새로운 감정과 주제가 결핍되어 있으며 노동인민의 모습을 왜곡하는 등의 상황에 대하여 제기된 것이다.' 우리는 구체적인 연구를 통해 새로운 영웅 인물 창조에 관한 몇 가지 근본적인 문제에 대해 더욱 명확하게 인식하고, 우리의 이 위대한 시대의 영웅 인물의 빛나는 모습을 더욱 잘, 또한 더욱 많이 창조하여 우리의 문예작품이 인민을 교육하고 격려하는 거대한 역량이 될 수 있기를 바란다. 이것이 바로 우리가 이 토론을 전개한 목적이다"라고 밝혔다.

본 토론란에는 장리윈의 「영웅 인물의 서술과 '낙후에서 변화로'의 서술에 관한 문제關於寫英雄人物和寫"落後到轉變"的問題」, 루러魯勒의 「생활과 생활의 반영을 정확하게 인식하자正確地認識生活與反映生活」, 차이톈蔡田의 「창작 과정에서 부딪친 문제在創作上遇到的問題」 등 작가 및 군중의 토론문이 게재되었다. 장리윈은 글에서 '편집부의 말'과 독자 서신의 관점에 동의하지 않는다고 밝히며, "현재 문예창작의 중심적인 문제는 첫째로 생활과 군중에서 분리되는 것을 반대하고, 새로운 시대의 모습을 표현해야 한다는 것이다. 이 임무를 완성하기 위해서는 우선 생활과 군중 및 실제와 분리된 자산계급 및 소자산계급적 사상 경향에 반대해야 한다"고 밝혔다. 이 글은 최초로 "낙후에서 변화로"라는 말을 "자산계급 및 소사산계급적 사상 경향"과 "소자산계급 공식주의"라고 표현한 글이다.

같은 호 『문예보』에 천융이 「폭풍우」를 소개한 글과 왕수밍이 「백모녀」를 소개한 글이 게재되었다. 천융은 "저우리보 동지는 그의 작품 「폭풍우」에서 농민 토지 투쟁의 모든 과정을 비교적 완성도 있게 표현하였으며, 또한 농촌의 각 계급의 모습과 심리 및 그들 사이의 투쟁을 상당히 사실적으로 표현하였다. 그의 창작에 나타난 비교적 뚜렷한 특징은 생활에 대한 그의 열정과 민감함, 새로운 인물의 아름다운 품성에 대한 중시와 발양, 그리고 예술적인 면에서의 단순성 등이다. 이 점들은 모두 내가 이 짧은 글에서 소개하고자 하는 것들이다"라고 밝혔다.

왕수밍은 「백모녀」가 중국 신가극의 기초를 다졌다고 평하며 "나는 가극 「백모녀」에 관해 그 문학적인 부분뿐만 아니라 작품의 음악과 희곡 부분에 대해서도 간단히 이야기하고자 한다. 이것은 이 세 가지 요소가 가극 속에서 유기적이고 통일적으로 구성되어 있어 분리할 수 없기 때문이기도 하지만, 그보다 더 중요한 이유는 가극 「백모녀」가 유독 풍부한 민족적 색채를 가지고 있기 때문이다. 이 작품은 우리 민족의 언어와 민족의 음악, 민족의 공연 형식 세 가지가 결합되어 현재 이처럼 군중이 사랑하는 새로운 가극으로 창조되었다. 비록 창작 시기는 매우 이르지만, 그 커다란 성취는 중국의 미래의 신가극이 나아갈 정확한 창작 노선을 안배하였으며 또한 발전의 기초를 다졌다. 이는 우리가 이 가극에 대해 특별히 중시할 만한 점이며, 이 작품이 국내외의 수많은 군중에게 열렬히 사랑받는 이유이기도 하다"라고 밝혔다.

『신화월보』에서 샤옌의 「잘못을 바로잡고, 지도를 개선하고, 마오 주석의 문예방침을 관철하자」, 쑨위의 「영화 「무훈전」 각색에 대한 반성對編導電影<武訓傳>的檢討」, 수우의 「「옌안문예좌담회에서의 강화」를 처음부터 학습하자」 등 5편의 글을 선정해 게재하였다. 이 글들은 정풍학습운동의 성과로, 위의 작가들은 생활의 실제와 관련지어 자신의 창작에 존재하는 잘못된 사상을 반성하고 더욱 우수한 문학작품을 창작해 사회주의와 인민 대중을 위해 복무할 것을 결심하였다.

29일, 뉴한은 후펑에게 보낸 서신에서 "베이징 문단은 대단히 침울합니다. 이것은 아주 부끄러운 현상입니다. 나는 예전에 아이칭에게 긴 편지를 한 통 보냈는데, 그를 공경하는 마음이 좀 부족했습니다. 그의 시를 몇 편 읽은 후에 너무나 화가 나서 머리끝까지 치밀어 그에게 편지를 썼기 때문입니다(나는 그와 시간을 정해 몇 번 만난 적이 있어 아는 사이입니다). 그 편지가 그에게 너무 큰 자극이 된 것인지 그는 내게 답장하지 않았습니다. 아마도 그가 나를 원망하지는 않겠지요"라고 말했다.

이후에 이 서신이 발표될 당시에 뉴한이 아이칭에게 보낸 서신에 대한 주석에서 다음과 같이 밝혔다. "50년대 초에 뉴한은 간행물에서 아이칭이 소련 방문 시기에 쓴 단시들과 『솽졘산雙尖山』, 『총을 숨기다藏槍記』 등 몇 편의 장시를 비롯해 여러 편의 시를 읽었다. 뉴한은 일시적인 충동으로 시를 읽은 후 느낀 불만과 실망의 마음을 솔직하게 편지에 적어 자신이 존경하는 아이칭 선생에게 보냈는데, 어조가 부드럽지 못했다. 뉴한은 아이칭이 이 시기에 쓴 시들이 그가 중일전쟁 전후로 쓴 「다옌허, 나의 유모」, 「눈이 중국의 땅 위에 내린다」, 「북방」, 「태양을 향해」 등의 감동적인 시들보다 훨씬 못하다고 여기며, 아이칭이 앞으로 창작할 때 참고해 주기를 간곡히 바랐다. 아이칭은 답장을 하지 않았다. 1952년 춘절 연휴에 뉴한은 베이징의 친지를 방문할 때 아이칭을 찾아가 어째서 답장을 하지 않았는지 물었다. 아이칭은 책상 서랍을 열어 보이며 웃으면서 '편지는 계속 이 안에 보관하고 있네. 매일 보고 공부하고 있지!'라고 말했다. 풍자적인 어투가 약간 섞여 있기는 하지만, 뉴한의 장문의 편지가 그에게 자극을 줬다는 사실을 설명해 준다. 뉴한은 그가 쓴 두꺼운 편지가 정말로 여러 통의 편지들 중 맨 위에 놓여 있는 것을 보았다."(뉴한 『운명의 문서』, 우한출판사 2000년 -> 각주로 처리해야 할 듯합니다.)

이달에 시베이 문예계 정풍운동이 종료되었다. 화둥구 문예정풍운동이 본격적으로 전개되었다.

궈모뤄의 저서 『노예제 시대奴隸制時代』가 상하이신문예출판사에서 출간되었다. 책에는 저자가 1950년에서 1952년 사이에 집필한 학술논문과 문예논문 16편이 수록되었다.

쉬마오융의 『마르크스레닌주의와 마오쩌둥 사상의 간단한 소개馬克思列寧主義和毛澤東思想的簡單介紹』가 한커우중난인민출판사에서 출간되었다.

고리키 등이 집필하고 후펑이 번역 편집한 『인간과 문학人與文學』이 상하이 니투사에서 출간되었다. 책에는 소련과 영국 등의 작가의 논문 8편이 수록되었다.

커위안柯原이 편찬한 시집 『지원군의 쾌판시志願軍的快板詩』가 한커우중난인민출판사에서 출간되었다. 시집에는 모 부대 5연대 전사의 「우리는 누구를 위해 싸우러 왔는가咱們爲誰來打仗」, 훙류洪流의 「조선 인민을 위해 복수하자!爲朝鮮人民報仇!」, 청완리程萬裏의 「볶음국수 한 다발과 눈 한 줌一把炒面一把雪」, 류스流石의 「청년 단원 관칭허의 장렬한 전투 사적靑年團員關慶和的壯烈戰鬥事跡」 등 23편의 시와 커위안의 「후기」가 수록되었다.

쉐빙雪冰의 시집 『변경 전사 시선邊疆戰士詩選』이 신장인민출판사新疆人民出版社에서 출간되었다. 라오서의 화극 『용수구』가 인민문학출판사에서 출간되었다. 자오쥐인이 각색한 『용수구』(공연판)가 상하이문화생활출판사에서 출간되었다. 루쉰의 『들풀野草』, 『삼한집三閑集』이 인민문학출판사에서 출간되었다. 왕시옌의 『샹둥라오 소비에트 지구 잡기湘東老蘇區雜記』가 상하이신문예출판사에서 출간되었다.

정보치鄭伯奇의 「취추바이 열사를 추억하며回憶瞿秋白烈士」가 『군중일보』에 발표되었다.

정보치(1895~1979), 작가. 본명은 정룽진鄭隆謹, 자는 보치伯奇로 산시陝西성 창안 출신이다. 1917년에 일본으로 유학하였으며 1919년에 동맹회에 가입하였다. 1921년에 창조사에 가입하였다. 좌련 상무위원, 시베이문학예술계연합회 부주석, 산시성 문련 부주석을 역임하였다. 『중국신문학대계·소설 3집』을 편찬하였다. 저서로 작품집 『정보치 문집鄭伯奇文集』, 소설 극본집 『항쟁抗爭』, 『궤도軌道』, 『하얼빈의 어두운 그림자哈爾濱的暗影』, 단편소설집 『라이터打火機』 등이 있다. 이외에도 작품론 및 회고록을 집필하였는데, 이 가운데 창조사에 관해 회고한 글을 엮은 저서 『창조사 추억 및 기타憶創造社及其他』는 중요한 사료적 가치를 지니고 있다.

후펑의 산문집 『근원에서 격류까지從源頭到洪流』가 상하이신문예출판사에서 출간되었다.

천보추이가 창작하고 양더웨이楊德煒가 삽화를 그린 『작은 흑인이 웃었다小黑人笑了』가 상하이 중화서국에서 출간되었다.

천보추이(1906~1997), 아동문학가. 장쑤성 바오산寶山(현재는 상하이 시에 속함) 출신이다. 16세에 소학교 교사가 되었으며 아마추어 문학창작활동을 시작하였다. 1946년에 상하이아동문학공작자연의회上海兒童文學工作者聯誼會를 발기 및 조직하여 아동문학 창작과 이론연구 활동을 전개하였다. 공화국 성립 후에 화둥사범대학 교수, 베이징사범대학 교수, 중화서국 및 인민교육출판사 편집심사위원, 상하이소년아동출판사上海少年兒童出版社 부사장을 역임하였다. 저서로 다수의 아동문학 작품 및 아동문학 이론 비평서 등이 있다.

쩌우장鄒絳이 번역한 휴스 등의 시집『흑인 시선黑人詩選』이 상하이문화공작사에서 출간되었다.

리젠우가 번역한 투르게네프의『귀족장의 오찬貴族長的午宴』이 상하이핑밍출판사에서 출간되었다(신번역총간新譯文叢刊『투르게네프 희극집屠格涅夫戲劇集』제2권).「식객食客」(2막 희극),「귀족장의 오찬」(단막 희극)이 수록되었다.

한스헝韓侍桁, 베이망北芒이 번역한 러시아 작가 루스타벨리의『표범 가죽을 입은 기사虎皮騎士』가 상하이문화복무사上海文化服務社에서 출간되었다(고전문학명저선역古典文學名著選譯 제3권).

한스헝(1908~1987), 본명은 한윈푸韓雲浦로 둥성東聲, 쒀푸索夫 등의 필명을 사용하였다. 톈진에서 출생하였으며 청년기에 일본에서 유학하였다. 1930년에 좌련에 가입하였으며 다음해에 광둥중산대학에서 교편을 잡았다. 중일전쟁 발발 후에 중앙통신사 특약전지기자 및 총편집실 편집심사위원, 충칭 문풍서국文風書局 편집장을 역임하였다. 공화국 성립 후에는 치루대학齊魯大學 교수를 맡았으며 상하이편역소上海編譯所, 상하이역문출판사上海譯文出版社에서 근무하며 문학번역에 종사하였다. 저서로 산문집『연지胭脂』, 논문집『참차집參差集』,『천견집淺見集』등이 있으며 역서로『주홍글씨紅字』,『설국雪國』,『캐스터브리지의 시장卡斯特橋市長』,『모스크바의 여명莫斯科的黎明』,『미국 단편소설집美國短篇小說集』,『근대일본문예논집近代日本文藝論集』등이 있다.

류바이위劉百餘가 번역한 소련 작가 프리체Фриче의『예술의 사회적 의의藝術的社會意義』가 상하이완예서점上海萬葉書店에서 출간되었다.

7월

1일, 전국문협에서 좌담회를 개최해 작가들을 조직해 군중과의 만남을 가졌다. 출판총서에서「서적의 조사 및 금지 문제에 관한 지시關於查禁書刊問題的指示」를 발포해, 앞으로 각지의 출판행정기관에서 서적을 조사해 금지할 때는 반드시 사전에 출판총서의 비준을 받아야 하며, 먼저 실행하고 사후에 허가를 받는 상황을 결코 허가하지 않겠다고 밝혔다.

『인민문학』 7월호에 한펑하이韓鳳海의 「나는 영원히 너와 함께 간다我永遠跟著你」, 양루중楊汝絧의 「인민은 모두 너를 사랑한다人民都愛你」, 예구野穀의 「새로운 노정新的路程」 등의 시가 발표되었다.

『창장문예』 제7호에 리얼중의 글 「무산계급 문예사상에 대한 학습을 강화하자 – 중국공산당 31주년을 기념하며加強無產階級文藝思想的學習——紀念中國共產黨三十一周年」, 딩이의 시 「마오 주석의 우승기가 작업현장에 도착하다毛主席錦旗來到工地上」, 리지의 시 「검버섯烏斑」 및 리빙의 장시 연재 『류후란이 왔다劉胡蘭來了』가 발표되었다.

『시난문예』 제8호에 『인민일보』의 사설 「마오쩌둥 동지가 제시한 문예 방향을 위해 지속적으로 투쟁하자」가 전재되었으며, 본지 기자의 '문예사상동태 총론' 「마오쩌둥 문예사상의 광휘 아래서在毛澤東文藝思想的光輝照耀下」, 런바이거의 「마오 주석 문예사상의 광휘 아래 성공적으로 전진하자在毛主席文藝思想的光輝照耀下勝利前進」, 쉬자루이徐嘉瑞의 「마오 주석의 「옌안문예좌담회에서의 강화」 발표 10주년을 기념하며紀念毛主席<在延安文藝座談會上的講話>發表十周年」, 차이성링蔡聲鈴 등의 쾌판시집 「청위 철로 공인의 노래成渝鐵路工人的歌唱」가 발표되었다.

3일, 자오수리가 베이징시 문련과 톈진 『진보일보』가 합동으로 개최한 '통속도서문제 좌담회通俗讀物問題座談會'를 주관하였다. 『이야기하고 노래하다』 제7호에 사설이 발표되어 통속문예창작을 강력히 전개할 것을 제창하였다.

『신관찰』 제7호에 짱커자의 글 「국제주의 정신과 '세계주의'적 '걸작'國際主義的精神與"世界主義"的"傑作"」이 발표되었다.

8일, 톈젠의 보고문학 작품 「판문점 기록板門店紀事」이 『인민일보』에 발표되었다.

궈모뤄가 시 「압록강鴨綠江」을 창작해 이후에 7월 10일자 『인민일보』에 발표되었다.

충칭 『신화일보』에 우미吳宓의 사상개조 결산의 글 「사상을 개조하고, 입장을 확고히 하며, 마지못해 인민의 교사가 되다改造思想,站穩立場,勉爲人民教師」가 발표되었으며 이후에 『광명일보』에도 전재되었다. 우미는 글에서 자신이 줄곧 고수하고 있던 문화관을 복잡하게 설명하며 "설령 중국이 일본 혹은 다른 어떤 나라에 의해 멸망하더라도 걱정할 필요는 없다. 200~300년이 지나면 중화민족은 반드시 독립을 회복하고 이민족의 통치를 몰아낼 수 있을 것이다. 그러나 만약 중국의 문화가 멸망하거나 혹은 손실을 입는다면, 이 멸망 혹은 손실이 외국인에 의한 것이든 아니면 중국인에 의한 것이든, 그것이야말로 영원히 회복할 수 없는 상처이다"라고 밝혔다. 이 글은 시난사범학원西南師範學院에서 전개한 교사들의 '사상개조운동' 과정 중에 집필되었다.

우미(1894~1978), 학자, 시인, 번역가. 자는 위썽雨僧, 위성雨生이며 필명은 위성餘生이다. 산시陝西성 징양涇陽 출신이다. 1917년에 미국으로 유학해 하버드대학교에서 문학석사학위를 취득하였다. 1921년에 귀국한 후 둥난대학東南大學, 칭화대학, 베이징대학, 서남연합대학, 우한대학에서 교수로 근무하였다. 1922년에 메이광디梅光迪, 후셴쑤胡先驌, 류이정柳詒徵 등과 함께 잡지『학형學衡』을 창간해 편집장을 맡았다. 본 잡지는 11년간 총 79호가 발간되었다. 공화국 성립 후에는 시난사범학원 교수를 맡았다. 저서로『우미 시문집吳宓詩文集』,『공헌시화空軒詩話』등이 있으며『우미 일기吳宓日記』,『우미 일기 속편吳宓日記續編』등이 출간되었다.

9일,『광명일보』에 천보陳播의「「누가 고발하는가?」에 대한 몇 가지 토론 의견對於<是誰控訴？>一文幾點商討的意見」이 발표되었다. 천보는 글에서 베이평이 그의 글「누가 고발하는가?」에서 보인 "모든 것을 비난하고, 모든 것을 부정하는" 비평 태도에 대해 의문을 제기하고, 극본「고발」이 공인계급과 당의 영도를 표현함에 있어 깊이가 충분하지 못했으나 그럼에도 기본적으로 성공한 작품이라고 보았다.

10일,『문예보』제13호에 루시즈의「통속도서의 상황과 문제通俗讀物的情況和問題」, 차오밍의「학습을 강화하고, 작품의 전투성을 제고하자 -「기관차」의 결점에 대한 나의 인식加強學習,提高作品的戰鬥性——我對<火車頭>的缺點的認識」, 황강의「현재 영화극본 창작의 주된 문제를 논하다論目前電影劇本創作中的主要問題」가 발표되었다. '새로운 영웅 인물 창작 문제에 관한 토론' 특집란에는 안리安理의「생활의 왜곡과 공식화된 '영웅'歪曲生活和公式化的"英雄"」, 저우량페이周良沛의「'낙후에서 변화로'를 쓰는 것에 대해 두루뭉술하게 반대하는 것으로는 근본적인 문제를 해결할 수 없다籠統地反對寫落後到轉變不能解決根本問題」, 쑤충린蘇從麟의「화이허 치수 공작 과정에서의 새로운 영웅 인물에 대한 약간의 체험在治淮工作中對新英雄人物的一點體驗」, 서수성佘樹聲의「'모순론'을 학습해 문예창작과 문예이론의 편향을 극복하자學習"矛盾論",克服文藝創作和文藝理論中的偏向」등의 토론문이 발표되었다. 또한 상하이시 문예계 및 전국 각지 문예계의 정풍학습 상황이 보도되었다.

저우량페이(1933~), 시인. 본적은 장시성 융신永新이며 선양瀋陽에서 출생하였다. 1949년에 해방군에 참가하였다. 1958년에 우파로 오인되었다가 1979년에 복권되었다. 이후에 중국작가협회 윈난분회 전문작가를 맡았다. 1952년부터 작품 발표를 시작하였다. 저서로 시집『풍엽집楓葉集』,『홍두집紅豆集』,『음마집飲馬集』,『설조집雪兆集』,『우창집雨窗集』,『철창집鐵窗集』, 산문집『흰 구름 깊은 곳白雲深處』,『유랑자流浪者』,『홍콩, 홍콩香港香港』등이 있다.

14일, 전국문련 상무위원회와 베이징문예계 학습위원회에서 합동 회의를 개최해 베이징문예계 학습위원회의 종결을 선언하기로 결정하였다. 회의에서는 이번의 정풍학습을 통해 수많은 문예공작자들이 무산계급과 자산계급 및 소자산계급 문예를 기본적으로 구분할 수 있게 되었으며, 또한 문예 간행물과 문예단체, 문예기관 등에 존재하는 문제를 정돈했다고 보았다(베이징 문예계 정풍학습은 1951년 11월 24일에 시작되었다. 문화부 소속 문예부문, 문예조직, 문예학교, 문예 간행물 등 1,228인이 정풍학습에 참가하였다).

16일, 상하이의 수많은 문예공작자들이 40여 일간의 학습을 거쳐 창작 과정 중의 각종 잘못된 사상과 경향을 반성하여 정풍운동이 기본적으로 종결되었음을 선언하였다. 정풍학습의 성과를 더욱 공고히 하기 위해 화둥학습위원회의 책임자 동지는 다음과 같은 네 가지 요구를 제시하였다. 1. 문예계에서는 정치와 사상에 대한 학습을 자주 진행해야 하며, 지도자는 이를 진지하게 중시해야 한다. 2. 학습, 생활, 창작이 긴밀히 결합되도록 해야 한다. 3. 창작과 비평을 위주로 하는 종합성 간행물 및 공인문예 간행물 2종을 출판해야 한다. 4. 조직기구를 건전하게 정돈해야 한다.

『해방군문예』 7월호에 「전사 쾌판시」가 게재되어 거춘성戈春生의 「트루먼이 '원군'을 옮기다杜魯門搬"救兵"」, 천헝성陳恒生의 「모기장에 관하여說蚊帳」 등의 시가 발표되었다. 또한 루주궈의 보고문학 「징장이여, 우리는 너를 정복했다荊江,我們征服了你」가 발표되었다.

웨이웨이, 바이아이白艾 등이 창작한 단편소설 「드넓은 하늘에 성난 바람長空怒風」이 『중국청년』 제13호에 발표되었다.

17일, 리지예의 잡문 「문화를 학습하는 군중을 위해 복무하자!爲學習文化的群眾服務罷!」가 『톈진일보』에 발표되었다.

19일, 후평이 저우양의 "우리는 당신의 문예이론 문제에 대해 토론하려 합니다"라는 요청에 응해 베이징으로 와서 문화부 숙사에 묵었다. 후평은 「나의 잘못된 태도에 대한 반성關於我的錯誤態度的檢査」을 집필해 30년대 이후로 당과 '분리'되어 당에 '복종'하지 않은 상황을 반성하였으며, 또한 「하나의 시대, 두 개의 중국一個時代兩個中國」이라는 제목으로 자신의 문예사상을 반성하였다.

20일, 라오서의 「민간문예의 언어民間文藝的語言」가 『중국어문中國語文』 창간호에 발표되었으며 8월 9일자 『신민보』 제6판에 전재되었다. 그는 글에서 민간문예 언어의 특징과 민간문예에서 어떻게 언어를 학습해야 하는가 하는 문제에 관해 논술하였으며, "언어는 민족의 풍격을 구성하는 가장 중요한 성분"이라고 보았다. 민간문예의 언어는 간단하고 명쾌하며 깊은 음운의 아름다움이 담겨 있으므로, 이를 학습해 "문자의 의미에 주의하는 것뿐만 아니라 문자의 소리와 음절에도 주의해야 한다"고 주장하였다.

21일, 전국문협에서 가오위바오 창작 좌담회를 개최하였다. 전사 작가 가오위바오와 그의 작품 수정을 도운 황차오荒草 동지를 초청하였으며 딩링, 자오수리, 장톈이 등 40여 명이 참석해 발언하였다. 딩링은 "가오위바오의 창작이 이룬 성취는 풍부한 전투 생활 경험을 가진 수많은 공농군중이 창작에 종사하도록 촉진할 것이다. 이는 문예공작에 있어 큰 사건이다. 전국문협은 대단히 흥분된 마음으로 이들이 문예공작의 대오에 진입하는 것을 환영하며, 또한 기성작가들이 그들에게 관심을 가지고 도와주기를 희망한다. 가오위바오의 가장 큰 특징은 인민을 위해 복무하려는 태도를 가지고 창작에 임했을 뿐, 작가가 될 생각은 해 본 적이 없다는 것이다. 문예를 개인의 사업으로 여기고 그저 작가가 되고자 하는 이들과 작가라는 이름만 가지고 있으면서 현재 창작을 하지 않는 이들은 가오위바오를 보고 배워야 한다"라고 밝혔다.

23일, 저우양은 후펑의 문예사상을 비판하는 문제에 관해 저우언라이에게 서신을 보내 "우리는 중앙선전부의 명의로 우선 소수의 당내 문예간부들을 소집해 후펑의 이론에 대해 토론할 계획입니다. 린모한林默涵을 중심 발언자로 지정했으며, 펑쉐펑, 딩링 등의 동지들이 의견 발표를 준비하고 있습니다. 당내의 토론 의견이 일치를 이룬 후에 곧바로 후펑 이론을 토론하는 소형 문예좌담회를 소집할 것입니다……"라고 말했다. 27일, 저우언라이는 이 서신에 대해 서면으로 의견을 표하고, 같은 날 후펑에게 서신을 보내 "나는 지금 바빠서 한동안 만날 시간이 없으니 선생은 저우양, 딩링 등의 동지들과 먼저 만나 의논하십시오. 선생의 문예사상과 생활 태도에 대해 반성할 수 있다면 가장 좋을 것입니다"라고 말했다. 후펑은 이 의견에 따라 몇 사람을 찾아가 의견을 구했다. 딩링은 자신은 이론 연구를 하지 않아 의견을 낼 수 없다고 밝혔다. 저우언라이의 지시에 따라 중앙선전부에서 9월 6일, 11월 26일, 12월 11일, 12월 16일에 네 차례 좌담회를 개최하였다. 딩링은 첫 번째 좌담회에만 참석하였다.

25일, 펑쉐펑의 장편 논문 「중국문학이 고전 현실주의로부터 무산계급 현실주의로 발전한 윤곽中國文學中從古典現實主義到無產階級現實主義的發展的一個輪廓」이 『문예보』에 연재되기 시작해 제14, 15, 17, 19, 20호에 연재되었다. 저자는 후기에서 "최근에 『문예보』에 도착한 독자들의 서신에서 편집자에게 답변을 요구한 문제들 가운데 현실주의에 관한 것은 아래의 몇 가지가 있다. 1. '5·4' 신문학 이전의 중국 구문학에는 현실주의가 존재했는가? 만약 존재했다면 예를 들어 설명해 달라. 2. '5·4' 신문학의 현실주의는 외국에서 온 것인가, 아니면 중국의 우수한 문학 전통의 발전인가? 3. '5·4' 신문학의 현실주의는 자산계급의 현실주의인가 아니면 무산계급 현실주의인가? 가령 루쉰과 마오둔 등의 현실주의는 어느 범주에 속하는가? 4. 무산계급 현실주의와 사회주의적 현실주의라는 두 개념은 각자 포함하는 의미에 차이가 있는가? 5. '신민주주의적 현실주의'라는 말은 어째서 타당하지 못한가? 6. 무산계급 현실주의와 구현실주의, 가령 고리키가 말한 비판적 현실주의는 어떻게 다른가? 무산계급 현실주의의 근본 법칙은 무엇인가?" "이 문제들은 모두 아주 큰 문제이고, 특히 마지막 문제는 우리가 감히 답할 수 있는 문제가 아니다. 현재 편집부에서는 내게 이 문제들을 처리하라고 했으나, 나는 내가 가진 얕은 이해만을 제시할 수 있을 뿐이다(그 가운데 분명히 틀린 부분도 있을 것이다). 이 문제들을 제기한 동지들은 나의 이해를 참고하고, 해답이라고 여기지는 말기 바란다. 우리는 부디 독자들이 비평하고 바로잡아 주기를 바란다." "나는 큰 제목을 정하고 이 문제들을 다섯 가지 소제목으로 정리했다. 1. 중국문학의 고전 현실주의는 어떠한 것인가? 2. '5·4' 신문학 속의 현실주의의 사회적 기초와 기원 및 이것이 무산계급 현실주의로 발전한 과정. 3. 루쉰과 마오둔에 관하여. 4. 무산계급 현실주의의 창작 성적. 5. 무산계급 현실주의의 개념에 관하여"라고 밝혔다.

『문예보』 제14호의 '새로운 영웅 인물 창작 문제에 관한 토론'란에 왕장한王江漢의 「'낙후에서 변화로' 묘사 문제에 관한 몇 가지 의견對寫"落後到轉變"問題的一些意見」, 한옌漢雁의 「생활을 이해해야 한다要懂得生活」 등의 토론문이 발표되었다. 또한 『문예보』에서는 극작계에서 쑹즈더의 극본 「고발」에 대해 토론을 전개할 것을 문예계에 호소하였다.

『인민일보』에서 '삼반', '오반'을 소재로 한 화극 「고발」에 관한 토론회를 개최하였다.

이달에 딩링, 저우리보 등이 중국문협의 조직활동을 통해 칭화대학, 베이징대학 및 톈진학생연합회를 방문해 문예사상문제에 관한 보고를 진행하였다.

본래 진쑤이 변구에서 성립된 칠월극사七月劇社가 간쑤에서 해체를 선포하였다. 본 극사는 성립된 후 13년간 대량의 진극晉劇과 신新앙가극을 창작하고 공연하며 산시山西, 랴오닝, 산시陝西, 쓰찬, 간쑤 등지에서 활동하면서 신중국의 문화예술사업을 위해 수많은 작가와 예술가 및 문예간부를 양성 및 배출하였다.

장헌수이가 베이징시 문련에서 조직한 원고 청탁회에 참가해 '진승, 오광'에 관한 책을 집필할 계획이라고 언급했으나 결국 완성하지 못했다.

『신건설新建設』 1952년 7월호부터 1953년 1월호까지 리다의 「「모순론」 해설<矛盾論>解說」이 연재되었다. 이 책의 단행본은 1953년에 베이징싼롄서점에서 출간되었다.

황상黃裳의 『수호전 희곡 및 기타談水滸戲及其他』가 상하이카이밍서점에서 출간되었다. 위안징, 쿵줴의 중편소설 『중국과 조선의 자녀中朝兒女』(원제: 『생사연生死緣』)가 상하이신문예출판사에서 출간되었다. 바이랑白朗의 중편소설 『행복한 내일을 위하여爲了幸福的明天』가 인민문학출판사에서 출간되었다.

리잉의 시집 『전장에서의 명절戰場上的節日』이 상짜출판사에서 출간되었다. 시집에는 「수송선 위에서運輸線上」, 「평양으로 가는 길 위에서 용감히 전진하다向平壤路上挺進」, 「조선의 북위 38도선의 밤朝鮮的北緯三十八度線之夜」, 「전장에서의 명절」 등 10편의 시가 수록되었다. 저자는 "전국 대륙이 막 해방되었을 때 압록강변에서 또 포성이 전해져 왔다. 1950년 겨울, 해방군 총본부에 이동한 지 얼마 되지 않았던 나는 조선 전장으로 가서 취재와 공작을 맡게 되었다. 이 전쟁은 국내 전쟁과는 전혀 다른 새로운 전쟁이었다. 한강의 북쪽 기슭에서, 조선의 산기슭에서, 흩날리는 함박눈과 타오르는 불길 속에서, 엄폐호에서 흔들리는 촛불 속에서, 나는 강렬한 감상을 적어 나갔다. 그 이후에 전쟁 중과 정전 후에 나는 조선을 두 차례 더 방문했다. 나는 어떻게든 우리 지원군 전사들이 해외에서 싸운 진실한 상황을 그들을 아끼는 조국의 친지들에게 보고해야 한다는 마음을 품고 이 시들을 썼다. 이 시들이 바로 이후에 정리되어 출판된 나의 두 번째 시집 『전장에서의 명절』(1952년)이다"라고 밝혔다.(『리잉 시선·서문李瑛詩選·自序』, 쓰촨인민출판사, 1981년 -> 각주로 처리해야 할 듯합니다.)

가오란高蘭의 시집 『평화의 힘으로 지구의 전진을 추진하자用和平的力量推動地球前進』가 산둥인민출판사에서 출간되었다. 둥베이문학예술계연합회에서 편찬한 『둥베이 공인 시가선東北工人詩歌選』이 선양통속문예출판사沈陽通俗文藝出版社에서 출간되었다. 16사단 정치부 선교과十六師政治部宣敎科에서 편찬한 『홍성 전사 시선紅星戰士詩選』(제1집)이 16사단 정치부에서 출간되었다.

후커의 4막 화극 「영웅의 진지英雄的陣地」가 『극본』 7월호에 발표되었다. 돤무훙량의 평극 『양산백과 축영대』가 베이징보문당서점에서 출간되었다. 린뱌오林標가 각색한 월극粵劇 및 조극潮劇 『샤오얼헤이의 결혼』이 광저우남방통속출판사廣州南方通俗出版社에서 출간되었다.

루쉰의 잡문집『열풍熱風』이 인민문학출판사에서 출간되었다. 후평의 보고문학집『새로운 인물과 함께和新人物在一起』가 상하이문예출판사에서 출간되었다.

인민문학출판사에서『조선통신보고선朝鮮通訊報告選』(제1집)을 편집 및 출판하였다. 선집에는 웨이웨이의「누가 가장 사랑스러운 사람인가」와「전사와 조국戰士和祖國」, 리좡李莊의「사람들이 '만세'를 환호해 주는 부대被人們歡呼"萬歲"的部隊」, 류바이위의「조선은 전화 속에서 전진한다朝鮮在戰火中前進」, 화산華山의「섬멸적인 공격殲滅性的打擊」, 황강의「양쓰가 희생한 곳에서在楊思犧牲的地方」, 양숴의「만고청춘萬古青春」, 바이랑의「포로들俘虜們」, 한쯔의「전선의 송가前線的頌歌」등 30편의 작품이 수록되었다. 딩링이 서문을 썼다.

판창장範長江의『촨디춘의 농업생산합작사川底村的農業生產合作社』가 인민문학출판사에서 출간되었다.

판창장(1909~1970), 본명은 판시톈範希天으로 쓰촨성 네이장內江 출신이다. 1932년에 베이징대학 철학과에 입학한 후 항일구국운동에 적극적으로 참가하여『대공보』에 홍군의 장정 상황을 앞장서서 사실 그대로 보도하였다. 1939년에 중국공산당에 가입하였다. 1941년에 당위원회의 의뢰를 받고 홍콩에서『화상보華商報』를 창간하였다. 공화국 성립 후에는 신화사 편집장, 상하이 해방일보사 사장 및 신문총서 부서장, 인민일보사 사장, 국가과학기술위원회 주임을 역임하였다. 문화대혁명 시기에 박해를 받아 사망하였다. 저서로『산베이 기행陝北紀行』,『중국의 서북쪽 귀퉁이中國的西北角』등이 있다.

류베이쓰劉北汜의 보고문학『홍기를 든 사람拿紅旗的人』이 상하이문광출판사에서 출간되었다.

장톈이의 아동문학 작품『뤄원잉 이야기羅文應的故事』가 청년출판사에서 출간되었다. 옌원징의 동화집『꼬마 다람쥐小松鼠』가 선양둥베이청년출판사瀋陽東北青年出版社에서 출간되었다. 동화 5편을 수록하였다. 차오밍 등의『아이의 고발』이 선양통속문예출판사에서 출간되었다. 천보추이가 창작하고 왕퉁후이王通繪가 삽화를 그린『우애 깊은 학우들友愛的同學們』이 중화서국에서 출간되었다.

체코 작가 푸치크의『올가미가 목을 감을 때의 보고』가 청년출판사에서 번역 출간되었다. 소련 작가 코스모데미얀스카야의『조야와 수라 이야기』가 청년출판사에서 번역 출간되었다. 루쉰이 번역한 소련 작가 야코플레프의『10월』이 인민문학출판사에서 출간되었다. 루쉰이 번역한 소련 작가 파데예프의『괴멸毀滅』이 인민문학출판사에서 출간되었다. 차오징화가 번역한 소련 작가 레오노프Леонов의『침략자를 공격하라打擊侵略者』가 상하이위안창인서관上海元昌印書館에서 출간되었다. 루룽이 번역한 톨스토이의『부활復活』이 상하이핑밍출판사에서 출간되었다. 리칭야李青崖가 번역한 프랑스 작가 모파상의『모파상 중단편소설선莫泊桑中短篇小說選』이 상하이문화공작사에서 출간되었다.

일본 작가 가지 와타루鹿地亘가 번역한 소설집 『리유차이 판화』가 일본출판협동주식회사日本出版協同株式會社에서 출간되었다. 「샤오얼헤이의 결혼」, 「푸구이」, 「독납 관리督稅吏」(즉 「催糧差」, 「리유차이 판화」 등 4편의 소설이 수록되었다.

8월

1일, 중국인민해방군전영제편창이 베이징에 설립되었다. 본 제편창은 이후에 8·1전영제편창으로 명칭이 변경되었으며 1955년부터 극영화 제작을 시작하였다. 이후로 8·1전영제편창은 둥베이전영제편창, 베이징전영제편창, 상하이전영제편창과 함께 신중국 4대 국영제편기지로 불렸다.

『인민문학』 8월호에 리잉의 시 「조선 전장에는 이런 사람이 있다在朝鮮戰場上有這樣一個人」, 바진의 산문 「조선 전지의 봄밤朝鮮戰地的春夜」이 발표되었다.

『창장문예』 제8호에 딩이의 「조국이 필요로 할 때當祖國需要的時候」(보고), 웨이양未央의 「매복공격伏擊」(조선 통신)과 리빙의 장시 연재 『류후란이 왔다』가 발표되었다.

5일, 충칭 『대공보』가 폐간되고, 중공충칭시위원회의 기관 간행물 『충칭일보』가 정식으로 창간되었다.

6일, 전국문협 상무위원회에서 정풍운동 정신을 더욱 잘 관철하기 위해 「조직 개선 정리 공작에 관한 방안關於整理組織改進工作的方案」과 「중화전국문학공작자협회 회원 정리 공작 방안中華全國文學工作者協會整理會員工作的方案」을 통과시켰다. 『문예보』 제17호에 전문이 발표되었다.

8일, 중난구와 우한시의 문예정풍운동이 정식으로 시작되었다. 중난구 선전부 부부장 천황메이가 동원보고를 진행하였으며, 문련 주석 위헤이딩於黑丁이 반성을 진행하였다.

10일, 『문예보』 제15호에 「베이징문예계 정풍학습 기본 상황北京文藝界整風學習基本情況」과 천치샤의 「극작 「고발」을 논하다試論劇作<控訴>」가 발표되었다.

16일, 정무원에서 「서적 출판업 인쇄업 발행업 관리에 관한 임시 시행 조례管理書刊出版業印刷業發行業暫行條例」와 「간행물 등록 잠정 조치期刊登記暫行辦法」를 발포하였다.

『해방군문예』 8월호에 리즈밍의 시 「홍군이 현수교를 날듯이 건너다紅軍飛過鐵索橋」, 딩링의 「창작과 관련된 문제에 관하여 - '8·1' 운동대회에 참석한 전 문예공작자에게 보내는 연설談談與創作有關的問題——對參加"八一"運動大會的全體文藝工作者的講話」이 발표되었다.

『중국청년』 잡지 제14호에 저우리보의 글 「영웅은 평범함 속에서 성장한다 - 「나의 아들」을 읽고英雄是從平凡中成長起來的——讀<我的兒子>」가 발표되었다.

17일, 펑즈의 산문 「청년의 행복青年的幸福」이 『인민일보』에 발표되었다.

19일, 딩링이 톈진시 학생 여름방학 생활지도위원회의 초청에 응해 톈진 학생 여름방학 문예강좌에서 「새로운 인물에 관하여談新事物」라는 강연을 진행하였다. 강연문은 8월 24일자 『톈진일보』에 발표되었다.

23일, 궈모뤄가 시 「평화의 깃발和平的旗幟」을 창작하였다.

24일, 정전둬의 「인도 각지의 '아시아 주간' 행사 개최를 축하하며祝賀印度各地舉行的"亞洲周"」가 『인민일보』에 발표되었다.

25일, 『문예보』 제16호에 메이란팡의 「중국 희곡예술의 새로운 방향中國戲曲藝術的新方向」이 게재되어 "개혁 과정 중에 있는 희곡 예술", "구예술의 새로운 탄생", "희곡 예인과 관중", "무대 위의 문화유산의 발양" 등 네 가지 측면에서 논술을 진행하였다.

같은 호에 '개념화, 공식화 경향에 관한 비평이 전개되기를 바란다' 특집이 게재되었다. '편집자의 말'은 "『인민일보』의 사설 「마오쩌둥 동지가 제시한 문예 방향을 위해 지속적으로 투쟁하자」는 우리가 오늘날 문예공작에 존재하는 두 가지 전선의 투쟁을 진행할 것을 호소하였으며, 우리가 '한편으로는 문예가 정치와 분리되는 경향을 반대'하고, '다른 한편으로는 개념화와 공식화가 문예와 정치의 정확한 결합을 대체하는 경향을 반대'할 것을 요구하였다. 현재 문예창작과 문예선전활동에 존재하는 개념화, 공식화 경향에 관해 비평을 제시한 이 의견은 중시할 만한 것이다. 우리는 또한 문예작품에 대한 구체적인 연구를 강화해 문예 현상에 대한 심도 있는 분석을 통해 이러한 경향에 관한 근본적인 문제들을 제기하고 해결할 필요가 있다"고 밝혔다. 본 특집란에는 차이톈蔡田의 「생활에 충실해야 한다要忠實於生活」, 왕팡王芳의 「문예선전의 실제 효과에 주의하자注意文藝宣傳的實際效果」, 류빙시劉炳喜의 「개념화, 공식화된 작품이 생활을 왜곡했다概念化, 公式化的作品歪曲了生活」 등의 글이 발표되었다.

『문예보』 같은 호의 '새로운 영웅 인물 창조 문제에 관한 토론'란의 '편집부의 말'은 "새로운 영웅 인물 창조 문제에 관한 토론은 각 방면의 독자들이 용기 있게 참가해 준 덕분에 현재 점진적으로 전개 중이다. 계속해서 발표된 독자 의견들은 모두 결론은 아니며, 이 토론은 앞으로도 계속 진행될 것이다. 본지의 제11, 12호 합본의 「편집부의 말」에서 제시한 목적과 정신에 대해 독자들이 더욱 많은 의견을 발표해 우리의 토론이 더욱 심도 있게 진행될 수 있도록 해 주기를 바란다"고 밝혔다. 본 특집란에는 쭤제이左介貽의 「현실 생활은 우리에게 이와 같이 알려준다現實生活這樣告訴我們」, 관타이핑關太平의 「새로운 인물 창조에 관한 약간의 의견關於創造新人物的一點意見」, 왕정王正의 「생활의 진실을 중시하자重視生活的真實」 등의 글이 발표되었다.

30일, 『문예보』에서 '『중국신문학사고中國新文學史稿』(상권) 좌담회'를 개최해 우쭈샹吳組緗, 리허린李何林, 쑨푸위안, 린겅, 리광톈, 짱커자, 중징원, 황야오몐, 멍차오孟超, 차이이蔡儀, 양후이楊晦, 위안수이파이, 왕수밍, 예성타오, 진찬란金燦然, 탕다청唐達成 등이 참석하였다.

우쭈샹은 이 책에 다음과 같은 세 가지 심각한 결점이 존재한다고 지적하였다. 첫째, 주된 내용과 부차적인 내용이 뒤섞여 있어 그 판별이 적절치 못하다. 30년간의 문예통일전선의 투쟁 발전에 있어 마르크스레닌주의 문예사상이 주도적인 위치를 차지하고 있다. 그러나 이 책의 각 장의 총체적인 서술 부분을 보면 저자는 이에 대해 인식을 가지고 있으나, 작가와 작품을 구체적으로 열거할 때가 되면 이 점을 내팽개쳐 버린다. 둘째, 책 속에서 작가의 작품을 논평할 때 항상 사상 내용 측면을 등한시하였다. 앞에서 판별이 적절치 못하다고 말한 이유가 바로 여기에 있다. 저자는 논평을 할 때 문학의 정치성과 예술성을 대등하게 나누어 보고 있는 것처럼 보이지만, 사실상 예술 표현의 측면을 더욱 중시하고 있다. 셋째, 책 전체의 주된 내용은 몇몇 작가의 작품의 일부 단락을 나열하고 논평한 것일 뿐이다. 짧은 장 혹은 절로 나눠진 내용만을 나열해 작가의 주된 사상, 각종 사상이 서로 투쟁하는 관계, 문학의 주류와 그 발전 방향 등을 볼 수 없다. 종합하자면, 저자는 이 책을 편찬할 때 정확한 정치 및 사상 원칙을 파악하고 관철하지 못해 관점이 모호하고 오류를 가지고 있으며, 태도가 불확실하고, 방법의 운용 또한 형식 논리의 범위에 속해 있다. 때문에 객관주의적으로 여러 가지 자료를 나열한 것에 지나지 않는다.

리광톈은 이 저작에 관해 다음과 같은 네 가지 비평 의견을 제시하였다. 1. 신문학의 역사적 근원을 중간에 잘라 버렸다. 이 책에서는 고전문학의 현실주의 전통을 찾아볼 수 없다. 2. 모든 것을 관용적으로 받아들이고, 퇴폐적인 자산계급 문학에 대해 비평하지 않았다. 이는 신월파에 대한 저자의 태도에 구체적으로 드러나 있다. 3. 자료를 나열하기만 하고 구체적으로 분석하지 않았다. 신문학에 대한 작가의 태도는 이전 학자들이 구문학을 연구한 태도와 똑같다. 4. 각각의 문예사조에 대해 그 사조가 일어난 근원에 대해 거의 탐구하지 않고, 당시의 시대 배경과 사회 기초에 연관지어 분석을 진행하지 않았다.

두 사람 외에 여타 참석자들도 각자의 의견을 발표하였다. 『문예보』 제20호에 본 좌담회 기록이 게재되었다. 덧붙여진 편집자의 말은 "중국 신문학의 역사를 연구하는 일은 현재 문예공작자와 문예교육공작자들의 중요한 임무이다. 그러나 우리는 이 방면의 공작이 매우 부족하다. 여기에 발표한 「『중국신문학사고』(상권) 좌담회 기록」은 왕야오가 편찬한 『중국신문학사고』(상권)가 표현한 입장과 관점에 존재하는 오류에 대해 비평을 진행하였으며, 신문학사를 연구하는 방법에 대해서도 유익한 의견들을 제시하였다. 이 의견과 비평들은 비록 초보적인 것이기는 하나, 이러한 진지하고 엄숙한 토론은 중국 신문학사에 대한 우리의 연구에 도움이 될 것이라고 본다. 우리는 이러한 성실한 토론들을 통해 이 방면의 공작을 더욱 잘 전개할 수 있기를 바란다"고 밝혔다.

우쭈샹(1908~1994), 소설가, 고전문학 연구자. 본명은 우쭈샹吳祖襄, 자는 중화仲華로 안후이성 징현涇縣 출신이다. 중학교 시기에 시 작품을 발표하기 시작하였다. 1929년에 칭화대학에 입학하였다. 공화국 성립 후에 칭화대학과 베이징대학 교수로 근무하면서 고전문학 교육과 연구에 힘을 쏟았다. 중국작가협회 서기처 서기, 베이징시 문련 부주석, 전국 『홍루몽』 연구회 회장 등을 역임하였다. 저서로 단편소설집 『서류집西柳集』, 『천 팔백 개의 가마니一千八百擔』, 소설산문집 『반여집飯餘集』, 『우쭈샹 소설산문집吳組緗小說散文集』, 장편소설 『산홍山洪』, 산문집 『습황집拾荒集』, 문예평론집 『원외집苑外集』 등이 있다.

이달에 쑤난문학예술계연합회에서 통지를 발포해 전 구역 문예공작자들이 민간음악을 수집 및 정리할 것을 호소하였다. 1953년 봄까지 민간가요 및 희곡 2,275수가 수집되었다. 수집 지도 조직 공작에 참가한 첸징런錢靜人은 『장쑤 남부 가요 약론江蘇南部歌謠簡論』(장쑤인민출판사 1953년)을 집필하였으며, 이번의 대규모 수집활동을 기록하고 이 가운데 800여 편을 선정해 『쑤난민간가곡집蘇南民間歌曲集』을 출간하였다.

샤오쥔이 베이징시 시장 펑전의 특별 파견에 따라 베이징시 인민정부 문교위원회 문물조 고고 연구원을 맡았다.

샤정눙夏征農의 『사상교육의 일례 - 어째서 학교에서 사상개조운동을 전개하는가思想教育的一例——爲何在學校中開展思想改造運動』가 산둥인민출판사에서 출간되었다.

샤정눙(1903~2008), 본명은 정허正和, 자는 쯔메이子美, 필명은 정눙征農이며 장시성 펑청豐城 출신이다. 1926년에 중국공산당에 가입해 '난창 봉기'에 참가하였다. 좌련의 후기 지도자 중 한 사람이다. 산둥성위원회 부서기, 상하이시위원회 상무위원 및 서기, 사하이문련 주석, 『중국대백과사전中國大百科全書』 편집장, 『사해辭海』 편집장, 중공중앙고문위원회 위원 등을 역임하였다. 저서로 『정눙 문예산론征農文藝散論』, 『정눙 문예창작론征農文藝創作論』, 『정눙 정론선征農政論選』 등이 있다.

린경의 저서 『시인 굴원과 그 작품 연구詩人屈原及其作品研究』가 상하이탕디출판사上海棠棣出版社에서 출간되었다. 원화이사文懷沙의 저서 『굴원 9장 금석屈原九章今釋』이 상하이탕디출판사에서 출간되었다. 선롄칭沈聯清의 문예이론저서 『특필을 어떻게 쓸 것인가怎樣寫特寫』가 우한통속출판사에서 출간되었다.

사팅의 장편소설 『환향기還鄉記』가 인민문학출판사에서 출간되었다. 위린의 소설 『군영을 전전한 보름간轉營半月』이 인민문학출판사에서 출간되었다. 리가오의 소설 『막을 수 없는 쇳물不可阻擋的鐵流』이 상하이핑밍출판사에서 출간되었다. 신루昕如의 소설 『강을 건너다過河』가 상하이천광출판사에서 출간되었다.

딩예의 시집 『대형 짐차 다섯 열이 안둥을 달린다五掛大車跑安東』가 선양통속문예출판사에서 출간되었다. 펑쉐펑의 산문 『루쉰을 추억하며回憶魯迅』가 인민문학출판사에서 출간되었다. 허치팡의 산문집 『성화집星火集』이 상하이신문예출판사에서 출간되었다.

장시닝두군중보사江西寧都群眾報社에서 편찬한 『언제나 마오 주석을 그리워하다時刻想念毛主席』(장시 옛 근거지의 혁명투쟁 이야기 제1편)가 장시인민통속출판사江西人民通俗出版社에서 출간되었다. 커강, 팡더 등의 보고문학 『설산을 돌파해 티베트로 진군하자踏破雪山進軍西藏』가 충칭인민출판사에서 출간되었다.

멍융치孟永其, 정보산鄭伯山이 번역한 A.K.바실리예프의 『사회주의적 현실주의를 논하다論社會主義的現實主義』가 상하이출판공사에서 출간되었다. 린룽룽任溶溶이 번역한 톨스토이의 『러시아 민간고사俄羅斯民間故事』가 상하이시대출판사에서 출간되었다. 이췬이 번역한 비노그라도프의 『신문학교정新文學教程』이 상하이신문예출판사에서 출간되었다(일본어판 중역본). 팡징이 번역한 톨스토이의 『이반 일리치의 죽음伊凡·伊裏奇之死』이 상하이문화생활출판사에서 출간되었다.

만타오滿濤가 번역한 베린스키의 저서 『베린스키 선집別林斯基選集』(2권)이 상하이시대출판사에서 출간되었다.

만타오(1916~1978), 문학번역가. 본명은 장완제張萬傑이며 장이허우張逸侯라는 이름을 사용하였다. 장쑤성 우현吳縣 출신이다. 일본과 미국에서 유학하였으며, 귀국 후에는 『급류문예총간奔流文藝叢刊』 편집 공작에 종사하였다. 공화국 성립 후에는 상하이시대출판사에서 근무하였다. 역서로 『베린스키 선집』(1~6권), 『문학의 전투 전통文學的戰鬥傳統』, 『고골 선집果戈裏選集』(1~4권) 등이 있다.

메이타오梅韜가 번역한 일본 작가 이와사 우지토시岩佐氏壽 등의 희극 『아니! 우리는 살아갈 것이다!不!我們要活下去!』가 상하이핑밍출판사에서 출간되었다.

9월

1일, 『인민문학』 9월호에 우첸吳倩이 루링의 단편소설 「평원平原」을 비판한 글이 발표되었다. 같은 호에 후자오胡昭의 시 「파종 및 기타播種及其他」가 발표되었다.

『창장문예』 제9호에 천황메이의 「사상을 개조하고, 마오쩌둥 문예노선을 관철하기 위해 투쟁하자 - 중난 및 우한시 문예정풍학습 동원대회에서의 연설改造思想,爲貫徹毛澤東文藝路線而鬥爭——在中南和武漢市文藝整風學習動員大會上的講話」, 위헤이딩의 「잘못을 바로잡고 사상을 개조해 마오쩌둥 문예노선을 단호히 관철하자糾正錯誤,改造思想,堅決貫徹毛澤東文藝路線」, 종합기사 「중난 각 성(시) 문예계의 문예정풍운동中南各省(市)文藝界的文藝整風運動」 및 리빙의 『류후란이 왔다』(장시 연재)가 발표되었다.

2일, 중난구 제1회 희곡참관대회가 한커우에서 개최되었다.

5일, 류사오탕劉紹棠의 단편소설 「푸른 가지와 잎青枝綠葉」이 『중국청년보』에 발표되었다.

류사오탕(1936~1997), 작가. 베이징시 퉁저우通州 출신이다. 1949년부터 신문에 작품을 발표하였으며, 1953년에 출간한 단편소설집 『푸른 가지와 잎』으로 명성을 얻었다. 1953년에 중국공산당에 가입하였다. 1954년에 베이징대학 중문과에 입학하였으며 1956년부터 전문 창작에 종사하였다. 1957년에 우파로 오인되었다가 1979년에 복권되었다. 중국작가협회 부주석, 베이징시 작가협회 부주석을 역임하였다. 저서로 단편소설집 『푸른 가지와 잎』, 『산자춘의 노랫소리山楂村的歌聲』, 『추석中秋節』, 『아미蛾眉』, 중편소설 『운하의 노 젓는 소리運河的槳聲』, 『미천한 집안蒲柳人家』, 장편소설 『봄풀春草』, 『봉화狼煙』, 『류징팅이 설서를 하다柳敬亭說書』, 『이 시대這個年月』, 산문 단론집 『나와 향토문학我與鄉土文學』, 『나의 창작 생애我的創作生涯』 등이 있으며 이후에 『류사오탕 문집劉紹棠文集』이 출간되었다.

6일, 문련 주석단이 제1차 토론회를 소집하였다. 후펑은 「「희망」에 관한 간단한 보고關於<希望>的簡單報告」, 「수우와 「주관을 논하다」에 대한 보고關於舒蕪和<論主觀>的報告」를 집필하였다. 또한 이후에 스스로 '아Q의 진술서阿Q供狀'라고 칭한 반성의 글 「한 시기, 몇 가지 추억一段時間,幾點回憶」을 근 1개월에 걸친 집필 끝에 11월에 완성해, 11월 26일에 문련 주석단이 소집한 제2차 토론회에서 발표하였다.

7일, 『인민일보』에 궈모뤄의 「아시아 및 태평양 지역의 평화회의 개최를 위해 일본 인민에게 보내는 제2차 공개 서신爲亞洲及太平洋區域和平會議的召開第二次給日本人民一封公開信」이 발표되었다.

8일, 출판총서에서 「「공영출판사 편집기구 및 공작제도에 관한 규정」 집행에 관한 지시關於執行<公營出版社編輯機構及工作制度的規定>的指示」를 발포해, 국가 출판물의 정치적 질과 기술적 질을 보장하기 위해 공영출판사에서 반드시 관련 규정을 엄격히 준수할 것을 지시하였다. 이는 신중국에서 최초로 원고에 대해 '3심제'를 시행할 것을 출판사에 명확하게 제시한 지시이다.

10일, 『문예보』 제17호에 마오둔의 「인민이 전쟁을 단호히 반대한다면 분명히 전쟁을 제지할 수 있다人民堅決反對戰爭,就一定能制止戰爭」, 라오서의 「평화와 문예和平與文藝」 및 쑨리의 「소설 「하화전」에 관한 통신關於小說<荷花澱>的通信」이 발표되었으며, 「전국문련에서 일본 문화계에 보내는 공개 서신全國文聯致日本文化界的公開信」이 게재되어 중일 문화교류를 강화하고자 하는 바람을 표현하였다.

12일, 『인민일보』에 다이부판戴不凡의 「「금발기」를 평하다評<金缽記>」가 발표되었다. 그는 글에서 톈한의 극본 「금발기」에 대해 분석하고 비평하였다.

다이부판(1922~1980), 희곡이론가, 문예평론가. 저장성 젠더建德 출신이다. 1943년부터 항저우 등지에서 신문공작에 종사하였다. 1952년에 『인민일보』에 「「금발기」를 평하다」를 발표한 일로 인해 중앙선전부에 의해 베이징으로 이동되어 희곡개혁공작에 종사하였다. 1978년에 문화부 예술연구원 희곡연구소로 이동하였으며, 『희곡연구』 부편집장을 역임하였다.

출판총서에서 문화교육위원회에 전국 출판사업 상황 및 앞으로의 공작 방침과 계획에 관해 보고하였다. 보고는 첫째, 앞으로 출판공작의 계획화를 점진적으로 추진하고, 또한 계획화를 시행하는 과정 중에 출판물의 질을 제고하는 데 주의를 기울일 것. 둘째, 국영 출판, 발행, 인쇄 역량을 대대적으로 발전시키고, 사영기업에 대해서도 적극적인 태도를 취할 것. 셋째, 기관, 단체, 학교, 기업의 역량을 대대적으로 조직하여 여가시간을 이용해 번역공작을 진행할 것. 넷째, 국제 선전 간행물의 출판 발행 공작을 확충하고 개선하는 데 노력할 것. 다섯째, 지도를 개선하고 간부를 강화할 것 등을 제시하였다.

14일, 화베이문예계 정풍학습이 종료되었다. 문예공작자들은 정풍정신에 근거해 분분히 공장과 농촌으로 가서 생활을 체험하고, 문예창작을 위해 소재를 수집하였다.

15일, 라오서의 「「버드나무 우물」 소개介紹<柳樹井>」(문예잡담)가 『신민보』 제7판에 발표되었다. 그는 글에서 희곡 「버드나무 우물」의 등장인물 설계 과정과 이들에게 투영한 사상을 소개하고, 또한 예술적인 면에서 추구한 점들, 즉 구형식을 타파하고, 옛것 중에서 쓸모없는 것을 버리고 새것을 창조하며, 통속적이고 유창한 문장을 사용하고, 아름답고 듣기 좋은 운율을 사용한 점 등을 소개하였다. 라오서는 글에서 본 희곡의 장점과 단점을 분석하고, 개선을 위한 구상을 제시하며, 앞으로 곡극이 하나의 새로운 가극 형태로 발전하기를 바란다고 밝혔다.

16일, 『해방군문예』 9월호에 천이의 「성적을 발휘하고 결점을 극복해 마오쩌둥 문예 방향을 계속해서 관철하자發揚成績,克服缺點,繼續貫徹毛澤東文藝方向」, 딩링의 「창작에 관련된 문제에 관하여談談與創作有關的問題」, 왕야핑의 글 「부대의 설창시가에 관하여談談部隊的說唱詩歌」 및 장다신薑大新의 「어디서 온 작업반인가哪裏來的工程隊」와 장융메이張永枚의 「외적도 때려잡고 채소도 심는다又打鬼子又種菜」 등의 쾌판시가 발표되었다.

장융메이(1932~), 시인. 필명은 황쥐수黃桷樹로 쓰촨성 완현萬縣 출신이다. 1949년에 중국인민해방군에 참가하였다. 1950년에 북한으로 갔으며 같은 해에 문예창작을 시작하였다. 1953년에 귀국하였다. 중국인민지원군 문공단 단원, 광저우군구 전사가무단 및 정치부 문예창작조 창작원을 역임하였다. 저서로 시집 『신춘新春』, 『해변의 시海邊的詩』, 『말 타고 총을 걸고 천하를 달리다騎馬掛槍走天下』, 『단향녀檀香女』, 『야자수의 노래椰樹的歌』, 『사회주의를 노래하다唱社會主義』, 시체詩體 보고문학 『시사 전쟁西沙之戰』, 장편 시체소설 『쑨중산과 쑹칭링孫中山與宋慶齡』, 장편소설 『붉은 수건 귀신紅巾魂』, 『바다 끝의 기이한 빛海角奇光』, 현대경극 『평원 작전平原作戰』(중국경극단 합동 창작 작품으로 집필을 맡음) 등이 있다.

20일, 라오서의 「베이징의 '곡극北京的"曲劇"」(문예잡담)이 『이야기하고 노래하다』 9월호에 발표되었다. 그는 글에서 곡극이라는 장르와 그 탄생 및 발전 과정, 「버드나무 우물」이 곡극의 형식 측면에서 진행한 실험과 혁신에 대해 소개하였다.

22일, 「난징시 문예정풍 총결산南京市文藝整風總結」이 난징 『신화일보』에 게재되었다.

25일, 『문예보』 제18호에 궈모뤄의 「아시아 및 태평양 지역의 평화회의 개최를 위해 일본 인민에게 보내는 제2차 공개 서신」 및 수우의 「루링에게 보내는 공개 서신致路翎的公開信」이 발표되었다.

저우리보의 「소련 영화 「평화로운 나날 속에서」를 보고蘇聯影片<在和平的日子裏>觀後」가 『인민일보』에 발표되었다.

27일, 『인민일보』에 문화부 부장 마오둔의 글 「3년간의 문화예술공작 총결산三年來的文化藝術工作總結」이 발표되었다. 그는 글에서 "마오쩌둥 주석이 지시와 공동 강령의 규정에 따라, 신중국 문화예술공작의 기본 방침은 공농병을 향하고 공농병을 위해 복무하는 것, 보급 제일의 규칙을 지키고 보급의 기초 위에서 제고하며 민족문화예술의 전통을 비판적으로 받아들여 발양하는 것, 그리고 신문화예술사업을 단계별로, 또한 중점적으로 발전시키는 것이다. 3년간의 노력을 거쳐 우리의 문화예술공작은 어느 정도의 성취를 거두었다. 그 가운데 중요한 사항 세 가지를 다음과 같이 약술한다. 1. 인민영화를 발전시키는 것이 우리의 중요 공작 중 하나이다. 3년간 전국적으로 극영화 86부(1951년 이전에 사영제편창에서 출품한 51편 포함), 다큐멘터리 57부를 제작하였다. 이 가운데 우수한 작품으로는 「백만 군대가 장난으로 내려가다百萬雄師下江南」, 「대서남 개선가大西南凱歌」, 「홍기가 서풍에 휘날리다紅旗漫卷西風」 등이 있다. 번역 영화(소련 및 인민민주국가의 영화)는 101부가 상영되었다. 2. 인민희극사업을 발전시키고 구희곡을 개혁하는 것 역시 우리의 중요

공작 중 하나이다. 희곡개혁을 통해 전통 희곡에 대해 초보적인 선별을 진행해 그 중 일부는 이미 보류 목록으로 결정되었다. 예인들은 학습을 통해 자각을 높였으며, 새로운 희곡 인재를 배양하였다. 베이징에 희곡연구원을 설립하였으며 기타 대도시에도 상응하는 기구를 설립하였다. 화극, 신가극, 무용, 음악 공연을 위주로 하는 문예공작단은 250개에 달하며, 이 가운데 대부분은 극장예술을 위주로 하는 전문화 극단으로 발전하였다. 3. 수많은 군중에게 큰 선전교육효과를 불러올 수 있는 형식 가운데는 세화와 연환화連環畫도 있다. 1950년에 전국에서 출판된 세화는 총 412종으로 700만 권 이상이 발행되었다. 1952년에 출판된 새로운 세화는 570여종이며 4,000만 권 이상이 발행되었다. 1950년 이후로 문화부에서는 두 차례의 세화상을 수여하였다. 4. 전국적으로 문화망을 건립하고 기층 조직을 정비하는 공작에 있어서도 3년간 약간의 성취를 거두었다. 전국적인 문화망을 건립하여 전국에 성시 이상의 공공 도서관 59곳, 박물관 40곳이 설립되었으며, 전국적으로 문화관 2,436곳, 문화참文化站 6,000여 곳, 공장 및 농촌 클럽과 도서관이 약 2만여 곳 설립되었다"고 밝혔다.

이달에 페이밍廢名에 베이징대학에서 창춘둥베이인민대학長春東北人民大學 중문과로 이동해 교수직을 맡았다.

페이밍(1901~1967), 본명은 펑원빙馮文炳으로 후베이성 황메이黃梅 출신이다. 베이징대학에서 수학하던 당시에 '천초사'에 가입하였으며『어사』잡지에 투고하였다. 1925년에 첫 단편소설집『죽림 이야기竹林的故事』를 출간하였다. 공화국 성립 후에 베이징대학, 창춘둥베이인민대학(이후에 지린대학吉林大學으로 명칭을 변경) 교수, 지린성 문련 부주석, 지린성 정협 상무위원을 역임하였다. 저서로 단편소설집『죽림 이야기』,『도원桃園』,『대추棗』,『페이밍 소설선廢名小說選』, 장편소설『다리橋』가 있다.

쉬제의 저서『루쉰 소설 강화魯迅小說講話』가 상하이니투사에서 출간되었다. 펑쉐펑의『논문집論文集』(제1권)이 인민문학출판사에서 출간되었다.

『문학이론학습 번역 작품文藝理論學習小譯作』(제1권)이 상하이신문예출판사에서 출간되었다.「문학에서의 사상 왜곡에 반대한다反對文學中的思想歪曲」('진리보' 논고),「문학비평의 저속화를 반대한다反對文學批評中的庸俗化」('진리보' 논고), 리바이의「작가의 책임」등이 수록되었다.

위핑보의『홍루몽 연구紅樓夢研究』가 상하이탕디출판사에서 출간되었다. 이 책은 1923년에 출판된『홍루몽변紅樓夢辨』의 수정판이다.

『루쉰 소설집魯迅小說集』이 인민문학출판사에서 출간되었다. 마오둔의 장편소설『자야』가 인민문학출판사에서 출간되었다. 자오수리의 중편소설 『리유차이 판화』가 인민문학출판사에서 출간되었다. 바진의 중편소설 『런성과 그 주위의 무리任生及其周圍的一群』가 상하이신문예출판사에서 출간되었다. 사팅의 단편소설집 『의사醫生』가 상하이신문예출판사에서 출간되었다. 차오밍의 중편소설 『원동력原動力』이 인민문학출판사에서 출간되었다. 어우양산의 장편소설 『가오간다高幹大』가 인민문학출판사에서 출간되었다. 아훙阿紅의 단편소설집 『장수와 청명長命和清明』이 상하이신문예출판사에서 출간되었다.

장하이펑薑海風의 시 『묘족 영웅 류싱원苗族英雄劉興文』이 구이저우인민출판사貴州人民出版社에서 출간되었다.

샤오싼의 시집 『평화의 길和平之路』이 인민문학출판사에서 출간되었다. 시집은 6부로 구성되어 「선물禮物」, 「잠시 이별하자, 소련이여!暫別了,蘇聯!」, 「마오 주석을 충칭으로 배웅하다送毛主席飛重慶」, 「중소우호동맹 상호 협력 만세!中蘇友好同盟互助萬歲!」 등 50편의 시와 저자의 「후기寫在後面」가 수록되었다.

궈모뤄의 역사극 『굴원』이 인민문학출판사에서 출간되었다. 쑹즈더 등의 극본 『아홉 벌의 옷九件衣』(경극)이 우한인민예술출판사에서 출간되었다. 시베이전투극사西北戰鬥劇社에서 합동 창작한 가극 『류후란劉胡蘭』이 인민문학출판사에서 출간되었다.

장사오루張少如 등의 『5·1 출국 참관기五一出國觀禮記』가 시난인민출판사에서 출간되었다. 천무陳牧의 『남방 옛 근거지 방문기南方老根據地訪問記』가 중난문예출판사中南文藝出版社에서 출간되었다.

아이칭이 산문 『평화의 서신 – 파블로 네루다에게和平書簡——致巴勃羅·聶魯達』를 창작하였다.

저우쮜런이 그리스 비극 「안드로마케安德洛瑪刻」의 번역 원고를 탈고하였다.

저우싱周行이 번역한 두브로프스키杜布羅布斯基 등의 저서 『작가 연구作家研究』가 상하이신문예출판사에서 출간되었다. 멍윰치, 정보산이 번역한 A.K.바실리예프의 『사회주의적 현실주의를 논하다』가 베이징상출공사北京上出公司에서 출간되었다. 뤄지난羅稷南이 번역한 예렌부르크의 『폭풍우暴風雨』(상, 하권)가 상하이시대출판사에서 출간되었다. 한스헝韓侍桁이 번역한 예렌부르크의 『거대한 파도巨浪』(원제는 『제9의 파도』)가 상하이국제문화복무사上海國際文化服務社에서 출간되었다. 오스트롭스키의 작품을 천자핑陳嘉平이 각색한 『죄 없는 이無罪的人』가 상짜출판사에서 출간되었다. 리젠우가 번역한 빅토르 위고의 『보검寶劍』(시극)이 상하이핑밍출판사에서 출간되었다. 푸레이가 번역한 로맹 롤랑의 『장 크리스토프約翰·克裏斯朵夫』가 상하이핑밍출판사에서 출간되었다.

10월

1일, 『인민문학』 10월호에 마오둔의 「문예공작자의 역량을 발휘해 평화를 수호하자文藝工作者發揮力量保衛和平」, 류사오탕劉紹棠의 단편소설 「도선장擺渡口」, 비예의 단편소설 「아찬阿嬋」, 옌천의 시 「16만 명이 같은 노래를 합창한다十六萬萬人合唱一支歌」, 커위안柯原의 시 「진달래꽃金達萊花」, 바진의 산문 「영웅들 사이에서 생활하다生活在英雄們的中間」가 발표되었다. 이 외에도 양쉬의 장편소설 『삼천리강산三千裏江山』의 연재가 시작되어 12월호에 완료되었다. 이 소설은 1953년 3월에 인민문학출판사에서 출간되었으며, 서두에 작가의 「몇 마디 말幾句表白」이 수록되었다.

『창장문예』 제10호에 리지의 시 「환영과 기대歡迎與期待」, 리얼중의 시 「평화를 수호하다保衛和平」, 광웨이란이 작사하고 리췬李群, 장원강張文綱이 작곡한 가곡 「조국의 평화로운 땅 위에서在祖國和平的土地上」와 리지가 작사하고 사라이莎萊가 작곡한 가곡 「조국을 건설하고, 조국을 수호하자建設祖國,保衛祖國」가 발표되었다.

『시난문예』 제10호에 사오쯔난의 「나의 반성我底檢討」, 마룽馬戎의 「「40년간의 바람」을 평하다評<四十年來的願望>」, 장잉차이張英才 등의 「전투영웅과 노동모범이 위대한 국경 3주년을 축하한다戰鬥英雄, 勞動模範祝賀偉大國慶三周年」, 궈딩위안郭定遠의 시 「편지 한 통을 가지고 베이징으로 가다帶個信兒上北京」가 발표되었다.

『중국청년』 제17호에 저우리보의 단편소설 「벽돌 가마와 새 집磚窯和新屋」, 마오둔의 「조국 건설의 고조를 맞이하기 위해 자기 자신을 잘 준비하자爲迎接祖國的建設高潮而准備好自己」가 발표되었다.

2일, '아시아 및 태평양 지역 평화회의'가 베이징에서 개최되어 궈모뤄, 마오둔이 출석하였다. 대회에는 총 37개국의 대표 367명이 참가해 '문화교류에 관하여' 등 11개 항목의 중요한 결의를 통과시켰다.

3일, 류바이위의 산문 「평화 애호가의 직책愛好和平人的職責」이 『문회보』에 발표되었다.

6일, 문화부에서 상호 참관과 경험 교류 및 우수 프로그램에 대한 장려를 통해 희곡예술의 개혁과 발전을 추진하고, '여러 예술의 번성을 꾀하며, 옛것 중에서 쓸모없는 것을 버리고 새것을 창조'하는 방침을 관철하기 위해 베이징에서 제1회 전국희곡관람공연대회全國戲曲觀摩演出大會를 개최하였다. 경극, 평극, 월극, 천극川劇 등 20여 종류의 희곡공작자 1,800여 명이 합동 공연에 참가하였다. 저우언라이가 대회에서 중요 연설을 진행해 마오쩌둥이 지시한 '여러 예술의 번성을 꾀하며, 옛것 중에서 쓸모없는 것을 버리고 새것을 창조'하는 희곡개혁공작 방침에 대해 논술하였다. 저우양은 「민족희곡예술을 개혁하고 발전시키자改革和發展民族戲曲藝術」라는 제목으로 결산 보고를 진행하였다. 메이란팡, 저우신팡, 청옌추 등이 영예상을 수상하였으며, 월극 「양산백과 축영대」, 평극 「작은사위小女婿」, 경극 「장상화」, 초극楚劇 「갈마葛麻」 등이 극본상을 수상하였다. 대회에서는 이 외에도 연출상과 배우상 등을 시상하였다. 대회는 11월 14일에 폐회하였다.

마오둔의 글 「전국희곡관람공연대회에 부쳐給全國戲曲觀摩演出大會」가 『인민일보』에 발표되었다.

같은 날 『인민일보』에 딩시린의 「전국희곡관람공연대회의 의의全國戲曲觀摩演出大會的意義」와 메이란팡의 「전국희곡운동의 성공적 발전의 지표全國戲曲運動勝利發展的標志」가 발표되었다.

7일, 라오서가 제1회 전국희곡관람공연대회를 위해 집필한 「민간문예 학습學習民間文藝」이 『베이징일보』에 발표되었으며, 11일자 『대공보』에 전재되었다.

10일, 『문예보』 제19호에 사설 「희곡개혁공작을 더욱 전진케 하자把戲曲改革工作向前推進一步」 및 「희곡개혁공작 과정에서의 비평과 자아비평을 전개하자 - 희곡개혁공작에 대한 중난구 예인의 의견展開戲曲改革工作中的批評和自我批評——中南區藝人對戲曲改革工作的意見」이 게재되었다. 편집자의 말은 "9월 중순에 중난문화부에서 중난구 제1회 관람대회를 개최하였다. 대회 기간에 원로 예인 좌담회와 중요 배우 좌담회를 진행하였다. 좌담회에서 각 대표단의 원로 예인과 중요 배우들은 각지의 희곡개혁공작에 대해 여러 의견을 제시하고, 일부 희곡개혁공작 간부들의 지도 사상 및 작풍에 존재하는 결점과 희곡개혁정책 집행 과정에서의 편향에 대해 비평하였다. 대회 종료 후에 중난문화부에서는 각지 희곡개혁공작간부들을 소집해 좌담회를 진행하였다. 여러 동지들이 과거에 자신의 공작에 존재했던 결점에 대해 반성하고, 잘못을 바로잡을 결심을 표현하였다. 중난문화부에서는 또한 이에 관한 통지를 발포해 원로 예인과 중요 배우들이 제시한 의견을 알렸다. 비록 여타 각 지방의 상황과는 다소의 오차가 존재하겠지만, 각급 지도자, 특히 각 성, 시에서 희곡개혁공작을 구체적으로 지도하는 간부들이 중시할 만한 내용이며, 또한 공작과 사상을 반성하는 가장 주된 근거로 삼아야 할 것이다(중난문화부의 통지와 원로 예인 및 중요 배우 좌담회 기록 전문은 중난구

희곡관람공연대회 회보에 발표되었다)"라고 밝혔다.

『문예보』 같은 호에 아이칭의 시 「히크멧에게」, 톈젠의 시 「당신을 환영한다, 영웅이자 시인이여 - 히크멧 동지에게歡迎你,英雄和詩人——致希克梅特同志」가 발표되었다. 또한 히크멧 특집으로 「패랭이꽃 한 송이를 들고 있는 사람拈著一朵石竹花的人」, 「이해理解」 등이 발표되었다.

14일, 제1회 전국희곡관람공연대회에서 산시山西의 진극晉劇 「타금지打金枝」가 2등상을, 「호접배蝴蝶杯」가 3등 집단공연상을 수상하였다.

16일, 『해방군문예』 10월호의 「쾌판시」 란에 안취안安全의 「편지 한 통一封信」, 리다워李大我의 「진맥으로 포로를 잡다號脈抓俘虜」 등의 시가 발표되었다.

『해방군문예』 10월호에 류바이위의 보고문학 「승리자勝利者」가 발표되었으며, 『극본』 12월호에 후커, 왕민王敏, 볜자오친邊肇欽이 합동 창작한 가극 「지뢰의 이사地雷大搬家」가 발표되었다.

19일, 루쉰 선생 서거 16주년을 기념해 전국문협에서 강연회를 개최하였다. 스이適夷, 후펑, 천쉐자오, 거친葛琴 등의 작가와 『문예보』 등 간행물 관련 공작자 150여 명이 참석하였다. 펑쉐펑이 「루쉰을 어떻게 학습할 것인가如何學習魯迅」라는 제목의 강연을 진행하였다.

『인민일보』에 사설 「루쉰의 혁명애국주의 정신 유산을 계승하자繼承魯迅的革命愛國主義的精神遺產」가 게재되었다. 또한 전국의 20여 개 주요 간행물에 루쉰 선생을 기념하는 글 및 관련 논문 20여 편이 게재되었다. 쑨리의 논문 「루쉰의 소설魯迅的小說」이 같은 날 『톈진일보』에 발표되었다.

23일, 리지예의 잡문 「평화회의의 결의를 지지한다擁護和平會議的決議」가 『톈진일보』에 발표되었다.

25일, 『문예보』 제20호에 『인민일보』의 사설 「루쉰의 혁명애국주의 정신 유산을 계승하자」가 전재되었다. 같은 호에 우쭈광의 「생활이 나를 교육했다生活給了我教育」와 리전이 마펑의 저서 「루쉰을 추억하며回憶魯迅」를 평한 글이 발표되었다.

『문예보』 같은 호에 『중국신문학사고』(상권) 좌담회 기록이 발표되었으며 본지 편집자의 말이 추가되었다. 같은 날, 시베이군구 정치부 문화부에서 편찬한 『조국을 열렬히 사랑하다 - 전사시선집 제1권熱愛祖國——戰士詩選集之一』이 중국인민해방군 시베이군구 정치부에서 출간되었다.

25일부터 31일까지, 출판총서에서 제2회 전국출판행정회의를 개최해 출판의 계획화 문제에 관해 집중적으로 토론하였다. 회의에서는 앞으로의 출판 방침이 계획화의 추진을 전제로 하여 보급과 제고를 모두 중시하는 데 있음을 확정하였다.

26일, 리지예의 회고 산문 「미명사를 기억하며記未名社」가 『톈진일보』에 발표되었다.

이달에 중공중앙에서 '삼반', '오반' 운동 종결에 관한 안쯔원安子文과 랴오루옌廖魯言의 보고를 비준해 '삼반', '오반' 운동이 종결되었다.

출판총서에서 「국영출판사 편집기구 및 공작제도에 관한 규정關於國營出版社編輯機構及工作制度的規定」을 발포하였다.

인민문학출판사에서 중국 고전문학 명저 교정 및 재출판에 관한 출판공작계획을 제정하였다. 초보 계획은 다음과 같다. 1. 『수호전水滸』(출판 완료), 『삼국지연의三國演義』, 『홍루몽紅樓夢』, 『서유기西遊記』, 『유림외사儒林外史』 등 문학 명저를 교정 및 재출판할 것. 2. 굴원, 조식曹植, 도잠陶潛, 이백, 두보 등 저명한 시인의 선집 및 전집에 주석을 달아 출판할 것. 2. 중국의 저명한 작가 및 시인의 전기를 집필할 것.

딩링이 중공중앙 선전부 문예처 처장, 전국문협 당조조장, 『인민문학』 부편집장 직책을 모두 사직하고 요양을 위해 뤼다旅大시로 갔다. 요양 기간에 중공중앙 선전부 부부장 후차오무의 통지에 의해 중공중앙 선전부 문예처 처장 및 전국문협 당조조장 직책에서 해임되었다.

사팅과 마펑이 독일 민주 공화국을 친선 방문하였다.

저우리보가 중국문예대표단을 인솔해 울란바토르로 가서 몽골 인민공화국에서 개최한 '중몽우호순中蒙友好旬' 행사에 참가하였다. 귀국 후에 산문 「금색의 가을 속에서在金色的秋天裏」를 창작하였다.

왕징즈汪靜之가 베이징 인민문학출판사 고전문학편집부로 이동해 편집자를 맡았다.

왕징즈(1902~1996), 시인. 안후이성 지시績溪 출신이다. 1922년에 판모화潘漠華, 잉슈런應修人, 펑레이펑馮雷峰 등과 함께 중국 현대문학사상 최초의 신시 단체인 호반시사湖畔詩社를 조직하였다. 1947년에 상하이 푸단대학 중문과 교수를 맡았다. 1952년에 베이징 인민문학출판사 고전문학편집부 편집자를 역임하였다. 1955년에 중국작가협회로 이동하였다. 저서로 시집 『난초의 바람蕙的風』, 『쓸쓸한 나라寂寞的國』, 『호반湖畔』(합동 창작), 『봄의 노래春的歌集』(합동 창작) 등이 있다.

장헌수이가 베이징시 문련 조직 및 연락부에서 지도하는 '소설조' 활동에 정식으로 참가해 1955년 봄에 '소설조'가 해산할 때까지 계속해서 활동하였다.

푸젠민극대표대福建閩劇代表隊가 베이징에서 개최된 제1회 전국희곡관람공연대회에 참가해 「채두봉釵頭鳳」의 한 대목을 공연하고 「자옥채紫玉釵」 공연을 관람하였다. 당 및 국가지도자 마오쩌둥, 류샤오치, 저우언라이, 주더가 대표대의 공연을 관람하였다. 대표대는 푸젠으로 돌아가는 길에 상하이, 항저우 등지에서도 공연한 후 11월 14일에 푸젠에 도착하였다.

먀오페이스의 단편소설 『광부 봉기礦工起義』가 베이징공인출판사에서 출간되었다.

총정치부 월극단이 베이징에서 쑹즈더의 역사극 『서상기西廂記』(월극)를 공연하였다. 광고에는 각본가가 명시되었으나 책으로 출판되지는 않았다.

쓰마원썬이 광저우 『연합보聯合報』에 홍콩 견문 「개자식狗東西」, 「간판 없는 행상無牌小販」을 발표하였다.

『루쉰 소설집』 신판이 인민문학출판사에서 출간되었다. 『외침』, 『방황』, 『새로 쓴 옛날이야기』 등 루쉰의 모든 소설이 수록되었다. 루쉰의 잡문집 『이이집而已集』이 인민문학출판사에서 출간되었다.

가오위바오의 단편소설 『밤중에 닭이 울다』가 시베이인민출판사에서 출간되었다. 둥쥔룬의 단편소설 『류즈단 이야기劉志丹的故事』가 산둥인민출판사에서 출간되었다. 싸이빙塞冰의 소설 『신이허 위에서新沂河上』가 상하이신문예출판사에서 출간되었다.

레이원雷雯의 시집 『달구지牛車』가 상하이신문예출판사에서 출간되었다. 커중핑의 장편서사시 『마오 주석의 작은 영웅毛主席的小英雄』이 중국청년출판사에서 출간되었다.

류빈劉斌이 편찬한 가극 『문화를 향해 진군하라向文化進軍』가 시베이인민출판사에서 출간되었다. 마펑馬烽의 원작을 저장성 문공단浙江省文工團 각색조에서 각색한 월극 『결혼結婚』이 저장인민출판사浙江人民出版社에서 출간되었다.

웨이웨이의 『지원군 아저씨와 조선 소녀志願軍叔叔與朝鮮小姑娘』가 중국청년출판사에서 출간되었다. 지시천紀希晨의 장편 보고문학 『전투의 봄戰鬥的春天』이 상하이신문예출판사에서 출간되었다. 펑쉐펑의 『쉐펑 우화雪峰寓言』가 인민문학출판사에서 출간되었다.

뤼잉이 편찬하고 번역한 레닌의 『레닌이 작가를 논하다列寧論作家』가 상하이신문예출판사에서 출간되었다. 자오쥐인이 번역한 톨스토이의 『A. 톨스토이 소설선집A.托爾斯泰小說選集』(제1권)이 인민문학출판사에서 출간되었다. 단편소설 5편을 수록하였다. 루룽이 번역한 쿠프린의 『모욕집侮辱集』이 상하이출판공사에서 출간되었다. 천징룽이 번역한 체코 작가 푸치크의 장편소설 『교수대의 비망록絞刑架下的報告』이 인민문학출판사에서 출간되었다. 평화잔豊華瞻이 번역하고 펑쯔카이가 삽화를 그린 그림 형제의 『엄지 동자大拇指』, 『백설공주白雪公主』가 상하이문화생활출판사에서 출간되었다.

중국영편경리공사中國影片經理公司가 중국전영발행공사中國電影發行公司로 명칭이 변경되었다.

청인成蔭, 탕샤오단湯小丹이 감독하고 상하이전영제편창에서 제작한 영화 「남정북벌」이 공개적으로 상영되었다. 본 영화는 중국에서 제작한 최초의 우수한 전쟁 영화이다. 비평가들은 영화의 교육적 의의와 주제를 심도 있게 반영한 점 등의 관점에서 이 영화를 비교적 높게 평가하였다.

11월

1일, 『인민문학』 11월호에 아이칭의 시 「행복한 국토幸福的國土」, 사오옌샹의 시 「우리에게는 이런 변경이 있다我們有這樣的邊境」, 저우리보의 산문 「파블렌코를 기억하며憶巴甫連柯」, 쑨리의 산문 「소련 문학예술의 정원 속에서在蘇聯文學藝術的園林裏」가 발표되었다. 또한 제1회 전국희곡관람공연대회 우수 극본인 「란차오에 물이 가득 차다水漫蘭橋」, 「천리송경낭千裏送京娘」, 「평설변종評雪辨蹤」이 발표되었다.

천황메이의 「단결을 강화해 희곡개혁공작을 잘 진행하자加強團結,做好戲曲改革工作」가 『창장문예』 제11호에 발표되었다. 추투난의 「아시아 및 태평양 지역 평화회의의 성공적인 폐막을 경축하며 – 실제적인 역량으로 인류 공동의 평화사업을 지지하자慶祝亞洲及太平洋區域和平會議勝利閉幕 以實際力量維護人類共同的和平事業」가 『시난문예』 제11호에 발표되었다.

제1회 전국희곡관람공연대회 행사가 기본적으로 종료되었다. 23종 희곡의 88개 공연이 진행되었으며 27일간 계속되었다. 1일부터 2일까지 천바이천의 「농민혁명영웅 송경시 및 그의 흑기군 - 「송경시 역사 조사 보고서」 개요農民革命英雄宋景詩及其黑旗軍<宋景詩曆史調查報告>提要」가 『인민일보』에 연재되었다.

4일, 중국서점中國書店이 베이징에 설립되었다.

6일, 시베이군구 정치부 문화부에서 편찬한 『조국을 열렬히 사랑하다 – 전사시선집 제2권』이 중국인민해방군 시베이군구 정치부에서 출간되었다.

마오둔의 친필 축사 '중소우호가 역사의 노정을 바꾸었다中蘇友好改變了曆史的行程'가 『광명일보』와 7일자 『인민일보』에 발표되었다.

7일, 리지예의 잡문 「'잊을 수 없는 1919' 소개介紹"難忘的一九一九"」가 『톈진일보』에 발표되었다. 마오둔의 「간단한 설명 – 소련 영화 전시의 달을 환영하며一點簡單的說明——歡迎蘇聯影片展覽月」가 『광명일보』에 발표되었다.

8일, 저우쭤런이 『지당을유문편知堂乙酉文編』 '후기'를 집필하였다.

양사오楊騷가 『남방일보』에 「단가 3편短歌三首」(10월 혁명 35주년 기념)을 발표하였다.

양사오(1900~1957), 시인, 작가. 본명은 양구시楊古錫, 자는 웨이취안維銓이며 이사오一騷, 바이양베이시白楊北溪 등의 필명을 사용하였다. 푸젠성 장저우漳州 출신이다. 1918년에 일본으로 유학하였다. 1928년에 첫 시집을 출간하였으며 1930년에 좌련에 가입하였다. 1932년에 푸펑蒲風 등과 함께 중국시가회를 발기 및 조직해 대중시가운동을 제창하였다. 1939년에 '작가전지방문단作家戰地訪問團'에 참가하여 항일전선을 방문해 '항전시성抗戰詩星'으로 불렸다. 1941년 이후에 싱가폴, 인도네시아, 홍콩 일대에서 신문공작에 종사하였다. 1952년에 귀국해 작가협회 광저우분회 상무이사를 맡았다. 저서로 시집 『수난자의 단곡受難者的短曲』, 『봄의 감상春的感傷』, 시극 『길 잃은 병아리迷雛』, 『그의 천사他的天使』, 시극집 『기억의 도시記憶之都』 등이 있다.

10일, 『문예보』 제21호에 사설 「문예공작자는 반드시 사회주의 경제 문제에 관한 스탈린의 위대한 저작을 진지하게 학습해야 한다文藝工作者必須認真學習斯大林關於社會主義經濟問題的偉大著作」가 게재되었다. 같은 호에 문학예술에 관한 소련공산당 중앙위원회의 지시, 즉 소련공산당 중앙위원회 서기 말렌코프가 소련공산당 제19차 대표대회에서 진행한 보고문 「소련공산당(볼셰비키) 중앙위원회의 보고蘇聯共產黨(布)中央委員會的報告」 가운데 문학예술에 관한 부분의 발췌문이 전재되었다. 추가된 '편집부의 말'은 "소련공산당(볼셰비키) 중앙위원회 서기 말렌코프 동지는 소련공산당 제19차 대표대회에서 발표한 「소련공산당(볼셰비키) 중앙위원회의 보고」에서, 『인민일보』 10월 17일자 사설 「소련공산당 제19차 대표대회의 국제적 의의蘇聯共產黨第十九次代表大會的國際意義」에서 말한 바와 같이 '경제 건설, 문화 건설, 정권 건설 및 당의 건설 방면에서 우리에게 대단히 중요하며, 우리나라의 구체적인 환경에 비추어 정확히 운용할 수 있고 또한 반드시 그래야 할 풍부한 경험을 제공해 주었다.' 이 보고 가운데 문학예술에 관한 지시 부분은 우리나라 문학예술공작자들이 특별히 중시하고 진지하게 학습해야 할 내용이다. 본지의 지난 호에서 이 중요한 문서에 관해 매우 불완전한 소개를 했는데, 이는 엄숙하지 못한 경솔한 행위였다. 이번 호에 이 보고 가운데 문학예술에 관한 부분을 발췌해 전재한다. 또한 소련의 슬로프 동지와 파데예프 동지 등이 대회에서 발언한 내용 중에서 문학예술 문제에 관한 의견을 함께 전재해 이 문서를 학습하는 데 참고로 삼는다"고 밝혔다. 같은 호에 파데예프의 「소련의 문학예술공작 – 소련공산당(볼셰비키) 제19차 대표대회에서의 발언蘇聯的文學藝術工作——在蘇聯共產黨(布)第十九次代表大會的發言」 및 펑쉐펑의 「당성원칙을 학습하고, 소련문학예술의 선진 경험을 학습하자學習黨性原則,學習蘇聯文學藝術的先進經驗」가 발표되었다.

13일, 『인민일보』에 다이부판戴不凡의 「월극 「서상기」의 각색 공작을 평하다評越劇<西廂記>的改編工作」가 발표되었다.

14일, 톈젠의 글 「시인들에게給詩人們」가 『인민일보』에 발표되었다.

15일, 리지예의 시 「소련 홍기가무단을 환영하며歡迎蘇聯紅旗歌舞團」가 『톈진일보』에 발표되었다. 라오서의 산문 「진심에서 우러난 감사衷心的感謝」가 『인민일보』 제3판에 발표되었다.

16일, 『인민일보』에 사설 「조국의 희곡유산을 정확하게 대하자正確地對待祖國的戲曲遺產」가 발표되어 "3년간의 희곡개혁공작은 이미 적지 않은 성과를 거두었다. 각급 문화지도기관 및 전국의 희곡공작자들의 노력 아래 구희곡의 봉건적 내용과 일부 열악한 표현방법은 모두 점차 제거되어 희곡무대의 면모에 이미 새로운 변화가 발생하고 있다. 이번 희곡관람공연대회에서 드러난 성취로 미루어 보아, 전국 각지의 희곡 가운데 군중에게 지대한 영향을 끼치는 희곡 종류들은 이미 개혁을 통해 발전하였으며, 우수한 전통 희곡을 정리하는 공작에서도 이미 초보적인 성취를 거두었고, 일부 지방 희곡들도 현대 생활 소재를 표현하는 데 큰 노력을 기울였음을 알 수 있다. 이 모든 것은 전국의 희곡공작자들이 유산과 전통을 정확히 대하고 정확한 방법으로 개혁공작을 진행한 결과 얻은 성과로, 마땅히 긍정해야 할 일이다." "현재 각지의 희곡개혁공작에 존재하는 심각한 결점은 주로 희곡유산을 대하는 두 가지 잘못된 태도, 즉 첫째로 난폭한 태도로 유산을 대하는 것과 둘째로 예술개혁에 있어 보수적인 태도를 취하는 것으로 표현된다. 이 두 가지 잘못된 태도는 희곡개혁공작이 앞을 향해 발전하는 데 주된 장애가 되므로 반드시 단호히 이에 반대해야 한다"고 밝혔다.

『인민일보』에 아자阿甲의 「우리나라 희곡 공연예술 속의 현실주의에 관하여談我國戲曲表演藝術裏的現實主義」가 발표되었다.

아자(1907~1994), 희곡이론가, 극작가. 본명은 푸뤼헝符律衡으로 장쑤성 우진武進 출신이다. 어려서부터 서화와 경극을 좋아해 경극을 배우면서 아마추어 공연에 참가하였다. 1938년에 옌안으로 가서 혁명에 참가해 당시 옌안 지구의 유명 배우 중 한 사람이 되었다. 공화국 성립 후에는 문화부, 중국희곡연구원, 중국경극원 등에서 근무하였다. 「삼타축가장三打祝家莊」, 「적벽지전赤壁之戰」, 「백모녀」, 「홍등기紅燈記」 등을 각색하였으며 저서로 『희곡공연논집戲曲表演論集』 등이 있다.

『해방군문예』에 가오위바오의 소설 「나는 공부할 것이다」가 발표되었다. 또한 「쾌판시」 특집으로 왕쯔신王子欣의 「새 솜옷新棉衣」, 전사 왕지무王吉母의 「작은 쇠망치小鐵錘」 등의 시가 발표되었다.

마오둔의 글 「소련 예술가의 공연이 우리에게 귀중한 깨우침을 주었다蘇聯藝術家的表演給了我們寶貴的啟發」가 『인민일보』에 발표되었다. 저우리보의 산문 「모스크바를 추억하며回憶莫斯科」가 『신관찰』 제20호에 발표되었다.

궈모뤄가 일본 이와나미 쇼텐岩波書店에서 출판된 『중국고대사상가中國古代思想家』(『십비판서十批判書』의 일본어판) 서문을 집필하였다.

20일, 『극본』 제10, 11호 합본이 출간되었다. 이번 호는 희극 특집호로 발간되어 제1차 전국희곡관람공연대회의 우수 극본 선집을 집중적으로 게재하였다. 상하이시 문화국 예술사업관리처 창작연구실에서 자오수리의 소설 「등록」을 바탕으로 합동으로 각색하고 쭝화宗華, 원무文牧, 싱즈幸之가 집필한 호극 「나한전羅漢錢」, 화둥희곡연구원 창작실에서 각색한 월극 극본 「백사전白蛇傳」 및 천극 「추강秋江」, 후난 화고湖南花鼓 「유해감초劉海砍樵」, 초극 「갈마」, 천극 「무대에서 형을 만나다舞台會兄」 등이 발표되었다. 같은 호에 본지 편집부의 사설 「희곡 공연 목록의 심의 공작을 중시하자重視戲曲上演節目的審定工作」가 게재되었다.

21일, 양사오가 베이징에 도착하였다. 전국 작가협회에서 인도네시아에서 돌아온 양사오와 북한에서 돌아온 양숴를 환영하는 연회를 개최하였다. 작가협회에서는 양사오가 베이징에 남아 근무할 자리를 준비했으나, 양사오는 기후에 적응하지 못해 이후에 광저우로 돌아갔다.

24일, 류바이위의 통신보고 「우리는 심판하고 있다我們在審判」가 『인민일보』, 『광명일보』, 『톈진일보』에 동시에 발표되었다.

25일, 『문학보』 제22호에 『인민일보』의 사설 「조국의 희곡유산을 정확하게 대하자」가 전재되었다. 또한 소련 『문학보』의 사설 「우리의 목표는 공산주의다!我們的目標是共產主義!」, 「인류 영혼 기술자人類靈魂工程師」가 게재되었다.

26일, 베이징시 문련과 베이징시 인민출판사에서 연합으로 통속문예도서 창작 좌담회를 소집하였다. 쑹광워宋匡我, 롄쿼루, 팡바이方白, 장헌수이, 천선옌陳愼言, 쑨위쿠이孫玉奎 등 40여 명이 참석하였다. 회의를 주관한 라오서는 "전국 각지에서 속성 식자 운동速成識字運動이 전개된 후로 수많은 학생들이 학습 성적을 다지기 위해 통속문예도서를 절실히 필요로 하게 되었다. 통속문예작가들이 이 위대한 임무를 맡아 주기를 바란다"라고 밝혔다.

둥베이인민예술극원이 베이징에서 소련의 유명 연극 「서광이 모스크바를 비춘다曙光照耀著莫斯科」를 공연하였다. 본 연극은 소련 극작가 슬로프安訥讬利·蘇洛夫의 작품으로 1950년에 스탈린상을 수상하였다. 본 공연은 '중소우호의 달' 행사의 일환으로 1953년 1월 17일까지 총 50회 이상 공연하였다. 1953년 1월 22일에 중앙문화부에서 둥베이인민예술극원에 상을 수여해 본 극원이 중국 화극사업에 끼친 적극적인 영향을 표창하였다.

같은 날 출판총서에서 「출판계획 실행 초보 방안實行出版計劃初步辦法」의 지시를 발포하였다.

이달에 차이이蔡儀의 『중국신문학사 강화中國新文學史講話』가 상하이신문예출판사에서 출간되었다. 아이빙艾冰, 푸전傅真이 편찬한 『사상과 생활思想與生活』(제2집)이 충칭인민출판사에서 출간되었다. 펑즈의 『두보 전기杜甫傳』가 인민문학출판사에서 출간되었다.

류전劉真의 중편소설 『착한 아주머니好大娘』가 중국청년출판사에서 출간되었다. 위안징, 쿵줴의 소설 『바이양뎬 수전白洋澱水戰』이 상하이화둥인민출판사에서 출간되었다(본 소설은 『신아녀영웅전』에서 발췌해 엮은 것임). 저우리보의 단편소설 『제갈량회諸葛亮會』가 둥베이청년출판사에서 출간되었다.

인민문학출판사에서 『중국인민지원군 시선中國人民志願軍詩選』을 편집 출판하였다. 리화李華의 「지원군이 된 것은 무엇을 위함인가當志願軍是爲了啥」, 리잉의 「조선 전장에는 이런 사람이 있다」, 란양嵐洋의 「우리의 펑 사령원我們的彭司令員」, 위러칭於樂慶의 「금색의 항미원조 기념 휘장金色的抗美

援朝紀念章」 등 29편의 시와 편집자의 「편집후기」가 수록되었다. 당시의 광고는 "이 시선집은 소박하고도 생생한 언어를 통해 중국인민지원군의 위대한 애국주의와 국제주의적 사상 감정을 전달하였으며, 그들의 숭고한 영웅적 품성을 반영하였다. 이는 조국의 안전을 수호하기 위한 전사들의 정의의 함성이며, 또한 세계 평화의 진군나팔이다"라고 밝혔다(『인민문학』 1953년 1월호).

런거任戈 등의 『신농촌시가新農村詩歌』가 산둥인민출판사에서 출간되었다. 후난통속독물출판사湖南通俗讀物出版社에서 편집한 『중국공산당을 노래하다歌唱中國共產黨』(후난 산가山歌선)가 간되었다.

주쯔치의 산문집 『12월의 모스크바十二月的莫斯科』가 중화출판사에서 출간되었다. 쉬베이원徐北文의 『지원군이 춘절을 보내다志願軍過春節』 등의 보고문학이 산둥인민출판사에서 출간되었다.

커란柯藍의 통속문학 『눈 덮인 땅 위의 소루쟁이雪地上的羊蹄』가 선양둥베이청년출판사沈陽東北青年出版社에서 출간되었다. 징강산보사井岡山報社에서 편찬한 통속문학 『징강산 사람井岡山人』(장시옛 근거지의 혁명투쟁 이야기 제2편)이 장시인민통속출판사에서 출간되었다.

저우쥒런이 번역한 『러시아 민간고사俄羅斯民間故事』가 홍콩 대공서점大公書局에서 출간되었다. 만타오가 번역한 『베린스키 선집』(제2집)이 상하이시대출판사에서 출간되었다. 천웨이밍陳微明 등이 번역한 『히크멧 시집希克梅特詩集』이 인민문학출판사에서 출간되었다. 이췬이 번역한 고리키의 『창작을 처음 배우는 이에게給初學寫作者』가 상하이 핑밍출판사에서 출간되었다. 차오바오화曹葆華, 장치張企가 번역한 벤야스니코프本雅斯尼科夫의 『레닌과 문예학 문제列寧與文藝學問題』가 인민문학출판사에서 출간되었다. 후이원慧文이 번역한 빌친스키Вильчинский의 『스탈린과 소련문학 문제斯大林與蘇聯文學問題』가 상하이 핑밍출판사에서 출간되었다. 쭤하이左海가 번역한 페딘의 소설 『첫 기쁨初歡』이 문화공작사에서 출간되었다.

극영화 「용수구」가 베이징전영제편창에서 각색 및 제작되었다. 본 영화는 1951년에 제작을 시작한 직후에 문예정풍운동, '삼반' 운동 및 배우 교체로 인해 제작이 중단되었다가 이달에 완성되었다. 주요 배우로 위스즈(청 미치광이程瘋子 역), 위란於蘭(청 부인程娘子 역), 장파張伐(딩쓰丁四 역), 예쯔(딩쓰 부인丁四嫂 역) 등이 있다.

12월

1월부터 11일까지, 중앙광파사업국中央廣播事業局 제1차 전국방송공작회의가 베이징에서 개최되었다.

1일, 양쉬의 장편소설 『삼천리강산』(1952년 6월 10일에 한국 정천定川에서 완성)이 『인민문학』 제12호로 연재가 종료되었다. 같은 호에 화뤄겅華羅庚의 장시 『아시아 및 태평양 지역 평화회의를 기념하며記亞洲及太平洋區域和平會議』가 발표되었다.

위헤이딩의 「창작 수준을 제고해 문예운동을 더욱 잘 전개하자提高創作水平,進一步開展文藝運動」가 『창장문예』 제12호에 발표되었다.

5일, 리지예의 「소련의 예술공작자와 공산주의 건설蘇聯的藝術工作者和共產主義建設」이 『톈진일보』에 발표되었다.

10일, 『문예보』 제23호에 양강楊剛의 「월극 「백사전」을 평하다評越劇<白蛇傳>」, 장경의 「「백사전」 이야기의 각색에 관하여關於<白蛇傳>故事的改編」, 아잉阿英의 「허선의 변화에 관하여談許仙的轉變」 등 월극 「백사전」에 관한 평론이 발표되었다. 같은 호의 '새로운 영웅 인물 창조 문제에 관한 토론' 란에 차이톈蔡田의 「장리윈 동지의 논점에 동의하지 않는다不同意張立雲同志的論點」, 황구류黃穀柳의 「현실 앞에서 눈을 감아서는 안 된다不要在現實面前閉起眼睛」가 발표되었다.

12일, 궈모뤄, 마오둔, 샤오싼, 펑즈가 중국을 대표해 빈에서 개최된 세계인민평화대회世界人民和平大會에 참석하였다. 주쯔치의 유럽 통신 「세계 선진 문예대군의 위대한 모임世界先進文藝大軍的偉大聚會」(『문예보』 1953년 제4호를 볼 것)에서 이 회의 상황을 보도하였다.

13일, 웨이웨이의 통신 「전진하라, 조국이여!前進吧,祖國!」가 『인민일보』에 발표되었다.

16일, 『해방군문예』 12월호의 「쾌판시」 특집란에 쑤원청蘇文誠의 「계란을 숨기다藏雞蛋」, 장융메이張永枚의 「'중조우호림'·'中朝友誼林'」 등의 시가 발표되었다.

20일, 중공중앙에서 「신문, 간행물 출판발행공작 강화에 관한 규정關於加強報紙, 期刊出版發行工作的規定」을 발포하였다.

21일, 저우리보의 산문 「금색의 가을 속에서」가 『인민일보』에 발표되었다.

23일, 중공중앙에서 「간행물 발행 문제에 관한 지시關於報刊發行問題的指示」를 발포하였다.

25일, 『문예보』 제24호에 저우양의 「민족희곡예술을 개혁하고 발전시키자」가 발표되어 "공연을 관람하는 주된 의의는 학습에 있다", "국가와 인민을 위해 더욱 잘 복무하는 것이 희곡공작자의 가장 영광된 임무이다", "민족희곡예술의 우수한 전통을 정확하게 발양하고, 보수적인 관념과 조잡한 작풍에 반대해야 한다", "인민의 새로운 생활을 진실하게 표현하고, 새롭고 정확한 관점으로 역사를 표현해야 한다", "민족희곡 전통의 기초 위에서 민족의 신희곡을 창조해야 한다" 등 다섯 가지 측면에서 논술하였다. 같은 호에 광웨이란의 「희곡유산 속의 현실주의戲曲遺產中的現實主義」와 옌전펀顏振奮의 「형식주의적 희곡이론에 반대한다反對形式主義的戲劇理論」가 발표되었다.

같은 호 『문예보』에 전국문협에서 2차로 작가들을 조직해 생활에 침투하게 한 상황을 보도한 기사가 게재되었다. 저우리보, 쉬츠 등 6명의 작가가 공장으로, 아이칭, 친자오양, 볜즈린 등 16명의 작가가 농촌으로 갔으며, 루링, 리웨이스李維時 등 3명이 북한 전선으로, 리지가 광산 구역으로 갔다. 출발 전(12월 12일)에 후차오무가 문예창작 문제에 관한 보고를 진행해 현재 문예공작과 창작사상에 존재하는 문제에 관해 언급하였다. 또한 문예창작의 구체적인 상황과 연관 지어 사회주의 현실주의 원칙을 설명하고, 공식화 및 개념화된 작품은 사회주의 현실주의 원칙을 위반한 것이라고 지적하였다.

26일, 문화부에서 「전국 극단 공작 정돈 및 강화에 관한 지시關於整頓和加強全國劇團工作的指示」를 발포해 일곱 가지 측면에서 인민희극사업의 발전을 강화하는 방안을 다음과 같이 제시하였다. 1. 정상적인 극단 공연 제도를 건립할 것. 2. 사영 극단에 대한 지도와 관리를 강화할 것. 3. 각 대형 행정구역 및 조건이 갖춰진 성, 시의 문화 주관부문에서는 문예단체와 협동해 문예작가들을 대대적으로 조직해 현대생활을 표현한 각종 극본을 창작하고, 또한 조직을 통해 문예작가와 희곡 예인이 합작하여 현지에서 유행하는 구극본의 정리와 수정 공작을 계획적이고 점진적으로 진행할 것. 4. 각급 문화주관부문에서는 배우의 생활 개선에 주의하고, 배우의 건강을 확실히 보호하며, 우선 국영 극단 내에 배우들의 예술 창작에 유리한 정상적인 생활학습제도를 수립할 것. 5. 각지 문화주관부문에서는 앞서 언급한 화극, 가극 및 각종 희곡 극단 외에도 전문적 혹은 반전문적인 그림자극皮影戲 및 인형극傀儡戲 극단을 발전시키는 데 주의하고, 이들 극단에서 사용할 극본을 심의를 통해 공급하여 공연 기술을 개선 및 보급하고 예인의 정치 문화 수준을 제고할 것. 6. 각지 문화주관부문에서는 문화관과 문화참을 통해 농촌의 아마추어 극단에 대한 지도를 강화하고, 현지 총공회와 긴밀히 협력해 공인 및 기관 노동자의 아마추어 희극활동을 발전시킬 것. 7. 각지 극단은 1951년 5월에 발포된 「희곡개혁공작에 관한 중앙인민정부 정무원의 지시中央人民政府政務院關於戲曲改革工作的指示」에 따라 문화주관부문의 통일적인 지도에 따를 것. 본 지시의 전문은 27일자 『인민일보』에 게재되었다.

28일, 「굴원」의 러시아어 번역자와 감독이 중국을 방문해 궈모뤄를 만나 소련에서 「굴원」을 공연한 일에 대해 대화하고, 극본에 대한 수정 의견을 제시하였다. 이 수정 의견들은 모두 궈모뤄가 1953년 1월 4일에 집필한 「굴원」(신판 후기)에 기록되었다.

우전부郵電部와 출판총서에서 연합 결정을 발포해 1953년 1월 1일부터 정기 출판물(신문과 잡지 포함)의 총 발행은 우전국郵電局에서 맡으며, 비정기 간행물(교과서, 일반도서, 화보 포함)의 총 발행은 서점에서 맡기로 결정하였다.

30일, 『인민일보』에 사설 「간행물과 서적의 계획적인 발행을 더욱 잘 실행하자進一步實行報刊圖書的計劃發行」가 발표되었다.

이달에 전국문협에서 '후평 문예사상 토론회'를 소집하였다. 『문예보』 1953년 제2호에 린모한의 「후평의 반마르크스주의적 문예사상胡風的反馬克思主義的文藝思想」이, 제3호에 허치팡의 「현실주의의 길인가, 아니면 반현실주의의 길인가?現實主義的路,還是反現實主義的路?」가 발표되었다. 두 편 모두 토론회에서 발언한 발언문이다.

무단이 미국에서 귀국하였다.

허치팡의 논문집 『서원집西苑集』이 인민문학출판사에서 출간되었다. 마펑馬烽의 단편 평서評書 『저우 지대가 핑촨에서 소란을 피우다周支隊大鬧平川』가 베이징공인출판사에서 출간되었다.

자오수리가 촨디川底에서 『궈위언 약전郭玉恩小傳』을 창작했으나 생전에 발표하지 않았다.

자오수리의 중편소설 『스부란이 인력거를 몰다石不爛趕車』가 나카다 지로中田二郎에 의해 번역되어 일본에서 출간되었다.

우창, 쑹제宋潔의 단편소설 『삼전삼첩三戰三捷』이 신문예출판사에서 출간되었다.

우창(1910~1990), 작가. 본명은 왕다퉁汪大同이며 우창吳薔, 예루퉁葉如桐 등의 필명을 사용하였다. 장쑤성 롄수이漣水 출신이다. 1933년에 상하이에서 좌련에 참가하였다. 중일전쟁 발발 후에 붓을 던지고 종군하여 1938년에 신사군에 참가하였으며 1939년에는 중국공산당에 가입하였다. 해방전쟁 시기에 라이우萊蕪, 화이하이淮海 전투 등에 참가하였다. 공화국 성립 후에는 상하이시 문련 및 중국작가협회 상하이분회 부주석, 상하이소설가연의회 회장 등을 역임하였다. 저서로 장편소설 『붉은 해紅日』, 『보루堡壘』(상편), 중편소설 『그는 눈처럼 빛나는 기병총을 높이 든다他高高舉起雪亮的小馬槍』, 『말을 기르는 사람養馬的人』, 단편소설 『영혼의 격투靈魂的搏鬥』, 산문집 『심조집心潮集』 등이 있다.

리지의 『단시 17편短詩十七首』이 중난인민문학예술출판사中南人民文學藝術出版社에서 출간되었다. 시집에는 「단지 내가 청년 단원이라는 이유만으로」, 「우리는 모스크바에 왔다我們來到了莫斯科」, 「톨스토이 유아원의 어린 소녀들에게」, 「레닌그라드에는 한 청년이 있다列寧格勒有一個青年」 등 17편의 시가 수록되었다. 당시의 소개는 "'왕구이와 리샹샹'을 발표한 후로, 시인 리지가 창작한 시는 그리 많지 않다. 이 시집에는 단시 17수만이 수록되어 있지만 그럼에도 기쁜 일이다." "그의 시에는 시인 특유의 서사체와 농후한 민가의 풍미, 그리고 정연한 격식이 나타나 있다"고 밝혔다(자오민趙敏 「'단시 17편短詩十七首'」, 『문예보』 1953년 제7호).

둥좡東莊, 셴취안羨泉, 란거藍戈, 예화이葉淮가 편찬한 『화이허 시가淮河詩歌』(제1집)가 안후이인민출판사安徽人民出版社에서 출간되었다.

후자오胡昭가 시 「군모 아래의 눈軍帽下的眼睛」을 창작해 이후에 시집 『영광의 성운光榮的星雲』에 수록하였다.

후자오(1933~2004), 만주족으로 지린성 수란舒蘭 출신이다. 1949년부터 작품을 발표하였다. 1953년에 중앙문학연구소를 졸업하였으며 1956년에 중국작가협회에 가입하였다. 지린일보사 부간조 편집자, 잡지 『작가』 편집자, 지린성 작가협회 전문작가 및 부주석 등을 역임하였다. 저서로 시집 『영광의 성운』, 『작은 자작나무小白樺樹』, 『인생의 여행人生之旅』, 『초원의 야경草原夜景』, 『산의 연가山的戀歌』, 『폭포와 무지개瀑布與虹』, 산문집 『초록의 기억綠的記憶』, 『그리움과 축복懷念與祝福』, 장시 『기러기 보초雁哨』 등이 있다.

청쥔제程君捷의 『신장의 각 민족 인민이 마오 주석을 노래한다新疆各族人民歌唱毛主席』, 『파미르 고원의 인민이 즐겁게 웃고 있다帕米爾高原的人民在歡笑』가 신장인민출판사新疆人民出版社에서 출간되었다. 리지의 원작을 위춘於村이 각색한 가극 『왕구이와 리샹샹』이 상하이문화생활출판사에서 출간되었다.

루쉰, 징쑹景宋의 『양지서兩地書』가 인민문학출판사에서 출간되었다. 루쉰의 잡문집 『화개집 속편華蓋集續編』이 인민문학출판사에서 출간되었다. 리런자오李人昭 등의 『화이허 만필淮河漫記』이 상하이신문예출판사에서 출간되었다. 쑹신화이宋新懷의 통신보고 『내가 소련에서 보고 들은 것我在蘇聯的見聞』이 후난통속출판사湖南通俗出版社에서 출간되었다.

펑즈의 산문집 『동유럽 잡기東歐雜記』의 제3판이 인민문학출판사에서 출간되었다. 이후에 「부다페스트布達佩斯」, 「오스트리아 국경奧地利邊境」을 창작해 1953년 2월 10일자 『광명일보』에 발표하였다.

우우성吳伍生 등의 시 『형제강兄弟河』이 후난통속독물출판사에서 출간되었다.

황야오멘이 번역한 이사콥스키의 『이사콥스키 시선伊薩柯夫斯基詩選』이 인민문학출판사에서 출간되었다. 린링 등이 번역한 티호노프의 『티호노프 시집吉洪諾夫詩集』이 인민문학출판사에서 출간되었다. 린링이 번역한 티호노프의 『레닌그라드 이야기列寧格勒故事』가 상하이시대출판사에서 출간되었다. 팡핑方平이 번역한 셰익스피어의 서사시 『비너스와 아도니스維納斯與阿塞尼』가 상하이문화공작사에서 출간되었다. 메이이梅益가 번역한 오스트롭스키의 『강철은 어떻게 단련되었는가』가 인민문학출판사에서 출간되었다. 차오징화가 번역한 바실레브스카의 『무지개虹』가 인민문학출판사에서 출간되었다. 펑화잔이 번역하고 펑쯔카이가 삽화를 그린 그림 형제의 『펭귄企鵝』, 『생명수生命水』가 출간되었다(그림 동화 전집 제5, 6권). 러우스이가 번역한 고리키의 『빵집에서面包房裏』(고리키 선집)가 상하이잡지공사에서 출간되었다. 장멍후이張孟恢 등이 번역한 비노그라도프의 『스탈린의 언어학 논저와 소련문예학 문제斯大林論語言學的著作與蘇聯文藝學問題』가 상하이시대출판사에서 출간되었다.

소년아동출판사가 상하이에 성립되었다. 이 출판사는 신중국 최초로 아동과 소년을 독자로 삼아 소년서적을 전문으로 출판한 곳이다. 아동문학 작가 천보추이가 부사장을 맡았다.

1952년 정리

정무원의 「학제 개혁에 관한 결정關於改革學制的決定」에 근거해 전국의 고등교육기관이 대규모의 대학 및 학과 조정을 진행하였다. 양장楊絳은 칭화대학을 떠나 문학연구소 외문조外文組로 이동하였다. 무무톈은 베이징사범대학 중문과 교수를, 쭝바이화는 베이징대학 철학과 교수를 맡았다. 양전성楊振聲은 창춘둥베이인민대학으로, 리광톈은 윈난대학으로 이동하였다.(뤄인성羅銀勝 『양장전기楊絳傳』, 문화예술출판사, 제211쪽, 2005년 -> 각주로 처리해야 할 듯합니다.)

상하이시 희극전문학교와 산둥대학 예술학부 희극과, 상하이싱즈예술학교上海行知藝術學校 희극조가 합병되어 중앙희극학원 화둥분원으로 개편되었다. 1956년에 상하이희극학원으로 명칭이 변경되었다.

저우원이 '삼반' 운동 중에 박해를 받아 사망하였다. 이후에 마오쩌둥의 지시를 거쳐 1976년 1월에 중앙조직부中央組織部에 의해 복권되었다. 1980년에 쓰촨인민출판사에서 『저우원 선집周文選集』(상, 하권)이 출간되었다.

장아이링이 대륙을 떠나 홍콩으로 가서 정착하였다.

'충성 성실 운동忠誠老實運動' 과정에서 메이냥梅娘이 중편소설 『물고기魚』에 표현한 '자산계급의 부패한 사상'으로 인해 비판받았다.

메이냥(1920~2013), 작가. 본명은 쑨자루이孫嘉瑞이며 민쯔敏子, 쑨민쯔孫敏子, 류칭냥柳青娘, 칭냥青娘, 뤄샤落霞 등의 필명을 사용하였다. 블라디보스토크에서 출생하였으며 창춘에서 성장하였다. 17세에 중학생 시절에 창작한 습작집 『소저집小姐集』을 출간한 후 일본으로 유학해 20세에 두 번째 작품집 『제2대第二代』를 출간하였다. 1942년에 귀국한 후 베이핑 『부녀잡지婦女雜志』의 초빙을 받아 근무하였다. 『대동보大同報』, 『중화주보中華周報』, 『민중보民眾報』, 『중국문예中國文藝』, 『중국문학中國文學』, 『화문 오사카 매일華文大阪每日』, 『부녀잡지』 등에 소설과 산문 및 번역 작품을 발표하였으며, 이후에 이 작품들을 『물고기』, 『게蟹』로 엮어 출간하였다. 40년대에 '남링南玲(장아이링) 북메이北梅(메이냥)'이라고 병칭되었다. 공화국 성립 후에 일본 간첩이며 우파라고 오인되었다. 1978년에 복권된 후에 농업전영제편창農業電影制片廠에서 근무하면서 다시 산문 창작을 시작하였다. 저서로 『메이냥 소설 산문집梅娘小說散文集』, 소설선집 『메이냥 대표작梅娘代表作』, 『메이냥 소설·황혼의 헌납梅娘小說·黃昏之獻』, 산문·서신집 『메이냥 근작 및 서간梅娘近作及書簡』이 있으며 역서로 『모계 가족母系家族』, 『옥수수밭의 작가 - 자오수리 평전玉米地裏的作家——趙樹理平轉』 등이 있다.

야오쉐인姚雪垠이 허난문련으로 돌아가 다시 전문작가 직책을 맡아 카이펑에 거주하면서 창작에 종사하였다(본래 허난으로 돌아간 후 '농촌 3부작(「황혼黃昏」, 「장야長夜」, 「여명黎明」)'가운데 「장야」를 수정하고 나머지 두 편도 완성하고, 그 외에도 허난 전핑鎮平현의 펑시톈彭錫田과 네이샹內鄉현의 볘팅팡別廷芳을 모델로 하여 장편소설 『작은 독재자小獨裁者』를 창작할 계획이었다. 그러나 당시의 지도자가 역사를 소재로 한 작품을 쓰는 데 동의하지 않아 계획을 실행하지 못했다).

야오쉐인(1910~1999), 작가. 본명은 야오관싼姚冠三이며 자는 한잉漢英으로 허난성 덩현鄧縣 출신이다. 1935년부터 베이핑 『신보』와 톈진 『대공보』에 단편소설을 발표하였다. 1937년에 카이펑으로 가서 지원푸嵇文甫, 판원란範文瀾, 왕란시王闌西 등과 함께 주간 『풍우風雨』를 창간하였다. 1951년에 허난성 문련 전문작가를 맡았다. 후베이성 문련 주석, 중국작가협회 고문, 중국당대문학학회 회장 등을 역임하였다. 1957년에 우파로 오인받은 후, 방대한 규모의 장편 역사소설 『이자성李自成』의 창작을 시작해 1963년에 제1권을 출간하였다. 이 소설은 일본어로 번역되어 일본 문부성과 외무성이 수여하는 문화상을 수상하였으며, 1976년에 출간된 제2권은 제1회 마오둔문학상을 수상하였다. 그 외에 저서로 단편소설 『보릿짚 반 수레가 모자라다差半車麥秸』, 장편소설 『장야』, 『이자성』 및 논문집 『소설은 어떻게 창작되는가小說是怎樣寫成的』가 있다.

왕멍이 제1차 5개년 계획이 정식으로 시작되기 직전에 시대적인 열기에 영향을 받아 다시 학교로 돌아가 공부하고자 했으나 대입시험 응시 신청이 비준을 받지 못했다.

샤오첸이 중국작가협회로 이동해 잡지 『역문譯文』의 편집위원 겸 편집부 부주임을 맡았다.

차오밍이 작가협회 둥베이분회 부주석을 맡아 분회의 업무를 주관하였다. 그의 중편소설 「원동력」이 체코어로 번역되어 체코 호각출판사號角出版社에서 출간되었다.

정전둬가 5개월의 시간을 들여 공화국 성립 전에 출판한 『중국판화사 도록中國版畫史圖錄』에서 대표적인 작품 300여 편을 선정하고, 새로 발견한 자료 중에서 200편을 선정해 『중국 고대 목각화 선집中國古代木刻畫選集』(총8권)으로 편찬하였다. 그러나 문자 부분인 『중국 고대 목각사략中古古代木刻史略』이 완성되지 않아 출간하지 못했다.

저우쭤런이 1949년 11월 22일에 『역보』에 '선서우申壽'라는 필명으로 「설서인說書人」을 발표한 것을 시작으로, 1952년 3월 15일에 「외침 연의·29·시골 노부인吶喊衍義·二十九：九斤老太」을 발표한 때까지 2년 5개월간 908편의 글을 발표하였다. 1952년 3월에 『역보』와 『대보大報』가 합병되었으며, 11월에는 다시 『신민만보新民晚報』와 합병되었다. 이후로 저우쭤런이 발표한 글은 점점 줄어들었다. 저우쭤런은 공화국 성립 초기의 간행물에 총 1,000여 편의 글을 발표하였다. 그가 이 시기에 집필한 글은 이미 정치성을 띤 상업적인 글에 가까웠다. 저자 본인의 표현에 의하면, 그가 글을 쓰는 것은 '인민을 위해 복무하는' 식의 집필로, 인민의 필요가 바로 문학의 필요라고 보았다.(경촨밍耿傳明『저우쭤런 최후의 22년周作人的最後22年』, 중국문사출판사中國文史出版社, 2005년 -> 각주로 처리해야 할 듯합니다.)

중앙민족학원의 마쉐량馬學良이 타이창허우邰昌厚, 판창룽潘昌榮, 진단今丹 등을 인솔해 구이저우 칭수이淸水현 묘족 거주지로 가서 묘족의 언어를 조사하였다. 그는 언어 자료를 수집하는 과정에서 그 지역 묘족 가수가 부르는 묘족의 옛 서사시「금은가金銀歌」,「고풍가古楓歌」,「호접가蝴蝶歌」 및「홍수도천洪水滔天」,「소하서천溯河西遷」 등 민족의 설화를 기록하였다.

첸징런錢靜人이 장쑤 남부에서 275행에 이르는 오가吳歌 서사시「디경狄庚」을 수집하였다. 이는 오가 수집 역사상 큰 수확이다.

선충원이 쓰촨에서 토지개혁공작에 참가한 경험을 소재로 하여 소설「중대부 – 촨난 토지개혁 잡기」 제1편을 창작하였다. 원고에는 '마오린茂林'이라는 필명으로 서명하였으나 생전에 발표하지 않았다(현재는『선충원 전집』 제27권『망리집忘履集』에 수록). 그의 소설『변성』이「추이추이翠翠」라는 제목으로 홍콩 창청전영공사長城電影公司에서 영화로 제작되었다. 린다이林黛(청웨루程月如)가 여주인공을 맡았으며 옌쥔런嚴俊任이 감독을 맡았다.

허징즈의「백모녀」가 수이화水華 등에 의해 영화 극본으로 각색되었다. 허징즈는 가사 각색 공작에 참가하였다.

탕인唐因의『민간가요에 관하여談民間歌謠』가 베이징 인간서옥人間書屋에서 출간되었다.

저우얼푸 등의『노먼 베쑨 단편』이 인민문학출판사에서 출간되었다. 저우얼푸의「노먼 베쑨諾爾曼·白求恩」을 포함해 통신보도 7편이 수록되었다.

바진이 번역한 고리키의『브록을 추억하며回憶布羅克』가 상하이핑밍출판사에서 출간되었다. 또한 투르게네프의「아버지와 아들父與子」을 중역하였다. 리지예가『산링 호수山靈湖』를 번역하였다. 이 책은 1953년에 상하이핑밍출판사에서 출간되었다.

라오서의 장편소설『고서예인鼓書藝人』을 궈징추郭鏡秋 여사가 번역한 영문판『The Drum Singers』가 미국 뉴욕에서 출간되었다.

「폭풍우」,「리유차이 판화」,「활인당」,「뤼량 영웅전」,「평원의 불길」,「백모녀」,「사세동당」,「조자왈」,「굴원」 등의 문학작품이 일본어로 번역되어 출간되었다.

올해 새로 상영된 주요 중국 영화는 아래와 같다.

「6호 문」(천밍陳明 각본, 뤼반呂班 감독, 둥베이전영제편창 제작. 1957년 문화부 1945~1955년

우수영화상 3등상 수상)

「남정북벌」(선시멍, 선모쥔, 구바오장 각본, 청인成蔭, 탕샤오단湯曉丹 감독, 상하이전영제편창 제작)

「용수구」(셴췬, 자오쥐인 각본, 셴췬 감독, 베이징전영제편창 제작)

「노동의 꽃이 피다勞動花開」(커란 각본, 천리팅陳鯉庭 감독, 상하이연합전영제편창 제작)

신문예출판사, 해방군문예출판사, 상하이인민미술출판사, 중공업출판사, 기계공업출판사, 인민교통출판사, 임업출판사 등이 설립되었다.

올해 말까지 중국 대륙에 설립된 출판사는 모두 426곳으로, 그 가운데 중앙급 출판사는 16곳, 지방 출판사는 54곳, 사영 출판사는 356곳이다. 출판한 도서는 13,692종으로 그 가운데 신판 도서는 7,940종이며, 총 인쇄 수량은 7억 8,600만 권이다. 잡지는 354종이 출간되었다.

1949. 7 ~ 1953. 12

1953 年

1월

1일, 『인민일보』에 사설 「1953년의 위대한 임무를 맞이하자迎接一九五三年的偉大任務」가 발표되었다. 사설에서는 첫째, 항미원조 투쟁을 계속해서 강화하여 더욱 큰 승리를 쟁취할 것. 둘째, 국민 경제의 제1차 5개년 계획의 집행을 시작할 것. 셋째, 전국인민대표대회를 개최해 헌법과 국가건설계획을 통과시킬 것 등 올해 전국 인민이 임해야 할 세 가지 위대한 임무를 언급하였다.

『인민일보』에 양쉬의 산문 「생활 깊은 곳으로 침투하다投進生活的深處」, 자오쥐인의 감상 「공장행의 몇 가지 깨달음下廠的一些體驗」이 발표되었다.

『신관찰』 제1호에 아이칭의 시 「세 번째 비둘기 - 피카소가 세계인민평화대회를 위해 그린 비둘기에 부쳐第三只鴿子——題畢加索爲世界人民和平大會所繪鴿子」가 발표되었다.

『인민문학』 1월호에 편집위원회 인원 변경 상황이 게재되었다. 마오둔이 편집장을, 딩링이 부편집장을 맡았으며 아이칭, 허치팡, 저우리보, 자오수리 등이 편집위원을 맡았다. 이 외에도 아이칭의 「1953년을 맞이하다迎接一九五三年」, 천융의 평론 「문학창작의 새로운 수확 - 양쉬의 『삼천리강산』을 평하다文學創作的新收獲——評楊朔的<三千裏江山>」, 천먀오陳淼가 정리한 「몇 가지 창작사상 문제에 관한 토론 - 생활 침투 작가 제2조의 학습幾個創作思想問題的討論——第二批深入生活作家的學習」, 양쉬의 자술 「나의 감상 - 『삼천리강산』의 창작 과정我的感受——<三千裏江山>的寫作經過」 등의 글과 하이모의 단편소설 「38선을 돌파하다突破三八線」(장편소설 『임진강을 돌파하다突破臨津江』의 마지막 부분), 뤼젠의 시 「고향 3수故鄕三首」, 왕시젠의 시 「조선의 봄朝鮮的春天」 등이 발표되었다. 『인민문학

』 이번 호에는 헝가리 시인 페퇴피 탄생 130주년을 기념해 그의 시 9편의 번역문과 기념의 글이 게재되었다. 중앙인민정부 문화부문에서 각지 문화부문에 혼인법 선전 활동에 적극적으로 호응해 참가하라는 지시를 발포하고, 선전에 사용할 18개의 극본을 잠정 결정해 각지의 극단에 제공하였다.

3일, 출판총서에서 「서적 간행물 발행 공작 과정에서의 분담 강요 행위를 단호히 시정하는 데 관한 지시關於堅決糾正書刊發行工作中強迫攤派錯誤的指示」와 「1953년 잡지 인쇄 부수 계획 제정 문제에 관한 통보關於制訂1953年雜志計劃印數問題的通報」를 발포하였다.

『시난문예』 1월호에 논고 「스탈린의 위대한 저작을 학습하고, 소련공산당(볼셰비키)을 학습하자 – 문학예술에 관한 중앙위원회의 지시學習斯大林的偉大著作,學習蘇聯共產黨(布)——中央委員會關於文學藝術的指示」 및 젠셴아이 등의 「위대하고, 전투적이며, 승리의 1953년을 맞이하자迎接偉大的, 戰鬥的、勝利的一九五三年」, 런바이거의 「공장에 깊이 침투하자深入工廠中去」, 리창루李長路의 「천극의 전통과 현재 상황 및 전망을 논하다略論川劇的傳統, 現狀及其遠景」 등의 평론, 우위안즈吳源植의 소설 「한류와 경주하다和寒流賽跑」, 루이쩡루이芮增瑞의 소설 「랑옌琅鹽」, 팡징의 시 「맞이하다迎接」, 무런穆仁의 시 「조국의 기쁜 소식祖國的喜訊」, 구이저우 화등극花燈劇 「붉은 꽃 다섯 송이五朵紅花」(후쉐원胡學文 집필, 구이저우성 가무극단貴州省歌舞劇團 수정)가 발표되었다.

7일, 『인민문학』 편집부에서 『삼천리강산』 좌담회를 소집하였다. 양숴가 이 소설을 창작한 과정에 관해 보고하였다. 양숴의 신작 장편소설 『삼천리강산』에 관해서는 이후에도 세 차례의 토론회가 개최되어 서로 다른 의견 사이에 열띤 논쟁이 벌어졌다. 사오취안린이 직접 결산 발언을 진행해 작품의 장점을 충분히 긍정하고, 작품의 구조와 언어 등에 나타난 결점에 대해 상세한 분석을 진행하였다. 사오취안린은 "우리는 이 자리에서 작품을 소극적으로 비평해서는 안 된다. 반드시 열정적이고, 적극적이며, 엄숙하고 진지하게, 실사구시의 태도로 작품을 연구해 작가가 이 토론회에서 절실하고도 이로운 도움을 얻을 수 있도록 해야 한다"고 밝혔다. 토론 도중에 제기된 『삼천리강산』을 긍정해야 하는가 부정해야 하는가 하는 문제에 관해서는 "나는 이렇게 단순하게 보지 않는 것이 좋다고 생각한다. 우리는 토론할 때 작품을 구체적으로 분석해 어느 부분이 좋고, 어느 부분이 부족하며, 어느 부분에 결점이 있는지, 또한 이런 결점이 어떤 이유로 생겼는지를 지적해야 한다"며, "토론이란 단순하게 뭉뚱그려 긍정 혹은 부정을 표시하면 되는 것이 아니다. 작품에 점수를 매기는 것은 불가능하기 때문이다"라고 밝혔다.

중화전국미술공작자협회와 중앙미술학원에서 합동으로 화가 치바이스齊白石의 93세 생일 축하

연회를 개최하였다. 문화부 부부장 저우양, 중화전국미술공작자협회 주석이자 중앙미술학원 원장 쉬베이홍徐悲鴻, 베이징의 여러 문화예술계 인사들 및 치바이스의 친우 리지선李濟深, 허샹닝何香凝, 사오리쯔邵力子, 라오서, 예궁춰葉恭綽, 어우양위첸, 정전둬, 톈한, 훙선, 천반딩陳半丁, 푸쉐자이溥雪齋, 쑨쑹자오孫誦昭, 왕아이스汪藹士, 후페이헝胡佩衡, 위핑보, 장펑江豐, 차이뤄훙蔡若虹, 왕차오원王朝聞, 구위안古元 등 200여 명이 참석하였다.

저우양이 중앙인민정부 문화부를 대표해 치바이스에게 영예상장을 수여하고 연설하였다. 그는 "치바이스 선생은 중국 인민의 탁월한 예술가로, 중국 미술에 특별한 공헌을 하였다. 그의 예술은 중국회화의 현실주의 전통을 계승해 '외양과 정신을 모두 겸비'한 특색을 발휘하였다. 국화國畫계의 화가들이 치바이스 선생의 예술과 그의 노동 정신을 본받아 중국 전통회화의 개선과 발전을 위해 다함께 노력하기를 바란다"고 밝혔다.

리지선, 쉬베이훙, 라오서, 톈한, 예궁춰 등이 발언하여 치바이스의 빛나는 예술적 성취와 진지한 노력 정신을 상찬하였다. 축하 연회에는 치바이스의 작품 40여 점이 전시되었다. 저녁에 열린 만찬회에는 정무원 총리 저우언라이가 참석해 치바이스를 축하하고 그와 친밀하게 교류하였다.

베이징시 인민정부 문화사업관리처에서 베이징의 전문 문예단체와 군중의 아마추어 문예단체를 소집해 회의를 개최해 춘절의 문예활동 문제에 관해 논의하고, 이 사항의 진행을 구체적으로 지도하기 위해 수도춘절문예선전공작위원회首都春節文藝宣傳工作委員會를 조직하였다. 회의에서는 올해 춘절에 모든 문예형식을 이용해 조국과 수도 베이징에서 3년간 건설한 위대한 성취 및 대규모 경제건설의 의의 등을 선전할 것을 결정하였으며, 올해 춘절 문예활동의 주된 대상을 공인과 농민 및 노동시민으로 할 것을 결정하였다.

8일, 『인민일보』에 추이바와崔八娃의 작품 「자식을 팔아 빚을 갚다賣子還債」가 발표되었다. 서두에 추가된 편집자의 말은 "추이바와 동지는 시베이군구의 어느 부 병원의 통신원으로, 1949년에 입대해 올해 24세이며 산시陝西성 안캉安康 출신이다. 그는 본래 글자를 600자밖에 몰랐으나 속성식자학습을 통해 3,000개가 넘는 글자를 깨우쳤다. 그는 가오위바오의 문학창작에 영향을 받고, 조직의 격려와 도움 아래 열심히 학습하고 굳건히 노력해 자신의 생활 경험을 소재로 삼아 총 3만 자에 이르는 9편의 문예작품을 창작하였다. 본 작품은 그 가운데 한 편이다"라고 특별히 소개하였다.

추이바와(1929~2007), 전사 작가. 본적은 후베이성이며 산시陝西성 안캉에서 출생하였다. 가오위바오와 함께 총정치부로부터 전군 '전사 작가'라는 칭호를 수여받았다. 형제 가운데 여덟째라서 아명을 '바와얼八娃兒'이라 하였다. 국민당에 징집되어 군역을 하다가 이후에 중국인민해방군에 참가하였다. 1952년에 전국적으로 실시된 문맹 퇴치 운동 때 부대에서 '속성식자법'을 적극적으로 배워 소설 「개가 또 물기 시작했다狗又咬起來了」, 「술주전자 한 개一把酒壺」, 「자식을 팔아 빚을 갚다」, 「배불뚝이 궈씨郭大肚子」 등의 소설을 창작하였다. 1958년에 스스로 제대해 고향으로 돌아가 농민으로 생활하였다. 2005년 12월에 안캉시 작가협회 명예주석으로 초빙되었다.

『인민일보』 같은 호에 중화전국미술공작자협회와 중앙미술학원에서 합동으로 개최한 치바이스 생일 축하 연회에 관한 신화사의 기사 및 왕차오원이 집필한 치바이스의 생일 기념의 글 「걸출한 화가 치바이스傑出的畫家齊白石」가 게재되었다.

9일, 『인민일보』에 위안수이파이의 글 「빈의 횃불維也納的火炬」이 발표되었다.

10일, 『인민일보』에 아이밍즈의 「공인 군중에게 어떻게 다가갈 것인가 – 공장으로 가서 실제 업무를 맡아 본 한 문예공작자의 체험怎樣接近工人群眾——一個文藝工作者下廠擔任實際工作的體會」이 발표되었다.

『문예보』 제1호에 사설 「문예의 낙후된 현상을 극복하고, 위대한 현실을 수준 높게 반영하자克服文藝的落後現象,高度地反映偉大的現實」가 발표되었다. 글은 "현 단계에서 우리가 주의해야 할 현상과 문제는 바로 우리의 문예가 여전히 인민의 높은 요구에 비해 크게 낙후되어 있다는 것이다. 인민의 요구는 문예가 우리의 위대한 현실을 저급하게 반영하거나 결핍되게 반영하는 것이 아니라 반드시 수준 높게 반영하는 것이다"라고 밝혔다. 사설은 전국의 문예공작자들에게 국가가 대규모 경제건설 시기로 진입한 후에 생활에 깊이 침투하고 학습을 강화해 사회주의적 현실주의 창작방법을 확실히 장악해 '수준 높은 반영'을 이룬 작품을 창조할 것을 호소하였다.

『문예보』 같은 호에 「전국 극단공작 정돈 및 강화에 관한 중앙인민정부 문화부의 지시中央人民政府文化部關於整頓和加強全國劇團工作的指示」가 게재되었다.

같은 호에 마옌샹의 「희곡 목록의 공연 상황을 개선하자改進戲曲劇目的上演情況」, 아이우의 「어느 평범한 공인의 위대한 창조一個普通工人的偉大創造」 및 소련 작가 M.스미르노바의 「중국의 영화극본 작가에게 전하는 말寄語中國電影劇本作家」, B.파블로프의 「중국의 친구들에게給中國的朋友們」 등의 글이 발표되었다. 이 가운데 마옌샹의 글은 희곡개혁공작의 기본 원칙 중 하나는 예인에게 의지하고, 예인과 밀접히 협력하는 것임을 지적하였다.

러시아 시인 네크라소프 서거 75주년을 기념해 『문예보』 제1호의 '해외문학 통신'란에 네크라소프의 생애와 창작 및 사상이 소개되었다.

11일, 『인민일보』에 저우양의 글 「사회주의 현실주의 – 중국문학이 나아갈 길社會主義現實主義——中國文學前進的道路」이 발표되었다. 그는 글에서 "소련문학의 거대한 역량은 소련문학이 공산주의 사상의 입장에 서서 생활을 관찰하고 표현하고 있으며, 오늘의 현실과 내일의 이상을 결합하는 데 능하다는 점에서 나온다. 다시 말해, 그 역량은 사회주의 현실주의의 방법에 있는 것이다." "사회주의 현실주의는 현재 이미 전 세계의 모든 진보 작가들의 기치가 되었으며, 중국 인민의 문학 역시 이 기치 아래 전진하고 있다." "어떤 작품이 사회주의 현실주의를 표현하고 있는가를 판단하는 주된 기준은 그 작품이 묘사한 내용이 사회주의의 현실생활인가가 아니라, 사회주의적 관점과 입장으로써 혁명발전 과정에 있는 생활의 진실을 표현하고 있는가이다." "중국 인민, 특히 문예공작자의 눈앞에 놓인 임무는 소련의 문학과 예술 및 영화를 더욱 적극적으로 중국 인민에게 널리 보급하고, 문예공작자들이 소련 작가의 창작경험과 예술적 기교를 학습하는 데 더욱 노력하는 것이다. 특히 그들의 창작 기초인 사회주의 현실주의를 심도 있게 연구해야 한다"고 밝혔다. 『인민일보』 편집자의 말은 이 글이 저우양이 소련의 문학잡지 『기치旗幟』 1952년 12월호에 발표한 글이라고 밝혔다.

『인민일보』의 보도에 따르면, 베이징시 문련에서 군중 문예활동에 필요한 공연 자료를 공급하기 위해 작년 12월 중순에 좌담회를 개최해 춘절 문예창작 문제에 관해 집중적으로 논의하였다. '춘절문예창작위원회春節文藝創作委員會'를 조직해 라오서가 주임위원을 맡았으며, 베이징의 수많은 문예공작자들이 위원회의 지도하에 창작을 서두르고 있다.

13일부터 24일까지, 중앙인민정부 정무원 문화교육위원회가 베이징에서 대형 행정구역 문교위원회 주임회의를 소집하였다. 회의에서는 당과 국가의 과도기 총노선 정신에 근거해 '정돈하고 견고히 다지고, 중점적으로 발전시키고, 질을 제고하고, 점진적으로 전진'하는 문교공작 방침을 제시하였다. 문예방면에 관해서는 '계획적으로 창작을 조직하고, 창작수준을 제고'할 것을 요구하였다.

『인민일보』의 보도에 따르면, 1952년에 중국에서 수입해 번역한 소련 및 동유럽 각국의 영화는 총 50여 편에 이른다.

『해방일보』에 저우양의 「사회주의 현실주의 – 중국문학이 나아갈 길」이 전재되었다.

15일, 상하이 『문예월보文藝月報』 창간호가 출간되었다. 바진이 편집장을 맡았다. 창간호에는 샤옌의「문예창작의 낙후된 상황을 극복하자克服文藝創作的落後狀況」, 바이산柏山의「작가들의 공장행 및 농촌행에 관한 몇 가지 문제關於作家下廠下鄕的若幹問題」, 쉐웨이雪葦의「창작사상의 한 가지 문제에 관하여關於寫作思想中的一個問題」, 쉬안중玄仲의「서둘러 임무를 완성하다趕任務」, 예쑤葉粟의「창작을 조직하는 것과 간부를 배양하는 것組織創作和培養幹部」, 뤄쓰若思의「난폭한 편향을 바로잡자糾正粗暴的偏向」, 위이於乙의「다시 근본에서부터 생각해야 한다還得從根本上著想」 등의 평론과 바진의「굳센 전사堅強戰士」, 왕안유王安友의「추비追肥」, 쓰민斯民의「차가 전복되다車子翻身」 등의 소설, 왕뤄위안王若淵의「풍작을 축하하며慶豐收」, 차이칭성蔡慶生의「웃어야 한다應該笑」, 바이더이白得易의「교대하다交班」 등의 시와 커링柯靈의「극장의 우연한 기록劇場偶記」 등이 발표되었다.

쉐웨이(1912~1998), 본명은 류마오룽劉茂隆 혹은 류쉐웨이劉雪葦로 구이저우성 랑다이郎岱 출신이다. 1932년에 중국공산당과 좌련에 가입하였다. 같은 해에 작품을 발표하기 시작해 보고체 소설「견습공 통신小工通訊」을 창작하였다. 1937년에 옌안으로 갔다. 후펑 사건에 연루되어 24년간 누명을 쓰고 생활하다가 1979년에 복권되었다. 중국대백과사전출판사 부편집장을 역임하였다.

차이칭성(1935~), 저장성 원링溫嶺 출신이다. 1949년에 중국인민해방군에 가입하였다. 1956년에 제대하고 저장문련에서 전문 창작에 종사하였다. 1984년에 저장 타이저우台州 문련 부주석, 잡지『쿼창括蒼』의 편집장을 맡았다. 1994년에 상무부주석 직책에서 은퇴하였다. 저서로 시집『내게 말해 다오, 조국에서 온 바람이여告訴我,來自祖國的風』,『전화 속의 노래戰火中的歌』, 장시『전투소조戰鬥小組』 등이 있다.

16일,『해방군문예』 1-2월호에 추이바와의 단편소설 및 쑹즈더의 평론「군중성을 띤 공농전사 창작을 논하다論群眾性的工農戰士創作」가 발표되었다.

18일,『해방일보』에 야오다중姚大中의 단편소설「웨이춘롄魏春蓮」이 발표되었다.

19일, 중공중앙 화둥국 문예공작위원회와 중공상하이시위원회 선전부에서 연합으로 공인문예공작전문회의工人文藝工作專門會議를 개최하였다. 회의에서는 공인의 아마추어 문예활동에 통일된 지도와 명확한 방침이 부족해 장시간 분산된 상태에 머물러 있는 문제 등에 대해 연구하고 다음과 같은 방안을 제시하였다. 1. 공인의 아마추어 문예활동 방침은 아마추어적, 보급적, 자원적自願的인 원칙 아래 정치선전 및 생산을 위해 복무한다는 점과 밀접히 호응하여야 한다. 공인의 아마추어 문예활동은 반드시 오락적인 면을 강조해야 한다. 2. 공장의 문예 핵심 인원을 계획적으로 배양하는 것이 공인문예활동을 보편적으로 전개하는 중요한 관건이다. 3. 공인의 아마추어 문예활동에 대한 전문 문예공작자의 지도를 강화해야 한다. 4. 당의 통일적인 지도와 유관 부문의 명확하고 구체적인 분업을 강화해야 한다.

시안『군중일보』에 추이바와의 작품「개가 또 물기 시작했다」가 발표되었다.

20일, 중화전국희극공작자협회에서 인형극 공연회를 개최해 푸젠의 민간 인형극 예인이「대뇨천공大鬧天空」을, 랴오시 문공단에서「앙가秧歌」와「타화곤打花棍」 등을 공연하였다.

21일,『인민일보』에 샹리즈項立志, 황짜이화黃在華의「황허 수원 조사 기록黃河河源勘察記」, 위안수이파이의「유럽의 세 갈래 길목에서 – 세계인민평화대회 기록在歐洲的三岔口——世界人民和平大會記事」(연재) 등의 보고가 발표되었다.

22일,『인민일보』에 위안수이파이의「유럽의 세 갈래 길목에서 – 세계인민평화대회 기록」(연재 완료)이 발표되었다.

23일, 제1차 쓰촨성 문학예술공작자대표대회가 청두에서 개최되었다. 성립 쓰촨성문학예술계연합회에서 선거를 통해 사팅을 주석으로, 리제런, 천샹허, 돤커칭段可情, 창쑤민常蘇民을 부주석으로 선출하였다. 본 단체는 8일에 쓰촨성문학예술공작자연합회로 명칭을 변경하였다.

23일부터 26일까지, 상하이시 문화국에서 공연문제 좌담회를 개최해 상하이시 희곡계에 존재하는 문제를 토론 및 연구하였다. 참석자들은 현재 상하이시 희곡계에 혼란한 현상과 열악한 경향이 등의 심각한 문제가 존재하며, 이러한 문제는 희곡 수정공작 측면에서는 반역사주의 경향 및 엄숙하고 진지하지 못한 모습으로 나타나고, 창작 측면에서는 새로운 인물과 사건을 정확히 반영하지 못하는 모습으로 나타나며, 정치 법령을 서투르게 선전하는 것으로 인한 표절 및 도용 현상으로 나타난다고 보았다. 이러한 상황에 대해 문화국 책임자 위링은 26일에 열린 결산 회의에서 발언을 통해 앞으로 노력해야 할 방향을 제시하였다(『문예보』 1953년 제6호「상하이 통신 – 상하이 희곡계에서 혼란한 현상 해결을 위해 투쟁하다上海通訊——上海戲曲界爲澄清混亂現象而鬥爭」를 볼 것).

25일, 『인민일보』에 추이바와의 소설 「개가 또 물기 시작했다」가 전재되었다.

29일, 문화부에서 「혼인법 선전활동에 대한 각지 극단, 문화관, 영화관, 영사대 등의 적극 참가 지시各地劇團, 文化館, 電影院, 放映隊等積極參加婚姻法宣傳活動的指示」를 발포하였다.

30일, 『문예보』 제2호에 린모한의 「후펑의 반마르크스주의적 문예사상」, 광웨이란의 「희곡유산의 현실주의 궤도를 따라 전진하자沿著戲曲遺産的現實主義軌道前進」(이 글과 1952년 『문예보』 제24호에 발표된 「희곡유산의 현실주의戲曲遺産中的現實主義」는 저자가 제1회 전국희곡관람공연대회 기간에 각본가들을 대상으로 진행한 보고문을 1, 2부로 나눠 정리한 것으로, 본래 보고문의 제목은 「희곡예술의 현실주의 전통을 발휘하자發揚戲曲藝術的現實主義傳統」이다) 및 아이칭이 치바이스의 생일을 축하하며 쓴 「바이스 노인白石老人」 등의 글이 발표되었으며, 소련의 잡지 『공산당인共産黨人』 제21호에 발표된 논고 「소련문학의 당면 임무蘇聯文學的當前任務」의 번역문이 발표되었다.

이 가운데 린모한의 글은 후펑 문예사상의 오류의 근원은 그가 일관적으로 비계급적 관점을 통해 문예문제를 대하고 있는 데 있으며, 후펑의 이러한 이론의 실제 효과는 바로 문예공작자가 사상개조의 필요성을 인식하는 것을 방해하는 것이라고 보았다. 후펑이 범한 또 하나의 심각한 오류는 '5·4' 이후의 신문예와 민족의 문예전통을 완전히 단절시킨 데 있다고 지적하였다.

광웨이란은 글에서 월극 「양산백과 축영대」와 천극 「유음기柳蔭記」의 수정공작은 기본적으로 성공을 거두었다고 평하며, 두 극본이 가진 공통적인 장점은 민간예술의 우수한 창조성을 존중하고, 현실주의적 방법을 활용해 전형적인 환경 속의 전형적인 성격을 묘사함으로써 주제를 구체적이고 깊이 있게 표현한 것이라고 보았다. 이와 반대로, 경극 「양산백과 축영대」를 수정한 작가는 이러한 중요한 측면에 대한 고려가 매우 부족해 결과적으로 실패를 면할 수 없었다고 지적하였다.

린모한(1913~2008), 문예이론가, 잡문가. 본명은 린례林烈이며 필명은 쉐춘雪邨, 모한默涵이다. 푸젠성 우핑武平 출신이다. 청년기에 일본에서 유학하였다. 1938년에 옌안으로 가서 중국공산당에 가입하였다. 공화국 성립 후에는 중앙선전부 부부장, 문화부 부부장, 중국문련 부주석을 역임하였다. 저서로 잡문집 『사자와 용獅和龍』, 『물보라浪花』, 논집 『격변 속에서在激變中』, 『린모한 문론집林默涵文論集』, 『린모한 재난 후 문집林默涵劫後文集』, 『신언산집心言散集』 등이 있다.

스타니슬랍스키 탄생 90주년을 기념해 『문예보』 이번 호에 자오쥐인의 「스타니슬랍스키의 연극 체계를 정확하게 이해하고 활용하자正確地理解和運用斯坦尼斯拉夫斯基的演劇體系」와 메이란팡의 「

스타니슬랍스키를 기념하며紀念斯坦尼斯拉夫斯基」가 발표되었다.

같은 호에 러시아 시인 네크라소프 서거 75주년을 기념하여 번역문 「러시아의 위대한 민주주의 시인偉大的俄國民主主義詩人」이 게재되었다.

문화부에서 중앙희극학원과 중국희곡연구원의 앞으로의 임무에 관한 결정을 다음과 같이 발표하였다. 1. 중앙희극학원은 앞으로 교육기구로서 화극 인재 배양을 주된 임무로 한다. 2. 중국희곡연구원의 주된 임무는 공연으로, 그 연구와 심의 공작은 모두 연기를 돕고 지도하기 위한 것이다. 본 기관에 소속된 각 극단의 공연예술에 기관의 중요 역량을 쏟아야 한다. 3. 중앙희극학원 가극과를 폐지하고 중국희곡연구원에 합병하여 희곡개혁의 역량을 강화한다. 4. 간부를 조정한다.

31일, 『인민일보』에 린모한의 「후평의 반마르크스주의적 문예사상」이 전재되었다.

이달에 문화부에서 소련의 영화 전문가 5인을 중국으로 초청해 영화사업 제1차 5개년 계획을 세우는 데 도움을 받았다. 자오수리가 중국문협으로 이동하였다. 그는 이중 대우의 조정에 관해 "인세를 취소할 것을 주장한다. 원고료 제도는 다시 평가해야 한다. 그러지 않으면 현재 지급되는 보수도 받아서는 안 된다"고 건의하였다.

『극본』 1월호에 베이징인민예술극원 공장행 소조가 합동 창작한 단막극 「부부 사이夫妻之間」, 메이첸梅阡이 집필하고 베이징인민예술극원 공장행 소조의 명의로 발표된 단막극 「경사喜事」, 장밍章明, 량신梁信의 단막극 「홍수와 경주하다和洪水賽跑」, 런구이린任桂林, 쑤자후이蘇家蕙의 희곡 「손이 돋아나다騰出手來」, 미하일코프의 단막 4장 화극 「토끼小白兔」(원제는 '의기양양한 토끼神氣活現的小兔子'로 런룽룽任溶溶, 쑨웨이스 번역), 쑨웨이스의 평론 「'토끼'의 공연에 관하여關於"小白兔"的演出」가 발표되었다.

메이첸(1916~2002), 연극 감독. 메이청푸梅曾溥라는 필명을 사용하였으며 톈진 출신이다. 공화국 성립 후에 베이징인민예술극원 각본가, 중국희극가협회 이사, 베이징시 극협 상무이사, 베이징시 정협 위원을 역임하였다. 80편에 가까운 희극 작품의 각본을 집필하였는데, 대표작으로 「낙타샹즈」, 「셴헝 주점鹹亨酒店」, 「단심보丹心譜」, 「왕소군」 등이 있다.

량신(1926~2017), 소설가, 극작가. 본명은 궈량신郭良信, 필명은 진청金城으로 지린성 푸위扶餘 출신이다. 1945년에 중국인민해방군에 참가하였으며 1946년에 중국공산당에 가입하였다. 오랫동안 부대에서 문예창작에 종사하였다. 저서로 장편소설 『푸른 바다와 붉은 마음碧海丹心』, 『용호풍운기龍虎風雲記』, 영화문학 극본 『홍색낭자군紅色娘子軍』, 『특수 임무特殊任務』, 『노예에서 장군으로從奴隸到將軍』, 『너의 곁에서在你身邊』(합동 창작), 『저녁놀晚霞』(합동 창작), 화극 『난하이 군가南海戰歌』(합동 창작) 등이 있다. 『량신 문집梁信文選』(7권)이 출간되었다.

중국평극단中國評劇團이 설립되었다. 본 극단은 샤오바이위샹小白玉霜, 시차이롄喜彩蓮을 주연으로 하는 신중화평극단新中華評劇團과 신펑샤新鳳霞를 주연으로 하는 중국인민해방군 총정치부 문화부 해방실험평극단解放實驗評劇團이 합병되어 개편된 것이다. 쉐언허우薛恩厚가 단장을, 천화이핑陳懷平이 부단장을 맡았으며 중국희곡연구원의 지도를 받았다. 본 극단은 베이징 평극계 최초의 국영 극단이다.

민족출판사가 설립되었다. 본 출판사는 국가민족사무위원회國家民族事務委員會 직속으로 국가급 종합출판사이다.

중공중앙 마르크스 엥겔스 레닌 스탈린 저작 편역국이 베이징에 설립되었다.

허치팡의 평론집 『서원집』이 인민문학출판사에서 출간되었다. 쉬싱저徐行者의 소설 『50미터와 100점五十公尺和一百分』이 상하이신문예출판사에서 출간되었다. 중화의 『나는 이 신세계를 사랑하게 되었다』가 구이저우인민출판사에서 출간되었다.

롼장징의 시집 『장허의 강물』이 인민문학출판사에서 출간되었다. 펑방전彭邦楨의 시집 『노래를 실은 배載著歌的船』가 중훙문학출판사中興文學出版社에서 출간되었다. 시집 『요즘 혼인은 자기가 알아서 한다如今婚姻自當家』가 구이저우인민출판사에서 출간되었다.

구위의 화극 『더욱 큰 영광을 쟁취하다爭取更大光榮』가 허베이인민출판사에서 출간되었다.

신화통신사 국내신문부 편집부에서 편찬한 통신보고집 『조국은 전진하고 있다祖國在前進』가 인민문학출판사에서 출간되었다. 쩡커曾克의 통신보고 『다볘산으로 용감하게 나아가다』가 상하이신문예출판사에서 출간되었다. 중난통신선집中南通訊選集 편집위원회에서 편찬한 통신보고집 『영광의 토지, 영웅적인 인민光榮的土地英雄的人民』이 우한통신출판사武漢通訊出版社에서 출간되었다. 군사위원회 정치부 문화부에서 편찬한 『중국인민해방군 '8·1' 건군절 25주년 문예대회 수상작품 선집中國人民解放軍"八一"建軍節二十五周年文藝競賽得獎作品選集』이 인민문학출판사에서 출간되었다.

류수런柳樹人이 번역한 북한 작가 황건黃健의 소설 『불타는 월미도燃燒的月尾島』가 상하이신문예출판사에서 출간되었다. 리젠우가 번역한 투르게네프의 희극 『독신남單身漢』이 상하이핑밍출판사에서 출간되었다.

2월

1일, 『해방군문예』 1, 2월 합본에 판빈樊斌의 「설산을 진군하다 – 판빈 동지와 그의 소설雪山進軍——樊斌同志和他的小說」, 류싼둬柳三朵, 돤싱화段興華의 「추이바와와 그의 창작崔八娃和他的寫作」, 쑹즈더의 「군중성을 띤 공농전사 창작을 논하다論群眾性的工農戰士創作」, 딩치丁奇가 집필한 「보이지 않는 목표看不見的目標」, 원다자文大家 등의 「반드시 영웅 인물의 정신적 품성을 그려내야 한다必須刻劃英雄人物的精神品質」, 총정치부 문화부 등의 「문예공작자에 대한 전사들의 기대戰士們對文藝工作者的期望」, 천시핑陳希平의 「「가오위바오」가 사람들의 창작 열정을 고무했다<高玉寶>鼓舞了人們的寫作熱情」 등의 평론과 본지의 종합 원고 「한 가지 새로운 기상一片新氣象」 및 추이바와의 「개가 또 물기 시작했다」, 왕위후王玉胡의 「신장에서의 청웨창 군단장程悅長軍長在新疆」 등이 작품이 발표되었다. 또한 「쾌판시」 특집에 쑨페이첸孫丕謙의 「휘발유통汽油桶」, 리주칭李竹青의 「조명권을 뚫고 나가다沖出照明圈」 등의 시가 발표되었다.

판빈(1926~), 작가. 본명은 판스링樊世玲으로 허베이성 푸청阜城 출신이다. 1938년에 팔로군에 참가하였다. 1956년에 해방군 문화부 창작실로 이동하였으며 1953년부터 작품을 발표하였다. 저서로 장편소설 『설산 영웅雪山英雄』, 단편소설 『설산을 진군하다』, 『금과도 바꾸지 않다金不換』, 『좀 더 높이 서다站得高一點』, 『신팔로神八路』, 『인면도화人面桃花』 등이 있다. 『설산 영웅』으로 시난지구 문예상西南地區文藝獎 1등상을 수상하였다.

『시난문예』 2월호에 편집부의 글 「『시난문예』를 지금의 기초 위에서 더욱 제고하자把<西南文藝>在現有基礎上提高一步」, 궈팅쉬안郭廷萱의 「활동하며 손을 잡는 이야기活動拉手的故事」, 주예朱葉가 정리한 시집 「량산 이족 민가 3수涼山彝族民歌三首」, 지캉季康의 산문 「미자자예쓰이 이야기米紮紮耶司意的故事」, 위안커袁珂의 산문 「유림외사의 풍자儒林外史的諷刺」, 아이바이수이艾白水의 서평 「삶은 전진하고 있다 - 「쾌청한 날」 소개生活在前進——介紹<晴朗的日子>」가 발표되었다.

『신관찰』 제3호에 러우스이의 「아마니阿媽尼」, 우쭈광吳祖光의 「스케이트장 경물溜冰場即景」 등의 시가 게재돼었다.

우쭈광(1917~2003), 극작가, 감독. 우자오스吳召石 혹은 우사오吳韶라고도 한다. 본적은 장쑤성 우진武進이며 베이징에서 출생하였다. 공화국 성립 후에 베이징전영제편창 및 경극단에서 각본가를 맡았다. 1957년에 우파로 오인되었다가 1979년에 복권된 후 문화부 예술국에서 전문 창작에 종사하였다. 저서로 화극 극본『정기가正氣歌』,『풍설야귀인風雪夜歸人』,『소년유少年遊』,『귀신 잡는 이야기抓鬼傳』,『강호를 유랑하다闖江湖』, 경극 극본『무측천武則天』,『봉이 황을 찾다鳳求凰』,『풍운이 서로 어울리다風雲配』,『도화주桃花洲』,『삼관연三關宴』 등이 있다. 1963년에 부인 신펑샤新鳳霞와 합동으로 평극「화위매花爲媒」를 각색하였다.『우쭈광 선집吳祖光選集』(6권)이 출간되었다.

라오서의 6장場 가극「다같이 시비를 가리다大家評理」가『이야기하고 노래하다』에 발표되었으며,『극본』 3월호에 전재되었다.

2일,『인민일보』에「혼인법 관철에 관한 중앙인민정부 정무원의 지시中央人民政府政務院關於貫徹婚姻法的指示」와 사설「혼인법 관철을 위한 새로운 운동의 전개를 대대적으로 준비하자大力准備開展貫徹婚姻法的新的運動」가 발표되었다. 3월부터 전국적으로 전개될 혼인법 관철 선전 운동에 호응하기 위해 중앙인민정부 문화부문에서 지시를 발포해 각지 문화주관부문에서 해당 지역의 극단, 문화관, 영화관 등 문화사업 기관이 혼인법 선전활동에 적극적으로 참가하도록 감독 및 협조할 것을 지시하였으며, 또한 혼인문제에 관한 희곡(현대극과 역사극을 포함해 총 18개 희곡)을 제공해 각지의 극단에서 선택해 사용하도록 하였다.

『인민문학』 2월호에 소련『공산당인』 잡지의 논고「소비에트 문학의 절실한 임무蘇維埃文學的迫切任務」(가오수메이高叔眉 발췌 번역), T.로미제洛米哲의「문학 속에서 삶의 모순을 진실하게 반영하기 위해 투쟁하자爲在文學中真實反映生活沖突而鬥爭」(가오수메이 발췌 번역), 메일라흐Мейлах(확인 필요) 교수의「문학 전형 문제文學典型問題」(인한殷涵 발췌 번역), V.라시스V·拉西斯의「긍정적 인물과 부정적 인물에 관하여關於正面人物與反面人物」(관루關露 발췌 번역) 등의 번역문이 게재되었다. 이 외에도 왕스이王拾遺의「농민에 관한 백거이의 시白居易關於農民的詩」, 아이칭의「가극「양산백과 축영대」歌劇<梁山伯與祝英台>」, 뤼젠의「페퇴피 샨도르裴多菲·山陀爾」 등의 글과 스궈石果의 소설「석지石土地」, 유궈언遊國恩의「백거이와 그의 풍유시白居易及其諷喩詩」,「「진중음」 가운데「상택」,「입비」 두 편의 시를 읽고讀<秦中吟>中的<傷宅><立碑>二詩」, 한쯔의 보고 산문「나는 상간링에서 왔다我從上甘嶺來」가 발표되었다.『인민문학』 이번 호에는 헝가리 시인 페퇴피 탄생 130주년을 기념해 그의 시 9편을 번역해 실었으며 관련 글이 게재되었다.

유궈언(1899~1978), 문학사학자. 자는 쩌청澤承으로 장시성 린촨臨川 출신이다. 1922년에 베이징대학 국학과國學系에 입학해 량치차오梁啟超의 지도하에 초사를 연구하였다. 1925년에 문학연구회에 가입하였다. 공화국 성립 후로 줄곧 베이징대학 중문과 교수로 근무하였다. 저서로『초사 개론楚辭槪論』, 『선진 문학先秦文學』, 『초사 논문집楚辭論文集』, 『중국문학사 강의中國文學史講義』, 『유궈언 학술논문집遊國恩學術論文集』 등이 있으며 『중국문학사中國文學史』의 주편을 맡았다.

『인민문학』 같은 호에 러시아 시인 네크라소프의 시 2편과 그에 관한 기념의 글이 게재되었다.

『해방일보』에 『인민일보』에 발표된 린모한의 「후평의 반마르크스주의적 문예사상」이 전재되었다. 함께 전재된 『인민일보』 편집자의 말은 "1952년 6월 8일에 본지에 수우의 「「옌안문예좌담회에서의 강화」를 처음부터 학습하자」가 전재되었을 때, 편집자의 말에서 후평 및 그의 집단이 가지고 있는 문예사상이 '실제로는 자산계급 및 소자산계급의 개인주의적 문예사상에 속한 것'이라고 지적하였다. 이러한 문예사상은 몇몇 '좌'향의 '마르크스레닌주의'적 어휘와 문장에 가려져 일부 소자산계급 지식분자들을 현혹하는 작용을 하므로, 반드시 근본적으로 비판해야 한다. 린모한 동지의 글 「후평의 반마르크스주의적 문예사상」(본래 『문예보』 올해 제2호에 발표)은 몇 가지 기본적인 문제를 통해 후평 문예사상의 본질을 폭로하고, 이러한 문예사상과 마르크스레닌주의-마오쩌둥 문예사상 사이의 근본적인 차이점을 지적하였다. 이는 현재 문예사상공작의 전개에 도움이 되므로, 이 지면에 이 글을 전재하여 문예공작자들의 연구에 참고로 삼는다"고 밝혔다.

4일, 인민정협 제1차 전국위원회 제4차 회의가 베이징에서 개최되어 7일에 폐회하였다.

5일, 문화부 예술국에서 기구 및 인사 조정을 진행하였다. 톈한이 국장을, 마옌샹, 장광녠, 저우웨이즈, 차이뤄훙蔡若虹이 부국장을 맡았다. 희극음악처가 희극처와 음악처로 나뉘어 개편되었으며, 희곡개진처를 폐지하고 해당 업무를 희극처로 편입하였다. 극목심의처劇目審定處를 극목심의조劇目審定組로 개편해 장광녠이 책임자를 맡았으며, 『극본』 편집부를 조직해 리커李珂가 주임을 맡았다. 본래 중앙희극학원에 속해 있던 극본창작실은 예술국으로 편입되어 천바이천이 주임을, 리즈화가 부주임을 맡았다.

10일, 『인민일보』에 펑즈의 시 「부다페스트」, 「오스트리아 국경」이 발표되었다.

13일, 『인민일보』의 보도에 따르면, 소련 카자흐공화국 소설 및 시가 출판국에서 류바이위의 「무적의 세 용사無敵三勇士」와 자오수리의 단편소설집을 카자흐어로 출판하여 독자들에게 큰 환영을 받았다.

14일, 상하이인민예술극원에서 소련 작가 슬로프의 유명 희곡 「서광이 모스크바를 비춘다」를 공연하였다. 황쭤린黃佐臨이 감독을 맡았다.

15일, 중공중앙에서 「농업생산 상호 합작에 관한 결의關於農業生產互助合作的決議」를 정식으로 발포하였다.

『문예보』 제3호에 허치팡의 「현실주의의 길인가, 아니면 반현실주의의 길인가?」, 웨이쥔이의 「청년들은 작품에서 어떤 인물을 표현하기를 바라는가?靑年們希望作品中表現什麽樣的人物?」, 왕차오원의 「상세하고 구체적인 묘사細節, 具體的描寫」, 중뎬페이의 「영화 「남정북벌」이 달성한 것과 달성하지 못한 것電影<南征北戰>所達到和沒有達到的方面」 등의 글이 발표되었다.

허치팡의 글은 1952년 12월 11일에 열린 후평 문예사상 토론회에서의 발언문으로, 그는 후평의 문예사상에 관해 다음과 같은 일련의 문제를 제기하였다. 1. 예술 창작의 측면에서, 최종적인 결정권을 가진 요소는 작가의 생활 실천인가, 아니면 작가의 '주관 정신'인가? 2. 오늘날의 혁명 작가들에게는 어떠한 생활이든 똑같이 의미가 있는 것인가? 3. 사상개조의 노선에 관하여. 4. 민족형식과 혁명적 현실주의의 관계. 5. 이러한 이론은 사람들을 어디로 이끌 것인가?

웨이쥔이의 글은 소련의 문학작품 「조야와 수라 이야기」와 「평범한 일병普通一兵」을 높이 평가하면서, 영웅의 전형과 낙후된 인물의 전형을 창조하는 방법에 관한 문제를 제기하였다. 왕차오원의 글은 "개념화 경향이 문예창작의 정상적인 발전을 방해한다"고 지적하였다. 그는 상세하고 구체적인 묘사는 풍부한 특징을 가진 형상을 형성하는 중요한 조건이며, 개념화 경향을 극복하기 위해 소홀히 하지 말고 반드시 주의해야 할 요소라고 보았다. 그러나 더욱 근본적인 생활, 사상, 감정 문제와 분리되어 상세한 내용 자체만을 탐색한다면 개념화 경향을 극복하는 데 전혀 도움이 되지 않는다고 지적하였다.

『문예보』 이번 호의 '국내문학 소식'란의 소식에 따르면, 전국 각 군구에서 전사들의 자전체 소설이 대량으로 출현하였다. '해외문학 소식'란에는 인종차별과 흑인문학, 소련작가협회 각 부문의 1952년 결산 공작에 관한 소식이 보도되었다.

『문예월보』 제2호가 출간되어 바이산의 「현재 상하이 문학예술창작의 사상문제에 관하여關於目前上海文學藝術創作的思想問題」, 이췬의 「문예의 전형성을 논하다論文藝的典型性」, 쓰무思慕의 「문예 부문에 관한 말렌코프의 보고 학습 기록學習馬林科夫報告關於文藝部分的筆記」, 예루퉁葉如桐의 「실제 효과에 주의해야 한다要注意實際效果」, 뤄쓰若思의 「생활의 진실을 적시에 반영하자及時地反映生活的眞實」 등의 평론과 왕시젠의 「최전방 진지前沿陣地」, 차오위모曹玉模의 「붉은 꽃 두 송이兩朵紅花」,

하이샤오海笑의 「사제 합동師徒合同」 등의 소설, 진이의 「하늘을 향해 솟은 백양나무聳天的白楊」, 천쉐자오의 「룽징의 겨울龍井的冬天」 등의 산문이 발표되었다.

하이샤오(1927~2018), 본명은 양충楊忠이며 필명은 하이샤오海哮, 하이샤오海嘯 등이다. 장쑤성 난퉁南通 출신이다. 1943년에 혁명에 참가하였으며 1945년에 중국공산당에 가입하였다. 1953년부터 작품을 발표하였다. 장쑤성 문련 부주석, 장쑤성 작가협회 부주석을 역임하였다. 저서로 장편소설 『봄날의 조수春潮』, 『청산 연정青山戀情』, 중편소설 『붉디붉은 우화석紅紅的雨花石』, 산문집 『올곧은 빙랑화堅貞的冰郎花』 등이 있으며 『하이샤오 문집海笑文集』(4권)이 출간되었다.

19일, 『인민일보』에 「혼인법 관철 운동 월간 공작에 관한 중국공산당 중앙위원회의 보충 지시中國共產黨中央委員會關於貫徹婚姻法運動月工作的補充指示」가 게재되었다.

20일, 『인민일보』에 웨이양의 시 「조국이여, 내가 돌아왔다祖國,我回來了」가 발표되었다.

22일, 베이징대학 문학연구소가 설립되어 정전둬가 소장을, 허치팡이 부소장을 맡았다. 본 연구소는 2년 후에 중국과학원에 귀속되어 중국과학원 문학연구소로 개편되었으며, 1977년 5월에 중국사회과학원 문학연구소로 명칭이 변경되었다.

23일, 장톈이의 아동극 극본 「룽성은 집에 있다蓉生在家裏」가 『중국소년보』에 연재되기 시작하였다.

25일, 『인민일보』에 라오서의 글 「올해 우리는 모두 붓을 들어야 한다咱們今年都要拿起筆來」가 발표되었다.

26일, 베이징시 인민정부 문화사업관리처에서 문예공작자 회의를 소집하였다. 회의에서 베이징시 희곡각색위원회를 조직해 장멍경張夢庚을 주임위원으로 선출하였으며 라오서, 자오쥐인, 마사오보, 왕야핑, 하오서우천郝壽臣, 우샤오링吳曉玲 등을 고문으로 위촉하였다. 본 위원회는 군중성을 띤 희곡연구단체로, 그 주된 업무는 전통 희곡을 수집, 발굴하여 정리해 출판하고, 저명한 희곡 예인의 공연 경험을 통합 정리하는 것이다.

28일, 『문예보』 제4호에 사설 「작가들은 영화극본 창작을 위해 노력해야 한다作家要爲創作電影劇本而努力」가 발표되었다. 글은 "모든 문학예술 가운데 우리에게 가장 중요한 장르는 영화이다. 그러나 오늘날 우리의 영화 공작은 군중의 요구에 크게 뒤떨어져 있어, 나날이 늘어나는 객관적인 수요를 만족시키지 못하는 것이 사실이다. 영화극본 창작의 조직 공작은 지금의 기초 위에서 각 방면으로부터 필요한 개선을 적극적으로 얻어야 한다"고 지적하였다.

『문예보』 같은 호에 본지 기자의 「영화극본 창작의 조직 지도 공작을 강화하자加強電影劇本創作的組織領導工作」, 천쑤陳肅의 「「조선 전장 스케치」를 평하다評<朝鮮戰場速寫>」 등의 글 및 혼인법 선전의 달 운동에 호응하여 혼인법을 옹호한 두 편의 글 「사람들이 행복을 얻게 하는 것이 최고의 도덕 기준이다使人們得到幸福是最高的道德標准」, 「혼인과 가정생활에 관한 작품의 몇 가지 문제關於婚姻和家庭生活的作品的一些問題」가 발표되었다.

국화연구소國畫研究所가 설립되어 황빈훙黃賓虹이 소장을, 왕차오원이 부소장을 맡았다.

황빈훙(1865~1955), 화가. 아명은 마오즈懋質였으나 이후에 즈質로 개명하였다. 자는 푸춘樸存, 호는 빈훙濱虹이며 이후에 빈훙賓虹으로 변경하였다. 본적은 안후이성 서현歙縣이며 저장성 진화金華에서 출생하였다. 정산鄭珊에게 사사하여 산수화를, 천충광陳崇光에게 사사하여 화조도를 배웠다. 1886년에 양회염운사서兩淮鹽運使署의 기록원을 맡았다. 1895년에 상하이에서 담사동譚嗣同과 친분을 맺었다. 1906년에 안후이성 서현 신안중학당新安中學堂에서 국문을 가르치면서 황사黃社를 조직해 반청운동을 하다가 고발되었다. 1907년에 상하이로 도주하였다. 공화국 성립 후에는 중앙미술학원 화둥분원 교수, 중국미술가협회 화둥분회 부주석, 전국정협 위원을 역임하였다. 중국 근현대 회화사에는 '남황북치南黃北齊'라는 병칭이 있는데, '북치'는 베이징에 거주했던 화조도의 거장 치바이스를, '남황'은 저장에 거주했던 산수화의 대가 황빈훙을 가리킨다. 1955년에 국가로부터 '중국인민의 우수한 화가中國人民優秀的畫家' 칭호를 수여받았다.

이달에 중앙가무단中央歌舞團이 설립되었다.

『극본』 2월호에 자커賈克의 단막 화극 「준비准備」, 위옌쥔於雁軍의 소형 가극 「가둬둘 수 없는 사람鎖不住的人」, 예블라코프Yevlakhov등의 단막 화극 「눈부신 등불燈火輝煌」(차이스지蔡時濟 번역)이 발표되었다.

자커(1909~2007), 극작가. 본명은 청즈카이曾志開이며 필명은 자커, 자이광賈藝光, 스슝十兄, 시산西山 등이다. 장시성 난펑南豐 출신이다. 1938년에 옌안루예 희극과를 졸업하였다. 산시山西성 희극가협회 주석, 산시성 문련 부주석 및 명예주석, 산시성 정협 위원을 역임하였다. 산시성 인민예술가 칭호를 수여받았다. 1941년부터 작품을 발표했으며 저서로 극작집『자커 극작선賈克劇作選』 등이 있다.

'상하이연합전영제편창'이 상하이전영제편창에 합병되어 위링이 창장을, 예이췬, 차이번蔡賁, 왕치위안王其元이 부창장을 맡았다. 이로써 신중국의 사영 영화업의 역사가 끝났다. 1949년부터 1953년 2월까지 대륙의 사영 영화기업에서 제작한 극영화의 수는 총 50여 편으로, 이 가운데「나의 일생」과「무훈전」등 신중국의 중요 영화가 다수 탄생하였다.

상하이과학교육전영제편창上海科學教育電影制片廠이 설립되어 훙린洪林이 창장을, 쉬싱즈許幸之, 리쯔칭李資淸, 우런즈吳仞之가 부창장을 맡았다.

자오수리의 소설『샤오얼헤이의 결혼』이 인민문학출판사에서 출간되었다. 마펑 등의 단편소설집『결혼結婚』이 인민문학출판사에서 출간되었다.

궁무의 시집『십리 염만十裏鹽灣』이 인민문학출판사에서 출간되었다. 시집에는「다들 제염 일이 좋다고 말한다人人都說種鹽好」,「삼황묘三皇峁」,「십리 염만」,「열 바가지의 물十瓢水」등 7편의 시와 저자의「후기」가 수록되었다. 그는「후기」에서 "1945년 춘절에 나는 옌안에서 출발해 쑤이더 분구綏德分區의 십리 염만으로 가서 두 달 동안 머물렀다. 내 임무는 제염공들이 앙가를 부르는 것을 돕고 민가를 채록하는 것이었다. 앙가를 부르는 일로 말하자면, 나는 몸을 움직일 줄도 모르고 노래도 부르지 못하는데, 도대체 무슨 수로 앙가 부르기를 돕는단 말인가? 내가 할 수 있는 일은 한담을 나누는 것 외에는 앙가대에게 가사를 지어 주는 것밖에는 없었다. 이 시집에 수록한 몇 편의 소조小調는 바로 이렇게 해서 탄생한 것이다"라고 밝혔다.

량후이탕梁會堂 등의 시집『궈씨 여섯째 누나가 거름을 내다郭六姐送糞』가 중난문예출판사中南文藝出版社에서 출간되었다.

진젠金劍의 화극 작품『자오샤오란趙小蘭』이 인민문학출판사에서 출간되었다.

진젠(1927~1968), 랴오닝성 랴오양遼陽 출신이다. 1948년에 혁명에 참가하였다. 헤이룽장성 문련 희극창작조 조장, 하얼빈 화극원 예술실 전문작가를 역임하였다. 저서로 화극 극본『누가 너를 해쳤느냐誰害了你』,『자오샤오란』,『영예는 그의 것이다榮譽是他的』,『춘광곡春光曲』등이 있다.

바진의 통신산문특필집『영웅들 사이에서 생활하다』가 인민문학출판사에서 출간되었다. 이 책에 수록된 11편의 작품 중 대부분은 지원군 영웅들의 용감한 행적과 그들의 숭고한 품성을 묘사한 것이다.

왕시젠의 보고문학『뉴루이산이 묘책을 써서 탱크를 폭파하다牛瑞山妙計炸坦克』, 선쥔즈의 보고문학『가장 강인한 사람最堅強的人』이 산둥인민출판사에서 출간되었다. 칭화대학 중국어문학과에서 편찬한『조국의 열두 시인祖國十二詩人』이 상하이카이밍서점에서 출간되었다.

취추바이가 번역한 푸시킨의 『치간茨岡』이 인민문학출판사에서 출간되었다. 중궤種覺가 번역한 코르네이추크의 희극 『월귤나무 숲紅莓林』이 상짜출판사에서 출간되었다. 왕진링王金陵이 번역한 체코 작가 바첵의 희극 『부자 노동모범父子勞模』이 인민문학출판사에서 출간되었다. 궈푸란郭夫蘭 등이 번역한 미국 작가 하워드 패스트의 산문집 『미국의 피크스킬美國的皮克斯基爾』이 상하이광명서국에서 출간되었다.

3월

1일, 중앙인민정부에서 「중화인민공화국 전국인민대표대회 및 지방 각급 인민대표대회 선거법中華人民共和國全國人民代表大會及地方各級人民代表大會選擧法」을 공포하였다(『인민일보』 2일자에 게재).

『신관찰』 제5호에 펑즈의 시 「레닌그라드의 고아원에서在列寧格勒的孤兒之家」가 발표되었다. 『시난문예』 3월호에 장모성張默生의 「『수호전』에 관하여談談<水滸>」, 허젠쉰何劍熏의 「『수호전』의 사상과 예술에 관하여關於<水滸>的思想和藝術」, 시룽, 천첸陳謙의 「수녀 해방기秀女翻身記」(중편 연재)가 발표되었다. 허젠쉰은 글에서 『수호전』이 중국문학 가운데 귀중한 유산이라고 평하면서, 그 원인을 다음과 같이 제시하였다. 1. 그들의 정치적 주장은 "하늘을 대신해 정의를 행하고, 국토를 수호해 백성을 편안케" 하는 것이며, "충의忠義를 중시하며 선량한 백성을 해하지 않고 탐관오리만을 탓"하는 것이다. 2. 이 작품의 현실주의 정신은 현실에 대한 작가의 비판이라는 측면에도 드러나 있다. 3. 인물의 성격과 사상의 표현 측면에서 『수호전』이 거둔 가장 큰 성공은 아주 간단한 몇 마디로 표현했다는 것이다. 4. 『수호전』은 당시 인민의 언어를 사용하였다.

2일, 『인민문학』 3월호에 자즈賈芝의 「티호노프의 시에 관하여談吉洪諾夫的詩」, P.페도로프의 「유고슬라비아 인민의 비극南斯拉夫人民的悲劇」(청시曾曦 번역), 고리키의 「사회주의 현실주의를 논하다論社會主義現實主義」(멍창孟昌 번역) 등의 평론 및 소수민족의 생활을 반영한 스궈石果의 「혼례일喜期」 등의 소설과 장톈이의 아동극본 「룽성은 집에 있다」, 네루다의 「신중국의 노래新中國之歌」(위안수이파이 번역), 셰윈謝雲의 「건의함 속의 목소리意見箱裏的聲音」, 후자오의 「군모 아래의 눈」, 저우량페이의 「누장을 따라서沿著怒江」 등의 시, 황구류黃穀柳의 산문 「솜씨를 시험해 보다小試鋒芒」

가 발표되었다.

3일, 군사위원회 총정치부에서 문예창작회의를 소집해 현재 부대 내부 전문작가의 창작 사상과 창작 방법 및 문예창작의 조직 지도 기구 등의 문제에 관해 토론하였다.

4일, 『인민일보』에 사설 「선거법을 옹호하고, 보통선거 활동을 전개하자擁護選舉法,開展普選活動」가 게재되었다.

5일, 소련공산당 중앙위원회 주석 이오시프 스탈린이 서거하였다(1879~1953).

6일, 『인민일보』에 「중앙인민정부 마오쩌둥 주석이 스탈린 원수 서거를 애도하기 위해 발포한 명령中央人民政府毛澤東主席爲哀悼斯大林元帥逝世發布命令」이 발표되었으며, 사설 「우리의 스승을 깊이 애도하다 - 위대한 스탈린 동지痛悼我們的導師——偉大的斯大林同志」가 게재되었다.

7일, 스탈린을 조문하기 위해 저우언라이가 인솔하는 중화인민공화국 대표단이 모스크바를 향해 출발했다(대표단은 이달 26일에 귀국하였다).

11일, 중국공산당 중앙위원회에서 「스탈린 동지의 문서 학습 및 애도에 관한 통지關於學習悼念斯大林同志的文件的通知」를 발포하였다(12일자 『인민일보』에 게재).

11일부터 18일까지, 문화부에서 전국예술교육공작 좌담회를 개최하였다.

12일, 『인민일보』에 사설 「레닌 스탈린당의 사업 승리 만세列寧斯大林黨的事業勝利萬歲」가 게재되었다. 『해방군문예』 3월호가 스탈린 서거 기념 특집호로 증간되어 「전 당원과 소련의 전 노동인민에게 보내는 공고告全體黨員, 蘇聯全體勞動人民的公告」, 「마오 주석이 스탈린 서거를 애도하는 전보를 보내다毛主席致電吊唁斯大林逝世」, 「중국공산당 중앙위원회의 조전(弔電)中國共產黨中央委員會的唁電」, 「주더 총사령관의 조전朱德總司令的唁電」, 마오쩌둥의 「가장 위대한 우정最偉大的友誼」, 『인민일보』 사설 「우리의 스승을 깊이 애도하다 - 위대한 스탈린 동지」 및 류바이위, 웨이촨퉁魏傳統, 쑹즈더, 웨이웨이, 장지후이張積慧, 장밍, 치젠화祁建華, 가오위바오, 자오샤오안趙孝庵, 후커胡可, 후치胡奇, 류쿠이지劉奎基, 류쯔린劉子林, 자오바오퉁趙寶桐, 바이화, 쉬톄마許鐵馬, 왕쭝위안王宗元 등의 추모의 글이 게재되었다. 이 외에도 비거페이의 「전투적이고 군중적인 문예공작 방침을 실천하는 기치實踐戰鬥性群眾性文藝工作方針的一面旗幟」 등의 평론과 루주궈의 「상간링上甘嶺」(1953년 3월호부터 5월호까지 연재), 장멍량張孟良의 「혈루 「고성와」血淚<古城窪>」, 쉰천郇琛의 「린펀성을 돌파하다突破臨汾城」, 왕뎬춘王殿存의 「칠흑의 창문 안에서在漆黑的窗戶裏」 등의 소설, 난빙성南冰聲 등이 합동 창작한 단막 화극 「총창」, 장융메이의 「탄약 수레彈藥車」, 리잉의 「어느 전투가 끝난 밤一個戰鬥結束的晚上」 등의 시가 발표되었다.

후치(1918~1998), 회족 작가. 장쑤성 난징 출신이다. 1938년에 옌안으로 가서 1940년에 팔로군에 참가하였다. 1941년부터 작품을 발표하였다. 공화국 성립 후로는 부대문예공작에 오랫동안 종사하였다. 50년대 중반 이후로 창작의 주된 장르가 희극과 산문에서 점차 아동문학으로 바뀌었다. 해방군문예출판사 편집장 및 사장을 역임하였다. 주요 작품으로 중편소설 「우차이루五彩路」, 「녹색의 원방綠色的遠方」, 「잊을 수 없는 겨울難忘的冬天」, 보고문학 「여선원女水手」, 화극 극본 「모범 농가模範農家」 등이 있다. 「우차이루」로 1980년 전국소년아동문예창작상 1등상을 수상하였다.

15일, 『문예보』 제5호가 스탈린 동지 서거 추모 특집호로 발간되어 사설 「위대한 스탈린 동지는 영원히 우리의 전진을 격려한다偉大的斯大林同志永遠鼓舞著我們前進」가 발표되었으며, 「중국공산당 중앙위원회의 조전」과 마오쩌둥의 「가장 위대한 우정」이 전재되었다. 이 외에도 톈젠의 「추도사悼詞」, 펑쉐펑의 「우리의 아버지我們的父親」 등의 시가 발표되었다.

17일, 중화전국문학예술계연합회와 중화전국문학공작자협회에서 '딜로무어 수호 위원회'(딜로무어季洛姆爾는 미국 작가로, 인종적 자긍심을 선전하고 전쟁을 조장하는 미국 문화를 비판하는 글을 썼다는 이유로 미국 정부에 의해 불법으로 체포되었다)에 전보를 보내 위원회 및 정의를 수호하는 미국의 모든 지식인들에게 지지와 경의를 표했다.

18일, 『문예월보』 제3호가 출간되었다(본래 15일에 출간되어야 했으나, 본지의 설명에 의하면 위대한 혁명 스승 스탈린 서거를 애도하는 글을 급히 추가하기 위해 3일을 연기해 18일에 정식 출간되었다). 사설 「혼인법을 관철하는 더 좋은 작품을 더 많이 창작하기 위해 노력하자爲創作更多

更好的貫徹婚姻法的作品而努力」와 팡쑨方隼의 「긍정적 인물과 부정적 현상을 논하다論正面人物與否定現象」, 쭤린佐臨의 「「서광이 모스크바를 비춘다」에 대한 나의 몇 가지 이해我對<曙光照耀著的莫斯科>的幾點體會」 등의 평론, 자오밍招明의 「대오를 정돈하고, 창작활동을 전개하자整頓隊伍, 開展創作活動」, 위이於乙의 「실제에서 출발하자從實際出發」, 커빈克彬의 「화극에 대한 군중의 사랑을 중시하자重視群眾對話劇的熱愛」, 탄잉潭影의 「피의 교훈血的教訓」 등의 단론, 구쓰판穀斯範의 「늙은 상사老高頭」, 위량즈於梁之와 린인핀林音頻의 「자동차가 마을로 들어왔다汽車進莊來了」, 허쩌페이何澤沛의 「폭풍風暴」 등의 소설, 리잉의 「보리 한 자루一袋麥粒」, 왕시젠의 「아헤이뉴啊黑牛」 등의 시가 발표되었다.

구쓰판(1916~1999), 작가. 저장성 상위 출신이다. 중일전쟁 시기에 신문기자 및 중학교 교사로 근무하였다. 1953년 이후로 화둥문련에서 전문작가를 맡았으며, 이후에 저장성 작가협회로 이동하였다. 저서로 장편소설 『타이후 유격대太湖遊擊隊』(원제는 『신수호전新水滸』), 장편 역사소설 『신도화선新桃花扇』, 단편소설집 『대변혁 시대의 에피소드大時代的插曲』, 『산자이 야화山寨夜話』, 『밤에 손님이 오다晚間來客』, 『악몽噩夢』, 『평온하지 못한 도시不寧靜的城』, 산문집 『우성산 아래의 이야기五聖山下的故事』, 『들끓는 마을沸騰的村莊』 등이 있다.

허쩌페이(1924~), 허난성 구스固始 출신이다. 1949년에 혁명공작에 참가하였다. 푸젠성 문련 창작원, 『해협장풍海峽長風』, 『고사림故事林』 잡지 편집장, 푸젠성 작가협회 이사 등을 역임하였다. 저서로 소설집 『스터우가 맞선을 보다石頭相親』, 소설산문집 『폭풍風暴』, 『산을 옮기고 바다를 메우는 사람移山填海的人』, 영화문학 극본 『지하 항로地下航線』(합동 창작), 『섬 소년海島少年』, 화극 극본 『민간루 천리閩贛路千裏』 등이 있다.

이 날, 출판총서에서 「도서 및 잡지 판본 기록에 관한 규정關於圖書, 雜志版本記錄的規定」을 발포해 5월 1일부터 실행되었다. 도서 판본 기록에 관한 규정은 1954년 4월 1일에 수정되어 같은 해 4월 19일에 발포 및 시행되었다.

21일, 중화전국문협 상무위원회에서 세계 평화 평의회 서기장에게 보내는 서신을 발표해 '세계인민평화대회 참석 작가들의 선언'을 옹호한다는 성명을 발표하였다.

22일, 중국소년아동극단中國少年兒童劇團이 베이징에서 설립되어 런훙任虹이 단장을 맡았다.

런훙(1911~1998), 본명은 창쉐융常學墉으로 구이저우성 황핑黃平 출신이다. 어려서부터 음악을 좋아하였다. 1939년에 타오싱즈가 충칭에서 설립한 '육재育才'학교에 초빙되어 음악교원으로 근무하였다. 1940년 여름에 옌안으로 갔다. 가극 「오누이가 황무지를 개간하다兄妹開荒」, 「백모녀」의 음악대 공연에 참가하였으며, 수백 명이 참가한 「황허 대합창黃河大合唱」을 수차례 조직 및 지휘하였다. 1953년 이후로 오랫동안 중국아동예술극원中國兒童藝術劇院 원장을 맡았다.

24일, 전국문협에서 제6차 확대회의를 개최해 작가들에게 사회주의 현실주의 창작방법을 통해 수준 높은 사상 내용과 예술 기교를 갖춘 작품을 창작할 것을 호소하였다. 회의에서는 「전국문협 조직 개편 및 창작지도 강화에 관한 공작 방안關於改組全國文協和加強領導創作的工作方案」을 통과시켜 다음과 같이 결정하였다. 1. 전국문협 상무위원회 산하에 창작위원회를 신설해 문학창작활동을 구체적으로 지도한다. 사오취안린을 주임으로, 사팅을 부주임으로 하며 딩링, 라오서, 펑쉐펑, 차오위, 장톈이 등 11인을 창작위원회 위원으로 한다. 베이징에 거주하는 작가들을 본인의 지원에 따라 소설, 산문, 극본, 시가, 영화문학, 아동문학, 통속문학 등의 창작조로 조직한다. 창작위원회는 내부 간행물 『작가통신作家通訊』(올해 6월 30일 출간)을 편찬하여, 각지의 작가들과 연계해 교류하며 창작 상황을 반영한다. 2. 상무위원회 산하에 간행물위원회를 신설해 문협의 지도하에 간행물의 방침, 계획 및 그 반성 상황을 연구한다. 펑쉐펑을 주임으로, 사팅, 왕야핑, 천빙이陳冰夷, 거양戈陽 등 6인을 간행물위원회 위원으로 한다. 3. 『인민문학』을 창작 작품을 발표하는 주된 간행물로 확정하고, 『문예보』를 문협에 귀속시킬 것을 문련에 건의해 문예이론 비평 간행물로 하며, 『신관찰』을 문예적 논쟁 및 소품 산문 간행물로 하고, 『이야기하고 노래하다』에 대한 지도를 강화하며, 『역문』잡지의 발간을 준비한다. 4. 상무위원회 산하에 문학기금관리위원회를 신설하여 작가들의 복지사업을 책임지고 처리한다. 5. 연내에 전국회원대표대회 소집을 계획해, 사회주의 현실주의 창작방법을 학습하고, 현재 문학창작에 존재하는 사상 문제 등을 토론하며, 또한 회칙을 수정하고 전국문협의 조직을 개편한다. 회의에서는 마오둔, 저우양, 딩링, 커중핑, 라오서, 바진 등 21인을 전국문협 대표대회 준비위원회 위원으로 위촉하고, 마오둔을 주임으로, 딩링을 부주임으로 위촉하였다.

천빙이(1916~2008), 문학번역가. 본명은 천빙이陳秉彝이며 량샹梁香, 바이한白寒, 위젠於健등의 필명을 사용하였다. 상하이 자딩嘉定 출신이다. 1932년부터 소련문학 번역 및 연구에 종사하였다. 공화국 성립 후에는 잡지 『세계문학』 편집장, 중국사회과학원 외국문학연구소 부소장, 중국작가협회 서기처 서기를 역임하였다. 러시아와 소련의 유명 작가의 소설, 극본, 시가 등 문학작품과 문예논문을 다수 번역하였다.

28일, 고리키 탄생 85주년을 기념해 전국문련, 베이징시 중소우호협회, 소련 대외문협연합회에서 합동으로 기념회를 개최하였다. 펑쉐펑이 「고리키와 중국 작가高爾基與中國作家」라는 제목의 보고를 진행하였다.

중국인민항미원조총회中國人民抗美援朝總會 상무위원 확대회의에서 「조선행 위문 문예공작단 조직 및 조선행 문예공연에 관한 중국인민항미원조총회의 결정中國人民抗美援朝總會關於組織赴朝慰問文藝工作團分批赴朝作文藝演出的決定」이 통과되었다.

30일, 『문예보』 제6호에 유럽 통신 「세계 선진 문예대군의 위대한 모임」이 게재되어 "1952년 12월에 개최된 빈 평화대회는 전세계 인민의 위대한 집회이자, 세계 각국의 선진 작가 및 예술가들의 위대한 모임이다"라고 밝혔다. 민쩌는 「『삼천리강산』에 대한 몇 가지 의견對<三千裏江山>的幾點意見」에서 "양쉮 동지의 창작활동 노선을 보면, 이 작품은 그의 과거 작품에 비해 사상 측면 및 예술 혹은 언어 측면에서 모두 눈에 띄는 발전을 이루었다. 이는 작가가 창작사업에 있어 조금도 나태해지지 않고 꾸준히 노력해 온 결과라 해야 할 것이다." "이러한 진전은 창작 면에서는 우선 작가가 「나의 감상」에서 말한 바와 같이 단순히 '이야기를 추구'하는 과거의 상황에서 벗어나 인물의 묘사에 더욱 주의하게 되었다는 점에 드러나 있다." "또 하나의 선명한 특징은 바로 언어가 생생하고 간결하며, 특히 농후한 민족적 색채를 띠고 있다는 점이다." "이 작품은 구조 면에서는 비교적 눈에 띄는 결점을 가지고 있다. 작품 전체를 꿰뚫는 중심적인 사건, 즉 선명한 줄거리뿐만 아니라 중심인물도 결핍되어 있다는 점이다." "인물에 대한 깊이 있는 이해가 부족하기 때문에 우리는 작가가 우전武震의 일상생활과 심리에 접촉할 때 드러나는 곤혹스러운 상태를 읽어낼 수 있다"고 지적하였다. 『문예보』 같은 호에 북한 시인 김상오金常午가 『문예보』의 청탁을 받아 창작한 산문 「려정의 감사麗正的感謝」(탕촨인唐傳寅 번역)가 게재되었다.

이달에 중앙문화부 전영국과 전국문련에서 합동으로 제1회 중국영화극본창작회의全國電影劇本創作會議 및 제1회 전영예술공작자회의電影藝術工作者會議를 개최하였다. 마오둔이 「생활 체험, 사상개조 및 창작 실천體驗生活, 思想改造和創作實踐」이라는 제목의 보고를 진행하였으며(『문예보』 1953년 제7호에 게재), 청인成蔭, 셴췬, 이린伊琳 등이 발언하였다. 마오둔은 보고에서 생활, 학습, 창작 사이의 변증법적 관계를 논술하였다. 그리고 문예공작자들이 생활에 깊이 침투하는 과정 속에서 반드시 생활에 대한 인식을 심화하고 제고해 이를 통해 사상을 개조하고, 나아가 창작 실천을 통해 사상개조의 성과를 검증하고 공고히 하여 지속적으로 생활에 깊이 침투하고, 이러한 과정을 되풀이하면서 부단히 제고해야 한다고 주장하였다. 그는 또한 작가들이 마르크스레닌주의 및 마오쩌둥 사상을 학습하는 일의 중요성을 언급하였다.

『문예보』 제4호에 사설 「작가는 영화극본 창작을 위해 노력해야 한다作家要爲創作電影劇本而努力」 및 본지 기자의 「영화극본 창작의 조직 지도 공작을 강화하자加強電影劇本創作的組織領導工作」가 게재되었다. 기자의 글은 사상지도 강화와 극본창작 조직 지도 개선을 통해 심의 절차를 간소화할 것, 심의 방법을 개선할 것, 각색 간부의 학습 및 제고를 중시할 것 등의 측면에 대해 의견을 제시하였다.

『극본』 3월호에 쑨위孫芋의 화극 「부녀 대표婦女代表」, 라오서의 6장 가극 「다같이 시비를 가리다」, 리츠李赤, 저우이푸周一璞, 류스劉適, 자오궁한趙公漢의 단막 화극 「'창하이가 왔다''長海來了'」, 스톈샤오石天嘯, 왕스거王石閣, 신추欣秋의 단막 화극 「첫 펌프第一台抽水機」, 장톈이의 단막 아동극 「룽성은 집에 있다」, 리친李欽의 평론 「단막극의 창작과 공연을 중시하자重視獨幕劇的創作和演出」가 발표되었다.

「부녀 대표」는 평범한 부녀가 자신의 해방을 쟁취하고 봉건사상에 반대해 투쟁하면서 성장하는 과정을 묘사하였다. 이 화극은 발표된 후에 큰 주목을 받았으며, 1953년 단막극 1등상을 수상하였다.

쑨위(1921~), 극작가. 본명은 쑨훙제孫鴻傑이며 필명은 샹웨이向微이다. 공화국 성립 후에 둥베이인민예술극원 창작실 각본가, 『랴오닝희극遼寧戲劇』, 『TV와 희극電視與戲劇』 부편집장, 『희극예술자료戲劇藝術資料』 책임 편집자, 랴오닝성 극협 상무이사, 랴오닝성 시사학회詩詞學會 이사를 역임하였다. 1948년부터 작품을 발표하였다. 주요 작품으로 단막 화극 극본 「장점을 취해 단점을 보완하다取長補短」, 「부녀 대표」, 「미와 추美與醜」, 「청춘의 동반자青春的夥伴」, 대합창 가사 「조국 해방의 노래祖國解放之歌」, 「국가를 수호하다保家衛國」 등이 있다.

궈샤오촨郭小川이 우한에서 베이징으로 이동해 중공중앙 선전부 이론선전처理論宣傳處 부처장을 맡았다. 그가 베이징으로 오면서 천샤오위陳笑雨, 장톄푸張鐵夫와 합동으로 '마톄딩馬鐵丁'이라는 필명으로 잡문을 발표했던 시대가 끝나고, 이후로 '마톄딩'이라는 필명으로 발표되는 잡문은 모두 천샤오위 한 사람이 창작하게 되었다.

천샤오위(1916~1966), 잡문가. 필명은 마톄딩, 쓰마룽司馬龍 등이며 장쑤성 징장靖江 출신이다. 1938년에 옌안 산베이공립학교陝北公立學校에서 수학하였다. 이후에 신화사 분사 사장, 『문예보』 부편집장, 『신관찰』 편집장, 『인민일보』 편집위원 및 문예부 주임을 역임하였다. 저서로 『사상 잡담思想雜談』, 『마톄딩 잡문집馬鐵丁雜文集』(4권, 합동 창작), 『잡문잡시집雜文雜詩集』, 『장이집張弛集』 등이 있다.

천이陳沂의 『인민해방군의 문예공작을 더욱 제고하자把人民解放軍的文藝工作提高一步』, 천융의 논저 『문학평론집文學評論集』이 인민문학출판사에서 출간되었다.

루쉰의 『고향故鄕』, 마오둔의 『춘잠春蠶』, 딩링의 『첸원구이에 대항해 투쟁하다鬥爭錢文貴』, 류바이위의 『혈연血緣』, 류칭의 『사자뎬 전투沙家店戰鬥』, 마펑의 『솜틀 한 대一架彈花機』, 사오쯔난의 『지뢰진地雷陣』, 루치의 『화로爐』, 쉬광야오의 『저우톄한周鐵漢』, 리난리李南力의 『뤄차이가 범을 잡다羅才打虎』 등의 작품이 인민문학출판사에서 출간되었다. 양숴의 장편소설 『삼천리강산』이 인민문학출판사에서 출간되었다.

마라친푸의 단편소설집 『커얼친 초원의 사람들』이 『인민일보』에서 출간되었다. 샤오훙蕭紅의 장편소설 『생사장生死場』, 리커李克, 리웨이한李微含의 소설 『땅굴 전투地道戰』, 장즈민의 단편소설 『과부寡婦』가 상하이신문예출판사에서 출간되었다. 위린俞林의 소설 『횃불 하나一把火』가 중난인민문학예술출판사中南人民文學藝術出版社에서 출간되었다.

위가오의 시집 『안궁 전기安鞏傳』 등이 인민문학출판사에서 출간되었다.

궈모뤄의 시집 『마오쩌둥의 깃발이 바람에 펄럭인다毛澤東的旗幟迎風飄揚』, 『신화송新華頌』이 인민문학출판사에서 출간되었다. 시집 『신화송』에는 「신화송」, 「루쉰 선생이 웃었다魯迅先生笑了」, 「비약적인 발전 1주년突飛猛進一周年」, 「마오쩌둥의 깃발이 바람에 펄럭인다」 등 21편의 시가 수록되었으며, 부록으로 「세계인민평화대회 기록記世界人民和平大會」 등의 구체시 12편이 수록되었다.

허우웨이둥의 시집 『시베이 고원의 황토가 금으로 변하는 날西北高原黃土變成金的日子』, 먀오더위苗得雨의 시집 『농사짓는 노래莊稼歌』 등이 상하이신문예출판사에서 출간되었다.

궁자바오龔家寶의 화극 『승리가 부르고 있다勝利在呼喚』 등이 상하이문광출판사에서 출간되었다. 위안첸리遠千裏의 화극 『한걸음에 따라잡다一步趕上』 등이 허베이인민출판사에서 출간되었다. 저우얼푸의 화극 『자제병子弟兵』이 상하이천광출판사에서 출간되었다. 타오슝陶熊의 화극 『동지여, 우리 대신 복수해 다오!同志,替我們報仇!』가 상짜출판사에서 출간되었다. 베이징인민예술극원 공장행 소조의 화극 『부부 사이夫妻之間』가 인민문학출판사에서 출간되었다.

저우쭤런의 『루쉰의 고가魯迅的故家』(필명 저우샤서우周遐壽)이 상하이출판공사에서 출간되었다. 아이빙, 푸전이 편찬한 산문 소품 『사상과 생활』(제4집)이 충칭인민출판사에서 출간되었다. 주쯔칭의 『주쯔칭 문집朱自清文集』(1~4권)이 상하이카이밍서점에서 출간되었다.

바진의 통신보고집 『영웅들 사이에서 생활하다』가 인민문학출판사에서 출간되었다. 리허李何, 두이獨伊의 『모스크바 통신집莫斯科通訊集』이 베이징싼롄서점에서 출간되었다. 시훙西虹의 보고집 『옛 훙구행老紅區行』이 중난인민문학예술출판사에서 출간되었다. 통신보고집 『위대한 조국, 두려움을 모르는 전사偉大的祖國, 無畏的戰士』가 중국청년출판사에서 출간되었다.

인민문학출판사에서 『초보문학도서初步文學讀物』 총서를 출간하였다. 총서는 총 3집으로, 각각 고전문학 유산 가운데 비교적 이해하기 쉬운 작품, '5·4' 이후의 문학 가운데 대표성을 지닌 단편 작품, 당대 작가 및 군중 작가 중에서 선정한 단편 및 장편의 일부로 구성되었다.

『문예이론학습소역총서文藝理論學習小譯叢』(제2집)가 상하이신문예출판사에서 출간되었다. 총서에는 「소련 문학예술공작의 임무蘇聯文學藝術工作的任務」(파데예프 등 저, 차이스지蔡時濟 등 역), 「소비에트 문학발전의 몇 가지 문제蘇維埃文學發展的幾個問題」(수르코프 저, 차이스지 등 역), 「희극 창작의 낙후 현상을 극복하자 - '진리보' 전문 논고克服戲劇創作的落後現象——"真理報"專論」(차이스지 등 역), 「고전작가의 유산과 소비에트 문학古典作家的遺產與蘇維埃文學」(류리코프 저, 가오수메이 역), 「공산주의로 건너가는 몇 가지 문제와 문학 - '10월 잡지' 전문 논고過渡到共產主義的幾個問題與文學——"十月雜志"專論」(가오수메이 역), 「문학언어의 몇 가지 문제 – 소련 '문학보' 전문 논고文學語言中的幾個問題——蘇聯"文學報"專論」(류랴오이劉遼逸 역), 「음악 속의 사회주의 현실주의 문제音樂中的社會主義現實主義的問題」(나스티예프 등 저, 중앙음악학원 화둥분원 연구실 편역조 등 역), 「창작의 고락創作的甘苦」(베라·파노바 저, 이모移模 역) 등이 수록되었다.

우런伍仁이 번역한 프랑스 작가 뒤클로의 산문집 『옥중 서신집獄中書信集』이 인민출판사에서 출간되었다.

자즈팡賈植芳이 번역한 체코 작가 키쉬Kisch의 『보고문학을 논하다論報告文學』가 상하이 니투사에서 출간되었다.

자즈팡(1915~2008), 학자. 산시山西성 샹펀襄汾 출신이다. 학생 시절에 '12·9' 운동에 참가한 일로 인해 체포되었다. 1936년에 석방된 후 일본으로 망명해 도쿄일본대학 사회학과에 입학하였다. 중일전쟁 발발 후에 학업을 포기하고 귀국해 항일공작에 참가하였다. 1945년에 일본 괴뢰정부 쉬저우徐州 경찰국에 의해 체포되었다가 일본이 항복한 후 석방되었다. 1946년에 상하이 시사신보時事新報 부간 『청광青光』의 책임 편집자를 맡았다. 1947년에 국민당 조사통계국 특무기관에 의해 체포되었다가 1948년에 석방된 후로 창작과 번역을 생업으로 삼았다. 1955년에 후펑 사건에 연루되어 투옥되어 11년간 복역한 후 1980년에 복권되었다. 공화국 성립 후에 전단대학 및 푸단대학 교수, 중국비교문학학회 제1기 부회장을 역임하였다. 저서로 『자즈팡 소설선賈植芳小說選』, 『감옥 안과 밖獄裏獄外』, 『재난 후의 글劫後文存』, 『보잘 것 없는 재주雕蟲雜技』, 『만년의 문장餘年筆墨』 등이 있다.

차오바오화 등이 번역한 『소련 문학예술 문제蘇聯文學藝術問題』(소련의 문예방침 정책에 관한 보고와 문서를 수록)가 인민문학출판사에서 출간되었다.

4월

1일, 중앙희극학원 화둥분원 개원 기념식이 거행되었다.

라오서가 '오반' 운동을 소재로 창작한 3막 7장 화극 「춘화추실」이 베이징인민예술극원에서 정식으로 상연되었다. 어우양산쭌歐陽山尊, 샤춘夏淳이 감독을, 잉뤄청英若誠, 퉁차오童超가 주연을 맡았다. 극본은 『극본』 5월호에 발표되었으며, 이해 8월에 인민문학출판사에서 『춘화추실』 단행본이 출간되었다.

광웨이란은 인물 창조 측면에서 "이 극본에서 표현한 자본가의 형상은 생동감이 있어 관중들에게 깊은 인상을 남길 수 있다." 그러나 "공인의 형상에 대한 표현과 그들의 사상 및 성격에 대한 묘사는 자본가 형상에 비하면 확연히 단조롭고 빈약하며 피와 살이 부족하다"고 평했다. 정책에 대한 이 작품의 표현에 대해서는 "문학예술작품의 정책성이란 작가가 정책의 지도에 의지해 삶의 과정을 통찰하고, 또한 작가가 삶의 구체적인 상황에서 출발해 현실주의 원칙을 엄격히 준수하여 삶의 내부와 사람의 영혼 깊은 곳까지 파고들어 진실적이고 구체적으로 묘사하고, 사건의 구체적인 발전을 통해 정책의 정신과 역량을 객관적으로 표현했는가를 뜻한다. 「춘화추실」은 이 요구에 완전히 도달하지는 못했다"고 보았다. 그는 「춘화추실」이 "공인의 사상 및 사상 갈등을 단순화했으며, 인물을 정책과 각종 사상을 해설하는 도구로 삼았다. 인물의 행동과 언어에는 작가가 안배한 흔적이 드러나 있지만, 때문에 진실성이 손상될 수밖에 없다"고 평했다(「라오서의 화극 「춘화추실」을 평하다評老舍作話劇<春華秋實>」, 『극본』 1953년 9월호).

『인민일보』에 선모취의 「「남정북벌」 창작 체험創作<南征北戰>的一點心得」이 발표되었다. 그는 글에서 마오쩌둥 주석의 전략 방침을 강조하면서 주제를 확립하고, 인물을 구상하고, 이야기의 구조를 짠 과정을 서술하였다. 또한 내부 모순과 투쟁의 표현 문제, 영웅 인물의 희생에 관한 처리 문제, 애정에 관한 표현 문제, 묘사의 진실성과 역사의 구체성 및 혁명낙관주의 문제 등 작품이 가진 몇 가지 문제에 대해서도 언급하였다.

『시난문예』 4월호가 출간되었다. 천웨이모陳煒謨의 「추도사와 맹세의 말悼辭和誓辭」, 광징의 「영웅의 명성은 길이 남는다英名永在」, 사팅의 「스탈린 동지를 애도하며悼念斯大林同志」, 린옌林彥

의 「스탈린, 당신도 우리 곁에 있습니다斯大林,你也在我們這裏」, 양허揚禾의 「소련공산당에게給蘇聯共產黨」 등의 평론과 시룽, 천첸의 「수녀 해방기」(중편 연재), 사오쯔난의 「목공이 기계를 만드는 이야기木工做機器的故事」(보고), 리창루李長路의 「우리나라 문학유산으로부터 배우자向我國文學遺產學習」 등이 발표되었다.

통신문 「『시난문예』 통신원 회의 기본 상황<西南文藝>通訊員會議的基本情況」은 쓰촨, 윈난, 구이저우, 시캉西康 및 충칭시의 '시난문예' 통신원 및 초보 창작가들 가운데 지식분자들이 주로 이 회의에 참석하였다는 소식을 전했다. 런바이거 동지가 현재의 형세와 문예공작 임무에 관한 보고를 진행해 다음과 같이 지적하였다. 1. 사회주의 현실주의란 무엇인가? 2. 전형 문제. 3. 영웅 인물 표현 문제. 4. 초보 창작하는 정치와 사상적인 준비를 어떻게 해야 하는가 하는 문제.

같은 호에 인바이의 「초보 창작가의 창작에 존재하는 몇 가지 문제에 관하여關於初學寫作者創作上的幾個問題」가 발표되어 세 가지 문제에 관해 지적하였다. 1. 문예작품은 단순히 이야기를 내보이는 것도, 추상적으로 사상을 이야기하는 것도 아니다. 반드시 인물을 구체적으로 묘사하고 인물의 진실한 활동을 통해 어떠한 사상을 표현해야 한다. 2. 새로운 영웅 인물을 표현하기 위해서는 그를 현실의 갈등 속에 처하게 하여 묘사해야 하고, 새로운 영웅 인물이 겪는 갖가지 어려움과 투쟁을 표현해야 하며, 새로운 영웅 인물의 성장 과정을 묘사해야 한다. 3. 우리 작품의 기본적인 결점에 관하여.

1일부터 14일까지, 문화부가 베이징에서 제1회 전국 민간음악무용 합동공연회全國民間音樂舞蹈會演를 개최하였다. 공연은 총 27회 진행되었으며, 10개 민족의 민간예인 308인이 공연에 참가해 화베이의 「태평고太平鼓」, 「소화희小花戲」, 이인태二人台 「장성 서쪽으로 나가다走西口」, 둥베이의 화고花鼓, 민가, 이인전二人轉, 시베이의 산베이 설서陝北說書, 산난 산가陝南山歌, 칭하이 민가靑海民歌, 위린 소곡榆林小曲 등 지방 특색을 가진 우수한 음악 및 무용 작품 100여 편을 공연하였다.

공연회 기간 중에 무용 좌담회를 개최해 민족의 민간무용을 학습할 것을 강조하였다. 저우양은 4월 14일에 열린 폐막식에서 연설을 통해 "이번 대회의 주된 목적은 민간예술의 발전을 촉진시켜 한편으로는 인민의 문화생활을 풍부하게 하고, 다른 한편으로는 전문 문예공작자가 민간예술의 자양분을 얻고 민간예술의 재능을 발현하도록 하는 것이다"라고 밝히며, 전문 문예공작자들에게 민간예술을 부단히 학습하고, 민간예술을 가공하고 제고하여 다시 인민에게 널리 알릴 것을 호소하였다. 14일 오후에 문화부 부부장 딩시린이 민간예인들에게 상을 수여하고 폐막식에 참석하였다.

2일, 『인민문학』 4월호가 출간되었다. '스탈린 동지 만고불후' 특집으로 간행되어 마오쩌둥,

마오둔, 바진, 사오취안린, 라오서, 러우스이, 아이우, 황야오멘, 허자화이何家槐, 샤오인, 차이이, 양숴, 캉줘, 차이치자오蔡其矯, 후평, 톈젠, 뤼젠, 옌천, 쉬디徐迪 등의 추모의 글이 게재되었다. 또한 캉줘의 「경쟁競賽」, 한쯔의 「친지親人」, 천덩커의 「화이하이 강가의 자녀淮河邊上的兒女」(4월호부터 8월호까지 연재), 류사오탕劉紹棠의 「푸른 노새大青騾子」, 웨이시린魏錫林의 「시어머니와 며느리婆媳倆」 등의 소설과 차이치자오의 「비통한 나날 속에서在悲痛的日子裏」, 후평의 「영원히, 영원히, 영원히, 당신은 우리의 피 속에 살아 있다, 당신은 우리의 마음속에 살아 있다!永遠地,永遠地,永遠地,你活在我們的血裏,你活在我們的心裏!」, 톈젠의 「붉은 광장에 보내다寄到紅場」, 뤼젠의 「누가 당신이 우리를 떠났다 말하는가誰說你離開了我們」, 옌천의 「마음의 화환心的花圈」, 왕야핑의 「불후의 거인을 추모하다悼不朽的巨人」, 리양의 「스탈린의 기치를 높이 들고 전진하자高舉斯大林的旗幟前進」 등의 시가 발표되었다. 이 외에도 궈모뤄의 고문 번역 「굴원 「구장」 번역屈原<九章>的譯文」이 발표되었다.

차이치자오(1918~2007), 시인. 푸젠성 진장晉江에서 출생하였으며 유년기에는 인도네시아에 거주하였다. 1941년부터 시 작품을 발표하였다. 푸젠성 작가협회 주석, 명예주석, 고문을 역임하였다. 저서로 『회성집回聲集』, 『회성속집回聲續集』, 『도성집濤聲集』, 『영풍집迎風集』, 『쌍홍집雙虹集』, 『영수집迎水集』, 『취석醉石』, 『차이치자오 선집蔡其矯選集』 등이 있다.

4일, 헝가리인민공화국 해방 8주년을 기념해 중앙인민정부 정무원 문화교육위원회 대외문화연락사무국對外文化聯絡事務局에서 주관한 '헝가리인민공화국 예술 전람회'가 베이징 중산공원에서 정식으로 개막하였다. 이번 전람회에는 헝가리의 19세기 및 현대의 유화, 목각, 조소 등 작품의 복제품 100여 점과 역대 혁명의 중요 사건을 그린 회화 70여 점 및 다수의 헝가리 각지의 민간공예품 등이 전시되었다. 개막식에는 중앙인민정부 정무원 부총리이자 문화교육위원회 주임 궈모뤄, 고등교육부 부장 마쉬룬馬敘倫, 부부장 청자오룬曾昭掄, 교육부 부장 장시뤄張奚若, 문화부 부부장 딩시린, 외교부 소련 및 동유럽사司 사장 쉬이신徐以新, 정무원 문화교육위원회 부비서장 판창장, 대외문화연락사무국 국장 훙선 및 중앙인민정부 각 부문의 수장, 각 인민단체 책임자 및 중국인민대학 교장 우위장吳玉章, 베이징시 인민정부 부시장 우한吳晗 등 100여 명이 참석하였다. 또한 헝가리인민공화국 주중국대사를 비롯해 각국의 주중국 외교 사절 및 외교 관원들이 참석하였다.

5일, 시난문련 준비위원회가 충칭에서 시난문학예술공작자대표회의를 개최하였다. 준비위원회는 회의를 통해 과거의 공작을 반성하고, 시난 지역의 문예창작이 부진한 원인을 분석하였다. 분석 결과 시난문련 준비위원회가 이미 현재의 요구에 적응할 수 없다고 판단해 공작을 종료하고 시난문학, 시난미술, 시난음악 등 3개 공작자협회로 나누어 설립하기로 결정하였다. 현재 각 협회는 이미 즉시 제1차 집행위원회 회의를 개최하여 조직 창작 문제를 구체적으로 토론하였다. 문협에서는 또한 창작위원회를 조직해 작가들의 올해 창작활동을 체계적으로 돕기로 결정하였다. 사팅이 개회사를 하였다. 사팅이 시난문학공작자협회 주석으로 당선되었으며, 아이우, 사오쯔난이 부주석을 맡았다. 회의는 10일에 폐회하였다.

10일, 『마오쩌둥 선집毛澤東選集』 제3권이 정식으로 출간되었다.

11일, 『광명일보』에 라오서의 자술 「나는 어떻게 「춘화추실」 극본을 썼는가談我怎樣寫的<春華秋實>劇本」가 발표되었다.

12일, 러시아 극작가 오스트롭스키 탄생 130주년을 기념해 『문예보』 제7호에 논문이 게재되었다.

『해방군문예』 4월호가 출간되었다. 푸중傅鍾의 「연대를 향하는 문예방침을 계속해서 관철하고 창작사상을 제고하는 문제繼續貫徹面向連隊的文藝方針與提高創作思想問題」, 「부대의 통속도서 문제에 관하여關於部隊通俗讀物問題」, 리다李達의 「문예부대의 역할과 앞으로의 공작 임무文藝部隊的作用和今後的工作任務」, 천이의 「350부대의 경험을 활용해 연대의 아마추어 문예공작을 더욱 깊이 있고 보편적으로 발전시키자用三五O部隊的經驗更深入, 更普遍地發展連隊業餘的文藝工作」, 왕신팅王新亭의 「문공단의 공연 프로그램을 어떻게 더 풍부하게 하고 제고할 것인가如何豐富和提高文工團的演出節目」, 천페이친陳斐琴의 「시난군구 부대문예공작단 훈련 경험 소개西南軍區部隊文藝工作團訓練經驗介紹」, 후정胡征의 「내재 정신의 묘사에 관하여略談內在精神的描寫」 등의 평론과 진거위안金戈原이 창작하고 푸둬傅鐸가 수정한 극본 「창조創造」, 관전링關振鈴의 「적에게 강철을 주지 않는다不給敵人鋼鐵」, 수춘樹村의 「진정한 능력真正的本事」, 루주궈의 「상간링」(3월호부터 5월호까지 연재) 등의 소설 및 펑징펑彭荊風의 보고 「나흑족의 어린 민병倮黑族小民兵」, 추이바와의 「나는 어떻게 창작을 했는가我是怎樣進行寫作的」, 왕시린王熙麟의 「「아름다운 내일을 위하여」의 창작 과정<爲了美好的明天>的寫作過程」 등의 자술이 발표되었다.

14일, 중난구 문련에서 상무확대회의를 개최해 중난구의 문예공작 상황에 관해 토론하고 "문예창작에 대한 중난작가협회의 지도 강화" 및 "성(시) 문련 정돈 및 문예창작 지도, 군중문예 지도

공작 강화에 대한 방안"을 제정하였다. 성립 문련의 지도하에 문학, 희극 등 4개 창작조와 군중문예 지도조를 조직하기로 결정하였으며, 중난작가협회 준비위원회를 성립하였다.

15일, 『문예보』 제7호에 제1회 영화극본창작회의에서의 마오둔의 발언 개요 「생활 체험, 사상 개조 및 창작 실천」, 자지의 「영화작품의 소재 문제에 대한 의견對電影作品的題材問題的意見」, 샤오첸의 「두 가지 제도, 두 가지 영화, 두 가지 영웅兩種制度, 兩種電影, 兩種英雄」, 펑쉐펑의 「고리키와 중국 작가高爾基和中國作家」 등의 글이 발표되었다.

『문예월보』 제4호에 샤옌의 「문예단체를 정돈하고 창작지도를 강화하자整頓文藝團體加強創作領導」, 바이산의 「당의 정책사상과 문학예술창작 문제에 관하여關於黨的政策思想與文學藝術創作問題」, 사오치少其의 「작가는 반드시 낙후현상을 상대로 투쟁해야 한다作家應該和落後現象作鬥爭」 등의 평론이 발표되었으며, '고리키 탄생 85주년 기념' 특집이 간행되어 샤옌의 「고리키 성의 추억高爾基城的回憶」, 탕타오의 「중국에서의 고리키 작품高爾基作品在中國」 등의 기념의 글이 발표되었다.

18일, 『인민일보』에 쉬츠徐遲의 「잊을 수 없는 밤難忘的夜晚」이 발표되었다.

20일, 『이야기하고 노래하다』 4월호에 팡즈方之의 단편소설 「조장과 사위組長和女婿」가 발표되었다.

팡즈(1930~1979), 소설가. 본명은 한젠궈韓建國로 후난성 샹탄湘潭 출신이다. 난징시 청년단위원회 선전부장을 역임하였다. 주요 작품으로 단편소설 「산을 나서다出山」, 「내부의 적內奸」이 있으며 저서로 단편소설집 『샘가에서在泉邊』, 『팡지 작품선方之作品選』 등이 있다.

25일, 『인민일보』에 자오쥐인의 「사회주의 현실주의적 극장예술을 향해 전진하자 - 극장예술의 위대한 스승 네미로비치-단첸코 서거 10주년을 기념하며向社會主義現實主義劇場藝術前進——紀念劇場藝術的偉大導師聶米洛維契-丹欽柯逝世十周年」가 발표되었다.

28일, 제1차 아메리카대륙 문화대회가 칠레 산티아고에서 개최되었다. 아르헨티나, 미국, 볼리비아 등 15개 국가의 지식인이 참석하였다. 중화전국문학예술계연합회에서 특별히 전보를 보내 축하하였다. 궈모뤄가 대회에 축하의 마음을 표시하는 전보를 보냈다. 중국에서도 초대에 응해 리이망李一氓과 천딩민陳定民으로 구성된 대표단이 28일 프라하에서 비행기를 타고 출발하였다. 대표단은 4월 30일 칠레의 수도 산티아고에 도착해 즉시 그날 오후 회의에 참석하였다. 리이망은 5월 3일 중국문화계를 대표해 회의에서 연설하였다. 그는 아메리카 각국의 문예작품에서 중국을 소개한 상황 및 중국 문예공작의 발전과 성취 등에 관해 언급하였다. 이후에 대표단은 칠레에서 우호 방문을 진행하였다. 이는 신중국 성립 이후 최초로 라틴아메리카를 방문한 대표단이다.

29일, 핀란드와 노르웨이의 문화대표단과 중국 문예공작자들이 베이징에서 좌담회를 개최하였다. 전국문련 부주석 저우양은 회의에서 중국 문학예술의 과거와 현재 상황을 간략히 소개하고, 「옌안문예좌담회에서의 강화」가 발표된 후에 중국의 문학예술이 수많은 인민군중과 결합하는 거대한 변화가 일어났다고 집중적으로 언급하였다. 참석자들은 문학, 희극, 영화, 미술, 음악 등 몇 개의 조로 나뉘어 각자 토론을 진행하였다.

30일, 『문예보』 제8호에 두 편의 통신이 게재되었다. 하나는 우한의 「공인문예활동의 지도에 주의해야 한다應注意工人文藝活動的領導」로, 공인문예활동에 세 가지 측면의 문제, 즉 문예가 생산을 위해 복무한다는 것에 대한 이해가 일치하지 않는 문제, 문예가 오락성을 가진 것인가 하는 점이 불명확한 문제, 그리고 공인문예의 지도와 조직 문제 등이 존재한다고 지적하였다. 다른 하나는 허난의 「우리의 문예창작은 현실에 비해 낙후되어 있다我們的文藝創作落後於現實」로, 이 글은 허난 문예계의 일부 작가들이 생활을 정확하게 대하지 않고, 업무에 대한 학습이 부족하며, 창작에 대한 지도자의 중시가 부족한 상황 등을 비평하였다. 글의 말미에서는 정풍 이후에 공농병 군중의 극본 작품에 대해 중시하게 되었으며, 공장과 농촌으로 가서 '나 자신에 대해 창작'하는 운동을 전개했다고 언급하였다.

이달에 중국문협 창작위원회에서 베이징에 거주하는 작가, 비평가 및 문예공작 지도자 등 40여 명을 조직해 연구 토론회를 개최해 사회주의 현실주의 이론을 학습하였다. 문예 문제에 관한 마르크스, 엥겔스, 레닌, 스탈린 및 마오쩌둥의 22편의 문헌을 필독 자료로 지정해 학습요강을 구성하였다. 연구 토론회 기간 중에 총 14회의 토론회를 진행해 다음과 같은 문제에 관해 집중적으로 토론하였다. 1. 사회주의 현실주의의 정의에 대한 이해 및 이와 과거의 현실주의와의 관계와 그 차이. 2. 전형과 인물 창조 문제에 관하여. 3. 풍자 문제에 관하여. 4. 문학의 당성 및 인민성 문제에 관하여. 5. 현재 문학창작에 존재하는 문제에 관하여. 창작위원회에서는 이번 학습과 토론 상황 및 문제에 관해 초보적인 결산을 진행하였다. 연구 토론회는 6월 20일에 종료되었다.

상하이에서 화둥지구 화극단 공작회의를 개최해 상하이시 및 산둥, 장쑤, 안후이, 저장, 푸젠 등의 대표가 참석하였다. 회의에서는 주로 각각의 종합적인 문공단이 전문 화극단으로 개편된 후의 조직건설 및 업무건설 등의 문제에 관해 토론을 전개하였다. 중공 화둥국 선전부 부부장 샤옌이 회의를 주관하였다.

청년출판사와 카이밍서점이 합병되어 중국청년출판사中國青年出版社로 개편되었다.

『극본』 4월호에 차오위喬羽, 장루張魯의 동화 가무극 「채마밭 자매菜園姐妹」, 왕정푸王征夫의 경극 「흑선풍 이규黑旋風李逵」, 광녠光年의 평론 「전극 '틈궁'의 인물 묘사滇劇"闖宮"中的人物描寫」가 발표되었다.

차오위(1927~), 사詞작가. 산둥성 지닝濟寧 출신이다. 문화부, 중국희극가협회, 중국가극무극원中國歌劇舞劇院 전문 창작 간부 및 중국가극무극원 부원장, 원장을 역임하였다. 저서로 가사집 『작은 배가 가만히小船兒輕輕』, 가사 『나의 조국我的祖國』, 『조국 송가祖國頌』, 『모란의 노래牡丹之歌』, 『잊을 수 없는 오늘밤難忘今宵』, 『그리움思念』 및 영화문학 극본 『류싼제劉三姐』, 『붉은 아이紅孩子』 등이 있다.

저우이바이의 『중국희극사中國戲劇史』가 중화서국에서 출간되었다.

쑨리의 장편소설 『풍운초기』(2집)가 인민문학출판사에서 출간되었다. 캉줘의 단편소설집 『정월 신춘正月新春』이 인민문학출판사에서 출간되었다. 구위의 소설집 『새 일은 새로 처리하다』가 상하이신문예출판사에서 출간되었다. 황차오판黃朝凡의 소설 『태양이 막 떠오르다太陽初升』가 중난인민문학예술출판사에서 출간되었다.

궈모뤄의 시집 『여신』이 인민문학출판사에서 출간되었다. 후정胡征의 장시 『대진군大進軍』이 인민문학출판사에서 출간되었다.

톈젠의 시집 『맹세의 말誓詞』이 상하이신문예출판사에서 출간되었다. 「가두시街頭詩」, 「소서사시小敘事詩」, 「참의회 수필參議會隨筆」 등 12집으로 구성되어 「우리가 전쟁에 나가지 않는다면假使我們不去打仗」, 「위대한 시각偉大的時刻」, 「평화의 책 위에 쓰다寫在和平書上」, 「공인 동지에게給工人同志」 등 60여 편의 시가 수록되었으며 저자의 「독자 서신에 답하다答讀者的信」로 서문을 대신하였다.

뤄뤄羅洛의 시집 『봄이 왔다春天來了』가 상하이신문예출판사에서 출간되었다. 「밤부터 날이 밝을 때까지從黑夜到天明」, 「우리는 마오쩌둥의 목소리를 들었다我們聽到了毛澤東底聲音」, 「조선의 눈바람朝鮮的風雪」, 「봄이 왔다春天來了」 등 20여 편의 시가 수록되었다.

청셴방曾憲邦의 시집 『마오 주석께 보고하다向毛主席作報告』가 중난인민문학예술출판사에서 출간되었다. 『라오서 희극집老舍戲劇集』이 상하이천광출판사에서 출간되었다. 양하오취안楊浩泉의 산문 소품집 『사상 소품思想小品』(제1집)이 화난인민출판사에서 출간되었다.

청쥔제程君捷의 통속보고집 『변경에 주둔하는 호국전사駐守邊疆的衛國戰士』, 『타림 강으로 가다塔力木河去』가 신장인민출판사에서 출간되었다. 린리林裏의 통속보고집 『마오 주석의 기차가 왔다毛主席的火車來了』가 둥베이인민출판사에서 출간되었다. 저우리보의 통신보고 『소련 찰기蘇聯劄記』가 인민문학출판사에서 출간되었다. 우윈둬吳運鐸의 통신보고 『평생을 당에 바치는 사업把終身獻給黨的事業』이 톈진통속출판사에서 출간되었다.

펑쯔카이가 번역한 투르게네프의 소설 『사냥꾼의 수기獵人筆記』가 문화생활출판사에서 출간되었다. 양이楊苡가 번역한 톨스토이의 소설 『러시아 성격俄羅斯性格』이 상하이핑밍출판사에서 출간되었다. 루린이 번역한 소련 작가 코로테예프, 레프킨의 소설 『영웅의 도시 – 스탈린그라드 청년 단원 이야기英雄城——斯大林格勒青年團員的故事』가 상하이차오펑출판사上海潮鋒出版社에서 출간되었다. 바진이 번역한 고리키의 소설집 『초원집草原集』이 상하이핑밍출판사에서 출간되었다.

5월

1일, 후베이인민방송국이 설립되었다.

『신관찰』 제9호에 아이칭의 「바쿠의 장미巴庫的玫瑰」, 칭보의 「저수지 건설자의 선서水庫建築者的宣誓」 등의 시가 발표되었다.

『대중전영』 제9호에 샹쿤項堃의 「나는 어떠한 모색을 통해 적군 장교라는 인물을 창조했는가 – 배역 창작에 대한 어느 배우의 이해我是怎樣摸索著創造敵軍長這個人物的——一個演員對創作角色的體會」가 발표되어 사회주의 현실주의 창작방법의 영향을 강조하였다.

『시난문예』 5월호에 사설 「인민의 기대를 저버리지 않기 위해 열심히 분투하자爲不負人民的期望而努力奮鬥」 및 우위안즈吳源植의 「쑤야는 성장하고 있다蘇婭在成長」, 린위林予의 「물水」, 쑨춘孫淳의 「물을 대다車水」 등의 소설과 주예朱葉의 「변경 단시邊疆短詩」(시집)가 발표되었다. '문예동태'란에 시난문협에서 작가들과 청년 창작자를 조직해 공장과 농촌으로 가서 생활에 침투해 창작을 진행하였다는 소식이 게재되었다.

2일, 『인민문학』 5월호에 「세계인민평화대회에 참석한 작가들의 선언出席世界人民和平大會作家們的宣言」, 「세계 평화 평의회 총서기 라파예트가 중국인민 세계평화 수호 위원회에 보낸 편지世界和平理事會總書記拉斐德給中國人民保衛世界和平委員會的信」, 「중화전국문협 상무위원회에서 라파예트에게 보낸 편지中華全國文協常委會給拉斐德的信」 등의 문서와 고리키의 「근시와 원대한 식견을 논하다論短視和遠見」(멍창孟昌 번역), 소련 『진리보』 전문 논고 「마르크스주의 관점을 통해 마야콥스키의 창작을 설명해야 한다要以馬克思主義觀點闡明馬雅科夫斯基的創作」(뤄바오치羅葆齊 번역) 등의 논문 및 짱커자의 논문 「백거이의 「관예맥」 해석에 관하여關於白居易的<觀刈麥>的解釋」가 발표되었다. 이 외에도 뤄빈지의 「왕 엄마王媽媽」, 구리가오顧立高의 「사랑愛」, 천덩커의 「화이하이 강가의 자녀」(4월호부터 8월호까지 연재) 등의 소설과 궈모뤄의 번역 「굴원 「천문」 번역문屈原<天問>的譯文」, 쑨다위孫大雨의 「애가哀歌」, 뤼젠의 「단가 2장短歌二章」, 왕위王餘의 「행복한 묘족 청년幸福的苗家青年」, 중산鍾山의 「조국이여, 너는 큰 걸음으로 전진하라祖國,你大踏步前進吧」 등의 시, 친자오양의 산문 특필 「농촌 잡기農村散記」 등이 발표되었다.

구리가오(1923~2007), 작가. 구리가오古立高라고도 하며 필명은 리가오立高이다. 허베이성 푸핑阜平 출신이다. 1942년부터 작품을 발표하였다. 『인민문학』 창간 공작에 참여하여 소설 편집자를 맡았다. 이후에 중국작가협회 베이징분회 전문작가를 맡았다. 주요 작품으로 영화 극본 「수많은 투쟁과 시련을 겪다千錘百煉」(합동 창작), 장편소설 『우뚝 솟은 뭇 봉우리屹立的群峰』, 『엄동隆冬』, 중편소설 「삶의 길生活的道路」 등이 있다.

쑨다위(1905~1997), 번역가, 시인. 본명은 쑨밍촨孫銘傳으로 본적은 저장성 주지諸暨이며 상하이에서 출생했다. 15세 때 『소년중국』에 시 「해선海船」을 발표하였다. 1926년에 미국으로 유학하였다가 1930년에 귀국한 후로 우한대학, 베이징사범대학, 베이징대학, 칭다오대학, 저장대학, 지난대학, 푸단대학, 화둥사범대학 등에서 영문학 교수를 맡았다. 저서로 『중국신시고·쑨다위 편中國新詩庫·孫大雨卷』, 『쑨다위 시문집孫大雨詩文集』이 있으며, 셰익스피어의 작품 「햄릿」, 「리어왕」, 「오셀로」, 「맥베스」, 「폭풍우」, 「로미오와 줄리엣」, 「베니스의 상인」 등을 번역하였다.

12일, 『해방군문예』 5월호에 종합 원고 「'특급 영웅' 황지광은 만고불후하리"特級英雄"黃繼光永垂不朽」, 천이의 「가무를 위주로 전문적으로 분업된 종합 문공단을 건설하자建設以歌舞爲主有專業分工的綜合性的文工團」, 쑹즈더의 「지도창작조의 창작활동 개선에 대한 몇 가지 의견對改善領導創作組創作活動的一些意見」, 장페이張非의 「소련군 홍기가무단을 보고 배우자向蘇軍紅旗歌舞團學習」 등의 글과 후커의 「자원군의 그림자극에 관하여談談自願軍的皮影戲」, 황차오荒草의 「「수수쌀 한 수레」의 인물과 구조, 언어에 관하여談<一車高粱米>的人物、結構和語言」 등이 발표되었다.

같은 호에 장제張潔의 「량민梁敏」, 왕샹리王向立의 「사과蘋果」, 바이화의 「변경의 목소리邊疆的聲音」, 추이바와의 「배불뚝이 궈씨」, 루주궈의 「상간링」(3월호부터 5월호까지 연재) 등의 소설과 웨이강옌魏鋼焰의 「선서宣誓」, 차오린喬林의 「내 마음에 날개가 자랐다我的心長了翅膀」 등의 시, 가오핑高平의 자술 「「췌얼산을 가르다」 창작 전후<劈開雀兒山>的創作前後」 등의 글이 발표되었다.

웨이강옌(1922~1995), 본명은 웨이카이청魏開誠으로 본적은 산시山西성 판스繁峙이며 타이위안太原에서 출생하였다. 1937년에 팔로군에 참가해 주로 선전공작에 종사하였다. 1956년에 전역한 후로 『옌허』 부편집장을 맡았다. 주요 작품으로 산문 「뱃노래船夫曲」, 「녹엽 찬가綠葉贊」, 「밝은 태양 아래 한가롭게 거닐다豔陽漫步」, 시집 『츠니링赤泥嶺』, 『등해곡燈海曲』 등이 있다.

가오핑(1932~), 산둥성 지양濟陽 출신이다. 1949년에 해방군에 참가해 부대에서 문화공작에 종사하였으며, 군대를 따라 변경을 행군하였다. 저서로 시집 『에베레스트珠穆朗瑪』, 『라싸의 여명拉薩的黎明』, 『큰 눈이 흩날리다大雪紛飛』 등이 있다.

13일, 문화부에서 「전국 극단 개편 공작에 관한 몇 가지 통지關於全國劇團整編工作的幾項通知」를 발포하였다.

『문예보』 제9호에 청인, 셴췬, 이린 등의 「영화감독의 인물과 환경 처리 문제에 관하여試談電影導演處理人物和環境的問題」가 발표되었다. 이 글은 제1회 전국영화예술공작회의 감독조 좌담회에서의 발언문이다. 또한 류진펑劉金鋒의 「지방 문예 간행물의 몇 가지 문제地方文藝刊物的幾個問題」가 발표되었다. 그는 글에서 다음과 같은 세 가지 문제를 언급하였다. 1. 선전 임무에 대한 인식: 이 임무를 중심 공작과 결합하는 방법에 관해 일부 문예 간행물의 인식에 편차가 존재한다. 2. 소재의 편협성: 많은 작품의 주제가 대동소이하다. 3. 형식의 보수성을 타파해야 한다: 일부 작품은 형식을 과도하게 강조한다.

『문예보』 같은 호의 '독자 서신'란에 「정수인가, 찌꺼기인가?精華呢,糟粕呢?」가 게재되어, 현재 희곡 수정 공작에 존재하는 거친 태도와 혼란스러운 상황을 보도하였다. 가령 「남교회藍橋會」의 수정은 정수와 찌꺼기가 뒤섞여 있는데, 봉건적인 미신을 낭만주의로 착각해 처리하고 있는 것 등의 상황을 지적하였다. 글은 반드시 희곡개혁의 지시에 근거해 제1차 전국희곡관람대회 정신을 관철해야 한다고 강조하였다. 『문예보』 국내문학 소식란에는 중난, 시난 지역의 문예기구 개편 소식이 보도되었다.

15일, 『문예월보』 제5호에 샤옌의 「마르크스레닌주의의 위대한 승리馬克思列寧主義的偉大勝利」, 뤄쓰若思의 「공농통신운동을 전개하자開展工農通信運動」, 위이於乙의 「현실생활에 대한 인식을 확대하자擴大對於現實生活的認識」, 톄마鐵馬의 「언어와 생활의 연결語言與生活的聯結」, 자오밍招明의 「「추비」 등 소설 세 편에 관한 몇 가지 의견關於<追肥>等三篇小說的幾點意見」, 청첸판의 「「두보 전기」에 대한 몇 가지 얕은 견해對於<杜甫傳>的一些淺見」 등의 평론과 왕뤄왕王若望의 「관문을 돌파하다闖關」, 쓰민斯民의 「선거選擧」 등의 소설, 톈디田地의 「화이허 치수 현장 3장治淮工地三章」, 쑤란蘇嵐의 「병사가 전선에서 집으로 돌아왔다兵士從前線回到了家」, 스팡위의 「스탈린 동지가 직책에 있다斯大林同志在崗位上」 등의 시, 딩징탕의 「상하이 공인문예활동 발전 요약上海工人文藝活動發展概括」, 리젠우의 「서광이 희극예술을 비춘다曙光照耀著的戲劇藝術」, 뤄뤄의 「소련 작가를 보고 배우자向蘇聯作家學習」 등의 논문이 발표되었다.

19일, 민족사무위원회民族事務委員會와 출판총서에서 「한문 서적을 소수민족 문자로 번역한 도서의 한문 저역서 원고료 면제에 관한 연합 통보關於從漢文書籍譯成少數民族文字的圖書可免付漢文著譯者稿酬的聯合通報」를 발포해, 한문으로 된 도서와 외국어를 한문으로 번역한 도서를 소수민족 문자로 번역할 경우, 한문 저자와 번역자 모두에게 저작권 보수 지불을 면제할 것을 규정하였다.

23일, 모스크바 소련군 극원莫斯科蘇軍劇院에서 후펑胡朋 등이 합동 창작하고 후커가 각색한 화극 「전투 속에서 성장하다」를 최초로 공연했다. 본 극본은 「서상기」와 「백모녀」 이후로 소련에서 세 번째로 상연된 중국 극본이다.

25일, 중국청년예술극원이 베이징에서 리칭성李慶升, 스시石璽, 스만石曼, 톈광차이田廣才, 자오창趙鏘이 창작한 3막 6장 화극 「40년의 희망四十年的願望」을 공연하였다. 홍선이 감독을 맡았다. 극본은 『극본』 6월호에 발표되었다. 국제서점國際書店과 영국 로렌스 서점이 『마오쩌둥 선집』 영문판 출판발행계약을 맺었다.

30일, 『문예보』 제10호에 본지 편집부에서 정리한 「창작문제에 대한 독자의 의견讀者對創作問題的意見」이 게재되었다. 글은 문예창작의 지도 측면에 관해 다음과 같이 네 가지 문제를 제기하였다. 1. 지도 기구가 유명무실한 점. 2. 단순한 행정업무의 방식으로 업무를 대한다는 점. 3. 창작지도에 관한 부정확한 의견. 4. 창작에 대해 유익한 도움과 적극적인 태도가 결여되어 있다는 점. 이외에도 작가의 생활 침투 및 창작상의 몇 가지 문제에 관해서도 언급하였다. 같은 호에 마사오보의 글 「전통 희곡 언어의 정리 공작을 중시하자重視傳統戲曲語言的清理工作」가 발표되었다.

이달에 미국 유학을 끝내고 귀국한 무단이 톈진 난카이대학 외국어문학과 부교수로 임용되어 교육 및 문학번역공작에 종사하였다.

『극본』 5월호에 라오서의 3막 7장 화극 「춘화추실」과 자술 「나는 「춘화추실」 극본을 어떻게 썼는가我怎麽寫的<春花秋實>劇本」가 발표되었다.

어우양산의 장편소설 『가오간다』가 인민문학출판사에서 출간되었다. 마평의 단편소설집 『촌구』가 인민문학출판사에서 출간되었다. 바진의 소설 『안개, 비, 전기霧, 雨, 電』가 상하이핑밍출판사에서 출간되었다. 쩡커 등의 단편소설집 『바랑리와 우리허八朗裏和五裏河』가 상하이상짜출판사에서 출간되었다. 사팅, 한펑寒風 등의 단편소설집 『변경 전사邊疆戰士』, 아이빙, 푸전이 편찬한 산문 소품 『사상과 생활』(제5집)이 충칭인민출판사에서 출간되었다.

광웨이란이 정리한 민가 『아세인의 노래阿細人的歌』가 인민문학출판사에서 출간되었다.

톈란天藍의 시집 『대장이 말을 타고 갔다』가 상하이신문예출판사에서 출간되었다. 톈란, 딩판丁帆의 『폭풍우 속에서暴風雨中』가 상하이신문예출판사에서 출간되었다.

톈란의 시집 『중화인민공화국이 태양처럼 떠오른다中華人民共和國像太陽般升起』가 상하이신문예출판사에서 출간되었다. 시집에는 「중화인민공화국이 태양처럼 떠오른다」, 「아, 젊고 흔들리지 않는 나의 조국이여!呵,我年青而不可搖撼的祖國!」, 「우리 중대는 용맹하고 젊다咱們的連隊英勇而年青」 등 11편의 시와 저자의 「후기」가 수록되었다.

톈란(1911~1984), 시인. 본명은 왕밍헝王名衡이며 바이무츠랑白木次郎, 뤄하이若海, 톈란天藍 등의 필명을 사용하였다. 장시성 난창 출신이다. 1935년에 '12·9' 학생운동에 참가하였다. 『대학문예大學文藝』 책임 편집자, 산시山西 팔로군 총사령부 비서, 둥베이 『베이만일보北滿日報』 책임 편집자, 둥베이 탄광 총공회 부주석을 역임하였다. 1958년에 우파로 오인되었다가 1978년에 복권된 후 산시山西성 사회과학연구소 책임자를 맡았다. 1982년에 베이징 중국사회과학원 문학연구소 부소장을 맡았다. 저서로 시집 『대장이 말을 타고 갔다隊長騎馬去了』, 『톈란 시선天藍詩選』 등이 있으며, 역서로 『미학 필기美學筆記』, 『시학詩學』, 『마르크스 엥겔스 레닌 스탈린이 문예를 논하다馬恩列斯論文藝』, 『마스크스가 쿠겔만에게 보낸 서신집馬克思致庫格曼書信集』 등이 있다.

톈란, 루리의 시집 『시간의 노래時間的歌』가 상하이신문예출판사에서 출간되었다. 시집에는 「시간의 노래」, 「마오 주석이 신정협 준비회에서 한 연설의 방송을 듣다聽毛主席在新政協籌備會講話的廣播」, 「새로운 국기가 더 높이 올라간다新的國旗,更高的升起」, 「조선의 토지 위에서在朝鮮的土地上」 등 41편의 시가 수록되었다. 책 서두의 「내용 요약內容提要」은 "이 시집에 수록된 41편의 시는 1939년부터 1952년까지 쓴 시이다. 여기서는 중일전쟁 당시 진차지 변구 인민들과 전사들의 강인하고도 낙관으로 가득 찬 승리의 행진을 노래하였다. 여기서는 근면한 '어머니', '용감한 엄마'를 노래하였고, '뤼량산 아래'의 인민 '영웅의 어머니'를 노래하였다. 여기서는 그 '손으로 승리를 개척하고, 손으로 인민에게 행복을 가져다 준' 천만 명의 인민 영웅을 노래하였다. 여기서는 '피로 군기를 물들이고, 목숨으로 이상을 불태운' 조국의 충실한 자녀 공산당원들을 노래하였다. 여기서는 우리를 인도해 '천 번의 시련을 거치고, 대혁명의 피바다를 건너고, 중일전쟁의 불바다를 건너고, 위대한 인민혁명전쟁의 쇳물과 불길의 격류를 건넌' 승리의 위대한 인민 혁명 지도자 마오쩌둥 주석을 노래하였다. 여기서 '나는 두 눈 가득 기쁨의 눈물을 흘리며, 저 하늘 사방에 퍼진 구름을 바라보며' '모든 시간, 모든 햇빛이 조국의 위대한 생활을 그려내'고 있음을 노래하였고, '조국의 10월'을 노래하였다. 시집의 마지막 부분에서는 밤낮으로 '시간이 선혈을 물들이며 흘러가고, 미친 폭우를 호흡하는' 영광되고 신성한 '조선의 토지'를 노래하였다"고 밝혔다.

위옌쥔於雁軍의 가극 극본 『가둬둘 수 없는 사람』이 허베이인민출판사에서 출간되었다.

위옌쥔(1926~), 여성 극작가. 지린성 이퉁伊通 출신이다. 톈진전영제편창 각본가, 중국희극가협회 톈진분회 부주석, 『극단劇壇』, 『극본』 책임 편집자, 중국희극가협회 서기처 서기 및 이사를 역임하였다. 저서로 단막극집 『시골의 아침鄕村的早晨』, 장막 화극 『풍요로운 가을豐盛的秋天』, 대형 가극 『고산유수高山流水』, 영화문학 극본 『별 따기摘星手』 등이 있다.

톈란, 바이랑의 통신보고집 『스탈린 - 세계의 광명斯大林——世界的光明』이 상하이신문예출판사에서 출간되었다.

윈난성 인민문공단에서 문학, 음악, 무용, 자료 등 분야의 인원이 참가한 구이산圭山 공작조를 조직해 싸니撒尼족(이족의 지파) 거주지인 루난路南현 구이산圭山구로 가서 발굴공작을 진행하였다. 3개월여 간의 조사와 수집을 거쳐 장편서사시 『아스마』 자료 20여 부와 민간고사 38편, 민가 300여 수를 수집하였다. 본 자료들은 1954년 7월과 12월에 윈난인민출판사와 중국청년출판사에서 출판되었다.

6월

1일, 화난문학예술계연합회에서 이날 출간된 『화난문예』에 "본 연합회에서는 조직 구조 조정에 착수한 관계로 본래 출간하던 『화난문예』를 올해 7월자로 잠시 폐간하기로 결정하였다"고 알렸다(『화난문예』는 1950년 10월에 창간되었다).

『시난문예』 6월호에 사팅의 「인물의 창조에 관하여談談人物的創造」, 천쓰링陳思苓의 「굴원의 애국주의와 낭만주의屈原的愛國主義與浪漫主義」, 스궈石果의 「바이니바白泥壩」(소설), 구궁顧工의 「캉짱 고원의 아름다운 경치康藏高原好風光」(소시집)가 발표되었다. '문예동태'란에는 중화전국희극공작자협회 충칭시 분회에서 「서광이 모스크바를 비춘다」(화극) 좌담회를 개최하였다는 소식이 실렸다.

2일, 『인민문학』 6월호에 궈모뤄의 「굴원 약술屈原簡述」, 허치팡의 「굴원과 그의 작품屈原和他的作品」, 녜간누의 「수호전은 어떻게 창작되었는가水滸是怎樣寫成的」 등의 논문과 천덩커의 소설 「화이하이 강가의 자녀」(4월호부터 8월호까지 연재), 왕시옌의 「기적을 창조하는 사람들創造奇跡的人們」, 루링의 「봄의 새싹春天的嫩苗」, 뤄리윈羅立韻의 「공인 생활을 공식 속에 끼워 넣는 것에 반대한다反對把工人生活套在公式裏」 등의 글이 발표되었다.

4일, 문화부 전영국에서 「영화기업의 경제 채산제 시행에 관한 지시關於電影企業推行經濟核算制的指示」를 발포해, 1953년부터 시작해 3년 내에 경제 채산제를 시행하도록 결정해 1956년부터 전면적으로 시행될 영화기업의 계획 관리를 준비하도록 하였다.

12일, 『해방군문예』 6월호에 본지의 전문 원고 「소련 군대를 보고 배우고, 현대화와 정규화를 향해 나아가자向蘇聯軍隊學習,向現代化, 正規化邁進」 및 후궈강胡果剛의 「소련군 홍기가무단의 무용예술을 학습하자學習蘇軍紅旗歌舞團的舞蹈藝術」, 왕젠중王建中의 「소련군 홍기가무단 악대의 특징 및 우리에게 준 깨달음蘇軍紅旗歌舞團樂隊的特點及給予我們的啟發」 등의 글이 발표되었다. 이 밖에도 류바이위의 「이정표路標」, 바이아이의 「조선 하늘의 수호자朝鮮天空的保衛者」, 우자吳嘏의 「5일간의 공중전空戰五日」, 뤄원더羅文德의 「라오양이 오이를 심다老楊種瓜」, 류즈밍의 「샤오주쯔 아빠小柱子爹」,

허우위칭侯玉卿의 「'늙은 사수'"老槍手'」, 거전방葛振邦의 「나는 생활에 어떻게 파고들었는가我是怎樣進入生活的」, 장융메이 등의 자술 「개조의 시작改造的開端」 등이 발표되었다.

14일, 중화전국희극공작자협회에서 베이징 문예계 및 희극계 인사 저우양, 훙선, 라오서, 톈한, 자오쥐인, 자오단趙丹, 바이양白楊, 예성장葉盛章 등을 초청해 스타니슬랍스키의 연극 체계 학습에 관한 좌담회를 개최하였다. 톈한이 좌담회를 주관하였다. 참석자들은 모두 스타니슬랍스키의 연극 체계를 반드시 중국의 실제 상황과 결합시켜야 하고, 반드시 생활을 학습하고 또한 중국 희곡예술 속의 현실주의 표현방법을 학습해야 하며, 이와 동시에 마르크스레닌주의와 마오쩌둥 사상에 대한 학습을 강조해 배우 본인의 사상 수준을 제고해야 한다고 보았다.

중국청년예술극원이 베이징에서 궈모뤄의 유명한 역사극 「굴원」을 최초로 공연하였다. 천리팅陳鯉庭이 감독을 맡았으며 자오단, 바이양, 웨이허링魏鶴齡 등이 주연을 맡았다.

15일, 마오쩌둥이 중공중앙 정치국 회의에서 당이 과도기에 실현해야 할 총 노선과 총 임무를 다음과 같이 제시하였다. "중화인민공화국 성립부터 사회주의 개조가 대체로 완성되기까지의 이 시기는 과도기이다. 이 시기에 당의 총 노선과 총 임무는 상당히 긴 시간 내에 국가의 공업화 및 농업, 수공업, 자본주의 공상업에 대한 사회주의 개조를 대체로 실현하는 것이다."

문예계에서 굴원 서거 2230주년 기념활동을 전개하였다. 중국문련에서 주최한 기념 좌담회에서 주관을 맡은 저우양은 연설을 통해 실사구시의 태도와 역사유물 변증법적 원칙 및 방법을 통해 굴원이 후세에 남긴 귀중한 유산을 연구하고 계승하여 발전시켜야 하며, 굴원의 작품에 정확하게 주석을 달아 번역하고 해설해 이를 각 계층의 인민들이 널리 받아들이게 해야 한다고 주장하였다. 정전둬, 펑쉐펑, 유궈언遊國恩 등 50여 명이 기념회에 참석하였다. 『인민일보』에는 궈모뤄의 「위대한 애국 시인 – 굴원偉大的愛國詩人——屈原」, 유궈언의 「조국의 위대한 시인 굴원을 기념하며紀念祖國偉大的詩人屈原」 등의 글이 발표되었다.

『문예보』 제11호에 사설 「굴원과 우리屈原和我們」가 게재되어 민족의 우수한 문화를 발양하고, 이를 신문화에서 흡수해야 한다고 지적하였다. 이 외에도 거제葛傑의 서신 「「시와 현실」에 대한 두 가지 의견對<詩與現實>的兩點意見」이 발표되었다. 『문예보』 이번 호의 국내문학 통신란에는 『창장문예』가 복간된다는 소식과 인민문학출판사에서 굴원의 저작과 굴원에 관한 작품을 출판했다는 소식이 실렸다.

『문예월보』 제6호에 바진의 「조선의 어딘가에 보내다寄朝鮮某地」, 왕시옌의 「조선 전장의 리란

딩들朝鮮戰場上的李藍丁們」, 진이의 「양건쓰 열사의 비석 앞에 서서站在楊根思烈士碑前」, 뤄쑨羅蓀의 「양건쓰 영웅촌을 방문하다訪楊根思英雄村」, 탕타오의 「인민의 시인 - 굴원人民的詩人——屈原」, 톈루田廬의 「낙관의 잔여물樂觀之餘」, 위이의 「자아도취해서는 안 된다不要自我陶醉」, 원화이사의 「굴원 「이소」 현대어 번역屈原<離騷>今譯」, 숭포시의 「'서광이 모스크바를 비춘다'를 보고看"曙光照耀著莫斯科"」 등의 글과 린인핀林音頻의 소설 「성급한 사람性急的人」, 웨이진즈의 동화 소설 「이를수록 좋다越早越好」 등이 발표되었다.

린인핀(1922~2005), 작가, 편집가. 본명은 리웨이시李維西로 저장성 전장 출신이다. 1945년에 대학을 졸업한 후 혁명공작에 참가하였다. 1949년부터 작품을 발표하였으며 1963년에 중국작가협회에 가입하였다. 신화사 종군기자, 『소년아동』 잡지 책임 편집자, 산둥문련 창작실 창작원, 『산둥문학』 잡지 부편집장을 역임하였다. 저서로 장편소설 『세류涓流』, 단편소설집 『농장의 손님農莊的客人』, 『성급한 사람』, 아동문학집 『아이의 선물』, 『영광스러운 작은 유격대장光榮的小遊擊隊長』 등이 있다.

15일부터 16일까지, 상하이시 총공회 문교부에서 전 상하이시 공인문예 관람공연을 진행하였다.

17일, 중국인민아동보호위원회中國人民保衛兒童委員會에서 작가 및 관련 단체 대표들을 초청해 '아동문예작품 선정위원회兒童文藝作品評選委員會'를 조직하였다. 캉커칭康克清이 주요 책임자를, 딩링이 주임을, 장톈이가 부주임을 맡았으며 예성타오, 천바이천, 진징마이金敬邁 등이 참가하였다. 본 위원회는 선정 범위를 1954년 신정 이전까지 발표된 작품들 가운데 독자들이 공인한 우수한 작품으로 정하고, 1954년 6월 1일 아동절兒童節에 선정 결과를 발표하기로 결정하였다.

18일, 취추바이 서거 18주년을 기념해 『문예보』 제11호에 「비정치주의非政治主義」, 「가면의 변호鬼臉的辯護」, 「「타도 제국주의」의 고전<打倒帝國主義>的古典」 등 그의 글 3편이 발표되었다. 이 유고는 루쉰 선생이 생전에 보관하고 있던 것이라는 설명이 서두에 추가되었다.

26일, 중난문예공작자대표회에서 중난작가협회가 정식으로 성립되었다. 위헤이딩於黑丁이 주석을, 리루이李蕤와 위린이 부주석을 맡았다.

위헤이딩(1914~2001), 소설가. 본명은 위민다오於敏道, 필명은 위옌於雁으로 산둥성 지모即墨 출신이다. 1933년에 좌련에 가입하였다. 1937년에 옌안으로 갔다. 옌안문예계항적협회 비서장, 진지루위 변구 문련 상무이사 겸 『곡우穀雨』 편집부 주임, 『중위안일보中原日報』 부간 책임 편집자, 중위안문예협회中原文藝協會 부주석을 역임하였다. 공화국 성립 후에는 중공중앙 중난구 선전부 문예처 처장, 중난문련 부주석, 후베이성 문련 및 허난성 문련 주석, 중국작가협회 주석, 중국작가협회 후베이분회 및 허난분회 주석, 『창장문예』 편집장, 중국작가협회 이사를 역임하였다. 저서로 단편소설집 『모자母子』, 『농촌 이야기農村的故事』, 『불이 난 곳火場』, 평론집 『문예공작론집文藝工作論集』 등이 있다.

리루이(1911~1998), 작가. 본명은 자오하이선趙悔深으로 허난성 싱양滎陽 출신이다. 1935년부터 신문에 작품을 발표하였으며 같은 해에 좌련에 가입하였다. 중위안 지구에서 『수화燧火』 등 문예 간행물의 편집공작에 종사하였다. 『카이펑일보』, 『허난일보』, 『창장문예』 부편집장, 중난문련 및 중난작가협회 제1부주석, 우한문련 부주석, 우한작가협회 주석 등을 역임하였다. 저서로 단편소설집 『땅 이야기土的故事』, 산문집 『물은 결국 바다로 간다水終必到海』, 보고문학집 『잊을 수 없는 회견難忘的會見』, 『끝없는 사선無盡頭的死亡線』 등이 있다. 이후에 『리루이 문집李蕤文集』(총4권)이 출간되었다.

30일, 『문예보』 제12호에 탕즈唐摯의 「생활 침투에 관한 몇 가지 문제關於深入生活的一些問題」, 쑹타오宋濤의 「문예창작 조직 및 지도공작의 몇 가지 문제에 관하여關於文藝創作組織, 領導工作中的一些問題」가 발표되었다. 저자는 편집자의 말에서, 편집부에서는 문예창작의 조직 지도 공작, 문예공작자의 생활 침투, 사회주의 현실주의에 대한 이해 등 세 가지 측면의 문제를 주의해야 할 것으로 본다고 지적하였다.

이달에 중국과학원에서 언어학자 위안자화袁家驊가 1945년에 윈난성 루난路南 일대에서 수집한 아세阿細족(이족의 지파)의 서사시 『아세 민가 및 그 언어阿細民歌及其語言』를 출간하였다. 저자는 조사 당시에 광웨이란이 1943년 3월부터 1944년 9월까지 루난에서 『아세인의 노래阿細人的歌』를 채록할 당시 채록을 도왔던 비룽량畢榮亮을 찾아, 그에게 다시 노래를 불러 달라고 청해 국제 음성 기호로 발음을 기록한 후 직역하는 방식으로 한문으로 번역하여 이족 언어와 한문 대조본을 출간하였다.

『극본』 6월호에 리칭성, 자오창, 톈광차이, 스시, 스만의 3막 6장 화극 「40년의 희망」, 지화籍華의 단막 화극 「기술자가 왔다技術員來了」, 쑨위孫芋의 자술 「'부녀 대표'의 창작 과정"婦女代表"的寫作

經過」, 투안屠岸의 평론 「'부녀 대표'의 언어와 인물 묘사"婦女代表"的語言和人物描寫」가 발표되었다.

투안(1923~2017), 번역가, 편집가. 본명은 장비허우蔣壁厚이며 리퉁유李通由, 자오런위안趙任遠, 수머우叔牟, 서팡社芳, 화차花剎, 장즈뱌오張志鑣, 비어우碧鷗 등의 필명을 사용하였다. 장쑤성 창저우常州 출신이다. 대학 시절에 친구들과 함께 시 간행물 『들불野火』을 간행하였다. 공화국 성립 후에는 상하이시 문예처에서 희곡개혁공작에 종사하였으며, 이후에 화둥 『희곡보』 편집자, 『희극보』 편집부 주임, 극협 연구실 부주임, 인민문학출판사 현대문학편집실 주임 및 편집장, 중국시가학회 부회장, 『당대시단當代詩壇』 책임 편집자 등을 역임하였다. 저서로 시집 『훤음각시초萱蔭閣詩抄』, 『야거인의 자백啞歌人的自白』, 『투안 14행시屠岸十四行詩』, 『투안 단시선屠岸短詩選』이 있으며 역서로 『북소리鼓聲』, 『셰익스피어 소네트집莎士比亞十四行詩集』, 『키츠 시선濟慈詩選』, 『영국 역대 시가선英國曆代詩歌選』 등이 있다.

항미원조 소설집 『임진강변臨津江邊』이 인민문학출판사에서 출간되었다. 소설집에는 항미원조 운동이 시작된 때부터 1952년까지 발표된 작품 가운데서 본 출판사에서 선정한 우수한 단편소설 11편이 수록되었다.

뤄빈지의 단편소설집 『북망원의 봄北望園的春天』이 상하이신문예출판사에서 출간되었다. 류사오탕의 단편소설집 『푸른 가지와 잎』이 상하이신문예출판사에서 출간되었다. 바진의 소설 『봄春』, 『가을秋』이 상하이핑밍출판사에서 출간되었다.

아이칭의 시집 『보석의 붉은 별寶石的紅星』이 인민문학출판사에서 출간되었다. 시집에는 「보석의 붉은 별」, 「울라노바에게」, 「수천만의 사람이 같은 방향을 향한다千千萬萬人朝著一個方向」, 「봄 처녀春姑娘」 등 27편의 시가 수록되었다. 책 서두의 「내용 설명」은 "이 시집은 시인이 최근에 창작한 신작 시집으로, 내용은 세 부분으로 나뉜다. 첫 부분은 시인이 소련을 방문했을 때 몸소 경험한 일과 감상 및 위대한 소련에 대해 무한한 열정으로 쓴 송가이다. 두 번째 부분은 우리가 경애하는 외국의 벗과 세계 인민의 위대한 평화운동을 노래한 내용이다. 세 번째 부분은 농촌의 노동생활 풍경을 묘사한 시이다"라고 밝혔다. 저자는 이후에 "나는 1950년에 소련에서 4개월간 머무르면서 적지 않은 시를 써서 『보석의 붉은 별』이라는 단행본으로 출간했는데, 시의 대부분이 천박한 송가이다"라고 말했다(『역외집 서문域外集·序』, 화산문예출판사花山文藝出版社, 1983년).

후수치胡樹杞의 시집 『영웅이여, 이슬람 전사여英雄啊,伊斯蘭戰士』가 상하이신문예출판사에서 출간되었다. 쓰민斯民의 장시 『주자완朱家灣』이 상하이신문예출판사에서 출간되었다. 톈젠의 시집 『룽관슈』가 상하이핑밍출판사에서 출간되었다.

한옌루韓燕如가 편찬한 『파산가 선집爬山歌選』이 인민문학출판사에서 출간되었다. 허난인민출판사에서 편찬한 『애국 생산 대합창愛國生産大合唱』과 양모예楊默野, 팡바이홍龐白虹의 『항미원조 대합창抗美援朝大合唱』 등의 시집에 허난인민출판사에서 출간되었다. 궈모뤄의 번역시집 『모뤄 번역시집沫若譯詩集』이 상하이신문예출판사에서 출간되었다.

바진의 산문집 『여정 수필旅途隨筆』이 상하이핑밍출판사에서 출간되었다. 시홍의 산문집 『군중기록軍中記事』이 상짜출판사에서 출간되었다. 완정萬正의 통신보고 『옥중獄中』이 싼롄서점에서 출간되었다. 중국청년출판사中國靑年出版社에서 편찬한 통신보고 『공업건설 전선에서在工業建設戰線上』가 중국청년출판사에서 출간되었다.

양톄잉楊鐵嬰이 번역한 체코 작가 푸치크의 『율리우스 푸치크 일기 논문 서신집尤利烏斯·伏契克日記論文書信集』이 군중출판사에서 출간되었다. 류이시劉益璽 등이 번역한 페데렌코費德倫科 등의 『루쉰을 논하다論魯迅』가 상하이 니투사에서 출간되었다.

7월

1일, 『역문譯文』 창간호가 인민문학출판사에서 출간되었다. 마오둔이 초대 책임 편집자를 맡았다. 이 잡지는 전국문협에서 주관하는 잡지로, 해외의 진보적인 문예작품을 전문적으로 소개하는 월간지이다. 마오둔은 「발간사」에서, 잡지의 이름을 일찍이 루쉰 선생이 창간한 『역문』에서 따 온 것은 그 당시 루쉰 선생이 힘들게 『역문』을 창간한 정신을 계승하고 기념하기 위해서라고 밝혔다. 이 잡지는 1959년에 『세계문학世界文學』으로 명칭을 변경하였다.

『신관찰』 제13호에 펑즈의 「……라고 생각해서는 안 된다你們不要以爲……」, 짱커자의 「고귀한 머리가, 우러러보고 있다高貴的頭顱,昂仰著」 등의 시가 발표되었다.

3일, 중국청년예술단이 루마니아에서 열린 제4회 세계 청년 및 학생 평화 우호 축전에 참가하였다. 저우웨이즈가 단장을 맡았다. 경극 「뇨천궁鬧天宮」과 「안탕산雁蕩山」 부분 공연이 단체공연 1등상을 수상하였으며, 황위화黃玉華의 「추강秋江」이 공연 1등상을 수상하였다.

4일, 『인민일보』에 라오서의 「프라하에서 희극 합동 공연을 관람하다在布拉格觀摩戲劇滙演」가 발표되었다.

7일, 중앙신문기록전영제편창中央新聞紀錄電影制片廠이 설립되어 가오거高戈가 창장을, 쳰샤오장錢筱璋, 펑허우룽彭後嶸, 관즈빈官質斌이 부창장을 맡았다.

10일, 중화전국희극공작자협회에서 희극공연예술 좌담회를 개최해 4년간 진행된 중요 공연들 및 현재 감독과 배우들이 공연예술 이론과 실전에서 얻은 이해와 이에 존재하는 문제에 관해 토론하였다. 우쉐吳雪, 어우양산쭌歐陽山尊, 자오쥐인, 천치퉁陳其通, 수창舒強, 쑨웨이스, 무훙牧虹 등이 참석하였으며 톈한이 회의를 주관하였다.

우쉐(1914~2006), 공연예술가, 감독. 본명은 카이위안開元으로 쓰촨성 웨츠嶽池 출신이다. 공화국 성립 이후에 중국청년예술극원 원장, 전국극협 부주석, 문화부 부부장 등을 역임하였다. 주요 작품으로 풍자 희극「장정을 징집하다抓壯丁」(합동 창작)가 있으며「장정을 징집하다」,「강철 수송병鋼鐵運輸兵」,「용을 굴복시키고 범을 제압하다降龍伏虎」,「먼 곳의 청년遠方青年」,「노라娜拉」,「사궁다뤄莎恭達羅」,「뱌오쯔완 전투豹子灣戰鬥」 등을 감독하였다.

어우양산쭌(1914~2009), 감독. 본명은 어우양서우歐陽壽로 후난성 류양瀏陽에서 출생하였다. 유년기에 숙부 어우양위쳰의 양자가 되어 희극을 접하기 시작하였다. '9·18' 사변 후에 좌익공연운동左翼演戲運動에 참가하였다. 중일전쟁 발발 후에 상하이 구국연극 1대上海救亡演劇一隊에 참가하였으며 다음해에 옌안으로 갔다. 공화국 성립 후에는 베이징인민예술극원 부원장 겸 부총감독을 맡았다.「백모녀」,「춘화추실」,「일출」,「세 자매」,「총을 든 사람帶槍的人」,「파리인巴黎人」,「막차에서의 황혼 연애末班車上黃昏戀」,「서광曙光」,「불타는 마음燃燒的心」 등을 감독하였다.

천치퉁(1916~2001), 극작가. 쓰촨성 바중巴中 출신이다. 1932년에 중국공농홍군中國工農紅軍에 참가하였다. 공화국 성립 후에 해방군 총정치부 문공단 단장, 해방군 예술학원 부원장, 해방군 총정치부 문화부 부부장을 역임하였다. 화극 극본「황허 강가에서黃河岸上」,「포탄炮彈」,「동지 사이同志間」,「만수천산萬水千山」,「징강산井岡山」 및 가극 극본「둥춘루이董存瑞」,「커산의 붉은 해柯山紅日」,「두 명의 여자 홍군兩個女紅軍」 등을 창작하였다.

『인민일보』에 저우리보의 평론「공인계급의 선진사상과 창조 역량을 노래하다 - 화극「40년의 희망」을 보고歌頌了工人階級的先進思想和創造力量——話劇<四十年的願望>觀後」가 발표되었다.

11일, 소련『문화보』에「위대한 민족의 시인偉大民族的詩人」이라는 제목으로 러시아어로 번역된『궈모뤄 선집』서문이 발표되었다.

12일, 『해방군문예』 7월호에 레닌의 「당의 조직과 당의 문학黨的組織和黨的文學」, 소련 『문학보』 사설 「인류 영혼 기술자」 등의 논고와 천이의 「장기적으로 문화를 학습하는 사상을 수립하자樹立長期學文化的思想」, 리즈민李志民의 「지원군의 문화예술공작을 계속해서 전면적으로 발전시키자繼續全面發展志願軍的文化藝術工作」, 궈위헝郭預衡의 「「설산을 진군하다」에 관하여談<雪山進軍>」 등의 평론, 펑쓰커朋斯克의 「금색의 싱안링金色興安嶺」(7월호부터 8월호까지 연재), 린위林予의 「경계비界碑」, 완정萬正, 왕전린王振林의 「조종사와 붉은 스카프飛行員和紅領巾」, 류즈샤劉知俠의 「객차 위의 전투票車上的戰鬥」 등의 소설, 웨이웨이의 「좋은 부부의 노래好夫妻歌」, 차이치자오의 「육박전을 벌이다肉搏」, 만칭曼晴의 「포착하다捕捉」 등의 시, 류다웨이劉大爲, 바이화白樺의 보고 작품 「깃발旗」, 우쉐원吳學文의 산문 「즐겁게 웃는 나날歡笑的日子」, 웨이펑魏風, 가오핑高平의 민가집 「티베트 동포의 노래藏胞的歌唱」가 발표되었다.

궈위헝(1920~2010), 고전문학 연구자. 허베이성 위톈玉田 출신이다. 1945년에 베이핑푸런대학北平輔仁大學 국문과를, 1947년에 베이핑푸런대학 사학연구소史學研究所를 졸업하였다. 베이징사범대학 문학원 교수를 역임하였다. 저서로 『중국산문사中國散文史』(상, 하권), 『중국산문간사中國散文簡史』, 『고대문학 탐구집古代文學探討集』, 『역대산문총담曆代散文叢談』 등이 있다. 『중국고대문학사中國古代文學史』, 『중국고대문학사 장편中國古代文學史長編』, 『중국고대문학간사中國古代文學簡史』 등을 편찬하였으며 『중국역대산문선中國曆代散文選』을 합동 편찬하였다.

린위(1930~1993), 본명은 왕런이汪人以로 장시성 상라오上饒 출신이다. 1949년에 중국인민해방군에 참가하였다. 하얼빈 작가협회 주석, 중국작가협회 헤이룽장분회 부주석 등을 역임하였다. 1953년부터 작품을 발표하였다. 저서로 장편소설 『기러기가 북쪽 변경을 날다雁飛塞北』, 『군영 위의 봉화寨上烽煙』, 『연인이 있지만 가족을 이룰 수 없다有情人難成眷屬』(합동 창작), 단편소설집 『멍링허 강가에 봄이 일찍 오다猛鈴河邊春來早』, 영화문학 극본 『아와산에 공작이 날아오다孔雀飛來阿佤山』, 『첩자奸細』 등이 있다.

류즈샤(1919~1991), 본명은 류자오린劉兆麟, 필명은 즈샤知俠로 허난성 지현汲縣 출신이다. 1938년에 산베이항일군정대학陝北抗日軍政大學에서 수학하였다. 산둥성 문련 부주석, 중국작가협회 산둥분회 주석, 『산둥문학』 책임 편집자 등을 역임하였다. 저서로 장편소설 『철도 유격대鐵道遊擊隊』, 『이멍의 비호沂蒙飛虎』, 중편소설 『이멍산 이야기沂蒙山的故事』, 『팡린 아주머니芳林嫂』, 단편소설 『홍씨 아주머니紅嫂』 및 화이하이 전투 견문록 『전지 일기戰地日記』 등이 있다.

15일, 『문예보』 제13호에 웨이귄이의 「아동문학 작품에서 발견한 몇 가지 문제從兒童文學作品

中看到的幾個問題」, 톈젠의 「새 시대의 주인 - 마야콥스키 탄생 60주년을 기념하며新時代的主人——紀念馬雅柯夫斯基誕生六十周年」 등의 글이 발표되었다.

『문예월보』 제7호에 사설 「로젠버그 부부의 정신이 미국 인민이 전진하도록 이끌고 있다羅森堡夫婦的精神領導著美國人民前進」, 쉐웨이雪葦의 「화극단의 공작방침과 학습 문제에 관하여關於話劇團的工作方針與學習問題」, 쿵화孔樺의 「거대한 격정巨大的激情」, 톈밍天明의 「어째서 정체되어 전진하지 않는가爲什麽停滯不前」, 뤄쓰의 「'주술 문학''符咒文學'」, 천안후陳安湖의 「『진리보』의 논고에서 출발해 「아Q정전」 연구를 말하다從一篇<真理報>的專論談到<阿Q正傳>研究」, 선런캉沈仁康의 「「아Q정전」 연구의 몇 가지 잘못된 관점을 반박한다駁<阿Q正傳>研究的一些錯誤觀點」, 간누紺弩의 「『수호전』의 영향<水滸傳>的影響」, 왕자오첸王兆乾의 「나희에 관하여談儺戲」, 훙페이洪非의 「황매조에 관하여試談黃梅調」 등의 평론, 류즈샤의 「라오훙이 폭주해 기관총을 쏘다老洪飛車搞機槍」, 옌쯔燕子의 「평화 박물관和平博物館」 등의 소설, 웨이진즈의 「길을 잘못 든 사람走錯了路的人」, 쉬카이레이徐開壘의 「깨어난 사람醒過來的人」 등의 특필이 발표되었다.

19일, 소련 시인 마야콥스키 탄생 60주년을 기념해 베이징, 상하이 등지의 문예계에서 기념행사를 개최해 마야콥스키의 대표작을 낭송하고, 그가 공산주의 사업에 남긴 공헌과 그의 시가 중국 인민에게 끼친 영향을 소개하였다. 전국문협 창작위원회와 『문예보』 편집부에서 합동으로 기념대회를 개최하였다. 참석자들은 모두 그의 작품에 표현된 사상성과 예술성이 고도로 통일된 면을 진지하게 학습해야 한다고 보았다. 시인 톈젠, 왕야핑, 황야오몐, 뤄젠 등이 발언하였으며 『인민일보』, 『문예보』, 『문회보』 등의 신문에 톈젠, 허치팡, 샤옌 등의 기념의 글이 게재되었다.

24일, 러시아 작가 체르니셰프스키 탄생 125주년을 기념해 월간 『역문』에 프리렌드佛利連德의 「체르니셰프스키를 논하다論車爾尼雪夫斯基」가 게재되었다. 이 글은 소련에서 출간된 『체르니셰프스키 선집車爾尼雪夫斯基選集』의 서문이다. 『문예보』 제14호에도 기념의 글이 게재되었다.

25일, 전국문협 창작위원회에서 제2차 회의를 소집하였다. 사오취안린이 사회주의 현실주의 창작방법에 대한 창작위원회 조직의 학습에 관한 결산 발언을 진행하였다. 또한 토론을 통해 각종 문학 형식의 창작조를 조직할 것과 관련 공작계획을 통과시켰다.

『소년문예少年文藝』가 상하이에서 창간되었다. 쑹칭링이 발간사를 쓰고 친필로 간행물 제목을 썼다. 본 잡지는 소년아동출판사에서 발행하는 것으로, 고등학생 및 중학생을 주된 독자로 하여

"소년적인, 문학적인, 사회주의적인" 발행 방침을 두고 "친근하고, 다양하고, 흥미로운" 원칙을 고수하며 소설, 시, 산문, 보고문학, 동화 및 외국의 아동문학 번역문을 주로 게재하였다.

25일부터 8월 31일까지, 제1차 둥베이 희극, 음악, 무용 관람공연대회가 선양에서 개최되었다. 둥베이 지역의 각 성, 시에서 온 3천여 명의 문예공작자로 구성된 15개 대표단이 참가해 총 167가지 희극, 음악, 무용 공연을 진행하였다. 이 가운데 화극 작품은 「봄바람이 눠민허까지 불어온다春風吹到諾敏河」, 「부녀 대표」, 「자오샤오란」 등 25편으로, 「봄바람이 눠민허까지 불어온다」, 「부녀 대표」, 「자오샤오란」, 「사람은 높은 곳을 향해 간다人往高處走」, 「홍기紅旗」, 「변경 마을邊外村」이 극본상을 수상하였다.

30일, 『문예보』 제14호가 발간되었다. 이번 호는 러시아의 민주주의 사상가이자 작가인 체르니셰프스키 탄생 125주년 기념호로 발간되어 기념의 글이 게재되었다. 이 외에도 팡푸方浦의 「'극'은 어디서 오는가"戲"從哪裏來」, 민쩌의 「소설 「지치지 않는 투쟁」을 평하다評小說<不疲倦的鬥爭>」, 류옌원劉衍文의 「작품분석의 나쁜 경향作品分析的壞傾向」 등이 발표되었다. 팡푸의 글은 희극 창작의 몇 가지 문제를 다음과 같이 제기하였다. 1. 소재 선택의 표면화, 편협화. 2. 소재 처리의 공식화, 개념화, 단순화. 3. 생활과 동떨어진 창작.

민쩌의 글은 아이밍즈의 신작 『지치지 않는 투쟁』(인민문학출판사 1953년)에 대한 평론이다. 류옌원의 글은 문학평론에 존재하는 네 가지 나쁜 경향을 다음과 같이 지적하였다. 1. '원문 베끼기' 혹은 약간 변화된 원문 베끼기로 구체적인 분석을 대체하는 경향. 2. 명언만을 잔뜩 인용하고 저자 본인의 의견은 아주 적은데다가 공허한 경향. 3. 작품의 작은 부분만을 포착해 좋은 쪽으로든 나쁜 쪽으로든 대대적으로 과장하고 그 교육적인 의의를 강조하는 경향. 4. 형식주의적 혹은 공식주의적으로 작품을 이해하는 경향.

이달에 친자오양의 문학평론집 『공식화와 개념화를 논하다論公式化概念化』가 인민문학출판사에서 출간되었다. 왕시옌의 논저 『위대한 사람과 위대한 작가偉大的人和偉大的作家』가 상하이신문예출판사에서 출간되었다.

바진의 소설 『집家』이 인민문학출판사에서 출간되었다. 바진의 소설 『환혼초還魂草』가 상하이핑밍출판사에서 출간되었다. 주웨이朱葦의 소설 『승리의 진군勝利的進軍』이 상하이신문예출판사에서 출간되었다. 루주궈의 소설 『눈보라 치는 동부전선』이 인민문학출판사에서 출간되었다. 장쯔張紫

의 소설 『오래된 담배 이야기老煙的故事』가 상하이신문예출판사에서 출간되었다. 사오화韶華의 단편소설집 『여섯 번째 수류탄第六顆手榴彈』이 상하이신문예출판사에서 출간되었다. 캉줘의 민간고사 『쌀을 꾸고 쌀을 갚다借米還米』가 베이징공인출판사에서 출간되었다.

우윈둬吳運鐸의 전기문학 『모든 것을 당에 바치다把一切獻給黨』가 베이징공인출판사에서 출간되었다.

우윈둬(1917~1991), 본적은 후베이성 우한이며 장시성 핑샹萍鄕에서 출생하였다. 1938년에 신사군에 참가하였으며 1939년에 중국공산당에 가입하였다. 화이난 근거지淮南根據地 총탄공장 공장장 및 군공부 부부장, 화중군공처華中軍工處 포탄공장 공장장, 중난병공국中南兵工局 제2부국장, 기계과학연구원 차석 기술자, 제5기계공업부第五機械工業部 과학연구원 부원장 및 고문, 전국 총공회全國總工會 집행위원 등을 역임하였다. 총류통槍榴筒을 설계해 제작에 성공하였으며, 37mm 평사포와 각종 지뢰의 설계 및 제조에 참여하였다. 무기 생산 및 연구 중에 여러 차례 부상당해 왼쪽 눈을 실명하고 왼쪽 손, 오른쪽 다리가 불구가 되어 20여 차례의 수술을 거친 후에도 몸속에 수십 개의 파편이 남았다. 그럼에도 생산의 최전선에서 전투를 계속하였다. 1951년 10월, 중앙인민정부 정무원 및 전국 총공회에서 그에게 '특별초청 전국 노동모범特邀全國勞動模範' 칭호를 수여했으며 '중국의 파벨 코르차긴'이라고 칭하였다.

뤄위안의 시집 『1949년부터 계산해서從一九四九年算起』가 상하이신문예출판사에서 출간되었다. 시집에는 「전투의 조선戰鬥的朝鮮」, 「친애하는 당, 위대한 당親愛的黨,偉大的黨」, 「중국, 1949년中國, 一九四九年」, 「1949년부터 계산해서」 등 13편의 시와 부록 「'시를 어떻게 쓰는가?' '怎樣寫詩?'」와 저자의 「후기」가 수록되었다. 그는 「후기」에서 "이 시집에 수록된 시는 전부 1949년 이후에 쓴 것이다. 대부분은 특정한 정치적 호소에 때맞춰 호응하기 위해, 달리 말하면 '임무를 서둘러 완성'하기 위해 쓴 것이지만, 모든 시는 내가 본래 가지고 있는 일종의 유치한 정서를 기초로 하고 있다." "요 몇 년간 또 다른 생소한 업무를 공부하느라 바빠서 시 창작에 대해 자주 생각하지 못했다. 나 자신의 생활과 사상의 한계로 인해, 간혹 창작을 할 때 몇 년 사이에 일어난 천지가 뒤집힌 웅대한 사건에 대해 쓸라치면 나 자신이 유난히 무력해짐을 느꼈다. 창작의 기초가 된 그 정서는 이런 이유로 성숙하게 단련되지 못했다"고 밝혔다.

사어우의 시집 『톈안먼 앞天安門前』이 베이징자강서국北京自強書局에서 출간되었다. 시집은 「톈안먼 앞」, 「풍자시諷刺詩」 등 3부로 구성되어 「홍기紅旗」, 「중국인민지원군에게 보내다寄中國人民志願軍」, 「부패분자를 토벌하다討伐貪汙份子」 등 15편의 시와 저자의 「후기」가 수록되었다.

샤옌의 『샤옌 극작선夏衍劇作選』이 인민문학출판사에서 출간되었다. 쑨위의 화극 『부녀 대표』

가 둥베이인민출판사에서 출간되었다.

리훙위李虹宇의 화극 『79총 한 자루一支七九槍』가 산둥인민출판사에서 출간되었다.

리훙위(1928~1999), 산둥성 룽청榮成 출신이다. 1945년에 팔로군에 참가하였다. 지난군구 정치부 창작실 창작원, 중국동방가무단中國東方歌舞團 부단장을 역임하였다. 저서로 화극 극본 『79총 한 자루』 및 드라마 극본 『지난 전투濟南戰役』, 『새벽의 폭발拂曉的爆炸』 등이 있다.

량신梁信, 딩옌丁彦 등이 창작하고 량신이 수정한 화극 『우리의 소대장我們的排長』이 중난문예출판사에서 출간되었다.

탕톄하이唐鐵海의 산문집 『중앙 옛 근거지 인상 기록中央老根據地印象記』이 화둥인민출판사에서 출간되었다. 장즈민의 통신보고 『네 아들은 최전방에 있다你的兒子在前線』가 상하이신문예출판사에서 출간되었다. 천페이친, 거뤄葛洛 등이 편찬한 통신보고 『캉짱 고원의 봄康藏高原的春天』이 충칭인민출판사에서 출간되었다. 톈젠의 통신보고 『판문점 기록』이 인민문학출판사에서 출간되었다.

리량민李俍民이 번역한 영국 작가 보이니치의 장편소설 『등에牛虻』가 중국청년출판사에서 출간되었다.

리량민(1919~1991), 번역가. 이름은 카이鎧로 저장성 전하이 출신이다. 상하이역문출판사上海譯文出版社 편역원編譯員, 인민문학출판사 상하이분사 편역소 편역원, 상하이시 인민정부 참사관실 참사관을 역임하였다. 1948년부터 작품을 발표하였다. 번역서로 장편소설 『등에』, 『스파르타쿠스斯巴達克思』, 『코추베이柯楚別依』, 『백인 노예白奴』, 『이그나토프 형제 유격대伊格納托夫兄弟遊擊隊』 중단편소설 『작은 붉은 꽃 한 송이一朵小紅花』, 『유격대의 아들遊擊隊的兒子』, 『생명의 사랑生命之愛』, 『근위군 전사 마트로소프近衛軍戰士馬特洛索夫』 등이 있다.

『극본』 7월호에 장전張真의 평론 「옛사람의 정신적 면모를 지어내서는 안 된다不要臆造古人的精神面貌」, 옌지저우嚴寄洲, 정훙鄭洪의 화극 『물水』이 발표되었다.

안보安波가 창작한 5막 8장 화극 『봄바람이 눠민허까지 불어온다』가 둥베이인민예술극원에 의해 제1차 둥베이 희극, 음악, 무용 관람공연대회에서 공연되어 호평을 받았다.(극본은 『극본』 1953년 12월호에 발표) 리허李訶는 "「봄바람이 눠민허까지 불어온다」는 엄격한 요구조건이라는 의미에서 보면 비록 부족한 부분들이 있으나, 극본 전체에 생활과 노동 인민에 대한 작가의 열렬한 사랑이 넘쳐흐르고 있으며, 사회주의가 필연적으로 도래할 것을 노래하고 있다. 본 작품은 현실주의적 창작 원칙을 기본적으로 준수했으며 생활 투쟁의 중요한 측면을 묘사하였다. 따라서 우리는 이 작품이 사회주의 정신을 갖춘, 현실에 충실한 소박하고 진실한 작품이며, 현재까지 발표된 농업합작화를 반영한 극본 중에서 새로운 수확이라 할 수 있다"고 평했다(「화극 「봄바람이 눠민허까지 불어온다」에 관하여談話劇<春風吹到諸敏河>」,『극본』 1954년 2월호).

안보(1915~1965), 본명은 류칭루劉清祿이며 필명은 머우성牟聲이다. 산둥성 옌타이煙台 출신이다. 1937년에 옌안으로 갔다. 중국음악학원 원장을 역임하였다. 주요 작품으로 앙가극 「오누이가 황무지를 개간하다」(합동 창작), 가곡 「팔로군 황무지 개간 노래八路軍開荒歌」, 「변경에서 보낸 7월七月裏在邊區」(안보가 작사한 민가 메들리), 대형 가극 「기념비紀念碑」, 「초원의 봉화草原烽火」, 화극 「봄바람이 눠민허까지 불어온다」, 장시 『레이펑 송가雷鋒頌』 등이 있다.

8월

1일, 『창장문예』 복간호가 출간되었다. 본 간행물은 중난작가협회의 기관 간행물이다.

3일, 황강의 「조선 인민은 정복당하지 않는다朝鮮人民是不可征服的」가 『인민일보』에 발표되었다.

4일, 교육부에서 대학 사용 도서 심사 기준을 공포하였다.

5일, 웨이진즈의 「천라지망 속에서 뛰쳐나오다從天羅地網裏沖出來」가 『문예월보』 제8호에 발표되었다.

7일, 『인민문학』 7, 8월호 합본에 편집부 개편 후에 새로 구성된 명단이 발표되었다. 사오취안린이 편집장을, 옌원징이 부편집장을 맡았으며 허치팡, 사팅, 사오취안린, 후평, 위안수이파이, 거뤄, 옌원징이 편집위원을 맡았다. 이번 호에는 류바이위의 「붉은 스카프紅領巾」, 캉줘의 「첫걸음第一步」, 루링의 「노랫소리와 꽃을 보고 생각난 것從歌聲和鮮花想起的」, 천덩커의 「화이하이 강가의 자녀」(4월호부터 8월호까지 연재) 등의 소설과 리지의 「국화석菊花石」, 펑즈의 「우리의 서쪽 교외我們的西郊」, 「판창유 동지에게給潘常有同志」, 「레닌그라드 노동보호연구소에서在列寧格勒的勞動保護研究所」, 짱커자의 「애증을 최고조까지 끌어올리다 – 로젠버그 부부 피살에 부쳐把愛憎提到了最高峰——爲羅森堡夫婦遇害作」, 쩌우디판의 「모스크바의 등불莫斯科的燈火」, 「그림에 제목을 붙이다題一幅畫」 등의 시, 바진의 보고문학 「황원위안 동지黃文元同志」, 장톈이의 극본 「회색 늑대大灰狼」, 고리키의 「문학을 논하다論文學」(멍창 번역), 잔안타이詹安泰의 「시경에 표현된 인민성과 현실주의 정신詩經

裏所表現的人民性和現實主義的精神」, 소련작가협회 시가창작조의 「1952년도 시가공작 결산一九五二年詩歌工作的總結」 등의 글이 게재되었다. 이번 호의 「편집후기」에서는 간행물의 내용과 형식 개선에 대해 언급하며 "우리의 이 시대의 풍부하고 다채로운 삶을 더욱 자유롭고 깊이 있게 반영하기 위해, 우선적으로 작품 주제의 광범위성과 문학 형식과 체제 및 풍격의 다양성을 제창하여 서로 다른 각각의 문학 양식과 문학 풍격이 독자들 속에서 자유롭게 경쟁하도록 격려할 것이다"라고 밝혔다.

중화전국희극공작자협회, 베이징시 중소우호협회, 소련대외문화협회가 합동으로 베이징에서 소련의 위대한 희극예술가 스타니슬랍스키 서거 15주년 기념회를 개최하였다. 자오쥐인이 「스타니슬랍스키로부터 배우자向斯坦尼斯拉夫斯基學習」라는 제목의 보고를 진행하였다. 시대출판사時代出版社에서 탕푸즈湯芾之가 번역한 아발킨의 저서 『스타니슬랍스키 체계와 중국 희극斯坦尼斯拉夫斯基體系與中國戲劇』을 출간하였다. 베이징, 상하이 등지의 신문에도 기념의 글이 발표되었다. 『문예월보』 8월호에 메이란팡의 「스타니슬랍스키 인상 기록斯坦尼斯拉夫斯基印象記」이 발표되었다. 같은 날, 상하이 희극공작자들도 스타니슬랍스키 기념 집회를 진행하였다.

8일, 난징시, 쑤난, 쑤베이 문련이 합동으로 난징에서 장쑤성 문련 준비회의를 개최하였다. 난징시, 쑤난, 쑤베이 지역 문련의 상무위원 및 대표 49인이 참석하였다. 회의에서는 결의를 통해 장쑤성 문학예술공작자연합 준비위원회를 조직하기로 결정하고, 준비위원회 위원 54인과 상무위원 13인을 선출하였다. 리쥔민李俊民이 준비위원회 주임을 맡았다.

9일, 탕커신唐克新의 단편소설 「작업장 안의 봄車間裏的春天」이 『해방일보』에 발표되었다.

탕커신(1928~), 본명은 탕커순唐克舜으로 장쑤성 우시 출신이다. 소년공, 취사원, 공인 등으로 근무하였다. 1954년 이후로 국영상하이 제6면방직공장 공회工會(노조를 뜻함-역자 주) 간부, 잡지 『맹아萌芽』 편집자, 중국작가협회 상하이분회 전문작가 등을 역임하였다. 1950년부터 작품을 발표하였다. 저서로 장편소설 『밤바다 표류기夜海飄流記』, 중편소설집 『위신을 잃은 아버지失去了威信的父親』, 단편소설집 『작업장 안의 봄』, 『씨앗種子』, 『우리의 사부我們的師傅』, 『쇠사슬로 묶을 수 없는 사람鐵鏈縛不住的人』, 보고문학 『영원히 앞을 향하는 황바오메이永遠向前的黃寶妹』, 통신 『공산주의의 불꽃共產主義的火花』, 그림 이야기 『포신공 이야기包身工的故事』 등이 있다.

12일, 『해방군문예』 8월호에 천이의 논문 「지원군의 영광스러운 사업 만세志願軍光榮的事業萬歲」, 싱훠星火의 「영원히 시들지 않는 푸른 장막永不凋落的青紗帳」, 커강의 「보뤄산 아래波羅山下」, 장즈민의 「유아무적有我無敵」, 펑쓰커의 「금색의 싱안링」(7월호부터 8월호까지 연재) 등의 소설과 리즈민의 「홍군이 외나무다리를 교묘히 빼앗다紅軍巧奪獨木橋」, 궈광郭光의 「영생하는 평화전사永生的和平戰士」, 가오핑의 「캉짱 고원의 맹세康藏高原的誓言」 등의 시, 핑즈이平植義 등의 민가선 「홍기 하나가 공중에서 펄럭인다一杆紅旗空中飄」, 옌지저우, 정홍의 극본 「물」, 리양정李養正의 「바다 위의 친형제海上親兄弟」, 후치의 「제주도에서도 볼 수 있게 하라讓濟州島上都能看見」 등의 통신보고가 발표되었다.

싱훠(1920~2000), 양싱훠楊星火라고도 하며 본명은 양궈화楊國華로 쓰촨성 웨이위안威遠 출신이다. 1951년에 군대를 따라 티베트로 진군하였다. 캉짱공로康藏公路 건설, 반란 평정, 개혁, 변경 생산건설 및 인도-중국 국경 자위반격전에 참가하였다. 이후에 청두군구 정치부 선전부에서 근무하였다. 저서로 시집 『히말라야 삼나무雪松』, 『라싸의 산봉우리拉薩的山峰』, 『달 아가씨月亮姑娘』, 『너에게 샐비어를 보낸다送你一串紅』, 『서쪽 변경의 무수한 별西陲繁星』, 장편서사시집 『보멍다와波夢達娃』, 소설산문집 『설산의 붉은 진달래꽃雪山紅杜鵑』, 『차궈라 이야기查果拉的故事』, 『봄에게 불러주는 노래唱給春天的歌』 등이 있다.

15일, 『문예보』 제15호에 마오둔의 「평화를 단호히 수호하자堅決保衛和平」와 아이칭의 「중국화에 관하여談中國畫」 등의 글이 발표되었다. 본지 기자의 글 「지방문예 간행물을 잘 발행하기 위한 몇 가지 문제辦好地方文藝刊物的一些問題」는 "『문예보』 제7호, 제9호에 지방문예 간행물 문제에 관한 글들이 발표된 후로 수많은 서신이 도착해 토론이 전개되었다. 토론 과정에서 『장쑤문예』, 『번신문예翻身文藝』, 『쓰촨문예』, 『후베이문예』, 『후난문예』, 『산시문예陝西文藝』, 『저장문예』, 『장시문예』, 『안후이문예』, 『공인문예』(안산鞍山), 『공인문예』(광저우), 『화난문예』 등의 지방문예 간행물이 언급되었으며, 지방문예 간행물이 '지방화, 통속화'되어야 할 뿐만 아니라 '중심 업무와 결합해 선전을 진행'해야 한다고 지적하였다"고 밝혔다.

같은 호에 마하이저馬海轍의 「중난 지역의 3년간의 문예비평공작三年來中南的文藝批評工作」이 발표되었다. 그는 글에서 "문예비평은 문예계에서의 당의 사상지도와 문예계 사상투쟁의 전개를 실현하고, 또한 인민을 위해 복무하는 문예의 효능을 제고하는 주된 방법 중 하나이다. 지난 3년간, 특히 당중앙에서 '신문에서 비평과 자아비평을 전개하는 것에 관한 결정'을 발포한 후로 중난 지역 문예비평공작의 성과는 어느 정도 선에서 문예공작의 실제와 연계하여 몇몇 구체적인 현상(작품과 작가를 포함)에 대한 비평을 통해 문예공작에 대한 당의 의견과 요구를 천명했다는 것이다. 이를 통해 문예단체 내부에 존재하는 몇몇 혼란한 사상을 초보적으로 해소할 수 있었다. 반면에 결점은 다음과 같이 드러나 있다. 1. 일상적이지 않고, 체계적이지 못하며, 조직적인 전투 역량을 형성하지 못한 점. 2. 질적인 면에서 대체로 적극적인 효과를 일으킬 수 있는 수준을 달성하지 못했다는 점. 3. 범위가 충분히 넓지 못한 점. 4. 표창과 격려가 너무 부족한 점. 5. 비평 후에도 문제가 여전히 근본적으로 해결되지 못한 점." 그는 또한 "토론과 비평이 시작될 때는 보통 당에서 먼저 느낀 후에야 문예계의 전체적인 주의를 불러일으키는 형태였다. 문예공작은 이러한 정체된 상황을 반드시 극복해야 한다"고 지적하였다.

이러한 결점들을 극복하기 위해서는 "문예계 비평의 구체적인 업무에서부터 착수해야 한다. 다시 말하면, 문예비평의 방법 문제를 해결해야 한다. ……사실상 바로 이 두 가지 문제이다. 첫째, 구체적인 대상 자체를 놓고 보면, 비평 의견이 근거를 두는 기준은 무엇인가? 2. 구체적인 대상을 전지구 문예공작자의 객관적인 상황 아래 놓고 가늠해 보면, 비평 의견이 장악해야 하는 척도는 무엇인가?" "문예비평의 기준은 마오쩌둥 주석이 이미 지시한 바와 같이 하나는 정치적 기준, 다른 하나는 예술적 기준이다. 전자가 우선이고 후자는 그 다음이다. 마오쩌둥 주석은 또한 청지는 예술과 같지 않다고 지시한 바 있다." 상술한 문예비평의 임무를 완성하기 위해서는 "첫째, 전문 문예비평공작자를 배양하고 제고할 것. 둘째, 문예공작에 대한 인민군중의 비평과 의견, 특히 작품에 대한 독자들의 '독후감'을 경청하고 중시할 것. 셋째, 비평 공작에 대한 작가들의 흥미를 불러일으키고, 그들이 문예 문제에 대해 의견을 발표하도록 격려할 것. 넷째, 문예계에서 비평을 존중하는 풍조를 제창할 것. 다섯째, 신문 및 간행물에서 일상적으로 문예비평에 일정량의 지면을 유지할 것"을 주장하였다.

『문예월보』 제8호에 쉬안중玄仲의 「물질적인 보살핌과 전환物質照顧與轉變」, 뤄쓰의 「'재천' 철학"由天"哲學」, 메이란팡의 「스타니슬랍스키 인상 기록」, 자오밍趙明의 「감독의 예술처리에 있어서의 개념화, 공식화 경향을 극복하자克服導演藝術處理上的概念化, 公式化轉向」, 한상이韓尚義의 「영화장치 설계를 더욱 제고하자把電影裝置設計提高一步」, 우룬伍倫의 「위대한 공식, 영웅의 형상偉大的公式 英雄的形象」, 웨이진즈의 「천라지망 속에서 뛰쳐나오다」 등의 논문과 우창의 「그는 눈처럼 빛나는 기병총을 높이 든다」(8월호부터 9월호까지 연재), 스칭石青의 「지원支援」 등의 소설, 궁류의 「신병의 시新兵的詩」, 융시永西의 「가장 아름다운 별最美的星」, 진이의 「영웅과 영웅의 언어英雄和英雄的語言」, 왕시옌의 「옥토에서 성장한 것在沃土裏成長起來的」 등의 작품이 발표되었다.

21일, 『인민일보』에 중뎬페이의 「헝가리 영화예술은 건전한 길로 나아가고 있다匈牙利電影藝術走著一條健全的道路」가 발표되었다. 그는 글에서 「지하 식민지地下殖民地」, 「두 개의 세계兩個世界」,

「전투의 세례戰鬥的洗禮」, 「거위 치는 소년 마지牧鵝少年馬季」, 「카탈린의 혼인卡塔琳的婚姻」 등 6편의 영화에 대해 평론하였다.

27일, 『톈진일보』에 쑨윈푸孫芸夫(즉 쑨리)의 연작 산문 「농촌 인물 잡기農村人物雜記」가 발표되었다. 연작에는 「양궈위안楊國元」, 「혼인 풍속婚俗」, 「가정家庭」, 「치만산齊滿山」 등이 포함되었다.

30일, 『문예보』 제16호에 뤼잉의 논문 「미학 문제美學問題」(16호부터 17호까지 연재), 리지의 산문 「위먼 스케치玉門速寫」가 발표되었다.

31일, 문화부에서 「각 극원 및 극단 직속 공연 프로그램에 대한 본부 필수 심사 규정直屬各劇院、團上演節目應送本部審査的規定」을 발포하였다.

장광츠 서거 22주년을 기념해 상하이시 문련 및 장광츠 생전의 친우들이 그의 유골을 찾아 홍차오 공동묘지虹橋公墓에 정식으로 이장하였다. 묘비에는 천이陳毅의 글씨로 "작가 장광츠의 묘作家蔣光慈之墓"라고 적혔다.

이달에 후난문예계에서 다섯 차례의 회의를 소집해 창작에서 공식화, 개념화 문제를 극복하고 창작의 질을 제고하는 방안 등에 관해 토론하였다.

천이陳沂의 『인민해방군의 문예공작을 더욱 제고하자把人民解放軍的文藝工作提高一步』가 인민문학출판사에서 출간되었다. 첸징런錢靜人의 논저 『장쑤 남부 민요 약론江蘇南部歌謠簡論』이 장쑤인민출판사에서 출간되었다. '문예이론학습소역총서'(제3집)가 상하이신문예출판사에서 출간되었다. 왕야오의 논저 『중국신문학사고中國新文學史稿』(하권)이 상하이신문예출판사에서 출간되었다. 추둥핑丘東平의 『둥핑선집東平選集』이 상하이신문예출판사에서 출간되었다.

자이융후翟永瑚의 단편소설 『시골의 세 교사鄕村三教師』가 상하이신문예출판사에서 출간되었다. 왕안유의 단편소설집 『추비』가 상하이신문예출판사에서 출간되었다. 구쓰판의 단편소설 『늙은 상사』가 상하이신문예출판사에서 출간되었다. 리난리의 소설집 『장라오싼이 입당하다薑老三入黨』가 상하이신문예출판사에서 출간되었다.

예타오葉洵의 저서 『급속 제강 이야기快速煉鋼的故事』가 상하이신문예출판사에서 출간되었다. 허자후이의 잡기집 『촌심집寸心集』이 상하이신문예출판사에서 출간되었다.

장즈민의 시집 『죽을 수 없다死不著』가 인민문학출판사에서 출간되었다. 옌천의 시집 『전투의 깃발戰鬥的旗』이 인민문학출판사에서 출간되었다. 후펑의 장시 『조선을 위하여, 인류를 위하여爲了朝鮮, 爲了人類』가 인민문학출판사에서 출간되었다.

후커의 화극 『영웅의 진지英雄的陣地』가 인민문학출판사에서 출간되었다. 라오서의 화극 『춘화추실』이 인민문학출판사에서 출간되었다. 탕즈쉐唐志學 등이 합동 창작한 화극 『만당훙滿堂紅』이 베이징공인출판사에서 출간되었다. 장밍, 량신의 화극 『홍수와 경주하다』가 중난문예출판사에서 출간되었다.

공인출판사에서 편찬한 『공인문예창작선집工人文藝創作選集(1949~1951)』, 『공인문예창작선집(1952)』, 『공인문예창작선집(1953)』 및 루하오陸灝의 통신보고 『안산을 건설하는 사람建設鞍山的人』이 출간되었다.

인민문학출판사 편집부에서 편찬한 『조선통신보고선 2집朝鮮通訊報告選二集』이 출간되었다. 이 책에는 정다판鄭大藩의 「위대한 전사 추사오윈偉大的戰士邱少雲」, 다이황戴煌의 「불후의 국제주의 전사不朽的國際主義戰士」, 왕위장王玉璋, 스펑石峰의 「혁명주의의 기치 황지광革命主義的旗幟黃繼光」, 류바이위의 「우리는 심판하고 있다我們在審判」, 황강의 「마지막 승리의 예고最後勝利的預告」 등 1952년 이후로 전국 주요 간행물에 발표된 작품들 가운데 엄선된 39편의 작품이 수록되었다.

다이황(1928~2016), 다이수린戴澍霖이라고도 하며 장쑤성 푸닝阜寧 출신이다. 1944년에 신사군에 참가하였으며 이 해부터 작품 발표를 시작하였다. 신화사 기자를 역임하였다. 저서로 『다이황통신보고선戴煌通訊報告選』, 『귀중한 물고기寶貝魚』, 『불후의 국제주의 전사』(뤄성자오羅盛教를 말함), 『해안선 위에서海岸線上』, 『후즈밍 주석 인상 기록胡志明主席印象記』, 『후야오방과 오심 사건 바로잡기胡耀邦與平反冤假錯案』, 『구사일생 - 나의 '우파' 역정九死一生——我的"右派"曆程』, 『인생을 직면하다直面人生』 등이 있다.

구궁顧工의 통신보고 『고원 위의 밥 짓는 연기高原上的炊煙』가 충칭인민출판사에서 출간되었다.

구궁(1928~), 시인. 본명은 구쥐러우顧菊樓로 상하이 출신이다. 1945년에 신사군에 참가해 루난魯南, 멍량구孟良崮, 화이하이 전투 등에 참여하였다. 1951년에 군대를 따라 티베트로 진군하였다. 8·1전영제편창 각본가, 『해방군보』 기자, 해방군 총병참부總後勤部 정치부 창작원을 역임하였다. 1946년부터 작품을 발표하였다. 저서로 시집 『히말라야 산 아래喜馬拉雅山下』, 『군가, 예포, 그리고 무지개軍歌, 禮炮和長虹』, 『전쟁의 신과 사랑의 신戰神和愛神』(시체詩體소설), 『애정 교향시愛情交響詩』, 장편소설 『홍군의 후손紅軍的後代』, 중편소설집 『버려진 천사被遺棄的天使』, 산문집 『풍설고원風雪高原』, 『대해의 자손大海的子孫』, 『불꽃 속의 노래火光中的歌』, 소설집 『다시 만나다重逢』, 『구궁 수사소설선顧工偵破小說選』, 『객실 차장列車長』, 장편 기록문학 『젊었을 때, 나는 열렬히 사랑했다年輕時,

我熱戀』, 동화 『행운아와 불운아幸運兒和倒黴蛋』, 드라마 극본 『뿌리는 화이허에 있다根在淮水』, 영화문학 극본 『빙산설연冰山雪蓮』, 『후퇴하지 않는 전사不撤退的戰士』가 있으며 『구청 시 전집顧城詩全編』을 편찬하였다.

『극본』 8월호에 후커의 평론 「생활 체험에 관한 몇 가지 의견關於體驗生活的幾點意見」, 톈한의 경극 「백사전」, 량위안쉰梁元勳의 단막 화극 「사람들은 전진하고 있다人們在前進」가 발표되었다.

중국의 20개 대도시에서 '헝가리인민공화국 영화 상영의 주' 행사를 동시에 거행해 「지하 식민지」, 「두 개의 세계」, 「전투의 세례」, 「거위 치는 소년 마지」, 「카탈린의 혼인」 등 6편의 헝가리 극영화를 상영하였다.

9월

1일, 『허난문예』 제17호에 장톈이의 단막 아동극 「룽성은 집에 있다」가 발표되었다.

2일, 『신관찰』 제17호에 궁류의 시 「수레가 후이퉁차오를 지나다車過惠通橋」, 「아름다운 리장美麗的麗江」, 「갓난아이가 탄생할 때當嬰兒誕生的時候」가 발표되었다.

7일, 『인민문학』 9월호에 스쥐의 소설 「풍파風波」, 펑즈의 장시 『한보가 장작을 패다 – 모자야화 기록韓波砍柴——記母子夜話』, 톈디田地의 「포쯔링에서在佛子嶺」, 「별빛星光」, 거비저우의 「옌허는 전과 다름없이 흐른다延河照舊流」 등의 시, 천바이천, 자지의 영화문학 극본 「송경시宋景詩」(9월호부터 11월호까지 연재), 후평의 「육체는 불구가 되었지만 마음은 불구가 되지 않았다肉體殘廢了, 心沒有殘廢」, 왕시옌의 「평범한 영웅平凡的英雄」, 양쉬의 「시베이 여정 잡기西北旅途散記」 등의 특필이 발표되었다.

8일, 체코 작가 푸치크 희생 10주년을 기념해 『문예보』에 그의 논문 「영웅과 영웅주의를 논하다論英雄和英雄主義」가 게재되었다.

9일, 러시아 작가 톨스토이 탄생 125주년을 기념해 『인민일보』, 『광명일보』, 『문예보』 등에 그의 생애와 작품을 논하는 기념의 글이 발표되었다. 『역문』 9월호에 그의 소설 「왜?爲什麼?」(장루蔣路 번역)가 게재되었다.

12일, 『해방군문예』 9월호에 천이陳毅의 「부대 간부의 여가 오락활동에 대한 의견對部隊幹部業餘文娛活動的意見」, 펑젠난馮健男의 「「상간링」의 인물 창조를 읽고讀<上甘嶺>的人物創造」, 예이펑葉一峰의 「「상간링」의 애국주의와 국제주의 표현에 관하여略談<上甘嶺>愛國主義與國際主義的表現」 등의 평론과 류바이위의 「먼지가 날리는 길 위에서揚著灰塵的路上」, 바이런의 「명사수神槍手」 등의 소설, 옌천의 시 「조국의 소식祖國的訊息」, 푸둬의 4막 화극 「여명 전의 어둠을 뚫다沖破黎明前的黑暗」 및 「제1회 전국창작회의 상황 단신全軍首屆創作會議情況簡報」, 「총정치부 문화부에서 작품좌담회를 개최하다總政文化部舉行作品座談會」, 「해군에서 제1회 문예체육검열을 실시하다海軍舉行首屆文藝體育檢閱」 등의 기사가 게재되었다.

마젠난(1922~1998), 문학평론가. 후베이성 황메이黃梅 출신이다. 1947년부터 작품을 발표하였다. 1949년에 베이징대학 서방어문학과西方語言文學系를 졸업하였다. 중난군구 『전사보』 및 『해방군문예』 편집자, 허베이성 문련 간부, 허베이사범대학 중문과 교수 및 중문과 주임, 중국신문학학회 부회장, 허베이성문학학회 회장을 역임하였다. 저서로 『작가의 예술作家的藝術』, 『작가론집作家論集』이 있으며 『하화전파 작품집荷花澱派作品選』 등을 편찬하였다.

15일, 『문예보』 제17호에 사설 「인류의 진보 문화 전통을 보호하기 위해 투쟁하자 - 굴원, 코페르니쿠스, 라블레, 마르티를 기념하며爲保衛人類進步文化傳統而鬥爭——紀念屈原, 哥白尼, 方·拉伯雷和何塞·馬蒂」가 게재되었다.

『문예월보』 제9호에 왕시옌의 「승리의 개성勝利的開城」, 런워任幹의 「조선행 위문 잡기赴朝慰問散記」, 구쓰판穀斯範의 「각성覺醒」, 뤄쓰의 「좀 더 깊이 발굴하라發掘得更深一些」, 쉬안중의 「이것은 관문이다這是一關」, 장쿵양蔣孔陽의 「일상생활을 통해 영웅인물을 표현하는 데 능해야 한다要善於通過日常生活來表現英雄人物」, 딩징탕의 「상하이에서 출판된 문학작품 간단 평론簡評上海出版的文學作品」, 왕페이汪培의 「희곡창작 수준을 제고하기 위해 노력하자爲提高戲曲創作水平而努力」 등의 글과 펑바이彭拜의 「작은 풍작小豐產」, 왕젠王劍의 「청씨 할아버지程老爹」, 우창의 「그는 눈처럼 빛나는 기병총을 높이 든다」(8월호부터 9월호까지 연재) 등의 소설이 발표되었다.

16일, 전국미술가협회에서 주최한 제1회 전국국화전람회全國國畫展覽會가 베이징 베이하이공원北海公園에서 개막하였다(9월 16일~10월 11일). 치바이스, 천반딩陳半丁, 위페이안於非闇 등의 화조도, 쉬베이훙, 예첸위葉淺予, 관산웨關山月, 장자오허蔣兆和 등의 인물화, 황빈훙黃賓虹 등의 산수화 및 청소년 화가의 작품을 비롯해 23개 성 혹은 시에서 선정된 240여 점의 작품이 전시되었다. 전람회 기간에 전국미협에서는 미술계 각 방면의 전문가를 조직해 좌담회를 개최하여 각지의 국화 개선 창작 경험과 실제 작품을 결합해 국화 창작에 관해 토론하였으며, 앞으로 국화가 발전할 방향을 명확히 하였다.

23일, 제2차 중국문학예술공작자대표대회가 베이징에서 개최되었다(9월 23일~10월 6일). 정식 대표 581인, 참관 대표 189인이 참석하였다. 궈모뤄가 개회사를 하고 저우언라이가 참석해 보고를 진행하였으며, 내빈 라이뤄위賴若愚, 푸중傅鍾, 후야오방 및 독일 작가협회 부주석 슈테판 헤름린 등이 연설하였다. 대회는 제2차 중국문학공작자대표대회, 중화전국희극공작자협회 전국위원회 확대회의, 중화전국음악공작자협회 전국위원회 확대회의, 중화전국미술공작자협회 전국위원회 확대회의, 중화전국무용공작자협회 전국위원회 확대회의, 중국곡예개진준비위원회中國曲藝改進籌備委員會 확대회의, 성(시) 문련 대표 좌담회 등 7개 부분으로 나뉘어 진행되었다.

궈모뤄는 개회사에서 "이번 문대회의 중심 임무는 4년간의 공작 경험을 결산해 문학예술의 창작사업을 더욱 발전시키고, 작가와 예술가를 격려해 더 좋은 작품을 더 많이 창작하도록 하며, 문학예술계가 더욱 긴밀하게 단결하도록 하고, 문예공작자의 조직 기구를 건전화하고 임무를 명확하게 하여 공작과 지도를 개선하고, 문학예술의 생산이 왕성하게 발전할 수 있도록 하는 것이다"라고 밝혔다.

정무원 총리 저우언라이가 대회에 참석해 「우리나라 과도기 경제건설 총노선에 관한 보고關於我國過渡時期經濟建設總路線的報告」를 진행하였다. 보고의 세 번째 부분, 즉 "총노선을 위해 분투하는 문예공작자의 임무" 부분에서 저우언라이는 역사 평가 문제, 누구를 위해 복무하는가 하는 문제, 실제 생활에 침투하는 문제, 예술 수양 제고 및 우수한 문예작품 창작을 위한 노력, 군중문예활동 전개, 문예계의 단결과 개조, 지도자의 책임 등 여덟 가지 측면의 중요한 문제를 논술하였다. 저우언라이는 또한 사회주의 현실주의야말로 수많은 혁명문예공작자들이 공작을 전개해야 할 방향이라고 지적하였다.(『저우언라이가 문예를 논하다周恩來論文藝』, 제49-55쪽, 인민문학출판사 1979년 -> 각주로 처리해야 할 듯합니다.)

24일, 제2차 문대회가 계속 진행되었다. 중화전국문학예술계연합회 부주석 저우양이 「우수한 문학예술작품을 더 많이 창조하기 위해 분투하자 - 4년간의 문학예술공작 상황 및 앞으로의 임무에 관한 보고爲創造更多的優秀的文學藝術作品而奮鬥——關於四年來文學藝術工作狀況和今後任務的報告」라는 제목으로 보고를 진행하였으며, 샤옌, 커중핑, 차오밍, 사팅 등이 발언하였다.

저우양은 보고에서 제1차 문대회 이후에 문예공작에서 이룩한 거대한 성취와 큰 변화를 충분히 긍정하고, 새로운 인민의 문학예술이 이미 오래되고, 부패하고, 낙후한 봉건계급 및 자산계급의 문학예술을 기본적으로 대체하였다고 보았다. "새로운 문학예술은 군중과 연계해 가장 넓은 영역의 진지를 점령하였으며, 현재도 지속적으로 그 진지를 넓혀 가고 있다. 우리의 문학가와 예술가는 자신의 창작 과정에서 노력을 통해 공농병 형상을 표현하고, 그들의 새로운 면모와 새로운 품성을 표현하였으며, 뿐만 아니라 새로운 공농병 창작자들도 대거 출현하고 있다. 그러나 전체적으로 보았을 때 새로운 문학예술의 창작은 여전히 빈약한 상태이다. 군중은 새로운 문학예술작품, 특히 영화와 희극 작품이 너무 적다고 느끼고 있으며, 특히 청년들은 우리의 작품이 소련 작품이 가진 것과 같은 인민을 크게 고무하고 교육하는 힘이 부족하다는 것을 예리하게 느끼고 있다. 우리의 문학예술사업은 인민과 국가 전체의 사업 및 인민의 요구에 비해 크게 뒤처져 있다. 이러한 오류와 결점이 발생한 원인은, 전국문련 및 각 협회의 지도기관이 문예창작과 비평에 대한 지도를 소홀히 하거나 혹은 포기하고, 작가와 예술가의 창작 및 학습에 무관심한 태도를 보여, 문학예술 창작사상에 관한 토론을 진지하게 진행하지 않고, 사상과 창작에 관해 작가 및 예술가와 일상적으로 접촉하지도 않았기 때문이다. 전국문련은 각 협회의 공작에 대해 감독과 지도가 부족하며, 각 지방 문련과의 연락도 부족하다. 이 때문에 전국문련은 군중과 동떨어지고, 문예계와도 동떨어진, 업무에 어떠한 활약도 없고 생기도 없는 기관이 되어 버렸다."

그는 또한 사회주의 현실주의적 방법을 모든 문학예술 창작과 비평에 있어 최고의 기준으로 두어야 한다고 지적하였다. 그는 문학예술공작자들에게 인민의 새로운 생활을 숙지해 인민들 가운데 존재하는 선진 인물과 인민의 새로운 사상과 감정을 표현하고, 인민의 적과 인민 내부에 존재하는 모든 낙후된 현상을 반대할 것을 요구하였다. 문학예술공작의 가장 절실한 임무는 전국의 작가와 예술가들의 역량을 더욱 광범위하게 동원하고 조직하여 그들의 적극성과 창조성을 더 크게 발휘해 위대한 시대에 부끄럽지 않은 새로운 예술작품을 창조하는 데 전력을 다하는 것이라고 명확히 지적하였다. 그는 보고에서 "마오쩌둥 동지는 일찍이 「옌안문예좌담회에서의 강화」에서 공인계급 작가는 응당 사회주의 현실주의를 그 창작 방법으로 삼아야 한다고 지적하였다. 5·4 이래 시작된 신문예운동은 바로 이 방향을 향해 전진해 왔으며, 이 운동의 빛나는 기수인 루쉰이 바로 위대한 혁명적 현실주의자이다. 그는 이후의 창작활동 과정에서 사회주의 현실주의의 위대한 선구자이자 대표자가 되었다." "우리는 사회주의 현실주의 방법을 우리의 모든 문학예술창작과 비평에 있어 최고의 기준으로 삼아야 한다." "사회주의 현실주의는 진정으로 진보하고 학습하기를 원하는 작가와 예술가들이라면 모두 도달할 수 있는 사상이다. 이는 너무나 높아서 도달할 수 없는 신비로운 사상이 아니다. 중요한 것은 학습이다……소련의 사회주의 현실주의 문학예술의 거대한 성취는 우리가 학습할 가장 좋은 본보기를 제공해 주었다"고 밝혔다. 그는 또한 "사회주의 현실주의는 우리의 작가들에게 우선 인민의 새로운 생활을 숙지하고, 인민들 가운데 존재하는 선진인물과 인민의 새로운 사상과 감정을 표현할 것을 요구한다." "긍정적인 인물을 표현하는 것과 부정적인 현상을 폭로하는 것을 분리해서는 안 된다. 그러나 그 어떠한 낙후한 현상일지라도 모두 꺾이지 않는 새로운 역량에 의해 극복되는 것을 반드시 표현해야 한다. 따라서 작품 속에서 부정적 인물을 표현하는 것과 긍정적 인물을 표현하는 것 양자를 결코 동등한 위치에 두어서는 안 된다. 우리의 작품 속에서는 낙후한 인물이 개조되는 과정을 묘사할 수 있고 또한 묘사해야 하지만, 이를 영웅이 성장하는 전형적인 과정으로 보아서는 안 된다." "우리 작가들은 영웅 인물의 빛나는 품성을 강조하기 위해 그의 몇몇 중요하지 않은 결점을 의도적으로 소홀히 취급해 작품 속에서 그가 군중이 동경하는 이상적인 인물이 되게 한다. 이러한 기법은 가능하며, 또한 필요한 것이다. 우리의 현실주의자는 현실주의자인 동시에 반드시 혁명적 이상주의자여야 한다."

그는 보고의 마지막 부분에서 "우리의 문학예술사업이 더욱 잘 전진하게 하기 위해서는 전국의 작가와 예술가의 역량을 더욱 광범위하게 동원하고 조직하여 그들의 적극성과 창조성을 더 크게 발휘해 위대한 시대에 부끄럽지 않은 새로운 예술작품을 창조하는 데 전력을 다해야 한다……반드시 문학예술단체의 공작을 강화하고, 새로운 상황에 따라 이 단체들에 필요한 개편을 시행해야 한다." "각 성과 시 문련……이들의 성격은 단체 연합회가 아니라 해당 지역 문학예술계 공작자들의 종합적이고 자원적自願的인 조직이다. 그 구성원은 문학, 희극, 음악, 미술 등 각 방면의 문예공작자를 포함해야 한다. 그러므로 성, 시 이외에는 각종 협회를 더 이상 분설할 필요가 없다. ……성, 시 문련이 해당 지역 문예공작자들을 진정으로 조직해 문예활동에 종사하게 하는 효과적인 단체가 되게 하기 위해서는 회원을 받을 때 전혀 제한 없이 함부로 받지 않고, 어느 정도의 기준을 두어야 한다"고 지적하였다(『문예보』 1953년 제19호. 또한 중국문학예술계연합회에서 편찬한 『중국문학예술공작자 제2차 대표대회 자료中國文學藝術工作者第二次代表大會資料』를 볼 것. 중국문학예술계연합회 1953년 발행).

25일, 제2차 문대회가 계속 진행되었다. 메이란팡, 라오서, 천이陳沂, 차이추성, 마쓰충馬思聰,

위헤이딩이 발언하고 창샹위常香玉가 선물을 증정하였다.

문협 대회가 화이런탕懷仁堂에서 개최되어 딩링이 개회사를 하였다.

마오둔이 「새로운 현실과 새로운 임무新的現實與新的任務」라는 제목으로 보고를 진행하였다. 그는 보고에서 4년간 문학공작 방면에서 이룬 성취를 긍정하면서, 현재 창작의 낙후한 현상에 대해서는 구체적인 분석을 진행하였다. 그는 보고에서 "우리나라는 현재 외재적으로는 국가의 사회주의 공업화와 농업, 수공업 및 사영 공장업에 대한 사회주의 개조를 점진적으로 실현하는 시기에 처해 있다. 우리 사회의 계급 관계는 생산을 과거에 비해 크게 변화시켰다. 문학의 임무는 이처럼 복잡한 변화를 사실적으로 반영하는 것뿐만이 아니라, 특히 더 중요한 것은 예술의 역량으로써 사회주의 개조공작을 추진하여 사회주의 사상을 통해 수천만 인민을 교육하고 개조하며, 새로운 인물의 고상한 품성과 영웅적 기개로써 그들이 전진할 용기와 자신을 고무하는 것이다. 동시에, 남아 있는 봉건주의와 제국주의 사상의 영향 및 자산계급 사상을 상대로 결연히 투쟁하고, 사회주의 개조에 저항하는 각종 사상과 투쟁하며, 인민들 속에 존재하는 어려움을 두려워하고 이기적이며 보수적인 각종 낙후한 사상과 투쟁하는 것이다. 문학공작은 진실한 묘사를 통해 수많은 인민이 오늘날의 현실을 정확히 인식하고, 또한 내일의 현실을 인식하도록 지도해야 하며, 그들이 이러한 복잡한 계급투쟁 속에서 자신을 개조하고 장애물을 극복하여 조국을 건설하고 사회주의를 향해 점진적으로 나아가는 위대한 임무를 짊어질 수 있도록 지도해야 한다. 이러한 임무를 실현하기 위해서 중국의 문학은 반드시 사회주의 사상을 그 내용으로 해야 하며, 작가는 반드시 사회주의자가 되거나 혹은 자신을 사회주의자로 개조하기 위해 노력해야 한다. 때문에 모든 작가들은 자기 자신에게 사회주의 현실주의적 창작방법에 따라 공작을 진행하고, 또한 사회주의 현실주의를 더욱 잘 학습할 것을 요구해야 한다"고 지적하였다.

그는 또한 "불완전한 통계에 의하면, 4년간 전국에서 출판된 단행본 소설은 총 256종, 시가는 총 159종이며, 극본은 총 265종, 산문 및 기타 서적은 총 896종이다. 여기에 각종 간행물에 이미 발표되었지만 아직 단행본으로 출판되지 않은 작품을 더한다면 총 수량은 더욱 늘어날 것이다. 이처럼 많은 작품들의 저자는 대부분이 신진작가이다. 주목할 만한 공농 작가들이 많은데, 그들의 작품은 군중에게 큰 환영을 받고 있다. 문학전선에 새로운 대오가 형성되어 발전하고 있다는 사실은 우리나라 문학의 잠재력이 깊다는 것을 설명해 준다. 이러한 신진작가들은 대다수가 청년으로, 그들의 작품은 비록 아직 성숙하지는 못하지만, 그들은 공농군중 속에서 나타난 이들로, 투쟁과 단련을 거치면서 노동인민을 잘 알고 그들을 사랑하며, 새로운 사물과 새로운 인물에 대해 예리한 감각을 가지고 있고, 조국의 건설과 사회주의 개조의 필연적인 승리에 대해 무한한 믿음을 가지고 있는 이들이다. 공산당과 인민의 육성 아래 그들의 전도는 원대하다. 우리나라 사회주의 현실주의 문학은 주로 이 새로운 대오의 성장에 의지하고 있다. 따라서 그들을 돕고 교육하는 일이 현재의 중요한 임무 중 하나이다." "모든 작가들은 자기 자신에게 사회주의 현실주의적 창작방법에 따라 공작을 진행하고, 또한 사회주의 현실주의를 더욱 잘 학습할 것을 엄격히 요구해, 마르크스레닌주의를 학습하는 좋은 학생이 되도록 해야 한다"고 주장하였다.

그는 이 외에도 현재 문학창작에 존재하는 개념화와 공식화 경향 및 '무충돌론無沖突論' 경향을 중점적으로 비평하고, 또한 엥겔스가 제시한 '전형적 환경 속의 전형적 성격'이라는 현실주의 창작방법의 기본 원칙을 거듭 천명하였다.

마오둔은 보고에서 "현재 창작에 존재하는 결점을 극복하고 문학창작이 시대의 사명에 부끄럽지 않게 하기 위해서는 우리의 작가들이 인물 성격을 창조하는 문제, 특히 긍정적 인물의 예술적 형상을 창조하는 문제를 반드시 우리 창작의 최우선적인 위치에 두도록 해야 한다. 우리나라의 위대한 생활 속에서는 황지광黃繼光, 장밍산張明山, 리순다李順達, 하오젠슈郝建秀와 같은 영웅 인물들이 날마다 출현해 전국의 인민을 크게 격려하였다. 그러나 우리의 문학작품 속에는 이러한 영웅의 예술적 형상이 거의 출현하지 않는다. 이는 문학공작의 거대한 결점이다. 작가는 그들의 삶의 모습을 실제보다 더욱 강렬하고 전형적이며 이상적이고 또한 생생하게 소설, 영화, 희극, 시 속에 묘사하여, 그들을 통해 더욱 광범위하고 더욱 힘 있게 수천만 노동인민을 교육하고 격려해야 한다. 작가는 또한 부정적이고 적대적인 인물의 형상을 심도 있게 묘사하여 그들에 대한 인민의 증오와 경계심을 불러일으켜야 하며, 사회생활 속의 각종 모순을 대담하게 반영하여 이를 통해 인민을 교육해야 한다. 동시에 작가는 더욱 광범위하고 자유롭고 또한 풍부하게 우리 사회 각 방면의 생활을 묘사하고, 작품의 주제와 소재를 더욱 넓은 범위에서 선택하여, 다양한 형식과 풍격을 가진 작품을 창조해 문학의 각종 형식을 발전시키고, 이로써 문학작품에 대한 인민의 수요를 각 방면에서 만족시켜야 한다. 이들 임무를 완성하기 위해 작가는 지속적으로 사회생활에 깊이 침투하여 자신의 정치수준을 제고하기 위해 노력하고, 각고의 학습과 부단한 창작실천 속에서 자신의 예술적 표현 기교를 단련하고 제고하여야 한다. 문학창작에 존재하는 구조가 혼란하고 해이한 현상, 언어가 순결하거나 명확하지 못한 현상은 반드시 청산해야 한다. 또한 전체 문학공작에 있어 비평가는 반드시 작가와 긴밀히 협력하여 서로 돕고 존중하면서 비평공작에 존재하는 주관주의와 교조주의적 편향을 바로잡고, 창작사업에 유리한 정확한 비평을 발전시키기 위해 함께 노력해야 한다"고 지적하였다.

마오둔은 또한 보고에서 '중화전국문학공작자협회'를 '중국작가협회'로 개편할 것을 건의하고,

중국작가협회의 주된 임무는 작가들을 조직해 사회주의 사상과 고도의 진실성을 갖춘 문학작품을 창작하는 것, 창작활동과 비평공작에 대한 지도를 강화하는 것, 사상과 방법 면에서 문학보급공작에 대한 지도를 강화하는 것, 마르크스레닌주의적 관점과 방법을 통해 중국과 세계의 고전문학 유산을 비판적으로 받아들이는 것 등이 되어야 한다고 제시하였다(『문예보』 1953년 제19호).

전국미술가협회 전국위원회 확대회의가 중앙미술학원 강당에서 개최되었다. 쉬베이훙(예첸위 대독)이 개회사를 하고, 장펑江豐이 「4년간의 미술공작 상황 및 전국미협의 앞으로의 임무四年來美術工作的狀況和全國美協今後的任務」라는 제목으로 보고를 진행하였다.

장펑(1910~1982), 본명은 저우시周熙이며 가오강高崗, 구린固林, 장펑江烽, 제푸介福 등의 필명을 사용하였다. 상하이 출신으로 중국 신흥 판화예술의 개척자 중 한 사람이다. 1928년에 상하이 '바이어 화회白鵝畫會'에서 회화를 배웠다. 1931년에 루쉰이 주관한 '목각강습소木刻講習所'에 참가하였다. 좌익미술가연맹의 책임자 중 한 사람이다. 1938년초에 옌안으로 갔다. 산간닝 변구 미술계 항적협회 주석을 역임하였다. 공화국 성립 후에는 중국미술가협회 주석, 중국판화가협회 명예주석, 중앙미술학원 원장을 역임하였다.

26일, 중국음악가협회 전국위원회 확대회의가 중앙문화부 강당에서 개최되었다. 마쓰충이 개회사를 하고, 뤼지呂驥가 「인민의 음악문화를 발전시키고 제고하기 위해 노력하자爲發展和提高人民的音樂文化而努力」라는 제목의 보고를 진행하였다.

중국무용가협회(中國舞蹈家協會, 약칭 무협舞協)전국위원회 확대회의가 문화부 예술국 회의실에서 개최되었다. 다이아이롄이 개회사를 하고 보고를 진행하였다(보고는 예닝이葉寧宜가 낭독).

저명한 화가이자 중앙미술학원 원장, 중국미협 주석인 쉬베이훙이 베이징에서 서거하였다. 저우언라이 총리와 궈모뤄, 마오둔, 저우양 등이 조문하였다.

27일, 극협 전국위원회 확대회의가 중국청년예술극원에서 개최되었다. 메이란팡이 개회사를 하고, 톈한이 보고를 진행하였으며 훙선이 발언하였다. 톈한은 「희극공작을 잘 진행해 인민의 요구를 만족시키자做好戲劇工作滿足人民的需要」라는 제목의 보고에서 "당과 인민정부의 정확한 지도 아래, 전 희극공작자들의 노력을 통해 희극은 4년간 새로운 진전을 보였다. 희극사업 전체가 당과 정부의 주목을 받았다. 통계에 의하면, 인민해방군 부대 및 각지 공회 체계 내의 다수의 극단과 문공단을 제외하고, 현재 전국의 국영극단은 총 158개가 있으며, 이 가운데 화극단은 44개, 경극단 15개, 각종 지방희극단 58개, 가극단 5개, 기타 가무, 곡예, 잡기 등의 공연단체는 36개가 있다. 이 밖에도 불완전한 통계에 의하면 전국에 존재하는 사영 희곡 극단은 1287개에 달한다(곡예, 그림자극, 인형극 극단 제외)"고 밝혔다.

그는 보고에서 '중화전국희극공작자협회'를 '중국희극가협회'로 개편해 전국의 희극가(배우, 감독, 극작가, 희극이론비평가, 무대미술가 등을 포함)들의 자원적 조직으로 할 것을 건의하였다. 또한 중국희극가협회의 임무를 1. 회원을 조직해 공연예술과 기타 극장예술을 연구하고, 공연예술에 관한 이론 비평 활동을 조직하여 현실주의 공연예술 및 기타 극장예술의 발전과 제고를 촉진할 것. 2. 작가협회와 협력하여 회원을 조직해 극본 창작 및 우수한 전통희곡 극본의 정리 공작에 종사하고, 극본 창작에 관한 이론 비평활동을 조직하여 전국의 전문 및 아마추어 극단에 우수한 공연 프로그램을 상시 제공할 것. 3. 각지 희곡개혁공작의 상황과 경험을 연구하고 이들과 교류하며, 정부의 문화주관부문과 협조하여 희곡개혁공작을 진행할 것. 4. 회원을 조직해 마르크스레닌주의 및 사회주의 현실주의 예술이론을 학습하고, 사회활동과 인민의 투쟁에 참가하며, 비평과 자아비평이라는 무기를 이용해 사상의 개조와 제고를 부단히 추구할 것. 5. 해외의 진보 희극가 및 희극활동과의 국제적인 연계를 강화하고, 소련 및 각 인민민주국가의 희극, 아시아 각국 및 기타 세계 각국의 인민희극을 소개하며, 세계평화 수호 및 진보 문화 투쟁에 적극적으로 참여할 것 등으로 제시하였다.

1953년 10월 4일에 개최된 중화전국희극공작자협회 전국위원회 확대회의에서 「중국희극가협회 임시 규정中國戲劇家協會暫行章程」이 통과되어 톈한이 보고에서 제시한 희극가협회의 다섯 가지 임무를 확인하였다.

중국에서 개최된 세계문화명인 기념행사에 초청된 쿠바 대표단이 베이징을 방문하였다.

중국인민세계평화수호위원회, 전국문련, 중국작가협회 등 5개 단체에서 합동으로 세계 4대 문화 명인인 굴원 서거 2230주년, 폴란드의 천문학자 코페르니쿠스 서거 410주년, 프랑스 작가 프랑수아 라블레 서거 400주년, 쿠바의 작가이자 민족독립운동 지도자 호세 페레스 탄생 100주년 기념행사를 개최하였다. 궈모뤄가 「세계평화의 승리와 인민문화의 번영을 쟁취하자爭取世界和平的勝利與人民文化的繁榮」라는 제목의 연설을 진행하였다.

세계 4대 문화명인을 기념해 베이징 및 일부 지역의 신문에 굴원, 코페르니쿠스, 라블레, 페레스의 생애와 저작 및 세계문화에 대한 그들의 공헌을 소개하는 기념의 글이 발표되었다. 『문예보』에 사설 「인류의 진보 문화 전통을 보호하기 위해 투쟁하자」가 게재되었으며, 정전둬는 「굴원의 작품이 중국문학에 끼친 영향屈原作品在中國文學上的影響」을 발표하였다. 이 외에도 올해 내에 세계 문화명인의 작품을 번역해 신문에 소개하기로 하였다.

28일, 세계 4대 문화 명인 굴원, 코페르니쿠스, 라블레, 페레스 기념 전시회가 베이징에서 개막하였다.

29일, 문협 대회의, 극협 전국위원회 확대회의, 음협 전국위원회 확대회의에서 조별 토론을 진행하였다. 미협 전국위원회 확대회의, 무협 전국위원회 확대회의에서 주제발언을 진행하였다. 곡협 대표 좌담회에서 주제발언 및 토론을 진행하였다. 각 성(시) 문련 대표 좌담회에서 전체회의를 진행하였다.

30일, 중국곡예연구회中國曲藝研究會가 성립되었다. 왕야핑이 성립대회에서 「창작실천 속에서 우수한 곡예문학작품을 창작하자在創作實踐中寫出優秀的曲藝文學作品」라는 제목으로 보고를 진행하였다(『문예보』 1953년 제24호에 왕야핑의 「창작실천 속에서 우수한 곡예문학작품을 창작하자」가 발표되어, 이 글이 1953년 9월 29일에 중국곡예연구회 성립대회에서의 보고문이라고 명시하였다. 그러나 1953년에 중국문학예술계연합회에서 편찬한 「중국문학예술공작자 제2차 대표대회 자료」의 회의 일정표에 의하면, 30일에 열린 곡협 대표 좌담회에서 중국곡예연구회 성립대회를 진행하여 장정을 통과시켰다고 되어 있다. 또한 1979년 10월에 제4차 문대회 준비조에서 초안을 잡고, 문화부 문학예술연구원 이론정책연구사에서 편찬한 『60년 문예대사 기록六十年文藝大事記』(1919~1979)에는 28일에 곡예연구회가 성립되어 왕야핑이 「창작실천 속에서 우수한 곡예문학작품을 창작하자」라는 제목의 보고를 진행하였다고 되어 있다).

『문예보』 제18호에 볜즈린의 「농촌행 생활 5개월 – 전국문협 창작위원회에 보낸 서신下鄉生活五個月——寫給全國文協創作委員會的信」이 발표되었다. 그는 글에서 문학공작자의 관점에서 계획의 제정과 집행, 생활 태도, 공작 방식, 현지 지도자와의 관계, 군중과의 관계, 인물에 대한 관찰과 체험 등의 측면에서 농촌 생활을 통해 얻은 몇 가지 깨달음을 서술하였다.

이달에 『스탈린 전집斯大林全集』 중국어판이 인민출판사에서 출판되기 시작하였다. 제1권은 1953년 10월 25일에 전국 25개 대도시에서 발행되었다. 본 전집은 총 13권으로 1956년 4월에 출간이 완료되었다.

동방출판사에서 주퉁朱彤의 논저 『루쉰 작품 분석魯迅作品的分析』(제1권)이 출간되었다.

천인커陳寅恪가 논문 「「재생연」을 논하다論<再生緣>」의 집필을 시작해 1954년 2월에 완성하였다. 그는 청나라 여성 작가 진단생陳端生의 장편 탄사彈詞 「재생연」이 『홍루몽』에 필적하는 작품이라고 평하며, '남연북몽南緣北夢'이라고 병칭하였다.

천인커(1890~1969), 학자. 본적은 장시성 이닝義寧(지금의 슈수이修水)이며 후난성 창사에서 출생하였다. 유년기에 사숙에서 수학한 후 1902년에 큰형을 따라 일본으로 유학하였다가 1905년에 병으로 인해 학업을 포기하고 귀국한 후 상하이 우쑹푸단공학吳淞復旦公學에서 수학하였다. 1910년에 국비 유학시험에 합격해 독일 베를린대학교, 스위스 취리히대학교, 프랑스 파리 고등정치학교 사회경제학과 등에서 수학한 후 1914년에 귀국하였다. 1918년에 장시성 국비 장학금을 받아 다시 출국하여 미국 하버드대학교, 독일 베를린대학교에서 수학하였다. 1925년에 귀국한 후 국립 칭화대학 국학연구원 지도교수 겸 베이징대학 교수, 국립중앙연구원 이사, 중앙연구원 역사언어연구소 연구원 및 제1조(역사) 주임, 고궁박물원故宮博物院 이사, 청대당안편집위원회清代檔案編委會 위원 등을 역임하였다. 1937년 이후로 서남연합대학, 홍콩대학, 광시대학, 옌징대학, 영국 옥스퍼드대학교, 칭화대학 등에서 교편을 잡았다. 해방 직전에 국민당 중앙연구원 역사언어연구소 소장 푸쓰녠傅斯年이 대만이나 홍콩에서 교편을 잡으라고 한 초빙을 거절하고 광저우 링난대학嶺南大學에서 근무하였다. 1952년의 대학 학과 조정 이후에 중산대학으로 이동하였다. 중국과학원 철학사회과학학부 위원, 중국문사관 부관장 등을 역임하였다. 몽골어, 티베트어, 만주어, 산스크리트어, 일본어, 영어, 프랑스어, 독일어, 발리어, 페르시아어, 돌궐 문자, 서하西夏어, 라틴어, 그리스어 등의 언어 및 방언에 통달하였으며 풍부한 저술을 남겼다.

예성타오의 소설 『예환지倪煥之』가 인민문학출판사에서 출간되었다. 『사팅 단편소설집沙汀短篇小說集』이 인민문학출판사에서 출간되었다. 지쉐페이의 소설 『가오슈산이 집으로 돌아가다高秀山回家』가 중난인민문학예술출판사에서 출간되었다.

천찬윈陳殘雲의 중편소설 『산촌의 아침山村的早晨』이 중난인민문학예술출판사에서 출간되었다.

천찬윈(1914~2002), 소설가, 영화 극작가. 광둥성 광저우 출신이다. 1933년부터 작품을 발표하였으며 1945년에 중국공산당에 가입하였다. 광둥성 문련 부주석, 중국작가협회 광둥분회 부주석을 역임하였다. 저서로 장편소설 『향기가 사철 흩날린다香飄四季』, 『이국에서 고향을 그리는 마음異國鄉情』, 『열대경도록熱帶驚濤錄』, 중편소설 『모래바람의 도시風沙的城』, 『산촌의 아침』, 『기쁜 소식喜訊』, 『선전허 강가深圳河畔』, 단편소설집 『어린 단원小團圓』, 시집 『철제 아래의 가수鐵蹄下的歌手』, 영화 극본 『야자숲의 노래椰林曲』(합동 창작), 『광저우의 잠복 초소羊城暗哨』, 『난하이의 조수南海潮』(합동 창작), 보고문학 『말레이시아를 벗어나다走出馬來西亞』 등이 있다.

바진의 소설 『게원憩園』, 『제4병실第四病室』, 라오서의 단편소설집 『월아집月牙集』이 상하이천광출판사에서 출간되었다. 커강의 소설집 『눈바람 고원에 붉은 꽃이 피다風雪高原紅花開』가 상하이

신문예출판사에서 출간되었다. 마펑馬烽, 커밍克明 등의 소설 『춘잉 이야기春英的故事』가 화베이인민출판사에서 출간되었다. 바진의 소설 『영웅 이야기英雄的故事』가 상하이핑밍출판사에서 출간되었다.

지팡冀汸의 동화시 『다리와 벽橋和牆』이 상하이신문예출판사에서 출간되었다. 리빙의 시집 『자오차오얼趙巧兒』이 인민문학출판사에서 출간되었다. 중난인민문학예술출판사에서 편찬한 시집 『마오 주석은 우리의 태양毛主席是我們的太陽』이 출간되었다.

위구予穀, 웨이카이韋愷의 화극 『실험試驗』, 류쑤이劉燧 등의 『웨량완月亮灣』이 둥베이인민출판사에서 출간되었다.

『진이 산문소설선靳以散文小說集』이 상하이핑밍출판사에서 출간되었다. 양하오취안楊浩泉의 산문 소품 『사상 소품』(제2집)이 화난인민출판사에서 출간되었다. 팡위안方遠 등의 『가장 사랑스러운 사람과 함께 있다最可愛的人在一起』가 상하이신문예출판사에서 출간되었다. 류바이위의 통신보고 『조국을 위해 싸우다爲祖國而戰』가 상하이신문예출판사에서 출간되었다.

『극본』 9월호에 왕야핑의 평극 「장우자해張羽煮海」, 난빙성南冰聲, 장사오촨張少川, 리전궈李振國가 집필하고 정훙, 옌지저우가 각색한 단막 화극 「총창」, 광웨이란의 평론 「라오서가 창작한 화극 '춘화추실'을 평하다評老舍創作話劇"春華秋實"」, 고리키의 산문 「극본을 논하다論劇本」(멍창 번역), 숑빈熊彬의 자술 「나의 농촌행 생활 체험의 깨달음我下鄉體驗生活的一點體會」이 발표되었다.

시베이희곡연구원西北戲曲研究院 제2극단이 시안에서 마젠링馬健翎이 각색한 진강秦腔 작품 「유서호遊西湖」를 공연하였다. 마젠링은 이혜낭李慧娘이 죽어서 혼령이 되어 복수하는 원작의 내용을 그녀가 살아서 복수하는 것으로 각색해 원작의 운명론적이며 미신적인 부분을 극복하였다. 본 희곡이 공연된 후에 공화국 성립 후의 희곡계에 최초로 귀신이 등장하는 희곡에 관한 논쟁을 불러일으켰다. 『문예보』 1954년 제5호에 「「유서호」 각색에 관한 토론改編<遊西湖>的討論」이 발표되어 각색된 극본에 대한 여러 의견을 정리하였다. 각색된 내용을 긍정하는 이들은 이러한 각색이 유물주의적 관념에 부합하며, 적극적인 투쟁 방법을 창조하였다고 보았다. 그러나 절대 다수의 사람들은 원작에 등장하는 혼령이 봉건적인 미신을 선양하는 것이 결코 아니며, 각색을 맡은 마젠링이 귀신이 등장하는 부분을 전부 삭제한 것은 폭력적인 행동이라고 보았다. 후자의 관점을 대표하는 글은 『문예보』 1954년 제21호에 발표된 장전張真의 「「유서호」의 각색에 관하여談<遊西湖>的改編」이다.

10월

1일, 제2차 중국문학예술공작자대표대회에 참석한 전 대표가 국경절 행사에 참가하였다.

『둥베이문학東北文學』 창간호가 발간되었다. 상하이인민예술극원이 후커의 4막 5장 화극 「영웅의 진지」를 공연하였다. 탕샤오단湯曉丹, 탕화다湯化達가 감독을 맡았다.

3일, 리푸춘李富春이 제2차 문대회에서 보고를 진행하였다.

4일, 제2차 문대회에서 주석단 회의를 진행하였다.

문협 대회의에서 대회 결산을 진행하였다. 사오취안린이 「사회주의 현실주의의 방향을 따라 전진하자沿著社會主義現實主義的方向前進」라는 제목의 결산 보고를 진행하였다. 그는 보고에서 문학공작이 사회주의 공업화와 사회주의 개조사업이라는 위대한 목표를 위해 어떻게 분투해야 하는가를 분석하고, '5·4' 이래 사회주의 현실주의가 중국문학 실천 속에서 발전한 상황을 서술하였다. 또한 오늘날 창작 실천의 발전에 있어 중요한 문제는 임무 창조 문제, 특히 영웅 인물의 창조 문제이며, 인물 창조의 관건은 작가가 투쟁 생활에 깊이 침투해 생활을 관찰하고, 체험하고, 분석 및 연구하는 것이라고 보았다. 창작을 발전시키기 위해서는 정확한 비평을 발전시키고, 민족 형식을 창작하고 발전시켜야 하며, 중국과 세계의 문학유산을 받아들여야 한다고 지적하였다. 그는 또한 "공인계급 사상이 이끄는 반제국주의 반봉건주의적 인민대중의 문학만이 인민의 현실생활과 투쟁을 정확히 반영할 수 있으며, 인민을 교육하고 현실을 지도하는 임무를 정확히 발휘할 수 있다. ……5·4 이후의 신문학의 발전 방향은 사회주의 현실주의 방향이어야 한다. 이 방향을 따라 전진해야만 현실주의가 부단히 발전할 수 있다. 이 방향을 따라 전진하지 않는다면 현실주의의 발전은 불가능하다"라고 천명하였다. 그리고 "그(루쉰을 말함-편집자 주)가 인민과 생활과 역사에 대해 매우 충실했기 때문에 그는 필연적으로 이후에 공산주의자가 되었으며, 중국의 가장 위대한 사회주의 현실주의 작가가 되었다"고 지적하였다. 사오취안린은 마지막으로 문학단체는 앞으로 작가의 창작 발전을 돕는 것을 최우선 임무로 하고, 사회활동을 그 지도 방법으로 삼아야 한다고 주장하였다(『인민문학』 1953년 제11호).

이번 문대회에서 중화전국문학공작자협회가 개편되어 중국작가협회가 정식으로 성립하였다. 「중국작가협회 규정中國作家協會章程」이 통과되었으며, 딩링, 마오둔, 저우양 등 88인을 중국작가협회 이사회의 구성원으로 선출하고, 마오둔, 저우양 등 8인을 이사회 주석단으로 선출하였다. 선거를 통해 마오둔이 주석단 주석을 맡았으며 저우양, 딩링, 바진, 라오서, 커중핑, 펑쉐펑, 사오취안린이 부주석을 맡았다.

극협 전체 확대회의에서 자오쥐인이 발언하고 장광녠이 결산 발언을 진행하였으며 장경이 폐회사를 하였다. 회의에서 새로운 중국희극가협회 규정과 결의를 통과시켰고, 딩시린, 위링, 수이화, 톈팡, 우쉐 등을 이사로 선출하였으며 톈한을 극협 주석으로, 어우양위첸, 메이란팡, 훙선을 부주석으로 선출하였다.

미협 전국위원회 확대회의에서 결산 보고를 진행하고, 규정 및 결의를 통과시켰으며, 선거를 진행한 후 폐회하였다. 무협 전국위원회 확대회의에서 주제발언을 진행하고, 다이아이롄이 폐회사를 한 후 폐회하였다. 음협 전국위원회 확대회의에서 결산 보고를 진행하였다.

제3차 중국인민 조선행 위문단이 베이징에서 출발하였다. 라오서가 총단總團 부단장을, 허룽賀龍이 총단 단장을 맡았다. 위문단은 총단 외에도 8개의 분단分團으로 구성되었으며 인원은 총 5,000여 명이다. 위문단에는 메이란팡, 라오서, 숑포시, 훙선, 천이, 류즈밍劉芝明, 스둥산史東山 등의 문예공작자 대표가 참가하였다. 위문단의 문예공작단은 저명한 예술가 저우신팡, 청옌추, 탄푸잉譚富英, 추성룽裘盛戎, 마롄량馬連良, 옌후이주言慧珠, 신펑샤新鳳霞, 천수팡陳書舫, 천보화陳伯華, 딩스어丁是娥, 스샤오잉石筱英, 딩궈셴丁果仙, 위이쉬안喻宜萱, 저우샤오옌周小燕, 왕쿤王昆 등으로 구성되었다.

스샤오잉(1918~1989), 호극 배우. 본래 성은 판潘이며 상하이 출신이다. 중국극협 이사, 중국문련 위원, 상하이호극원上海滬劇院 예술위원회 주임 등을 역임하였다. 「황후이루와 루건룽黃慧如與陸根榮」, 「롼링위가 자살하다阮玲玉自殺」, 「반역의 여성叛逆的女性」, 「양나이우와 샤오바이차이楊乃武與小白菜」 등의 주연을 맡았다.

5일, 제2차 문대회가 계속 진행되었다. 딩링, 루마니아 문화대표단 단장, 체코 문화대표단 단장, 폴란드 문화대표단 단장이 연설하고, 정전둬, 톈한, 뤄지, 장펑, 왕쭌싼, 다이아이롄 등이 발언하였다. 중화전국음악공작자협회 전국위원회 확대회의에서 「중국음악가협회 규정中國音樂家協會章程」을 통과시켰다.

6일, 제2차 문대회가 폐회하였다. 후차오무가 연설하고, 마오둔이 폐회사를 하였다. 프랑스 작가 베르코르, 쿠바 시인 기옌, 중소우호협회 대표, 독일 베를린작가협회 주석이 연설하였다.

대회에서 다음과 같은 두 가지 결의를 통과시켜 마오쩌둥 주석과 지원군에 전달하였다. 1. 저우언라이 총리의 정치보고 및 문학예술공작에 대한 지시를 지지하고, 또한 4년간의 문학예술공작 상황 및 앞으로의 임무에 대한 저우양 동지의 보고에 동의한다. 대회는 전국 문학예술공작자들에게 중국공산당의 지도 아래 공농병을 위해 복무하는 방향을 파악해 생활에 깊이 침투하고 예술적 수양을 제고하여 예술 실천을 위해 노력하고, 예술이라는 무기를 이용해 국가의 사회주의 공업화를 점진적으로 실현하는 위대한 투쟁에 참가할 것을 호소한다. 2. 중국문학예술계연합회 및 소속 회원 단체는 중소우호협회에 단체회원으로 가입한다. 또한 전국 문예공작자들에게 소련 문학예술 사업의 선진 경험을 학습하고 중소 양국 문학예술의 교류를 강화하여 중소 양국 인민이 세계평화 수호라는 공통의 사업 속에서 신성한 우정을 공고히 하고 발전시킬 것을 호소한다.

대회에서 「중국문학예술계연합회 규정中國文學藝術界聯合會章程」을 통과시키고, 딩링, 바진, 톈한 등 103인을 제2기 전국위원회 위원으로 선출하였다.

7일, 『인민문학』 10월호에 소스킨의 「단편소설 체제의 운용에 관하여談短篇小說體裁的運用」(차이스지 번역), 니콜라예바의 「나는 '수확'을 어떻게 썼는가我怎樣寫"收獲"」(좡서우츠莊壽慈 번역), 스둥산의 「영화예술의 표현형식 측면의 몇 가지 특징電影藝術在表現形式上的幾個特點」, 샤오첸의 「'금성영웅'을 읽고讀"金星英雄"」 등의 평론과 아이우의 단편소설 「새로운 집新的家」, 장커張苛의 「동방에서 황금색 태양이 떠올랐다東方升起了金黃色的太陽」, 「티베트족 청년이 말을 타고 고향으로 돌아가다藏族青年騎馬回家鄉」, 장밍취안張明權의 「강철 공장의 노래鋼鐵工廠的歌」 등의 시, 천바이천, 자지의 영화문학 극본 「송경시」(9월호부터 11월호까지 연재), 루링의 「리자푸 동지를 기억하며記李家福同志」, 한쯔의 「관찰자의 위치에서在觀察員的位置上」, 왕시옌의 「자신을 돌보지 않는 사람 – 헌신적인 노동과 전투忘我的人——忘我的勞動和戰鬥」, 비예의 「개성 최전방 영웅 진지의 순례開城前沿英雄陣地的巡禮」 등의 특필이 발표되었다.

8일, 『인민일보』에 제2차 문대회 폐회 기념 사설 「문학예술 창작의 발전을 위해 노력하자努力發展文學藝術的創作」가 발표되었다. 사설은 "이번 대회는 작가와 예술가들에게는 창작과 공연을 성실히 하고, 부단한 실천 속에서 자신의 수준을 제고할 것을 요구하였다. 또한 문학예술단체 및 각각의 관련 지도부문에 대해서는 작가와 예술가가 창작과 공연에 성실히 임할 수 있는 조건을 여러 방면에서 확보하고, 또한 각 부문의 창작지도 방법을 진지하게 개선하여 각종 행정적인 수단 및 비합리적인 '비평'을 통해 문예창작활동에 난폭하게 간섭하고 공격하는 등의 잘못을 바로잡을 것을 요구하였다. 이것이 이번 대회의 가장 중요한 수확이다. 현재 문학예술계의 가장 절실한 임무는 바로 모든 방법을 이용해 창작을 격려하고, 창작의 재능을 가진 작가가 창작자의 본분을 다하도록 돕고, 작가의 창작활동과 작품의 발표(출판, 공연, 상영, 전시 등)가 편리한 조건과 친밀한 관심을 얻도록 하여 작가와 예술가가 창작과 공연을 성실하게 지속하도록 하고, 훌륭한 작품과 공연이 수많은 군중의 칭찬과 국가의 격려를 얻도록 하는 것이다. 이는 모두 문학예술의 번영을 촉진하는 중요한 방법이다. 비평과 자아비평은 우리의 모든 사업의 발전 동력이자 문학예술사업의 발전 동력이기도 하다. 우리는 비평에 관여하지 않고, 원칙적으로 이를 무시하고 적대시하는 일부 작가들의 잘못된 관점에 반대한다. 그러나 동시에 작가의 노동과 경험을 존중하지 않고, 입에서 나오는 대로 멋대로 말하면서 자기 말이 전부 옳다고 여기는 일부 비평가의 난폭한 태도 역시 반대해야 한다. 작가들은 동지 의식을 가지고 덕으로써 남을 사랑하고, 선함으로써 남을 대하는 비평 방식을 발전시켜야 한다. 이는 즉 서로 치켜세워서도 안 되고, 상대방을 단번에 무너뜨려서도 안 된다는 것이다. 비평을 할 때는 반드시 스탈린의 원칙과 지시, 즉 모든 작품의 가치는 그 작품의 개별적인 장면이 아니라 전체적인 경향을 통해 결정해야 한다는 원칙을 준수해야 한다. 우리의 문학예술사업은 인민사업의 일부분이며, 또한 당의 전체 사업의 일부분이기도 하다. 따라서 문학예술사업의 발전은 당의 일상적이며 정확한 지도와 불가분의 관계에 있다. 각지의 당 조직은 문예단체의 공작에 대한 지도를 그 중요한 임무 중 하나로 보아야 한다"고 밝혔다.

9일, 중화전국문학예술계연합회 제2차 전국위원회에서 전체회의를 소집해 궈모뤄, 마오둔, 저우양 등 21인을 주석단으로 선출하였다. 궈모뤄가 주석단 주석을, 마오둔, 저우양이 주석단 부주석을 맡았다.

중국작가협회 이사회 회의에서 마오둔이 주석으로, 저우양, 바진, 라오서 등이 부주석으로 선출되었다.

12일, 『해방군문예』 10월호에 뤄루이칭羅瑞卿의 「정규훈련과 결합해 공안부대의 문예체육활동을 더욱 잘 전개하자結合正規訓練進一步開展公安部隊的文藝體育活動」, 캉싸라康薩拉의 「우정의 영원한 상징友誼的永恒標志」 등의 글과 류바이위의 「봄春天」, 후정의 「총 이야기槍的故事」, 커강의 「가오리

궁산의 벌목자高黎貢山的伐木者」, 리양정의 「늙은 물귀신老水怪」 등의 소설, 허타이양何太陽의 「설산 초원행雪山草地行」, 먀오마오톈苗茂田의 「새로운 베이징의 새로운 모습新北京的新面貌」 등의 산문, 숑웨린熊躍麟의 「사격장에서射擊場上」, 만칭曼晴의 「동지는 가지 않았다同志沒有走」, 후자오胡昭의 「나의 편지我的信」, 단징슈單景秀의 「거듭나다重生」 등의 시가 발표되었다.

13일, 제1회 신장문학예술공작자대표대회新疆文學藝術工作者代表大會가 폐회하였다.

15일, 『문예보』 제19호에 '중국문학예술공작자 제2차 대표대회 특집'이 게재되었다. 또한 중화전국희극공작자협회 전국위원회 확대회의에서의 톈한의 보고 「희극공작을 잘 진행해 인민의 요구를 만족시키자」가 게재되었다.

19일, 루쉰 서거 17주년을 기념해 상하이 문예계에서 기념 좌담회를 개최하였다. 샤옌, 황위안黃源, 위링, 장진이章謹以 등 50여 명이 참석하였다. 장진이가 좌담회를 주관하고 샤옌이 축사를 하였으며 웨이진즈, 궈사오위 등이 발언하였다. 전국 각지의 신문에 기념의 글이 게재되었다. 펑쉐펑의 「위대한 선구자 루쉰偉大的奠基者魯迅」이 『인민일보』에 발표되었다. 상하이 루쉰기념관은 루쉰 탄생 기념일인 9월 25일부터 10월 19일까지 기념관을 개방하여 각계 인사들이 관람하였다.

황위안(1905~2003), 이름은 치위안啟元, 자는 허칭河清, 본명은 황허칭黃河清으로 허롄何連, 청칭澄清 등의 필명을 사용하였다. 저장성 하이옌海鹽 출신이다. 1927년에 상하이노동대학上海勞動大學 편역관編譯館에서 근무하였다. 1931년에 상하이신생명서점上海新生命書店 편집자를 맡아 '세계신문예명저번역총서世界新文藝名著譯叢'를 편집하였다. 1933년에 잡지 『문학』 편집자를 맡았으며 다음해에 『역문』 잡지 및 『역문총서譯文叢書』 편집자를 겸임하였다. 1938년에 신사군에 참가하였다. 잡지 『항적抗敵』, 『항적보抗敵報』 및 보고문학집 『신사군의 하루新四軍一日』를 편집하였다. 『강회보江淮報』 부편집장, 화둥대학 문학원 원장, 화둥군정위원회 문화부 부부장, 화둥국 선전부 문예처 처장, 저장성위원회 선전부 부부장, 저장성 문화국 국장, 저장성 문련 주석, 중국작가협회 저장분회 주석, 마오둔학회 부회장 등을 역임하였다. 저서로 산문집 『종군 생활隨軍生活』, 『루쉰 선생을 기념하며憶念魯迅先生』, 『루쉰의 곁에서在魯迅身邊』, 『루쉰 서신 추억魯迅書簡追憶』, 『황위안 회고록黃源回憶錄』 등이 있으며 역서로 『투르게네프의 생애와 작품屠格涅夫生平及其作品』, 『세계 동화문학 연구世界童話文學研究』, 『결혼의 파탄結婚的破產』, 『장군이 침대에서 죽다將軍死在床上』, 『고리키 대표작高爾基代表作』, 『세 사람三人』, 『일본 현대 단편소설 번역총서日本現代短篇小說譯叢』 등이 있다.

『루쉰이 황위안에게 보낸 친필 편지 및 주석魯迅致黃源信手跡及注釋』이 출간되었다.

30일, 『문예보』 제20호에 딩링의 「군중 속에 정착하다到群眾中去落戶」가 발표되었다.

이달에 아이칭의 『시론詩論』이 상하이신문예출판사에서 출간되었다. 가오위바오, 추이바와의 『전사 창작선戰士創作選』이 인민문학출판사에서 출간되었다.

야오진姚錦, 리커이李克異의 소설 『전투戰鬥』가 인민문학출판사에서 출간되었다.

왕뤄왕王若望의 단편소설집 『뤼 역장呂站長』이 인민문학출판사에서 출간되었다.

왕뤄왕(1917~2001), 본명은 왕서우화王壽華로 장쑤성 우진武進 출신이다. 1933년에 좌련에 가입해 문예창작을 시작하였다. 1934년에 국민당에 의해 체포되어 10년 형을 받았다. 옥중에서도 산문과 시 창작을 계속해, 이 당시 창작한 작품 가운데 「의용군의 노래義勇軍歌」는 저우웨이즈가 곡을 붙여 전국적으로 유행하였다. 1937년에 석방된 후 옌안으로 가서 산베이공학에 입학하였으며 같은 해에 중국공산당에 가입하였다. 화둥국 선전부 문예처 부처장, 『문예월보』 부편집장, 『상하이문학』 편집부 부주임을 역임하였다. 저서로 단편소설집 『뤼 역장』, 중편소설 『시골의 약혼자鄉下未婚夫』, 산문 『조선행 위문기赴朝慰問記』 등이 있다.

리가오의 소설 『진귀한 과실珍貴的果實』이 상하이핑밍출판사에서 출간되었다. 해방군문예총서 편집부에서 편찬한 『변경에 주둔하는 호국전사駐守邊疆的衛國戰士』가 중국청년출판사에서 출간되었다. 중난인민문학예술출판사에서 편찬한 시집 『쟁기질하며 써레질하며 노래를 부르다邊犁邊耙邊唱歌』가 출간되었다. 양녠츠楊念慈, 리사李莎, 지셴紀弦, 팡쓰方思의 시집 『청춘의 노래青春之歌』가 훙차오서점虹橋書店에서 출간되었다.

위가오의 장편서사시 『앞을 향해 가다向前面去』가 상하이신문예출판사에서 출간되었다. 저자는 「서문」에서 "나는 이 시에서 어떠한 형태의 지식분자가 혁명의 정도 위를 어떻게 걸어왔는지, 그리고 어떻게 계속해서 앞을 향해 나아가야 하는지를 표현했기를 바란다. 시는 두 부분으로 나뉜다. 첫 번째 부분은 어느 대학의 진보적인 학우들이 해방 직전에 진행했던 투쟁에 대해 표현했다. 두 번째 부분은 장옌章炎이라는 인물이 해방 후에 마음속에서 겪은 모순과 투쟁을 중점적으로 묘사하였다. 장옌의 본질은 나쁜 인물이 아니다. 그는 혁명의 열정을 가지고 있다. 그러나 그가 혁명사업 속에서, 그리고 인민대중의 실제 투쟁 속에서 자신의 개인주의적 영혼을 용감히 버리지 않고 자신의 편협하고 공허한 결점과 싸워 이기지 못했다면, 그는 결국 자신의 마음이 만들어낸 작은 세상 속에 자기 자신을 가둬 버려 그가 가지고 있던 혁명의 열정마저 잃어버리고, 더욱 가련한 처지에

빠졌을지도 모른다. 그러나 이 시에서의 장옌의 최후는 그렇게 가련하지 않았다. 그는 매우 고통스럽기는 했지만, 당과 인민으로부터 추진을 받아 한 발씩 앞으로 나아갔다. 그러니, 장옌과 같은 이들의 진보를 축복하자!"라고 밝혔다.

저자는 이후에 "50년대 초에 나는 장편서사시 『앞을 향해 가다』를 썼다. 나는 본래 40년대 말에 있었던 국민당 통치 구역의 학생운동을 배경으로 하여 몇 명의 지식분자가 해방 전에 겪은 운명에 대해 쓰려고 했다. 그러나 집필을 시작하기 전에 나는 돌연 생각을 바꿔 지식분자의 개조를 주제로 삼았다. 때문에 나는 본래 가지고 있던 생활감을 포기하고 새롭게 구상해 시를 두 부분으로 나누었다. 제1부에서는 해방 전의 학생운동에 대해 썼지만, 이 부분을 제2부의 바탕으로 삼았다. 제2부에서는 해방 전의 학생운동 당시에 혁명적 경향을 가지고 있었던 지식청년이 해방 후에 개인주의라는 저열한 근성을 전부 버리지 못해 고민한 끝에 결국 개조를 통해 진보하게 되는 과정을 중점적으로 그렸다." "이 장시는 상하이의 어느 문예출판사에서 출판되기는 했지만, 독자의 마음을 움직이지 못한 실패작이다. 실패한 원인은 단순히 기교적인 측면뿐만 아니라 이 시의 창작 과정에서 그 주된 원인을 찾아야 한다. 이 시가 실패한 주된 원인은 피와 살을 가진 실제 생활에서 출발하지 않았으며, 나 자신이 익숙한 대상에서 출발해 자신의 인식을 심화시켜 주제와 인물 및 장면을 정련하지 못하고, 내가 본래 가지고 있던 감상에서 벗어나 주관적으로 주제를 구상하고 예정된 틀을 짜서 작품 속의 인물이 예정된 임무를 완성하도록 강요했기 때문이다. 작품이 표현하는 세계는 매우 협소하고, 생활의 깊이가 부족하며, 인물은 살아 있지 못하고 작가의 도구가 되어 버렸다." "물론 당시의 내 구상이 틀렸다고 말할 수는 없다. 그러나 개념에서 출발하고, 어떠한 틀에서 출발해 생활을 '재단'하는 창작 과정(혹은 창작 방법)은 반드시 버려야 한다"고 말했다(「하나의 실패한 사례一個失敗的例子」, 『시간詩刊』 1982년 12월호). -> 각주로 처리해야 할 듯합니다.

우창吳強이 집필한 화극 극본 『체포逮捕』가 인민문학출판사에서 출간되었다. 쑨위孫芋 등의 단막 화극 『부녀 대표』가 인민문학출판사에서 출간되었다. 런다린任大霖, 쑨웨이스 등의 화극 『작은 흰 토끼小白兎』가 인민문학출판사에서 출간되었다.

진이의 잡기집 『조국－나의 어머니祖國——我的母親』가 상하이핑밍출판사에서 출간되었다. 양하오취안의 산문 소품 『사상 소품』(제3집)이 화난인민출판사에서 출간되었다. 젠린見林의 서신 『전방과 후방이 한마음이다前方後方一條心』이 톈진통속출판사에서 출간되었다.

리자裏加의 통신보고 『이길 수 없는 힘不可戰勝的力量』이 인민문학출판사에서 출간되었다. 천이陳沂의 통신보고 『우리는 조선에서 돌아왔다我們從朝鮮回來』가 중난인민문학예술출판사에서 출간되었다. 화둥인민출판사에서 편찬한 통신보고 『인민은 지원군을 열렬히 사랑한다人民熱愛志願軍』,

『위대한 감정의 교류偉大感情的交流』가 화둥인민출판사에서 출간되었다.

『극본』 10월호에 톈한의 「희극공작을 잘 진행해 인민의 요구를 만족시키자 – 중화전국희극공작자협회 전국위원회 확대회의에서의 보고做好戲劇工作滿足人民的需要——在中華全國戲劇工作者協會全國委員會擴大會議上的報告」, 훙선의 「인민의 화극예술을 발전시키자 – 전국희극공작자협회 전국위원회 확대회의에서의 발언發展人民的話劇藝術——在全國戲劇工作者協會全國委員會擴大會議上的發言」, 마옌샹의 「희곡개혁공작의 성과를 공고히 하고 확대하자 – 중화전국희극공작자협회 전국위원회 확대회의에서의 발언鞏固並擴大戲曲改革工作的成績——在中華全國戲劇工作者協會全國委員會擴大會議上的發言」, 황티黃悌의 4막 6장 화극 극본 「강철 수송병鋼鐵運輸兵」, 루양춘陸陽春, 천융징陳永倞의 「'강철 수송병'의 무대설계"鋼鐵運輸兵"舞台設計」, 리샤오창李嘯倉의 「경극 '타어살가'에 관하여談京劇"打漁殺家"」 등의 평론이 발표되었다.

황티(1926~1998), 본명은 황팅위黃庭愈로 장쑤성 장닝江寧 출신이다. 1948년에 베이징대학을 졸업하였다. 중앙희극학원 창작실, 문화부 극본창작실, 중국극협 극본창작실 각본가 및 시안화극원 부원장, 시안시 문련 주석 및 당조서기 등을 역임하였다. 1949년부터 작품을 발표하였다. 저서로 화극 극본 『강철 수송병』, 『워후전臥虎鎮』, 『시안 사변西安事變』(합동 창작) 등이 있다.

11월

1일, 불가리아 과학원에서 궈모뤄에게 명예원사名譽院士 지위를 수여하는 행사가 베이징에서 개최되었다.

『문예월보』 10-11월호가 출간되었다. 샤옌의 「화둥 문학예술공작의 일반적인 상황 – 중국문학예술공작자 제2차 대표대회에서의 발언華東文學藝術工作的一般情況——在中國文學藝術工作者第二次代表大會上的發言」, 저우리보의 「인물 창작에 관하여談人物創作」, 차오징화의 「소련문학 연구와 소개에 관하여關於研究和介紹蘇聯文學」, 진이의 「깊은 감상深刻的感受」, 류허우성劉厚生의 「상하이 희곡계와 희곡개혁공작의 최근 상황 – 중화전국희극공작자협회 제2차 전국위원회 확대회의에서의 발언上海戲曲界和戲曲改革工作的最近情況——在中華全國戲劇工作者協會第二次全國委員會擴大會議上的發言」 등의 글이 게재되었으며, 펑바이彭拜의 소설 「사위와 후보자女婿和候選人」, 링쉐웨이另雪葦의 「루쉰의 작풍魯迅的作風」, 바런의 「어떤 감상一點感想」, 탕타오의 「루쉰의 자유주의 반대 정신魯迅的反對自由主義的精神

」, 바진의 「조선 입국 잡기入朝散記」, 왕시옌의 「어느 병기 상사의 전투 경험一個軍械上士的戰鬥遭遇」, 런워任斡의 「조선행 위문 잡기赴朝慰問散記」, 천덩커의 「평범한 사람一個平凡的人」, 웨이진즈의 「추이바와를 만나다和崔八娃的見面」 등의 글이 발표되었다.

허치팡이 베이징도서관에서 개최한 강연회에서 「시 창작과 시 읽기에 관하여關於寫詩和讀詩」라는 제목으로 강연을 진행하였다. 그는 "시는 사회생활을 가장 집중적으로 반영하는 문학 형식이다. 시는 풍부한 상상과 감정을 함유하고 있으며, 종종 감정을 직접 드러내는 방식으로 표현한다. 또한 정제되고 조화롭다는 점에서, 특히 리듬이 선명하다는 점에서 보면, 시의 언어는 산문의 언어와 다르다"라고 말했다.(「시 창작과 시 읽기에 관하여 – 1953년 11월 1일 베이징도서관에서 개최된 강연회에서의 강연1953年11月1日在北京圖書館主辦的講演會上的講演」, 『시 창작과 시 읽기에 관하여』, 작가출판사 1956년 -> 각주로 처리해야 할 듯합니다.)

5일, 상하이전영제편창에서 중화인민공화국 최초의 컬러 영화 「양산백과 축영대」를 완성하였다.

6일, 화둥작가협회 성립대회가 개최되어(6일~9일) 100여 명이 참석하였다. 회의에서는 화둥작가협회 규정을 통과시키고, 샤옌, 바진, 위링 등 46명을 이사로 선출하였다. 중공중앙 화둥국 제2서기 천이陳毅가 「현재의 형세와 과도기의 총노선, 총임무目前形勢和過渡時期總路線, 總任務」라는 제목으로 보고를 진행하였다.

7일, 『인민문학』 11월호가 출간되었다. 저우양의 「우수한 문학예술작품을 더 많이 창조하기 위해 분투하자」, 마오둔의 「새로운 현실과 새로운 임무」, 바진의 「진심 어린 축복衷心的祝福」, 커중핑의 「사회주의적 내용과 민족형식을 지닌 시가를 창조하자創造社會主義內容民族形式的詩歌」, 허치팡의 「더 많은 작품, 더 높은 사상예술 수준更多的作品,更高的思想藝術水平」, 샤오싼의 「새로운 인물 전형 창조 문제에 관하여談談創造新人物典型的問題」, 차오위의 「생활에 깊이 침투해야 한다要深入生活」, 장톈이의 「나는 아이들을 위해 한 마디 하려 한다我要爲孩子們講一句話」, 사오취안린의 「사회주의 현실주의의 방향을 따라 전진하자」, 「중국작가협회 규정中國作家協會章程」 등 제2차 문대회 관련 글이 게재되었다. 이 외에도 아이칭의 「총을 숨기다」, 류바이위의 「전투의 행복戰鬥的幸福」, 리뤄빙李若冰의 「산베이 찰기陝北劄記」, 바진의 「잊을 수 없는 원한忘不了的仇恨」, 젠셴아이의 「새싹新芽」, 거비저우의 「산베이행陝北行」, 톈디의 「기념 휘장紀念章」, 예성타오의 「건배幹杯」 등의 시 및 특필과 천바이천, 자지의 영화문학 극본 「송경시」(연재 완료) 등이 발표되었다.

커중핑은 글에서 "수준 높은 사회주의 현실주의 시가를 창조하기 위해서 시인은 반드시 사회주의적 입장과 관점 및 방법을 취해야 하며, 반드시 현실 생활에 깊이 침투해 사회주의적 입장에 서서 공농병과 함께 생활하고, 관찰하고, 체험하고, 분석해 생활의 본질과 모습을 요약해야 한다. 생활 속에서 전진하는 사상을 탄생시켜 시의 감정을 격동하게 한 후에야 시의 창작을 진행할 수 있다. 창작을 할 때는 반드시 시의 사회주의적 내용과 시의 민족형식을 창조적이고 융통성 있게 고도로 통일시켜야 한다"고 지적하였다.

허치팡은 글에서 "몇 십 행에서 몇 백 행이나 되지만 그 속에서 읽는 이의 마음을 깊이 감동시킬 만한 시구는 거의 찾을 수 없는 시들이 많아 사람들이 오래도록 잊지 못하게 하는 진정한 시가 거의 없다. 오늘날 우리가 쓰는 시는 너무나 정제되지 못한 시들이다. 중국은 대단히 유구하고 풍부한 시의 전통을 가진 나라이다. 고대의 대시인들의 성공작은 그 얼마나 정제되고 아름다우며 사람을 감동시키는가! 그 시들은 마치 시인이 정신의 손가락으로 한 글자 한 글자를 쓰다듬은 듯해, 이 시들에는 조화롭지 못한 구절이나 필요 없는 구절이 전혀 없는 듯하다. 우리는 어릴 때 이 시들을 읽었고, 지금까지도 외울 수 있다. 고대의 시인들은 그들의 시대의 문학 언어와 형식으로 이런 작품을 쓸 수 있었는데, 우리는 어째서 현재의 언어와 형식으로 이와 같이 정제되고 아름다우며 감동적인 작품을 쓸 수 없는 것인가?"라고 말했다.

12일, 출판총서에서 「해적판 도서의 임의 발행 현상 시정에 관한 규정關於糾正任意翻印圖書現象的規定」을 발포하였다.

『해방군문예』 11월호가 출간되었다. 『인민일보』 사설 「문학예술 창작을 발전시키기 위해 노력하자努力發展文學藝術的創作」, 저우양의 「우수한 문학예술작품을 더 많이 창조하기 위해 분투하자」, 마오둔의 「새로운 현실과 새로운 임무」, 푸중傅鍾의 「우리의 위대한 현실을 창작하자 - 혁명전쟁寫我們偉大的現實──革命戰爭」 등의 논문과 추이바와의 「술주전자 한 개」, 지캉季康의 「라오미타오와 그녀의 아들들老米濤和她的兒子們」 등의 소설, 선모쥔의 영화문학 극본 「도강 정찰기渡江偵察記」, 가오위바오의 통신보고 「부쿠레슈티에서의 마지막 하루在布加勒斯的最後一天」, 양쯔장楊子江, 핑즈이平植義, 왕스창王世嘗의 「홍후 뱃노래 및 기타洪湖漁歌及其他」(민가선으로 「홍후에 물결이 일다洪湖水浪打浪」, 「태워 버릴 수 없는 홍후燒不盡洪湖水」, 「창장의 물은 대해로 통한다長江流水通大海」, 「형이 돌아왔다哥哥回來了」 등을 수록) 및 런핑任蘋의 「하다를 바치고 마음을 바치다獻上哈達獻上心」, 왕라오주王老九의 「마오 주석을 노래하다歌頌毛主席」, 가오핑의 「인수인계 전후接崗前後」 등의 시가 발표되었다.

15일, 『문예보』 제21호가 출간되었다. 1953년 10월(21일부터 24일까지)에 개최된 소련작가협회 이사회 제14차 회의에서의 시모노프의 발언문 「소련 희극창작의 발전 문제蘇聯戲劇創作的發展問題」의 번역문이 게재되었다. 본 회의의 중요한 의제 중 하나는 현대 소비에트 희극창작의 상황과 그 임무를 토론하는 것이었다. 시모노프의 이 글은 바로 이 의제에 관한 보고이다. 그는 보고에서 문학유산 계승, 긍정적 인물의 성격 창조, 희극창작 기교 및 희극비평 등의 문제에 관해 언급하고, 또한 소련 문예창작의 현 상황에 대해 비평하였다.

상하이인민예술극원이 리칭성, 스시, 스만, 톈광차이, 자오창의 3막 6장 화극 「40년의 희망」을 공연하였다.

20일, 『인민일보』에 딩링의 산문 「군량 주임糧秣主任」이 발표되었다.

『허난일보』에 리준李準의 소설 「그 길을 갈 수 없다不能走那條路」가 발표되었다. 『창장문예』 1954년 1월호에 이 소설이 전재되고, 위헤이딩의 평론 「현실생활에서 출발해 인물의 진실한 모습을 표현하다從現實生活出發表現人物的真實形象」가 발표되었다. 본 소설과 평론이 문예계의 토론을 불러일으켰다.

리준(1928~2000), 몽골족 소설가, 극작가. 본래 성은 무화리木華梨이며 리준李准, 리톄성李鐵生 등의 이름을 사용하였다. 허난성 뤄양 출신이다. 중국작가협회 허난분회 부주석, 중국현대문학관 관장, 중국전영가협회 상무이사, 중국전영문학학회 부회장 등을 역임하였다. 저서로 장편소설『황허는 동쪽으로 흘러간다黃河東流去』, 단편소설집 『리솽솽 약전李雙雙小傳』, 『수레바퀴 자국車輪的轍印』, 『밤에 뤄퉈링을 가다夜走駱駝嶺』, 『농번기 5월農忙五月天』, 산문집 『피안집彼岸集』, 『삼림야화森林夜話』, 영화문학 극본 『말 치는 이牧馬人』, 『높은 산 아래의 화환高山下的花環』, 『노병의 새 전기老兵新傳』, 『리솽솽李雙雙』, 『활기찬 정신龍馬精神』, 『큰 강이 세차게 흐르다大河奔流』, 『두 영웅이 만나다雙雄會』, 『칭량쓰의 종소리清涼寺的鍾聲』, 『지훙창吉鴻昌』 등이 있다.

24일, 문화부에서 「「향비」 공연 금지에 관한 통지關於禁演<香妃>一劇的通知」를 발포하였다.

30일, 『문예보』 제22호에 루링의 「판문점 전선 잡기板門店前線散記」가 발표되었다(제23호까지 연재).

이달에 중앙인민정부 문화부에서 전국 각지 화극단이 서로 경험을 교류하고 업무 수준을 제고하도록 하기 위해 전국 80여 명의 관련 인사를 베이징으로 초청해 중국청년예술극원에서 공연한 화극 「율리우스 푸치크」와 「이렇게 살지 않을 수 없다非這樣生活不可」를 관람하도록 하였다. 또한 광웨이란, 저우웨이즈, 자오쥐인, 장겅, 어우양산쭌, 쑨웨이스 등을 초청해 화극예술에 관한 특강을 진행하였다.

세계 평화 평의회 빈 회의에서 1954년에 문화 명인 4인의 기념에 관한 결의를 통과시켜 영국 작가 필딩 서거 200주년, 러시아 작가 체호프 서거 50주년, 체코의 작곡가 드보르작 서거 50주년, 그리스의 아리스토텔레스 탄생 2,400주년을 기념하기로 결정하였다.

청년단 중앙위원회에서 소년아동공작회의를 소집하였다. 회의에서는 전국 각지의 청년단 조직에 아동 간행물을 발행하는 것 외에도 문학예술, 과학 등 부문 및 출판기관과의 연계를 강화해 작가, 예술가, 과학자들이 아동을 위해 더 많은 우수한 아동문예 및 과학 보급 작품을 창작하도록 격려할 것을 요구하였다. 이를 통해 신중국 아동문학 발전을 위한 최초의 사상적 기초를 다졌다.

청첸판의 문학비평집 『문학비평의 임무文學批評的任務』가 중난인민문학예술출판사에서 출간되었다. 숭푸의 문예평론집 『마오쩌둥 문예노선을 고수하기 위해 투쟁하자爲堅持毛澤東文藝路線而鬥爭』가 중난인민출판사에서 출간되었다. 탕타오의 논문집 『루쉰으로부터 배우자向魯迅學習』가 상하이 핑밍출판사에서 출간되었다. 마사오보의 『희곡개혁논집戲曲改革論集』이 상하이신문예출판사에서 출간되었다. 쑨카이디孫楷第의 논저 『중국 단편 백화소설을 논하다論中國短篇白話小說』가 상하이탕디출판사上海棠棣出版社에서 출간되었다. 취추바이 문집 편집위원회瞿秋白文集編輯委員會에서 편찬한 『취추바이 문집瞿秋白文集』(제1, 3집)이 인민문학출판사에서 출간되었다.

『아이우 단편소설집艾蕪短篇小說集』이 인민문학출판사에서 출간되었다. 양쉬의 단편소설집 『중국 인민의 발자국 소리中國人民的腳步聲』가 상하이신문예출판사에서 출간되었다. 루주궈의 소설 『상간링』이 상하이신문예출판사에서 출간되었다. 바진의 소설 『한야寒夜』가 상하이천광출판사에서 출간되었다. 라오서의 단편소설집 『미신집微神集』이 상하이천광출판사에서 출간되었다. 바이화白樺의 소설집 『변경의 목소리邊疆的聲音』가 작가출판사에서 출간되었다. 추이바와의 소설 『자식을 팔아 빚을 갚다』가 시베이인민출판사에서 출간되었다. 황강의 『그녀들은 승리자다她們是勝利者』가 공인출판사에서 출간되었다.

취강瞿剛의 시집 『네가 훈장을 자주 달기를望你多把勳章掛』이 중난인민문학예술출판사에서 출간되었다. 위안수이파이의 시집 『바르샤바·베이징·빈華沙·北京·維也納』이 인민문학출판사에서 출간되었다.

천이루陳一如 등의 화극 『내일을 위하여爲了明天』, 량룽팡梁龍芳의 『햇빛을 보아라見見陽光吧』가 산둥인민출판사에서 출간되었다. 아이빙, 푸전이 편찬한 산문 소품 『사상과 생활』(제3, 6집)이 충칭인민출판사에서 출간되었다.

화둥인민출판사에서 편찬한 통신보고집 『중국과 조선의 우정은 바다처럼 깊다中朝友誼海樣深』가 출간되었다. 한샹이韓向義의 통신보고 『소련 잡기蘇聯散記』가 전망주간사展望周刊社에서 출간되었다.

셰짜이산謝再善이 번역한 바이터나무巴李特那木의 저서 『몽골문학 발전사蒙古文學發展史』가 상하이문화생활출판사에서 출간되었다. 차오바오화가 번역한 고리키의 『소련문학蘇聯文學』이 상하이신문예출판사에서 출간되었다.

『극본』 11월호가 출간되어 하오서우천郝壽臣, 탄푸잉, 추성룽, 위안스하이袁世海의 경극 「공성계空城計」, 싱예의 단막 화극 「회의를 열다開會」, 시모노프의 평론 「깊은 것과 얕은 것深刻的和膚淺的」(쯔신自新 번역), 다이부판의 평론 「'흑선풍 이규'의 몇 가지 문제에 관하여關於"黑旋風李逵"的幾個問題」가 발표되었다.

12월

1일, 『창장문예』 12월호에 웨이양의 소시집 「지원군 전사의 시志願軍戰士的詩」가 발표되었다. 「총을 내게 다오!槍給我吧!」, 「이 술을 가득 따르다斟滿這杯酒」, 「나의 양심我的良心」 등 3편의 시가 수록되었다. 원산聞山은 "「총을 내게 다오!」는 훌륭한 영웅 송가이다. 시인은 격렬하게 진행 중인 진지 쟁탈전 속의 생생한 찰나, 한 장면을 포착해 열사의 영웅적인 기개와 적에 대한 증오를 뚜렷하게 표현하고, 또한 중국인민지원군 전사들 사이의 숭고한 전투의 우정을 표현하였다. 중국인민지원군 열사는 시 속에서 정의를 위해 죽었지만 여전히 살아 있는 듯이 그려져 있다"고 평했다(「웨이양의 시 몇 편에 관하여談未央的幾首詩」, 『문예보』 1954년 제11호).

5일, 문화부에서 각급 정부 주관부문에 「춘절 농촌문예활동 전개를 통해 농민들에게 총노선을 선전하는 데 관한 지시關於開展春節農村文藝活動向農民宣傳總路線的指示」를 발포하였다.

7일, 『인민문학』 12월호가 출간되어 고리키의 「소련 제1차 작가대표대회 맺음말在蘇聯第一次作家代表大會上的結束語」(차오바오화, 장리슈張禮修 번역), 옌둔이嚴敦易의 「고전문학에서의 양산백과 축영대 이야기古典文學中的梁祝故事」, 궈모뤄의 「'만주백화'에 관한 보충설명關於'晩周帛畫'的補充說明」 등의 글과 딩링의 「군량 주임糧秣主任」, 루링의 「전사의 마음戰士的心」, 뤄빈지의 「밤에 황니강을 가다夜走黃泥崗」 등의 소설, 리가오의 「위험한 때에在危難的時候」, 리보자오의 「영원한 우정永恒的友誼」, 가오제차오高節操의 「이불 홑청 이야기被面的故事」, 황치솨이黃起衰의 「나는 그들이 그립다我懷念他們」, 푸치크의 「산문 3편散文三篇」(쑤항蘇杭 번역) 등의 산문, 옌천의 「홍기수紅旗手」, 웨이양의 「평범한 일平常的事」, 푸처우傅仇의 「우장의 노래烏江之歌」와 「술 이야기酒的故事」, 리런푸李刃夫의 「홍후 2장洪湖二章」, 훙청紅誠의 「홍매나무紅梅樹」, 후펑의 「잠든 마을은 이렇게 말한다睡了的村莊這樣說」 등의 시가 발표되었다.

푸처우(1928~1985), 본명은 융캉永康이며 쓰촨성 쯔궁自貢 출신이다. 1950년에 군에 입대하였다. 비적 토벌 및 토지개혁에 참가하였으며, 충칭 난퉁南桐 석탄공장에서 노동하며 생활을 체험하였다. 1952년에 쓰촨성 문련으로 이동하였다. 1954년 이후로 촨시고원川西高原 원시림에서 총 30여 년 동안 생활을 체험하였다. 1986년에 임업부와 쓰촨성 인민정부로부터 '삼림시인森林詩人'이라는 칭호를 수여받았다. 1946년부터 작품을 발표하였다. 저서로 시집 『삼림의 노래森林之歌』, 『설산가요雪山謠』, 『벌목자伐木者』, 『종자·노래·길種籽·歌曲·路』, 산문집 『적화연赤樺戀』, 민가집 『금색의 태양金色的太陽』, 장시 『주마珠瑪』, 영화문학 극본 『청개구리 소년青蛙少年』 등이 있다.

10일, 중국인민지원군 정치부에서 「전군에 「지원군의 하루」 집필을 호소하기 위한 결정爲號召全軍撰寫<志願軍一日>的決定」을 발포하였다.

11일, 미술가협회와 중앙미술학원에서 쉬베이훙 기념행사를 개최해 문예계의 저명인사와 쉬베이훙의 벗, 중앙미술학원 교원 및 학생 등 500여 명이 참석하였다. 미협 부주석 우쭤런吳作人이 쉬베이훙의 일생과 업적을 보고하였다. 저우양이 행사에 참석해 "쉬베이훙은 중국인민의 걸출한 화가이자 탁월한 예술교육가이다. 그는 중국 민족회화의 현실주의 전통을 계승하는 동시에 서양 고전회화의 현실주의 창작방법과 기교를 흡수해, 예술 창조 과정에서 수준 높은 기교와 농후한 민족 특색을 결합해 표현하였다. 그의 작품에는 조국을 열렬히 사랑하고 인민을 동정하는 마음이 드러나 있다. 예술 창조에 있어 열성적으로 학습하고 꾸준히 갈고 닦은 그의 정신은 모두에게 본보기가 될 만하다"라고 발언하였다.

12일, 『해방군문예』 12월호에 작가 미상의 단막극 「변방의 자리에서在邊防崗位上」(바이쭈윈白祖芸 번역), 딩링의 「군중 속에 정착하다」, 커중핑의 「사회주의적 내용과 민족형식을 지닌 시가를 창조하자」, 샤오싼의 「새로운 인물 전형 창조 문제에 관하여」 등의 논문과 차오전펑曹振峰의 시 「전투의 우정戰鬥的友誼」, 린위의 「멍링허의 봄猛鈴河之春」, 스퉈의 「편지를 쓰다寫信」, 지캉의 「아이들의 선물孩子們的禮物」, 후치의 「저격수狙擊手」 등의 소설이 발표되었다.

문화부에서 「사영 극단 등록 및 장려 공작에 관한 지시關於私營劇團登記和獎勵工作的指示」를 발포하였다.

15일, 『문예보』 제23호에 사설 「국가 과도기의 총노선과 문학예술의 창작 임무國家的過渡時期的總路線和文學藝術的創作任務」가 발표되었다. 글은 "문학예술공작자의 가장 근본적인 임무는 더욱 깊이 있고 전면적인 학습을 통해 총노선을 더욱 철저하게 이해하고, 이로써 우리나라의 위대한 현실생활과 투쟁 속에 깊이 침투하는 것이다. 문예공작자는 반드시 총노선을 학습하고, 문예공작의 '특수성'에 주의해야 한다. 우리의 문예창작사업은 인민의 사상 전선 및 인민의 자아를 개조하는 교육전선과 동떨어진 채로 나아갈 수 없다. 우리의 인민을 진실하게 묘사하는 문예작품을 창조하기 위해서는 총노선을 깊이 학습하고, 이를 통해 생활 속에 깊이 침투하는 것이 바로 이 공작을 성공시키기 위한 관건이다"라고 지적하였다. 같은 호에 짱커자의 논문 「반항적이고, 자유로우며, 창조적인 「여신」反抗的, 自由的, 創造的<女神>」이 발표되었다.

16일, 중공중앙에서 「농업생산합작사 발전에 관한 결의關於發展農業生產合作社的決議」를 통과시켜 1943년 1월 8일에 정식으로 공포되었다. 『신관찰』 제24호에 사어우의 시 「실패하고 다시 돌아오다碰壁而歸」가 발표되었다.

24일, 정무원에서 제199차 정무회의를 개최해 문화부 부장 마오둔이 1953년도 문화부 공작보고를 진행하였다. 정무원은 같은 날 「영화제작 공작 강화에 관한 결정關於加強電影制片工作的決定」과 「영화상영망 및 영화공업 건립에 관한 결정關於建立電影放映網與電影工業的決定」을 통과시켰다. 『인민일보』 1954년 1월 12일자에 상기한 두 가지 결의안이 공포되고, 사설 「인민의 영화사업을 더욱 발전시키자進一步發展人民電影事業」가 발표되었다.

25일, 『문예월보』 제12호에 바런의 「「레닌」을 읽다讀<列寧>」, 바진의 「웨이 중대장과 그의 영웅 중대魏連長和他的英雄連隊」, 런워의 「강철 수송선鋼鐵運輸線」, 궈사오위의 「고전문학 학습 문제學習古典文學的問題」, 쑹윈빈의 「나는 문예공작을 하고 싶다我還想做一點文藝工作」, 팡쑨方隼의 「한국 우주봉에 관하여關於漢劇宇宙鋒」, 스링의 「「젠쯔냥이 고발하다」에 관하여關於<犍子娘告狀>」, 탕타오의 「'선거'에 관하여談"選擧"」, 웨이진즈의 「'작은 풍작'에 대한 나의 의견我對於"小豐産"的意見」 등의 논문과 스튀의 「전진곡前進曲」, 루페이逯斐의 「아침早晨」, 웨이안韋荌의 「여자 관리원女管理員」 등의 소설이 발표되었다.

스링(1909~1956), 작가. 본명은 다허大河, 별호는 치위奇玉이며 필명은 스링石靈이다. 장쑤성 관윈灌雲 출신이다. 1935년에 지난대학 외국어문학과를 졸업하였다. 대학 시절에 좌련에 가입하였다. 『항련보抗聯報』 편집장, 『문학월보』 편집위원, 신문학출판사 부편집장을 역임하였다. 저서로 중편소설 『메뚜기를 잡는 사람捕蝗者』, 화극 극본 『그들이 각성할 때當他們覺醒的時候』, 『헛되이 애를 쓰다枉費心機』, 『소를 팔다賣牛』, 『우유 한 잔一杯牛奶』, 『이음새가 없는 울타리無縫的籬笆』, 아동극 극본 『마귀를 붙잡다捉拿魔鬼』, 통신 『불굴의 투쟁不屈的鬥爭』, 산문집 『송도집松濤集』 등이 있으며 이후에 『스링 선집石靈選集』이 출간되었다.

26일, 『인민일보』에 산촨山川의 기사 「농민 시인 왕라오주農民詩人王老九」가 게재되었다. 기사는 "재능 있는 농민 시인 왕라오주는 신사회 속에서 그 재능을 드러냈기에 귀중하게 대접받고 육성될 수 있었다. 그의 첫 시가 신문에 발표되었을 때, 문련과 신문사들에서 일제히 그에게 격려의 편지를 보냈으며 그를 통신원으로 받아들였다. 뒤이어 산시陝西성 문예창작자 대표대회에 그를 초청하였다. 이에 흥분한 노시인은 쾌판 작품을 더 빨리 창작하게 되었다. 문화와 정책을 배우기 위해(본래 글을 어느 정도는 알고 있었다) 그는 특별히 돋보기를 하나 사서 날마다 휴식 시간과 취침 전에 항상 책과 신문을 읽었으며, 수십 년 동안 펜을 쥐어 본 적 없는 손으로 다시 글자 쓰기 연습을 시작하게 되었다." "서른여섯 마지기의 밭에 농사를 짓던 이 노인은 2년여 동안 등불 아래 밤을 새워 가며 사색을 거듭해 새로운 사회와 새로운 인물을 노래하는 쾌판시 28편을 창작했다. 이 작품들은 모두 현재의 모든 중대한 운동들에 하나하나 호응하고 있다. 국가에서 농민들에게 목화를 저장해 판매할 것을 호소했을 때 그는 시기에 맞춰 '나라를 사랑하는 라오장이 목화를 판다老張愛國賣棉花'를 썼고, 춘궁기가 찾아와 농민 민간 대출을 통해 자구책을 찾아야 하는 상황이 되자 '보릿고개를 지나다渡春荒'를 썼다. 그는 이야기하고 노래하는 데만 능한 사람일 뿐만 아니라, 생활의 최전선에 서 있는 착실한 일꾼이기도 하다. 정부에서 가뭄 방지를 호소하자 그는 두레패를 조직해 우물을 파서 농지에 물을 댔고, 마을에서 겨울 농한기 학당을 열자 그는 직접 교사를 청소한 후 부녀와 어린이들에게 학교에 가도록 격려했다. 매년 농업세를 걷을 시기가 되면 항상 곡식을 깨끗이 잘 말려 한 번에 전부 납부했고, 항미원조 운동의 일환인 생산 기부운동 때는 자신의 노동 수입을 네 차례나 기부했다. 때문에 노동을 노래할 때 그는 외형적인 아름다움만을 추구하지 않고, 내재된 아름다움을 발굴하고, 노동과 애국주의 및 국제주의의 유기적인 관계를 발굴했다." "노시인은 수많은 농민의 생활과 사상, 감정을 생생하게 노래했다. 그의 작품은 산시陝西의 농촌에 널리 퍼졌다. 펑현鳳縣 허커우河口구의 어느 신문 독서조에서는 신문에 왕라오주의 쾌판시가 실린 것을 보면 항상 두 번 세 번을 거듭 읽곤 한다"라고 보도하였다.

27일, 친자오양의 「왕융화이 - 산간 지대를 건설한 사람들 제1편王永淮——建設山區的人們之一」이 『인민일보』에 발표되었다.

30일, 『문예보』 제24호에 펑쉐펑의 「영웅과 군중 및 기타英雄和群眾及其它」, 왕야핑의 「창작실천 속에서 우수한 곡예문학작품을 창작하자 - 1953년 9월 29일 중국곡예연구회 성립대회에서의 보고在創作實踐中寫出優秀的曲藝文學作品——一九五三年九月二十九日在中國曲藝研究會成立大會上的報告」 등의 글이 발표되었다. 펑쉐펑은 글에서 영웅, 군중, 전형화 및 비'이상화', 부정적 인물의 예술형상, 당성에 관한 문제, 풍자에 관한 문제 등을 언급하였다.

31일, 『톈진일보』에 쑨리의 글 「풍격을 논하다論風格」가 발표되었다.

출판총서에서 시대출판사에 서신을 보내, 본 출판사가 이미 소련의 타스 통신사에서 중국 정부로 이관되어 출판총서에서 중소우호협회에 본 출판사의 업무를 이끌 것을 위탁했음을 알렸다. 본 출판사는 1957년에 상무인서관에 합병되었다.

이달에 화둥작가협회에서 문학작품이 총노선 선전 교육하의 농민의 사상과 감정을 적시에 반영할 수 있도록 하기 위해 일부 작가들을 조직해 농촌 단기 방문을 진행하였다. 웨이진즈, 황위안, 탕타오, 스링, 왕시옌 등 13인이 참여하였다.

시베이군구 정치부에서 제1회 전군 문예작품 시상 회의를 개최하였다. 시상 범위는 1952년 5월에 문화학습이 시작된 이후로 발표된 문예작품 가운데 전사의 작품과 아마추어 작품을 위주로 하였다. 회의에는 전 군구 14개 부서의 대표 40여 명이 참석하였다. 추이바와의 소설 「개가 또 물기 시작했다」, 「자식을 팔아 빚을 갚다」 등이 1등상을 수상하였다.

시난 및 중난군구에서 전군 문예공작을 검사하고 추진하기 위해 "중대를 주목하고, 병사를 위해 복무"하며, "'전투적이고 군중적인 문화예술공작'을 전면적으로 전개하는 방침"을 관철해 충칭에서 문예검열대회를, 광저우에서 제2차 문예공연을 개최하였다. 공연에는 최하부 조직의 문공단과 전사 공연단 등이 참가하였으며, 시난 지구에서는 티베트족과 이족 전사 대표도 참가하였다. 시난군구의 문예검열은 문학, 미술창작 전시, 예술 공연으로 구분되어 1천여 편의 소설과 희극 등의 작품이 출품되었으며, 공연에 참가한 프로그램은 300여 개에 달한다. 이 가운데 티베트군구 문공단이 창작한 가곡 「우리가 어찌 노래하지 않을 수 있는가叫我們怎麽不歌唱」, 쓰촨의 평서評書「청년 영웅 친원쉐青年英雄秦文學」가 창작공연 1등상을 수상하였으며, 가극 「췌얼산을 뚫다打通雀兒山」, 「길 닦는 노래築路歌」가 창작 1등상을 수상하였다.

중난문예공연에는 180여 개의 음악, 미술, 무용 프로그램이 참가하였다. 이 가운데 우수한 문학미술 창작 작품 및 공연 프로그램이 적지 않아, 형식은 간략하고 다양하며 선명한 지방 및 민족의 특색을 풍부하게 갖추었다. 시난군구의 허룽賀龍 사령원은 시난군구 문예검열대회에 보낸 축하 서신에서 "새로운 역사적 시기에 부대의 문예공작자는 우리의 대오가 행진하는 과정에서 나팔수의 영광스러운 역할을 맡아 부대를 교육하고 격려해야 한다"고 밝혔다.

황야오멘의 문학비평집 『침사집沉思集』이 상하이탕디출판사에서 출간되었다. 쑨리의 『문학 단론文學短論』이 상하이문화공작사에서 출간되었다. 위헤이딩의 문학평론집 『생활, 학습, 창작生活, 學習, 創作』이 중난문예출판사에서 출간되었다. 취추바이 문집 편집위원회에서 편찬한 『취추바이 문집』(제2집)이 인민문학출판사에서 출간되었다.

아이즈핑艾治平의 『통신 창작에 관하여談通訊寫作』가 중난문예출판사에서 출간되었다.

아이즈핑(1925~), 허비이성 러팅樂亭 출신이다. 1949년에 베이징대학을 졸업하고, 같은 해에 제4야전군에 참가하였다. 『전사보』, 『난징일보』, 『양청만보羊城晩報』 및 지난대학에서 근무하였다. 저서로 『오늘날의 북경대학今日的北大』, 『우즈산을 처음 방문하다初訪五指山』, 『피의 우정血的友誼』, 『통신 창작에 관하여』, 『우즈산을 다시 방문하다再訪五指山』, 『변방의 매邊防之鷹』 등이 있다.

루쉰의 소설 『축복祝福』이 인민문학출판사에서 출간되었다. 자오수리의 소설 『리자좡의 변천』, 『라오양 동지老楊同志』가 인민문학출판사에서 출간되었다. 예성타오의 단편소설 『겨울 휴가의 어느 하루寒假的一天』가 인민문학출판사에서 출간되었다. 라오서의 단편소설 『대잡원 속의 사람들大雜院裏的人們』이 인민문학출판사에서 출간되었다. 라오서의 장편소설 『이혼』(수정본)이 상하이천광출판사에서 출간되었다. 저우리보의 단편소설 『입대參軍』가 인민문학출판사에서 출간되었다. 추이바와의 『도자기 공장에서在窯廠裏』, 양숴의 『야오창겅 일가姚長庚一家』, 장지후이張積慧의 『나는 당에 감사한다我感謝黨』, 한펑의 『사수射手』 등의 소설이 시베이인민출판사에서 출간되었다. 리준의 소설 『그 길을 갈 수 없다』가 허난인민출판사에서 출간되었다.

단편소설집 『운하 모래톱에서運河灘上』가 화베이인민출판사에서 출간되었다. 충웨이시從維熙, 류사오탕, 한잉산韓映山, 팡수민房樹民 등의 소설 9편을 수록하였다.

충웨이시(1933~2019), 작가. 허베이성 위톈玉田 출신이다. 1953년에 베이징사범학교를 졸업하였으며 1956년부터 전문 창작을 시작하였다. 1957년에 우파로 오인되었다가 1978년에 복권되어 문단에 복귀하였다. 베이징시 문련 전문작가, 작가출판사 사장 겸 편집장을 역임하였다. 1950년에 첫 작품 「전장에서戰場上」를 발표하였으며 1955년에 첫 소설산문집 『7월의 비七月雨』를 출간하였다. 1978년 창작을 재개한 후의 주요 저서로 『감옥 아래의 자목련大牆下的紅玉蘭』, 『멀어져 가는 흰 돛遠去的白帆』, 『북국초北國草』, 『흰 구름이 하늘에 날리다白雲飄落天幕』, 『혼돈을 향해 걸어가다走向混沌』 등의 중, 단편소설 및 산문이 있다.

한잉산(1933~1998), 작가. 필명은 두쥐안杜鵑으로 허베이성 가오양高陽 출신이다. 허베이성 문련 편집자, 톈진시 문련 편집자, 바오딩시 군중예술관 창작원, 바오딩시 문련 주석 및 편집심사위원을 역임하였다. 1952년부터 작품을 발표하였다. 1972년에 중국작가협회에 가입하였다. 저서로 소설산문집 『수향 잡기水鄉散記』, 『자위집紫葦集』, 『녹하집綠荷集』, 『연꽃 향기가 못에 가득하다滿澱荷花香』, 『밍징 연못明境塘』, 『쑨리의 인품과 작품孫犁的人品與作品』 등이 있다.

팡수민(1935~), 작가. 베이징시 퉁현通縣 출신이다. 1952년부터 작품을 발표하였다. 1982년에 중국작가협회에 가입하였다. 『중국청년보』 문예부 편집자, 부주임, 주임 및 작가출판사 부편집장, 편집심사위원을 역임하였다. 저서로 단편소설집 『탄생誕生』, 『9월의 들판九月的田野』, 『잉타오위안 마을櫻桃園村』, 『눈발이 등불을 때리다雪打燈』, 장편 보고문학 『샹슈리向秀麗』(합동 창작), 『61개 계급의 형제를 위하여爲了六十一個階級弟兄』(합동 창작) 등이 있다.

러우스柔石의 소설 『노예의 어머니를 위하여爲奴隸的母親』가 인민문학출판사에서 출간되었다. 친자오양의 단편소설집 『행복幸福』이 인민문학출판사에서 출간되었다. 뤄빈지의 중편소설 『왕 엄마』가 인민문학출판사에서 출간되었다. 가오위바오의 단편소설 『나는 공부할 것이다』가 인민문학출판사에서 출간되었다.

훙양洪洋의 소설 『머나먼 바다 위에서在遙遠的海上』가 중난문예출판사에서 출간되었다.

훙양(1932~), 필명은 바이웨이白崴이며 후베이성 우한 출신이다. 후베이성 문련 부주석, 『창장문예』 편집장을 역임하였다. 1952년부터 작품을 발표하였다. 저서로 장편소설 『창장의 여명長江的

黎明』, 『외로운 배의 먼 그림자孤帆遠影』, 중편소설집 『기술자의 연애사工程師的戀愛史』, 단편소설집 『머나먼 바다 위에서』, 『첫 항해初航』, 『불 속의 봉황火中鳳凰』, 시집 『해양의 노래海洋之歌』, 『환호하라, 양쯔강이여歡呼吧,揚子江』, 『노랫소리가 우주에 가득하다歌聲滿宇宙』, 산문시집 『달빛과 물소리月色水聲』, 산문 보고문학집 『공개적으로 말해서는 안 된다不擬公開的談話』, 보고 기록문학 『고속도로 몽환곡高速公路夢幻曲』, 『쉬츠의 두 번째 청춘徐遲的第二次青春』 등이 있다.

궈모뤄의 시집 『마오쩌둥의 깃발이 바람에 펄럭인다』가 인민문학출판사에서 출간되었다. 차오구이메이曹桂梅의 『차오구이메이 소집曹桂梅小集』이 중난문예출판사에서 출간되었다.

『항미원조시선抗美援朝詩選』이 인민문학출판사에서 출간되었다. 궈모뤄의 「영광과 사명光榮與使命」, 스팡위의 「평화의 최강음」, 웨이양의 「조국이여, 내가 돌아왔다」, 아이칭의 「피로 씻긴 섬血沖洗著的島嶼」 등 50편의 시와 엮은이의 「서문」이 수록되었다. 당시의 소개에 의하면 "이 시들은 광범위한 생활을 반영하고 있다. 바르샤바 평화대회에서부터 베이징의 아시아 및 태평양 지역 평화회의까지, 항미원조의 열풍을 시작한 충칭에서부터 인간의 지옥인 미국 수용소까지 묘사하였다. 그러나 이 시들은 하나의 사상과 결심, 즉 평화를 수호하고 침략을 제지하려는 결심을 표현하고 있다. 이 시들은 전투의 격정으로 충만하다는 공통된 특징을 가지고 있다. 이 시집에 수록된 시들 가운데 「평화의 최강음」, 「우레의 노래雷之歌」, 「죽지 않는 이不死的人」 등 많은 시들이 중국 인민의 깊은 애국 정서와 미국의 파시스트 악당들에 대한 증오와 멸시를 잘 표현하고 있다. 이 시들은 우리가 어째서 항미원조 운동을 해야 하는지, 그리고 어째서 이렇게 용감히 전투에 임하는지를 온 세계에 선언하고 있다."(『문예보』 1954년 제1호 「신간 소개」)

커위안柯原, 융성永生이 편찬한 시집 『진군나팔進軍號』이 중난문예출판사에서 출간되었다.

커위안(1931~), 둥족侗族으로 본명은 장헝서우章恒壽이며 루웨이路葦, 샤지夏季 등의 필명을 사용하였다. 후난성 신황新晃 출신이다. 1949년에 화베이대학 제1부를 졸업한 후 같은 해에 군에 입대하였다. 광저우군구 정치부에서 근무하였으며 광둥성 작가협회 이사를 역임하였다. 1946년부터 작품을 발표하였다. 저서로 시집 『야영의 노래露營曲』, 『볶음국수 한 다발과 눈 한 줌一把炒面一把雪』, 『설연, 산호, 세월雪蓮, 珊瑚, 歲月』, 『링난 홍도가嶺南紅桃歌』, 『흰 구름 깊은 곳에 노랫소리 들린다白雲深處有歌聲』, 『상사류집相思柳集』, 『네게 달빛 한 줄기를 보낸다送你一縷月光』, 『진싼자오의 사랑金三角之戀』, 『현대 탐색자現代求索者』, 『난하이 소나타南海奏鳴曲』, 『단풍잎의 애정楓葉的愛情』, 『소녀와 눈 오는 계절少女與雪季』, 산문시집 『사랑의 국토愛的國土』, 『들장미野玫瑰』, 『남방의 애정南方的愛情』 등이 있다.

양펑위楊馮予의 『위생 위원衛生委員』, 추이윈펑崔雲峰의 『출근 전에在上班之前』, 치잉奇英의 『어려움 앞에서在困難面前』, 쉬원徐文의 『배웅送行』 등의 화극이 산둥인민출판사에서 출간되었다. 웨펑嶽峰의 화극 『청샹루 위에서城鄕路上』가 푸젠인민출판사福建人民出版社에서 출간되었다. 위옌쥔於雁軍의 화극 『영광의 깃발 아래光榮旗下』가 허베이인민출판사에서 출간되었다.

해방군문예총서 편집부에서 편찬한 『조국의 자녀祖國的兒女』가 중국청년출판사에서 출간되었다. 천덩커 등의 통신보고집 『화이허 치수 통신선집治淮通訊選集』이 안후이인민출판사安徽人民出版社에서 출간되었다. 『조선통신보고선』(제3집)이 인민문학출판사에서 출간되었다.

베이징공인출판사에서 편찬한 통신집 『위대한 조국의 건설자偉大祖國的建設者』가 출간되었다. 쉬츠의 「잊을 수 없는 밤」, 셰팅위謝挺宇의 「광산 위의 사람들礦山上的人們」, 린리林裏의 「해양 위의 여자 조종사海洋上的女駕駛」, 천융진陳勇進의 「샤오싱안링의 겨울小興安嶺的冬天」 등 18편의 보고문학 작품이 수록되었다.

린리(1921~), 본명은 왕쯔헝王子恒, 필명은 왕쥔푸王君父로 허베이성 웨이현威縣 출신이다. 1938년에 산시山西에서 항일유격대에 참가하였다. 『남방일보』 부편집장, 『광저우일보』 편집장 및 당위원회 서기, 『인민일보』 고급기자를 역임하였다. 1944년부터 작품을 발표하였다. 저서로 『알바니아 기행阿爾巴尼亞紀行』, 『우리의 새 탕구항我們的塘沽新港』, 『신문기자의 일상생활新聞記者的日常生活』, 『경제특구 풍운록經濟特區風雲錄』, 『서행기담西行紀談』, 『나의 50년간의 기자생활我當記者五十年』, 영화문학 극본 『평화의 직책에서在和平的崗位上』(다큐멘터리) 등이 있다.

천융진(1922~), 산둥성 푸현濮縣(지금의 허난성 판현範縣) 출신이다. 1938년부터 작품을 발표하였다. 진지루위 야전군 종군기자, 『인민일보』 기자, 신화사 윈난분사, 안후이분사, 푸젠분사 사장, 『안후이일보』 부편집장을 역임하였다. 저서로 통신특필집 『전선 목격기前線目擊記』(원제는 『7월의 전선七月的前線』), 『창바이산과 헤이룽장 사이에서在白山黑水間』, 『홍단산紅丹山』, 『금색의 사업金色的事業』 등이 있다.

『문예이론학습소역총서』(제4집)이 상하이신문예출판사에서 출간되었다. 멍융이孟永沂가 번역한 프랑스 작가 앙드레 스틸의 저서 『당과 작가를 논하다論黨與作家』가 상하이출판공사에서 출간되었다.

라오서의 화극을 각색한 영화 「용수구」와 궈웨이郭維, 지예紀葉, 둥팡東方이 각색하고 궈웨이가 감독을 맡은 영화 「지취화산智取華山」의 제작이 베이징전영제편창에서 완성되었다.

장쑤인민출판사, 저장인민출판사, 후난인민출판사, 허난인민출판사, 통속독물출판사, 방직공업紡織工業출판사, 야금공업冶金工業출판사, 인민우전人民郵電출판사, 인민위생人民衛生출판사 등이 설립되었다.

중국사회과학원 문학연구소에서 편찬한 격월간『문학유산文學遺產』이 창간되었다. 상하이시 작가협회에서 편찬한 월간『상하이문학上海文學』이 창간되어 바진이 편집장을 맡았다.

베이징사범대학 중문과에서 '인민구두창작' 전공 연구생 모집을 시작하였다.

『극본』12월호에 안보의 5막 8장 화극「봄바람이 눠민허까지 불어온다」, 리커푸李克夫, 두형杜桓의 평론「'봄바람이 눠민허까지 불어온다'의 무대 설계"春風吹到諾敏河"舞台設計」, 자오쥐인의「희극계는 응당 예술 실천을 위해 노력해야 한다戲劇界應當努力藝術實踐」(중화전국희극공작자협회 전국위원회 확대회의에서의 발언문)가 게재되었다.

1953년 정리

전국 희극계에서 대규모의 스타니슬랍스키 연극 체계 학습 운동을 시작하였다. 『무대동작舞台動作』, 『배우의 자아수양演員的自我修養』 등 스타니슬랍스키 체계를 학습하는 도서들이 번역 소개되었으며, 7인의 소련 전문가가 중국을 방문해 스타니슬랍스키의 연극 체계에 대해 강의하였다. 소련 희극교육의 강의 개요와 교육방법이 중국에 도입되어, 스타니슬랍스키의 연극 체계가 중국의 희곡 교육체계에 유기적으로 융합되었다.

연말부터 다음해 초까지 중국작가협회 창작위원 전시가조全詩歌組에서 시가형식문제 토론회를 세 차례 소집하였다. 회의에서는 격률시를 주장하는 의견이 제기되었는데, 이 의견은 5언, 7언을 기초로 격률시를 창작하자는 의견과 격률시는 곧 민요체를 의미한다는 두 가지 의견으로 나뉘었다. 반면에 자유시를 주장하는 의견도 제기되었는데, 글자수와 배열을 '정형화'할 필요 없이 조화롭기만 하면 된다고 주장하였다. 이 외에도 격률시와 자유시가 함께 발전해 형식이 다양해질수록 좋다는 의견도 제기되었다.(주자이朱寨 편, 『중국당대문학사조사中國當代文學思潮史』 제343쪽, 인민문학출판사, 1987년 -> 각주로 처리해야 할 듯합니다.)

선충원이 미술조美術組의 구성원으로서 제2차 문대회에 참석해 마오쩌둥 및 저우언라이와 접견하였다. 그는 전국정협위원으로 임명되었으며, 한편으로 카이밍서점으로부터 본 서점에서 출간되었거나 혹은 출간 예정인 그의 작품이 모두 내용이 시대에 뒤떨어졌으므로 소각 처분하겠다는 통지를 받았다.

올해 새로 상영된 주요 중국 영화는 아래와 같다.

「지취화산」(궈웨이, 지예 등 각본, 궈웨이 감독, 베이징전영제편창 제작)

「태양이 홍스거우를 밝게 비추다太陽照亮了紅石溝」(루런魯韌 각본 및 감독, 치펑棲楓, 위안바오펑袁保豐, 추이차오밍崔超明 주연, 문화영편공사文華影片公司 제작)

「금은탄金銀灘」(린이林藝 각본, 링쯔펑淩子風 감독, 상하이전영제편창 제작)

「결혼結婚」(마펑馬烽, 천거陳戈 각본, 옌궁嚴恭, 가오헝高衡 감독, 둥베이전영제편창 제작)

「풍작豐收」(쑨첸孫謙, 린산林杉 각본, 사멍沙蒙 감독, 둥베이전영제편창 제작)

「청춘의 노래青春之歌」(루위盧鈺 각본, 류충劉瓊, 후샤오펑胡小峰 감독, 수스舒適, 천쥐안쥐안陳娟娟 주연, 남국영업공사南國影業公司 제작)

「작은 영웅小小英雄」(진시靳希 각본 및 감독, 상하이전영제편창 제작. 중국 최초의 인형 영화)

「양산백과 축영대」(쉬진徐進, 쌍후桑弧 각본, 쌍후, 황사黃沙 감독, 위안쉐펀, 판루이쥐안範瑞娟 주연, 상하이전영제편창 제작. 중국 최초의 컬러 영화)

올해 말까지 중국 대륙에 설립된 출판사는 모두 352곳으로, 그 가운데 중앙급 출판사는 21곳, 지방 출판사는 41곳, 사영 출판사는 290곳이다. 출판한 문학서적은 1,242종으로 그 가운데 소설은 812종이며 통신보고는 139종, 시집 97종, 곡예 174종, 문학일반서적은 20종이 출간되었다.

제1권 후기

리이

제1권은 뜻을 같이하는 베이징사범대학 및 쓰촨 대학의 청년 학자들이 힘을 합쳐 완성한 결과물이다.

제1권의 구체적인 분담 상황은 아래와 같다.

리이李怡: 제1권 전체 원고 검토

저우웨이둥周維東, 왕쉐둥王學東, 런둥메이任冬梅: 제1권 전체 원고 협력

왕쯔쥔王子君: 1949년 부분 담당

장샤張霞, 메이쉐梅雪: 1950년 부분 담당

위안쥐안袁娟, 황리黃莉: 1951년 부분 담당

류하이저우劉海洲, 량쥐안梁娟: 1952년 부분 담당

쉬장徐江, 란궈화藍國華: 1953년 부분 담당

캉리룽康莉蓉: 작가 생애 보충

천후이陳暉: 아동문학 전문 사료 담당

탄우창譚五昌: 시가 전문 사료 담당

장궈룽張國龍: 산문 및 잡문 전문 사료 담당

량전화梁振華: 보고문학 전문 사료 담당

쉬젠徐健: 희극 전문 사료 담당

량전화梁振華: 영화문학 전문 사료 담당

웨융이嶽永逸: 민간문학 전문 사료 담당

친옌화秦豔華: 출판 전문 사료 담당

본 최종 결과물이 우리가 함께 즐겁게 일한 시간의 아름다운 증거가 되기를 바란다.

마지막으로, 제1권의 시가 부분을 위해 풍부한 자료를 기꺼이 제공해 주신 중국사회과학원의 저명한 학자 류푸춘劉福春 선생께 진심으로 감사드린다!

리이

2009년 3월

역자 후기

박희선

이 책은 2011년 11월에 중국 산둥문예출판사에서 출간된 『중국 당대문학 편년사』 전10권 가운데 1~3권을 완역한 것이다.

중국 문학계에서는 1919~1949년, 즉 중화민국 시기의 문학을 현대문학이라고 지칭하며, 1949년 중화인민공화국이 성립된 이후의 문학을 당대문학當代文學이라고 규정하고 있다. 주편인 장젠이 전집 서문에서 밝혔다시피 『중국 당대문학 편년사』는 여섯 부분으로 구성되어 있는데, 그 가운데 시기상으로 첫 부분인 '17년 문학', 즉 1949년 중화인민공화국이 성립된 이후로 1966년 문화대혁명이 시작되기 전까지 17년간의 문학을 다룬 1~3권을 이번에 번역해 출간하게 되었다.

역사학이 아닌 문학에서 편년사의 형태로 문학사를 정리한 저술은 흔치 않다. 편년사적인 서술은 역사 서술 가운데 가장 객관적인 방식이라 할 수 있다. 이 책은 방대한 사료의 수집 조사를 바탕으로 하여 "문학의 역사적 사실이 발생한 년, 월, 일을 서술 순서로 하여 문학 운동, 문학사조, 문예 논쟁, 문학단체와 유파, 문학 교류, 문학 회의, 작가의 생애, 작품 발표, 이론 비평, 문학 간행물의 연혁, 문화 및 문학 정책의 제정과 연혁 및 문학 발전과 관련된 사회, 정치, 경제, 군사, 문화 사건 등의 배경 자료를 동시에 수록"하여 당대문학의 전경全景을 그려내고, 읽는 이가 이러한 서술 속에서 역사적인 의미를 찾을 수 있도록 하였다.

중화인민공화국 성립 이후 17년간의 문학은 강렬한 정치적 색채를 띠고 있다. 이어지는 문화대혁명 시기의 문학만큼 경직되어 있지는 않으나 자유로운 창작이 가능했다고 하기는 힘들다. 즉 장닝이 머리말에서 밝힌 것처럼 "이 시기의 문학과 '문혁' 10년간의 중국문학은 '전체적인 논리'상에서는 일치하지만, '표현 형태' 면에서는 차이가 있다." 이 시기의 문학은 "최고의 권위를 가진 대상을 유일한 기준으로 삼는 '일체화'된 문학 형태와 이에 의문을 표하는 여타 문학 형태 사이의 모순"을 끊임없이 보여주는데, 이러한 모순은 몇몇 작가 혹은 작품에 대한 비판과 논쟁의 형태로 드러난다. 1951년의 영화 「무훈전」에 대한 비판, 1955년에 전개된 위핑보의 『홍루몽』 연구에 대한 비판, 후펑 집단에 대한 비판, 1957년의 왕멍의 단편소설 「조직부에 새로 온 젊은이」에 대한 비판과 토론, 1958년의 '딩링, 천치샤 반당집단'에 대판 비판, 양모의 장편소설 『청춘의 노래』에 대한 비판, 1965년의 우한의 역사극 「해서파관」에 대한 비판 등이 대표적인 사건이다.

이 책은 이러한 비판과 논쟁에 중요한 역할을 한 비평과 논문의 내용을 인용하고, 각 연도별 서술의 말미에는 해당 연도에 일어난 사건들을 정리하여 독자가 이러한 문학사적 사건의 전개 과정과 흐름을 객관적으로 파악할 수 있도록 하였다.

역자는 이 책을 번역하면서 정확하고 객관적인 번역에 가장 큰 주안점을 두었다. 작품명 등을 최대한 직역에 가깝게 번역하되, 숨은 뜻이 있는 경우에는 역자 주를 추가하였다. 다소 거칠고 딱딱하게 느껴질 수도 있으나 가능한 한 정확하게 전달하려 노력하였다. 최선을 다하였으나, 그럼에도 존재하는 오류가 있다면 전적으로 역자의 책임이다. 독자 여러분의 지적과 가르침을 기대한다.

1년 8개월 동안 세 권의 책을 번역하면서 여러 분들로부터 많은 도움을 받았다. 번역가 김택규 선생님은 역자에게 이 책을 번역할 기회를 주셨고, 윤정안 선생님은 방대한 분량의 번역문을 꼼꼼히 살펴보고 문장을 다듬어 주셨다. 무엇보다 이 책을 출판하기로 결정하고 편집을 비롯한 제반 작업을 맡아 주신 국학자료원의 정구형 대표님께 큰 감사를 드린다.

끝으로, 이 책이 중국 당대문학을 연구하는 독자들에게 조금이나마 도움이 될 수 있기를 바란다.

제1권 책임 편집자 약력

리이, 남성, 1966년 충칭 출생. 문학박사. 시난대학 문학원 교수, 쓰촨대학 문학 및 신문학원 교수, 베이징사범대학 문학원 교수를 역임하였다. 중국현당대문학 전공 박사과정 지도교수를 맡고 있다.

중국현당대문학 연구 및 교육에 오랫동안 종사하였다. 『중국사회과학中國社會科學』, 『문학평론文學評論』, 『문예연구文藝研究』, 『중국현대문학연구총간中國現代文學研究叢刊』 등의 학술지에 100여 편의 학술논문을 발표하였다. 저서로 『중국 현대 신시와 고전시가 전통中國現代新詩與古典詩歌傳統』, 『현대 쓰촨문학의 파촉문화 해석現代四川文學的巴蜀文化闡釋』, 『현대: 복잡한 중국 선율現代：繁複的中國旋律』, 『현대를 읽다閱讀現代』, 『현대의 인생을 위하여 - 루쉰 독서 필기爲了現代的人生——魯迅閱讀筆記』, 『대서남 문화와 신시기 시가大西南文化與新時期詩歌』, 『현대성: 비판의 비판現代性：批判的批判』 등이 있으며 『중국현대시가 감상中國現代詩歌欣賞』, 『중국현대문학의 파촉 시야中國現代文學的巴蜀視野』, 『중국 신시와 인문 정서中國新詩與人文情懷』 등의 편집을 맡았다. 중국현대문학연구회 상무이사, 중국당대문학연구회 이사, 중국궈모뤄연구회 부회장, 중국원이둬연구회 이사, 해협 양안 량스추연구회海峽兩岸梁實秋研究會 부회장, 쓰촨루쉰연구회四川魯迅研究會 부회장, 『현대 중국문화와 문학現代中國文化與文學』 논총 책임 편집자를 맡고 있다.

중국 당대문학 편년사 제1권

초판 1쇄 인쇄일 | 2022년 10월 20일
초판 1쇄 발행일 | 2022년 10월 29일

주 편 | 장젠張健
편 자 | 리이李怡
번역자 | 박희선
국문감수 | 윤정안
펴낸이 | 한선희
편집 | 정구형 이나윤
디자인 | 우정민 김보선 신하영
마케팅 | 정찬용
영업관리 | 한선희 정진이
책임편집 | 정구형
인쇄처 | 으뜸사
펴낸곳 | 국학자료원 새미(주)
등록일 2005 03 15 제25100–2005–000008호
경기도 고양시 일산동구 중앙로 1261번길 79 하이베라스 405호
Tel 442–4623 Fax 6499–3082
www.kookhak.co.kr
kookhak2001@hanmail.net

ISBN | 979-11-6797-060-2 *94820
가격 | 180,000원

* 저자와의 협의하에 인지는 생략합니다.
잘못된 책은 구입하신 곳에서 교환하여 드립니다.
국학자료원·새미·북치는마을·LIE는 국학자료원 새미(주)의 브랜드입니다.